Comentário Bíblico
Beacon

Comentário Bíblico
BEACON

Josué a Ester

2

8ª impressão

Rio de Janeiro
2024

Todos os direitos reservados. Copyright © 2005 para a língua portuguesa da Casa Publicadora das Assembleias de Deus. Aprovado pelo Conselho de Doutrina.

É proibida a duplicação ou reprodução deste volume, no todo ou em parte, sob quaisquer formas ou meios (eletrônico, mecânico, gravação, fotocópia, distribuição na web e outros), sem permissão expressa da Editora.

Beacon Bible Commentary 10 Volume Set
Copyright © 1969. Publicado pela Beacon Hill Press of Kansas City, uma divisão da Nazarene Publishing House, Kansas City, Missouri 64109, EUA.

Edição brasileira publicada sob acordo com a Nazarene Publishing House.

Tradução deste volume: Emirson Justino e Degmar Ribas Júnior
Preparação de originais: Antônio Mardônio Nogueira
Revisão: Miriam Anna Libório
Capa e projeto gráfico: Rafael Paixão
Editoração: Joede Bezerra

CDD: 220 - Bíblia
ISBN: 978-85-263-1141-1 (Brochura)
ISBN: 978-85-263-1480-1 (Capa Dura)

Para maiores informações sobre livros, revistas, periódicos e os últimos lançamentos da CPAD, visite nosso site: https://www.cpad.com.br

Casa Publicadora das Assembleias de Deus
Av. Brasil, 34.401, Bangu, Rio de Janeiro – RJ
CEP 21.852-002

8ª impressão: 2024 - Tiragem: 2.000 (Brochura)
8ª impressão: 2022 - Tiragem: 1.000 (Capa Dura)
Impresso no Brasil

BEACON HILL PRESS

COMISSÃO EDITORIAL

A. F. Harper, Ph.D., D.D.
Presidente

W. M. Greathouse, M.A., D.D.
Secretário

W. T. Purkiser, Ph.D., D.D.
Editor do Antigo Testamento

Ralph Earle, B.D., M.A., Th.D.
Editor do Novo Testamento

CORPO CONSULTIVO

E. S. Phillips
Presidente

J. Fred Parker
Secretário

G. B. Williamson
A. F. Harper
Norman R. Oke
M. A. Lunn

EDIÇÃO BRASILEIRA

DIREÇÃO-GERAL
Ronaldo Rodrigues de Souza
Diretor-Executivo da CPAD

SUPERVISÃO EDITORIAL
Claudionor de Andrade
Gerente de Publicações

COORDENAÇÃO EDITORIAL
Isael de Araujo
*Chefe do Setor de Bíblias
e Obras Especiais*

Prefácio

"Toda Escritura divinamente inspirada é proveitosa para ensinar, para redargüir, para corrigir, para instruir em justiça, para que o homem de Deus seja perfeito e perfeitamente instruído para toda boa obra" (2 Tm 3.16,17).

Cremos na inspiração plenária da Bíblia. Deus fala com os homens pela Palavra. Ele fala conosco pelo Filho. Mas sem a palavra escrita como saberíamos que o Verbo (ou Palavra) se fez carne? Ele fala conosco pelo Espírito, mas o Espírito usa a Palavra escrita como veículo de revelação, pois Ele é o verdadeiro Autor das Santas Escrituras. O que o Espírito revela está de acordo com a Palavra.

A fé cristã deriva da Bíblia. Esta é o fundamento da fé, da salvação e da santificação. É o guia do caráter e conduta cristãos. "Lâmpada para os meus pés é tua palavra e luz, para o meu caminho" (Sl 119.105).

A revelação de Deus e sua vontade para os homens são adequadas e completas na Bíblia. A grande tarefa da igreja é comunicar o conhecimento da Palavra, iluminar os olhos do entendimento e despertar e aclarar a consciência para que os homens aprendam a viver "neste presente século sóbria, justa e piamente". Este processo conduz à posse da "herança [que é] incorruptível, incontaminável e que se não pode murchar, guardada nos céus" (Tt 2.12; 1 Pe 1.4).

Quando consideramos a tradução e a interpretação da Bíblia, admitimos que somos guiados por homens que não são inspirados. A limitação humana, como também o fato inconteste de que nenhuma escritura é de particular interpretação, ou seja, não tem uma única interpretação, permite variação na exegese e exposição da Bíblia.

O *Comentário Bíblico Beacon* (CBB) é oferecido em dez volumes com a apropriada modéstia. Não suplanta outros. Nem pretende ser exaustivo ou conclusivo. O empreendimento é colossal. Quarenta dos escritores mais capazes foram incumbidos dessa tarefa. São pessoas treinadas com propósito sério, dedicação sincera e devoção suprema. Os patrocinadores e editores, bem como todos os colaboradores, oram com fervor para que esta nova contribuição entre os comentários da Bíblia seja útil a pregadores, professores e leigos na descoberta do significado mais profundo da Palavra de Deus e na revelação de sua mensagem a todos que a ouvirem.

— G. B. Williamson

Agradecimentos

Agradecemos imensamente a permissão concedida para a citação de material protegido por direitos autorais conforme segue:

- University of Chicago Press: Daniel D. Luckenbill, *Os anais de Senaqueribe*.
- Fleming H. Revell Co., Westwood, Nova Jersey. Citação de Alan Redpath, *Serviço cristão vitorioso*.
- *The Berkeley Version in modern English* ("A Bíblia de Berkeley em inglês moderno"). Copyright 1958, 1959 da Zondervan Publishing House.
- *The Bible: A new translation* (Nova Tradução da Bíblia), de James Moffatt. Copyright 1950, 1952, 1953, 1954 de James A. R. Moffatt. Usado com permissão da Harper and Row.
- *The Bible: An American translation* ("Tradução Americana"). J. M. Powis Smith, Edgar J. Goodspeed. Copyright 1923, 1927, 1948 da The University of Chicago Press.
- *Revised Standard Version of the Holy Bible* ("Versão revisada padrão"). Copyright 1946 e 1952 da Divisão de Educação Cristã do Concílio Nacional de Igrejas.

Tanto os editores quantos os escritores trabalharam em conjunto na seleção e contribuição de sugestões homiléticas e esboços de estudo de todo o volume.

Mapas e diagramas presentes no final deste volume são adaptados e reproduzidos da obra *Bible Maps and Charts* ("Mapas e diagramas bíblicos") da Beacon Hill Press, ou foram especialmente preparados para este volume.

Citações e Referências

O tipo negrito na exposição de todo este comentário indica a citação bíblica extraída da versão feita por João Ferreira de Almeida, edição de 1995, Revista e Corrigida (RC). Referências a outras versões bíblicas são colocadas entre aspas seguidas pela indicação da versão.

Nas referências bíblicas, uma letra (a, b, c, etc.) designa parte de frase dentro do versículo. Quando nenhum livro é citado, compreende-se que se refere ao livro sob análise.

Dados bibliográficos sobre uma obra citada por um escritor podem ser encontrados consultando-se a primeira referência que o autor fez à obra ou reportando-se à bibliografia.

As bibliografias não têm a pretensão de ser exaustivas, mas são incluídas para fornecer dados de publicação completos para os volumes citados no texto.

Referências a autores no texto, ou a inclusão de seus livros na bibliografia, não constituem endosso de suas opiniões. Toda leitura no campo da interpretação bíblica deve ter característica discriminadora e ser feita de modo reflexivo.

Como Usar o Comentário Bíblico Beacon

A Bíblia é um livro para ser lido, entendido, obedecido e compartilhado com as pessoas. O *Comentário Bíblico Beacon* (CBB) foi planejado para auxiliar dois destes quatro itens: o entendimento e o compartilhamento.

Na maioria dos casos, a Bíblia é sua melhor intérprete. Quem a lê com a mente aberta e espírito receptivo se conscientiza de que, por suas páginas, Deus está falando com *o indivíduo* que a lê. Um comentário serve como valioso recurso quando o significado de uma passagem não está claro sequer para o leitor atento. Mesmo depois de a pessoa ter visto seu particular significado em determinada passagem da Bíblia, é recompensador descobrir que outros estudiosos chegaram a interpretações diferentes no mesmo texto. Por vezes, esta prática corrige possíveis concepções errôneas que o leitor tenha formado.

O *Comentário Bíblico Beacon* (CBB) foi escrito para ser usado com a Bíblia em mãos. Muitos comentários importantes imprimem o texto bíblico ao longo das suas páginas. Os editores se posicionaram contra esta prática, acreditando que o usuário comum tem sua compreensão pessoal da Bíblia e, por conseguinte, traz em mente a passagem na qual está interessado. Outrossim, ele tem a Bíblia ao alcance para checar qualquer referência citada nos comentários. Imprimir o texto integral da Bíblia em uma obra deste porte teria ocupado aproximadamente um terço do espaço. Os editores resolveram dedicar este espaço a recursos adicionais para o leitor. Ao mesmo tempo, os escritores enriqueceram seus comentários com tantas citações das passagens em debate que o leitor mantém contato mental fácil e constante com as palavras da Bíblia. Estas palavras citadas estão impressas em tipo negrito para pronta identificação.

Esclarecimento de Passagens Relacionadas

A Bíblia é sua melhor intérprete, quando determinado capítulo ou trecho mais longo é lido para descobrir-se o seu significado. Este livro também é seu melhor intérprete quando o leitor souber o que a Bíblia diz em outros lugares sobre o assunto em consideração. Os escritores e editores do *Comentário Bíblico Beacon* (CBB) se esforçaram continuamente para proporcionar o máximo de ajuda neste campo. Referências cruzadas, relacionadas e cuidadosamente selecionadas, foram incluídas para que o leitor encontre a Bíblia interpretada e ilustrada pela própria Bíblia.

Tratamento dos Parágrafos

A verdade da Bíblia é melhor compreendida quando seguimos o pensamento do escritor em sua seqüência e conexões. As divisões em versículos com que estamos familiarizados foram introduzidas tardiamente na Bíblia (no século XVI, para o Novo Testamento, e no século XVII, para o Antigo Testamento). As divisões foram feitas às pressas e, por vezes, não acompanham o padrão de pensamento dos escritores inspirados. O mesmo é verdadeiro acerca das divisões em capítulos. A maioria das traduções de hoje organiza as palavras dos escritores bíblicos de acordo com a estrutura de parágrafo conhecida pelos usuários da língua portuguesa.

Os escritores deste comentário consideraram a tarefa de comentar de acordo com este arranjo de parágrafo. Sempre tentaram responder a pergunta: O que o escritor inspirado estava dizendo nesta passagem? Os números dos versículos foram mantidos para facilitar a identificação, mas os significados básicos foram esboçados e interpretados nas formas mais amplas e mais completas de pensamento.

Introdução dos Livros da Bíblia

A Bíblia é um livro aberto para quem a lê refletidamente. Mas é entendida com mais facilidade quando obtemos um maior entendimento de suas origens humanas. Quem escreveu este livro? Onde foi escrito? Quando viveu o escritor? Quais foram as circunstâncias que o levaram a escrever? Respostas a estas perguntas sempre acrescentam mais compreensão às palavras das Escrituras.

Estas respostas são encontradas nas introduções. Nesta parte há um esboço de cada livro. A Introdução foi escrita para dar-lhe uma visão geral do livro em estudo, fornecer-lhe um roteiro seguro antes de você enfronhar-se no texto comentado e proporcionar-lhe um ponto de referência quando você estiver indeciso quanto a que caminho tomar. Não ignore o sinal de advertência: "Ver Introdução". Ao final do comentário de cada livro há uma bibliografia para aprofundamento do estudo.

Mapas, Diagramas e Ilustrações

A Bíblia trata de pessoas que viveram em terras distantes e estranhas para a maioria dos leitores dos dias atuais. Entender melhor a Bíblia depende, muitas vezes, de conhecer melhor a geografia bíblica. Quando aparecer o sinal: "Ver Mapa", você deve consultar o mapa indicado para entender melhor os locais, as distâncias e a coordenação de tempo relacionados com a época das experiências das pessoas com quem Deus estava lidando.

Este conhecimento da geografia bíblica o ajudará a ser um melhor pregador e professor da Bíblia. Até na apresentação mais formal de um sermão é importante a congregação saber que a fuga para o Egito era "uma viagem a pé, de uns 320 quilômetros, em direção sudoeste". Nos grupos informais e menores, como classes de escola dominical e estudos bíblicos em reuniões de oração, um grande mapa em sala de aula permite ao grupo ver os lugares tanto quanto ouvi-los ser mencionados. Quando vir estes lugares nos mapas deste comentário, você estará mais bem preparado para compartilhar a informação com os integrantes da sua classe de estudo bíblico.

Diagramas que listam fatos bíblicos em forma de tabela e ilustrações lançam luz sobre as relações históricas da mesma forma que os mapas ajudam com o entendimento geográfico. Ver uma lista ordenada dos reis de Judá ou das aparições pós-ressurreição de Jesus proporciona maior entendimento de um item em particular dentro de uma série. Estes diagramas fazem parte dos recursos oferecidos nesta coleção de comentários.

O *Comentário Bíblico Beacon* (CBB) foi escrito tanto para o recém-chegado ao estudo da Bíblia como para quem, há muito está, familiarizado com a Palavra escrita. Os escritores e editores examinaram cada um dos capítulos, versículos, frases, parágrafos e palavras da Bíblia. O exame foi feito com a pergunta em mente: O que significam estas palavras? Se a resposta não é evidente por si mesma, incumbimo-nos de dar a melhor explicação conhecida por nós. Como nos saímos o leitor julgará, mas o convidamos a ler a explanação dessas palavras ou passagens que podem confundi-lo em sua leitura da Palavra escrita de Deus.

EXEGESE E EXPOSIÇÃO

Os comentaristas bíblicos usam estas palavras para descrever dois modos de elucidar o significado de uma passagem da Bíblia. *Exegese* é o estudo do original hebraico ou grego para entender que significados tinham as palavras quando foram usadas pelos homens e mulheres dos tempos bíblicos. Saber o significado das palavras isoladas, como também a relação gramatical que mantinham umas com as outras, serve para compreender melhor o que o escritor inspirado quis dizer. Você encontrará neste comentário esse tipo de ajuda enriquecedora. Mas só o estudo da palavra nem sempre revela o verdadeiro significado do texto bíblico.

Exposição é o esforço do comentarista em mostrar o significado de uma passagem na medida em que é afetado por qualquer um dos diversos fatos familiares ao escritor, mas, talvez, pouco conhecidos pelo leitor. Estes fatos podem ser: 1) O contexto (os versículos ou capítulos adjacentes), 2) o pano de fundo histórico, 3) o ensino relacionado com outras partes da Bíblia, 4) a significação destas mensagens de Deus conforme se relacionam com os fatos universais da vida humana, 5) a relevância destas verdades para as situações humanas exclusivas à nossa contemporaneidade. O comentarista busca explicar o significado pleno da passagem bíblica sob a luz do que melhor compreende a respeito de Deus, do homem e do mundo atual.

Certos comentários separam a exegese desta base mais ampla de explicação. No *Comentário Bíblico Beacon* (CBB), os escritores combinaram a exegese e a exposição. Estudos cuidadosos das palavras são indispensáveis para uma compreensão correta da Bíblia. Mas hoje, tais estudos minuciosos estão tão completamente refletidos em várias traduções atuais que, muitas vezes, não são necessários, exceto para aumentar o entendimento do significado teológico de certa passagem. Os escritores e editores desta obra procuraram espelhar uma exegese verdadeira e precisa em cada ponto, mas discussões exegéticas específicas são introduzidas primariamente para proporcionar maior esclarecimento no significado de determinada passagem, em vez de servir para engajar-se em discussão erudita.

A Bíblia é um livro prático. Cremos que Deus inspirou os homens santos de antigamente a declarar estas verdades, para que os leitores melhor entendessem e fizessem a vontade de Deus. O *Comentário Bíblico Beacon* (CBB) tem a incumbência primordial de ajudar as pessoas a serem mais bem-sucedidas em encontrar a vontade de Deus conforme revelada nas Escrituras — descobrir esta vontade e agir de acordo com este conhecimento.

Ajudas para a Pregação e o Ensino da Bíblia

Já dissemos que a Bíblia é um livro para ser compartilhado. Desde o século I, os pregadores e professores cristãos buscam transmitir a mensagem do evangelho lendo e explicando passagens seletas da Bíblia. O *Comentário Bíblico Beacon* (CBB) procura incentivar este tipo de pregação e ensino expositivos. Esta coleção de comentários contém mais de mil sumários de esboços expositivos que foram usados por excelentes pregadores e mestres da Bíblia. Escritores e editores contribuíram ou selecionaram estas sugestões homiléticas. Esperamos que os esboços indiquem modos nos quais o leitor deseje expor a Palavra de Deus à classe bíblica ou à congregação. Algumas destas análises de passagens para pregação são contribuições de nossos contemporâneos. Quando há esboços em forma impressa, dão-se os autores e referências para que o leitor vá à fonte original em busca de mais ajuda.

Na Bíblia, encontramos a verdade absoluta. Ela nos apresenta, por inspiração divina, a vontade de Deus para nossa vida. Oferece-nos orientação segura em todas as coisas necessárias para nossa relação com Deus e, segundo sua orientação, para com nosso semelhante. Pelo fato de estas verdades eternas nos terem chegado em língua humana e por mentes humanas, elas precisam ser colocadas em palavras atuais de acordo com a mudança da língua e, segundo a modificação dos padrões de pensamento. No *Comentário Bíblico Beacon* (CBB), nos empenhamos em tornar a Bíblia uma lâmpada mais eficiente para os caminhos das pessoas que vivem no presente século.

A. F. Harper

Abreviaturas Usadas neste Comentário

Vulg.	Vulgata
LXX	Septuaginta
ASV	American Standard Revised Version
ERV	English Revised Version
RSV	Revised Standard Version
Amplified NT	Amplified New Testament
NASB	New American Standard Bible
NEB	New English Bible
AJSL	The American Journal of Semitic Languages
ARI	Archaeology and the Religion of Israel, de William F. Albright
BA	Biblical Archaeologist
BASOR	Bulletin of the American Schools of Oriental Research
Berk.	The Berkeley Version in Modern English
IB	Interpreter's Bible
IDB	The Interpreter's Dictionary of the Bible
ISBE	International Standard Bible Encyclopaedia
JBL	Journal of Biblical Literature
KJV	King James Version
NBC	The New Bible Commentary
NBD	The New Bible Dictionary
cap.	capítulo
caps.	capítulos
v.	versículo
vv.	versículos
AT	Antigo Testamento
NT	Novo Testamento
hb.	hebraico
gr.	grego

Sumário

VOLUME 2

JOSUÉ	**19**
Introdução	21
Comentário	24
Notas	82
Bibliografia	85
JUÍZES	**89**
Introdução	91
Comentário	96
Notas	153
Bibliografia	154
RUTE	**157**
Introdução	159
Comentário	162
Notas	170
Bibliografia	171
1 E 2 SAMUEL	**173**
Introdução	175
Comentário	179
Notas	264
Bibliografia	267
1 E 2 REIS	**271**
Introdução	273
Comentário	278
Notas	393
Bibliografia	402
1 E 2 CRÔNICAS	**407**
Introdução	409
Comentário	413
Notas	477
Bibliografia	480

ESDRAS 483

Introdução	485
Comentário	488
Notas	504
Bibliografia	(veja p. 562)

NEEMIAS 507

Introdução	(veja p. 485)
Comentário	510
Notas	537
Bibliografia	(veja p. 562)

ESTER 541

Introdução	543
Comentário	547
Notas	560
Bibliografia	562

MAPAS, DIAGRAMAS E ILUSTRAÇÕES 566

Autores deste volume 573

O Livro de
JOSUÉ

Chester O. Mulder

Introdução

O livro de Josué provocou muitas controvérsias e teorias em relação à sua autoria e datação.[1] Uma abordagem detalhada de cada um desses itens exige uma quantidade excessiva de tempo e espaço. Não existe uma única teoria que, atualmente, encontre aceitação universal. Este fato sinaliza que o intérprete de Josué deve abordar esses problemas à luz da melhor informação disponível. Ele deve sempre se lembrar que Josué é um livro antigo e que reflete um ambiente social e cultural diferente da época do leitor.

Embora a autoria humana possa ser debatida, a inspiração divina é clara. As evidências tanto internas quanto externas contribuem para esta conclusão. Este fato nos apresenta a necessidade de considerarmos a natureza da inspiração divina.

As Escrituras afirmam que Deus se comunica com o homem. Algumas afirmações pertinentes a este aspecto são: "Havendo Deus, antigamente, falado muitas vezes e de muitas maneiras aos pais, pelos profetas; a nós, falou-nos nestes últimos dias, pelo Filho" (Hb 1.1). "Toda a Escritura é inspirada por Deus e útil para o ensino, para a repreensão, para a correção, para a educação na justiça" (2 Tm 3.16). "Porque nunca jamais qualquer profecia foi dada por vontade humana; entretanto, homens santos falaram da parte de Deus, movidos pelo Espírito Santo" (2 Pe 1.21). Estas e outras passagens similares destacam a idéia de que Deus estabeleceu um relacionamento inteligível com a humanidade.[2]

T. W. Manson enfatiza que nenhum verdadeiro intérprete das Escrituras pode ficar indiferente ao elemento divino nesses escritos. Ele diz:

> Precisamos optar entre um teísmo extremo, tal como o ensinado pelo cristianismo, e um ateísmo extremo. Precisamos pensar no universo tanto como uma obra realizada com um propósito divino quanto como um acidente mais ou menos lamentável.[3]

H. Orton Wiley concluiu que "ou os escritores sacros falaram movidos pelo Espírito Santo ou deveriam ser considerados impostores, conclusão esta invalidada pela qualidade e pelo caráter duradouro de sua obra".[4]

Carl F. H. Henry explica que "a palavra *theopneustos* (2 Tm 3.16), literalmente 'soprada por Deus', afirma que o Deus vivo é o autor das Escrituras".[5]

Surgem algumas implicações importantes quando o princípio da autoria divina é aplicado ao livro de Josué. A primeira delas é que a mensagem encontrada em Josué deveria se mesclar com aquele que se encontra no resto da Bíblia. Esta conclusão se baseia no princípio de que o Autor das Escrituras não se contradiz.

Uma segunda implicação é que o livro de Josué é uma parte do corpo de verdade que Deus revelou à humanidade.[6] Isto significa que o livro é um registro parcial de um povo com quem Deus tem atividades específicas. Existe nele necessariamente continuidade histórica e progresso.

Uma terceira implicação se baseia no conceito primitivo cristão de que o Antigo Testamento é cumprido no Novo Testamento. Conseqüentemente, Josué prefigura algumas verdades que têm seu cumprimento no Novo Testamento.

Uma observação do papel ativo atribuído a Deus, presente em todo o livro de Josué, implica que Deus não é apenas o autor dos escritos, mas também dos eventos que estão ali registrados. Ele é apresentado com aquele que toma a iniciativa dos movimentos feitos por Israel. Foi Deus quem escolheu e instruiu Josué para fazer sua obra. Foi Ele quem condenou o povo pela desobediência e o elogiou pela sua cooperação (cf. Js 1.1-9; 4.1-7,15,16; 7.10). Por todo o livro o elemento divino é certamente magnificado e o elemento humano é minimizado. Conseqüentemente, a ênfase espiritual do livro deve receber adequada consideração pelo intérprete.

A posição assumida por Hugh J. Blair em relação à autoria humana e à datação do livro de Josué parece bastante razoável. Ele conclui que "as fontes das quais ele é derivado eram contemporâneas aos eventos descritos e o livro assumiu sua forma atual em épocas antigas".[7]

Não existe desejo algum de ignorar qualquer problema textual, contudo, o espaço limitado que foi reservado a esses problemas nesta obra restringiu sua exploração.

Nenhuma afirmação é feita em relação a ter-se esgotado o total de verdade no livro de Josué. Contudo, temos a firme esperança de que algumas portas para a compreensão da mensagem de Deus foram deixadas entreabertas.

Esboço

I. **JOSUÉ CONQUISTA CANAÃ, 1.1–12.24**

    A.   Informações para Entrar em Canaã, 1.1–2.24
    B.   O Exército Toma Posição a Oeste do Jordão, 3.1–6.27
    C.   Conquistas na Palestina Central, 7.1–9.27
    D.   Conquistas ao Sul da Palestina, 10.1-43
    E.   Conquistas ao Norte, 11.1-15
    F.   Resumo das Conquistas, 11.16–12.24

II. **JOSUÉ DIVIDE A TERRA PROMETIDA, 13.1–21.45**

    A.   O Território Não Conquistado, 13.1-6
    B.   O Registro das Terras a Leste do Jordão, 13.7-33
    C.   A Herança das Tribos a Oeste do Jordão, 14.1–19.51
    D.   As Cidades de Refúgio, 20.1-9
    E.   As Cidades Levíticas, 21.1-42
    F.   Resumo da Fidelidade de Deus, 21.43-45

III. **JOSUÉ CONCLUI SUA MISSÃO, 22.1–24.33**

    A.   Os Auxiliares do Leste do Jordão são Liberados, 22.1-34
    B.   O Discurso de Despedida de Josué, 23.1–24.28
    C.   O Sepultamento de Três Grandes Líderes, 24.29-33

Seção I

JOSUÉ CONQUISTA CANAÃ

Josué 1.1 — 12.24

A. INFORMAÇÕES PARA ENTRAR EM CANAÃ, 1.1—2.24

1. *Deus Informa a Josué* (1.1-9)

a. *Quem era Josué?* Os vislumbres que vemos dele antes da morte de Moisés estão associados a importantes eventos da história de Israel. Quando o exército de Israel precisava de um líder, Josué foi comissionado para ser o general (cf. Êx 17.8,9). Quando Deus entregou os Dez Mandamentos a Moisés no monte Sinai, Josué era o seu acompanhante (cf. Êx 24.13; 32.17). Ainda jovem, foi encarregado do Tabernáculo quando a idolatria do povo fez com que Moisés o removesse do acampamento (Êx 33.11). Josué mostrou sua lealdade à liderança quando percebeu que tal fato estava sendo ameaçado (cf. Nm 11.24-29). Em Cades-Barnéia Josué foi escolhido para ser o representante de sua tribo, a de Efraim (cf. Nm 13.8,16).

Josué alcançou o título de "servidor de Moisés (cf. Êx 24.13; Js 1.1). Os termos *servidor* e *servo* são usados alternadamente em referência a Josué (cf. também Êx 33.11 e Nm 11.28). Enquanto servia como oficial comandante do exército, ele destruiu os inimigos de Israel (cf. Êx 17.13). Nos períodos em que seus irmãos se rebelaram contra Deus, Josué manteve sua fé no plano de Deus.

Depois de muitos anos de trabalho conjunto, Josué perde seu oficial superior, Moisés. Todavia, ele se manteve em contato com o Senhor, que **"falou a Josué, filho de Num"** (1).

Quando o nome "Josué" é traduzido para o grego, ele se torna "Jesus" (cf. At 7.45; Hb 4.8). Este nome significa "Salvador". Em muitos aspectos, este "Jesus do Antigo Testamento" prefigura características do Jesus do Novo Testamento. Não foi registrado nenhum mal contra ele. Ele estava livre de todo desejo de autopromoção ou cobiça; não existe traço de egoísmo que manche a nobreza simples de seu caráter; em todas as circunstâncias ele demonstrou um desejo supremo: conhecer a vontade de Deus. Sua principal ambição era fazer a vontade divina. Josué foi um homem de coragem inabalável e perseverança invencível que mostrou profunda confiança diante das dificuldades. Suas ações imediatas lhe deram vitórias. As outras pessoas lhe deram grande honra em função da desconsideração altruísta de seus próprios interesses pessoais. Ele nunca deixou de demonstrar uma profunda preocupação pelos interesses daqueles a quem liderava.

Desse modo, na plenitude dos tempos, quando Deus precisava de um homem bem preparado, Ele escolheu Josué. O Senhor encontrou naquele homem alguém que ouviria suas instruções. Josué era alguém que cumpriria suas tarefas. Estas qualidades de caráter tão associadas à disposição de Josué são sempre aprovadas por Deus.

b. De que maneira Deus falou com Josué? O autor do livro não faz qualquer esforço para explicar de que maneira Deus falou com este homem. Contudo, com considerável freqüência, ele declara que Deus se comunicava com Josué (cf. Js 1.1-9; 3.7; 4.1; 6:2, para citar apenas alguns exemplos).

Em diferentes ocasiões lemos que Deus falou por meio de Urim e Tumim (cf. Nm 27.21; Dt 33.8; 1 Sm 28.6). Mas não existe registro algum o qual indique que Ele falou alguma vez com Josué desta maneira.

É bem possível que Deus tenha falado com ele da mesma maneira que falou com Abraão (cf. Gn 12.1; 13.14; 15.1,18) ou com Jacó (Gn 28.13; 35.1,10). Essa suposição, porém, não responde à pergunta relativa à maneira como isso foi feito. Uma coisa se torna evidente, a saber: Deus falou de tal maneira que eliminou qualquer dúvida na mente de Josué em relação a quem estava falando e aquilo que era dito.

c. Deus dá ordem para entrar em Canaã (1.2). **Levanta-te, pois, agora, passa este Jordão.** A continuidade do programa de Deus para Israel é manifesta nesta ordem. Israel deveria começar a se mover rumo à Terra Prometida de uma vez. A morte de Moisés é tratada na história de Israel apenas como uma vírgula, não como um ponto final. As promessas feitas a Abraão, Isaque e Jacó serviam agora como um antigo fundamento para os eventos que se cumpriam. A libertação operada por Moisés não deveria ser considerada como um fim em si mesma, mas ser aceita como arauto dos próximos avanços.

Os anos de treinamento de Josué o haviam preparado para esta missão específica. Os planos e os propósitos de Deus teriam seqüência. Fica óbvio aqui que o programa de Deus excede o tempo de vida de qualquer homem.

Existe continuidade não apenas do programa de Deus sendo revelado nesta ordem para entrar em Canaã, mas também existe uma continuidade da manifestação divina. "O que aconteceu sob Josué forma o mais importante capítulo do processo de revelação por meio do qual Deus se tornou conhecido a Israel... Os livros históricos hebraicos são... os registros de uma manifestação divina".[1] Assim, Deus influenciara a história humana no passado e continuava a fazer isso nos dias de Josué.[2] O reconhecimento dessa verdade é de uma ajuda muito importante na descoberta do significado do livro de Josué.

Um dos problemas mais importantes na missão de Josué foi este: como eles poderiam cruzar o Jordão alagado?[3] O problema destaca-se ainda mais pelo fato de que isso aparentemente não perturbou Josué. Ele estava convencido de que tudo aquilo que Deus desejava seria possível para aqueles que lhe obedecessem com fé verdadeira. Josué dissera anteriormente a Israel que "se o Senhor se agradar de nós, então, nos porá nesta terra e no-la dará... Tão-somente não sejais rebeldes contra o Senhor e não temais o povo desta terra, porquanto são eles nosso pão; retirou-se deles o seu amparo, e o Senhor é conosco; não os temais" (Nm 14.8,9). Josué não titubeou diante de tais promessas. Ele sabia que o Senhor abriria um caminho para o seu povo.

d. *Instruções concernentes ao programa humano-divinal* (1.3). **Todo lugar que pisar a planta do vosso pé, vo-lo tenho dado.** Esta é a mesma promessa que Deus fizera aos patriarcas (Gn 12.1-7; 13.14-17; Êx 23.30ss). Esta promessa foi desacreditada pelo povo em Cades-Barnéia (Nm 14.1-4). Em conseqüência dessa ação, Israel teve que padecer severamente durante os anos seguintes. Agora, debaixo da liderança de Josué, Israel estava próximo de completar o circuito Deus-homem, de modo que o poder de Deus pudesse trabalhar a favor deles. A desobediência neste ponto significaria simplesmente a continuação da tragédia. A obediência significava a possessão vitoriosa da Terra Prometida.

Uma vez que obedeceu a Deus, Israel fez o Senhor conhecido a todos os povos com quem entrou em contato. Naqueles momentos, seus inimigos foram rendidos indefesos. O próprio povo de Israel tornou-se invencível. Israel tornou-se vítima do seu ambiente todas as vezes que rompeu seu relacionamento com Deus.

e. *Instruções relativas às fronteiras* (1.4). Deus ofereceu ao povo a terra que se estendia do deserto, ao sul, até a faixa do Líbano, ao norte. Esta oferta incluía a terra a leste do rio Eufrates e a oeste do mar Mediterrâneo (veja mapa). Eles também deveriam possuir **toda a terra dos heteus**, que incluía uma grande porção da Ásia Menor.[4] Esta porção de terra era muito maior do que aquilo que Israel já havia ocupado. Davi e Salomão aplicaram tributos à maior parte dessa extensão de terra, mas em qualquer período da história de Israel as fronteiras foram apenas temporariamente mantidas.

A extensão dessas fronteiras sugere a prodigalidade da provisão de Deus para com seu povo. Deus tinha o propósito de ver todas as terras ocupadas por seus santos seguidores (cf. Dt 11.22-25). Se tivessem obedecido plenamente a Deus, eles poderiam ter causado um impacto de justiça entre todas as nações da terra. Tal influência era desesperadamente necessária. Deus queria que Israel realizasse esta missão, mas aqueles a quem Ele tanto favorecera romperam a aliança que tinham com Ele (Jz 1.21 – 2.15). Como resultado da infidelidade deles, nações que poderiam ter sido iluminadas foram deixadas nas trevas. Os próprios israelitas deixaram de ser conquistadores para se tornarem escravos. A história de Israel revela que apenas a confiança e a obediência a Deus trouxeram ricas recompensas. Sem o Senhor, eles não podiam fazer algo que fosse digno de nota.

f. *O segredo da invencibilidade é revelado* (1.5). Deus não apenas colocou diante de Josué uma visão daquilo que poderia ser feito, mas também lhe assegurou da necessária dinâmica de fazer com que a visão se tornasse realidade. **Como fui com Moisés, assim serei contigo** era toda a segurança que Josué desejava. Josué sabia que Deus tinha tornado Moisés invencível no meio dos perigos e das provações. Ele jamais poderia se esquecer de como Moisés confrontou o mandatário do Egito e como venceu. Ele viu Moisés lidar com um povo apóstata e testemunhou que Deus não o abandonou.

Porque Moisés manteve-se em harmonia com Deus, as águas amargosas tornaram-se doces, as mordidas das serpentes venenosas foram curadas, a lepra foi extirpada, o pão do céu foi dado, e a água fluiu de uma rocha numa terra seca. Josué estava convencido de que os recursos de Deus jamais acabariam. Ele sabia que nenhuma crise ou evento inesperado faria com que Deus o deixasse sozinho.

A palavra de Deus – **não te deixarei nem te desampararei** – fez com que Josué ficasse pronto para cumprir sua missão.

A extensão da assistência divina ao novo líder sugere que os grandes homens de Deus vêm e vão, mas o poder que faz com que eles sejam grandes permanece. Deus quer que seu povo de todas as eras se lembre que Ele não deixará seus filhos quando estiverem fracos, nem os desamparará quando eles falharem (cf. Dt 31.8).

g. A importância de uma boa disposição (1.6). Josué deveria preparar uma liderança que fosse caracterizada pelo otimismo genuíno. Ele mesmo deveria se esforçar e ter bom ânimo. Para cumprir esta demanda, deveria estar plenamente convencido de que Deus faria tudo o que prometera. Dúvidas e temores assaltariam Josué, mas ele deveria lutar o combate da fé e esperar pelo triunfo. Deus contava com ele para que o povo herdasse **a terra que jurei a seus pais lhes daria**. Deus não tomou providência alguma em relação ao fracasso. Josué também deveria ter a mesma atitude mental.

Uma postura negativa trouxe a derrota a Israel por mais de uma geração. Um novo dia havia amanhecido; novas oportunidades foram oferecidas. Sem fé, não seria possível agradar a Deus, e tudo o que Ele lhes dera seria perdido. A fé traria a vitória.

h. A chave para o sucesso (1.7,8). A eficácia de qualquer coisa que Josué tentasse fazer seria determinada por esta chave: **Esforça-te e tem mui bom ânimo para teres o cuidado de fazer conforme toda a lei que meu servo Moisés te ordenou** (7). Aqui e no versículo 8 a palavra **lei** é usada para identificar os textos que Moisés deixara em relação à vontade de Deus para seu povo. A *Torá* hebraica significa mais do que a legislação. Ela sugere a idéia de instrução e orientação. Nenhuma obrigação ou responsabilidade deveria justificar qualquer desvio dessas regras básicas para a vida. Havia perigo à frente se Josué não usasse esta chave com diligência. O medo era um perigo; portanto, ele deveria se esforçar e ter bom ânimo. O comprometimento era perigoso; assim, ele **não deveria se desviar nem para a direita nem para a esquerda**. O esquecimento era uma ameaça; ele não deveria permitir que esta palavra ficasse fora de sua boca. A superficialidade também era um perigo, de modo que ele deveria **meditar no livro da lei dia e noite** (8). Ao discutir o termo "meditar", J. S. McEwen sugere que é o ato de alguém praticar "uma concentração proposital da mente no assunto da meditação e a deliberada expulsão de pensamentos e imagens contraditórios."[5]

Desse modo, toda a força e a coragem de Josué deveriam estar focalizadas na observância do programa de Deus. O Senhor já concedera um código para o sucesso que sobreviveria ao mais diligente escrutínio. Neste manual estava a certeza de prosperar **por onde quer que andares**, de fazer **prosperar o teu caminho e prudentemente te conduzirás**. Aqui estava a chave para o sucesso: quem a usasse viveria de maneira sábia e comportar-se-ia com prudência.

i. A iniciativa é de Deus (1.9). **Não to mandei eu?** Josué não deveria seguir os gostos pessoais nem as ambições egoístas. Ele deveria realizar as ordens do Senhor. Em nenhum momento ele deveria pensar em Deus apenas como o Ouvinte silencioso de suas conversas. O Senhor era o Iniciador de todo o programa de Josué. Deus colocara em movimento um estilo de vida que exigia atenção total deste servo fiel.

O plano de Deus para o homem não se originou em Josué, nem terminou nele. "[Deus] nos elegeu nele antes da fundação do mundo, para que fôssemos santos e irrepreensíveis diante dele em caridade" (Ef 1.4). Este tipo de programa exige a lealdade total do homem, o qual não deve se desviar nem para a direita nem para a esquerda. O medo, o comprometimento, o esquecimento e a superficialidade devem ser diligentemente evitados. O homem deve sempre se lembrar deste retumbante desafio: **Não to mandei eu?** É o próprio Deus quem precisa estar a cargo de todas as operações.

O Senhor não apenas apresenta um modo de vida, mas também prescreve o estado mental no qual este plano deve ser executado: **Esforça-te e tem bom ânimo; não pasmes, nem te espantes.** (1) Deus desafia o homem a empregar todo o seu poder na tarefa. (2) O homem também deve fazer a obra do Senhor com grande expectativa. Isaías sugere esta atitude na afirmação que faz de que "os resgatados do Senhor voltarão e virão a Sião com júbilo; e alegria eterna haverá sobre a sua cabeça; gozo e alegria alcançarão, e deles fugirá a tristeza e o gemido" (Is 35.10). Além disso, (3) o homem deve servir destemidamente. Os "tímidos" encabeçam a lista daqueles que terão "a sua parte... no lago que arde com fogo e enxofre" (Ap 21.8). Aqueles que servem ao Senhor corretamente não têm lugar naquela multidão. Finalmente, (4) o servo do Senhor deve ser intrépido. Ele pode ser tentado em todos os aspectos, mas não deve ceder. Ele deve ser como o Josué do Novo Testamento, "o qual, pelo gozo que lhe estava proposto, suportou a cruz, desprezando a afronta" (Hb 12.2). Josué precisava do conselho **nem te espantes**.

Contudo, o Senhor faz mais do que traçar um plano e prescrever um método. Ele também fornece a dinâmica por meio da qual o plano e o método se tornam possíveis para aqueles que decidem obedecer. Este poder não é outro senão o fato de que **o Senhor, teu Deus, é contigo, por onde quer que andares.**

Esta presença foi de grande significado para Josué. Dali em diante, ele estava qualificado a realizar o trabalho para o qual fora chamado. A comunhão com Deus estava mantida, pois Ele estava próximo, à mão. As dificuldades de entrar na terra não significavam problemas sérios, pois o Senhor podia facilmente abrir caminho para que eles entrassem. Vencer toda a oposição era a coisa certa; Aquele que era por ele era maior do que aqueles que eram contra ele.

O cristão reconhece a importância da presença de Deus. Jesus Cristo prometeu aos seus seguidores: "Eis que eu estou convosco todos os dias" (Mt 28.20). Ele garantiu aos seus seguidores: "Recebereis a virtude do Espírito Santo, que há de vir sobre vós" (At 1.8). É por causa da presença de Deus que o cristão enfrenta as vicissitudes da vida de maneira triunfante.

2. *Josué Instrui seus Oficiais e o Povo* (1.10-18)
   a. O povo deve se preparar (1.10,11). Parece que este episódio foi colocado aqui fora de sua ordem cronológica, de modo apenas a manter a continuidade do relato principal. É bem provável que o povo tenha recebido esta ordem depois de os espias terem voltado

de Jericó (cf. 2.22; 3.2). Contudo, este relato poderia muito bem se encaixar em ordem cronológica, pois Josué sempre fez bom uso de seu tempo. Ele foi um homem de fé e de ação. Josué certamente queria que as pessoas estivessem em prontidão para se mover. Ele queria que elas estivessem ansiosas pelo mesmo tipo de vitória do qual ele falara. **Príncipes do povo** (10) – não sabemos exatamente de qual extirpe eles eram. Evidências de organização dentro das tribos são encontradas em Deuteronômio 16.18; 20.5,9; 31.28, etc. Josué enviou uma ordem para que o povo **providenciasse... víveres** (11). Ele sabia que somente depois de terem feito sua parte é que poderiam esperar que Deus agisse em seu favor. A ansiedade pelo sucesso possui em si mesma um vital relacionamento com a preparação.

b. As tribos a leste do Jordão deveriam ajudar (1.12-15). As tribos de Rúben, Gade e a meia tribo de Manassés receberam herança no lado leste do Jordão, ainda durante a administração de Moisés (cf. Nm 32, Dt 3.12-20). O acordo era que aqueles israelitas deveriam deixar seu gado e sua família no lado leste, pois como homens **valentes e valorosos** (14) deveriam servir como tropas de choque e liderar o avanço sobre a oposição em Canaã. Esses homens deveriam estar livres de qualquer interesse familiar ou materialista durante este período. Além do mais, eles deveriam estar ansiosos por completar as conquistas e voltar para suas casas.

A qualidade da liderança de Josué é revelada aqui. Ele não forçou aquelas pessoas a cumprirem sua promessa. Ele apenas apelou para que elas se lembrassem **da palavra que vos mandou Moisés, o servo do Senhor** (13). Josué tinha um julgamento suficientemente bom para saber que, se eles não respondessem com lealdade àquele por quem eles ainda choravam, então havia pouca esperança de que eles pudessem ser de verdadeira ajuda.

c. As tribos a oeste do Jordão oferecem sua lealdade (1.16-18). Aqueles israelitas estavam prontos para dizer ao seu novo líder: **Tudo quanto nos ordenaste faremos e aonde quer que nos enviares iremos... Todo homem que for rebelde à tua boca... morrerá.** Tal obediência e lealdade foram concedidas a Josué, acompanhadas da oração **que o Senhor, teu Deus, seja contigo** (17) e da palavra de encorajamento **tão-somente esforça-te e tem bom ânimo** (18).

Aqueles homens estavam prontos a sacrificar seus interesses e confortos pessoais e a arriscar suas próprias vidas se houvesse evidência de que o Espírito do Senhor repousava sobre seu líder. Eles esperavam que Josué irradiasse confiança e coragem. John Bright observou que "isto reflete uma das mais tenazes características da psicologia israelita. As tribos primitivas de Israel seguiam apenas o líder sobre quem o Espírito do Senhor repousava".[6]

3. *Josué Busca Informação por Meio dos Espias* (2.1-24)

a. Os espias são enviados e alojados (2.1-7). **E enviou Josué... dois homens desde Sitim a espiar secretamente** (1). Sitim foi o último acampamento estabelecido debaixo da liderança de Moisés (cf. Nm 25.1 e 33.49). Ficava a leste do Jordão, no lado oposto de Jericó, ao pé das montanhas que se erguiam a partir do vale do Jordão. Esta seção do livro levanta uma questão: por que enviar espias? Não era suficiente o fato de Deus ter ordenado o avanço do povo e ele ter prometido obedecer (cf. 1.1-18)? Uma pessoa com fé em Deus precisava fazer um reconhecimento? Aparentemente Josué estava certo de que enviar espias a Jericó era um procedimento militar adequado. Ao que parece, ele raciocina que a ordem de Deus para cruzar o Jordão significava que deveria fazer todos os preparativos necessários para aquele evento. Obviamente Josué não acreditava que a presença imediata de Deus e a ajuda miraculosa prometida lhe dava permissão para negligenciar as medidas que um líder sábio e prudente tomaria. Ele não presume que o Senhor queria que fosse adiante de maneira qualquer. Josué reconheceu que não se deveria deixar tudo ao acaso. Ele também sentiu que Jericó era a cidade mais importante do vale do Jordão e que deveria ser conquistada. [7] Visando realizar aquilo que Deus queria que ele fizesse, Josué deve ter mesclado suas melhores ações com sua fé ardente. Em nenhum momento Josué entendeu que o Senhor valorizaria de alguma maneira a ignorância. Desse modo, voltou sua atenção para o problema de reunir toda a informação disponível.

Outra questão é: por que aqueles homens tão cuidadosamente escolhidos foram parar na casa de uma prostituta? Alguns comentaristas empenharam-se em responder esta pergunta sugerindo que Raabe era apenas a dona de uma hospedagem. [8] Outros sugeriram que aqueles homens foram a um lugar no qual provavelmente não seriam descobertos. Eles também esperavam que pudesse haver todo tipo de conversa despretensiosa num local como aquele e, assim, importante informação militar poderia ser divulgada de maneira involuntária. [9]

O registro indica de maneira bastante clara que Raabe possuía um tipo de hospedagem (cf 2.1). Muito embora esteja claramente afirmado que ela era uma prostituta (cf. 2.1; 6.17,22,25; Hb 11.31; Tg 2.25), devemos nos lembrar que os termos usados para "estalajadeira" e "prostituta" eram idênticos. Por outro lado, aqueles homens podem ter usado a melhor técnica conhecida entre os espiões para obter a informação que eles queriam. Se aceitarmos esta explicação, precisamos nos lembrar que, naqueles dias primitivos, até mesmo entre homens tementes a Deus, os padrões de comportamento sexual não eram idênticos aos de hoje.

A libertação singular daqueles homens, depois de terem sido descobertos, e a qualidade da informação que eles obtiveram corrobora fortemente no sentido de mostrar que aquela empreitada fora protegida por Deus. Raabe foi provavelmente a única pessoa em Jericó que teria detectado a identidade daqueles homens e, ainda assim, poupado suas vidas. Ela e todo o resto da cidade de Jericó sabiam dos feitos do Senhor entre os reis dos amorreus (cf. 2.10ss; Nm 21.21-35; Dt 2.24 – 3.11). Contudo, parece que Raabe acreditou que o Deus de Israel teria misericórdia de qualquer um que o aceitasse. Ela estava convencida de que o Senhor poderia derrotar qualquer um que se lhe opusesse.

De que maneira aqueles espias foram encontrar esta crente singular? Teria sido por acaso? Charles F. Pfeiffer não afronta o registro ao declarar que "os passos dos espias foram claramente ordenados pelo Senhor." [10]

Esta resposta leva a outra pergunta, a saber: o Senhor usaria uma prostituta para realizar seus propósitos caso ela realmente fosse uma mulher imoral? É muito provável que o Senhor estivesse mais interessado naquilo em que ela se transformaria do que naquilo que ela era naquele momento. Raabe vivia no meio de um povo corrompido, dissoluto e libertino ao extremo. Vícios de características por demais aviltantes eram praticados e incentivados. Ela era parte da sociedade ao seu redor. Contudo, tornava-se uma ardorosa crente no verdadeiro Deus. Sua fé seria imortalizada (cf. Hb 11.31); suas obras seriam aclamadas por todas as gerações (cf. Tg 2.25) e seu nome apareceria na linhagem do Messias (Mt 1.5). Deus realiza suas maravilhas com aqueles que atentam para a revelação que Ele faz de si mesmo. Algumas dessas pessoas que prestam atenção às revelações de Deus vêm do lado "ruim" da vida (cf. 1 Co 6.9-11; Mt 21.32).

O que se poderia dizer em relação às mentiras que ela disse para enganar os mensageiros do rei (4,5)? Raabe disse abertamente àqueles representantes do palácio real: **eu não sabia de onde eram** (4) e nem **para onde aqueles homens se foram** (5). Primeiramente, é preciso lembrar a situação daquela mulher no momento em que ela recebeu a visita. Talvez ela fosse apenas uma das prostitutas da cidade. Segundo, é preciso reconhecer que a consciência obscurecida só é iluminada gradualmente. Em terceiro lugar, Raabe estava apenas no começo do processo de mudança de todo seu modo de vida; começava a participar da sorte do povo de Deus.

Sua atitude verdadeiramente revela sua determinação de se identificar com um outro povo. Ela se colocou ao lado dos espias, e foi contra o seu rei e sua cidade. Ela se expôs a uma punição certa e terrível. [11]

Ela... os tinha escondido entre as canas do linho (6), uma planta que chegava à altura de 1 m e que, de acordo com registros antigos, era usada para fazer tecido. As canas eram estendidas sobre os telhados antes de serem retiradas as fibras usadas na confecção do tecido.

b. Os espias obtêm informações valiosas (2.8-21). Nesta seção é revelada a excelente informação dada aos espias. Eles souberam que os habitantes de Jericó estavam aterrorizados (8-11). Descobriram que Raabe estava convencida de que Deus dera **esta terra** a Israel (9). Esta convicção estava baseada nos eventos históricos que foram relatados. Esses relatórios atribuíam a Deus o poder de secar o mar Vermelho e de derrotar os amorreus. Sua única conclusão foi: **o Senhor, vosso Deus, é Deus em cima nos céus e embaixo na terra** (11). Seu povo não tinha nem recursos nem refúgio; portanto, ficaram deprimidos no coração **e em ninguém mais há ânimo algum**. Essa é uma reação comum das pessoas ímpias quando são confrontadas com o poder de Deus.

Mais tarde, Josué fez um pronunciamento no qual sugeriu uma razão pela qual Deus se manifesta de maneiras incomuns. Ele disse: "Para que todos os povos da terra conheçam a mão do Senhor, que é forte, para que temais ao Senhor, vosso Deus, todos os dias" (Js 4.24). C. H. Waller destaca que "a confissão de Raabe também é uma de uma série. Egípcios, filisteus, sírios, assírios, babilônios e persas foram levados ao mesmo reconhecimento em função de seu contato com Israel". [12]

Deve-se notar que Raabe manifestou mais do que um conhecimento intelectual do Deus de Israel. Ela possuía algumas convicções em seu coração. Ela teve fé. Ela estava pronta para negociar. Ela queria identificar sua casa com este povo a quem o Senhor da terra favorecera e queria **um sinal certo** (12). Ela demonstrou sua fé, ao salvar a vida dos espias. Sua fé foi recompensada; ela recebeu a certeza de segurança para si mesma e para sua família (14,19). O fato é que Raabe exerce o tipo de fé que Deus tentava constantemente encontrar entre os filhos de Israel. [13]

Raabe seria salva pela fé e também pelas obras (14-21). Ela deveria trazer sua família para sua casa; deveria manter segredo quanto aos propósitos da visita dos espias [14] e deveria identificar sua residência por meio de um cordão de escarlata. [15] Se ela não cooperasse, os espias estariam **desobrigados** do **juramento** (17,20). "Desobrigado" significa que eles estariam "livres da obrigação; desembaraçados, quites, desimpedidos". Estas ações terminariam por revelar sua fé contínua que garantiria a salvação de sua família. A realidade de sua fé é demonstrada quando ela **atou o cordão de escarlata à janela** (21). Não havia mais nada a fazer: ela obedeceu e confiou.

O "cordão de fio de escarlata à janela" representa (1) conhecimento espiritual, 10-11; (2) fome espiritual, 12-13; (3) um espírito de cooperação, 14-21a e (4) fé, 21b.

c. Os espias levam o relatório ao quartel general (2.22-24). O conteúdo deste relatório é importante tanto pelo que ele omite como pelo que revela. Os espias não mostram preocupação alguma com os grandes muros de Jericó. Eles não tinham medo do rei vigilante. Tudo o que tinham a dizer baseava-se naquilo que fora prometido, a saber: "Derreter-se-ão todos os habitantes de Canaã" (Êx 15.15); "Enviarei o meu terror diante de ti, desconcertando a todo o povo aonde entrares" (Êx 23.27) e "Ninguém subsistirá diante de vós; o Senhor, vosso Deus, porá sobre toda a terra que pisardes o vosso terror e o vosso temor, como já vos tem dito" (Dt 11.25; cf. também Js 1.5,9).

Aparentemente os espiões estavam convencidos de que o plano de Deus realizava-se na íntegra. Josué estava certo de que havia compreendido corretamente o que o Senhor dissera. Havia agora apenas uma direção a seguir e esse caminho levava a Jericó.

B. O EXÉRCITO TOMA POSIÇÃO A OESTE DO JORDÃO, 3.1–6.27

A travessia do Jordão foi precedida por uma completa preparação espiritual e por cuidadosa avaliação militar. A atmosfera geral parecia ser a de um "poder sobrenatural" que estava "aguardando para ser exercido". [16]

1. O Rio Jordão é Atravessado (3.1–5.1)

Assim que recebeu o relatório dos dois espias, Josué ordenou que o acampamento de Sitim fosse desmontado (1). Esta foi a primeira mudança de local que o povo fez desde a morte de Moisés. A resposta do povo às instruções de Josué seriam uma clara indicação a ele de que todos seguiriam sua liderança. Do mesmo modo, a resposta de Deus em ajudá-los a cruzar o Jordão revelaria se Israel tinha algum futuro.

a. O avanço na direção do rio Jordão (3.1-6). **Levantou-se, pois, Josué de madrugada** (1). Esta estratégia foi usada várias vezes (cf. 6.12,15; 7.16; 8.10). Este movimento revelou alguns fatos importantes sobre ele. Primeiramente, Josué descobriu que poderia contar com a cooperação de todos os escalões. O segundo fato foi que o povo estava de prontidão para marchar a qualquer momento. O terceiro ponto é que o povo preferiria suportar as durezas de uma vida disciplinada a permanecer na margem oriental do Jordão. No final do primeiro dia Josué já tinha certeza de que liderava um povo que acreditava nas promessas de Deus e que estava determinado a pagar o preço para transformar essas promessas em realidade em suas vidas. A obra de Deus sempre avança quando Ele está com os que acreditam nele e que estão dispostos a agir de acordo com vontade dele.

Nos três dias seguintes, Josué ficou satisfeito em perceber que tinha uma organização em funcionamento capaz de comunicar as ordens do comando central e de ser respeitada pelas massas (cf. 2-6). Não havia qualquer indicação de desunião; em vez disso, uma condição de unidade ou "singularidade" parecia prevalecer entre o povo. Sem esse espírito, Israel não poderia fazer qualquer avanço e nenhuma conquista pode ser feita pelos cristãos (cf. Jo 17.11,21-23).

Mesmo debaixo do regime de Josué o povo era conduzido pelo Senhor, mas de uma maneira diferente daquela por meio da qual eles foram libertados durante a administração de Moisés. Anteriormente, eram guiados pela coluna de nuvem de dia e pela coluna de fogo à noite (cf. Nm 10.33,34).

Agora, a arca, na qual eram carregados os Dez Mandamentos (Dt 10.1-6), era o objeto visível que demonstrava a presença de Deus (3,4). [17] No final de tudo, a liderança divina deveria ser acompanhada pela presença da lei escrita "nas tábuas de carne do coração" (2 Co 3.3); mas, para os israelitas, estes sinais visíveis ainda eram necessários.

Antes de a orientação divina se efetivar, o povo deveria **se santificar (5)**. Embora o Antigo Testamento não use com freqüência o termo "santificar" no pleno significado espiritual do Novo Testamento, é lançado aqui um princípio eterno: Deus pode levar à "terra da promessa" somente aqueles que se santificarem no sentido de se separarem de tudo aquilo que os corrompe (cf. Êx. 19.10). O Senhor pode fazer pouco pelo povo que se recusa a apresentar uma vida totalmente dedicada a Ele. Somente depois de o homem "santificar a si mesmo" é que Deus pode enchê-lo com o Espírito Santo.

Assim que os sacerdotes tomaram a arca e dirigiram-se ao Jordão transbordante (6), o povo ficou em estado de grande ansiedade. Eles sabiam que o Senhor faria **maravilhas no meio de vós** (5). Quando tem um povo santificado, com líderes santificados, Deus pode "fazer tudo muito mais abundantemente além daquilo que pedimos ou pensamos, segundo o poder que em nós opera" (Ef 3.20).

b. Josué é empossado e encarregado (3.7,8). **Este dia começarei a engrandecer-te perante os olhos de todo o Israel (7)** Josué precisava ser empossado enquanto executava a tarefa de fazer com que os israelitas atravessassem o Jordão (cf. Js 4.14). A realização dessa tarefa lhe traria honra. Contudo, ser engrandecido perante os olhos do povo foi algo planejado não apenas para o próprio Josué. Ele seria exaltado para que o povo pudesse saber que Deus o conduzia diligentemente. Ele deveria servir como um refletor aumentado e melhorado da graça de Deus. Deste modo, sua promoção foi, na verdade, planejada para aumentar sua capacidade de servir aos outros. É isso o que fazem os avanços.

Um dos primeiros empecilhos para essa tarefa era levar o povo à beira do impossível e, então, fazer com que eles **ficassem parados à margem do Jordão (8)**! Qualquer líder que fosse capaz de manter alto o moral de seu povo debaixo da pressão tal como o retardamento de uma ação, ele estaria capacitado a receber a exaltação diante de seus liderados. O Senhor exaltou seu servo, operou por meio dele e realizou o milagre de fazer parar o fluxo das águas. Todos reconheceriam rapidamente que Deus estava com Josué. Sua fé, no modo de Deus operar, seria fortalecida.

c. *Josué dá ao povo uma visão dos acontecimentos* (3.9-13). Este novo líder acreditava fielmente na informação e na organização representativa de seu povo. Ele queria que o povo soubesse que recebera instruções de Deus, de modo que convida a todos a ouvir **as palavras do Senhor** (9). Ele explica que o Senhor lhes dava razões suficientes para que tivessem fé nele. Josué inicia seu relato da visão dos acontecimentos, ao dizer: **Nisto conhecereis** (10). O que ele disse depois dessa afirmação indicou que Deus controlaria tanto a história como a natureza (cf. 10,13). Não fez menção de meios secundários pelos quais as nações seriam expulsas nem quanto à maneira pela qual as águas do Jordão seriam contidas. Josué queria que o povo ficasse interessado no Senhor. Eles deveriam ter em mente a idéia de que **o Deus vivo está no meio de vós** (10).

As sete nações listadas no v. 10 também são apresentadas, ainda que em outra ordem, em Deuteronômio 7.1; Josué 9.1; 11.3 e 24.11. Os **cananeus** ou "habitantes das planícies" ocupavam a parte costeira desde o norte, perto de Dã (veja mapa), a região de Esdrelon e também estavam no vale do Jordão (Nm 13.29). Não se deve confundir os **heteus** com os *hititas*, povo que habitava a região a norte e a leste da Palestina. Os **heteus** de Canaã são descritos como os "filhos de Hete" (Gn 23.3), o segundo filho de Canaã. Já no tempo de Abraão eles estavam estabelecidos em Hebrom e na região também chamada de Quiriate-Arba (Gn 23.19; 24.9). No início, eles eram muito poucos para serem listados juntamente com os cananeus e os ferezeus; mas, no tempo de Josué, já tinham obtido força suficiente para serem citados em pé de igualdade com os outros povos palestinos.

Os **heveus** são mencionados pela primeira vez em Gênesis 34.2. Na sua maioria, eles eram um povo pacífico, voltados ao comércio, e viviam em Hermom, no território de Mispa (Js 11.3) e "nas montanhas do Líbano, desde o monte de Baal-Hermom até à entrada de Hamate" (Jz 3.3), na faixa das colinas do Líbano e de Hermom até o norte. Os **ferezeus**, cujo nome talvez signifique "aldeões" ou "rústicos" – aqueles que habitam ao ar livre ou em cidades não muradas – viviam parte no sul (Jz 1.4,5) e parte nas florestas do interior, nos declives do monte Carmelo.

Acredita-se que os **girgaseus** eram uma ramificação dos heveus ou estavam ligados a eles de maneira bem próxima. Ao que parece, eles viviam na região a leste da Galiléia. Os **amorreus** ou "montanheses" viviam nas terras altas a oeste do mar Morto, até Hebrom (Gn 13.18; 14.7, 13). Mais tarde eles ocuparam o planalto a leste do Jordão, desde Arnom até o Jaboque (Nm 21.13,27). Os **jebuseus** sempre aparecem em último nas referências às tribos da Palestina, talvez porque eles, até o tempo de Davi, tinham o controle da fortaleza que ficava na região alta onde, mais tarde, localizou-se Jerusalém (2 Sm 5.6). Aparentemente eles eram o menor grupo, e receberam este nome por causa de sua cidade principal e sua fortaleza, Jebus, cujo nome foi mudado para Jerusalém após ela ser conquistada pelas forças de Davi.[18]

A **arca do concerto** (11) seria a certeza visível da presença de Deus. Ela passaria **diante de vós** (11). Desse modo, o Senhor era o centro de tudo o que aquele povo fazia. Sua força vinha de Deus e sua honra era dada a Ele.[19] O Senhor é que faria com que as **águas do Jordão** fossem retidas (13).

d. *A travessia* (3.14-17). **E aconteceu** (14). A fé transformou-se em ação. Como líder, Josué confiava em Deus e inspirava fé. O povo respondeu com confiança inabalável. O

Senhor não desapontou aqueles que esperavam grandes coisas dele. Esta travessia foi ainda mais notável porque aconteceu numa época em que o Jordão estava transbordante. Estima-se que o rio tivesse uma largura em torno de 27 a 30 metros, tendo de 1 a 4 metros de profundidade.[20]

Que meios Deus usou para realizar este milagre de interromper o fluxo do rio Jordão? A resposta para esta pergunta tem atormentado muito mais os homens modernos do que aquele que registrou estes eventos. L. Thomas Holdcroft sugeriu adequadamente que "quer o milagre tenha sido causado pelo deslizamento das encostas do rio, como ocorreu em 1927, ou se Deus congelou as águas instantaneamente, de uma maneira não conhecida por nós, o fato não é de muita importância – o fato de o milagre ter acontecido é que importa".[21]

O Jordão transbordava sobre todas as suas ribanceiras, todos os dias da sega (15). Esta seria a época da colheita da cevada e do linho, que acontecia no início de abril no vale do Jordão, de clima semitropical. Nesse momento o rio era abastecido pela neve derretida das montanhas do Líbano e pelas chuvas da primavera. Nenhuma travessia por meios naturais seria possível nessa época, particularmente com um grande número de pessoas e seus pertences, como era o caso dos israelitas. **Mui longe da cidade de Adã.** Adã ou Adamá foi identificada com Tell ed-Damiyeh, próxima da junção do Jaboque com o Jordão, cerca de 30 quilômetros ao norte do vau costumeiro. **Sartã** tem sido identificada de várias maneiras como um lugar próximo da confluência do Jaboque e do Jordão, ou localizada alguns quilômetros rio acima. Se esta última localização for a correta, o significado do texto pode ser o de que o rio foi bloqueado em Adamá e refluiu 19 quilômetros até Sartã. O **mar das Campinas, que é o mar Salgado**, é o mar Morto. A travessia aconteceu bem **defronte de Jericó**.

O que foi prometido foi literalmente cumprido com o objetivo de fortalecer a fé do povo. Com o apoio de uma oração respondida, os israelitas dariam prosseguimento ao processo de estabelecer suas posições. Eles esperavam coisas ainda maiores vindas de Deus. O versículo 17 enfatiza que todo o povo passou pelo Jordão. Cf. também em 4.1,11.

e. Um plano para relembrar a graça de Deus (4.1-9). **Tomai... doze pedras (2,3).** É óbvio que Deus queria que seu povo se lembrasse de suas misericórdias para com Israel (cf. outros memoriais em Gênesis 28.18; 31.45-47; 35.14 e 1 Samuel 7.12). A Páscoa era um tipo de memorial anual. Estas doze pedras também serviriam como um auxílio para o ensino das gerações futuras.

Este evento deveria ser relembrado porque teve um grande significado religioso. Ele marcou um nível mais profundo de dedicação por parte de Israel. O povo dispôs-se a várias coisas: deixar seu antigo lugar de habitação (3.1); permanecer três dias nas margens do Jordão sem vislumbrar a possibilidade de atravessá-lo (3.2); cruzar o Jordão abaixo do amontoado das águas (3.16) e dar início à invasão do território inimigo (3.17). O povo já havia percebido a vontade de Deus e obedeceu (3.1). Eles estavam prestes a entrar na Terra Prometida.

O fato de o Senhor ter inspirado o levantamento de um memorial para este evento (4.1-3) sugere que Ele queria que Israel se lembrasse para sempre daquele a quem se dedicara (3.5). O povo deveria sempre honrar Aquele a quem devia sua libertação.

Deus queria que o testemunho relacionado a Ele fosse exato. Assim, exigiu que o memorial fosse erguido enquanto os fatos ainda estavam vivos nas mentes de todos os envolvidos (5). A construção deveria ser feita por representantes escolhidos dentre as doze tribos (4). Assim, o memorial seria, na verdade, um testemunho pessoal daqueles que receberam a graça de Deus.

A estrutura deveria ser composta por pedras lavradas pelo Jordão (5). Este seria um testemunho silencioso da sombra da morte pela qual o povo de Deus passara em segurança. Este memorial deveria ficar **no alojamento** (3). Este lugar estaria bem à vista de seus filhos, de modo que pudessem ouvir a história com freqüência (6). Deus queria que as gerações seguintes fossem instruídas corretamente (7).

O nono versículo desta seção sugere que dois memoriais foram levantados (cf. 8,9). **Levantou Josué também doze pedras no meio do Jordão, no lugar do assento dos pés dos sacerdotes que levavam a arca do concerto.** [22] A expressão **até ao dia de hoje** (9; cf. 6.25) significa que, durante a vida do autor desta narrativa, a pilha de pedras podia ser vista no vau do Jordão (4.9) e que Raabe habitava junto com os israelitas (6.25).

A importância desse segundo memorial é que ele deu a todo Israel uma representação do "antes" e do "depois". C. H. Waller destaca que "cada tribo foi representada por uma pedra de ambos os lados do Jordão. Os dois montes de pedras representam um Israel completo no deserto e um povo completo na Terra Prometida". [23] Deus tirou Israel do Egito por meio de um tipo bem específico de libertação. Ele concedeu um segundo tipo de libertação àqueles que se santificaram e estavam dispostos a obedecer ao Senhor de maneira implícita. Para aquelas pessoas, as promessas de Deus se tornaram realidade. Assim, aqueles que eram viajantes no deserto haviam finalmente chegado à Terra da Promessa.

f. Uma breve recapitulação (4.10-14). **Pararam, pois, os sacerdotes que levavam a arca no meio do Jordão, em pé, até que se cumpriu tudo** (10). A menção feita aqui aos sacerdotes e à arca dá outra ênfase ao fato da presença de Deus. Por causa do Senhor, foi dada ao povo uma passagem segura à Terra Prometida, o que, de outro modo, seria impossível.

Também existe uma breve nota que diz que **se apressou o povo e passou** (10). O povo de Deus reconhecia o valor do tempo. O tempo era precioso porque eles faziam a vontade do Senhor. Havia mudanças ameaçadoras e muitos entes queridos não estavam numa posição segura.

Mais uma breve referência é feita em relação a **tudo quanto Moisés tinha ordenado a Josué** (10; cf. Dt 3.28; 31.3, 7, 23). O novo líder colocou diante de Israel o fato de que a posição de Deus em sua história era de vital importância. O passado, o presente e o futuro formavam uma forte unidade por causa do Senhor. Josué claramente praticava o princípio de "mandamento e mais mandamento, regra sobre regra, regra e mais regra: um pouco aqui, um pouco ali" (Is 28.10).

As duas tribos e meia que aceitaram as terras a leste do Jordão também foram leais ao resto do povo, ao fornecerem 40 mil guerreiros para ajudar na conquista de Canaã. Eles **passaram... armados** (12). Esta disposição de coração serviu como testemunho adicional do fato de Deus estar no meio deles. Deve-se notar que eles **passaram diante do Senhor** (13).

Este se tornou um dia de exaltação para Josué (14). Um dos resultados de se fazer a obra de Deus diligentemente foi que o povo teve ainda mais confiança em Josué. Os israelitas estavam prontos a honrá-lo **todos os dias da sua vida** (14). É comum um homem aprovado pelo Senhor receber o respeito do povo de Deus.

g. Fim do bloqueio das águas (4.15-18). Quando a arca do concerto chegou às margens do Jordão, as águas pararam de correr e a passagem ficou livre para o povo de Deus (3.15,16). Depois que o propósito do milagre cumpriu-se, a arca do concerto foi levada para o lado ocidental do Jordão e as águas voltaram a correr. No passado, este rio fora um obstáculo à posse de Canaã. Agora, ele se tornava um impedimento a todo aquele que quisesse voltar à antiga posição.

Existem paralelos a esta situação na vida cristã. Alguns já tiveram obstáculos que os impediam de fazer uma rendição incondicional a Deus. Eles simplesmente não viam como poderiam levar adiante a tarefa que lhes fora designada. Mas, depois de se santificarem, eles descobriram um novo poder em suas vidas. O próprio "chamado" ou outras exigências mostraram-se um meio de ajudá-los a se santificarem.

h. Alcançando o mundo (4.19 – 5.1). **No dia dez do mês primeiro** (19) – equivalente ao nosso mês de abril – os israelitas passaram sua primeira noite em Canaã; o rio Jordão já ficara para trás. **Alojaram-se em Gilgal**, que obviamente é distinta da Gilgal de 15.7. Veja a nota de 9.6. Um novo capítulo tinha início em sua história. O passado, porém, não deveria ser esquecido. Aquelas doze pedras tiradas do leito do rio Jordão deveriam suscitar perguntas nas suas mentes (21). As respostas a essas indagações serviriam para destacar a obra sobrenatural de Deus entre seu povo: **o Senhor, vosso Deus, fez secar as águas** (23).

O alcance desses ensinamentos visava atingir **todos os povos da terra** (24). A evidência da graça de Deus revelada a Israel foi planejada para ter um significado para o mundo inteiro. Desse modo, esta nação fora planejada para ser o depositório da revelação. C. H. Parkhurst disse: "A história no Egito, a história no deserto e a história no Jordão nunca ficarão obsoletas. Os livros de Êxodo, Números e Josué são histórias quase tão válidas de nossas vidas individuais quanto da vida dos hebreus como um todo".[24] Deste povo viria o Verbo que "se fez carne e habitou entre nós" (Jo 1.14), "para que todo aquele que nele crê não pereça, mas tenha a vida eterna" (Jo 3.16).

A partir das experiências no mar Vermelho e no rio Jordão Israel conheceu pelo menos três boas razões para temer ao Senhor: (1) A onipotência de Deus lhes foi demonstrada; (2) Deus usaria sua onipotência em favor daqueles que lhe obedecessem e (3) Deus proclamou sua vontade por meio de líderes humanos.

Esta presença de Deus junto de Israel teve muito mais conseqüências. Para os israelitas, ela significou a passagem segura pelo Jordão inundado. Para os amorreus e os cananeus, resultou num estado de horror paralisante. Os amorreus eram os habitantes das montanhas daquela terra e são contrastados com os cananeus, que habitavam nas regiões costeiras. Estes povos reconheceram que não tinham poder para resistir ao Deus de Israel. **Derreteu-se-lhes o coração, e não houve mais ânimo neles** (5.1). Obviamente o inimigo via o Jordão como uma de suas defesas naturais. Tinham plena confiança de que eles estavam protegidos de qualquer povo a leste do Jordão durante os meses de abril a maio. Agora que Israel havia cruzado o rio a pé enxuto, descobriram que a natureza não estava mais a favor deles. Juntamente com aqueles israelitas estava Aquele que controlava a natureza. Homens ímpios foram assim forçados a reconhecer que suas maiores defesas eram inúteis quando usadas em oposição a Deus.

2. *Renovação das Obrigações do Concerto* (5.2-12)

a. *O sinal do concerto é renovado* (5.2-9). O símbolo do concerto não era apropriado desde o tempo da descrença e rebelião em Cades-Barnéia (cf. Nm 14.1-35). Agora, mais uma vez, Deus tinha uma geração de pessoas que haviam demonstrado crença e obediência a Ele. Para estes o ritual da circuncisão tinha muito significado. Deus considerava aquelas pessoas como o povo do concerto. Keil e Delitzsch chamam a atenção para o fato de que Deus

> não exigiu a renovação da circuncisão, que envolvia, como sinal do concerto, a observância de toda a lei, até que tivesse dado ao seu povo provas práticas, por meio da ajuda na derrota de Seom e Ogue, os reis dos amorreus, e da miraculosa divisão das águas do Jordão, de que ele era capaz de remover todos os obstáculos que poderiam surgir no caminho do cumprimento de suas promessas e lhes dar a Terra Prometida como sua herança, como havia jurado a seus pais. [25]

Desse modo, vê-se que o concerto levava à obediência. Aceitar o sinal do concerto, mas quebrar o contrato, significava que o povo não tinha um relacionamento profundo com Deus (6). O apóstolo Paulo argumenta que "é judeu o que o é no interior, e circuncisão, a que é do coração, no espírito, não na letra" (Rm 2.29; cf. Cl 2.11).

Este evento também demonstrou o fato de que a preocupação de Josué em ter uma boa estratégia militar passou a ser secundária. Sua lealdade à vontade de Deus estava em primeiro lugar. Ele tinha consciência de que este ato da circuncisão incapacitaria todo seu exército bem diante dos olhos de seu inimigo. Assim, sua atitude de devoção e renúncia em favor dos interesses espirituais é particularmente significativa e cativante. Ele sabia que o opróbrio do Egito concretizara-se somente porque as instruções de Deus foram rejeitadas. Josué estava feliz pelo fato de acabarem-se os dias nos quais o Egito os envergonhara (9).

Dias de desobediência e rebelião sempre trouxeram tristeza e pesar. "O salário do pecado é a morte" (Rm 6.23). "Mas o povo que conhece ao seu Deus se esforçará e fará proezas" (Dn 11.32). Ninguém jamais perde algo de valor eterno quando busca "primeiro o Reino de Deus" (Mt 6.33).

b. *Um tempo para se alegrar* (5.10-12). Pela terceira vez na história de Israel registra-se que a Páscoa foi celebrada (cf. Êx 12.3ss e Nm 9.1,2). Os eventos que culminaram com a redenção começaram no Egito. A crise do mar Vermelho colocara um abismo entre eles e seu cativeiro. Agora, uma segunda crise colocara um Jordão em época de cheia entre eles e a vida no deserto. Era inquestionável o fato de que Deus estivera com eles em ambos os eventos. A Páscoa era ainda mais relevante e apropriada neste momento. Blaikie adequadamente comenta:

A lembrança do passado é comumente uma excelente preparação para as provas do futuro e, normalmente, fornece um notável apoio para elas. Era da própria natureza da Páscoa olhar para o passado e relembrar a primeira grande interposição de Deus em favor de seu povo. Era um precioso encorajamento tanto para a fé quanto para a esperança. O mesmo acontece com a páscoa cristã. [26]

Entre as novas experiências desta vida em Canaã estava uma mudança no cardápio: o maná cessara (12, cf. Êx 16.14-36; Nm 11.7-9; Dt 8.3,16). **E comeram do trigo da terra** (11). No original, **trigo** significa "as sementes de grãos pequenos, como trigo, aveia, centeio ou cevada", e não apenas o trigo que conhecemos. A impressionante cronologia desses eventos sugere-nos algumas importantes lições:

(1) A ajuda de Deus foi dada àqueles que, naquele momento, eram incapazes de ajudarem-se a si mesmos. O maná foi interrompido somente quando Israel pôde dar conta dessa necessidade. Não parou um dia sequer antes do tempo e não continuou por nem um dia a mais.

(2) O maná e a provisão do trigo constituem-se numa manifestação visível da atividade de Deus nos assuntos humanos. Paulo reconhece este princípio em ação na vida dos cristãos quando diz "nele vivemos, e nos movemos, e existimos" (At 17.28) e "sabemos que todas as coisas contribuem juntamente para o bem daqueles que amam a Deus" (Rm 8.28). Jesus declarou: "Sem mim nada podereis fazer" (Jo 15.5).

(3) Os benefícios que chegaram no tempo adequado não foram concedidos indiscriminadamente. Foram dados àqueles que mantiveram um relacionamento bastante especial com Deus. O povo desobediente e rebelde já havia perecido. Ele não poderia herdar as promessas.

3. *A cadeia de Comando é Apresentada* (5.13 – 6.5)
Depois que o concerto foi renovado e a festa da páscoa terminou, Josué fez um reconhecimento de Jericó (13). Enquanto estava ocupado com essa tarefa, ele foi confrontado por um estrangeiro, a quem pergunta qual é sua identidade.

a. O primeiro no comando (5.13-15). A resposta que Josué recebeu não deixou dúvidas com relação ao seu interlocutor. Aquele que segurava uma espada desembainhada assumiu autoridade e deu a surpreendente ordem a Josué, dizendo que ele deveria remover os seus sapatos (15). Moisés recebeu a mesma ordem (cf. Êx 3.5). Balaão também viu um ser com uma espada desembainhada (cf. Nm 22.31; cf. também Gn 3.24). Abraão também foi visitado por aquele que lhe prometera esta própria terra (cf. Gn 12.7 e 18.2). O comentarista George Bush declara: "É opinião firmada tanto entre os expositores antigos quanto modernos que este não era outro senão o Filho de Deus, o Verbo eterno, que aparecia naquela forma, e mais tarde assumiria o corpo para a redenção dos homens". [27]

Quando desafiou o estrangeiro (13) Josué desempenhou o papel de um soldado que não permitiria que alguém ocupasse uma posição ambígua. Mas quando reconheceu as credenciais que aquele ser carregava (14), submeteu-se a ele como o primeiro em comando (15). Depois disso Josué ficou ansioso para receber ordens.

Uma verdade que se destaca nesse evento é que o **príncipe do exército do Senhor** (14) pediu a Josué apenas uma coisa, ou seja, reverência. Quando isto é concedido, fica estabelecido o relacionamento entre Deus e o homem.

***b.** A estratégia para a primeira ofensiva* (6.1-5). Depois de Josué ter se colocado numa atitude de submissão ao remover seus sapatos (5.15), a estratégia para a tomada de Jericó foi revelada em detalhes (2-5). O inimigo operava na base de que se os portões fossem cuidadosamente guardados, Israel seria incapaz de entrar na cidade (1). **Cerrada** tem o sentido de "fechada". O termo abrange a idéia de que os portões estavam fortemente trancados. Israel deveria agir na certeza de que o Senhor tinha **dado na tua mão a Jericó** (2). Não era pedido ao povo que demonstrasse qualquer poder ou sabedoria humana. Contudo, os israelitas eram direcionados a realizar a tarefa do jeito de Deus. Todo o mundo deveria participar. Haveria um momento para gritar e outro para correr (5). Desse modo, Jericó seria dada àqueles que obedecessem a Deus com atenção. **Rodeareis** (3) era uma ordem para cercar totalmente a cidade. As promessas de Deus nunca são plenamente realizadas por qualquer um que se recuse a se lançar ao plano divino.

4. *A Missão é Realizada* (6.6-27)

a. O destino dos que não se arrependem (6.6-21). Deus tem planos contra aqueles que não se arrependem. Ele possui outros que vão levar adiante os seus planos (6,7). É o "príncipe do exército do Senhor" (5.14) quem dá as ordens e é um Josué quem as executa. Nenhuma cidade fortificada pode suportar tal combinação de forças. Joseph Hall disse:

> Mundanos presunçosos pensam que suas trincheiras e barricadas podem impedir a vingança de Deus; sua cegueira impede que eles vejam adiante das circunstâncias: a mão suprema do Todo-poderoso não surge no mesmo compasso de seus temores. Todo coração carnal é uma Jericó muda. Deus se assenta diante dela e mostra misericórdia e julgamento à vista de seus muros. Ela se endurece numa obstinada segurança e diz: "eu nunca serei abalada".[28]

A ordem dos eventos provavelmente não fazia sentido para os habitantes não arrependidos de Jericó. Diante deles passaram os homens de Deus armados, os sacerdotes com trombetas, a arca do concerto e a **retaguarda** muda (8-10). Mui provavelmente esses acontecimentos confundiram os defensores de Jericó, mas os obedientes israelitas sabiam o que faziam e para quem o realizavam. Talvez eles não tivessem plena compreensão da razão pela qual esse padrão deveria ser seguido e não havia demonstração de que desejavam saber as razões. Mas eles estavam convencidos de que o jeito de Deus seria vitorioso.

Existem várias coisas que os ímpios deveriam ter aprendido com aquelas lições objetivas que passaram diante deles por sete dias:

(1) Eles poderiam ter reconhecido o perigo que os ameaçava em função dos homens armados que lideravam aquela marcha. É da vontade de Deus que todo homem seja advertido, pois ele não tem "prazer na morte do ímpio, mas em que o ímpio se converta do seu caminho e viva" (Ez 33.11; cf. Ez 18.23, 32).

(2) A certeza da vitória foi mostrada ao povo de Deus através dos sacerdotes que tocavam as buzinas de chifre de carneiro (8). Aqueles homens não faziam qualquer encenação de comemoração da vitória que ainda não havia ocorrido. Eles chamavam a atenção para o fundamento de sua fé, a saber, a arca do concerto. James Millar destaca que "a

verdadeira buzina de chifre de carneiro era reservada para certos propósitos. Ela possuía um sonido alto e penetrante, tinha uma extensão limitada e era totalmente inadequada para uma apresentação musical. Era usada para chamar a atenção do povo e para dar sinais". [29] Desse modo, todas as pessoas de Jericó ouviram o guincho agudo daquele instrumento e sabiam do seu propósito.

(3) Outra lição que foi colocada diante do povo de Jericó foi a presença da própria arca do concerto. O fato de Deus cumprir a aliança com seu povo era conhecido por todas as nações que já tinham ouvido falar de Israel. Os moradores de Jericó receberam um assento na primeira fila para ver a fidelidade de Deus demonstrada ao seu povo. Eles tinham conhecimento da travessia do mar Vermelho, das vitórias no deserto (2.10) e da abertura do rio Jordão. Este Deus cumpridor de suas promessas estava diante deles para fazer uma avaliação. Eles não agiram corretamente ao manter seus portões fechados para Ele.

(4) Também havia diante deles uma grande nuvem de testemunhas que seguia a arca (9). A **retaguarda** (9) também pode ter uma interpretação paralela como "reunião" ou "hoste". Aquelas eram as pessoas que haviam passado por várias provas no deserto e eram as receptoras da graça de Deus. O Senhor tinha sido misericordioso para com um povo que não merecia misericórdia. Jericó o aceitaria como Deus de compaixão ou esperaria por sua ira (cf. Na 1.6)?

Dia após dia os habitantes de Jericó foram advertidos, foram chamados a considerar este Deus vivo e foram testemunhas. A paciência e a longanimidade de Deus lhes foram mostradas. O sétimo dia trouxe advertências ainda mais intensas. Finalmente chegou o dia do fim da graça e da misericórdia. O julgamento assumiu o lugar da graça e da misericórdia. O salário do pecado caiu sobre os idólatras (20). O termo "anátema" é usado para traduzir a palavra hebraica *cherem*, um termo que significa separado para a destruição ou passível de expulsão. Era um conceito religioso e não uma questão de pilhagem ou saque. Esta expressão envolvia morte para aquele que estava vivo, a queima de tudo que pudesse ser queimado e o ato de levar ao tesouro do Tabernáculo todos os metais e pedras preciosas.

Grandes problemas morais e teológicos levantam-se a partir deste rude massacre de homens, mulheres e crianças (21). No Egito, pereceram os primogênitos (cf. Êx 12.29ss). No mar Vermelho, houve uma destruição em massa dos impetuosos e impenitentes perseguidores. Por que Deus não apenas permite, mas também ordena eventos como estes (Dt 13.6-18; 17.2-7)?

Estes problemas não podem ser ignorados. Contudo, eles mesmos sugerem outro conjunto de perguntas. Destacamos algumas: é verdade que "do Senhor é a terra e a sua plenitude, o mundo e aqueles que nele habitam" (Sl 24.1)? Deveria Deus ignorar a presença dos ímpios neste mundo? Seria possível ao ímpio habitar a terra e o próprio povo de Deus permanecer como viandante?

Joseph R. Sizoo faz a apropriada sugestão de que "seja o que for que contamine a vida e a religião do povo, levando-o a comprometimentos inevitáveis, deve ser destruído. O pecado é desesperadamente contagioso e não pode passar impune". [30] Tudo aquilo que impede o propósito de Deus não tem o direito legítimo de existir sobre a terra. É preciso se lembrar que Deus visa à reconciliação por meio de advertências, convicção, promessas e testemunhos. Ele declarou: "... para que todo aquele que nele crê não pereça, mas tenha a vida eterna... mas quem não crê já está condenado" (Jo 3.16,18). Marcus Dods observou corretamente quando disse que "alguém pode supor que, uma vez que, pelo sacrifício de Cristo, aprendemos sobre o valor que Deus dá a santidade em nós, devemos viver em constante temor de sermos contagiados pelo mal do mundo, além de não considerarmos que temos algum valor".[31]

b. Misericórdia para com aquele que crê (6.22-25). Existe misericórdia para todo aquele que vier a crer na evidência que Deus dá de si mesmo. Até mesmo no meio da destruição, o Senhor lembrar-se-á daqueles que o honraram. O resgate de Raabe e de sua família ilustra estas verdades (22,23). **Deu Josué vida à prostituta Raabe** (25). Esta mulher pagã tornou-se um tipo do crente. Ela deu ouvidos à advertência, acreditou na promessa, evangelizou e tornou-se membro da "grande nuvem de testemunhas" (Hb 12.1; cf. Mt 1.5; Hb 11.31 e Tg 2.25).

Durante algum tempo, Raabe e sua casa ficaram **fora do arraial de Israel** (23). Naquele período eles tiveram a oportunidade de fugir para qualquer uma das nações vizinhas que escolhessem. Ninguém insistiu para que ela se tornasse parte de Israel. A história indica que ela optou por permanecer com o povo de Deus (25). **Até ao dia de hoje** significa até o dia em que viveu o escritor. Aparentemente Raabe formou um lar piedoso com Salmom e gerou Boaz (cf. Mt 1.5, Rt 4.21), o bisavô de Davi. É possível que seu marido tenha sido um dos dois espias.

Para Raabe e sua casa, estes versículos demonstram "os frutos da fé": (1) salvação de si mesmo e sua família (vv. 22,23); (2) libertação do velho estilo de vida (v. 24) e (3) participação numa nova comunidade (v. 25).

Os metais preciosos encontrados em Jericó foram dedicados ao Senhor (19,24). Ele tinha todo o direito sobre eles. Foi Deus quem delineou a prática para a conquista desta primeira fortaleza. Desse modo, os espólios eram dele por direito de conquista, mas eles também eram peculiarmente seus por direito de criação. Aquelas coisas que foram mal usadas seriam agora usadas por Deus. Israel deveria se lembrar daquele a quem pertencem todas as coisas. Alfred Edersheim conclui:

> ... foi adequado o fato de Jericó ter sido *totalmente* dedicada ao Senhor. Não apenas Israel não deveria receber qualquer espólio imediato por aquilo que havia feito, mas também porque a cidade, como as primícias da conquista da terra, pertencia a Jeová, assim como todos os primeiros, tanto do povo como de tudo, eram dele – a fim de expressar simbolicamente que tudo era realmente propriedade de Deus, que deu todas as coisas ao seu povo e em cujas mãos entregou suas posses.[32]

c. Um aviso e uma bênção (6.26,27). A representação da impiedade não deveria ser revivida. **Esconjurou** (26) tem o sentido de "mandar, fazer ou ordenar por juramento ou debaixo de pena de uma maldição". A violação desta ordem custaria a morte de todos os filhos daquele que se atrevesse a reconstruir Jericó. De acordo com 1 Reis 16.34, essa afirmação se cumpriu no caso de Hiel, de uma região próxima a Betel, durante o reinado de Acabe. Evidências arqueológicas apontam para o fato de que Jericó realmente permaneceu em ruínas no período que vai desde a invasão israelita da Palestina até o século nono.

Era o Senhor com Josué; e corria a sua fama por toda a terra (27). Uma vida centrada em Deus não poderia ficar oculta. Raramente o mundo testemunhou uma pessoa que teve uma vida totalmente dedicada Deus. Contudo, aqui estava um homem que dava ao Senhor o crédito de todos os planos que executava. Ele não buscava o favor de ninguém acima da aprovação de Deus. Esta prática de ter uma existência santificada era tão incomum que fez com que sua fama corresse **por toda a terra**. O mundo ainda tem dificuldades para considerar pessoas que seguem esse padrão em suas vidas.

C. Conquistas na Palestina central, 7.1–9.27

1. *O Episódio de Ai* (7.1–8.35)

a. *O povo de Deus é humilhado* (7.1-5). **E prevaricaram os filhos de Israel no anátema; porque Acã... tomou do anátema** (1). Deve-se notar que todo o Israel é acusado de ter cometido uma prevaricação. Aconteceu aquilo que Josué advertira o povo a não fazer (6.26). A solidariedade do povo de Deus é sugerida aqui. A responsabilidade do indivíduo é vista no fato de que Acã logo se tornou um exemplo vivo do preceito que Moisés proclamara quando disse: "Porém sentireis o vosso pecado, quando vos achar" (Nm 32.23). Aquele que fazia o que Deus havia proibido cortejava a punição. Terríveis conseqüências seguiram-se a estes atos. **A ira do Senhor se acendeu contra os filhos de Israel** (1).

Sem saber da atitude de Acã, Josué enviou os espias mais uma vez (2). Ele era um oficial diligente em suas ordens. Josué sabia que um lugar estrategicamente localizado[33] como Ai ofereceria grande resistência. Quando foi avisado para levar **dois mil ou três mil homens** (3), Josué optou pelo número maior (4). Ele queria trabalhar com uma margem maior de força. Contudo, logo descobriu que a força militar, sem a assistência de Deus, seria o mesmo que derrota.

O pecado de Acã humilhou a todos aqueles que tinham algum relacionamento com ele, quer fosse direto ou indireto (4,5). **O coração do povo se derreteu e se tornou como água** (5) quando sentiu que o apoio de Deus fora retirado. Sua derrota o ajudou a perceber o quão dependente ele era do Senhor.

b. *O povo de Deus se reúne para orar* (7.6,9). O que estes versículos revelam sobre **Josué... e os anciãos de Israel** (6)? Será que eles realmente se humilharam diante do Senhor? Sua oração teria sido de lamento e depressão mais do que de humilhação e confissão? Revelava-se ali um espírito de impertinência? Este foi um tipo bastante comum de reação nos anos anteriores (cf. Êx 5.22,23; 14.11-12; Nm 11.11-15; 14.2,3; 20.3ss). Contudo, é a primeira vez que Josué se expressa assim. Teria se abalado a sua confiança na liderança do Senhor (7)? Veja o comentário de 3.10 sobre a identidade dos amorreus.

Josué inferiu que o povo o decepcionara (8). Ele concluiu que os inimigos tinham alcançado o equilíbrio do poder. Eles **nos cercarão e desarraigarão o nosso nome da terra** (9). Veja o comentário de 3.10 sobre o significado de **cananeus**. Estes líderes de Israel estavam em grande desespero. Contudo, durante toda essa experiência de abatimento, alguns raios de fé penetraram na escuridão. O próprio ato de orar sugere fé no poder divino. O reconhecimento de que o Senhor fizera **passar a este povo o Jordão** (7) reflete a fé num Deus que opera maravilhas. O fato de Josué ter reconhecido que Israel jamais deveria ter dado as costas aos seus inimigos sugere fé naquele que poderia dar a vitória. Sua preocupação pelo **grande nome** (9) de Deus é outro vislumbre de fé nesta hora escura. Com isso alguém dificilmente poderia dizer que a oração de Josué foi uma expressão de descrença, "mas foi simplesmente uma linguagem ousada de fé que luta com Deus em oração – fé que não conseguia compreender os caminhos do Senhor".[34]

c. *A resposta de Deus* (7.10-15). **Levanta-te!... Israel pecou** (10,11). Independentemente do mal que os ímpios ao redor pudessem pensar, dizer ou fazer, Deus insistia para que seu povo não pecasse. Esta geração deve se lembrar que simplesmente "ter o nome do Deus de Israel nunca foi uma garantia de proteção divina. Se o coração estivesse longe do Senhor, não se deveria esperar por sua bênção".[35] Deus não está interessado em que seu grande nome tenha um apoio apenas superficial. Aqueles que seriam conhecidos como seu povo não deveriam praticar o pecado. Qualquer programa de vida que se aproximasse da pecaminosidade seria uma afronta a Deus (12).

Josué descobriu que Deus não se esquecera de seu povo, mas, sim, Israel virara as costas ao Senhor. **Israel pecou** (11), quebrou o concerto, desobedeceu, roubou, apropriou-se indevidamente e ocultou aquilo que não lhe pertencia. O povo que fizesse tais coisas não poderia **subsistir perante os seus inimigos** (12). Aqueles que persistissem em tais práticas não poderiam jamais ter Deus consigo. Josué precisou reconhecer que não tinha base para duvidar da fidelidade do Senhor. Ele deveria ser sábio e procurar a causa daquela calamidade entre o seu próprio povo.

Um raio de esperança na direção da reconciliação com Deus foi incluído na frase **se não desarraigardes o anátema do meio de vós** (12). Então o Senhor instruiu Josué de maneira mais específica em relação ao caminho da recuperação. Primeiramente, as pessoas deveriam se relacionar conscientemente com o Senhor e também se santificar (13). Elas deveriam se colocar numa posição na qual Deus pudesse lhes falar e, então, estariam prontas para obedecer a todas as instruções que Ele lhes desse. Segundo, as pessoas deveriam aceitar uma provação que faria com que elas tomassem uma posição. Deus revelaria a tribo, a família, a casa e, finalmente, o homem **que for tomado com o anátema** (15). Em terceiro lugar, tanto aquilo que fora tomado como aquele que reteve para si o que Deus havia proibido deveriam ser destruídos. Finalmente, a dupla natureza do pecado deste homem deveria ser reconhecida: ele **transgrediu o concerto do Senhor e fez uma loucura em Israel** (15). O pecado de Acã fez com que 36 guerreiros escolhidos fossem mortos (7.5); sua família, sua tribo e sua nação foram humilhadas. Tal crime era incompatível com a honra de Israel como povo de Deus. A justiça precisava ser feita e, portanto, ele deveria morrer.

d. *O culpado é encontrado* (7.16-21). Josué agiu tão logo entendeu a vontade do Senhor (16). A maneira pela qual as tribos das famílias foram selecionadas não é claramente apresentada. A prática de "lançar sortes" era um método conhecido de determinar opções (cf. Js 18.10 e Nm 33.54). O conceito básico dessa prática é expresso nas palavras: "A sorte se lança no regaço, mas do Senhor procede toda a sua disposição" (Pv 16.33). O uso de sortes era dirigido pela convicção de que a influência divina controlava o resulta-

do. Isto significava que o resultado obtido com a sorte coincidia com a vontade de Deus.
Zera (17) era filho de Judá (Gn 38.29,30).
Dá, peço-te, glória ao Senhor, Deus de Israel (19). A confissão do pecado sempre traz glória a Deus e benefício aos homens.
Acã coloca-se diante de toda a congregação de Israel como um homem condenado. Até esse ponto, Deus usara o lançamento de sortes para encontrar este homem. Agora, ele confirma a descoberta do Senhor por meio de sua própria confissão (20,21).
Essa confissão revela três passos bastante conhecidos que levam à ruína: Acã (1) viu, (2) cobiçou e (3) pegou o que não era dele. Isto também revela que ele usava um método inadequado de lidar com o pecado: tentou escondê-lo (21).

e. As conseqüências do pecado (7.22-26). Certamente Acã descobriu que o pecado é uma emoção passageira. Houve a emoção de obter alguma coisa secretamente. Ele teve a emoção de conhecer uma coisa que os outros não conheciam. Ele teve a emoção de ser procurado. Finalmente, chegou a emoção de ser o centro das atenções, de ser "a manchete do dia". Há pessoas dispostas a trocar suas vidas por essas compensações.
Mas a emoção teve vida curta. O que ele fizera foi logo descoberto por todos. O que ele havia escondido foi rapidamente manifesto a toda a sua nação. Aquilo que ele considerou valioso mostrou-se impotente para ministrar-lhe. Aquilo do que ele teve orgulho tornou-se sua vergonha. Sua alegria transformou-se em tristeza. Sua emoção momentânea terminou numa morte violenta. Com ele pereceu tanto aquilo que ele havia roubado quanto o que era legitimamente seu. Ele recebeu o salário do pecado. Ele se foi "sem deixar de si saudades" (2 Cr 21.20).
Este evento evidencia o princípio de que somente aqueles que vivem vidas submissas diante de Deus recebem ajuda do Senhor. Alexander Maclaren observou corretamente que "as vitórias da igreja são alcançadas muito mais por sua santidade do que por seus talentos ou pelo poder de mente, cultura, riqueza, eloqüência ou similares. Suas conquistas são as conquistas de um Deus que habita nela".[36] Acã recusou-se a se submeter ao plano de Deus. Ele carecia da santidade que daria permanência ao seu programa de vida.
O fato de que "nenhum de nós vive para si e nenhum morre para si" (Rm 14.7) é ilustrado pela vida de Acã. Um homem pode contaminar uma comunidade tanto para o bem como para o mal. Paulo dá a essa idéia um cuidadoso desenvolvimento em sua carta aos coríntios. Ele conclui: "De maneira que, se um membro padece, todos os membros padecem com ele; e, se um membro é honrado, todos os membros se regozijam com ele" (1 Co 12.26).
A vida de Acã também nos ensina que o pecado nunca está oculto aos olhos de Deus. O Senhor sabe o que os olhos vêem, o que o coração deseja e o que os dedos manipulam. Ele também sabe dos inúteis esforços do homem de tentar enganá-lo. Mais cedo ou mais tarde, um ser humano deverá encarar seus atos e prestar contas de todos eles.
Outra verdade importante é encontrada no fato de que, assim que o pecado foi expiado, a porta da esperança se abriu. O povo sentiu mais uma vez a segurança de que poderia avançar. Esta verdade continua em ação. Aquele que aceita o sacrifício de Cristo pelo pecado imediatamente olha para a vida com esperança e segurança.
Este parágrafo não quer dizer necessariamente que a família de Acã foi apedrejada. As palavras do versículo 25 são notadamente vagas em relação a este assunto. O prono-

me plural **os** poderia estar se referindo às posses de Acã. Contudo, a verdade central é que sua vida e sua morte realmente tiveram uma influência perturbadora sobre toda a nação. **Vale de Acor** (24) significa "Vale da Desgraça". **Até ao dia de hoje** refere-se ao tempo em que viveu o autor.

f. O príncipe do exército do Senhor reassume o comando militar (8.1,2). O passado era passado; o pecado fora eliminado. Mais uma vez o povo santificou-se (7.13; cf. nota de 3.5). A comunhão com Deus fora restaurada. Mais uma vez Josué ouviu as palavras de encorajamento: **Não temas e não te espantes** (1).

A tarefa de tomar Ai ainda estava diante Israel. Desta vez, **toda a gente de guerra** deveria compartilhar do fardo. Força adicional foi necessária porque o inimigo ganhara o sabor do triunfo. Talvez Deus ensinasse seu povo a não ter confiança demais em sua própria força. Contudo, a certeza de completa vitória foi dada a Josué nas palavras **tenho dado na tua mão o rei de Ai**.

Desta vez, Israel recebe a instrução de que **vós saqueareis os seus despojos e o seu gado** (2; cf. 27). Aquilo que fora requerido pelo ímpio deveria ser confiado ao próprio povo de Deus.

Então o Senhor dá a Josué a estratégia para ser usada em Ai. Ele disse: **põe emboscadas à cidade, por detrás dela** (2). O plano era simples, mas seria eficiente nas mãos de obreiros consagrados. O sucesso estava garantido se o plano de Deus fosse honrado.

g. Fracasso transformado em triunfo (8.3-29). **Então, Josué levantou-se** (3). Ele estava convencido de que os métodos do Senhor sempre funcionavam. Em um curto período de tempo, compartilhou com seus homens o plano de ataque. Na manhã seguinte, seu primeiro escalão estava em posição antes de o inimigo despertar (3,4).

Josué calculou que o exército de Ai estaria cheio de falsas esperanças e de orgulho (6). Ele se propôs a fazer pleno uso de sua situação e permitiu que o exército de Ai lhe saísse **ao encontro** (cf. 4-6). Quando isso aconteceu, aqueles que estavam na emboscada sairiam dela e tomariam a cidade (7). Ele sabia que aqueles que foram enganados por um sentimento de orgulho e prepotência não poderiam prevalecer contra o plano de Deus.

Josué passou aquela noite no meio do povo. E levantou-se Josué de madrugada (9,10). O relato não diz o que ele fez enquanto esteve entre o povo naquela noite, mas as atividades do dia seguinte indicam que deu instruções detalhadas com relação a todos os movimentos. Quando chegaram ao campo de batalha bem cedo na manhã seguinte, todos estavam otimistas. Sabiam o que fazer e quando agir. O dia terminou com o registro de que Israel conseguiu **destruir totalmente a todos os moradores de Ai** (26).

Esta experiência deu a Josué algumas lições valiosas. Ele aprendeu que (1) o fracasso pode ser transformado em triunfo. O segredo era: faça a obra do Senhor do jeito de Deus.

Josué aprendeu mais uma vez que (2) ele era totalmente dependente do Senhor. Foi a mesma lição que Jesus Cristo ensinou mais tarde aos seus seguidores. Ele os orientou a permanecerem em Jerusalém até que fossem revestidos de poder do alto (Lc 24.49). Somente depois de receberem a sua presença eles seriam capazes de ir por todo mundo e serem suas testemunhas.

Esse mesmo princípio é afirmado pelo Senhor depois que Acã foi castigado. Deus dissera a Josué: "Levanta-te, santifica o povo e dize: Santificai-vos" (7.13). O povo deveria se entregar totalmente ao programa de Deus e, ao se submeter a Ele, o povo teria certeza da presença divina. Diante de um povo santificado como aquele, Ai estava fadada ao fracasso.

Josué (3) descobriu o valor da participação total (8.1,3,5). Uma única pessoa fora de harmonia foi capaz de trazer a derrota. Quando todos tiveram um coração e uma mente, o inimigo pereceu.

Uma outra lição enfatizou que (4) era necessário destruir totalmente aquilo que Deus considerava ser abominável. Acã e seus pertences precisavam ser removidos porque eles causavam um "curto-circuito" no poder de Deus. Aqueles em cujo meio o Senhor habitaria deveriam ser um povo santo. Ele não se identificaria com um outro qualquer.

Uma lição final foi que (5) não havia cobertura para o pecado que pudesse escondê-lo de Deus. O pecado de todo tipo deve ser erradicado. Este princípio não foi uma medida temporária. O Senhor sempre insistiu e sempre insistirá nesse tipo de relacionamento com seu povo. O salmista compreendeu essa necessidade e disse: "Purifica-me com hissopo, e ficarei puro" (Sl 51.7). Ele também orou: "Livra-nos e perdoa os nossos pecados, por amor do teu nome" (Sl 79,9). Foi dito a Isaías: "A tua iniqüidade foi tirada, e purificado o teu pecado" (Is 6.7). João Batista falou da missão de Cristo como uma na qual ele batizaria com o Espírito Santo e limparia "a sua eira" (Mt 3.12).

h. Depois da vitória, um altar (8.30-35). **Então, Josué edificou um altar ao Senhor, Deus de Israel, no monte de Ebal** (30). Esta seção tem gerado grande dificuldade aos estudiosos porque o monte de Ebal está a cerca de 50 quilômetros ao norte de Ai. Alguns perguntam: "Teria Josué feito esta viagem de 50 quilômetros em território inimigo logo depois da conquista de Ai?". John Bright afirma: "Uma cerimônia como essa não poderia ter acontecido antes de o monte Efraim ter passado para as mãos dos israelitas. Mas o livro de Josué não faz qualquer registro, exceto em 17.14-18, de como isto ocorreu... É muito provável que os versículos 30 a 35 devam ser vistos como paralelos ou suplementares a 24.1-28".[37] A posição de Charles F. Pfeiffer é a seguinte: "Aceitando as vitórias em Jericó e Ai como evidências da fidelidade de Deus, a nação fez uma peregrinação solene até Siquém, no coração do território inimigo, para renovar sua aliança com o Senhor."[38]

Esta posição parece não sofrer qualquer dificuldade textual séria. Ela também está em harmonia com a idéia de que Josué queria prosseguir com o mínimo atraso possível para estabelecer a lei do Senhor em Canaã como fora ordenado por Moisés em Deuteronômio 27. Keil e Delitzsch sugerem que os israelitas poderiam ter feito estes avanços sem medo de ataque. Qualquer rei cananeu seria muito cuidadoso ao se aventurar sozinho e entrar num conflito com os israelitas. Essa idéia parece ser bastante razoável.

O breve relato desta reunião religiosa indica que as instruções mosaicas foram cuidadosamente executadas por Josué. A expressão **Senhor, Deus de Israel** (30) parece enfatizar o argumento de que, de agora em diante, nenhum outro Deus seria adorado em Canaã. Os novos ocupantes da terra trouxeram a adoração do Deus vivo juntamente com eles. E eles mesmos não teriam outros deuses.

É de especial interesse histórico o fato de que o primeiro altar a ser dirigido ao Deus verdadeiro em Canaã foi construído neste vale por Abraão (cf. Gn 12.6,7). Foi ali que o Senhor prometeu: "À tua semente darei esta terra" (Gn 12.7). Moisés havia antecipado a realização dessa promessa, e instruído os filhos de Israel a renovarem sua aliança com Deus. Este registro revela que, assim que uma passagem pudesse ser aberta, Josué conduziria o povo ao exato lugar da promessa original. Deste modo, as colinas e os vales que

haviam repercutido a promessa de Deus e a adoração de Abraão, agora, testemunhavam este novo altar **de pedras inteiras sobre o qual se não movera ferro** (31).
Vemos ilustrado aqui o cumprimento progressivo da promessa de Deus. Ela não foi cumprida nos dias de Abraão, nem nos de Moisés e nem mesmo Josué viu seu completo cumprimento. Então quando ela seria plenamente cumprida? Séculos depois, um autor declarou que "todos estes, tendo tido testemunho pela fé, não alcançaram a promessa" (Hb 11.39).

Durante todo esse tempo, a promessa estava no processo de cumprimento; a resposta estava a caminho. A promessa de Deus a Abraão não seria completamente cumprida no período da vida de uma única pessoa. Esta verdade deve ter sido impressa no povo de Deus conforme recitavam os mandamentos de maneira antifonal no meio da Terra Prometida (33,34). Mais e mais eles reconheceriam que "as coisas que o olho não viu, e o ouvido não ouviu, e não subiram ao coração do homem são as que Deus preparou para os que o amam" (1 Co 2.9).

Quatro grandes elementos de adoração podem ser vistos nesta reunião: (1) foi levantado um altar, um lugar de encontro entre Deus e o homem (v.30); (2) o povo fez ofertas ao Senhor (v. 31); (3) foi dada instrução religiosa (vv. 32,34,35); (4) foi usado um ritual (v. 33). Os **estrangeiros que andavam no meio deles** (35), pessoas de outras nações que tinham uma plena compreensão da missão de Israel. Raabe seria um excelente exemplo de pessoas assim.

2. *Temor Generalizado* (9.1-27)

a. Uma coalizão a oeste do Jordão (9.1,2). **Juntaram-se eles de comum acordo, para pelejar** (2). Estes inimigos do povo de Deus estavam prontos para sacrificar diferenças pessoais e uniram-se para resistir ao avanço que Israel fazia. Contudo, não há evidências de que a ação conjunta de reis menores tenha assustado Josué, nem mesmo por um momento. Anteriormente ele estava limitado a conquistar uma cidade por vez. Com este novo progresso, seria capaz de empreender operações em larga escala.

Esta oposição organizada poderia dar ao povo de Deus um novo encorajamento. Isaías disse certa vez: "Toda ferramenta preparada contra ti não prosperará; e toda língua que se levantar contra ti em juízo, tu a condenarás" (Is 54.17). O salmista declarou: "Não te indignes por causa dos malfeitores, nem tenhas inveja dos que praticam a iniqüidade. Porque cedo serão ceifados como a erva e murcharão como a verdura" (Sl 37.1,2). Em outro salmo lemos o seguinte: "Aquele que habita nos céus se rirá; o Senhor zombará deles. Então, lhes falará na sua ira e no seu furor os confundirá" (Sl 2.4,5).

b. A fraude dos gibeonitas (9.3-15). **Usaram também de astúcia** (4). Uma parte dessa astúcia foi expressa pelo uso de **sapatos velhos e remendados** (5). Gibeão é identificada como a moderna el-Jib, que está a cerca de 10 quilômetros a noroeste de Jerusalém e a cerca de 10 quilômetros a sudoeste de Ai. Os gibeonitas aparentemente representavam uma coalizão de quatro cidades (cf. 17). Essas pessoas tinham conhecimento das atividades de Deus (3,9,10) e criam no que o Senhor poderia fazer. Eles queriam estar em paz com o povo de Deus (4-6,8,11). Até este ponto, eles lembram Raabe. Diferem dela no fato de que usaram artimanhas por meio das quais alcançaram seu objetivo (4-5, 12-13). Queriam fazer uma aliança por meio da qual poderiam manter sua terra e sua liberdade. É óbvio que foram movidos pelo medo e, portanto, lançaram mão da trapaça e da fraude (cf. Gn 34 e Js 9.7).

E vieram a Josué, ao arraial, a Gilgal (6). Qual Gilgal? Seria este o lugar próximo de Jericó, recentemente identificado como Gilgal por causa da renovação do rito da circuncisão (cf. Js 5.8,9)? Ou seria um local próximo dos montes Gerizim e Ebal (cf. Dt 11.30; 1 Sm 7.16; 10.8; 11.14; 13.7,8; 15.33)? Existe uma probabilidade de Josué não ter voltado à planície de Jericó depois de ter levado "todo o Israel" (8.33) ao monte Ebal. Este local estratégico no centro de Canaã provavelmente renovou nos israelitas a consciência de que eles haviam chegado para ficar.

O povo de Deus aprendeu várias lições práticas com a fraude dos gibeonitas: (1) é fato que os olhos não revelam toda a verdade, pois as aparências enganam (vv. 4-6).

A próxima lição é o fato de que (2) homens bons podem ser enganados pelas artimanhas daqueles que querem tirar vantagem deles (vv. 7,8). A atitude dos gibeonitas ao afirmarem **nós somos teus servos** (v. 8) era, na verdade, uma fuga da pergunta: **Quem sois vós...?** (v. 8). Pressionaram Josué, dizendo: **fazei, pois, agora concerto conosco** (v.6). Fica claro que as pessoas que pertencem a Deus devem ser "prudentes como as serpentes" (Mt 10.16).

(3) A aparência de espiritual pode fazer com que pessoas boas sejam enganadas. Os gibeonitas afirmaram que vieram a Josué **por causa do nome do Senhor, teu Deus** (v. 9). Há pessoas que se filiam à igreja fazendo as mesmas falsas afirmações. O mais comum é que, mais cedo ou mais tarde, tais pessoas se tornam um embaraço para o povo de Deus. Às vezes, casamentos são realizados como resultado desse tipo de fraude, mas o resultado não é causa de ganho para a piedade.

c. O logro dos gibeonitas é descoberto (9.16-27). As artimanhas e o engano têm vida curta. **Ao fim de três dias** (16), a verdade foi conhecida. **Ao terceiro dia** (17), os gibeonitas foram confrontados em relação à sua fraude. Eles deveriam saber que a paz que se fundamenta na desonestidade realmente não tem firmeza. Não é sempre que o mentiroso chega à humilhação tão rapidamente, mas é certo que ela virá um dia.

Os israelitas ficaram grandemente perturbados, a tal ponto que **toda a congregação murmurava contra os príncipes** (18). Que esperança eles poderiam ter de que receberiam a aprovação de Deus se aqueles que estavam na liderança haviam feito acordos com os cananeus? A lição de Ai ainda estava nítida em suas mentes.

Os príncipes do povo também estavam preocupados quanto a obter o favor de Deus. Eles perceberam que não poderiam ferir os gibeonitas porque haviam jurado **pelo Senhor, Deus de Israel** (19). Quebrar este voto traria desgraça ao nome de Deus entre os cananeus. Jeová exigia total respeito para com a verdade.

É obvio que os líderes ficaram perturbados por terem sido enganados. O fato é que eles agiram de boa fé e o fizeram à luz do conhecimento que possuíam. Seu único erro foi agir antes de ouvir a voz do Senhor. Eles foram enganados, mas este erro não justificaria o fato de cometerem outro pecado, quebrando seu voto. Portanto, eles decretaram: **vivam** (21). O acordo feito pelos príncipes tornou-se uma **maldição** (23) quando Josué se dirige aos gibeonitas. Neste contexto, a expressão **a casa do meu Deus** é uma alusão ao Tabernáculo, pois o Templo ainda não fora construído.

Neste ponto, a misericórdia é estendida àqueles que estavam debaixo da sentença de morte. Por quê? Aquelas pessoas criam que o Deus de Israel era maior que as suas divindades. Elas acreditavam que já estavam condenadas (24). Usaram o melhor meio de obter misericórdia que suas mentes não regeneradas poderia planejar. Finalmente, fizeram uma rendição incondicional de si mesmos. Eles disseram: **eis que agora estamos na tua mão** (25).

Josué, este Jesus do Antigo Testamento, fez o que parecia **bom e reto** (25; cf. 26). Willian Shakespeare afirma corretamente que "o poder terreno mostra-se semelhante ao de Deus quando a misericórdia faz amadurecer a justiça".[40] Primeiramente, Josué libertou os gibeonitas das garras da morte (26). Isto foi feito ao custo de humilhação pessoal. Depois, Josué fez com que eles se tornassem seus servidores. Eles seriam **rachadores de lenha e tiradores de água para a congregação e para o altar do Senhor** (27), uma atividade que estava em conexão com a adoração do Tabernáculo. Esta não era uma escravidão privada, mas uma posição de importante serviço público.

A história indica que Deus favoreceu os ajustes promovidos por Josué e esta aliança foi honrada durante a existência de Israel. Quando foi rompida pelo rei Saul, Israel sofreu até que a restituição foi feita aos gibeonitas (cf. 2 Sm 21.1,2).

Além disso, benefícios surgiram deste arranjo, tanto para Josué como para todo Israel. Os gibeonitas forneceram "suprimentos, uma base de operação realizada por pessoas que estavam debaixo de fortes obrigações, dispostas e até mesmo ansiosas por executar suas tarefas, além de realizar vários trabalhos comuns". [41] Tudo isso deu a Josué uma grande vantagem nas operações de ofensiva no futuro imediato. Deus fazia o melhor a partir de uma situação provocada por um erro humano. "E sabemos que todas as coisas contribuem juntamente para o bem daqueles que amam a Deus, daqueles que são chamados por seu decreto" (Rm 8.28).

D. Conquistas ao sul da Palestina, 10.1-43

1. *Gibeão é Ameaçada* (10.1-7)

O fato de os gibeonitas terem se rendido a Israel significava problemas para os outros habitantes do sul da Palestina. Aquelas nações poderiam esperar que Josué logo viria ao seu encontro. O rei de Jerusalém tomou a iniciativa de organizar uma confederação. Quatro outros reis se uniram a ele para atacar Gibeão (1-5).

É comum que a oposição surja rapidamente quando as pessoas se identificam com Deus. Neste exemplo, **enviaram, pois, os homens de Gibeão a Josué** (6). Eles reconheceram o perigo e pediram: **sobe apressadamente a nós, e livra-nos, e ajuda-nos** (6).

Os gibeonitas enfrentaram uma situação crítica com sabedoria: (1) sem qualquer receio, confessaram sua necessidade de ajuda. Todos os seus outros amigos haviam virado as costas. A seguir, (2) demonstraram fé em Deus, considerando-o como Aquele que tem maior poder do que **todos os reis dos amorreus que habitam na montanha** (v.6). Esta fé foi construída a partir dos relatórios que receberam da obra de Deus realizada no meio dos outros povos. Mostraram que não tinham qualquer interesse em restabelecer um relacionamento com "a velha multidão". Finalmente, (3) aceitaram a pronta resposta à sua necessidade. Josué saiu de Gilgal **e toda a gente de guerra com ele** (v. 7). Os gibeonitas descobriram que sua identificação com o povo de Deus era melhor do que eles haviam imaginado.

O valor da estratégia de Josué é atestado pelo medo desesperador dos reis daquela região, visto em seu ataque a Gibeão. Não existiam defesas naturais por trás das quais o povo pudesse se proteger, uma vez que a passagem de **Bete-Horom** (10) fora tomada. Os israelitas puderam se mover pelas colinas que se levantam a partir do deserto em direção ao sul, tomando um lugar fortificado após outro. Os versículos seguintes relatam o rápido sucesso desta campanha.

2. *A Assistência é Garantida* (10.8-39)

a. O inimigo é desbaratado (10.8-15). Josué sabia desde o início que Israel venceria. O Senhor lhe dissera: **Não os temas, porque os tenho dado na tua mão** (8). Todos os que se encontram na luta entre a verdade e o erro, entre a luz e as trevas, podem ter certeza da ajuda do Senhor. Ele é o Deus da verdade que possui recursos infinitos e suprimentos abundantes.

Esse tipo de segurança nunca causou qualquer tipo de relaxamento em Josué ou em qualquer outra pessoa. Ele atacou o inimigo sem dar aviso. Isto custou a ele e a seus homens uma marcha que durou toda a noite, mas Josué já havia aprendido que algumas das missões de Deus exigem esforço extra.

O Senhor os conturbou diante de Israel, e os feriu de grande ferida (10). Este levante revela a preocupação que Deus tem pelo seu povo. Ele não abandonaria aquelas pessoas quando elas fossem seriamente ameaçadas pelos campeões da religião depravada e da moral licenciosa. Deus favorece aqueles que lutam pela verdade, pela justiça e pela liberdade. Do mesmo modo, Deus se opõe àqueles que se rebelam contra Ele.

Neste episódio **foram muitos mais os que morreram das pedras da saraiva do que os que os filhos de Israel mataram à espada** (11). Deus faz com que a própria natureza se oponha àqueles que lhe resistem (cf. Jz 5.20). Já se destacou que "horrenda coisa é cair nas mãos do Deus vivo" (Hb 10.31).

O evento do dia prolongado (12-14) não é facilmente explicado pela ciência. É preciso reconhecer que Aquele que fez as leis da Natureza tem o direito de usá-las. Aquele que usou a saraiva como arma de destruição contra seus inimigos também poderia usar a luz e as trevas para servirem aos seus propósitos. A soberania de Deus sobre a natureza o capacita a promover seu reino espiritual pelo uso do mundo físico. O salmista enfatizou que todo o universo visível existe para propósitos espirituais. Ele afirmou que "os céus manifestam a glória de Deus e o firmamento anuncia a obra das suas mãos. Um dia faz declaração a outro dia, e uma noite mostra sabedoria a outra noite" (Sl 19.1,2). Também declarou que "do Senhor é a terra e a sua plenitude, o mundo e aqueles que nele habitam" (Sl 24.1). Josué não demonstrou hesitação ao chamar as forças do universo para ajudá-lo contra aqueles que se opunham a Deus (12).[42]

A declaração de que **não houve dia semelhante a este, nem antes nem depois dele** (14) reafirma a singularidade deste evento. Também destaca o fato de que Deus usa milagres com grande reserva. Ele evita que os homens se tornem dependentes deles. Deus insiste que devemos depender dele próprio, que realiza os milagres.

b. Os cinco reis são punidos (10.16-27). Com grande pompa e glória esses comandantes vingativos e orgulhosos haviam lançado seu ataque contra o povo de Deus. Antes do fim do dia, **fugiram e se esconderam numa cova** (16), porque não tinham poder para enfrentar os juízos divinos. Precavido, Josué tampou a entrada da cova e continuou a perseguição (18). O clamor desta batalha era: **não vos detenhais; segui os vossos inimigos** (19). Israel deveria ferir **os que restaram**. Acossando deste modo o inimigo em fuga, Israel retardaria sua retirada. Como resultado da vantagem militar obtida por meio dessa tática, houve uma **grande ferida** (20). Os poucos que escapassem não teriam condições de reunir qualquer grande grupo. Eles estavam abatidos a tal ponto que não havia **ninguém que movesse a sua língua contra os filhos de Israel** (21). Os atos de Deus encheram o coração dos homens de temor e maravilha.

A grandeza de Josué como líder de homens é exemplificada no fato de ele fazer o seguinte pedido aos seus capitães: **Chegai e ponde os vossos pés sobre os pescoços destes reis** (24). Ele não assumiu a prerrogativa de um conquistador arrogante, mas reafirmava aos seus homens que **assim fará o Senhor a todos os vossos inimigos** (25). Ele apenas dizia: **Não temais, nem vos espanteis; esforçai-vos e animai-vos**.

Desse modo, seus inimigos não podiam impedir o povo de Deus de herdar a terra da promessa. Sua resistência somente apressaria sua própria extinção. A. P. Stanley chama a atenção para o fato de que há um acordo constante entre o registro histórico desses acontecimentos e a geografia natural da terra. [43] Tal harmonia detalhada enfatiza a precisão desta história. Vários registros das Escrituras fazem menção a covas e cavernas nesta área em geral (cf. Gn 19.30; Jz 20.47; 1 Sm 22.1; 24.3; 1 Rs 18.4).

c. As principais cidades da coalizão são destruídas (10.28-39). As principais cidades fortes de Sefelá – no sopé das montanhas a oeste – foram derrotadas. Josué tomou **Maquedá** (28) e seguiu para **Libna** (29) **e a feriu a fio de espada** (30). A seguir, **Laquis** caiu **na mão de Israel** (32). Foi aqui que **Horão, rei de Gezer**, foi derrotado (33). Josué **passou de Laquis a Eglom** (34) e, depois, para **Hebrom** (36,37), seguindo para **Debir** (38). (Veja o mapa) Joseph Parker faz a aplicação:

> Assim, nós também devemos prosseguir – de um mal ao outro, até que a última coisa ruim seja eliminada. De um hábito ao outro, até que todo o caráter seja purificado. Prosseguir até que toda a vida seja limpa. [44]

A condição espiritual daquelas pessoas que viviam na terra ajuda a explicar a razão de sua destruição. Israel fora informado que "em todas estas coisas se contaminaram as gentes que eu lanço fora de diante da vossa face. Pelo que a terra está contaminada; e visitarei sobre ela a sua iniqüidade, e a terra vomitará os seus moradores" (Lv 18.24,25; cf. vv. 1-23; Dt 9.5; 18.9). Este método de lidar com os inimigos era um meio pelo qual todas as demais nações deveriam facilmente convencer-se de que o Deus de Israel era verdadeiramente o Senhor de toda a Terra. Também era um método que deixaria bastante claro em todo Israel que Deus não tolera o pecado. Séculos depois, o apóstolo Paulo fez uma afirmação que poderia servir para ilustrar a posição de Israel. Ele diz: "Considera, pois, a bondade e a severidade de Deus: para com os que caíram, severidade; mas, para contigo, a benignidade de Deus, se permaneceres na sua benignidade; de outra maneira, também tu serás cortado" (Rm 11.22).

3. Resumo da Campanha no Sul (10.40-43)

Este resumo nos dá uma varredura histórica dos principais centros de toda a terra que foram tomados. A afirmação de que Josué **nada deixou de resto; mas tudo o que tinha fôlego destruiu** (40) deve ser compreendida em seu contexto. O versículo 40 indica claramente as áreas específicas que foram afetadas desse modo. Ao que parece, as outras áreas não foram completamente destruídas. Este fato é apoiado por afirmações como a referência aos anaquins que permaneceram em Gaza (cf. 11.22; 13.2,3). Os jebuseus também continuaram a habitar em Jerusalém (cf. 15.63). Além disso, podemos ver a expressão "tendo os que ficaram deles se retirado às cidades fortes" (10.20). Estes destaques paralelos complementam a declaração de 10.40-42. Eles explicam porque Josué advertira o povo contra a presença dos remanescentes (23.12). John Bright refere-se ao autor de Josué como "um intérprete que atesta a marcha constante e o poder de Deus".[45]

Analisada apenas superficialmente, esta exterminação em massa dos cananeus parece cruel. Alguns questionamentos morais e religiosos são levantados. É feita com nitidez a afirmação de que Josué realizou este massacre **como ordenara o Senhor, Deus de Israel** (40). Existem alguns princípios básicos que precisam ser mantidos em mente quando buscamos compreender esses atos de Deus.

A proclamação feita contra os cananeus foi um ato de julgamento divino. A descrição que o Senhor faz deste lugar é que "a terra está contaminada... e a terra vomitará os seus moradores" (Lv 18.25; cf 6-24). "Por estas abominações o Senhor, teu Deus, as lança fora de diante de ti" (Dt 18.12). "Pela impiedade destas nações, o Senhor, teu Deus, as lança fora, de diante de ti; e para confirmar a palavra que o Senhor, teu Deus, jurou a teus pais, Abraão, Isaque e Jacó" (Dt 9.5). As práticas malignas dos cananeus, vis por demais para serem descritas, tornaram-se uma parte intrínseca de sua vida religiosa e social. Os ocupantes dessa terra a si mesmos se tornaram abomináveis à vista do Criador.

A misericórdia foi estendida por longo tempo. Esses povos conheciam o destino de Sodoma e Gomorra, mas continuaram a praticar o mesmo tipo de vida. Eles sabiam dos reis de Ogue e Seom, mas não se arrependeram. Eles sabiam que o julgamento estava prestes a cair sobre eles (cf. 9.24), mas apenas Raabe e os gibeonitas buscaram misericórdia; os outros tentaram impedir o trabalhar de Deus (cf. 9.1,2 e 10.1).

O extermínio desses povos foi, na verdade, uma manifestação do amor de Deus. Primeiramente, porque as nações que restaram receberam uma clara lição de que o Deus de Israel era o Senhor de toda a Terra; segundo, porque seu próprio povo foi assim protegido da contaminação daquelas nações impuras; terceiro, como resultado do estabelecimento da preservação da nova nação, todo o mundo foi beneficiado, uma vez que, por meio de Israel, o Redentor veio à humanidade.

E. Conquistas ao norte, 11.1-15

1. É Formada uma Coalizão no Norte (11.1-5)

Josué foi logo desafiado pelos poderes do norte que se uniram contra ele (veja mapa). **Jabim, rei de Hazor** (1), reuniu os exércitos das planícies marítimas da Filistia, das terras altas de Saron e dos jebuseus, povos ainda não conquistados (1-4).

Esta multidão estava equipada com **muitíssimos cavalos e carros** (4). Os exércitos de todas essas nações, combinados, **se acamparam junto às águas de Merom, para pelejarem contra Israel** (5). Não se sabe ao certo a localização desta cidade. A área mais provável é a do lago Hulé, no vale superior do Jordão.

Esses povos que se opunham aos propósitos de Deus tinham quatro pontos de vantagem sobre Israel. Eles eram numerosos, estavam unidos, eram treinados e estavam desesperados. Foram corretamente persuadidos a entender que seu plano para Canaã estava fadado ao insucesso se o plano de Deus prevalecesse.

2. *A Coalizão do Norte é Destruída* (11.6-13)

Quando enfrentou a oposição melhor equipada e mais numerosa que já conhecera, Josué recebeu mais uma vez a segurança do Senhor: **Não temas** (6). Essas palavras foram seguidas pela promessa de que, num período de 24 horas, Deus colocaria o inimigo nas mãos de Israel (6). Josué deveria jarretar **os seus cavalos** (6), ou seja, cortar-lhes o tendão. Quando o tendão principal era cortado acima do tornozelo, os animais ficavam inutilizados para o inimigo. Isto também serviu para remover qualquer tentação por parte de Israel de colocar sua confiança neles. Josué já havia aprendido que, se Deus fosse por ele, então não haveria o que temer.

Novamente foi usada a estratégia da movimentação rápida. Antes que chegasse aos ouvidos dos inimigos o rumor de que Israel estava em marcha, eles atacaram esta hoste de guerreiros bem equipados **apressadamente** (7). Josué infundira em suas tropas um espírito marcial e uma fé inabalável em Deus. O inimigo não teve chances de organizar suas forças. Criou-se um verdadeiro pandemônio entre eles. Suas tropas fugiram para todas as direções (8). Os cavalos seriam uma grande vantagem para Israel e, por isso, eles e as carruagens foram destruídos (9).

O ponto principal da narrativa é que **o Senhor os deu na mão de Israel** (8; cf. 1 Sm 14.6). Josué aprendera nos encontros anteriores que a parte mais importante de sua tarefa era agir **como o Senhor lhe dissera** (9). A obediência às orientações divinas sempre resultou em conseqüências favoráveis.

Hazor era o centro da guerra contra Israel (1). **Tornou Josué, e tomou a Hazor, e feriu à espada o seu rei** (10). O instigador do mal deve enfrentar as conseqüências de seus planos. A queda de Jabim foi uma impressionante vitória na conquista da Terra Prometida. Ao que parece, o domínio deste homem se estendia por todo o norte do país (10). Com ele pereceram seu povo e sua cidade (11). Julgamento similar caiu sobre os outros reis da coalizão. Suas cidades, porém, não foram queimadas, mas **todos os despojos dessas cidades e o gado, os filhos de Israel saquearam para si** (14).

A expressão **as cidades que estavam sobre os seus outeiros** (13) também pode ser traduzida como "cidades que permaneceram firmes em sua força". John Bright sugere que esses locais que não foram queimados "eram cidades fortificadas, construídas sobre montões, como as cidades eram costumeiramente erigidas (cf. 8.28; Dt 13.16; Jr 30.18; etc.)".[46] A razão de elas terem sido poupadas não é declarada. Ao que parece, más conseqüências se seguiram. Lugares como estes serviram mais tarde de base para novas empreitadas do inimigo na terra (cf. Jz 1.19,21,27,29,31,33).

Nunca foi aconselhável deixar oportunidades para que o inimigo retorne. Se os lugares que um dia foram fortalezas para o inimigo devem se tornar bases para o povo de Deus, então devemos ocupá-los de uma vez, sem deixar espaço para o adversário (cf. Mt 12.43-45).

A partir de um ponto de vista numérico, esses reis deveriam ter vencido a batalha. Eles também tinham a vantagem da familiaridade com o terreno. Seus suprimentos estavam à mão; eles tinham os equipamentos mais modernos e estavam acostumados com a guerra. Os israelitas tinham tudo contra eles, exceto o fato de que Jeová estava com eles.

A cadeia de comando que trouxe sucesso é expressa na afirmação: **como ordenara o Senhor a Moisés, seu servo, assim Moisés ordenou a Josué; e assim Josué o fez** (15). Esta obediência perfeita ao Senhor faria com que Israel prevalecesse contra qualquer oposição. O Josué do Novo Testamento assegurou aos seus seguidores que, se eles buscassem primeiramente "o Reino de Deus, e a sua justiça" (Mt 6.33), todas as coisas necessárias à vida lhes seriam concedidas. Obediência é algo tão importante para os seus seguidores como o foi para os de Josué.

Com esta vitória, Josué praticamente completa a conquista do lado ocidental da Palestina. **Nem uma só palavra tirou de tudo o que o Senhor ordenara a Moisés** (15). Ele executou sua tarefa como um grande soldado. Em momento algum Josué violou a ordem de Deus. Ele foi rápido para ouvir e executar suas ordens. De forma louvável, Josué prefigurou o papel do soldado cristão (cf. 2 Tm 2.3-5).

F. RESUMO DAS CONQUISTAS, 11.16–12.24

1. *Um Apanhado Geral das Conquistas na Palestina* (11.16-23)

As conquistas de Josué estenderam-se desde o sul, na terra de Gósen, na fronteira com o Egito, ao **vale do Líbano, às raízes do monte de Hermom**, ao norte (16,17; veja o mapa). Estas conquistas foram um trabalho de **muitos dias** (18). [47] Exigiram paciência, coragem e perseverança. Aqueles que servem ao Senhor devem se lembrar que o inimigo não se submete sem luta. **Não houve cidade que fizesse paz com os filhos de Israel** (19). Por meio de sua fraude, os gibeonitas foram a única exceção a esta regra (cf. 9.3 ss). Todos os outros lugares defenderam suas posições.

A expressão **do Senhor vinha que o seu coração endurecesse** (20) carece de explicação. Maclear destaca que este ato de Deus "é sempre lançado como um julgamento sobre aqueles que agiram previamente de maneira contrária à vontade divina". [48] Esta referência em particular é feita em relação ao povo que havia pecado por eras contra a luz da consciência e da providência. Deus os entregou à vã confiança, ao orgulho, à obstinação e à malignidade. Desse modo, seus corações foram endurecidos e, assim, trouxeram sobre si mesmos a justa vingança e sua própria destruição (cf. Dt 2.30; Jz 14.4; 1 Sm 2.25; 1 Rs 12.15; 2 Cr 25.16,20). O comentarista George Bush declara: "Diz-se que este resultado 'é ou vem do Senhor' porque ele não interveio para impedi-lo". [49] Aquele que peca contra a luz "será quebrantado de repente sem que haja cura" (Pv 29.1).

Durante este longo período de guerra, Josué **extirpou os anaquins das montanhas** (21). Este foi o povo que fez com que Israel temesse, reclamasse e se rebelasse em Cades-Barnéia (cf. Nm 13.33; 14.1,2; Dt 9.2). Josué já sabia de longa data que esses gigantes estavam ali. Ele sabia que se tornaram fortes e estavam bem armados. Seus olhos viram como aqueles homens inspiravam terror. Mas há muito tempo ele já havia

JOSUÉ 11.21—12.24 JOSUÉ CONQUISTA CANAÃ

proclamado que "retirou-se deles o seu amparo, e o Senhor é conosco; não os temais" (Nm 14.9). Não há mérito em ignorar a presença e a força do inimigo, mas existe mérito em calcular sua força à luz do poder de Deus. Josué viveu para ver o dia quando o registro pudesse declarar que ele **os destruiu totalmente com as suas cidades** (21). Finalmente **a terra repousou da guerra** (23). Este não foi o fim das contendas. Somente uma vitória suficiente para ajudar as tribos a ocuparem individualmente o território. A finalização da conquista seria deixada para cada uma delas.

2. *A Derrota dos Reis a Leste do Jordão* (12.1-6)
Esta recapitulação das vitórias alcançadas a leste do Jordão serve como um prelúdio para a distribuição da terra entre as tribos. Aqui os reis são citados nominalmente, em vez de simplesmente se falar sobre as fronteiras de seus domínios. Em um certo sentido, observar esses nomes "é como ler o que está escrito nas lápides de um cemitério em uma terra estranha". [50] Contudo, estas listas de nomes sugerem que o povo de Deus está interessado em pessoas e não apenas em terras. Vidas humanas não devem ser eliminadas nem completamente esquecidas.

Aquelas pessoas que viveram mediante a prática de uma santa confiança em Deus seriam lembradas pela contribuição que fizeram para o avanço dos interesses divinos. Os povos que abusaram desta confiança encontrariam seus nomes listados entre aqueles que se perderam.

Dois homens governavam esta terra a leste do Jordão, a qual Moisés deu às tribos de Gade, Rúben e à meia tribo de Manassés. **A estes Moisés, servo do Senhor, e os filhos de Israel feriram** (6). O primeiro desses foi Seom. Ele se recusou a dar a Israel a permissão para passar por seu território no caminho rumo ao rio Jordão (cf. Nm 21.21ss). Depois do massacre resultante, a terra entre os rios Arnon e Jaboque tornou-se possessão de Israel (cf. Dt 1.4-7).

Acredita-se que o rei Ogue seja descendente da raça de gigantes dos refains (cf. Dt 3.11). A importância dessas vitórias é refletida nas referências feitas a eles na história bíblica (cf. 1 Rs 4.19; Ne 9.22; Sl 135.11; 136.19,20). Israel reconheceu esses feitos como tendo sido dádivas do Senhor. Esta revisão da fidelidade de Deus foi planejada para aumentar a confiança de Israel em seu futuro.

3. *A Derrota dos Reis a Oeste do Jordão* (12.7-24)
Esta seção não contém algo novo. Ela cita os nomes de certas cidades e de seus governantes, os quais já haviam sido previamente incluídos em outras afirmações das guerras de Josué. Contudo, existem algumas verdades implícitas de grande valia no texto: (1) aqueles que entravam em Canaã eram apenas os filhos de Deus que conquistavam o que lhes fora prometido (cf. Dt 32.7-9); (2) a erradicação do inimigo fora prometida há muito tempo (cf. Gn 15.3-21); (3) Deus teve parte atuante nessas conquistas.

Josué guardou os nomes de todos aqueles a quem derrotou. Ele poderia usar esse registro como meio de assegurar que Deus realizou o que prometera. **Trinta e um reis ao todo** (24) representavam uma evidência inquestionável para sua fé.

Seção II

JOSUÉ DIVIDE A TERRA PROMETIDA

13.1 — 21.45

A. O TERRITÓRIO NÃO CONQUISTADO, 13.1-6

A direção divina é dada a Josué quando este já está em idade avançada (1). A divisão da terra entre as tribos não deve ser postergada. O inimigo ainda tinha fortalezas no território filisteu, na região sudoeste. No lado noroeste, os fenícios ainda eram fortes (2-6). As nove tribos e meia teriam a responsabilidade de ocupar aquelas áreas. Elas estavam certas de que o Senhor lançaria os inimigos **de diante dos filhos de Israel** (6).

Esta seção destaca várias verdades importantes.

(1) Nenhuma pessoa possui tempo suficiente para fazer toda obra que precisa ser feita. **Ainda muitíssima terra ficou para possuir** (v. 1). Josué foi uma pessoa que começou a servir ao Senhor em sua juventude. Embora tenha trabalhado diligentemente, tudo indica que ele estava ciente de que "a noite vem, quando ninguém pode trabalhar" (Jo 9.4).

(2) Depois de toda uma vida de trabalho ainda restaria muita terra para que as tribos conquistassem. A vida de Josué abriu muitas portas pelas quais outros poderiam entrar. Cristo falou o seguinte sobre aqueles que o seguiriam: "Aquele que crê em mim também fará as obras que eu faço e as fará maiores do que estas" (Jo 14.12).

(3) É muito provável que a idade traga uma mudança no nosso chamado. Josué foi guerreiro pela maior parte de sua vida. Agora, assume a tarefa administrativa de ajustar as heranças, **como já to tenho mandado** (v.6). Ele permaneceu debaixo das ordens divinas, embora sua vocação tenha sido mudada.

(4) Os dons de Deus, freqüentemente, são pequenos locais nas fronteiras das grandes possessões. **Eu os lançarei** (v. 6) sugere que Deus esperava que os israelitas desenvolvessem aquilo que lhes fora dado. Aquilo que eles receberam só era seguro se fosse desenvolvido (cf. 2-6).

(5) Deus espera que seu povo seja diligente em seus negócios (cf. Rm 12.11). A distribuição foi cuidadosamente detalhada. Isso impediu numerosos litígios posteriores com relação à disputa das fronteiras. Obviamente um registro autêntico de cada lote era disponibilizado quando necessário.¹ As transações comerciais realizadas pelo povo de Deus nunca devem ser feitas descuidadamente.

B. O REGISTRO DAS TERRAS A LESTE DO JORDÃO, 13.7-33

Aqui é feita uma descrição geral de todo o país a leste do Jordão, determinado por Moisés às tribos de Rúben, Gade e à meia tribo de Manassés (8-13). Logo depois, existe um relato detalhado dos vários distritos distribuídos a cada tribo (14-33; veja mapa). O território de Rúben está mais ao sul. Esta tribo recebe o planalto das terras altas do oriente (15-21). Sua fronteira ocidental é o Jordão. A fronteira oriental não está estipulada, mas é determinada pelo deserto. Este é o território que foi conquistado durante a administração de Moisés (Nm 21.24; 31.8). Os líderes das tribos capturadas eram chamados de **príncipes** (21). Gade estabeleceu-se ao norte da tribo de Rúben. O reino de Ogue e a porção norte de Gileade foram entregues à meia tribo de Manassés.

A tribo de Levi é mencionada duas vezes (14 e 33) como a que não recebeu território algum. **Os sacrifícios queimados do Senhor, Deus de Israel, são a sua herança** (14) e **o Senhor, Deus de Israel, é a sua herança** (33). Desse modo, aqueles servos de Deus responsáveis pelo bem-estar espiritual de toda a comunidade foram aliviados dos negócios terrenos e atenciosamente recebiam provisões para as necessidades da vida.

Também os filhos de Israel mataram a fio de espada a Balaão (22; cf. Nm 31.8). Este homem foi citado várias vezes por outros historiadores (cf. Js 24.9,10; Ne 13.2; Mq 6.5; 2 Pe 2.15; Jd 11 e Ap 2.14). Sua biografia (cf. Nm 22 – 24) sugere várias verdades valiosas. (1) O abuso dos dons espirituais é pecado. (2) Aquele que busca a luz de Deus com o objetivo de obter o dinheiro dos homens desvaloriza o poder espiritual. (3) O amor ao dinheiro produz fracasso espiritual. (4) Ser falso para com a consciência de uma pessoa leva a práticas corruptas. (5) A punição certamente chega, embora ela pareça tardia. (6) O prazer do pecado tem vida curta (cf. Mt 16.26). (7) A posse dos dons espirituais não é garantia de salvação. (8) Aquele que não usa seus dons espirituais para a glória de Deus conclui sua vida como "alguém que poderia ter sido". (9) Aquele que propaga o mal por meio dos dons espirituais deixa de ser contado entre o povo de Deus.

C. A HERANÇA DAS TRIBOS A OESTE DO JORDÃO, 14.1–19.51

1. *Um Prefácio* (14.1-5)

Isto, pois, é o que os filhos de Israel tiveram em herança (1). O Senhor deu a Moisés os limites periféricos desta terra (cf. Nm 34.2-12). Ele também indicou quem deveria compor o "comitê de distribuição", formado por líderes e pessoas comuns (Josué era o legislador e Eleazar, o sacerdote. Cf. Nm 34.16-29). Além disso, Deus repetiu várias vezes que a herança seria distribuída **por sorte** (2; cf. Nm 26.55; 33.54; 34.13). Desse modo, a orientação divina é apresentada como um fator constante no projeto.

Durante a distribuição da terra o resultado da sorte era aceito como um decreto procedente de Deus. Decisões tomadas por este método eram vistas como destituídas da opinião ou da autoridade do homem. Um provérbio resume esta idéia: "A sorte se lança no regaço, mas do Senhor procede toda a sua disposição" (Pv 16.33).

A aceitação da idéia de que a distribuição entre cada uma das tribos fora determinada por Deus resultou em conseqüências benéficas para os israelitas. (1) O povo foi levado a perceber um poder na vida que era mais alto do que aquilo que os ganhos materiais podiam representar. (2) As ações de graças se tornam espontâneas. (3) O descontentamento e a desconfiança em relação à distribuição foram reduzidos ao mínimo. (4) A ambição desordenada foi refreada. (5) Os direitos e os interesses dos outros foram respeitados.

Como o Senhor ordenara a Moisés, assim fizeram os filhos de Israel (5). A providência divina deixa espaço para a ação humana. Deus fizera o plano, mas era o povo quem deveria executá-lo. Deus os levou à terra, mas eles deveriam tomar posse dela. A condenação cai sobre aqueles que se recusam a usar as possibilidades do bem que está ao seu alcance. "Aquele, pois, que sabe fazer o bem e o não faz comete pecado" (Tg 4.17).

Mais uma vez é feita a menção do fato de que **aos levitas não tinha dado herança entre eles** (3,4). Deste modo é dada ênfase ao distanciamento daqueles que são especialmente dedicados à obra espiritual. Deus dissera a toda a nação: "Vós me sereis reino sacerdotal e povo santo" (Êx 19.6). A dispersão dos levitas por todas as tribos permitia que eles ministrassem benefícios espirituais a toda a nação (cf. Js 21 em relação aos arranjos feitos para eles).

No versículo 4 o escritor explica como o número completo de doze tribos foi mantido. Não havia a tribo de José e nada fora dado a Levi. Manassés e Efraim preencheram esses dois espaços.

2. *O Pedido de Calebe* (14.6-15)

Dá-me este monte (12). Esta é a primeira menção feita a Calebe desde a morte de Moisés. É óbvio que neste ínterim ele sempre foi um seguidor fiel. Ao que parece Calebe tinha o dom de saber quando ficar calado e quando falar. Quando falou, sempre o fez pelo lado de Deus (cf. Nm 13.30; 14.6-9). A ele foi prometida "a terra que pisou" (Dt 1.36), de modo que ele veio registrar seu pedido.

Calebe era filho de **Jefoné, o quenezeu** (6). Quenezeu (ou quenezita) o identifica como pertencente a uma família edomita de destaque, descendente de Elifaz, o primeiro filho de Esaú (Gn 36.11,15,42). Parte dessa família se juntou à tribo de Judá, aparentemente antes do êxodo. Uma vez que a ligação de Calebe com a família dos quenezeus é sempre descrita como derivada de Jefoné, é provável que isso identifique o ramo da família que se associou com o povo de Israel. Este parece ser um outro exemplo de alguém que não era israelita de nascimento, mas o era pela fé. Calebe saiu **de Cades-Barnéia a espiar a terra** (7). Ele viu os gigantes em sua plena estatura e as cidades fortificadas. Ele sabia quais eram as dificuldades e as ameaças que os aguardavam. Mas ele também reconheceu o poder de Deus em todo aquele propósito. Portanto, acreditou na possibilidade daquilo que parecia impossível aos outros.

Em seu retorno depois de espiar a terra, Calebe **trouxe resposta, como sentia no meu coração** (7). Este relatório honesto e preciso foi justificado posteriormente nos anos do deserto. Ele não se envergonhou de suas convicções quando estava em minoria.

Enquanto os outros defendiam um curso dirigido pelo medo, Calebe perseverou **em seguir o Senhor, meu Deus** (8). O tempo e as doenças nivelaram seus contemporâneos com o pó, mas ele estava vivo para proclamar a promessa feita a ele quando **Moisés, naquele dia, jurou** (9). Calebe reconheceu que **o Senhor me conservou em vida** (10). Sua fé em Deus não desapareceu durante o tempo em que viveu entre pessoas desobedientes e moribundas que vaguearam pelo deserto. Ele passou por todas essas experiências e estava **tão forte como no dia em que Moisés me enviou** (11). Este homem aprendera como se levantar sozinho em favor do que era certo. Os apóstatas não tinham um meio para provocá-lo. Ele esperou com paciência pelo dia quando poderia fazer seu pedido: **dá-me este monte** (12). Calebe ainda estava ansioso por batalhar pelo Senhor contra os anaquins e suas cidades fortificadas.

Josué o abençoou (13). O pedido foi concedido e **Hebrom foi de Calebe** (14; veja o mapa). Sua fé finalmente se tornou vista. A verdadeira razão para dar Hebrom a Calebe foi o fato de ele perseverar **em seguir o Senhor, Deus de Israel**.

E a terra repousou da guerra (15). Sempre há um estado de descanso para o povo de Deus quando a impiedade é erradicada. A expressão **repousou da guerra** sugere o fato espiritual de que apenas o Príncipe da Paz (cf. Is 9.6,7; Lc 2.14) pode tornar realidade esta condição do coração humano. Somente Ele pode conquistar a injustiça, a ambição egoísta e as paixões obstinadas da humanidade. Quando isto é feito, a retidão e a justiça são respeitadas e a verdadeira comunhão entre os homens se torna uma realidade. Uma vez que Jesus Cristo é este Príncipe da Paz, a vitória sobre essas paixões malignas é mais certa para o cristão do que a conquista sobre os anaquins o era para Calebe.

A partir deste resumo de biografia algumas lições valiosas podem ser extraídas para todos os homens, de todas as eras. (1) Calebe lembrou-se das promessas que lhe foram feitas. Ele podia citar a data e o lugar onde as recebeu. O cristão deve se manter informado em relação às promessas de Deus. Somente então ele poderá requerer aquilo que lhe foi prometido.

(2) Calebe esperava lutar depois de receber seu pedido. Ele não cogitou a idéia de que a promessa de Deus pavimenta o caminho para a falta de ação. A vida com Deus é uma vida de ação. Espera-se do cristão que ele diga: "Prossigo para o alvo" (Fp 3.14). Ele deveria militar "a boa milícia da fé" (1 Tm 6.12).

(3) Calebe esperava algumas dificuldades. Ele sabia que os anaquins infestavam o território que, por direito, pertencia ao povo de Deus. Calebe sabia que eles estavam fortificados. Mas acreditava que Deus o havia preservado para alguma coisa mais do que a simples aposentadoria. Ele declarou: **Qual a minha força então era, tal é agora minha força, para a guerra, e para sair, e para entrar** (v. 11).

O apóstolo Paulo reflete esta qualidade como cristão. Ele jamais se gloriou com um estilo de vida tranqüilo; em vez disso, ele disse: "Sinto prazer nas fraquezas, nas injúrias, nas necessidades, nas perseguições, nas angústias, por amor de Cristo" (2 Co 12.10).

(4) Calebe mesclou dependência com confiança. Ele não se orgulhava de seu próprio poder, mas confiava firmemente na proposição de que **o Senhor será comigo, para os expelir, como o Senhor disse** (12). O cristão também é dependente de Deus e vive na confiança de que "em todas estas coisas somos mais do que vencedores, por aquele que nos amou" (Rm 8.37).

(5) Calebe irradiava lealdade e fé sem esperar receber promoções. Ele e Josué obviamente inspiraram confiança nos jovens durante os anos da peregrinação no deserto. Quando chegou a oportunidade de entrar em Canaã, aquelas pessoas não expressaram qualquer tipo de hesitação. Desse modo, elas refletiram a fé de dois homens. Muitas pessoas descobrem a experiência de um coração limpo por causa do testemunho consistente de alguma pessoa leiga que raramente esteve em qualquer lugar proeminente de liderança.

(6) Calebe precisou pedir aquilo que lhe fora prometido; ele necessitava clamar pela promessa. Não há qualquer indicação de que ele tenha duvidado. Ele pediu, acreditando que receberia.

3. *A Herança de Judá* (15.1-63)

a. A fronteira de Judá (15.1-12). Algumas dessas cidades e fronteiras são difíceis de se identificar por causa das muitas mudanças ocorridas com o passar dos séculos. Freqüentemente os nomes foram mudados; algumas cidades, sepultadas debaixo de suas próprias ruínas e foram totalmente esquecidas. Esses fatos não invalidam de modo algum a autenticidade do registro. A arqueologia continuamente torna conhecidos os lugares que, por séculos, têm sido nada mais que nomes nesse registro. Do mesmo modo, a geografia natural da terra ajuda a dar algumas idéias gerais das localizações. Parece bastante provável que "a grande parede montanhosa que se estende do mar Morto até a região sul de Reobote formava a natural e reconhecida fronteira da Palestina". [2]

A sorte da tribo dos filhos de Judá (1) é a primeira a ser determinada. Josué cuidadosamente delimitou as fronteiras. Judá era a maior de todas as tribos e, conforme provado pela história, foi a mais importante delas. De Judá viriam os reis que descenderiam de Davi, bem como o Messias. Aquelas pessoas preservariam a verdadeira adoração a Deus. Josué determinou quase metade da parte sul de Canaã a esta tribo. Mais tarde, as terras concedidas a Simeão e Dã foram tiradas do meio daquela tribo (cf. 19.1,41-46). A proeminência dada a Judá também está de acordo com a profecia proclamada por Jacó em Gênesis 49.8-12. **Rodeia** (3) tem o sentido de traçar um círculo ou fazer uma volta.

Segundo as suas famílias (12) sugere a provisão que Deus faz para o seu povo. Quando muito é necessário, muito é disponibilizado. Esse foi o princípio sobre o qual o maná foi dado (cf. Êx 16.16). No Novo Testamento, o suprimento da graça de Deus é dado à luz da necessidade. Paulo recebeu uma certeza: "A minha graça te basta" (2 Co 12.9).

b. A parte de Calebe e Otniel (15.13-19). O registro afirma que Calebe recebeu **uma parte no meio dos filhos de Judá** (13; cf. 14.6-15). Esta expressão sugere que Calebe não era originalmente um membro da família escolhida de Deus. Contudo, isto certamente manifesta a disposição do Senhor de receber todo aquele que vem a Ele.

Depois de Calebe ter expelido alguns dos gigantes (14), ele lançou uma oferta: **Quem ferir a Quiriate-Sefer e a tomar, lhe darei a minha filha Acsa por mulher** (16). Muito provavelmente ele estava ciente do interesse que Otniel tinha por aquela moça, de modo que não se surpreendeu quando o jovem aceitou o desafio. O amor de Otniel pelo prêmio colocado diante dele sem dúvida serviu de grande estímulo para que ele executasse esta difícil tarefa (17). Obviamente ele ganhou o respeito de Calebe e conseguiu para si uma esposa. O casamento entre primos não era proibido nos tempos bíblicos.

Acsa logo percebeu a necessidade de ter direito a alguma fonte de água. Ela sugere um plano para o seu marido (18) e, depois de compartilhá-lo com seu pai, eles receberam **as fontes superiores e as fontes inferiores** (19). É digno de nota o fato de que Calebe deu generosamente aquilo que havia recebido. A moça recebeu mais do que havia pedido. Várias facetas de uma vida familiar plena são sugeridas neste relato. (1) Os membros da família, individualmente, sentem-se livres para compartilhar uns com os outros suas esperanças e necessidades. Esta prática mantinha os mal-entendidos em um nível mínimo.

(2) Havia amor e submissão refletidos por Acsa em seus relacionamentos tanto com seu marido como com seu pai. Ela fez um pedido razoavelmente polido (18,19).

(3) A generosidade e o amor são refletidos na resposta de Calebe. Ele concedeu à filha o pedido feito por ela, com liberalidade e graciosidade. Uma vida familiar completa sempre enriquece a comunidade da qual ela faz parte.

c. As cidades de Judá (15.20-63). Esta longa lista de cidades é dividida em doze partes. Elas estavam localizadas em quatro regiões geográficas principais: a terra do sul, as planícies próximas do mar Mediterrâneo, as montanhas e o deserto de Judá. Aparentemente alguns desses lugares não possuem grande extensão e nem mesmo qualquer importância. O fato de eles aparecerem arrolados aqui revela o cuidado tomado em estabelecer **a herança da tribo dos filhos de Judá** (20).

Neste registro admite-se que **não puderam, porém, os filhos de Judá expelir os jebuseus que habitavam em Jerusalém** (63). É claro que esta não é a palavra final em relação aos jebuseus. Chegou o dia quando eles foram completamente subjugados (cf. 2 Sm 5.6,7). Às vezes a obra de Deus avança vagarosamente. Todavia, "o seu reino é um reino sempiterno, e o seu domínio, de geração em geração" (Dn 4.3). A impiedade não pode durar para sempre. Mais cedo ou mais tarde ela deve ser eliminada.

Ao tempo em que este registro foi feito, **habitaram os jebuseus com os filhos de Judá em Jerusalém até ao dia de hoje** (63). Talvez esta afirmação indique que os israelitas estavam dispostos a permitir isso. Contudo, não há indicação de que esta condição tenha sido a vontade de Deus. Josué disse: "Deus... de todo lançará de diante de vós... os jebuseus" (Js 3.10). **Não puderam, porém, os filhos de Judá expelir os jebuseus** (63). Por quê? Será possível não ter havido fé suficiente por parte de Judá, o que resultou em fraqueza (cf. Mt 13.58; 14.31; Mc 6.5)? O povo de Deus nunca é forte até que o pecado seja erradicado.

4. *A Sorte dos Filhos de José* (16.1–17.18)

a. Um esboço de suas fronteiras (16.1-4). É difícil determinar hoje com precisão quais são as fronteiras dessas tribos. Contudo, esta incerteza está confinada aos pontos nos quais uma tribo se junta com outra. A porção geral de terra ocupada por Efraim e Manassés é bem reconhecida. Em muitos aspectos essas tribos estavam próximas, em termos de importância, à tribo de Judá. Os dois filhos de José foram abençoados por Jacó, a fim de que seus descendentes fossem colocados como fundadores das 12 tribos de Israel (cf. Gn 48.5). Naquela época Jacó determinou que Efraim, o filho mais moço, fosse maior que Manassés (cf. Gn 48.19; Ez 37.16,17).

A localização dessas tribos era muito privilegiada. Era composta por um distrito tanto fértil como belo. ³"Juntamente com o vale sagrado de Siquém, ele abrangia algumas das melhores partes da Palestina, as montanhas de Efraim e a grande e fértil planície marítima de Sarom". Esta região era bastante conhecida por suas flores, notadamente a "rosa de Sarom", talvez uma espécie de tulipa montanhesa. Pode-se dizer que **a sorte dos filhos de José** (1) refletia o favor de Deus pelo corajoso pai dessas tribos.

b. A porção de Efraim (16.5-10). Desta área fértil da Palestina central, que se estendia na direção sul até a cadeia de montanhas do monte Carmelo, Efraim tomou a seção sul, que incluía a área ao redor de Siquém.⁴ Contudo, mesmo com esta localização privilegiada, os membros da tribo de Efraim **não expeliram os cananeus** (10). Foi uma condição na qual **os cananeus habitaram no meio dos efraimitas... porém serviam-nos, sendo-lhes tributários.**

Esta situação deu início à marcha fúnebre para este povo. O amor de Deus por Efraim, cujo nome representou todas as dez tribos do Norte depois da divisão do reino, jamais poderia ser questionado. Ele disse: "Sou um pai para Israel, e Efraim é o meu primogênito" (Jr 31.9). Mas este amor trouxe muito sofrimento. O Senhor precisou dizer: "Não é Efraim para mim um filho precioso, uma criança das minhas delícias? Porque, depois que falo contra ele, ainda me lembro dele solicitamente; por isso, se comove por ele o meu coração; deveras me compadecerei dele" (Jr 31.20). Por fim, a situação precisou ser enfrentada: "Efraim com os povos se mistura; Efraim é um bolo que não foi virado... Efraim é como uma pomba enganada, sem entendimento" (Os 7.8,11). Sobre Efraim, Oséias declara: "Efraim me cercou com mentira... Efraim se apascenta de vento... Efraim mui amargosamente provocou a sua ira" (Os 11.12; 12.1,14). O Senhor clamou: "Como te deixaria, ó Efraim?" (Os 11.8). Dificilmente, falar-se-ia palavras mais amargas do que a afirmação: "Efraim está entregue aos ídolos; deixa-o" (Os 4.17; mas cf. Os 14.4,8).

A história de Efraim ensina o perigo do pecado prolongado. (1) Aquelas pessoas tornaram-se fracas e indolentes em relação à vontade de Deus. (2) Elas se tornaram pessoas que buscavam o lucro, em vez de serem pregadoras proféticas. (3) Elas ficaram tão espiritualmente fracas que as tentações procedentes da idolatria e da imoralidade terminaram por vencê-las. (4) Entraram numa espécie de crepúsculo espiritual no qual "cada qual fazia o que parecia direito aos seus olhos" (Jz 17.6).

Ao permitirem que pequenos grupos de cananeus permanecessem, a nação inteira corrompeu-se. Ao se venderem em troca do tributo dos ímpios, o povo pecaminoso tornou-se cada vez mais poderoso e numeroso. Deus sempre insistiu que a única maneira segura para qualquer pessoa ser vencedora é a rendição e a dedicação incondicional de si mesmo ao Senhor.

c. A porção de Manassés (17.1-13). Os seus descendentes exigiram certos benefícios, porque Manassés **era o primogênito de José** e porque **Maquir, o primogênito de Manassés..., era homem de guerra** (1).

A herança de pais bons e nobres deve ser valorizada. Tais vantagens deveriam se constituir um desafio para alguém que quisesse seguir o exemplo de seus antepassados, a fim de lembrar-lhe que a virtude não é hereditária, e provar por si mesmo que é digno da confiança colocada nele.

O povo de Manassés herdou sua porção **segundo as suas famílias** (2). Nenhuma foi esquecida. Todos receberam provisão. Contudo, a grande parte dessas heranças veio na forma de oportunidades. As pessoas não poderiam sobreviver em sua terra a não ser que a melhorassem.

Essa situação apresenta alguns paralelos com a vida cristã. Primeiramente, o cristão entra para uma rica herança. Paulo fala do crente como alguém "em quem também vós estais, depois que ouvistes a palavra da verdade, o evangelho da vossa salvação; e, tendo nele também crido, fostes selados com o Espírito Santo da promessa; o qual é o penhor da nossa herança" (Ef 1.13,14). Ele relembra os cristãos, ao afirmar que eles receberão "do Senhor o galardão da herança" (Cl 3.24). Pedro declara que tal povo foi gerado "para uma herança incorruptível, incontaminável e que se não pode murchar" (1Pe 1.4). Segundo, os crentes devem melhorar a si mesmos. Eles são lembrados de que devem militar "a boa milícia da fé" e tomar "posse da vida eterna" (1 Tm 6.12).

As filhas de Manassés no meio de seus filhos possuíram herança (6). Este incidente no qual cinco mulheres sozinhas representam um antepassado belicoso destaca a justiça da lei mosaica e do estado judaico. Uma injustiça quase universal marca os relacionamentos de homens e mulheres fora do círculo daqueles que crêem no Deus vivo. Aquelas mulheres lembraram Moisés que seu pai era merecedor de ter seu nome perpetuado. Elas haviam recebido uma sanção divina em relação ao seu pedido quando "Moisés levou a sua causa perante o Senhor" (Nm 27.5). Agora elas reivindicavam seu direito diante dos representantes de Deus. Ele **lhes deu herança no meio dos irmãos de seu pai** (4). Vemos aqui numa outra afirmação de que Deus nunca falha para com aqueles que se achegam a Ele, a fim de reivindicar suas promessas. Elas receberam porque pediram.

Embora os filhos de Manassés tivessem herdado lugares selecionados, ainda assim **não puderam expelir os habitantes daquelas cidades** (12). A história subseqüente daquelas pessoas revela o poder letal de tais alianças. O povo de Deus sempre perde quando a pecaminosidade é tolerada em suas vidas.

Tudo indica que Cristo anteviu este tipo de viver perpetuar-se durante a existência da Igreja. Ele contou a parábola do joio para ensinar que haveria entre o povo de Deus aqueles que não fariam uma ruptura completa com o pecado. Ele advertiu que chegaria o dia quando diria aos ceifeiros: "Colhei primeiro o joio e atai-o em molhos para o queimar" (Mt 13.30). Até aquele dia, ambos deveriam crescer juntos.

d. Pedindo mais (17.14-18). Os líderes dos **filhos de José falaram a Josué, dizendo: Por que me deste por herança só uma sorte e um quinhão, sendo eu um tão grande povo, visto que o Senhor até aqui me tem abençoado?** (14). Joseph Parker diz: "Josué respondeu-lhes com infinito juízo, com um fino toque de sátira, assim como enorme nobreza religiosa". [5] Josué lhes disse: **Se tão grande povo és... expelirás os cananeus** (15,18).

Como alguém poderia lidar com uma nação tão difícil de agradar, um povo sempre inclinado à disputa e propenso à insatisfação? Josué mesclou bondade com firmeza. Ele não mudaria os apontamentos de Deus para satisfazer os caprichos de ostentadores vazios. Ele desafiou sua indolência. Não deu uma vantagem especial àqueles que desejavam confiar na misericórdia de Deus, mas que não estavam dispostos a pagar o preço (cf. Lc 13.24). Pessoas assim devem aprender que "ao que vencer e guardar até o fim as minhas obras, eu lhe darei poder sobre as nações" (Ap 2.26). Que contraste com Calebe, alguém que pediu uma porção de terra na qual sabia que enfrentaria dificuldades! É preciso contrastar sua visão de Deus com a daqueles.

5. Herança para as Sete Últimas Tribos (18.1-10)

E toda a congregação... se ajuntou (1). Ao referir-se à palavra "congregação", Maclear afirma que "o termo grego (na LXX) usado aqui é o mesmo que foi utilizado por nosso Senhor em Mateus 16.18".[6] É a palavra *ekklesia*, que é traduzida como "igreja". Para os escritores do Novo Testamento esse termo grego era considerado a palavra mais precisa para designar o caráter da Igreja como o verdadeiro povo de Deus. Em uma ocasião, Paulo referiu-se à Igreja como "o Israel de Deus" (Gl 6.16). Aqui, mais uma vez, o pensamento é que a *eclésia* é composta de pessoas que são possessão exclusiva de Deus.

Eclésia denotava originalmente uma assembléia de pessoas numa cidade grega. As pessoas eram chamadas para fora "por meio da trombeta de um arauto".[7] Eram cidadãos qualificados, capazes de legislar. Quando o termo foi aplicado aos israelitas, a nação era considerada como chamada para fora por Deus para o resto do mundo. Estas pessoas eram aquelas que deveriam dar testemunho da união divina, preservar suas leis e manter viva a esperança da redenção. O povo de Deus deveria estar em contraste com o mundo ao redor deles porque eles viviam em justiça e em verdadeira piedade.

Depois que as fronteiras de Efraim foram estabelecidas, Josué ordenou que toda congregação se reunisse **em Siló, e ali armaram a tenda da congregação** (1). Este era um ponto central para todas as tribos. A adoração ao Senhor poderia ser regularmente observada aqui, uma vez que a terra já estava subjugada.

Toda oportunidade foi dada para que essas pessoas mantivessem um adequado relacionamento com Deus. Josué sempre deu prioridade aos interesses espirituais. Agir de outra maneira é deixar de dar maior atenção às questões mais importantes.

Muitas tribos **ainda não tinham repartido a sua herança** (2). Josué as acusou de serem **negligentes para passardes para possuir a terra** (3). Aqui estavam pessoas que haviam recebido terra para possuir, mas que se contentaram apenas com as conquistas iniciais. Quando chegou o momento de executarem os grandes movimentos das massas, eles foram ativos. Agora que cada batalha individual precisava ser travada, o entusiasmo se fora. Esta observação não sugere que o esforço combinado na obra do Senhor não tem valor. O que realmente sugere é que é preciso dar continuidade àquilo que se começou.

Josué imaginou que a participação num plano definido ajudaria a superar a estagnação daquelas tribos. Ele primeiramente envia homens que **corram a terra** (4). Então fez com que aqueles homens **descrevam segundo as suas heranças, e tornem a mim** (6). Com essas informações em mãos ele daria missões específicas a todos os envolvidos.

Este plano foi levado a cabo. Registros cuidadosos foram mantidos. Esses exploradores descreveram a terra **em sete partes, num livro** (9). Então **repartiu Josué a terra aos filhos de Israel, conforme as suas divisões** (10).

Neste momento Josué estabelece um padrão para o sucesso na obra de Deus. Ele primeiramente planejou sua obra, ao reunir fatos. Só depois disso, baseado nos fatos conhecidos, é que ele realizou seu plano.

6. A Herança de Benjamim (18.11-28)

E saiu a sorte da tribo dos filhos de Benjamim (11). É possível que houvesse dois recipientes diante de Josué. Em um deles havia os nomes das sete tribos restantes. No outro, a descrição das sete porções. Assim, de um vaso ele tira um nome e do outro a descrição da porção a ser entregue àquela tribo.

E o seu termo foi para a banda do norte (12), o que coincidia com a fronteira ao sul de Efraim. A fronteira ao sul dos benjamitas coincidia com a fronteira ao norte de Judá. O Jordão era a fronteira no lado leste. Daí ela **subia pela montanha para o ocidente** (12).

Este território continha algumas cidades que foram perdidas na antiguidade, mas outras cujos nomes continuam até hoje. Jericó, Betel, Gibeão, Ramá, Mispa e Jerusalém são alguns dos mais familiares. Essas cidades tornaram-se imortais por causa de associações com o sagrado.

Jericó foi cenário da primeira grande vitória de Israel na Terra Prometida (cf. Js 6). Betel é honrada como o lugar onde Jacó teve uma revelação especial de Deus (cf. Gn 28.10-22). "E em Gibeão apareceu o Senhor a Salomão de noite em sonhos" (1 Rs 3.5). Ramá era o lar de Samuel "e ali julgava a Israel, e edificou ali um altar ao Senhor" (1 Sm 7.17). Mispa era uma das três cidades santas que Samuel visitou como juiz do povo (cf. 1 Sm 7.16). Jerusalém, na fronteira entre Judá e Benjamim, tornou-se "a principal cidade da Palestina, uma cidade santa para cristãos, judeus e muçulmanos".[8]

Esta tribo é às vezes chamada de "pequeno Benjamim" (Sl 68.27; cf. 1 Sm 9.21). Tornou-se famosa pelos homens "canhotos, os quais todos atiravam com a funda uma pedra a um cabelo e não erravam" (Jz 20.16). Foi "da terra de Benjamim" (1 Sm 9.16) que Deus escolheu o primeiro rei de Israel.

7. A Herança de Simeão (19.1-9)

Aparentemente esta tribo parece ter tido pouca influência na história subseqüente de Israel. A profecia que diz que esses povos seriam divididos em Jacó e espalhados em Israel (Gn 49.5-7) parece ter se cumprido literalmente. Existem referências posteriores a eles nas quais se vêem as tribos mover-se para a área das montanhas de Seir e estabelecer-se ali uma morada mais permanente para si mesmos (cf. 1 Cr 4.24-43).

A herança dos filhos de Judá mostrou-se **demasiadamente grande para eles; pelo que os filhos de Simeão tiveram a sua herança no meio deles** (9). Isto se apresenta como uma situação bastante incomum, a saber, um povo que está disposto a admitir que tem mais do que o suficiente e que se propõe a compartilhar o que possui. Contudo, uma parte da razão de eles compartilharem suas terras parece se basear no fato de que seu território era muito maior do que a extensão de terra que eles podiam proteger adequadamente. Compartilhar parte de suas terras com Simeão permitiria que as duas tribos ajudassem uma à outra (cf. Jz 1.8-18). Algumas nações do mundo deveriam se beneficiar deste exemplo.

8. A Herança de Zebulom (19.10-16)

De maneira geral, a área desta tribo fazia fronteira com Aser no oeste e no noroeste (19.27), com Naftali no norte e no nordeste (19.34) e com Issacar no sudeste e no sul (19.18-22). Isso os colocaria ao norte de Nazaré, num território bastante fértil e de certo modo isolado.

Existem poucos registros relativos a Zebulom. Em seu louvor triunfal que celebrava a grande vitória sobre os cananeus, Débora afirmou que "Zebulom é um povo que expôs sua vida à morte, como também Naftali, nas alturas do campo" (Jz 5.18). Eles também são mencionados na história posterior: "De Zebulom, dos que saíam ao exército, ordenados para a peleja com todas as armas de guerra, cinqüenta mil, também destros, para ordenarem uma batalha com coração constante" (1 Cr 12.33). Zebulom também é contada entre aqueles que são generosos e amantes da paz (cf. 1 Cr 12.40).

Parece que esses povos tiveram a desvantagem de estar a grande distância do lugar de adoração. Todavia, eles evidentemente mantinham contato com os outros e estabeleceram favoráveis relações com Deus.

9. A Herança de Issacar (19.17-23)

As fronteiras não são totalmente expostas, mas as cidades citadas ajudam a indicar o território que lhes foi concedido. Keil e Delitzsch sugerem que "Issacar recebeu a maior parte da grande e fértil planície de Jezreel". [9] Este território era conhecido como o caminho de todo invasor que queria conquistar a Palestina. Foi ali que Jabim foi derrotado (cf. Jz 4.14). Gideão encontrou o exército dos midianitas nesta área (Jz 7.1). O rei Saul lutou sua última batalha com os filisteus neste solo (1 Sm 30).

10. A Herança de Aser (19.24-31)

Esta porção da Palestina "continha um dos solos mais férteis do país e a parte marítima da planície fértil de Esdrelom, e controlava todas as entradas da Palestina pelo mar, ao norte". [10] A história subseqüente de Aser sugere que sua riqueza e proximidade com os fenícios resultaram em vergonhosa degeneração. "Porém, os aseritas habitaram no meio dos cananeus que habitavam na terra; porquanto os não expeliram" (Jz 1.32). Na época do conflito de Israel com Sísera, "Aser se assentou nos portos do mar e ficou nas suas ruínas" (Jz 5.17). Este povo ficou tão separado das outras tribos que seus nomes nem mesmo aparecem na lista dos principais governantes durante os dias de Davi (cf. 1 Cr 27.16-22). Isto não sugere que Aser não tivesse tropas, pois 40 mil soldados ajudaram Davi depois que ele se tornou rei (cf. 1 Cr 12.36).

11. A Herança de Naftali (19.32-39)

Este território estava mais ao norte e à metade leste das terras altas no sul da Galiléia. A terra foi "rica em produção... e mãe de uma raça livre e robusta". [11] Contudo, Baraque é aparentemente o único herói nacional. A fronteira ao sul parece corresponder com aquilo que, mais tarde, fez a separação entre a Galiléia superior e inferior.

Embora Naftali tivesse uma boa herança, ele não "expeliu os moradores de Bete-Semes, nem os moradores de Bete-Anate; mas habitou no meio dos cananeus que habitavam na terra" (Jz 1.33). Esta afirmação insinua que os filhos de Naftali deram pouco valor ao plano de Deus para eles. Aparentemente, foram incapazes até mesmo de cobrar tributo dos cananeus. Não houve um esforço agressivo para promover a vontade de seu Deus.

Blaikie faz uma observação de que é no Novo Testamento que Naftali desfruta de grande distinção, uma vez que o mar da Galiléia e as cidades nas suas margens, tão presentes na história do Evangelho, estão situados ali. [12] Mateus menciona que Jesus "foi habitar em Cafarnaum, cidade marítima, nos confins de Zebulom e Naftali" (4.13). Ao viver em Cafarnaum, Cristo cumpriu "o que foi dito pelo profeta Isaías, que diz: A terra de Zebulom e a terra de Naftali, junto ao caminho do mar, além do Jordão, a Galiléia das nações, o povo que estava assentado em trevas viu uma grande luz; e aos que estavam assentados na região e sombra da morte a luz raiou" (Mt 4.14-16). Mas o povo desta área, que deveria ser refletor da luz, contentou-se em habitar nas trevas.

12. A Herança de Dã (19.40-48)

Dã é a última das tribos a receber sua porção. Sua primeira localização situava-se na planície ao sul. Aqui "apertaram os amorreus aos filhos de Dã até às montanhas; porque não os deixavam descer ao vale" (Jz 1.34). No versículo 47 lemos que **saiu, porém, pequeno o termo aos filhos de Dã; pelo que subiram os filhos de Dã, e pelejaram contra Lesém... e a Lesém chamaram Dã** (47). Este é um local próximo à nascente do Jordão. Maclear o descreve como "um dos trechos mais férteis daquela terra, o campo de trigo e o jardim do norte da Palestina". [13]

A última menção desta cidade é que "Ben-Hadade deu ouvidos ao rei Asa, e enviou os capitães dos exércitos que tinha contra as cidades de Israel, e feriu... a Dã" (1 Rs 15.20). Dã é freqüentemente mencionada como a fronteira ao norte da Palestina na frase "desde Dã até Berseba" (cf. 2 Sm 3.10; 17.11; 24.2; 1 Rs 4.25; 2 Cr 30.5). Esta expressão sugere a inclusão da terra. Mapas do território ocupado por essas tribos indicam que todas estas áreas da Palestina mediam aproximadamente 240 quilômetros de comprimento por 65 de largura.

Geralmente, Dã não é associada a feitos espirituais. Uma parte do registro é que "os filhos de Dã levantaram para si aquela imagem de escultura" (Jz 18.30; cf. 1 Rs 12.28-30; 2 Rs 10.29; Am 8.14). Aparentemente o programa de Deus não lhes causou qualquer tipo de atração. Aqueles que lideravam Israel nos tempos de necessidade eram levados a fazer questionamentos, como no caso de Débora: "E Dã por que se deteve em navios?" (Jz 5.17). Quando os outros passaram por necessidades, ele não se importou. Dã recebera vantagens temporais e não aspirava nada além delas.

13. A Divisão é Concluída (19.49-51)

Depois de a terra ter sido distribuída entre as tribos, os israelitas deram a Josué uma herança no meio deles. Eles **lhe deram a cidade que pediu**. O fato é que ele **reedificou aquela cidade e habitou nela** (50). A sua porção foi, na verdade, uma oportunidade, e não uma obra completa. Ele foi o primeiro a trabalhar e o último a ser recompensado. O padrão de sua vida foi: Deus em primeiro lugar, os outros em segundo, e eu por último.

Não existe indicação clara do que realmente significa a oração **segundo o dito do Senhor**, presente neste versículo. Não é feita uma afirmação direta em todo o Pentateuco sobre um prêmio para Josué. Contudo, a afirmação deixa implícito que a principal preocupação de Josué era agir debaixo da aprovação de Deus. Todos os outros eventos de sua administração seguiram esse padrão. Até mesmo **por sorte em herança repartiram pelas tribos dos filhos de Israel em Siló, perante o Senhor** (51).

Deve-se notar que **Eleazar, o sacerdote, e Josué, filho de Num** (o chefe de estado), **e os líderes dos pais das famílias** (51) constituíam o "Comitê de Divisão das Terras". Este tipo de representação garantiu que a divisão fosse feita numa atmosfera de oração. O fato de ter havido um mínimo de murmuração sobre as decisões do comitê recomenda esse tipo de abordagem a qualquer negócio importante.

D. AS CIDADES DE REFÚGIO, 20.1-9

Seis cidades foram separadas como lugar de refúgio para homicidas involuntários e não intencionais (cf. Êx 21.13; Nm 35.9-15; Dt 19.2-10). As cidades selecionadas estavam localizadas quase que na mesma distância umas das outras. Havia três de cada lado do Jordão. No oeste estavam **Quedes** em Naftali; **Siquém** em Efraim e **Hebrom** em Judá (7). No leste estavam **Golã** em Basã; **Ramote em Gileade** em Gade e **Bezer** em Rúben (8). Maclear observa que essas cidades foram escolhidas "do mesmo modo como as cidades sacerdotais e levíticas, para provavelmente serem habitadas pela parte mais inteligente da comunidade". [14]

Nestas cidades o fugitivo deveria justificar o seu pedido de proteção colocando-se **à porta da cidade e proporá as suas palavras perante os ouvidos dos anciãos da tal cidade** (4). As cortes civis dos hebreus normalmente se reuniam nos portões das cidades. O acusado deveria provar que não teve intenção de matar. **Até que se ponha a juízo perante a congregação, até que morra o sumo sacerdote que houver naqueles dias** (6) é um resumo das provisões especificadas em Números 35.9-34. Se a congregação determinasse que o matador era culpado de crime premeditado, ele era entregue ao vingador ou ao parente próximo da vítima para que morresse. Se a decisão fosse que ele era réu de homicídio culposo ou de ter matado sem premeditar e nem tivesse intenção, deveria permanecer na cidade de refúgio até a morte do sumo sacerdote. A morte do sumo pontífice estabelecia um tipo de "estatuto de limitações" e o assassino poderia então retornar para sua casa sem correr risco de represália. A morte acidental era, por assim dizer, apagada de sua ficha.

O registro relativo às cidades de refúgio enfatiza algumas importantes verdades. (1) Deus tomou a iniciativa de providenciar esses retiros. O registro destaca que **falou mais o Senhor a Josué, dizendo... Apartai para vós as cidades de refúgio** (vv. 1,2). A compassiva compreensão que Deus tem pelas fragilidades do homem é claramente afirmada neste ato.

(2) Deus faz uma clara distinção entre o assassinato premeditado e o homicídio acidental. Este fato indica que o homem deve ser julgado primeiramente à luz de sua motivação, em vez de pelas coisas que cometeu. Este princípio ainda é fundamental nos procedimentos legais de hoje.

(3) Deus deseja que o inocente seja protegido. Ele decretou que essas cidades de refúgio deveriam estar ao alcance **para todos os filhos de Israel e para o estrangeiro que andasse entre eles** (v. 9). Os homens deveriam ser protegidos não porque eram israelitas, mas porque eram inocentes.

Esse esforço de administrar justiça sempre caracterizou aqueles que têm conhecimento do Senhor Deus de Israel. Sizoo menciona que "o século XX, no lugar de cidades de refúgio, possui juntas de avaliação, juntas de perdão e juntas de revisão, as quais têm direito, quando todos os fatos são colocados em perspectiva de alterar ou até mesmo cancelar uma punição". [15]

E. AS CIDADES LEVÍTICAS, 21.1-42

Os cabeças dos pais dos levitas... falaram-lhes (1,2). Estes homens aproximaram-se do "Comitê de Divisão de Terras" em nome de sua tribo e clamaram pela promessa que Deus lhes fizera. O resultado do seu pedido foi que **os filhos de Israel deram aos levitas, da sua herança, conforme o dito do Senhor, estas cidades** (3). O significado de **estas cidades e os seus arrabaldes** é "estas cidades juntamente com suas pastagens para o nosso gado".

Moisés separou esta tribo para o sacerdócio e lhes encarregou o santuário e seus serviços de adoração (cf. Nm 1.47-53; 3.6-13; 8.5-22). Por esta razão e porque eles deveriam servir como mestres e pastores para a nação, os levitas não receberam um simples pedaço de terra como as outras tribos, mas foram espalhados entre elas (cf. Nm 35.1-8).

Os três clãs levíticos que foram distribuídos entre as tribos do norte da Palestina e da Transjordânia foram: **Coate** (5), **Gérson** (6) e **Merari** (7). A família de Arão viveu entre **Judá**, **Simeão** e **Benjamim** (4).

Deste modo, desde o princípio da história desses povos, aqueles que serviam a Deus em tempo integral eram colocados à parte. Esperava-se que eles se mostrassem eficientes, se fossem aliviados das tradicionais preocupações econômicas e das ansiedades. Pelos seus trabalhos eles recebiam uma contribuição das posses das outras tribos. Deus arranjou as coisas assim de modo que eles estivessem ao alcance de todos os povos. A expressão **e saiu a sorte pelas famílias...** (4) mostra de que maneira Deus planejou a habitação para os levitas, bem como para as outras tribos. Era de grande importância que o povo fosse instruído no conhecimento da lei divina e que lhe fossem mostrados exemplos piedosos. Os levitas deveriam ajudar nesse treinamento.

F. RESUMO DA FIDELIDADE DE DEUS, 21.43-45

Palavra alguma falhou de todas as boas palavras que o Senhor falara à casa de Israel (45). Esta conclusão ficou óbvia depois que a terra foi repartida entre as tribos. Seus inimigos foram completamente subjugados de modo que nem um único exército dos cananeus foi capaz de resistir-lhes. A maioria dos habitantes da terra que não foram mortos serviu com seus tributos. Os israelitas tiveram mais terra em verdadeira possessão do que poderiam ocupar. O Senhor cumpriu cada parte de seu compromisso. Ele deu ao seu povo tudo o que foi necessário para uma vida feliz e próspera. Deus não prometera a destruição imediata e total dos cananeus. Eles deveriam ser expulsos gradualmente (cf. Êx 23.29,30; Dt 7.22).

Podemos tirar algumas lições importantes a partir deste ponto de vista privilegiado da história de Israel. Uma das primeiras é o fato de que (1) Deus é fiel às suas promessas. Ele garantiu a este povo a vitória, a possessão e o descanso. Na fidelidade do Senhor o homem constrói sua fé. Sem ela, o homem não tem fundação nem confiança.

(2) Atraso não é fracasso. Abraão esperou muitos anos antes que lhe nascesse um filho. Um período de 400 anos passou-se entre a época na qual os israelitas se estabeleceram no Egito até sua saída de lá. Foram necessários 40 anos no deserto antes de o Jordão ser atravessado. Durante esse tempo, Deus sempre foi fiel. Na plenitude dos tempos, o historiador pôde declarar que **tudo se cumpriu** (45).

(3) O Senhor tanto faz as promessas como as cumpre. Nos versículos 43-45 é feita uma referência às promessas do Senhor quanto à terra, ao descanso, à vitória e às outras boas coisas. Todas essas certezas são declaradas como cumpridas. Israel deve se lembrar que o Deus da verdade e do amor é o Senhor de todas as eras. "E o Senhor os ajudará e os livrará; ele os livrará dos ímpios e os salvará, porquanto confiam nele" (Sl 37.40).

SEÇÃO III
JOSUÉ CONCLUI SUA MISSÃO

Josué 22.1 — 24.33

A. OS AUXILIARES DO LESTE DO JORDÃO SÃO LIBERADOS, 22.1-34

1. *Josué os Elogia* (22.1-8)
Josué faz um reconhecimento laudatório da ajuda que as tropas do leste deram aos seus irmãos (2,3). Ele os libera para que possam voltar **à terra da vossa possessão** (4). Eles serviram com lealdade e permaneceram fiéis ao Senhor. A maior preocupação de Josué era que eles tivessem **cuidado de guardar com diligência o mandamento e a lei que Moisés, o servo do Senhor, vos mandou** (5).

Ele sabia que é comum aos homens esquecerem-se do Senhor depois do término de uma batalha. Muitos cristãos freqüentemente oram quando a lida é dura, mas, nos tempos de prosperidade, deixam de dar atenção aos mandamentos de Deus. Josué faz eco ao conselho que Moisés deu em Deuteronômio 6.5; 10.12; 11.13. Estes são os mesmos princípios que Jesus reafirmou em seus dias, a saber: total lealdade deve ser dada àquele de quem tanto se recebeu (cf.Mt 22.37; Mc 12.29ss; Lc 10.27). Josué podia apontar para sua própria vida como um testemunho de que este era o caminho para a verdadeira felicidade. O Senhor fez com que ele fosse "bem-sucedido" (Js 1.8 ARA). Uma constante diligência pelas coisas de Deus era a grande preocupação de Josué para com os irmãos de quem ele se afastava.

Os grandes temas da vida de Josué são refletidos em três significativas palavras de admoestação que ele usou em seu discurso de desmobilização: amor, serviço e obediência (5). Sua rica experiência o convencera de que esses são os laços que mantêm unidas todas as divisões dos filhos de Deus. As pessoas podem diferir em relação a maneiras de pensar, em questões geográficas, em tipos de casas e no trabalho. Mas, o amor, o serviço e a obediência a Deus fazem com que elas sejam uma só pessoa.

Este antigo conceito de unicidade foi nitidamente enfatizado no ministério de Cristo. O peso de sua oração era: "Para que todos sejam um, como tu, ó Pai, o és em mim, e eu, em ti; que também eles sejam um em nós" (Jo 17.21).

Josué... os abençoou (7) e ordenou que eles levassem os espólios de guerra que haviam acumulado como sua parte nos conflitos. Ele queria que repartissem **com vossos irmãos o despojo dos vossos inimigos** (8). Ele reconheceu que aqueles que permaneceram em suas casas executaram uma parte importante do trabalho; eles também eram dignos de recompensa (cf. Nm 31.27; 1 Sm 30.24).

2. Um Bom Motivo (22.9,10)

Estes heróis que voltavam à pátria haviam testemunhado um grau incomum do poder de Deus durante as conquistas de Canaã. Tal como Josué, eles sentiam profundamente o que era ter um relacionamento correto com Deus. Antes de cruzar de volta para o lado leste, eles **edificaram um altar junto ao Jordão, um altar de grande aparência** (10). A última parte desse versículo também pode ser traduzida como "um altar de grande tamanho". Charles F. Pfeiffer diz: "Era grande o suficiente para ser visto da margem leste, e foi planejado para servir como um memorial da ligação entre as tribos dos dois lados do Jordão". [1]

3. A Interpretação Errada (22.11-20)

O levantamento deste altar iniciou-se e foi levado a cabo sem uma consulta às outras tribos. A comunicação foi interrompida. Sentimentos amargos começaram a se levantar. As nuvens de guerra se formaram. **Ouvindo isto os filhos de Israel, ajuntou-se toda a congregação dos filhos de Israel em Siló, para saírem contra eles em exército** (12). As tribos do oeste presumiram que o novo altar fora planejado como um lugar de adoração de ídolos, sendo, portanto, um santuário rival. Isto certamente se constituía numa rebelião contra Deus (cf. Dt 13.13-15). Tal situação não poderia ser tolerada.

Apesar deste ciúme, o povo evitou agir com dureza. Eles procuraram fazer a indagação correta. Uma delegação de mentes maduras foi formada (13,14), e essas pessoas foram **à terra de Gileade** (15) para lhes falar. Aqueles homens tinham uma boa reputação de prudência e foram cuidadosamente selecionados. Certamente eles não tomariam decisões apressadas. A autenticidade de sua preocupação é refletida na abordagem cuidadosamente planejada. Seu objetivo era duplo: primeiramente, descobrir a causa da ofensa. Em segundo lugar, retificar a situação.

A delegação visitante deu sua interpretação do altar que fora erigido na margem para o oeste do Jordão. Eles estavam certos de que aquilo era uma transgressão **contra o Deus de Israel** (16). Lembraram a seus irmãos das conseqüências que outros atos de apostasia haviam trazido (17; cf. Nm 25.1-9; Dt 4.3). Certamente Deus ficaria irado **contra toda a congregação de Israel** (18) se esta situação não fosse corrigida. Eles deveriam reconhecer que agiam à maneira de Acã (20) e que somente restaria tristeza para toda a nação (cf. Josué 7). Portanto, estava sobre eles o fardo de tomar qualquer medida necessária para impedir isso.

O comitê não foi até lá apenas para reclamar. Uma solução também foi proposta. Foram oferecidas terras ocidentais às tribos do leste, **onde habita o tabernáculo do Senhor** (19).

4. *Explicação* (22.21-29)

Depois que as duas tribos e meia viram-se do mesmo modo como seus vizinhos contemplaram-nas, ficaram tomadas de tristeza e perplexidade. Elas negaram qualquer intenção errada e explicaram os motivos pelos quais haviam realmente agido. Queriam que todo o mundo soubesse que seu propósito era, em todos os aspectos, o inverso daquilo de que eram acusados.

Os réus começaram do jeito certo. Não há linguagem mais enfática do que a que eles usaram. Eles invocaram o próprio Deus para ser testemunha de sua inocência (22,23). ² **Oferta de manjares** (23,29) é melhor traduzido como oferta de cereais. Em alguns lugares do mundo a palavra "manjar" é sinônimo de comida em geral.

Eles então explicaram que levantaram aquele altar como um monumento. Nas eras futuras ele seria um testemunho perpétuo do relacionamento entre as tribos separadas pelo rio. Eles queriam uma resposta para dar aos seus filhos quando, no futuro, perguntassem **que tendes vós com o Senhor, Deus de Israel?** (24). Sua intenção era que o monumento servisse apenas como **modelo do altar do Senhor** (28). Foi por isso que o construíram com o mesmo formato do altar do Tabernáculo. Além do mais, eles não o construíram em sua própria terra. Ele foi colocado no lado ocidental do Jordão, pois aquele era o lugar de habitação de Jeová. A intenção daquelas tribos era enfatizar que os povos de ambos os lados do Jordão adoravam um único Deus. Todos os povos saberiam então da unidade religiosa das tribos do leste e do oeste. **Nunca tal nos aconteça, que nos rebelássemos contra o Senhor** (29). Este incidente ilustra o zelo de Israel pela observância da lei divina. Ele também revela as marcas que os juízos anteriores de Deus haviam deixado neles. Para eles o Senhor era soberano. Os dois lados estavam animados com a cuidadosa diligência em cumprir a vontade de Deus.

5. *Reconciliação* (22.30-34)

O ato que quase deu início a uma guerra civil fora agora reconhecido como uma evidência de que Deus estava presente entre todas as tribos de Israel. A explicação **pareceu bem** (30,33) tanto à delegação visitante como a toda a congregação de Israel. A expressão **subir contra eles em exército** (33) pode ser entendida como "não mais falaram em guerrear contra eles". A disposição de negociar evitou derramamento de sangue e contenda. Ela se transformou na base para ações de graças e louvor a Deus por sua presença manifesta no meio deles.

As tribos do leste **puseram no altar o nome Ede** (isto é, "testemunha"), **para que seja testemunho entre nós que o Senhor é Deus** (34). Quando as intenções do povo de Deus são compreendidas por todas as pessoas envolvidas, as razões para a contenda são eliminadas.

Aquelas pessoas estavam ansiosas por transmitir à sua posteridade uma religião que era pura e íntegra. Elas usariam aquele monumento como uma testemunha contra eles próprios caso se afastassem de Deus e deixassem de segui-lo.

B. O discurso de despedida de Josué, 23.1–24.28

1. *A Fonte das Bênçãos* (23.1-11)

E sucedeu que, muitos dias depois que o Senhor dera repouso a Israel... chamou Josué a todo o Israel (1,2). Esta reunião foi convocada já perto do final da vida dele. Ele já havia passado algum tempo em sua herança "na montanha de Efraim" (19.50), mas ainda carregava um fardo por Israel. Ele se sentiu compelido a rever as abundantes misericórdias que o Senhor lhes dera e a adverti-los seriamente sobre os perigos da apostasia para com Deus.

Este discurso aos líderes de Israel é composto de duas seções. Elas correm paralelas entre si no que se refere ao contexto (compare 2-13 com 14-16). Nos dois casos, Josué começou com uma referência à sua idade e à proximidade de sua morte. Este fato adicionou um elemento de urgência à sua mensagem. Em muitos aspectos, Josué seguiu o mesmo padrão usado por Moisés na conclusão de seu período administrativo (cf. Dt 12 – 26; 28ss). O fato é que ele não tinha algo novo a anunciar ao povo. Ele só estava desejoso de marcar mais uma vez as antigas verdades sobre as mentes das pessoas.

Josué apelou para as evidências da história (cf. 4.21-24; 10.14,42). **O Senhor... pelejou por vós** (3); conseqüentemente, a terra foi dividida por meio de sortes (4). Ainda havia focos das nações inimigas, mas **o Senhor, vosso Deus, as impelirá** (5). Josué lhes garantiu isso de acordo com a própria promessa de Deus (cf. 13.6; Êx 23.23ss).

Josué começa então a tirar o grande fardo da preocupação de seu coração. Ele os exorta: **Esforçai-vos, pois, muito, para guardardes e para fazerdes tudo quanto está escrito** (6). Este é um eco dos termos pelos quais o Senhor o havia conduzido (cf. 1.7). Esta maneira de agir mostrara-se como o caminho para ser bem-sucedido (1.8). Ele foi persuadido de que esta era a única maneira de o povo ter sucesso. Josué estava certo de que somente uma nação corajosa seria capaz de viver dessa maneira. É por isso que ele usa sua última demonstração de força para destacar o melhor modo de se viver.

No versículo 7 ele indica especificamente dois passos para longe de Deus, que devem ser evitados. Eram eles: (1) misturar-se com os povos rebeldes e (2) dar atenção aos seus deuses (cf. Êx 23.13; Dt 10.20). Tiago expressa esse perigo na forma de uma pergunta: "Não sabeis vós que a amizade do mundo é inimizade contra Deus?" (Tg 4.4). Os israelitas tinham a responsabilidade de fazer com que os outros povos conhecessem o Deus vivo e esta missão não poderia ser levada a cabo com comprometimentos estranhos.

Josué também apontou alguns passos específicos para manter ativo o fluxo das bênçãos de Deus. (1) Eles deveriam fazer **tudo quanto está escrito no livro da Lei de Moisés** (v. 6). As revelações de Deus não devem ser alteradas por nenhuma geração. Era imperativo que eles guardassem e fizessem aquilo que Deus lhes revelara como a maneira correta de viver.

(2) A importância de ser leal a Deus. Se eles se achegassem **ao Senhor, vosso Deus** (v. 8), então **um só homem dentre vós perseguirá a mil** (v. 10; cf. Dt 28.7; 32.30; Lv 26.7,8).

(3) Eles deveriam guardar **muito a vossa alma, para amardes ao Senhor, vosso Deus** (v. 11; cf. Dt 4.9). Este relacionamento deveria ser mantido a todo custo. Somente de um povo assim se poderia dizer **é o mesmo Senhor, vosso Deus, o que peleja por vós** (v. 10; cf. 3).

2. *A Fonte dos Problemas no Futuro* (23.12-16)

Se dalguma maneira vos apartardes (12) sugere que qualquer afastamento do caminho de Deus é o mesmo que andar para trás. Certamente uma coisa que poderia afastá-los de sua lealdade a Deus eram os relacionamentos íntimos com o **resto destas**

nações (12). Se isso acontecesse, Deus **não continuará mais a expelir estas nações de diante de vós** (13). Conseqüentemente, as nações se tornariam **laço, e rede, e açoite às vossas costas, e espinhos aos vossos olhos** (13; cf. Nm 33.55).
Josué realizava tudo o que sabia fazer para proteger o povo de experiências tão dolorosas e humilhantes. Ele sabia que a desobediência resultaria em miséria e opressão, além da perda **desta boa terra que vos deu o Senhor, vosso Deus** (13).
Neste ponto Josué resumiu brevemente o que afirmava. Ele deu um conselho especial quanto à maldição que se seguiria à apostasia do Senhor. Ele menciona a brevidade do tempo que ainda lhe resta e que **nem uma só palavra caiu** (14) daquilo que Deus lhes prometera. Estes fatos serviam como avalistas de que **trará o Senhor sobre vós todas aquelas más coisas** (15) **quando traspassardes o concerto do Senhor** (16).
A extensão do mal que o povo de Deus experimentaria ao se afastar dele seria que Deus os **destruiria de sobre a boa terra que vos deu o Senhor** (15). Tal pecado contra Deus significava que **a ira do Senhor sobre vós se acenderá, e logo vós perecereis de sobre a boa terra que vos deu** (16). Josué esperava que isso nunca acontecesse. Ele sabia que se o povo amasse ao Senhor de todo o coração, alma, entendimento e forças, então a bondade e a misericórdia os seguiriam todos os dias de suas vidas. Contudo, a pouca profundidade de seu amor faria com que essas palavras se tornassem proféticas.

3. A Fidelidade de Deus (24.1-13)
A acústica de Siquém parecia ser favorável à reunião de grandes multidões. **Ajuntou Josué todas as tribos de Israel** (1). Ele lhes fez uma revisão da história nacional (2-13). Esta retrospectiva cobriu o período desde a chamada de Abraão até os dias do próprio Josué, que enfatizam os atos salvadores de Deus. A recitação dos milagres que aconteceram foi planejada para inspirar fé no poder do Senhor. Pelo fato de Deus ter fielmente suprido todas as necessidades até aquele momento, Israel deveria estar seguro de que o Senhor estava disposto e era capaz de satisfazer todas as necessidades do futuro.
A graça de Deus é magnificada durante todo este resumo. Foi Ele quem tomou **a Abraão, vosso pai, dalém do rio e o fiz andar por toda a terra de Canaã; também multipliquei a sua semente e dei-lhe Isaque** (3). A expressão **dalém do rio**, também encontrada nos versículos 2, 14 e 15, é uma referência a Ur dos caldeus, além do rio Eufrates. Foi Ele quem tirou **vossos pais do Egito** (6). Ele lhes deu a **terra dos amorreus** (8). Libertou-os das mãos de Balaque (10). Depois de cruzarem o Jordão, os israelitas encontraram muitos inimigos, mas Deus os deu **na vossa mão** (11).
Dois fatos foram enfatizados nesta recitação dos eventos passados. Em primeiro lugar, estes feitos se tornaram realidade **não com a tua espada, nem com o teu arco** (12). Israel não tinha base para se gloriar da bravura de seus guerreiros (cf. Dt 9.5). Tudo isso aconteceu "não por força, nem por violência, mas pelo meu Espírito, diz o Senhor dos Exércitos" (Zc 4.6). Por todo o relato fica claro que Deus é o agente por meio de quem o sucesso é alcançado. Qualquer derrota sofrida pelo povo foi resultante de se ignorar o plano de Deus.
Hugh J. Blair[3] chama a atenção para a interpretação que Garstang faz da expressão **enviei vespões diante de vós** (12). Ele identifica os vespões com o símbolo sagrado dos faraós. Ele argumenta que Tutmose III saqueou Megido em 1479 a.C. e que a política de

devastação teve prosseguimento por 60 anos. Imediatamente, após o período de espoliação os israelitas surgiram diante dos muros de Jericó.

Este argumento tem algum mérito, mas também apresenta alguns problemas. O texto de Êxodo 23.28 faz a primeira menção aos vespões que são usados em favor de Israel. O contexto dessa referência (Êx 23.26-30) enfatiza que a ação de lançar fora "os heveus, os cananeus e os heteus" (Êx 23.28) seria um processo longo (cf. Êx 23.29,30). A outra referência aos vespões afirma que o Senhor "mandará vespões, até que pereçam os que ficarem e se escondam de diante de ti" (Dt 7.20). Esta afirmação dificilmente se presta à idéia de que a obra dos vespões deveria ser realizada antes da presença de Israel na terra. Não se pode ser dogmático neste ponto. A afirmação deve ter sido feita com o propósito de ser interpretada figurativamente. É possível que Deus tenha usado o inseto conhecido pelo nome científico de *Vespa Orientalis*, muito conhecido na Palestina.

Em segundo lugar, Deus deu **a terra em que não trabalhastes** (13). Tanto o presente como o passado era testemunho do cuidado amoroso do Senhor para com seu povo. Deus lhes deu a terra, as cidades e a produtividade do solo que eles cultivavam. Tudo ao seu redor era um constante testemunho de sua total dependência de Deus.

Estes fatos deveriam ter estimulado uma reação de gratidão àquele que lhes dera tudo gratuitamente. As pessoas receberam tanto não tinham razão para murmurar contra Deus. Elas deveriam expressar-lhe plena confiança e esperança. A história da fidelidade ao Senhor tinha o propósito de servir com uma reserva de fé para o futuro.

4. *O Desafio de Renovar o Concerto (24.14,15)*

À luz da óbvia grandeza e bondade de Deus, Josué faz este apelo: **Agora, pois, temei ao Senhor** (14). Deus fizera uma aliança com Abraão, ao afirmar que favoreceria de maneira especial a ele e aos seus descendentes. Este acordo foi renovado tanto com Isaque como com Jacó. Se tudo mostrava que era preciso a geração de Josué continuar como o povo de Deus, então eles deveriam escolher **hoje a quem sirvais** (15). A implicação era que somente se eles mesmos ratificassem este concerto é que poderia haver esperança de receber o favor de Deus.

Se não queriam servir a Deus a alternativa seria adorar os deuses que anteriormente foram abandonados e derrotados (15). Estes mostraram-se sem poder para ajudar. Eles sempre exerceram uma influência desmoralizante sobre a vida humana. Os israelitas testemunharam que esses deuses fizeram com que o povo dissipasse sua força de alma e destruísse as consciências e o intelecto das pessoas.

Josué sabia que seu povo deveria fazer uma escolha definitiva em relação a quem serviria. Ele insistiu para que eles afirmassem claramente Aquele em quem colocavam todas as suas esperanças. A quem eles seriam leais? Seria tal devoção entregue àqueles a quem já haviam derrotado? A indecisão seria um erro fatal, uma causa certa de fracasso. Portanto, **escolhei hoje** (15).

Josué já fizera sua escolha. Ele já havia estabelecido o tipo de exemplo que queria que os outros seguissem. Ele exerceria toda a influência de que dispunha para ajudá-los a fazer a escolha certa: **eu e a minha casa serviremos ao Senhor** (15).

Josué estava disposto a dar a qualquer pessoa a liberdade de escolher ou rejeitar a Deus. Ele concluiu que os méritos do Senhor eram tão bem conhecidos que nenhuma pessoa com um mínimo de discernimento deixaria de fazer a escolha certa.

Aquelas pessoas foram confrontadas com uma escolha que faz paralelo à proposição apresentada pelo cristianismo. (1) A gama de motivos e razões para escolher a Cristo é a mais razoável. (2) A escolha envolve vida e morte. (3) A escolha envolve o bem-estar da pessoa. (4) Ela desafia nossas aspirações por uma vida boa. (5) O amor de Deus torna-se um intenso fator motivador para se escolher o caminho divino.

Deste modo, o cristianismo apresenta uma exibição concreta de tudo o que é bom e verdadeiro. Ele oferece a segurança substancial de uma imortalidade bendita. Robert Hall afirmou corretamente quando disse que "as proposições de Cristo são tão supremas e inquestionáveis que ser neutro diante delas é o mesmo que ser hostil". [4]

5. *Israel Renova a Aliança* (24.16-28)

No momento em que Josué chamou o povo a fazer uma escolha, os sentimentos das pessoas pareciam ter sido chocados por até mesmo uma alusão à apostasia. **Nunca nos aconteça que deixemos o Senhor para servirmos a outros deuses** (16). Eles reconheceram que realmente fora o Senhor quem realizara todos aqueles atos poderosos em favor deles. Eles não tinham um desejo consciente de rejeitar a Deus. Eles reconheciam que foi o Senhor que **nos guardou por todo o caminho em que andamos** (17). Eles dependeram de Deus para todos os feitos; conseqüentemente, não tinham um incentivo para deixá-lo. Sua experiência pessoal lhes testificava que Deus sempre lhes fizera bem; **também nós serviremos ao Senhor, porquanto é nosso Deus** (18).

Josué desafiou a sinceridade daquelas pessoas. Ele temia que as promessas que elas faziam fossem apenas superficiais. Parece que ele tem o pressentimento de um futuro fracasso por parte do povo. **Não podereis servir ao Senhor** (19) sem mostrar um grau mais elevado de dedicação de mente e lealdade do que aquele que o povo já havia mostrado. A expressão: **não podereis servir,** tem o mesmo sentido lógico de "não pode ser meu discípulo" de Lucas 14.26,27. Josué queria que o povo reconhecesse que as declarações de Deus para a nação eram exclusivas. O Senhor seu Deus jamais ficaria satisfeito com algum tipo de rompante ou entusiasmo temporário. Ele é um **Deus santo** (19); conseqüentemente, os homens pecadores não podem se colocar diante dele. Ele é um **Deus zeloso**; portanto, outros não podem receber a afeição nem os direitos que são somente dele. Ele **não perdoará a vossa transgressão nem os vossos pecados**. Deus não vai fechar os olhos à meia lealdade e nem tolerará a falsidade. Pessoas que vivem uma existência dúbia não podem servir ao Senhor.

Durante sua associação com os israelitas, Josué conscientizou-se da tendência que eles tinham de entrar em situações comprometedoras e de contemporizar. Eles faziam promessas de lealdade com muita facilidade. Josué queria que sua devoção fosse genuína. Deveriam saber com profunda convicção que o comprometimento com outras coisas não era nem praticável e nem possível neste concerto.

Josué advertiu que, se Israel violasse esta troca de promessas, Deus **se tornará, e vos fará mal, e vos consumirá, depois de vos fazer bem** (20). Ele queria que aquele povo se lembrasse que o Senhor desejava lealdade total e genuína devoção.

Jesus Cristo também ensinou que "ninguém pode servir a dois senhores" (Mt 6.24). Tiago enfatizou esta verdade ao dizer que "o homem de coração dobre é inconstante em todos os seus caminhos" (Tg 1.8).

JOSUÉ CONCLUI SUA MISSÃO

JOSUÉ 24.20-28

A prática da falsa lealdade ao Senhor, mais tarde, resultou no afastamento de Israel da fonte de bênção. O plano de Deus insistia para que o povo erradicasse as nações ímpias de seu meio. Pelo fato de terem se recusado a seguir este preceito, o Senhor deixou que eles fizessem uma colheita do mal. Deste modo, o povo foi ferido e consumido por seus inimigos. Quando a inquestionável fonte de benefícios de Deus foi eliminada da programação de vida do povo, o Senhor não teve mais oportunidades de lhe fazer bem. O concerto com o Deus vivo é o mais sério tipo de relacionamento que o homem pode experimentar.

O povo foi ainda mais enfático, ao insistir que **antes, ao Senhor serviremos** (21). Josué solenemente advertiu aquelas pessoas que **sois testemunhas contra vós mesmos de que vós escolhestes o Senhor, para o servir** (22). Eles fizeram a escolha de servir ao Senhor incondicionalmente. Peloubet faz a seguinte observação: "Nossas profissões religiosas são testemunhas permanentes contra nós no caso de nos esquecermos de Deus". [5]

Josué pediu que Israel evidenciasse sua sinceridade, ao colocar **fora os deuses estranhos que há no meio de vós** (23). Não se tem conhecimento do quão presentes esses deuses estavam entre o povo. O fato de Josué pedir que o povo se livrasse dos deuses é uma confirmação de que ele estava consciente da existência deles (cf. Jz 17.5). Josué estava certo de que antes de poderem inclinar **o vosso coração ao Senhor** (23) todas as outras lealdades deveriam ser eliminadas. O registro não indica que qualquer um dos deuses estrangeiros foi eliminado (cf. Gn 35.2-4).

Pela terceira vez naquela reunião o povo declarou: **Serviremos ao Senhor, nosso Deus** (24; cf. 18, 21). Aparentemente o povo brincava com os elementos da apostasia, sem perceber o extremo risco de permitir aquilo que Deus denunciava. A erradicação de tudo o que desagradasse ao Senhor era o preço para obter o seu favor. Antes de poderem realmente servir, precisavam fazer uma rendição incondicional ao programa completo que Deus tinha para suas vidas.

Depois dessa declaração de proposta de lealdade, **fez Josué concerto, naquele dia, com o povo** (25). Isto envolvia a oferta de sacrifício, com a solene declaração de que a idolatria não seria tolerada em Israel.[6]

Josué fez dessa reunião pública uma ocasião solene. Ele **pôs por estatuto e direito... escreveu estas palavras no livro da Lei de Deus; e tomou uma grande pedra e a erigiu ali** (25, 26). Josué utilizou-se de todo o expediente disponível para garantir a lembrança de Deus nas mentes das pessoas. **Esta pedra nos será por testemunho** (27). Ela marcava o local onde o concerto fora estabelecido entre Deus e o povo. Assim, não apenas o ouvido, mas também o olho era convocado para registrar em sua memória o pacto renovado. Ele até mesmo registrou este evento por escrito (26) para ajudar o povo a ter em sua mente uma lembrança viva. Eles deveriam tomar todas as precauções **para que não mintais a vosso Deus** (27).

Josué lançou mão de todas os apelos conhecidos pelos quais ele pudesse persuadir o seu povo a dar a Deus a sua lealdade. Ele fora diligente para fazer de sua própria vida um exemplo digno. Nada era mais desejado por ele do que a profunda devoção de Israel ao Senhor seu Deus.

Josué despediu o povo, cada um para a sua herdade (28). A multidão se dissipou. Ele ficou sozinho com seus pensamentos. Josué havia carregado aquele povo em seu coração por vários anos. As lembranças do povo passavam por sua mente de maneira tão livre quanto o vento tocava seus cabelos prateados. Todo pensamento estava permeado de uma consciência do grande amor que Deus tinha pelo povo. Israel seria purificado por este amor se verdadeiramente deixasse que o Deus da santidade realizasse seu programa em suas vidas. Fariam eles isso?

A hora de sua partida aproximava-se e ele precisava deixar o futuro com seu Comandante.

Mais uma vez as palavras que haviam passado por sua mente com freqüência durante os últimos anos eram o ponto crucial de sua atenção: "Esforça-te e tem bom ânimo; não pasmes, nem te espantes, porque o Senhor, teu Deus, é contigo, por onde quer que andares" (1.9).

C. O SEPULTAMENTO DE TRÊS GRANDES LÍDERES, 24.29-33

1. *Josué* (24.29-31)

Sepultaram-no no termo da sua herdade (30). Josué começou sua carreira como "servo de Moisés" (1.1). Concluiu sua obra na posição de **"servo do Senhor"** (29). A fidelidade caracterizou toda sua vida. Algumas das conseqüências de uma vida assim estão implícitas na afirmação de que **serviu, pois, Israel ao Senhor todos os dias de Josué e todos os dias dos anciãos que ainda viveram muito depois de Josué** (31). Ao que parece, Israel não produziu outra geração que tivesse sido igualmente fiel ao Senhor. Ao refletir sobre a influência da vida de Josué, Hervey diz: "Seu peso e influência sobre a nação israelita foi tamanho que, por um período de pouco menos de meio século, ele fez com que um povo inconstante ficasse firme em sua lealdade ao Deus de seus pais". [7]

2. *José* (24.32)

Também enterraram em Siquém os ossos de José (32). Este evento retrata a reverência com a qual era tratado o nome de José em Israel. Embora tivessem saído do Egito apressadamente, conseguiram levar consigo o corpo embalsamado deste homem honrado. José dera uma ordem explícita com relação aos seus restos mortais, ao afirmar que eles deveriam ser levados do Egito quando seu povo saísse dali (cf. Gn 50.25; Êx 13.19; Hb 11.22). Essas relíquias foram carregadas durante todo o tempo no deserto e possivelmente durante o período das conquistas. "Muitos comentaristas têm afirmado que este sepultamento aconteceu muito antes da morte de Josué". [8] O momento do sepultamento não tem importância especial. O evento em si é significativo pelo fato de servir como outro meio de sustentar a fé que José tinha em relação aos propósitos de Deus para seus irmãos (Gn 50.25).

O cuidado com o qual os registros familiares eram mantidos é revelado na afirmação **enterraram... os ossos de José... naquela parte do campo que Jacó comprara** (32; cf. Gn 33.19).

Esta compra acontecera havia mais de 500 anos. Aparentemente as fronteiras daquele campo ainda podiam ser identificadas.

3. *Eleazar, Filho de Arão* (24.33)

Eleazar realizou suas atividades debaixo dos dois maiores líderes de Israel: Moisés e Josué. Ele foi apontado como o líder dos principais dos levitas (cf. Nm 3.32). Pouco antes da morte de Arão, seu pai, ele foi vestido no monte Hor com as vestes sagradas para o ofício de sumo sacerdote (cf. Nm 20.28). Ele participou com Josué da distribuição da terra (14.1). Sua sepultura localizava-se numa colina (outeiro) que pertencia a **Finéias, seu filho** (33).

As vidas desses grandes homens trazem à mente as palavras de Henry Wadsworth Longfellow em *Um salmo de vida*:

> As vidas de grandes homens nos lembram
> Que podemos tornar nossas vidas sublimes.

Notas

INTRODUÇÃO

[1] Você poderá encontrar uma grande variedade de abordagens em relação ao problema introdutório de Josué nas seguintes obras: John Bright, "Joshua" (Introduction), *The Interpreter's Bible*, ed. George A. Buttrick, *et al.*, II (Nova York: Abingdon-Cokesbury Press, 1953), pp. 541-50. Robert N. Pfeiffer, *Introduction to the Old Testament* (Nova York: Harper & Brothers, Publishers, 1948), pp. 293-313. W. T. Purkiser, *et al.*, *Exploring the Old Testament* (Kansas City, Mo.: Beacon Hill Press. 1955), pp. 139-62; A. Plummer e J. J. Lias, "Joshua" (Introduction), *The Pulpit Commentary*, ed. H. D. M. Spence e Joseph S. Exell, III (Grand Rapids, Mich.: Wm. E. Eerdmans Publishing Company, 1950), i-xxxviii; G. A. Smith, "Joshua", *A Dictionary of the Bible*, ed. James Hastings, II (Edimburgo: T. & T. Clark, 1942), pp. 779-88.

[2] Veja um bom desenvolvimento deste conceito em Carl F. H. Henry, "Inspiration", *Baker's Dictionary of Theology*, ed. Everett F. Harrison, *et al.* (Grand Rapids, Michigan: Baker Book House, 1960), pp. 286-89.

[3] T. W. Manson, "The Nature and Authority of the Canonical Scriptures", *A Companion to the Bible*, ed. T. W. Manson (Edimburgo: T. & T. Clark, 1950), p. 3.

[4] H. Orton Wiley, *Christian Theology*, I (Kansas City, Missouri: Nazarene Publishing House, 1940), p. 170ss.

[5] Carl F. H. Henry, *op. cit.*, p. 286.

[6] Veja o desenvolvimento desta idéia em Frederick Fyvie Bruce, "Interpretation (Biblical)", *Baker's Dictionary of Theology*, ed. Everett F. Harrison, *et al.*. (Grand Rapids, Michigan: Baker Book House, 1960), pp. 291-93.

[7] Hugh J. Blair, "Joshua: Introduction", *The New Bible Commentary*, ed. Professor F. Davidson (Londres: The Inter-Varsity, 1959), p. 224.

SEÇÃO I

[1] William G. Blaikie. *The book of Joshua*, "The Expositor's Bible", ed. W. Robertson Nicoll. Londres: Hodder and Stoughton, 1843, pp. 13,14.

[2] Cf. R. B. Y. Scott. *The relevance of the prophets*. Nova York: The Macmillan Company, 1947. Trata de um desenvolvimento da idéia de que Deus influencia a história humana.

[3] Cf. C. Warren. "Jordan", *A Dictionary of the Bible*, ed. James Hastings, II. Nova York: Charles Scribner's Sons, 1942, pp. 756-66. O fato de o rio ter seu volume aumentado pelas chuvas da primavera e pelo derretimento da neve do Líbano tornava impraticável a sua travessia.

[4] Cf. vários artigos sobre os "heteus" em diversos dicionários bíblicos, os quais poderão dar mais informações sobre este povo.

[5] J. S. McEwen. "Meditate" in *A Theological Word Book of the Bible*, ed. Alan Richardson. Nova York: The Macmillan Co, 1952, p. 142.

[6] *Op. cit*, pp. 80ss.

[7] Cf. Charles F. Pfeiffer. "Joshua", *The Biblical Expositor*, ed. Carl F. H. Henry. Filadélfia: A. J. Holman Co., 1960, 1, 223; e Joseph R. Sizoo, "The Book of Joshua" (Exposição), *The Interpreter's Bible*, ed. George A. Buttrick, *et al.*, II. (Nova York: Abingdon-Cokesbury Press, 1939), pp. 558ss.

[8] Cf. Adam Clarke, "The Book of Joshua", *Holy Bible Commentary*, II. Nova York: Carlton and Porter, s.d., pp. 10ss.

[9] Cf. John Bright, "The Book of Joshua" (Exegese), *The Interpreter's Bible*, ed. George A. Buttrick, et al., II. Nova York: Abingdon Press, 1953, p. 559; e Wm. Blaikie, *op. cit.*, pp. 84ss.

[10] *Op. cit.*, p. 223.

[11] Cf. Blaikie, *op. cit.*, p. 89ss.

[12] C. H. Waller, "Joshua", *A Bible Commentary*, ed. Charles John Ellicott (Nova York: Cassell and Company, Limited, s.d.), II, p. 110.

[13] Cf. George Bush, "Sending of Spies to Jericho", *The Bible Work: The Old Testament*, ed. J. Glentworth Butler (Nova York: Funk & Wagnalls, 1889), p. 45; a partir deste ponto é feita uma comparação entre a evidência que Raabe tinha para sua fé e aquilo que os a israelitas haviam recebido.

[14] Cf. Adam Clarke, *op. cit.*, II,13; a partir deste ponto Clarke enfatiza que foi prudente por parte dela manter segredo para preservar sua vida.

[15] Aquilo que o sangue na porta dos israelitas no Egito foi para aqueles crentes, o cordão de escarlata o foi para a casa desses crentes em Jericó.

[16] Cf. Hugh J. Blair, "Joshua", *The New Bible Commentary*, ed. F. Davidson (Grand Rapids, Michigan: W. E. Eerdmans Publishing Company, 1960), p. 227.

[17] Joseph R. Sizoo, *op. cit.*, p. 564, afirma que a distância de **dois mil côvados** (4) correspondem a "cerca de 900 metros". A expressão **por este caminho** pode ser uma referência a um novo método de orientação. As colunas de nuvem e de fogo (cf. Êx 13:21) foram anteriormente usadas para orientar a movimentação do povo.

[18] G. F. Maclear, *The Book of Joshua*, "The Cambridge Bible for Schools and Colleges", ed. J. J. S. Perowne. (Cambridge: At the University Press, 1892), p. 44.

[19] Cf. Sizoo, *op. cit.*, p. 567 ss.

[20] Cf. Charles F. Pfeiffer, *op. cit.*, p. 225.

[21] L. Thomas Holdcroft, *The Historical Books* (São Francisco: Gararden Publishing House, 1960), p. 14. Cf. também Joseph R. Sizoo, *op. cit.*, p. 567 ss., onde se pode encontrar uma interpretação alternativa deste evento.

[22] Têm-se sugerido que as pedras do meio do Jordão estavam na verdade na margem leste do rio, onde os pés dos sacerdotes primeiramente tocaram a água. A maioria dos comentaristas, porém, prefere a idéia de que a pilha estava localizada no canal, provavelmente em um dos locais mais rasos do rio.

[23] *Op.cit.*, p. 133

[25] C. F. Keil e F. Delitzsch, "Joshua", *Biblical Commentary on the Old Testament*, trad. James Martin (Edimburgo: T. &T. Clark, 1865), p. 57

[26] *Op. cit.*, p. 122.

[28] "Joshua", *The Bible-Work*, ed. J. Glentworth Butler (Nova York: Funk and Wagnalls, Publishers, 1889), p. 63.

[29] James Millar, "Music", *A Dictionary of the Bible*, ed. James Hastings (Nova York: Charles Scribner's Sons, 1935), III, p. 462.

[33] Cf. G. F. Maclear, *op. cit.*, p. 63ss. John Bright, *op. cit.*, pp. 583ss, indica a dificuldade de definir com certeza a localização de Ai, dos dias de Josué. Cf. também A. R. Millard, "Ai", *The New Bible Dictionary*, ed. J. D. Douglas (Grand Rapids, Michigan: Wm. B. Eerdmans Publishing Co. 1962), pp. 22,23.

[34] C. F. Keil e F. Delitzsch, *op. cit.*, p. 77.

[35] Charles F. Pfeiffer, *op. cit.*, p. 230.

[36] Alexander Maclaren, "Joshua", *Bible-Work*, ed. J. Glentworth Butler (Nova York: Funk and Wagnalls, Publishers, 1889), p. 81.

[40] *O mercador de Veneza*, ato IV, cena 1, a partir da linha 178.

[41] Rogers MacVeagh e Thomas B. Costain. *Joshua, leader of a united people* (Garden City, Nova York: Doubleday, Doran and Company, Inc., 1943), p. 166.

[42] Cf. High I. Blair, *op. cit.*, pp. 231ss; Charles F. Pfeiffer, *op. cit.*, pp. 234ss; C.H. Waller, *op. cit.*, pp. 127,128, 161, onde poderão ser encontradas citações e explicações propostas para este milagre. Blair propõe uma explicação literal desta passagem com grande embasamento etimológico e científico.

[43] "Joshua", *Bible-Work*, ed. J. Glentworth Butler (Nova York: Funk and Wagnalls, Publishers, 1889), p. 100.

[44] "Joshua – Judges", *The People's Bible* (Nova York: Funk and Wagnalls Company, s.d.), V, 209.

[45] *Op. cit.*, p. 609.

[46] *Op. cit.*, p. 612.

[47] Cf. Maclear, *op. cit.*, p. 103, calcula que "pelo menos cinco a sete anos" foram gastos na conquista.

[48] *Op. cit.*, p. 103.

[49] *Op. cit.*, p. 106.

[50] Joseph Parker, *op. cit.*, p. 220.

SEÇÃO II

[1] Esses registros antigos permanecem como parte integrante da história de Israel.

[2] C. H. Waller, *op. cit.*, p. 139; cf. também John Bright, *op. cit.*, pp. 627-29.

[3] Cf. W. G. Blaikie, *op. cit.*, p. 301 ss.

[4] Philip Smith, "Joshua", *Bible-Work*, ed. J. Glentworth Butler (Nova York: Funk and Wagnalls Publishers, 1889), p. 125.

[5] *Op. cit.*, p. 247

[6] *Op. cit.*, p. 154

[7] J. Robert Nelson, *The realm of redemption* (Londres: The Epworth Press, 1951), p. 6.

[8] M. S. Miller e J. L. Miller, "Joshua", *Harper's Bible Dictionary* (Nova York: Harper & Brothers, Publishers, 1954), p. 314.

[9] *Op. cit.*, p. 195

[10] Maclear, *op. cit.*, p. 171. Cf. Deuteronômio 33.24,25 e Gênesis 49.20.

[11] G. A. Cooke, *The book of Joshua*. "The Cambridge Bible for Schools and colleges", J. J. S. Perowne, ed. (Cambridge: At the University Press, 1913), p. 182.

[12.] *Op. cit.*, p. 322.

[13.] *Op. cit.*, p. 177.

[14] *Op. cit.*, p. 181.

[15] *Op. cit.*, p. 650.

SEÇÃO III

[1] *Op. cit.*, p. 241.

[3] *Op. cit.*, p. 235

[4] *Op. cit.*, p. 153.

[5] F. N. Peloubet, "Joshua", *Bible-Work*, ed. J. Glentworth Butler (Nova York: Funk and Wagnalls, Publishers, 1889), III, p. 155.

[6] Cf. Waller, *op. cit.*, p. 159, onde pode ser encontrada uma lista de alianças similares feitas por esta nação.

[7] A. C. Hervey, "Joshua", *Bible-Work*, ed. J. Glentworth Butler (Nova York: Funk and Wagnalls, Publishers, 1889), III, p. 157.

[8] Cf. Blair, *op. cit.*, p. 235.

Bibliografia

BLAIKIE, William Garden. *The Book of Joshua*. "The Expositor's Bible," editado por W. Robertson Nicoll. Londres: Hodder and Stoughton, 1843.

BLAIR, Hugh J. "Joshua". *The New Bible Commentary*. Editado por F. Davidson. Grand Rapids: W. E. Eerdmans Publishing Company, 1960.

BRIGHT, John. "Joshua" (Introduction). *The Interpreter's Bible*. Editado por George A. Buttrick, *et al.*, Vol II. Nova York: Abingdon-Cokesbury Press, 1951.

BRUCE, Frederick Fyvie. "Interpretation (Biblical)" *Baker's Dictionary of Theology*. Editado por Everett F. Harrison, *et al.* Grand Rapids: Baker Book House, 1960.

BUSH, George. "Joshua and Judges". *The Bible-Work: The Old Testament*. Editado por J. Glentworth Butler. Nova York: Funk & Wagnalls, 1889.

_____. "Sending of Spies to Jericho" *The Bible-Work: The Old Testament*. Editado por J. Glentworth Butler. Nova York: Funk & Wagnalls, 1889.

CLARK, Adam. "The Book of Joshua". *Holy Bible Commentary*, Vol. II. Nova York: Carlton and Porter, s.d.

COOKE, G. A. *The Book of Joshua*. "The Cambridge Bible for Schools and Colleges". Editado por J.J.S. Perowne. Cambridge: At the University Press, 1913.

DODS, Marcus. *Israel's Iron Age*. Londres: Hodder and Stoughton, 1846.

EDERSHEIM, Alfred. "Joshua" The *Bible-Work: The Old Testament*. Editado por J. Glentworth Butler. Nova York: Funk & Wagnalls, 1889.

HALL, Joseph. "Joshua". *The Bible-Work: The Old Testament*. Editado por J. Glentworth Butler. Nova York: Funk & Wagnalls, 1889.

HENRY, Carl. F. H. "Inspiration". *Baker's Dictionary of Theology*. Editado por Everett F. Harrison, *et al.* Grand Rapids: Baker Book House, 1960.

HERVEY, A. C. "Joshua". *The Bible-Work: The Old Testament*. Editado por J. Glentworth Butler. Nova York: Funk & Wagnalls, 1889.

HOLDCROFT, L. Thomas. *The Historical Books*. São Francisco: Gararden Publishing House, 1960.

IRONSIDE, H. A. *Addresses on the Book of Joshua.* Nova York: Louzeaux Brothers, 1950.

JAMES, Fleming. *Personalities of the Old Testament.* Nova York: Charles Scribner's Sons, 1939.

KEIL, C. F. e Delitzsch, F. "Joshua", *Biblical Commentary on the Old Testament*, traduzido por James Martin. Edimburgo: T. & T. Clark, 1865.

MACLAREN, Alexander. "Joshua". *The Bible-Work: The Old Testament.* Editado por J. Glentworth Butler. Nova York: Funk & Wagnalls, 1889.

MACLEAR, G. F. *The Book of Joshua.* "The Cambridge Bible for Schools and Colleges". Editado por J.J.S. Perowne. Cambridge: At the University Press, 1892.

MACVEAGH, Rogers e COSTAIN, Thomas B. *Joshua, Leader of a United People.* Garden City, Nova York: Doubleday, Doran and Company, Inc., 1943.

MANSON, T. W. "The Nature and Authority of the Canonical Scriptures", *A Companion to the Bible.* Editado por T. W. Manson. Edimburgo: T. & T. Clark, 1950.

MCEWEN, J. S. "Meditate", *A Theological Word Book of the Bible.* Editado por ALAN Richardson. Nova York: The Macmillan Company, 1952.

MILLAR, James. "Music", *A Dictionary of the Bible.* Editado por JAMES HASTINGS, Vol III. Nova York: Charles Scribner's Sons, 1935.

MILLER, M. S., e Miller, J. L. "Joshua". *Harper's Bible Dictionary.* Nova York: Harper & Brothers, Publishers, 1954.

NELSON, J. Robert. *The Realm of Redemption.* Londres: The Epworth Press, 1951.

PARKER, Joseph. "Joshua-Judges". *The People's Bible.* Nova York: Funk & Wagnalls Company, s.d.

PARKHURST, C. H. "Joshua". *The Bible-Work.* Editado por J. Glentworth Butler. Nova York: Funk & Wagnalls, 1889.

PELOUBET, F. N. "Joshua". *The Bible-Work: The Old Testament.* Editado por J. Glentworth Butler. Nova York: Funk & Wagnalls, 1889.

PFEIFFER, Charles F. "Joshua". *The Biblical Expositor.* Editado por Carl F. H. Henry, Vol. I. Filadélfia: A. J. Holman Co., 1960.

PFEIFFER, Robert N. *Introduction to the Old Testament.* Nova York: Harper and Brothers, Publishers, 1948.

PLUMMER, A., e LIAS, J.J. "Joshua (Introduction)". *The Pulpit Commentary.* Editado por H. D. M. Spence e Joseph S. Exell, Vol. III. Grand Rapids: Wm. B. Eerdmans Publishing Company, 1950.

PURKISER, W. T., *et al.*, *Exploring the Old Testament.* Kansas City: Beacon Hill Press, 1955.

SCOTT, R. B. Y. *The Relevance of the Prophets.* Nova York: The Macmillan Company, 1947.

SIZOO, Joseph R. "The Book of Joshua" (Exposition). *The Interpreter's Bible.* Editado por George A. Buttrick, *et al.*, Vol II. Nova York: Abingdon-Cokesbury Press, 1939.

SMITH, G. A. "Joshua". *A Dictionary of the Bible.* Editado por James Hastings, Vol II. Edimburgo: T. & T. Clark, 1942.

SMITH, Philip. "Joshua". *The Bible-Work: The Old Testament.* Editado por J. Glentworth Butler. Nova York: Funk & Wagnalls, 1889.

STANLEY, A. P. "Joshua". *The Bible-Work: The Old Testament.* Editado por J. Glentworth Butler. Nova York: Funk & Wagnalls, 1889.

SZIKSZAI, Stephen. *The Story of Israel.* Filadélfia: The Westminster Press, 1960.

TOOMBS, Lawrence E. *Nation Making.* Nova York: Abingdon Press, 1962.

WALLER, C. H. "Joshua". *A Bible Commentary.* Editado por Charles John Ellicott, Vol. II. Nova York: Cassell and Company, Limited, s.d.

WARREN, C. "Jordan". *A Dictionary of the Bible.* Editado por James Hastings, Vol II. Nova York: Charles Scribner's Sons, 1942.

WILEY, H. Orton. *Christian Theology,* Vol. I. Kansas City: Nazarene Publishing House, 1940.

O Livro de
JUÍZES

R. Clyde Ridall

Introdução

A. Título

Juízes é um livro histórico do Antigo Testamento que aparece entre os Profetas Anteriores no cânon hebraico. Nos documentos judaicos mais antigos, ele recebe o nome de *sepher shophetiym*, ou "um livro de juízes ou governadores" ou simplesmente *shophetiym*, "juízes ou governadores". Orígenes transliterou este título, mas as versões modernas seguiram a Septuaginta, o Peshitta e a Vulgata como base para traduzi-lo.

Shophetiym é derivado da palavra hebraica que tem o significado de "julgar, governar, regulamentar". Os juízes foram os governadores de Israel desde o tempo de Josué até o reinado de Saul (At 13.19,20). Eles não eram juízes no sentido moderno, mas lembravam os arcontes entre os antigos atenienses ou os ditadores entre os romanos. Os juízes dos tempos bíblicos eram comandantes militares com poderes administrativos absolutos, mas seu ofício não era hereditário. Eles também não eram selecionados a partir de alguma tribo em particular, nem mesmo "eleitos" pelo voto popular. Em vez disso, eles eram escolhidos pelo próprio Deus de alguma maneira sobrenatural e governavam estritamente dentro de um arcabouço teocrático. O verdadeiro rei de Israel era Yahweh. Os juízes eram meramente seus representantes na terra. Eles não tinham poder para legislar ou alterar as leis existentes. Sua única tarefa era cumpri-las. O ofício não foi contínuo porque houve intervalos nos quais nenhum juiz governou naqueles momentos. Os juízes eram pessoas extraordinárias que Deus levantava em tempos de emergência nacional como instrumentos em suas mãos para libertar Israel da tirania e da opressão. Temos como exemplo Otniel, Eúde, Sangar, Débora (e Baraque), Gideão, Tola, Jair, Jefté, Ibsã, Elom, Abdom e Sansão (Eli e Samuel também foram contados entre os juízes, mas nenhum dos dois é mencionado neste livro). Temos conhecimento do nome de 14 juízes, mas, provavelmente, existiram outros anônimos como, por exemplo, o líder que libertou o povo dos maonitas (10.12).

B. Autoria

Não se sabe quem é o autor de Juízes. Já se supôs que cada um dos juízes escreveu sua própria história e que a obra atual representa uma coleção desses relatos individuais. Outros estudiosos já atribuíram a autoria a Finéias, a Ezequias e até mesmo a Esdras. O Talmude considera que Samuel é seu autor. Os críticos modernos freqüentemente negam a unidade literária deste livro e consideram-no uma "elaborada" compilação de diversas fontes. Alguns desses estudiosos acham que a obra foi finalizada no ano 550 antes de Cristo.

O cristão atento vai ponderar sobre os seguintes fatos: (a) Se Isaías 9.4 é uma alusão a Juízes 7.21-25 (a derrota de Midiã), o livro já existia no século VII a.C. (b) Os cananeus viviam em Gezer (1.29); portanto, devemos datar o livro como anterior a 992 a.C., quando o faraó do Egito presenteou à filha dele, uma das esposas de Salomão, com essa cidade (1 Rs 9.16). (c) Os jebuseus ainda habitavam em Jerusalém (1.21). Desse modo, ele foi escrito antes de 1048 a.C., quando a fortaleza foi capturada por Davi (2 Sm 5.6-9). (d) A recorrência do refrão **naqueles dias, não havia rei em Israel** (17.6; 18.1; 21.25; cf. 19.1) aparentemente reflete o período anterior à monarquia, quando suas bênçãos renovadas estavam evidentes a todos.

Por esta razão, este autor conclui que as evidências internas (embora não conclusivas) apontam para o reinado de Saul ou de Davi como a data de composição da obra. Alguns podem colocar objeções, ao afirmar que a expressão **até ao dia do cativeiro da terra** (18.30) refere-se a um tempo posterior, a saber: (a) meados do século VIII a.c., quando Tiglate-Pileser assolou a Galiléia (2 Rs 15.29); ou (b) o ano 721 (ou 722) a.C. quando Samaria caiu diante dos assírios (2 Rs 17.6). Mas a palavra traduzida como *cativeiro* é um infinitivo, e a passagem poderia ser entendida da seguinte maneira: "... até o dia quando a terra foi devastada", palavras que poderiam muito bem descrever o Israel dos dias tanto de Débora (4.3; 5.6-8) como de Gideão (6.2-6,11).

Não é contraditório nem absurdo presumir que o autor de Juízes possa ter sido inspirado por Deus a usar fontes, mas a notável unidade estrutural sozinha já é suficiente para descartar como indefensável a hipótese de uma coleção posterior de documentos independentes.

C. Cronologia

Não pode ser determinada com precisão qual seja a cronologia deste período. Contudo, os fatos a seguir são de grande ajuda:

Referência		Anos
3.8	Servidão a Cusã-Risataim	8
3.11	Juizado de Otniel	40
3.14	Servidão a Eglom	18
3.30	Paz depois da subjugação de Moabe	80
4.3	Opressão de Jabim	20
5.31	Paz depois da derrota de Jabim	40
6.1	Servidão a Midiã	7
8.28	Juizado de Gideão	40
9.22	Domínio de Abimeleque	3
10.2	Juizado de Tola	23
10.3	Juizado de Jair	22
10.8	Opressão dos amonitas	18
12.7	Juizado de Jefté	6
12.9	Juizado de Ibsã	7
12.11	Juizado de Elom	10
12.14	Juizado de Abdom	8
13.1	Servidão aos filisteus	40
15.20; 16.31	Juizado de Sansão	20
	Total:	410

Esta lista, porém, é incompleta, porque o escritor inspirado optou por não nos contar sobre a opressão sofrida debaixo dos sidônios e dos maonitas (10.12), nem registra a duração do juizado de Sangar (3.31). Conseqüentemente, qualquer tentativa séria de harmonizar com exatidão estes números com os quase 450 anos apresentados por Paulo no Novo Testamento (At 13.20), é trabalho perdido. Também não podemos encaixar este período em qualquer esboço preciso que calcule (a) 300 anos desde a morte de Moisés até o tempo de Jefté (11.26), ou (b) 480 anos do êxodo até a construção do templo de Salomão (1 Rs 6.1). Não apenas os nossos dados são incompletos, como o costume oriental deve ter deixado de mencionar certos períodos de servidão por parte de vizinhos hostis.

Mas que a fé de nenhum homem vacile diante de uma dificuldade menor. Se o registro da revelação de Deus parece conter contradições, isto se deve única e tão-somente ao nosso conhecimento imperfeito. Embora busquemos conhecimento histórico acurado, milhões de leitores já ouviram Deus falar aos seus espíritos sem qualquer conhecimento dos problemas históricos. Devemos nos lembrar que, quando o céu e a terra passarem (Mt 5.18), a eterna verdade de Deus permanecerá. Não devemos nos indignar (Sl 37.7) com questões que apenas "produzem contendas" (2 Tm 2.23) e que, em nenhum aspecto, se referem à salvação eterna.

D. Propósito

Este livro apresenta-nos uma época quando **não havia rei em Israel** (18.1) e **cada um fazia o que parecia reto aos seus olhos** (21.25). [1] É uma história escrita a partir de um ponto de vista religioso. Seu propósito divide-se em três partes: *primeiro*, ele mostra a necessidade de haver líderes consagrados. Este livro é um triste comentário sobre a futilidade de se tentar fazer uma obra permanente para Deus com a ausência de uma forte organização central. Sem a liderança apropriada, o resultado é a confusão civil e o caos moral. Israel precisava de liderança contínua; a igreja de hoje precisa de um ministério ordenado, de obreiros e de ordenanças (1 Co 14.40). Quando empregadas adequadamente, essas coisas tornam-se canais para a bênção espiritual e o crescimento, em vez de se colocarem como empecilhos. O protestantismo livrou-se das cadeias do papado; que ele agora esteja ciente de que não deve ir para o extremo oposto e afastar-se dos meios da graça.

Em segundo lugar, esta obra concentra nossa atenção na longanimidade de Deus. Se Jó enfatiza a paciência do homem, o livro de Juízes apresenta a paciência de Deus. A nota principal desta obra é a desobediência. As expressões chaves são: (a) **fizeram os filhos de Israel o que parecia mal,** (b) **a ira do Senhor se acendeu,** (c) **os filhos de Israel clamaram ao Senhor** e (d) **levantou o Senhor juízes, que os livraram da mão dos que os roubaram** (2.11,14; 3.15; 2.16). Seis servidões e o mesmo número de libertações são registradas em detalhes "para aviso nosso" (1 Co 10.11). A seqüência normal é: (a) apostasia, (b) servidão, (c) aflição, (d) oração, (e) libertação. A palavra-chave é *repetição*. O esquema geométrico é um *círculo*. A missão principal é: "guardai-vos dos ídolos" (1 Jo 5.21). Uma vida separada sempre é o preço de uma vida vitoriosa (2 Co 6.17). Uma vez que "tudo isso lhes sobreveio como figuras" (1 Co 10.11), nenhum de nós deve abusar – pois Deus é justo – e nem se desesperar – pois o Senhor é misericordioso.

Em terceiro lugar, este livro é um testemunho do fato de que, até mesmo numa era de profunda apostasia, ainda existiam alguns poucos que se apegavam à fé e à adoração ao Deus verdadeiro (10.10-16; 1 Rs 19.18). Pode-se encontrar evidência para isso nas seguintes considerações: (a) o tabernáculo foi mantido em Siló (18.31); (b) pelo menos uma das festas anuais era celebrada (21.5); (c) o ritual da circuncisão foi observado (14.3; 15.18); (d) os sacrifícios eram oferecidos (11.31; 13.15,16,23; 20.26; 21.4); e, (e) os votos com o Senhor foram mantidos (11.30; 13.5).

NOTA: Todas as traduções das Escrituras que não sejam da versão Almeida Revista e Corrigida ou que não estejam indicadas são da produção do autor.

Esboço

I. O PREFÁCIO, 1.1–2.5
- A. Plantando e Colhendo, 1.1-7
- B. O glorioso Passado de Judá,1.8-10
- C. Um Bravo Herói é Recompensado, 1.11-15
- D. A Vitória Parcial de Judá, 1.16-20
- E. Os Persistentes Jebuseus, 1.21
- F. Os Filhos de José Tomam Betel, 1.22-26
- G. Os Obstinados Cananeus, 1.27-33
- H. Alguns Povos Hostis nas Montanhas, 1.34-36
- I. Uma Mensagem Solene de Deus, 2.1-5

II. CINCO JUÍZES, 2.6–8.32
- A. Introdução, 2.6–3.6
- B. Otniel, 3.7-11
- C. Eúde, 3.12-30
- D. Sangar, 3.31
- E. Débora, 4.1–5.31
- F. Gideão, 6.1–8.32

III. A CONSPIRAÇÃO DE ABIMELEQUE, 8.33–9.57
- A. A Infidelidade de Israel, 8.33-35
- B. Abimeleque é Ungido Rei, 9.1-6
- C. A Fábula de Jotão, 9.7-21
- D. Os Traiçoeiros Habitantes de Siquém, 9.22-25
- E. O Orgulhoso Gaal, 9.26-29
- F. A Mensagem de Zebul, 9.30-33
- G. Gaal Foge de Abimeleque, 9.34-41
- H. Siquém é Arrasada, 9.42,45
- I. Morte na Torre de Siquém, 9.46-49
- J. O Fim Infame de Abimeleque, 9. 50-57

IV. OUTROS SETE JUÍZES,10.1–16.31
- A. Tola, 10.1,2
- B. Jair, 10.3-5
- C. Jefté, 10.6 – 12.7
- D. Ibsã, 12.8-10
- E. Elom, 12.11,12
- F. Abdom, 12.13-15
- G. Sansão, 13.1–16.31

V. UM APÊNDICE
- A. Os Danitas Expandem-se, 17.1–18.31
- B. Os Benjamitas são Quase Aniquilados, 19.1–21.25

Seção I

PREFÁCIO

Juízes 1.1 — 2.5

A. PLANTANDO E COLHENDO, 1.1-7

Josué foi um gênio militar excepcional. O fato é que nenhuma das nações pagãs ao redor ousou atacar Israel depois da divisão da terra. Mas, agora que ele estava morto (e, especialmente, depois de ele não ter apontado nenhum sucessor), as várias tribos corriam o grande perigo de serem invadidas por todos os lados. Conseqüentemente, parecia sábio tomar a iniciativa e dar cabo do problema antes que ele começasse. A preocupação era *quem* assumiria a liderança.

Desse modo, o povo perguntou **ao Senhor** (1), [1] provavelmente por meio de Finéias, o sumo sacerdote (Nm 27.21; Js 24.33; Jz 20.28). A resposta foi clara e inequívoca: **Judá** – o quarto filho de Jacó (Gn 29.35) e, conseqüentemente, a tribo que descendia dele – **subirá; eis que lhe dei esta terra na sua mão** (2).

Aparentemente os homens de Judá sentiam-se despreparados para a tarefa, porque apelaram a **Simeão** – a tribo que descendia do segundo filho de Jacó ou Israel (Gn 29.33) – "se vocês nos ajudarem a expulsar o inimigo de nosso território, então nós faremos o mesmo por vocês". Os simeonitas consentiram e, juntas, as duas tribos atacaram **os cananeus e os ferezeus** (4). **Os cananeus** eram habitantes da terra na Palestina central. Os **ferezeus**, cujo nome significa "rústicos" ou "homens do campo", também estavam entre as tribos que haviam se estabelecido na Palestina. Talvez eles fossem um povo aborígine que estava na Palestina antes dos cananeus. Cf. a nota de rodapé de Josué 3.10.

Deus honrou este esforço e concedeu-lhes vitória; quando a terrível batalha terminou, havia 10.000 homens inimigos mortos. Perto da vila cananéia de **Bezeque** (4, veja o mapa), talvez a moderna Khirbet Bezqa, próxima a Gezer, os israelitas encontraram o mesquinho rei chamado **Adoni-Bezeque** e derrotaram suas forças combinadas. **Adoni-Bezeque** significa "senhor de Bezeque", e, é mais provável que expresse um título em vez de um nome. Não deve ser confundido com Adoni-Zedeque (Js 10.1).

Adoni-Bezeque escapou durante um tempo, mas os furiosos guerreiros israelitas o capturaram vivo e amputaram-lhe **os dedos polegares das mãos e dos pés** (6). Isto o incapacitava plenamente para a guerra nos moldes antigos. Ele não poderia nem segurar armas nem fugir. ² Tratamento tão duro pode parecer injustificado mas, como o próprio Adoni-Bezeque confessou, a atitude foi verdadeiramente justa, porque o próprio rei aplicara a mesma punição sobre 70 cativos reais que apanhavam migalhas como cães debaixo de sua mesa (cf. Lc 16.21). Aparentemente, Adoni-Bezeque tinha algum conhecimento do Deus verdadeiro porque (por mais incrível que possa parecer) ele reconheceu seu tratamento como um ato de retribuição de justiça. O rei cativo foi levado prisioneiro **a Jerusalém, e morreu ali** (7).

A inescapável lei de plantar e colher é vividamente ilustrada nos versículos 4 a 7. **Assim como eu fiz, assim Deus me pagou** (7) foi o reconhecimento de Adoni-Bezeque de que "tudo o que o homem semear, isso também ceifará" (Gl 6.7). (1) Adoni-Bezeque plantou brutalidade (v. 7); (2) ele colheu aquilo que plantou (v. 6); (3) ele colheu mais do que plantou, porque sua colheita lhe trouxe morte prematura, enquanto suas vítimas permaneceram vivas (v. 7); (4) sua consciência e um senso inato de imparcialidade testificaram a justiça de seu destino (v. 7). A lei da retribuição é inescapável.

B. O GLORIOSO PASSADO DE JUDÁ, 1.8-10

A queda de **Jerusalém** (8) mencionada aqui é provavelmente uma recapitulação daquilo que ocorrera nos dias de Josué (Js 10.42), quando os israelitas derrotaram um exército de Jerusalém (Js 10.5,20) e enforcaram seu rei (Js 10.26). O escritor sacro dá-nos, agora, informação adicional em relação a este conflito. Os vigorosos defensores dessa fortaleza na montanha foram subjugados pela espada e a própria cidade foi queimada com fogo. Os homens da tribo de Judá foram os responsáveis pela captura.

Mais tarde, os soldados desta mesma tribo desceram como uma avalanche sobre **os cananeus** que habitavam as montanhas e a planície ao sul, chamada de Neguebe (9). Este relato também se parece com o relato de vitórias passadas (cf. Js 10.36; 11.21; 15.13). Então, eles atacaram os cananeus que viviam em **Hebrom**, uma cidade que antigamente era conhecida como **Quiriate-Arba** (10). **Hebrom** era uma cidade nas montanhas de Judá, situada a cerca de 30 quilômetros a sudoeste de Jerusalém. Ela é a moderna el-Khalil. Quiriate-Arba quer dizer "cidade de quatro lados", ou Tetrópolis. ³ Aqui eles feriram **a Sesai, e a Aimã, e a Talmai**, três anaquins (Nm 13.22; Js 15.14) ou seja, um povo grande e alto (Dt 9.2).

Os eventos descritos por toda esta seção, indo até 2.10, são um breve relato das conquistas alcançadas durante os dias de Josué, e um número de paralelos são encontrados em Josué 10 – 24.

C. Um bravo herói é recompensado, 1.11-15

A seguir, os homens de Judá atacaram **Debir**, também conhecida como **Quiriate-Sefer** (11). **Debir** era uma cidade real cananéia localizada nas montanhas de Judá, perto de Hebrom. O nome "Debir" também foi dado a um "rei" de Eglom (Js 10.3), a uma cidade na fronteira de Judá, perto do vale de Acor (Js 15.7) e a um lugar a leste do Jordão, próximo de Maanaim (Js 13.26). **Debir** foi confiada aos levitas como uma cidade de refúgio (Js 21.15). Seu nome anterior, **Quiriate-Sefer**, significa "cidade dos livros".

Antes de dar início ao cerco, Calebe prometeu: "A quem ferir Quiriate-Sefer e a tomar, lhe darei a minha filha Acsa por mulher". Tais promessas eram comuns (cf. Gn 29.18,19,27; 1 Sm 17.25). O guerreiro vitorioso foi o sobrinho de Calebe, **Otniel, filho de Quenaz** (13), porque entendemos que Quenaz é designado como **o irmão de Calebe, mais novo do que ele.**

Antes de mudar-se para a casa de seu marido, Acsa o persuadiu a que pedisse um **campo** a seu pai (14). Aparentemente Otniel hesitou ou se recusou, porque ela desceu de sua montaria, talvez repentinamente. A mesma palavra hebraica é usada mais tarde (4.21) para descrever a maneira pela qual Jael cravou uma estaca na cabeça de Sísera. Quando Calebe perguntou o que ela queria, Acsa respondeu: "Dá-me uma bênção, pois me deste uma terra seca; dá-me também fontes de águas". O Neguebe, ou a **terra seca** (15), era basicamente um deserto, com pouca água. Calebe lhe dera as fontes superiores e as inferiores – talvez uma região nas montanhas e outra área bem regada nas planícies – o que era mais do que ela havia lhe pedido. Todo este parágrafo é uma recapitulação de eventos anteriores (veja Js 15.15-19).

D. A vitória parcial de Judá, 1.16-20

São mencionadas agora outras conquistas da tribo de Judá. Hobabe, o **queneu**, é descrito aqui como **sogro de Moisés** (16). O fato é que o termo hebraico também pode ser traduzido como "cunhado", tanto aqui quanto em 4.11. O sogro de Moisés era Jetro (Êx 3.1; 4.18) ou Reuel (Êx 2.18) e Hobabe era filho de Reuel (Nm 10.29), o que o tornaria cunhado de Moisés. O termo **queneu** significa "ferreiro". Os queneus eram uma tribo do deserto, um ramo daqueles que habitavam Canaã desde os tempos de Abraão (Gn 15.19). À época de Moisés outro segmento vivia em Midiã. Hobabe fazia parte deste segundo grupo (Nm 10.29).

Devido ao conhecimento profundo e preciso que tinha do deserto (Nm 10.31), Hobabe foi convidado a acompanhar os israelitas em sua perigosa trilha desde o monte Sinai até a Terra Prometida. Depois da invasão da Palestina debaixo do comando de Josué, a família de Hobabe estabeleceu-se na **cidade das Palmeiras** – que, neste caso, não era Jericó, como em Deuteronômio 34.3, mas uma cidade próxima, no lado sul do mar Morto (3.13). Mais tarde eles se estabeleceram entre o povo de Judá, no deserto que ficava **ao sul de Arade**, uma cidade ao sul de Judá. A região pode ser identificada hoje como Tell 'Arad, localizada 26,5 quilômetros ao sul de Hebrom.

A seguir, Judá juntou forças com Simeão e atacou a cidade real de **Zefate** (17). Este nome significa "torre de vigilância". Era uma cidade cananéia próxima da fronteira sul de Edom, a moderna Sebaita, cerca de 38 quilômetros ao norte de Cades. Quando lemos o relato de Números 21.1-3 aprendemos que alguns dos hebreus foram capturados neste encontro e seus irmãos fizeram um voto que, se eles tomassem a cidade, a destruíram totalmente – ou seja, demoliriam as construções até seus fundamentos e massacrariam todo ser vivente que habitasse nelas (cf. comentário de Josué 6.18). Deus lhes deu a vitória e eles cumpriram o voto. A cidade passou a se chamar **Horma**. [4]

Foram incluídas nas conquistas de Judá três cidades filistéias: **Gaza, Asquelom e Ecrom** (18). **Com o seu termo** – melhor na ARA, "com os seus respectivos territórios". Cada uma dessas áreas filistéias era uma parte importante da Filístia e, mais tarde, cada uma delas se tornou independente e voltou-se contra os israelitas (cf. 1 Sm 4.2). **Gaza** era a cidade mais ao sul das cinco cidades mais importantes da Filístia (Asdode, Asquelom, Ecrom, Gate e Gaza). É a moderna cidade de Ghazze ou Razze, localizada a cerca de 4 quilômetros do Mediterrâneo e a cerca de 72 quilômetros ao sul de Jaffa. Asquelom estava localizada num vale perto do mar (Jr 47.5,7), cerca de 19 quilômetros ao norte de Gaza. **Ecrom** era a cidade mais ao norte entre as cinco e a mais exposta aos ataques dos israelitas. Teve vários governantes (cf. 1 Sm 5.10; 7.14; 17.52).

Deus capacitou os homens de Judá a expulsarem seus inimigos das montanhas. Enquanto obedeceram ao Senhor, os israelitas foram invencíveis (Lv 26.8). Mais tarde, porém, lhes foi impossível expulsar os habitantes das planícies. Os inimigos resistiram com carruagens de ferro (19). [5] Mas isto é apenas parte da história. A verdadeira razão para a derrota foi a desobediência a Deus (4.3; cf. 1 Sm 15.22). **Calebe** recebeu **Hebrom**, como Moisés prometera (cf Js 14.9,14) e **dali expeliu os três filhos** do gigante **Anaque** (20; cf. comentário do v.10).

E. Os persistentes jebuseus, 1.21

Josué concedera o território dos **jebuseus** a **Benjamim** (21; Js 18.28), mas os benjamitas nunca derrotaram totalmente seus vizinhos hostis. O fato é que, mais tarde, quando Davi começou a reinar, os jebuseus ainda habitavam a fortaleza de Sião (2 Sm 5.6,7; 1 Cr 11.4-8). O termo **jebuseus** é uma transliteração e não uma tradução. O termo deriva da palavra hebraica que significa "pisar, maltratar alguém". Os jebuseus eram uma tribo de montanheses que os israelitas encontraram em Canaã quando lá chegaram. Sua principal cidade era Jebus (cf. comentário de Josué 3.10). A discrepância entre este versículo e Josué 15.63 é apenas aparente, porque a cidade de Jerusalém fica dentro dos territórios tanto de Judá como de Benjamim. A porção sul pertencia a Judá e a norte a Benjamim. A expressão **até ao dia de hoje** indica uma data anterior ao reinado de Davi, quando os jebuseus foram finalmente vencidos e expulsos (veja Introdução).

F. Os Filhos de José tomam Betel, 1.22-26

Quando destruiu Ai, Josué passou perto da cidade de **Betel** (22). Mais tarde, **a casa de José** (23) – ou seja, as tribos de Manasses e Efraim, filhos do décimo primeiro filho de Jacó (Gn 30.24) – **subiu** até esta fortaleza nas montanhas **e foi o Senhor com eles**

(22). **Betel** era conhecida dos cananeus como **Luz** (Gn 28.19), palavra que não guarda semelhança com o termo em português (N do T). Suas ruínas podem ser vistas em Beitan, cerca de 18 quilômetros ao norte de Jerusalém. Elas estão no topo da colina e cobrem uma área de 12 mil a 16 mil metros quadrados. Uma segunda cidade chamada Betel estava situada em Simeão (1 Sm 30.27).

Felizmente, os espias israelitas capturaram um betelita que, com o propósito de se salvar, tornou-se traidor e revelou onde ficava **a entrada da cidade** (24). Quando Betel caiu, os habitantes foram colocados à espada, mas este informante anônimo foi poupado juntamente com toda sua família (25; cf. Js 6.25). Aquele homem **foi-se à terra dos heteus** (26) e fundou outra cidade que também foi chamada de **Luz**. Não são conhecidos os detalhes desta localidade.

A citação da **terra dos heteus** talvez seja uma referência do escritor sagrado a uma porção da Ásia Menor. Escavações arqueológicas calaram para sempre as vozes daqueles que consideravam os heteus uma invenção mitológica. Já existem hoje provas cabais da existência histórica desse povo. Eles foram os fundadores do grande império oriental que floresceu entre 1900 e 1200 a.C. e que unificou o norte da Palestina. Sabemos até mesmo que os heteus eram uma raça forte e de baixa estatura, com lábios grossos, nariz grande e testa recuada. Os monumentos dos heteus os representam usando roupas grossas e sapatos com os dedos voltados para cima. Os cristãos evangélicos regozijam-se diante do aparecimento de cada nova evidência que apóia a integridade das Sagradas Escrituras. Contudo, por mais impressionantes que possam ser, o crente considera todas essas informações desnecessárias para embasar sua fé. "Bem-aventurados os que não viram e creram" (Jo 20.29).

G. Os obstinados cananeus, 1.27-33

Os versículos 27 e 28 são quase paralelos exatos de Josué 17.11-13. A seção inteira lista as conquistas parciais de algumas das outras tribos. **Manassés** – filho mais velho de José (Gn 41.51) e a tribo que descende dele – não expulsou os habitantes de **Bete-Seã, Taanaque, Dor, Ibleão** e **Megido** (27). Todas essas cidades eram centrais e possuíam cidades vizinhas associadas a elas. Os cananeus foram bem-sucedidos em manter a região sob seu controle. As cidades citadas eram uma cadeia de fortalezas cananéias que se espalhavam do vale do Jordão até a costa mediterrânea, quase em linha reta.

Bete-Seã foi fundada antes do ano 3000 a.C. e, de acordo com Josefo, era a maior das cidades que, mais tarde, ficaram conhecidas como Decápolis (Mt 4.25). É a moderna Beisan, cerca de 19 quilômetros ao sul do lago da Galiléia e 6 quilômetros a oeste do Jordão. **Taanaque** tornou-se uma cidade levítica em Issacar (Js 17.11). A localização moderna é Tell Ta'annak, 8 quilômetros a sudeste da antigo Megido. **Dor** era uma cidade real cananéia a cerca de 12 quilômetros ao norte de Cesaréia. Ela ficava no território de Issacar, mas pertencia à tribo de Manassés. As ruínas podem ser vistas em el-Burj. **Ibleão** era uma cidade em Issacar que também foi dada a Manassés. Sua localização é desconhecida. O termo hebraico para **Megido** significa "lugar de tropas". Era uma cidade a oeste do Jordão, na planície de Jezreel, fundada em cerca do ano 3500 a.C. Muitos de seus primeiros habitantes viveram em cavernas. Ela é a moderna Tell el-Mutesellim.

Mais tarde, quando os israelitas se fortaleceram, os cananeus foram colocados debaixo de trabalhos forçados, mas não foram completamente expulsos (28; cf. Js 17.11-13).[6]

Tampouco expeliu Efraim – a tribo que descendia do filho mais novo de José (Gn 41.52) – **os cananeus que habitavam em Gezer** (29). O termo hebraico significa "pedaço" ou "parte". Era uma antiga cidade cananéia cuja história se estende até o ano 3000 a.C. É conhecida hoje como Tell Jazer, localizada a cerca de 29 quilômetros a noroeste de Jerusalém.

Zebulom – a tribo que descende do décimo filho de Jacó ou Israel (Gn 30.20) – também fracassou na expulsão dos cananeus de **Quitrom** e **Naalol** (30). A localização de ambas as cidades é desconhecida. **Naalol,** também grafada com Naalal (Js 19.15; 21.35), significa "pastagem". No caso de Zebulom, lemos que os ímpios **habitavam no meio dele e foram tributários**, ou seja, estavam sujeitos a trabalhos forçados (Js 19.10-16).

Aser – a tribo que descende do oitavo filho de Jacó (Gn 30.13) – também não conseguiu expulsar **os moradores de Aco, Sidom, Alabe, Aczibe, Helba, Afeca e Reobe** (31; Js 19.24-31). **Aco** – do hebraico "areia quente" – é mencionada apenas aqui. Era uma cidade do litoral da Palestina, construída numa pequena faixa de terra que se projeta sobre o Mediterrâneo, cerca de 40 quilômetros ao sul de Tiro. Foi visitada por Paulo (At 21.7 – Ptolemaida), atacada por Napoleão, capturada por Allenby em 1918 e é hoje chamada de Akka. **Sidom** – do hebraico "lugar de pesca" – era uma antiga cidade cananéia (Gn 10.15,19) na costa da Palestina, situada 35 quilômetros ao norte de Tiro. Jesus visitou certa vez esta região e talvez a própria cidade (Mt 15.21; Mc 7.24,31). Paulo passou por este porto em sua viagem a Roma (At 27.3). É a moderna Saida. **Alabe** – do hebraico, "abundância, fertilidade" – era provavelmente a moderna Khirbet el Mahalib, a cerca de 6,5 quilômetros a nordeste de Tiro. **Aczibe** era uma cidade costeira (Js 19.29). Era chamada de Ekdippa pelos gregos e romanos e talvez seja a moderna ez-Zib, 13,5 quilômetros ao norte de Aco. Havia uma outra cidade chamada Aczibe no sul da Palestina (Js 15.44; Mq 1.14), que pode ser a mesma Quezibe de Gênesis 38.5 ou Cozeba de 1 Crônicas 4.22. A localização de **Helba**, que significa "região fértil", é desconhecida. **Afeca** pode ser a moderna Tell Kurdaneh, cerca de 13 quilômetros ao sul de Akka, próxima da costa, embora esta localização não seja precisa. Afeca também é o nome da cidade real cananéia na planície de Sarom (Js 12.18); uma cidade a leste de Quinerete (1 Rs 15.20); um lugar a noroeste de Jerusalém onde os filisteus acamparam (1 Sm 4.1) e um lugar na planície de Jezreel onde os filisteus mais tarde se reuniram (1 Sm 29.1). **Reobe** era uma cidade levítica na fronteira com Aser, a moderna Hunin. Havia uma cidade no vale superior do Jordão chamada Bete-Reobe (Jz 18.28), mas em Números 13.21 ela é chamada de Reobe.

Naftali – a tribo que descende do sexto filho de Jacó (Gn 30.8) – não conseguiu expulsar os cananeus de **Bete-Semes** e de **Bete-Anate** (33). Eles compartilharam sua terra com os nativos, mas as duas cidades foram subjugadas e tiveram que realizar trabalhos forçados (Js 19.32-39) e **lhes foram tributários**. O texto paralelo de Josué lista 19 cidades dentro do território de Naftali. É desconhecida a localização de **Bete-Semes**, que quer dizer "casa do sol". **Bete-Anate**, a moderna el-Ba'neh, estava a cerca de 19 quilômetros de Aco. **Bete-Anate** deve ser distinguida de Bete-Anote (Js 15.59), uma cidade nas montanhas de Judá.

H. Alguns povos hostis nas montanhas, 1.34-36

A tribo de **Dã** – descendentes do quinto filho de Jacó (Gn 30.6) – não conseguiu tomar posse do território que lhes foi concedido (Js 19.40-46). A terra ficava ao norte e a oeste de Jerusalém e estendia-se até a costa do Mediterrâneo. Os danitas foram empurrados de volta às montanhas pelos **amorreus**, um povo guerreiro que habitava as **montanhas de Heres, em Aijalom e em Saalabim** (35). As tribos descendentes de José – Efraim e a meia tribo de Manassés – por fim os reduziram ao estado de servidão: eles lhes **ficaram tributários**. O termo **amorreus** vem de "habitantes dos montes". A história antiga deste povo é obscura (Gn 10.16; 14.7,13; 15.16,21). Eles são mencionados como descendentes de Canaã e aparecem na história bíblica em tempos remotos como o de Abraão (cf. comentário de Josué 3.10). A localização das **montanhas de Heres** e sua relação com **Aijalom** não são conhecidas. É possível que **Aijalom** seja a moderna Jalo, situada 22 quilômetros a noroeste de Jerusalém. Também existe uma cidade em Zebulom chamada Aijalom (Jz 12.12). A localização de **Saalabim** é desconhecida.

A geografia do versículo 36 é de difícil determinação, uma vez que apenas **Acrabim** tem localização conhecida (Js 14.3). Era um declive na ponta sul do mar Morto, entre o deserto e as colinas de Judá. Alguns comentaristas aceitam uma leitura alternativa da LXX que nomeia os edomitas em lugar dos amorreus como uma solução, embora seja difícil entender porque os edomitas seriam mencionados neste contexto.

I. Uma mensagem solene de Deus, 2.1-5

E subiu o Anjo do Senhor (Êx 23:20; Js 5.13-15) **de Gilgal a Boquim** (1) com uma mensagem de Deus. Apontado como porta-voz de Deus,[7] ele disse ao povo: "Do Egito vos fiz subir, e vos trouxe à terra que a vossos pais tinha jurado, e disse: Nunca invalidarei o meu concerto convosco [Êx 34.10-27]. E, quanto a vós, não fareis concerto com os moradores desta terra; antes, derrubareis os seus altares. Mas vós não obedecestes à minha voz. Por que fizestes isso? Pelo que também eu disse: Não os expelirei de diante de vós; antes, **estarão às vossas costas** [3], e os seus deuses vos serão por laço".

Terrível calamidade espera os homens e as nações quando eles são abandonados por Deus. Quando o anjo terminou de falar, a audiência **levantou a sua voz e chorou** (4). Por causa disso, **chamaram àquele lugar Boquim** (5) e ali ofereceram sacrifícios ao Senhor. Bochim significa "pranteadores". Este local ficava a oeste do Jordão, perto de Gilgal.

SEÇÃO II
CINCO JUÍZES

Juízes 2.6 — 8.32

A. INTRODUÇÃO, 2.6–3.6

1. *Resumo de uma Época* (2.6-10)
O versículo 6 retoma o relato a partir do fechamento do livro de Josué. Perto do final de sua vida, ele reuniu a nação em Siquém, uma cidade murada (Gn 33.18) nas colinas de Efraim (Js 20.7), próxima do monte Gerizim (Jz 9.7). Ela é a moderna Nablus, cerca de 50 quilômetros ao norte de Jerusalém, um centro da população samaritana restante hoje em dia.

Depois de terem sido dispensadas por Josué, as pessoas foram **à sua herdade, para possuírem a terra** (6). Ele morreu aos 110 anos e seus restos foram sepultados em **Timnate-Heres**, na região montanhosa de **Efraim, para o norte do monte Gaás** (9). **Timnate-Heres** significa "porção do sol" e é o mesmo que Timnate-Será (Js 19.50; 24.30). É, provavelmente, a moderna Tibnah, localizada 19 quilômetros a nordeste de Lydda. O **monte Gaás** é uma colina ao sul de **Timnate-Heres**.

Enquanto Josué e os anciãos estavam vivos, os israelitas adoraram a Deus; mas, um a um, esta geração se foi. A nova geração não conhecia pessoalmente o Senhor e eles nunca viram as grandes coisas que Deus fizera para Israel. Este breve parágrafo é um resumo da história de Israel desde a repartição da Terra Prometida até o início do período dos juízes propriamente dito. [1]

2. *Uma Geração Perversa* (2.11-15)
Os israelitas rapidamente abandonaram a adoração a Deus e **serviram aos baalins** (11) termo que também pode ser traduzido como o plural de Baal. *Baal* significa "senhor, dono, proprietário ou marido". Este termo aparece neste texto no plu-

ral enfático e significa "o grande senhor" ou "o proprietário soberano". Também pode denotar manifestações locais desta divindade.

O baalismo era uma religião da natureza. Sua ênfase era a fertilidade. Este culto diabólico provavelmente se originou da falsa idéia de que um ser sobrenatural é responsável pela produtividade de cada pedaço de terra e dos animais domésticos. Baal era uma divindade semita bastante conhecida no Egito antigo. Era o deus guardião dos fenícios. Era adorado em Moabe desde os tempos de Balaque (Nm 22.41). Entre os filisteus, era conhecido como Baal-Zebube, "o senhor das moscas" (2 Rs 1.2). Na Caldéia ele era considerado o governador dos céus.

A esta abominável adoração estavam associados vários atos lascivos (cf. 1 Rs 14.24), beijar a imagem de Baal (Os 13.2) e a realização de sacrifícios humanos, i.e., pais que sacrificavam seus próprios filhos como ofertas queimadas (Jr 19.5). É possível que para todos esses idólatras da antiguidade o termo Baal significasse o sol.

Astarote (13), às vezes grafado no plural, provavelmente era a deificação do planeta Vênus. Astarte, outro nome para Astarote, é a antiga deusa semítica do amor, da fertilidade e da maternidade. Ela era adorada a leste do Jordão desde os tempos de Abraão (Gn 14.5) pelos sidônios e fenícios (1 Rs 11.33), pelos árabes do sul e pelos filisteus (1 Sm 31.10). Na Babilônia e na Assíria (onde era conhecida com Ishtar), também era uma deusa da guerra. Sua adoração incluía a prostituição como um ritual religioso. Até mesmo Salomão fraquejou, seduzido pelos seus fascinantes encantos (1 Rs 11.5). Nos dias de Jeremias, os hebreus a chamavam de "Rainha dos Céus" (Jr 7.18). Era conhecida pelos gregos como Afrodite e pelos romanos como Vênus.

Não é de surpreender o fato de a ira de Deus ter-se acendido contra seu povo. Ele removeu o muro de fogo de sua proteção (Jó 1.10; Zc 2.5) e permitiu que as nações vizinhas saqueassem Israel. Deus se tornou seu Inimigo (1 Sm 28.16) e fez com que eles fossem derrotados na batalha. Toda vez que saíam para marchar contra o inimigo a mão do Senhor estava contra eles para lhes causar mal. Que todo aquele que se esquece de Deus preste atenção! "Quem tem ouvidos para ouvir ouça" (Mt 11.15).

3. *A Lição de Moral da História* (2.16-23)

O versículo 16 apresenta-nos o ciclo recorrente encontrado por todo o livro e as pessoas que Deus periodicamente levantou para livrar seu povo das opressões nas quais ele caíra. O termo **juízes** (16) nos é confuso, uma vez que passou a ser usado quase que exclusivamente para designar aquele que preside uma corte da lei. O significado bíblico está mais ligado à natureza do líder, do governador ou do defensor (veja Introdução). O ciclo era composto de pecado e apostasia, servidão a um poder estrangeiro, arrependimento e oração, levantamento de um juiz, um período de libertação, seguido pela morte do juiz, e um novo período de pecado, servidão e opressão.

A "palavra final de Deus" é vista nos versículos 10 a 16. (1) não há salvação sem que haja um conhecimento pessoal de Deus (v. 10); (2) os homens tendem a se esquecer e a se afastar de Deus (vv. 11-13); (3) Deus não vai permitir que apostatemos confortavelmente (vv. 14,15); (4) sua palavra final é de perdão e misericórdia para com aquele que se arrepende (v. 16).

Se prostituíram (17) é a familiar comparação bíblica (cf. Os 2.5,13) de Deus como o marido e de seu povo como uma esposa infiel quando a nação é culpada de adorar outros deuses. **O Senhor se arrependia** (18), ou seja, Deus se compadecia do povo quando este se voltava a Ele em sua aflição e mudava seu procedimento, a fim de trazer a libertação no lugar da opressão.

O versículo 22 ilustra a maneira hebraica comum de falar de resultados numa linguagem que usaríamos para indicar propósito. A presença dos ímpios na terra juntamente com Israel devia-se ao fracasso e à idolatria do povo, a fim de resultar que isso testava ainda mais a lealdade dos israelitas ao Senhor. ²

4. *Deus Prova seu Povo* (3.1-6)

A presença do resto das tribos ímpias na terra de Canaã não apenas provou a lealdade do povo de Deus (1), mas também deu a eles treinamento nas necessárias disciplinas de **guerra** e defesa (2). São mencionados quatro grupos nacionais: os **filisteus**, liderados por **cinco príncipes** (3) – chefes das cinco principais cidades-estado da Filístia, Asdode, Asquelom, Ecrom, Gate e Gaza – **os cananeus, e sidônios, e heveus,**

O termo "filisteu" é derivado de uma raiz hebraica e significa "rolar, como no pó ou nas cinzas" e, assim, por extensão, "ser um migrante". O termo traduzido como **príncipes** é uma palavra estranha que significa: "déspotas" ou "chefes supremos". Este povo belicoso de Caftor (provavelmente Creta: Jeremias 47.4; Amós 9.7) já estava na Palestina, lugar chamado assim por causa deles no tempo do Êxodo (Êx 13.17). Eles incomodaram Israel até depois da época dos macabeus, quando aparentemente perderam sua identidade nacional ao se mesclarem com a nação judia. Este povo não é mencionado no Novo Testamento. O Mediterrâneo é mencionado uma vez como o mar dos filisteus (Êx 23.31).

Em relação aos **cananeus**, veja o comentário de Josué 3.10.

Os **sidônios** eram fenícios que viviam tanto em Sidom como ao seu redor, desde a costa do Mediterrâneo até o norte e o oeste. Acredita-se que os **heveus, que habitavam nas montanhas do Líbano, desde o monte de Baal-Hermom até à entrada de Hamate** (3) possam ser um povo chamado de horeus. **Líbano** é uma referência a uma cordilheira de montanhas nevadas que se localiza ao norte da Palestina e estende-se por cerca de 150 quilômetros. Seus dois picos mais altos alcançam a altura de 3.100 metros acima do nível do mar. As montanhas são chamadas de Líbano (hebraico: "branco") por causa da cor da pedra calcária encontrada ali. O monte Hermom marcava o limite nordeste da conquista dos hebreus sob Moisés e Josué. Seu ponto mais alto consiste de três picos, que se elevam a cerca de 2.700 metros e são cobertos de neve o ano todo. Ele foi chamado certa vez de "monte Sião" (Dt 4.48). É a nascente do Jordão, e possivelmente tenha sido o lugar da transfiguração de Jesus (Mt 17.1-13). **Baal-Hermom** foi talvez um lugar no declive leste. **Hamate** era uma grande cidade na Síria e o nome do distrito controlado por esta cidade. A **entrada de Hamate** era normalmente considerada como a fronteira ao norte ideal da Palestina (Js 13.5; Nm 13.21; 34.8). Este lugar não deve ser confundido com Hamate, a cidade murada de Naftali (Js 19.35).

A lista de nações apresentada no versículo 5 é idêntica à de Josué 3.10 com a omissão dos girgaseus. Veja a explicação naquela passagem.

B. Otniel, 3.7-11

Os filhos de Israel pecaram ao se esquecerem **do Senhor, seu Deus, e serviram aos baalins e a Astarote.** Sobre os baalins, veja o comentário de 2.11. Algumas variantes da ARC trazem **Aserote** (heb. *Asherah*) ou **bosque**. É possível que Aserote também identifique um símbolo de Astarte, uma árvore sagrada ou poste erigido próximo a um altar; talvez originalmente o tronco de uma árvore com todos os ramos cortados (veja Êx 34.13; Dt 16.21; 1 Rs 16.33; 2 Rs 13.6; 17.16; 18.4; 21.3; 23.6,15).

Desse modo, a ira de Deus se acendeu contra seu povo **e ele os vendeu em mão de Cusã-Risataim, rei da Mesopotâmia** (8). Durante oito longos anos os israelitas pagaram tributo a este senhor estrangeiro. O único remédio de Deus para a apostasia é o julgamento. **Cusã-Risataim** é o equivalente hebraico para "etíope de grande impiedade". Esta é a única referência a este rei na literatura antiga. A **Mesopotâmia** era um território que ficava entre os rios Tigre e Eufrates. É o nome grego para esta região, usado depois do tempo de Alexandre, o Grande. Num sentido mais amplo, ela englobava Ur dos caldeus (At 7.2). Alguns habitantes da Mesopotâmia estavam presentes no dia de Pentecostes (At 2.9).

Em arrependimento e oração, o povo se voltou para o Senhor. Em resposta, **o Senhor levantou... Otniel, filho de Quenaz, irmão de Calebe, mais novo do que ele** (9). Veja o comentário de 1.13. **Veio sobre ele o Espírito do Senhor** (10) e ele governou Israel. Os juízes eram o que se conhece como "líderes carismáticos", ou seja, eles eram inspirados, capacitados e dirigidos pelo Espírito do Senhor. Jacob Myers destaca as principais características de um "juiz" conforme ilustradas em Otniel. Ele possuía o Espírito de Deus. Agia como árbitro nas decisões de um caso. Tornou-se líder militar nos momentos de crise. Também exerceu a supervisão de um general sobre o povo.[3]

A vitória de Otniel é descrita de maneira breve: **o Senhor deu na sua mão a Cusã-Risataim, rei da Síria; e a sua mão prevaleceu contra Cusã-Risataim** (10). Seguiu-se um período de **quarenta anos** (11) de paz, número que provavelmente deve ser tomado como arredondado, a medida de uma geração bíblica.

C. EÚDE, 3.12-30

1. *Moabe Derrota Israel* (3.12-14)

Mais uma vez, os israelitas fizeram o que era mal aos olhos de Deus e, como punição, **o Senhor esforçou a Eglom, rei dos moabitas, contra Israel** (12). Os moabitas habitavam uma região entre o mar Morto e o rio Arnom, a leste do vale do Jordão. Eglom reuniu os amonitas e os amalequitas para ajudá-lo. Em hebraico Amom significa "aparentado", i.e., nascido de incesto. Os amonitas eram descendentes de Bem-Ami (Gn 19.38), um filho de Ló cuja mãe era a filha mais nova deste patriarca. **Amaleque** significa "laborioso". Ele era filho de Esaú (Gn 36.12) e pai da tribo árabe que foi inimiga hereditária dos israelitas (cf. Êx 17.8; Dt 25.17). A coalizão derrotou facilmente Israel e tomou posse de Jericó, **a cidade das Palmeiras** (13; cf. Dt 34.3). Desse modo, os filhos de Israel serviram aos moabitas por **dezoito anos** (14).

2. *O Rei Eglom é Assassinado* (3.15-23)

Ao se encontrarem mais uma vez em sua dificuldade, **os filhos de Israel clamaram ao Senhor, a fim de** pedir ajuda (15). Desta vez, o libertador levantado foi **Eúde, filho de Gera, benjamita** (também escrito como Eude). Outro benjamita com o mesmo nome é citado em 1 Crônicas 7.10. Eúde era canhoto, um fato que o ajudou no seu plano para assassinar o rei moabita. Quando os israelitas o enviaram com um **presente a Eglom** – provavelmente o pagamento anual do tributo aos conquistadores – Eúde levou debaixo de sua roupa uma adaga de cerca de 45 centímetros de comprimento. A informação de que **era Eglom homem mui gordo** (17) é destacada no texto.

Depois de entregar o tributo, provavelmente, ao analisar a situação naquele momento, Eúde mandou embora seus próprios ajudantes. Eles foram até **perto das imagens de escultura, ao pé de Gilgal** (19), um termo que indica a presença de imagens ou ídolos. Não é possível identificar hoje qual é este local. Ao voltar à presença do rei, ele disse: **Tenho uma palavra secreta para ti, ó rei**. Quando o rei ordenou que todos os seus servos saíssem do **cenáculo fresco** (20), uma câmara isolada, Eúde declarou: **Tenho para ti uma palavra de Deus**. É bem provável que Eglom tenha entendido "eu tenho uma mensagem dos deuses", uma vez que a expressão hebraica *ha-Elohim* pode significar tanto Deus como "os deuses", dependendo do contexto. Por ser idólatra, ele se levantou respeitosamente.

Eúde então sacou a adaga escondida e a enfiou completamente no abdome do rei. Se ele tivesse usado a mão direita, o rei poderia ter desconfiado e feito um movimento para se defender. Mas ao usar a mão esquerda, o assassino pegou sua vítima desprevenida. Tão forte foi a punhalada que o cabo foi sugado pelo corpo do rei **e saiu-lhe o excremento** (22). Eúde deixou sua vítima à morte, saiu apressadamente, e **cerrou sobre ele as portas do cenáculo e as fechou** (23). O significado exato do termo hebraico traduzido como **cenáculo** não é claro. É usado apenas nesta passagem em todo o Antigo Testamento.

3. Uma Descoberta Surpreendente (3.24,25)

Depois de Eúde ter desaparecido, os servos do reino retornaram. Quando perceberam que as portas do cenáculo estavam fechadas, eles comentaram: **Sem dúvida está cobrindo seus pés na recâmara do cenáculo fresco** (24), ou seja, "estava fazendo suas necessidades fisiológicas" (cf 1 Sm 24.3). Eles esperaram **até se enfastiarem** (25), ou ficarem perplexos e perturbados. Finalmente os servos pegaram uma chave, abriram as portas e encontraram o rei estendido no chão, morto.

4. Dez Mil Moabitas são Mortos (3.26-30)

Enquanto os súditos reais esperavam, Eúde fugiu. Ele **passou pelas imagens de escultura** (veja comentário de v. 19) **e escapou para Seirá** (26), um lugar próximo às **montanhas de Efraim** (27), localização atualmente desconhecida. Dali, ele determinou que o povo se reunisse para a guerra. Na confiança de que **o Senhor vos tem dado a vossos inimigos, os moabitas, na vossa mão** (28), o povo o seguiu até Moabe, passando pelos vaus do Jordão. Aparentemente em pânico, devido à morte de seu rei, os moabitas fugiram para casa, e **uns dez mil homens** (29) do inimigo foram mortos. Após esta notável vitória seguiu-se um período de oito anos de paz (30).

D. Sangar, 3.31

O terceiro juiz de Israel foi **Sangar, filho de Anate**. Ele **feriu seiscentos homens dos filisteus com uma aguilhada de bois**, uma longa vara afiada em uma das pontas ou com uma ponta de ferro, usada no lugar de um chicote para manejar os bois. Pouco se sabe sobre **Sangar** além daquilo que se pode inferir a partir deste versículo e da menção que se faz dele no cântico de Débora (5.6), o que deixaria implícito que seu feito heróico aconteceu bem no início do período dos juízes. Uma vez que **Anate** aparece em outros textos como o nome de um lugar (Bete-Anote em Js 15.59 e Bete-Anate em Js 19.38 e Jz 1.33), conjectura-se que a expressão **filho de** tem o sentido de "habitante de". **Sangar** é um nome estrangeiro, provavelmente vindo do hurriano.

Se Deus pôde usar este humilde israelita para libertar seu povo, o que poderia Ele fazer com qualquer membro de seu povo hoje, nesta era de tanto conhecimento, de transportes rápidos, de comunicação de massa, etc.? "Que é isso na tua mão?" (Êx 4.2). Lembre-se: todo cristão tem pelo menos um talento (Mt 25.15). Portanto, cada um deve fazer o que pode com aquilo que tem, enquanto possui condições, e deixar os resultados com Deus: "E quem sabe se para tal tempo como este chegaste a este reino?" (Et 4.14).

E. DÉBORA, 4.1–5.31

1. *Israel é Oprimido pelos Cananeus,* (4.1-3)
O próximo ciclo de opressão e libertação começa **depois de falecer Eúde** (1), o que indica que ou o juizado de Sangar (3.31) não aparece numa seqüência cronológica ou que aconteceu em outra parte do país. A fonte da nova opressão foi **Jabim, rei de Canaã, que reinava em Hazor.** Seu general ou capitão, **Sísera,** tinha seu quartel general **em Harosete-Hagoim** (2). **Hazor** estava localizada no território concedido a Naftali (veja o mapa). Ela fora atacada e queimada anteriormente por Josué (Js 11.13) e, mais tarde, fortificada por Salomão (1 Rs 9.15). Foi identificada como a atual El-Qedah, cerca de 6,5 quilômetros a sudoeste do lago Hulé. Existem outras quatro localidades que são chamadas de Hazor no AT: uma cidade no extremo sul de Judá, próxima de Cades (Js 15.23); Quiriote-Hezrom, cerca de 7 quilômetros ao sul de Tell Ma'in (Js 15.25); uma vila em Benjamim (Ne 11.33) e uma região a leste da Palestina, no deserto da Arábia (Jr 49.28). Não é possível definir com precisão a localização de **Harosete-Hagoim** ou **Harosete dos gentios** (conforme algumas versões), mas pode ser Tell 'Amar, a 25 quilômetros a noroeste de Megido. A designação "dos gentios" pode ter sido usada para indicar a máxima penetração dos israelitas até este ponto (cf. 13, 16).

Um fato particularmente perturbador para os israelitas eram os **novecentos carros de ferro**, talvez armados com foices de ferro que se projetavam dos eixos das rodas em ambos os lados. A opressão durou **vinte anos** e, **então, os filhos de Israel clamaram ao Senhor** (3).

2. *Baraque Reúne as Tropas* (4.4-10)
Débora, mulher profetisa, mulher de Lapidote, julgava a Israel naquele tempo (4). [4] Ela fixou residência em Efraim, debaixo de uma palmeira, **entre Ramá e Betel. Ramá** – do hebraico "lugar elevado" – era um nome bastante conhecido na Palestina montanhosa. **Ramá e Betel,** mencionadas aqui, distavam entre si cerca de 6 quilômetros, alinhadas ao norte de Jerusalém, ficando **Ramá** a cerca de 10 quilômetros desta. Outros cincos locais são chamados de Ramá no AT: o lugar de nascimento de Samuel (1 Sm 1.19); uma cidade na fronteira do território de Aser (Js 19.29); uma cidade murada

de Naftali (Js 19.36); uma cidade a leste do Jordão em Gileade, também conhecida como Ramote-Gileade (2 Rs 8.28,29) e uma vila em Simeão (Js 19.8). Os israelitas vieram a Débora **a juízo** (5).

No auge da opressão, Débora enviou **a Baraque, filho de Abinoão**, que morava em **Quedes de Naftali** (6). O nome **Baraque** significa "relâmpago". **Quedes de Naftali** ou "Quedes em Naftali" é diferente da Quedes no extremo sul de Judá (Js 15.23) e da cidade levítica de Issacar (1 Cr 6.72). Também é conhecida como Quedes, na Galiléia (Js 21.32). Este nome significa "santuário".

Débora entregou a Baraque uma mensagem do Senhor Deus de Israel, a fim de orientá-lo a ir **ao monte de Tabor** e levasse consigo **dez mil homens** das tribos de **Naftali** e de **Zebulom**. Tabor é uma montanha de pedra calcária na fronteira de Issacar, que se eleva a 562 metros acima do nível do mar. É a moderna Jebel el-Tur, a cerca de 19 quilômetros a nordeste de Megido. Tabor também era o nome de uma cidade levítica de Zebulom (1 Cr 6.77). O Senhor atrairia **para o ribeiro de Quisom a Sísera, capitão do exército de Jabim** (7). Para poder abater os homens de Baraque, Sísera teria que cruzar a planície na qual **o ribeiro de Quisom**, o segundo rio mais importante da Palestina, corria para o mar. É neste lugar que o Senhor disse **o darei na tua mão**.

Baraque aprovou o plano sob a condição de que Débora fosse com ele (8). A profetisa concordou, assegurando, porém, ao guerreiro que esta expedição não traria glória a ele, uma vez que o Senhor entregaria **Sísera** na **mão de uma mulher** (9). O certo é que Débora era a mais forte dos dois. Sua presença no meio do exército daria tanto ao líder como aos homens a certeza da bênção de Deus. A partir de Quedes, Baraque fez a convocação dos homens de Zebulom e Naftali e **subiu com dez mil homens após si** (10).

3. *Um Queneu Independente* (4.11)

Héber, queneu, é mencionado incidentalmente aqui para justificar a presença de suas tendas e de sua mulher, Jael, na área. Os queneus eram nômades que vagueavam pela região desértica ao sul de Judá. Contudo, **Héber** e sua família penetraram na região ao norte e estavam acampados perto de Quedes **até ao carvalho de Zaananim** (11). **Hobabe, sogro de Moisés** – veja comentário de 1.16. O AT menciona três homens com o nome de Héber: um neto de Aser (Gn 46.17); um descendente de Esdras (1 Cr 4.18) e um benjamita da família de Saaraim (1 Cr 8.17). Este nome também é grafado como Éber em 1 Crônicas 5.13 (algumas versões); 8.22 e Lucas 3.35.

4. *O Exército de Sísera é Aniquilado* (4.12-16)

Quando Sísera soube que Baraque havia **subido ao monte Tabor** e havia reunido ali o exército israelita, convocou **todos os seus carros, novecentos carros de ferro,** e todas as suas tropas **desde Harosete-Hagoim** e os levou **até ao ribeiro de Quisom** (13). Então Débora disse a Baraque: "Levanta-te, porque este é o dia em que o Senhor tem dado a Sísera na tua mão; porventura, o Senhor não saiu diante de ti?". **Baraque, pois, desceu do monte Tabor** (14).

E o Senhor derrotou a Sísera (15) — em hebraico " aniquilou, confundiu, desbaratou, ou exterminou rapidamente". O versículo 5.21 sinaliza que havia algo mais envolvido nesta vitória do que o valor de Baraque e seus homens. A batalha foi do Senhor do início ao fim. Uma enchente repentina e violenta do rio Quisom transformou a planície num charco no qual as gloriosas carruagens dos cananeus se tornaram um obstáculo em vez de uma vantagem. O resultado foi a derrota total das forças de Sísera e sua destruição. O próprio general abandonou sua carruagem atolada e fugiu a pé.

5. *A Morte de Sísera* (4.17-22)

A fuga de Sísera o levou de volta ao campo de Héber e, dali, **para a tenda de Jael, mulher de Héber** (17). Os nômades viviam em paz tanto com os israelitas como com os cananeus. Quando Jael viu Sísera passar por ali, disse: "Retira-te, senhor meu, retira-te para mim, não temas". Assim ele parou e entrou na tenda, onde **ela cobriu-o com uma coberta** (18) ou uma "colcha" ou "manta". Quando o capitão pediu água, Jael **abriu um odre de leite** (19) e deixou que ele bebesse. Os nômades usavam odres, feitos de pele de cabra ou de ovelha, como recipientes para água, vinho ou leite.

Encorajado pela hospitalidade aparentemente amigável e pelo fato de que os nômades viviam em paz com os habitantes de Canaã, Sísera orientou sua anfitriã para que se colocasse **à porta da tenda** (20) e respondesse **não** caso alguém perguntasse se havia um homem ali. Então, confiante e seguro, ele adormeceu. Foi, porém, **o sono da morte** (Sl 13.3 ARA), pois, ao perceber que seu convidado estava num sono profundo, Jael tomou uma estaca da tenda e um martelo, cravou-a em sua têmpora, atravessou-a e fincou-a no chão. Foi desse modo que um guerreiro cansado morreu nas mãos de uma mulher astuta (21).[5]

Quando Baraque chegou à tenda de Jael em sua busca pelo inimigo, a mulher lhe disse: "Vem, e mostrar-te-ei o homem que buscas". Baraque a seguiu, entrou em sua tenda e ficou surpreso, ao ver Sísera morto, preso ao chão por uma longa estaca que atravessava sua **fonte** (22).

Várias tentativas têm sido feitas no sentido de justificar a atitude de Jael, baseando-se no comportamento da época, o qual punia com a morte o estrangeiro que entrasse na tenda de uma mulher beduína. Por outro lado, Jael agiu com hospitalidade e transmitiu confiança. Provavelmente é melhor reconhecer que aqueles eram tempos de violência e traição e que os eventos são escritos sem julgamento moral. Os queneus, embora em paz com Jabim e Sísera, foram aliados próximos dos israelitas por toda sua história.

6. *Jabim é Subjugado* (4.23,24)

A derrota de Sísera e seu exército levaram à destruição de Jabim e seu reino cananeu. **Assim, Deus, naquele dia, sujeitou** (ou subjugou) **a Jabim, rei de Canaã, diante dos filhos de Israel** (23). Os israelitas fortaleceram-se cada vez mais até que foram capazes de destruir seu inimigo (24).

7. *O Cântico de Débora* (5.1-31)

O capítulo 5 é uma descrição poética da batalha entre os israelitas, sob o comando de Débora e Baraque, e os cananeus, comandados por Sísera. Ele nos dá alguns detalhes que são omitidos do relato em prosa, mais curto, feito no capítulo 4. O "Cântico de Débora", como tem sido chamado, é uma obra de arte da poesia hebraica antiga. Tanto a linguagem como a forma mostram que se trata de uma das primeiras obras poéticas do AT, possivelmente preservada numa coleção de cânticos de guerra como o Livro do Reto (ou "Livro de Jaser") ou "no livro das Guerras do Senhor " (Nm 21.14).

a. O Senhor sai para a guerra (5.1-5). O cântico inicia-se com uma exortação para que se louve ao Senhor em lembrança de suas manifestações anteriores.

Porquanto os chefes se puseram à frente em Israel, porquanto o povo se ofereceu voluntariamente, louvai ao Senhor.
Ouvi, reis; dai ouvidos, príncipes; eu, eu cantarei ao Senhor; salmodiarei ao Senhor, Deus de Israel.
Ó Senhor, saindo tu de Seir, caminhando tu desde o campo de Edom, a terra estremeceu; até os céus gotejaram, até as nuvens gotejaram águas.
Os montes se derreteram diante do Senhor, e até o Sinai diante do Senhor, Deus de Israel. (2-5)

Nos versículos 4 e 5 a recente libertação dos cananeus é ligada às manifestações divinas no Sinai, onde o Senhor apareceu pela primeira vez a Israel, e à marcha sobre Seir e Edom rumo a Canaã.

b. O Senhor é esquecido por Israel (5.6-11). As condições de Israel são descritas e ligadas à apostasia passada do povo. **Nos dias de Sangar** (6) e Jael, as estradas públicas não eram seguras. As caravanas não passavam mais pela terra e os viajantes optavam por caminhos afastados e menos freqüentados para não serem pilhados por bandos de saqueadores da terra de Canaã. Nem a vida nem as propriedades estavam seguras. As vilas estavam abandonadas; as pessoas viviam juntas em abrigos fortificados para sua própria proteção. A confusão e a anarquia reinavam, até que Débora se levantou **por mãe em Israel** (7). A razão dessa deplorável condição era o fato de os hebreus terem escolhido **deuses novos** (8) e, assim, terem sido abandonados pelo Senhor (Is 42.8). Quando veio a guerra, eles ficaram indefesos contra o inimigo porque nem escudo nem lança foram encontrados entre 40 mil soldados.

Mãe em Israel (v.7). Chama a atenção para a importância das mães que são verdadeiramente mães espirituais. (1) Débora tinha responsabilidades em casa (4.4); (2) Ela era profetisa, alguém que falava a palavra do Senhor (4.4); (3) Ela inspirou fé e heroísmo em Baraque (4.8,9); (4) Ela expressou seu louvor a Deus por meio de um cântico (5.1-7).

Quando o povo e seus líderes finalmente se voltaram para o Senhor (4.3), um novo espírito se apossou da nação oprimida. Débora disse: **Meu coração é para os legisladores de Israel, que voluntariamente se ofereceram entre o povo** (9). O que ela quis dizer foi: "Tenho simpatia pelos comandantes militares de Israel que se entregaram tão liberalmente em favor do bem público". As pessoas foram convocadas a falar disso (10). Longe do **estrondo dos flecheiros** (11) nos **lugares onde se tiram águas**, os homens falarão **das justiças do Senhor, das justiças que fez às suas aldeias em Israel**.

c. A convocação das tribos (5.12-18). Estes versículos descrevem o chamado feito por Débora e Baraque para levantar e liderar o povo em sua luta pela liberdade. Então é citada a resposta das tribos.

Desperta, desperta, Débora, desperta, desperta, entoa um cântico;
levanta-te, Baraque, e leva presos teus prisioneiros, tu, filho de Abinoão.

Então, o Senhor fez dominar sobre os magníficos, entre o povo ao que ficou de resto; fez-me o Senhor dominar sobre os valentes (12,13).

De Efraim saiu a sua raiz contra Amaleque (14), ou seja, "um descendente de Efraim derrotou Amaleque" (veja Êx 17.10). A menção de **Efraim, Benjamim, Maquir** (filho de Manassés – Gn 50.23), **Zebulom** (14) e **Issacar** (15) serve para identificar o território objeto da opressão comandada por Jabim e Sísera (veja o mapa). Por outro lado, **Rúben** (15), os habitantes de **Gileade** (17) – o país escarpado e montanhoso a leste do Jordão – **Dã** e **Aser** não responderam ou não atenderam totalmente ao pedido de ajuda feito por seus compatriotas. Estas tribos estavam na fronteira das áreas mais diretamente envolvidas. As expressões **grandes as resoluções do coração** e **grandes esquadrinhações do coração** (vv.15,16) são idênticas no hebraico e provavelmente devem ser entendidas no sentido de terem um coração dividido. [6] Os homens de Dã ficaram com seus navios e o povo de Aser se **assentou nos portos do mar e ficou nas suas ruínas** (17) ou "em suas baías" (ARA). Em contraste, os homens de **Zebulom** e **Naftali** arriscaram suas vidas **nas alturas do campo** (18).

d. *O Senhor luta por Israel* (5.19-23). O cântico prossegue e fala sobre a batalha em si. O local da disputa, **em Taanaque, junto às águas de Megido** (19), refere-se mais uma vez ao papel crucial exercido pelo rio na derrota dos cananeus. Os reis cananeus vieram – Jabim acompanhado por outros – e planejaram seu ataque. Os soldados de Israel **não tomaram ganho de prata**, i.e., não tomaram espólios de guerra, pois a batalha era do Senhor. **Desde os céus pelejaram; até as estrelas desde os lugares dos seus cursos pelejaram contra Sísera** (20) é uma linguagem poética para a ajuda divina, do mesmo modo como dizemos "que os céus o ajudem". Outra interpretação vê nas estrelas uma alusão a Gênesis 15.5, onde a semente de Abraão é descrita como as estrelas do céu.

O versículo 21 descreve o meio usado por Deus para destruir o exército cananeu. O Quisom cheio varreu os soldados inimigos que tentaram cruzá-lo e o solo se transformou num pântano no qual as carruagens atolaram. **Pisaste, ó minha alma, a força** (21) – i.e., tu os esmagaste sob teus pés, tal como o grão no tempo da debulha (Jr 51.33) ou as uvas no lagar (9.27; Jr 25.30), os homens de força e poder.

O versículo 22 sugere que os condutores das carruagens lançaram seus cavalos sem ferraduras com tamanha violência sobre o terreno duro que seus cascos foram quebrados e os animais ficaram incapacitados para a batalha, uma possível razão para Sísera ter abandonado sua carruagem e fugido a pé. Também é provável que isso descreva a fuga em pânico dos cavalos diante do aumento do nível do rio, abandonados por seus condutores mas ainda presos às suas carruagens atoladas.

Um dos grandes trechos desta porção das escrituras é encontrado no versículo 23: a maldição de **Meroz**, porque seus moradores **não vieram... em socorro do Senhor, com os valorosos.** Esta comunidade do norte da Palestina pode ser Khirbet Marus, cerca de 12 quilômetros ao sul de Quedes-Naftali. Mas não é conhecida a ocasião em particular do fracasso de seus habitantes. Porém, há aqui uma vívida expressão do descontentamento divino com aqueles que reconhecem sua obrigação no Reino, mas não fazem algo em relação a ela. Nos dias em que o inimigo é forte, é pecado deixar de sair o serviço do Senhor.

e. A morte de Sísera (5.24-27). Esta estrofe do cântico de Débora é o paralelo poético ao relato em prosa de 4.17-22. Ele cumpre a predição da profetisa que disse que o crédito da destruição de Sísera não iria para Baraque, mas para uma mulher (4.9): **Bendita seja sobre as mulheres Jael, mulher de Héber, o queneu** (24). **Em taça de príncipes lhe ofereceu manteiga** (ou **nata** – ARA). Já se sabia que o leite e seus derivados contribuíam para o relaxamento e o sono. Uma vez que era costume que as mulheres beduínas montassem as tendas, a estaca e o malho eram ferramentas familiares a Jael. **Rachou-lhe a cabeça**, talvez ao desacordá-lo com um golpe do martelo antes de enfiar-lhe a estaca.

O versículo 27 é interpretado na LXX no sentido de indicar que Sísera possa ter estuprado Jael antes de ter caído no sono e que o assassinato daquele homem foi uma vingança por sua honra. O texto massorético, ao contrário, deixa implícito que se trata de uma descrição poética da morte de Sísera.

f. A miséria dos inimigos do Senhor (5.28-31). A patética ansiedade da mãe de Sísera é descrita no versículo 28. Olhando **pela janela,** ela **exclamava pela grade** que cobria a abertura: "Por que tarda em vir o seu carro? Por que se demoram os passos dos seus carros?". **As mais sábias das suas damas** (29) lhe restabeleceram a confiança e, de fato, ela mesma respondeu: "Porventura não achariam e repartiriam despojos? Uma ou duas moças a cada homem? Para Sísera despojos de várias cores bordados de ambas as bandas, para os pescoços daqueles que tomam o despojo?" (30).

O ponto culminante da conclusão do cântico de Débora surge na primeira parte do versículo 31:

> Assim, ó Senhor, pereçam todos os teus inimigos!
> Porém os que o amam sejam como o sol
> quando sai na sua força.

Outra geração de paz seguiu-se à destruição das forças de Sísera: **E sossegou a terra quarenta anos.**

F. Gideão, 6.1–8.32

1. *Israel é Assolado pelos Midianitas* (6.1-6)

Mais uma vez **os filhos de Israel fizeram o que parecia mal aos olhos do Senhor.** Desta vez permitiram que os midianitas os castigassem **por sete anos** (1). Os midianitas eram uma tribo nômade que habitava uma região no deserto da Arábia a leste do mar Morto e das fronteiras de Moabe e Edom. Cinco famílias de midianitas eram descendentes de Abraão e Quetura (Gn 25.2,4). Os mercadores midianitas compraram José e o levaram para o Egito (Êx 3.1). Os midianitas estavam entre aqueles que foram enviados a Balaão para fazer com que ele amaldiçoasse Israel (Nm 22.4-7). Enquanto se encaminhavam para Canaã, os israelitas mataram cinco reis de Midiã (Nm 31.8), pilharam toda uma região (Nm 31.10,11) e assassinaram a população masculina e todas as mulheres casadas (Nm 31.17). Portanto, as invasões midianitas foram motivadas não apenas pelos despojos que foram tomados, mas por um desejo de vingança contra os israelitas.

A mão desses estrangeiros se tornou por demais opressiva, a ponto de os hebreus, tomados de terror, fazerem para si **as covas que estão nos montes, e as cavernas, e as fortificações** (2). Eles cultivavam seus campos, mas, quando chegava a época da colheita, os midianitas – juntamente com os amalequitas **e também os do Oriente** (3) – vinham, tomavam posse da colheita e destruíam tudo o que não pudessem aproveitar. A extensão de suas invasões é indicada pela referência a **Gaza** (v.4, veja o mapa), a cidade fronteiriça na porção sudoeste da Palestina nas quais habitavam as tribos de Israel.

Uma vez que os midianitas e seus aliados eram tribos nômades, eles **subiam com os seus gados e tendas; vinham como gafanhotos, em tanta multidão** (5), i.e., eles vinham em grupos devoradores, uma praga humana. Essas pessoas também usavam **camelos** em grande número, tanto para transporte como numa corporação militar de guerreiros. W. F. Albright destaca que estes foram os primeiros ataques repentinos nos quais se utilizaram camelos em toda a história.[7] Em conseqüência, **Israel empobreceu muito** (6) – no hebraico, "abatido" – e **os filhos de Israel clamaram ao Senhor**.

2. *O Senhor Envia um Profeta* (6.7-10)
Clamando os filhos de Israel ao Senhor... enviou o Senhor um profeta cujo nome não é revelado (7,8). A mensagem do profeta foi entregue em nome do Senhor Deus de Israel:

> "Do Egito eu vos fiz subir e vos tirei da casa da servidão; e vos livrei da mão dos egípcios e da mão de todos quantos vos oprimiam; e os expeli de diante de vós e a vós dei a sua terra; e vos disse: Eu sou o Senhor, vosso Deus; não temais aos deuses dos amorreus, em cuja terra habitais; mas não destes ouvidos à minha voz" (8-10).

Embora esta mensagem não contenha uma promessa explícita de libertação, ela deve ter aprofundado a consciência de pecado e despertado a esperança de que as libertações realizadas no passado poderiam voltar a acontecer.

3. *O Senhor Comissiona Gideão* (6.11-18)
Logo depois de a mensagem do profeta ter sido entregue, **o Anjo do Senhor veio e assentou-se debaixo do carvalho que está em Ofra, que pertencia a Joás, abiezrita**. **Ofra**, também chamada de **Bete-Leafra** (Mq 1.10, "a casa de Afra"), era uma vila a oeste do Jordão, cuja localização atual é desconhecida. Ofra também era o nome de uma cidade de benjamim (Js 18.23). **Joás**, forma contraída de Jeoás, que significa "a quem o Senhor concedeu". Além do pai de Gideão, cinco outros homens são chamados de Joás no AT: um descendente de Sela (1 Cr 4.22); um benjamita que se uniu ao grupo de foras-da-lei de Davi em Ziclague (1 Cr 12.3); um filho de Acabe (1 Rs 22.26); um filho de Acazias (2 Rs 11.2) e um filho de Jeoacaz (2 Cr 25.17). O termo **abiezrita** indica um clã da tribo de Manassés (Nm 26.30 – Jezer).

Gideão, filho de Joás, **estava malhando o trigo no lagar, para o salvar dos midianitas** quando o anjo apareceu. O lagar seria, na melhor das hipóteses, uma eira improvisada que funcionava em segredo, tal como uma destilaria ilegal numa mina de carvão abandonada. Já que não havia uma vindima entre os israelitas abatidos pela pobreza naquele ano, o lagar não estaria em uso para seu propósito básico.

Desse modo, Gideão esperava malhar uns poucos feixes em segredo, afastado das mãos dos saqueadores midianitas.

O Anjo do Senhor (12) é uma figura muito familiar e maravilhosa do Antigo Testamento. Ele aparece tanto distinto como idêntico a Yahweh, o Deus das Alianças com Israel. Ele fala, como no versículo 12, *sobre* **o Senhor**. Ele também fala, como no versículo 14, *como* **o Senhor**.[8] Repetidos em vários lugares do AT, estes fatos têm levado diversos eruditos a considerarem "o Anjo do Senhor" como uma manifestação pré-encarnada da segunda pessoa da Trindade.

O anjo apareceu a Gideão e disse: **O Senhor é contigo, varão valoroso** (12). A resposta de Gideão foi de modo algum estranha diante das circunstâncias: "Ai, senhor meu [*adonai*, o termo hebraico comum para "senhor"], se o Senhor [Yahweh, o nome pessoal do verdadeiro Deus das Alianças] é conosco, por que tudo isto nos sobreveio? E que é feito de todas as suas maravilhas que nossos pais nos contaram, dizendo: Não nos fez o Senhor subir do Egito? Porém, agora, o Senhor nos desamparou e nos deu na mão dos midianitas" (13).

O Anjo é agora identificado como **o Senhor** (14). **Vai nesta tua força** – no sentido de vigor varonil ou força física humana. Enviado pelo próprio Deus, Gideão ouve que ele livrará **Israel da mão dos midianitas**. Do mesmo modo que Moisés, antes dele (Êx 3.11); e Jeremias, depois dele (Jr. 1.6); Gideão cita sua inadequação para a tarefa: **Ai, Senhor meu** [*adonai*, cf. comentário do v.12], **com que livrarei a Israel? Eis que a minha família** [hebraico: "meus milhares" ou grupo tribal] **é a mais pobre em Manassés, e eu, o menor na casa de meu pai** (15). A promessa é repetida: **Porquanto eu hei de ser contigo, tu ferirás os midianitas como se fossem um só homem** (16).

Com a precaução que mais tarde tornou-se tão conhecida (36-40), Gideão persiste: "Se agora tenho achado graça aos teus olhos, dá-me um sinal de que és o que comigo falas. Rogo-te que daqui te não apartes, até que eu venha a ti, e traga o meu presente" (17,18). A percepção da verdadeira natureza de seu visitante celestial começa a se manifestar.

4. *A Oferta de Gideão* (6.19-24)

Gideão foi e preparou um cabrito, bem como bolos **de um efa de farinha**. Um efa é uma medida para secos. Gideão colocou a carne num **açafate** ("cesto", ARA), provavelmente para que o estrangeiro pudesse levá-la consigo em sua jornada. **O caldo pôs numa panela**. Então, apresentou tudo isso ao seu convidado divino debaixo do carvalho. O anjo ordenou: "**Toma a carne e os bolos asmos, e põe-nos sobre esta penha, e verte o caldo**". Gideão obedeceu em silêncio (19,20).

O anjo tocou a oferta com a ponta do cajado que carregava em sua mão. Imediatamente subiu fogo da pedra e consumiu o sacrifício. **E o Anjo do Senhor desapareceu de seus olhos** (21). Quando Gideão entendeu completamente que havia conversado com o anjo do Senhor face a face, temeu por sua vida e disse: **Ah! Senhor Jeová**. Acreditava-se que ver o Senhor face a face era uma experiência que precedia a morte (13.22; Gn 16.13; 32.30; Êx 20:19; 33.20; Is 6.5). **Porém o Senhor lhe disse** – talvez em sua mente, talvez numa voz audível, embora o anjo já tivesse saído de sua vista – **Paz seja contigo; não temas, não morrerás** (22,23).

Assim, Gideão construiu um altar ao Senhor naquele lugar **e lhe chamou Senhor é Paz**. Na época em que o registro foi escrito o altar ainda podia ser visto **em Ofra dos abiezritas** (24).

5. Gideão Derruba o Altar de Baal (6.25-27)
Naquela mesma noite, o Senhor falou mais uma vez com Gideão e ordenou um ataque audacioso contra a idolatria da comunidade na qual vivia o recém-apontado líder. **"Toma o boi de teu pai, a saber, o segundo boi de sete anos, e derriba o altar de Baal, que é de teu pai, e corta o bosque** [poste-ídolo na ARA] **que está ao pé dele. E edifica ao Senhor, teu Deus, um altar no cume deste lugar forte** [hebraico: fortaleza]**, num lugar conveniente; e toma o segundo boi e o oferecerás em holocausto com a lenha que cortares do bosque"** (25,26). O bosque ou poste-ídolo era uma referência a "Aserá", uma deusa cananéia freqüentemente associada com Baal cujo símbolo também poderia ser algum tipo de imagem de madeira. Foi ordenado aos israelitas que cortassem e queimassem esses objetos de idolatria.

Gideão tomou dez de seus servos – o que era evidência de uma grande casa, apesar da modéstia desse jovem (15) – e fez o que lhe fora dito. Por temer sua família e o povo da cidade, ele realizou sua missão debaixo do manto da noite (27).

6. Joás Defende Gideão (6.28-32)
Logo na manhã seguinte, quando os homens da cidade acordaram, ficaram todos chocados, por verem seu reverenciado local de adoração destruído. "Quem seria o culpado de tal sacrilégio?" Perguntavam uns aos outros. Quando descobriram que o culpado era Gideão, disseram a Joás: **Tira para fora o teu filho para que morra, pois derribou o altar de Baal e cortou o bosque que estava ao pé dele** (30).

A resposta de Joás foi tanto sábia como irrefutável: **Contendereis vós por Baal? Livrá-lo-eis vós?** (31). O que ele quis dizer foi: "Se Baal é realmente um deus, que ele reclame por seu altar ter sido derrubado". O resultado foi um apelido colocado em Gideão: **Jerubaal** (32) ou "Baal contenda contra ele". O termo **Jerubaal** foi posteriormente mudado para Jerubesete (2 Sm 11.21), com o fim de evitar o uso do odiado nome "baal". *Besete* significa "vergonha". Cf. a mudança de Esbaal (1 Cr 9.39) para Isbosete (2 Sm 2.8) e de Meribe-Baal (1 Cr 8.34) para Mefibosete (2 Sm 4.4).

7. Gideão Recruta um Exército (6.33-35)
Quando fizeram sua costumeira invasão anual à Palestina, os **midianitas**, os **amalequitas** e seus aliados acamparam-se **no vale de Jezreel** (33). **Jezreel** era uma cidade fortificada próxima do monte Gilboa, no território de Issacar (1 Rs 21.23). O **vale de Jezreel** é uma saliência profunda e larga que desce de Jezreel até o rio Jordão. Era a melhor região para se saquear na Palestina. O vale de Jezreel não deve ser confundido com a planície de Esdrelom (um alteração da palavra Jezreel em grego), ou com a planície do Megido, que corta a Palestina imediatamente ao norte do Carmelo. Jezreel, cujo nome significa "Deus plantou", também era o nome de uma cidade de Judá (Js 15.16).

Desta vez, **o Espírito do Senhor revestiu a Gideão** (34). Deus "vestiu" Gideão como alguém que coloca uma roupa. Isto quer dizer que o Espírito Santo revestiu de poder a Gideão. Por ser uma prefiguração de Atos 2.4 e da experiência do Pentecostes, esta frase também é usada duas vezes pelo cronista em 1 Crônicas 12.18 e 2 Crônicas 24.20.

No poder do Espírito Santo, Gideão faz soar **a buzina**, e os homens de seu próprio clã, os abiezritas, reúnem-se ao seu lado. Mensageiros são enviados a **Manassés, Aser, Zebulom e Naftali** (veja o mapa) e eles também enviam soldados (34,35).

8. Gideão Testa seu Chamado (6.36-40)

A cautela de Gideão se expressa num ato que se tornou famoso para se provar a vontade de Deus. Ele orou: "Deus, dá-me um sinal. Nesta noite colocarei um velo de lã na eira. Se ele estiver molhado de manhã e o chão ao redor estiver seco, então conhecerei que hás de livrar Israel por minha mão". A resposta do Senhor foi inequívoca. Quando Gideão levantou no dia seguinte, a terra estava seca e, a partir da lã, **espremeu uma taça cheia de água** (36-38).

Por estar ainda duvidoso, Gideão orou mais uma vez: "Ó Deus, não te irrites; permita-me testar-te apenas mais uma vez para que eu tenha certeza de que não estou enganado. Se tu realmente vais fazer de mim um instrumento teu para salvar Israel, que o velo esteja seco e o chão molhado amanhã". Deus também concedeu este pedido porque, na manhã seguinte, o chão estava coberto de orvalho, mas o velo de lã estava seco (39,40).[9]

Gideão achava difícil acreditar que Deus o usaria para salvar Israel. Ele queria ter certeza antes de enfrentar o inimigo em combate. Nunca devemos hesitar em provar nossas impressões para descobrirmos a vontade de Deus.

O desejo que Gideão tinha de obter certeza foi louvável. Se um homem quer ter certeza da vontade de Deus, o Senhor lhe dará esta certeza. Mas o exemplo de Gideão não deve ser levado às últimas conseqüências. Os cristãos já aprenderam que não devem tentar o Senhor seu Deus (Mt 4.7) e que é uma geração má e adúltera que pede sinais (Mt 12.39) em vez de aceitar a Palavra do Senhor. Quando a vontade de Deus é elucidada, insistir numa confirmação adicional por meio de um "velo" é possivelmente uma forma de descrença.

Os princípios do "Teste do chamado de Deus" estão delineados nos versículos 10 a 40. Podemos observar aqui: (1) crise (v. 10); (2) comissionamento (vv. 11-23); (3) coragem (vv. 24-32) e (4) confirmação (33-40).

9. Gideão Seleciona suas Tropas (7.1-3)

Gideão conduziu seu exército, formado por 32 mil homens, e acamparam **junto à fonte de Harode** (1), identificada hoje com 'Ain Jalud, um poço no lado noroeste do monte Gilboa. De maneira apropriada, o nome significa "tremor". O campo de Midiã localizava-se no vale ao norte **pelo outeiro de Moré**, a moderna Nebi Dahi. **Moré** também é o nome de um bosque perto de Siquém (Gn 12.6).

O Senhor disse a Gideão: "Você tem muitas tropas. Se eu der a vitória a um exército tão grande, os soldados assumirão todo o crédito da vitória. Portanto, faça o seguinte anúncio: 'Todo aquele que for covarde e medroso deve voltar para casa'". A expressão **das montanhas de Gileade** (3) causa alguma dificuldade, uma vez que as tropas israelitas estavam acampadas ao lado do monte Gilboa. Alguns estudiosos têm lançado a suposição de que o texto massorético possa ter um erro dos escribas, que substituíram duas letras e, assim, mudaram a palavra hebraica referente a *Gilboa* para **Gileade**. Contudo, o termo hebraico traduzido como *de* pode ser traduzido como *através*, a fim de indicar uma rota tomada pelos soldados que retornaram por Gileade, a leste do Jordão.

Quando o teste foi realizado, 22.000 soldados desistiram. 10.000 permaneceram, a fim de mostrar algum tipo de evidência de senso de responsabilidade para com Deus e o país.

10. Os Remanescentes Fiéis (7.4-8)

O contingente dos dez mil soldados restantes ainda era **demais** para que recebessem a vitória. Gideão recebeu a seguir a ordem de levar sua companhia para junto da água e o Senhor disse: **Ali tos provarei** (4) ou "vou testá-los ali para você". A mesma palavra hebraica é usada para descrever o processo de derreter o metal visando a separá-lo das impurezas. Quando Gideão obedeceu, o Senhor ordenou: "Divida-os em dois grupos: aqueles que lamberem a água com sua língua como cães e aqueles que se ajoelharem para beber". A idéia precisa do teste não está clara aqui, mas é comumente aceito que este teste revelaria quais homens manteriam sua atenção no inimigo, ao pegar apenas a água que caberia na palma da mão para satisfazer a necessidade da sede.

O resultado foi que 300 soldados beberam a água da mão e 9.700 ajoelharam-se para beber, num esquecimento descuidado da batalha iminente. O Senhor deixou clara a sua decisão. Era aos 300 que o Senhor daria a vitória. Eles receberam provisões e foram mantidos, enquanto que o resto foi dispensado para voltar às suas casas. Existe aqui a indicação da importância dos remanescentes fiéis aos propósitos de Deus. Minorias criativas sempre serviram à causa da justiça de maneira muito mais eficiente do que as massas descuidadas.

Há, aqui, também, um retrato do modo pelo qual a eleição divina relaciona-se com a liberdade humana. Deus escolheu os que podem servi-lo, a fim de serem salvos. Mas o fato de um indivíduo ser incluído ou não entre os eleitos depende de sua resposta às condições que o Senhor coloca. Em termos do evangelho cristão, Deus elegeu para a salvação todo e qualquer que receba as boas novas com arrependimento, obediência e fé. A inclusão ou não de um indivíduo depende de sua própria resposta às condições da salvação. Portanto, a salvação é do Senhor e, ao mesmo tempo, está condicionada à obediência e à fé do indivíduo.

11. O Poderoso Pão de Cevada (7.9-14)

Gideão recebeu depois a certeza da presença de Deus e da vitória na batalha iminente. Naquela mesma noite, o Senhor disse a Gideão: "Levante-se e desça ao campo de Midiã, pois eu o entreguei nas suas mãos. Se você tiver medo, leve Pura, o seu ajudante, com você. Depois de ouvir o que eles estão dizendo você terá mais confiança quanto a atacá-los" (9-11). **Pura** – do hebraico *purah*, "um galho verde, um ramo" – era provavelmente o escudeiro de Gideão.

Assim, Gideão e Pura descem ao posto avançado do inimigo, postados como sentinelas em volta da multidão. O acampamento dos midianitas espalhava-se por todo o vale, tal como um enxame de gafanhotos, **e eram os seus camelos em multidão inumerável como a areia que há na praia do mar** (12) – uma hipérbole característica do texto hebraico.

É ali que Gideão e Pura, aproximando-se na escuridão, ouvem um guarda contar um sonho ao seu companheiro. Ele disse: "Eu vi um pão [ou um bolo] de cevada. Ele estava rodando pelo campo de Midiã, atingiu uma tenda e a derrubou completamente" (13). O pão de cevada simbolizava os agricultores de Israel e a tenda representava os invasores nômades. O companheiro do guarda comentou: **Não é isto outra coisa, senão a espada de Gideão, filho de Joás, homem israelita. Nas mãos dele entregou Deus os midianitas e todo este arraial** (14). É provável que o guarda certamente fosse um adorador de muitos deuses e tenha usado a expressão *ha-Elohim,* cujo significado é "os deuses". O mesmo termo hebraico, porém, também significa "Deus". Ele não falou de si mesmo, mas, impulsionado pelo Espírito.

12. *Gideão Dá Instruções aos seus Trezentos Homens* (7.15-18)
Depois de ter ouvido este estranho sonho e sua interpretação, Gideão **adorou** o Senhor. Então, voltou ao acampamento de Israel e alertou suas tropas: **Levantai-vos, porque o Senhor entregou o arraial dos midianitas nas vossas mãos** (15). Vê-se aqui um exemplo da maneira de falar tão familiar dos profetas do Antigo Testamento na qual um evento prometido por Deus é considerado tão certo que é descrito no pretérito perfeito do indicativo.

Gideão dividiu seus homens em três companhias, entregando a cada um deles trombetas e cântaros contendo tochas. "Olhem para mim", disse ele, "e façam o que eu fizer. Quando eu e minha companhia tocarmos nossas trombetas nas imediações do acampamento, então todos vocês tocarão as trombetas por todos os lados do acampamento e gritarão pelo Senhor e por Gideão" (16-18).

13. *A Derrota de Midiã* (7.19-23)
Gideão e seu pequeno grupo de cem soldados chegaram aos arredores do acampamento inimigo **ao princípio da vigília média** (19), ou perto da meia-noite, uma vez que **pouco tempo antes** eles haviam **trocado as guardas**. Os hebreus dividiam a noite em três "vigílias": do pôr-do-sol até a meia-noite, da meia-noite até a madrugada e, da madrugada ao nascer do sol. Os cem homens tocaram suas trombetas e quebraram os cântaros que estavam em suas mãos. As outras duas companhias fizeram o mesmo. Os soldados seguravam tochas com a mão esquerda e suas trombetas na mão direita. Então todos eles soltaram um grande grito: **Espada pelo Senhor e por Gideão!** (20). [10]

O toque repentino das trombetas, seguido do estranho som de potes quebrados nas altas horas da noite acordaram o acampamento inteiro. Quando os midianitas abriram seus olhos sonolentos e olharam na escuridão, viram que estavam completamente cercados por um círculo de tochas flamejantes. Eles provavelmente acharam que aquilo se tratava de uma guarda avançada que liderava uma tropa de milhares de soldados e que o toque da trombeta era o sinal de avanço. As **trombetas** (heb. *shofaroth*) eram feitas de chifres de carneiro ou de boi. Alguns estudos têm sugerido que no exército israelita havia um homem com uma trombeta em cada grupo de 100 soldados. Assim, os 300 representariam (na mente dos midianitas) cerca de 30 mil soldados, que era o número original. Uma pessoa com a bênção de Deus, pode realizar com êxito aquilo que ela mesma não poderia fazer ao ser atrapalhada por outros 99 "empecilhos espirituais".

Os soldados inimigos foram tomados pelo pânico. Gritaram e fugiram com medo enquanto Gideão e seus homens tocavam suas trombetas. No meio da confusão e da escuridão, os midianitas começaram a atacar e matar uns aos outros. Eles fugiram **de Zererá, até Bete-Sita, até ao limite de Abel-Meolá, acima de Tabate** (22). **Bete-Sita**, palavra hebraica que significa "casa das acácias", era uma cidade localizada no vale do Jordão, entre Zererá e o vale de Jezreel. Ainda assim, o local é desconhecido. **Zererá** é provavelmente a mesma Sartã de Josué 3.16 ou a Zaretã de 1 Reis 4.12 e 7.46 e, do mesmo modo, sua localização é desconhecida. **Abel-Meolá** – do hebraico "campo da dança" ou "dança do campo" – é o lugar de nascimento de Eliseu (1 Rs 19.16). **Tabate** não é mencionada em qualquer outro lugar e sua localização é desconhecida. Porém, existe uma certeza de que todos os lugares citados aqui estejam à leste de Jezreel, por todo o vale do Jordão, rumo ao deserto do qual os midianitas nômades originalmente vieram. Quando a fuga se iniciou, os homens de **Naftali, Aser** e **Manassés** juntaram-se à perseguição (23).

Lições tiradas a partir da "vitória de Gideão" podem ser úteis em tempos como este em que vivemos, e podem ser vistas nos versículos 1 a 23. (1) Deus prova aqueles a quem usa – até o ponto da coragem e da consagração (vv. 1-6); (2) Deus sincroniza o encorajamento dele com os nossos momentos de necessidade (vv. 7-15); (3) Deus triunfa por meio da obediência e da fé daqueles que realmente confiam nele (vv. 16-23). **A espada de Gideão** foi importante, mas a **espada do Senhor** (20) é que conquistou a vitória.

14. Dois Comandantes Midianitas são Mortos (7.24,25)

Gideão rapidamente despachou mensageiros por todo o território de Efraim para que o povo ocupasse os vaus (cf. 3.28) até **Bete-Bara** (a Betânia, de João 1.28). Este nome significa "casa de passagem", mas a localização exata é desconhecida. Os efraimitas fizeram o que lhes fora pedido e prenderam dois príncipes (ou capitães, ou ainda chefes) de Midiã, **Orebe e Zeebe,** nomes que significam respectivamente "um corvo" e "um lobo". Aqueles homens foram mortos, um numa rocha que passou a se chamar Orebe e o outro num lagar que passou a se chamar Zeebe. As cabeças das vítimas foram levadas **a Gideão, dalém do Jordão** (25), ou seja, a leste, de onde saíram em perseguição ao inimigo que fugia.

15. O Ciúme de Efraim (8.1-3)

Insatisfeitos com aquilo que eles consideraram um papel de menor importância na vitória – e provavelmente desejosos de compartilhar não apenas a glória, mas também os despojos da guerra – os homens de Efraim reclamaram amargamente a Gideão. "Por que você nos insultou não pedindo nossa ajuda desde o início?". **E contenderam com ele fortemente** (1). A idéia básica da palavra hebraica que expressa esse clima pode ser traduzida como "pegar o outro pelos cabelos".

A resposta de Gideão foi uma obra prima da conciliação: **Que mais fiz eu, agora, do que vós? Não são, porventura, os rabiscos de Efraim** [ou a sua parte no final da batalha] **melhores do que a vindima de Abiezer** [aquilo que meus homens fizeram no início]? (2). Abiezer era a família de Gideão e esta referência pode indicar que a maior parte dos 300 homens com os quais a batalha foi ganha fizessem parte ou fossem próximos do clã de Gideão. **Orebe e Zeebe** foram entregues nas mãos dos efraimitas. Nada do que Gideão tinha alcançado, disse ele, era digno de se comparar a isso. Diante dessas palavras, **a sua ira se abrandou para com ele** (3; cf. Pv 15.1).

16. Ceticismo de alguns Oficiais (8.4-9)

Gideão e seus trezentos soldados cruzaram o rio Jordão, **já cansados, mas ainda perseguindo** (4) seus inimigos. Em **Sucote** o líder pediu comida aos habitantes da cidade para poder alimentar seus soldados famintos e assim concluir sua vitória com a captura de **Zeba e Salmuna, reis dos midianitas** (4,5). **Sucote** era uma cidade no vale do Jordão, próxima a Zaretã, no território de Gade. Hoje o local é conhecido como Tell Ahsas, cerca de 2 quilômetros ao norte do Jaboque. Sucote também era o nome do primeiro local de acampamento de Israel depois de saírem de Ramessés, na fronteira do Egito (Êx 12.37).

Os oficiais de Sucote responderam com desdém: "Mas você ainda não os capturou", deixando implícito que, se eles ajudassem um punhado de camponeses cansados e este grupo fosse mais tarde derrotado pelos reis poderosos, estes voltariam para executar a vingança. A resposta de Gideão foi: "Quando o Senhor entregar estes dois fugitivos em minhas mãos eu voltarei e ferirei a sua carne com os espinhos do deserto e com os abrolhos" (6,7).

O mesmo pedido foi feito em **Penuel**, com resultados idênticos. **Penuel** é chamada uma vez de Peniel (Gn 32.30) e significa "a face de Deus". Era originalmente um local de acampamento a leste do Jordão, próximo ao rio Jaboque. Tornou-se cidade na época de Gideão. Não é possível identificar o local atualmente. A resposta de Gideão foi: **Quando eu voltar em paz, derribarei esta torre**, provavelmente uma fortaleza na qual os cidadãos poderiam se refugiar em tempos de perigo. Talvez a própria Penuel não tivesse muros de proteção.

Como no caso da atitude dos efraimitas, a reação dos homens de Sucote e Penuel claramente mostra quão fraca era a associação entre as tribos de Israel no tempo dos juízes. Havia muita luta e ciúme entre elas. Até mesmo os poderosos reinos de Davi e Saul foram divididos basicamente pelas mesmas razões.

17. *Gideão Captura dois Reis* (8.10-12)
Estavam, pois, Zeba e Salmuna em Carcor, um lugar a leste do mar Morto, no vale de Sirhan, cuja localização exata é desconhecida. O enorme exército de Midiã foi reduzido a 15 mil homens; 120 mil caíram na batalha e o resto foi espalhado. **Subiu Gideão pelo caminho dos que habitavam em tendas** (11), pela rota das caravanas que levava **para o oriente de Noba e Jogbeá. Jogbeá**, "elevado", é a moderna Hirbet-Ajbetah. **Noba** era evidentemente um local próximo.

Os midianitas estavam totalmente desprevenidos. Talvez não esperavam que Gideão os perseguisse até tal distância no deserto. O ataque repentino de um pequeno bando de israelitas foi mais uma vez bem-sucedido. Os dois reis foram capturados e todo o exército se **afugentou** (12), aterrorizado e tomado pelo pânico.

18. *Gideão Cumpre sua Palavra* (8.13-17)
Gideão voltou de sua batalha **antes do nascer do sol** (13) ou, como diz literalmente o hebraico, "pela subida (ou colina) de Heres", um local desconhecido. Ele capturou um jovem de Sucote e o interrogou. O jovem **descreveu os príncipes** (14), ou seja, escreveu os nomes de 77 oficiais e anciãos da cidade. O termo **príncipes** talvez se refira a líderes militares. E, anciãos refere-se aos chefes das famílias que governavam o distrito.

Ao chegar à cidade, Gideão exibiu seus cativos àqueles que o insultaram anteriormente. **E tomou os anciãos daquela cidade, e espinhos do deserto, e abrolhos e com eles ensinou aos homens de Sucote** (16). É difícil interpretar estas palavras de outra maneira que não seja a morte por tortura, embora F. F. Bruce cite D. W. Thomas para sugerir que um significado alternativo da raiz da palavra traduzido como **ensinou** seja "tenha feito calar e subjugado".[11] A fortificação em Penuel foi derrubada e a população masculina foi morta.

19. *Gideão Executa Zeba e Salmuna* (8.18-21)
A seguir, Gideão executou os reis midianitas capturados. A razão para esta busca incansável se torna clara agora. Já havia acontecido um massacre de homens em Tabor algum tempo atrás, dirigido pelos dois reis que estavam agora sob o poder de Gideão. Em função do interrogatório conduzido pelos líderes de Israel, descobriu-se que os executados eram irmãos de sangue de Gideão e sua atitude de matar os midianitas responsáveis foi tomada como uma vingança de sangue (Dt 19.12,13). Quando ocorria um assassinato, o parente mais próximo do falecido, chamado em hebraico de *goel*, tinha a obrigação de executar o assassino tão logo o encontrasse (Nm 35.19,21). Zeba e Salmuna poderiam ter recebido misericórdia se tivessem agido com misericórdia.

Jéter, o primogênito de Gideão, ainda era um garoto. Quando seu pai ordenou-lhe que matasse os prisioneiros, ele se afastou, com medo. Os próprios reis pediram que Gideão realizasse o trabalho para poupá-los da desgraça maior de morrerem nas mãos de um menino. **As luetas que estavam no pescoço dos seus camelos** (21), ou seja, as luas crescentes em miniatura usadas como ornamentos ou como amuletos, eram feitas geralmente de ouro e elas se tornaram parte dos despojos.

20. *O Éfode de Ouro* (8.22-28)
Os israelitas propuseram que Gideão se tornasse seu rei e estabelecesse uma monarquia hereditária. Gideão, porém, rejeitou o pedido, dando a entender que sua convicção era que Israel deveria ser uma teocracia, ou seja, um governo no qual Deus controlaria por meio de agentes de sua escolha: **Sobre vós eu não dominarei, nem tampouco meu filho sobre vós dominará; o Senhor sobre vós dominará** (23).

Em resposta, ele fez um pedido para que sua parte nos despojos tomados dos midianitas fossem **os pendentes** ou anéis do nariz tomados dos inimigos mortos ou capturados. **Porquanto eram ismaelitas** (24) talvez queira dizer que eles eram comerciantes nômades. Tecnicamente, os ismaelitas eram descendentes de Hagar (Gn 25.12); os midianitas, de Quetura (Gn 25.2). Mas os dois termos foram usados amplamente e nem sempre com precisão. Um uso liberal similar é encontrado no livro de Gênesis, no relato da venda de José ao Egito (cf. Gn 37.28), onde os comerciantes são chamados de ismaelitas ou midianitas. Também pode ser o caso de os descendentes de Ismael serem chamados de midianitas porque viviam em Midiã. Certamente não é necessário supor duas linhas de dois relatos separados que possam ter sido confundidos por um compilador do pós-exílio que tentou harmonizá-los!

Os israelitas prontamente assentiram ao pedido de Gideão e **estenderam uma capa** (25) na qual cada um dos soldados colocou os pingentes que tinham retirado. O peso total foi de **mil e setecentos siclos de ouro** (26), cerca de 19 quilos. Além disso, havia outros ornamentos, como colares e pendentes, a veste púrpura da realeza e as correntes do pescoço dos camelos. Com isso, Gideão fez um grande **éfode**, talvez apenas um troféu de guerra. O significado original de **éfode** era o de uma roupa usada por um sacerdote (1 Sm 22.18), uma capa ou um manto sacerdotal. O AT prescreve que o sumo sacerdote deveria usar um bastante caro, tecido em ouro, de pano azul, púrpura, carmesim, de linho fino torcido, ornamentado com ouro e pedras (Êx 28.4-14). Qualquer que fosse a natureza do éfode de Gideão, o que ele queria que fosse um inofensivo símbolo de uma grande vitória transformou-se em **tropeço a Gideão** e a toda sua família (27). Toda a nação passou a venerar aquele objeto com a natural afinidade que a natureza humana corrompida tem pela idolatria. Não é necessário presumir que o próprio Gideão tenha adorado este éfode, pois seu nome está registrado no Novo Testamento entre os fiéis (Hb 11.32). No máximo ele considerou aquilo como um símbolo do Deus verdadeiro.

A adoração do éfode é uma exceção ao padrão normal do livro de Juízes, i.e., Israel *começou* a resvalar para o abismo da idolatria *antes* da morte do juiz.[12] Todavia a derrota de Midiã sinalizou um outro período de 40 anos de paz para Israel.

21. *A Morte de Gideão* (8.29-32)

Depois de Midiã ter sido derrotada, Gideão voltou **e habitou em sua casa** (29) em Ofra. Ele teve diversas esposas e foi pai de 70 filhos. Em antecipação a um desenvolvimento posterior, um deles é destacado dos outros: **Abimeleque** (31), filho de uma concubina que morava em Siquém. **Abimeleque**, nome comum na Palestina, significa "pai de um rei". Também era o nome (ou o título) de reis filisteus que viveram nos dias de Abraão (Gn 20.2) e Isaque (Gn 26.6-8). Gideão morreu em idade madura e foi enterrado no sepulcro de seus pais em Ofra.

Seção III

A CONSPIRAÇÃO DE ABIMELEQUE

Juízes 8.33 — 9.57

A. A INFIDELIDADE DE ISRAEL, 8.33-35

Quando Gideão faleceu, Israel mais uma vez mostrou-se infiel para com Deus e as pessoas **se prostituíram** (a chamada analogia profética que descreve a idolatria como infidelidade a um cônjuge verdadeiro) **após os baalins, e puseram a Baal-Berite por Deus** (33). **Baalins** eram os ídolos locais ou deuses cananeus da Natureza. **Baal-Berite,** ou "senhor de uma aliança", também era conhecido como o Deus Berite (9.46) e aparentemente era o nome que promovia a adoração em Siquém. O Senhor Deus de Israel foi rapidamente esquecido e, com Ele, a casa de Gideão sentiu uma pontada de ingratidão pelo fato de a nação ter logo se esquecido da libertação que aquele homem promovera.

B. ABIMELEQUE É UNGIDO REI, 9.1-6

O capítulo 9 refere-se a um filho rebelde de um pai digno. Abimeleque foi apresentado anteriormente como filho de Gideão com uma concubina, ou segunda esposa, que estava em Siquém (8.31). Ele agora acha que deve tirar proveito da oferta que fora feita a seu pai e que este recusara (8.22,23), e deveria se tornar rei. Por isso, ele vai a Siquém e visita os parentes de sua mãe. "Perguntem aos cidadãos de Siquém", ele sugeriu, "se é melhor ter setenta governadores ou apenas um. Não seria melhor se eu reinasse sobre vocês, agora que meu pai está morto, em vez de serem governados por meus setenta meio-irmãos? Todos precisam lembrar-se que eu tenho os mesmos ossos e a mesma carne de vocês".

Assim, os familiares de sua mãe repetiram essas palavras **perante os ouvidos de todos os cidadãos de Siquém** (3), quer tenha sido individualmente ou na presença do povo. A idéia de um rei certamente não era nova na cidade cananéia de Siquém. A sugestão que os israelitas fizeram a Gideão (8.22) também mostra que a idéia criava raízes entre os hebreus. **E o coração deles se inclinou,** ou seja, decidiram acreditar em **Abimeleque,** por causa do elo sangüíneo que havia entre eles.

A campanha de Abimeleque foi financiada por setenta peças de prata tiradas do tesouro do templo de Baal-Berite (cf. comentário de 8.33), um falso deus a quem os israelitas começaram a adorar. Com este dinheiro, o pretendente ao trono arregimentou **uns homens ociosos e levianos** (4), i.e., pessoas indignas, libertinas, lascivas, imprudentes e orgulhosas, **que o seguiram.** O termo hebraico traduzido como **seguiram** significa "perambularam como leões ou vaguearam" juntamente com seu líder. O primeiro ato de Abimeleque foi levar seu bando a Ofra e assassinar seus setenta meio-irmãos, com exceção de **Jotão, filho menor de Jerubaal** (Gideão, cf. 6.32; 7.1), que conseguiu se esconder (5; cf. 2 Rs 10 – 11). Jotão significa "O Senhor é justo" e também foi o nome de um rei de Judá (1 Cr 5.17) e de um filho de Jadai (1 Cr 2.47).

Após remover a possível competição, Abimeleque foi então ungido rei por **todos os cidadãos de Siquém** e de **toda Bete-Milo... junto ao carvalho alto que está perto de Siquém** (6). **Milo** é uma palavra hebraica que significa "uma trincheira" ou "barragem", chamada assim porque estava cercada de montanhas. O termo passou a significar "um castelo" ou "uma fortaleza". **Toda Bete-Milo** dá o sentido de que estiveram presentes todos os homens que cuidavam daquela fortaleza em Siquém, um tipo de quartel general. O termo é usado em 2 Samuel 5.9 como o nome de uma fortificação em Jerusalém nos dias de Davi, reconstruída por Salomão (1 Rs 9.24) e fortalecida por Ezequias (2 Cr 32.5). **Junto ao carvalho alto** é uma referência a um lugar santificado (Gn 35.4; Js 24.26).

C. A FÁBULA DE JOTÃO, 9.7-21

Quando as notícias chegaram a Jotão, ele **se pôs no cimo do monte Gerizim** (7), ao sul de Siquém, com altura de 868 metros acima do nível do mar Mediterrâneo. Este era o famoso "monte da bênção" (Dt 11.29), oposto ao Ebal, o "monte da maldição", e, mais tarde, tornou-se o local do templo samaritano. Próximo dali estava o poço de Jacó, onde Jesus conversou com a mulher samaritana (Jo 4.20,21). Ao chamar o povo de Siquém para ouvi-lo, a fim de que, com isso, Deus pudesse atendê-los, Jotão contou uma fábula sobre o rei das arvores.[1] As fábulas são raras na Bíblia, enquanto que as parábolas são freqüentes. A parábola ensina por meio de situações ou fatos da vida. As fábulas utilizam-se do artifício de "fazer de conta" para ilustrar uma questão. As árvores não falam entre si na vida real.

As árvores decidiram ungir uma delas como seu rei. Elas foram primeiramente falar com a **oliveira,** que se recusou a deixar o seu **óleo, que Deus e os homens... prezam** (9). O óleo (ou azeite) de oliva era usado para ungir profetas e reis em nome do Senhor. A seguir, foram **à figueira** (10) e esta se recusou a deixar sua **doçura** e seu **bom fruto** (11). Então, a posição foi oferecida **à videira,** que respondeu: **Deixaria eu o meu vinho, que agrada a Deus e aos homens, e iria pairar sobre as árvores?** (13). Tanto aqui como no v. 9 o termo hebraico traduzido como **Deus** é plural e, de acordo com o contexto, pode ter o significado de Deus ou "os deuses". É possível que Jotão se referisse ao politeísmo (adoração a muitos deuses) dos habitantes de Siquém que, como fazem todos os politeístas, tinham a tendência de criar seus deuses à imagem de homens. Por fim – e em desespero – as árvores fizeram seu urgente pedido **ao espinheiro** (14), um arbusto pequeno, quase sem folhas. A ironia é indisfarçável. A resposta do espinheiro foi: "Se vocês são sinceras em me escolher para ser rei, então venham e se refugiem em minha sombra; mas se não for isso o que querem, que saia de mim **fogo que consuma os cedros do Líbano** (15). O **Líbano** era famoso por suas valiosas florestas de cedro. Deve-se destacar que azeite, figo e vinho eram os mais importantes produtos agrícolas da Palestina, enquanto que os arbustos não serviam para nada, a não ser para serem queimados. ² A fábula também tem aplicações para a vida em grupo de hoje. A política ganhou a péssima reputação que possui grandemente em função da relutância de pessoas capazes – mas ocupadas – de se interessarem pelos assuntos da comunidade ou da nação. Na igreja, muitos são capazes mas não estão dispostos a aceitar cargos de responsabilidade que, em conseqüência, são muitas vezes entregues àqueles que estão dispostos, mas são menos capacitados. Os cristãos podem pagar um alto preço pela indiferença à comunidade e aos assuntos eclesiásticos. Às vezes, as palavras de um crítico aplicam-se particularmente à comunidade: "Os santos se assentam em suas torres de marfim enquanto que os pecadores ocupados governam o mundo".

A fábula contada por Jotão não se referiu apenas à indignidade de Abimeleque, mas também à má fé dos habitantes de Siquém em levarem adiante o plano daquele homem. "Agora, ó homens de Siquém, se vocês agiram de boa fé quando ungiram Abimeleque como seu rei e trataram Jerubaal e sua família da maneira como eles mereciam (porque meu pai arriscou sua vida por vocês e os resgatou dos midianitas) – se vocês são honrados e sinceros naquilo que fizeram, então alegrem-se com Abimeleque e que ele também se alegre com vocês. Mas se não for isso, que saia fogo de Abimeleque e devore os cidadãos de Siquém e Bete-Milo e vice-versa!" (16-20). Sempre surgem problemas quando a lealdade à família é colocada acima da justiça e da competência.

Após proferir sua mensagem no mesmo espírito da profecia, Jotão fugiu dali e foi se refugiar em **Beer** (21). Este nome significa "poço" e sua localização é desconhecida. Beer também era o nome de um poço dos israelitas na fronteira com Moabe (Nm 21.16). Num país tão seco quanto a Palestina, poços e cisternas eram de especial importância e vários lugares receberam seus nomes em função da presença da água que o poço e a cisterna forneciam.

D. Os traiçoeiros habitantes de Siquém, 9.22-25

Os desdobramentos implícitos na fábula de Jotão logo começaram a surgir. Abimeleque governou sobre uma coalizão não muito unida de israelitas e cananeus durante três anos. **Enviou Deus um mau espírito entre Abimeleque e os cidadãos de Siquém** (23) que causou tamanha desavença entre os dois a ponto de ambos serem punidos por seus pecados. A questão de Deus ter sido a fonte do espírito maligno é a mesma encontrada mais tarde no episódio do rei Saul (1 Sm 16.14). O termo "mau" é usado no AT no sentido de julgamento, desastre ou ira, conforme foi usado aqui.

A CONSPIRAÇÃO DE ABIMELEQUE   JUÍZES 9.23-35

Os mesmos homens que elevaram Abimeleque ao poder agora começavam a planejar sua queda. Com freqüência, Deus usa o pecado de um homem como meio de sua própria punição. **Os cidadãos de Siquém se houveram aleivosamente contra Abimeleque** (23); eles foram desleais e começaram a tramar contra sua autoridade e sua vida. A partir dos versículos 30 e 41 pode-se concluir que Abimeleque estabeleceu seu quartel general em Arumá e nomeou Zebul como seu representante em Siquém.

Os habitantes de Siquém assaltavam **todo aquele que passava pelo caminho** (25), a fim de saquear caravanas que estavam sob a guarda de Abimeleque, por terem pagado a ele o direito de transitar por seu território. É claro que isso causaria embaraço e problemas políticos para o rei.

E. O ORGULHOSO GAAL, 9.26-29

A revolta aberta foi provocada pela vinda a Siquém de um homem conhecido como **Gaal, filho de Ebede** (26) que, juntamente com seus parentes, ganhou a confiança dos homens da cidade. O festival da colheita das uvas, normalmente uma ocasião de festa e alegria, celebrado em Siquém na casa de Baal-Berite (27), proveu o cenário para a sedição aberta – eles **amaldiçoaram a Abimeleque** em sua ausência.

Gaal foi o porta-voz. "Quem é Abimeleque para que os habitantes de Siquém o sirvam? Não é ele o filho de Jerubaal [Gideão] e Zebul o seu representante? Sirvam aos descendentes de Hamor, o pai de Siquém; por que obedecer a este estrangeiro? Quem dera que eu fosse o senhor deste lugar! Livrar-me-ia rapidamente de Abimeleque!". **Hamor** foi o heveu morto por Simeão e Levi porque seu filho Siquém, que deu nome ao lugar, manchara a reputação de Diná (Gn 34.2). Além disso, Gaal desafiou Abimeleque: **Multiplica o teu exército e sai**. Ele era um desordeiro por natureza, mas é possível que um tanto de sua coragem naquele momento fosse o resultado de muito vinho.

F. A MENSAGEM DE ZEBUL, 9.30-33

Quando **Zebul, o maioral da cidade** de Siquém, ouviu as palavras jactanciosas de Gaal, ficou muito irado e secretamente enviou alguns mensageiros ao seu encontro em Arumá: **Eis que Gaal, filho de Ebede, e seus irmãos vieram a Siquém,** disse ele, **e eis que eles fortificam esta cidade contra ti** (31), ou "eles plantam hostilidade contra ti nos corações dos habitantes de Siquém". A sugestão de Zebul foi que Abimeleque e seus homens fossem aos campos à noite e esperassem fora dos muros da cidade, a fim de atacá-los numa emboscada ao amanhecer; **saindo ele e o povo que tiver com ele contra ti, faze-lhe como alcançar a tua mão** (33).

G. GAAL FOGE DE ABIMELEQUE, 9.34-41

A forte ação de Abimeleque em esmagar a revolta incitada por Gaal e a posterior destruição da cidade foi um julgamento de Deus contra os habitantes de Siquém. O rei usurpador colocou-se com suas tropas e fizeram emboscadas em Siquém através de quatro companhias. Na manhã seguinte, quando Gaal se posicionou diante dos portões da cidade, Abimeleque e seus homens levantaram-se de seus esconderijos e começaram a marchar sobre a cidade. Quando Gaal disse a Zebul: **Eis que desce gente dos cumes dos montes** (36), este lhe replicou: **As sombras dos montes vês por homens**. Mais uma vez Gaal relatou a aproximação de uma multidão: **Eis ali desce gente do meio da terra** (heb. *navel*, tanto "do ponto mais alto" como "do meio de") **e uma tropa vem do caminho do carvalho de Meonenim** (37; heb. "do caminho do carvalho do adivinho").

Zebul escarnece do arrogante Gaal: "Onde está sua boca com a qual você ultrajou Abimeleque? Estes são aqueles que você desprezou! Saia e lute contra eles". **Saiu Gaal à vista dos cidadãos de Siquém** (39) e lutou contra Abimeleque. Sua companhia foi vencida e fugiu, depois de sofrerem muitas baixas na cidade. Gaal e seus comparsas foram expelidos da cidade por Zebul. É feita uma citação à residência de Abimeleque em **Arumá**. Este nome também é escrito como Ruma (2 Rs 23.36). Pode ser a moderna El 'Ormah, a pouco mais de 22 quilômetros a sudeste de Siquém.

H. Siquém é arrasada, 9.42,45

No dia seguinte à expulsão de Gaal, os homens foram ao campo, provavelmente para trabalhar como de costume. Abimeleque segue agora a bem-sucedida estratégia de seu pai e divide suas forças em três companhias. Aqueles que estavam debaixo de seu comando bloquearam as entradas da cidade, enquanto que os outros atacaram os trabalhadores no campo e os mataram. Então, toda a força retornou e atacou a própria cidade, cujos obstinados defensores conseguiram manter até o fim do dia. Abimeleque matou todos os seus habitantes, destruiu os muros e as construções e jogou sal em toda a cidade, como sinal de desolação e repugnância (Dt 29.23; Jr 17.6).

I. Morte na torre de Siquém, 9.46-49

A **Torre de Siquém** (46) era uma fortificação aparentemente separada da própria cidade, ligada a esta pelo templo do deus **Berite** (veja comentário de 8.33). Quando as pessoas na torre de Siquém ouviram as notícias sobre a destruição da cidade, fugiram em busca de refúgio na fortaleza provida pelo templo do ídolo. Abimeleque ouviu sobre isso e levou seus homens ao **monte Salmom** (48), uma colina cheia de árvores nas proximidades. Instruiu seus homens a que seguissem seu exemplo; **cortou um ramo das árvores**, colocou-o em seus ombros e levou até a fortaleza. Quando os ramos estavam empilhados contra os muros, ateou fogo e **uns mil homens e mulheres** (49) pereceram nas chamas.

J. O fim infame de Abimeleque, 9. 50-57

O momento de triunfo de Abimeleque não duraria muito. A rebelião irrompeu em outra parte de seu pequeno reino e ele levou seus homens a **Tebes** (50) e capturou a cidade. **Tebes,** atualmente chamada Tubas, a cerca de 19 quilômetros ao norte de Siquém, teve parte no levante de Siquém. Seus habitantes refugiaram-se em **uma torre forte** (51), uma defesa dentro da cidade. Abimeleque tentou repetir a mesma estratégia usada em Siquém, ou seja, queimar a torre. Durante sua tentativa, ele chegou ao alcance daqueles que defendiam a fortificação a partir do telhado e uma mulher jogou **uma mó** [heb. "uma pedra de moinho"] **sobre a cabeça de Abimeleque** e fraturou seu crânio. O falso rei teve tempo apenas de pedir ao seu ajudante de armas que o matasse, para não sofrer a desgraça de ter sido morto por uma mulher.

Quando as tropas de Abimeleque viram seu líder morto, interromperam o cerco e foram embora para suas casas. **Assim, Deus fez tornar sobre Abimeleque o mal que tinha feito** (56), "retribuindo" ou "pagando" seu mal; e **todo o mal dos homens de Siquém fez tornar sobre a cabeça deles.** Aqueles que porventura escaparam do julgamento humano caíram diante do providencial julgamento de Deus. A maldição de Jotão recaiu sobre todos eles. [3]

SEÇÃO **IV**

OUTROS SETE JUÍZES

Juízes 10.1 — 16.31

Outros sete líderes são apresentados agora, e os mais importantes dessa lista são Jefté e Sansão. Aos outros são feitas apenas referências rápidas.

A. TOLA, 10.1,2

Depois da morte de Abimeleque, um homem da tribo de Issacar chamado Tola levanta-se para livrar Israel. O sexto juiz de Israel recebeu o nome de um de seus ancestrais, pois Issacar teve um filho com este nome (Gn 46.13). Restou-nos pouco mais do que o nome deste juiz.

Tola é identificado como **filho de Puá, filho de Dodô** (1) ou talvez "um ancestral de Dodô". Dodô significa "seu amado".

Tola viveu e foi sepultado **em Samir, na montanha de Efraim**, lugar de localização incerta. Pode ser Samaria. Samir também era uma cidade no território de Judá (Js 15.48).

B. JAIR, 10.3-5

O sétimo juiz de Israel foi **Jair**, o **gileadita** que **julgou a Israel** por um período de **vinte e dois anos** (3). Dois outros homens do AT tiveram o nome de Jair, que significa "a quem Deus ilumina": um filho de Segube (1 Cr 2.22) e um ancestral de Mardoqueu (Et 2.5). Jair teve **trinta filhos, que cavalgavam sobre trinta jumentos**, um sinal de riqueza da época.

Também se nota que os filhos de Jair tinham trinta cidades que ainda eram conhecidas como **Havote-Jair** ou "as vilas (acampamentos nômades) de Jair". Provavelmente se tratava de vilas de tendas localizadas na porção noroeste de Basã, distantes entre 15 e 20 quilômetros a sudeste do extremo sul do mar da Galiléia.

Quando **morreu Jair**, ele **foi sepultado em Camom**, talvez a moderna Kamm em Gileade.

C. JEFTÉ, 10.6–12.7

1. Israel mais uma vez se Afasta de Deus (10.6-9)

A maior parte do relato presente no capítulo 10 está na forma de uma introdução geral às histórias de Jefté, em conflito com os amonitas, e de Sansão, que defendeu Israel contra os filisteus (7). Deve-se notar que os falsos deuses a quem serviram os israelitas eram sete: **baalins** (os baals), **Astarote**, os **deuses da Síria, de Sidom, de Moabe, dos filhos de Amom** e os **deuses dos filisteus** (6). Semelhantemente, existe uma lista de sete nações (totalmente diferentes) das quais o Senhor libertara seu povo (11,12). O resultado dessas apostasias, ocorridas num período de vários anos, foi a derrota e a opressão nas mãos dos filisteus, procedentes do sudoeste, e dos amonitas, provenientes do sudeste. A opressão amonita é a primeira a ser descrita e foi sentida particularmente em Gileade, onde, por **dezoito anos** (8), os israelitas foram massacrados debaixo dos pés de Amom. Mas os amonitas também cruzaram o Jordão com o objetivo de atacar **Judá, Benjamim e Efraim** (9). **Naquele mesmo ano** é provavelmente uma referência ao primeiro ano daquela opressão dupla que, no caso dos amonitas, continuou por todo o período de 18 anos.

Os israelitas entregaram-se totalmente a um panteão de deuses e violaram a primeira e fundamental lei que Deus lhes dera (Dt 6.4; cf. 1 Rs 11.33 e Sl 106.35,36). Além dos baalins e de Astarote, eles adoravam Bel e Saturno, da Síria; Astarte, de Sidom; Quemos, de Moabe; Milcom, de Amom; e Dagom, da Filístia.

2. Israel finalmente se Arrepende, (10.10-16)

Em desespero, o povo de Israel, profundamente afetado por sua opressão, voltou-se outra vez para o Senhor. **Contra ti havemos pecado** (10), disseram eles, "porque te deixamos e seguimos os baalins". O Senhor respondeu, provavelmente por meio de seu representante, um dos profetas desconhecidos do passado: "Não libertei vocês repetidas vezes de seus inimigos, os egípcios, os amorreus, os amonitas, os filisteus, os sidônios, amalequitas e os maonitas?". **Os maonitas** (12) aparecem como "midianitas" na LXX, embora houvesse uma tribo árabe com este nome que vivia na região próxima a Seir. Nada se sabe de específico sobre um conflito entre Israel e os maonitas.

Deus testou a sinceridade do apelo do povo, ao dizer: "Vocês se afastaram de mim para servirem a outros deuses. Portanto, não os ajudarei mais. Que as divindades que vocês escolheram venham em seu socorro. Peçam-lhes que os salvem na hora de sua dificuldade". O povo insistiu: **Pecamos** (15). "Faze conosco o que quiseres – tão-somente livra-nos hoje". Desta vez seu arrependimento foi genuíno porque eles renunciaram aos deuses estrangeiros e serviram ao Senhor. **Se angustiou a sua alma** (16). Deus estava irado com os opressores de seu povo e teve piedade da miséria de Israel.

3. *A Busca por um Líder*, (10.17,18)
Pouco depois, os amonitas reuniram-se e mais uma vez **se puseram em campo em Gileade**, enquanto os israelitas concentravam suas forças **em Mispa** (17). O local do acampamento de Israel é desconhecido, embora a Mispa citada aqui provavelmente seja a mesma Mispa de Gileade (11.29) e Ramate-Mispa (Js 13.26) e Ramote, em Gileade (Dt 4.43) ou Ramote-Gileade (1 Rs 4.13). **Mispa**, que significa "uma torre de vigia" ou "lugar alto de onde se pode ver ao longe e em todas as direções", era um nome comum na Palestina dos tempos bíblicos. Além do nome deste lugar, também era o nome de uma cidade em Benjamim (20.1); um lugar ao pé do monte Hermom (Js 11.3); uma vila próxima ou exatamente na planície de Judá (Js 15.38); um lugar em Moabe (1 Sm 22.3) e um monte de pedras erigido ao norte do Jaboque (Gn 31.49).

Os líderes de Gileade estavam num dilema, pois não tinham um general para esta emergência. "Onde podemos encontrar um homem que lidere um ataque contra os amonitas?", perguntaram eles. "Ele será o governador sobre toda Gileade".

4. *Fugitivo na Terra de Tobe* (11.1-3)
Estes versículos apresentam-nos **Jefté**, o oitavo juiz de Israel. Ele era um guerreiro poderoso, mas filho de uma união entre **Gileade**, neto de Manassés (Nm 26.29,30), e **uma prostituta** cujo nome não é mencionado. Uma vez que o pai de Jefté também teve filhos com sua esposa legítima, estes compeliram seu meio-irmão a sair de casa quando ficou mais velho. Ele foi deserdado por sua família (2) e habitava em **Tobe** (3). Este nome significa "bom, agradável, doce, formoso, belo". Pode ter sido et-Taiyibeh, a cerca de 24 quilômetros a leste de Ramote-Gileade. Ali ele se tornou o chefe de **homens levianos**, renegados, como no caso de Davi, mais tarde (1 Sm 22.1,2), a quem ele levava às festas. Foi desta maneira que Jefté ganhou a experiência e a reputação de homem **valente e valoroso** (1). [1]

5. *Jefté Chega ao Lar*, (11.4-11)
Mais tarde, quando os amonitas invadiram Israel (10.17), os anciãos de Gileade correram à terra de Tobe. "Venha e seja o nosso líder para que possamos nos defender", imploraram eles a Jefté. Este lembrou aos anciãos o tratamento ruim que recebera anteriormente. "Por que vocês me procuram, agora que estão com problemas?", perguntou ele. **Por isso mesmo tornamos a ti** (8) foi a resposta deles, talvez com este sentido: "Percebemos que o tratamos injustamente e é por isso que viemos: para que possamos mostrar-lhe nossa confiança tendo-o **por cabeça**" (8; esta palavra significa "general", talvez "ditador").

Quando Jefté quis se certificar do que lhe era oferecido, mais uma vez os anciãos afirmaram que, se ele os livrasse, então seria colocado como chefe e cabeça. Desta vez selaram seu acordo com um juramento religioso: **O Senhor será testemunha entre nós, e assim o faremos conforme a tua palavra** (10). O voto foi reafirmado quando **Jefté falou todas as suas palavras perante o Senhor, em Mispa** (11).

6. *O Apelo de Jefté aos Amonitas*, (11.12-28)
O primeiro ato de Jefté foi enviar mensageiros ao rei de Amom, a fim de perguntar-lhe: **Que há entre mim e ti, que vieste a mim a pelejar contra a minha terra?** (12), ou seja, "o que você tem contra mim para ter invadido o meu país?". Em resposta, os amonitas afirmaram que os israelitas tinham se apossado ilegalmente de suas terras na

época do êxodo, **desde Arnom até Jaboque e ainda até ao Jordão** (13; veja o mapa). Nos tempos antigos, o rio **Arnom** ("impetuoso, barulhento") separava a terra dos amorreus ao norte, da terra dos moabitas ao sul (Nm 21.13). Mais tarde, ele foi a linha divisória entre o território de Rúben e Moabe (Dt 3.16; Js 13.16). Hoje ele é conhecido como wadi el-Mojib, que corre até o mar Morto, a partir de En-Gedi, no leste. O **Jaboque** era um córrego que dividia Gileade. Ele nascia no leste, cerca de 53 quilômetros ao norte do mar Morto e desembocava no Jordão. Atualmente é chamado de wadi Zerqa. Seu território foi mantido pelos amorreus até a chegada dos israelitas em Canaã. Os amonitas viviam mais a leste.

Jefté rapidamente negou o pedido dos amonitas. Israel não tomara os territórios dos moabitas e dos amonitas. As tribos que fugiram do Egito atravessaram o deserto até **o mar Vermelho** (16) e chegaram a Cades. Então, quando o exílio no deserto estava quase no fim, eles pediram permissão para passar pelo território de Edom e Moabe (Nm 20.14ss), mas a solicitação lhes foi negada. Eles então rodearam (18) o território de Edom e Moabe e acamparam depois de Arnom, no limite do território controlado por **Seom, rei dos amorreus**, que vivia em **Hesbom** (19). Quando este rei também se recusou a dar passagem às tribos hebréias, ele atacou suas forças, ao reunir seu povo em **Jaza** (20). Israel o derrotou totalmente e possuiu **todos os limites dos amorreus** (22). Hesbom (26), localizada nas fronteiras do território designado a Rúben e Gade, está a cerca de 24 quilômetros a leste da foz do Jordão. **Jaza** (20), a cena da batalha, era um lugar na planície de Moabe cuja localização atual é desconhecida.

Uma vez que o Senhor entregara os amorreus e sua terra nas mãos de Israel, o território era deles por direito de conquista e não poderia ser legalmente reclamado pelos amonitas. Referência ao deus Quemos – na realidade, a divindade nacional de Moabe – tanto indica que os amonitas agora adoravam Quemos juntamente ou no lugar de Milcom (cf. comentário de 10.6), como pode ser uma indicação de que os moabitas apoiavam o pedido dos amonitas em relação ao território em disputa. Os adoradores de Quemos sacrificavam seus filhos como ofertas queimadas (Nm 21.29; 2 Rs 3.27).

Ao dar prosseguimento a sua apelação, Jefté destacou que até mesmo **Balaque, filho de Zipor, rei dos moabitas** (25) não lutou contra Israel, embora tivesse contratado Balaão, o falso profeta, para lançar uma maldição sobre a companhia que passava por ali (Nm 22.6). Os israelitas habitaram em Hesbom e em **Aroer** e em suas respectivas vilas por **trezentos anos** (26), um período de tempo que excede o apresentado no livro de Juízes. Qualquer pedido legítimo teria sido feito antes deste grande período de tempo (25,26). **Aroer** ficava a cerca de 19 quilômetros a leste do mar Morto, na margem norte do Arnom.

Jefté concluiu, portanto, que a falta não era dos israelitas, mas do rei de Amom. Ele clama então ao **Senhor, que é juiz,** para que **julgue hoje entre os filhos de Israel e entre os filhos de Amom** (27). Apesar da lógica da defesa, o teimoso rei de Amom não deu crédito à mensagem de Jefté.

7. O Voto Impulsivo de Jefté (11.29-33)

O **Espírito do Senhor veio sobre Jefté** (29) e ele viajou **por Gileade e Manassés**, provavelmente para recrutar reforços e voltou depois a **Mispa**. Antes de ir para a batalha, Jefté fez um voto, ao afirmar que, se Deus lhe desse a vitória em sua batalha contra os amonitas, ele ofereceria como oferta queimada ao Senhor **aquilo que, saindo da porta de minha casa, me sair ao encontro** (31). É verdadeiramente difícil sugerir alguma construção diferente desta que está implícita no texto hebraico: "Seja quem for que saia... eu o oferecerei como oferta queimada". Deus não inspirou o voto de Jefté e nem foi Ele subornado para dar a vitória a Israel. Existe aqui nada além de um trágico erro de concepção do que venha a ser uma adoração que agrada a Deus. Quando **Jefté** deu início à batalha, **o Senhor** entregou os amonitas **na sua mão** e ele **os feriu com grande mortandade, desde Aroer até chegar a Minite, vinte cidades, e até Abel-Queramim** (33). **Minite** é mencionada como o lugar de onde saiu o trigo que foi levado a Tiro (Ez 27.17), mas sua localização é desconhecida. **Abel-Queramim** é o termo hebraico para "planície das videiras" e sua localização também é desconhecida.

8. *A Filha de Jefté*, (11.34-40)

O retorno triunfante de Jefté ao seu lar em Mispa foi tragicamente manchado pela presença em sua casa de **sua filha**, que saiu para saudá-lo **com adufes e com danças** (34; 1 Sm 18.6,7). A tragédia era ainda pior pelo fato de que ela era **a única** filha de Jefté. No gesto tradicional e espontâneo de profundo pesar, ele **rasgou as suas vestes** e contou-lhe o voto que fizera. Em completa resignação, ela insiste com ele para que cumpra seu voto (cf. Lc 1.38). Jefté deu-lhe apenas o prazo de **dois meses** para que andasse pelos montes e chorasse a sua **virgindade** (37). Ao final deste período, ela voltou a seu pai e, nas palavras simples do texto, Jefté **cumpriu nela o seu voto que tinha feito** (39).

Há aqueles que inferem a partir dos versículos 38 a 40 que Jefté mudou seu voto e alterou a morte da filha pela virgindade perpétua. Mas jamais devemos deixar que sentimentos de piedade influenciem nossa interpretação da Palavra de Deus. O significado bastante claro do texto é que Jefté ofereceu sua filha como sacrifício humano. É inegável que a sua conduta esteja muito longe dos padrões bíblicos, os quais proíbem deliberadamente o sacrifício humano. Mas Jefté era o produto de uma era pré-cristã amaldiçoada e bárbara, além de também ter sangue cananeu. Este incidente ilustra a extensão da influência que as religiões pagãs de Canaã tinham sobre o monoteísmo hebreu daqueles tempos.

Não há outra referência ao costume mencionado no versículo 40, segundo o qual **as filhas de Israel iam de ano em ano a lamentar a filha de Jefté, o gileadita, por quatro dias no ano**. Existe a possibilidade de este ser um costume local e de sua observância não ter perdurado muito.

9. *O Ciúme de Efraim* (12.1-7)

Depois da grande vitória de Jefté, os habitantes de **Efraim** encheram-se de ciúmes. Os homens foram convocados às armas **e passaram para o norte** (heb. "Safom", local desconhecido). Dali, eles lançaram uma ameaça a Jefté, acusando-o de não tê-los convocado para a batalha. Jefté replicou dizendo-lhes que, na verdade, foram convocados, mas se recusaram a vir. É possível que ele se referisse a um apelo enviado pelos anciãos de Gileade antes de ser escolhido para ser líder.

Jefté reuniu seus homens e, sem ter a autêntica sabedoria de Gideão (8.1-3) para lidar com os irritadiços efraimitas, batalhou com eles e os exterminou. Ao que parece, a batalha iniciou-se por causa do insulto dos efraimitas: **Fugitivos sois de Efraim, vós, gileaditas, que morais no meio de Efraim e Manassés** (4 – ARA). Talvez quizessem dizer: "Vocês se gloriam de terem derrotado os amonitas, mas a verdade é que provavelmente foram eles que derrotaram vocês. Um exército vitorioso? Que brincadeira! Vocês mais se parecem com uma companhia de fugitivos que mal conseguiram sobreviver".

Quando os efraimitas fugiram, os soldados de Jefté tomaram os vaus do Jordão, por onde eles deveriam passar. Toda vez que alguém tentava atravessar o rio, era desafiado com a seguinte pergunta: "Você é efraimita?". Se negasse, então era pedido que a pessoa repetisse a palavra **chibolete** (6), termo que significa "espiga" ou "riacho". Uma vez que o dialeto efraimita não possuía o som de x, invariavelmente um efraimita dizia **sibolete**, o que o denunciava e causava sua execução. Aquela guerra civil desnecessária ceifou a vida de 42 mil homens de Efraim.

Phillips P. Elliot faz uma excelente aplicação do "chibolete" do Jordão quando nos lembra que

> Toda vida é testada por seu sotaque – não tanto o dos lábios, mas o do coração. Jesus disse: "Nem todo o que me diz: Senhor, Senhor! entrará no Reino dos céus" (Mt 7.21). Por que não? Porque seu sotaque estava errado; suas vidas não estavam em harmonia com suas palavras e seu discurso era oco e falso. [2]

Também é dito que as tropas norte-americanas que lutavam contra ações de guerrilha nas ilhas Filipinas durante a Segunda Guerra Mundial usaram uma adaptação literal deste teste para distinguir os soldados japoneses capturados dos outros orientais, ao ordenar que eles pronunciassem uma palavra que continha a letra "l", som inexistente no idioma japonês.

Jefté julgou a Israel seis anos. Quando morreu, **foi sepultado nas cidades de Gileade** (7). O texto hebraico não traz a expressão "em uma das"; diz apenas "nas cidades de Gileade". Talvez seja um caso de sinédoque (cf. Mt 12.40; Lc 2.1; At 27.37). Algumas cópias da LXX trazem a expressão "em sua cidade, Mispa de Gileade".

D. Ibsã, 12.8-10

O nono juiz de Israel chamava-se **Ibsã** e pouco se sabe sobre ele. Uma antiga tradição hebraica identifica-o com Boaz (Rt 2.1). Sua casa ficava em **Belém** (8), não a familiar Belém da Judéia onde Jesus nasceu, mas a vila que é menos conhecida, situada na parte sudoeste do território de Zebulom, a moderna Beit Lahm, 11 quilômetros a noroeste de Nazaré.

Ibsã destaca-se por ter **trinta filhos** (9, como Jair, 10.4), aos quais trouxe trinta esposas de fora de seu clã. É possível que, em troca, ele tenha dado suas **trinta filhas**. Governou por **sete anos** e foi enterrado em sua casa em **Belém** (10).

E. Elom, 12.11,12

Depois da morte de Ibsã, **Elom, o zebulonita** (11), tornou-se juiz. O seu nome significa "terebinto" ou "carvalho". Dois outros homens do AT também se chamavam Elom: o segundo filho de Zebulom (Gn 46.14; Nm 26.26) e um heteu, sogro de Esaú (Gn

26.34; 36.2). Elom **foi sepultado em Aijalom, na terra de Zebulom** (12). No texto hebraico, este nome é soletrado de duas maneiras nestes versículos. No versículo 11 ele tem exatamente as mesmas consoantes de Aijalom, no versículo 12. Somente as vogais, representadas por pontos naquele idioma, é que diferenciam os nomes. É bem provável que a cidade se chamasse Aijalom porque Elom fora sepultado ali. Uma outra cidade de mesmo nome, porém, mais conhecida, era a Aijalom localizada em Dã (Js 19.43), mais ao sul.

F. Abdom, 12.13-15

Abdom, filho de Hilel, foi aquele que **julgou a Israel** (13) por treze anos. **Abdom**, "servil", também é o nome de um benjamita (1 Cr 8.23); o primeiro filho de Jeiel (1 Cr 8.30; 9.36) e o filho de Mica (2 Cr 34.20). Este juiz tinha **quarenta filhos e trinta filhos de filhos**, ou seja, netos, **que cavalgavam sobre setenta jumentos** (14). A casa e o local de sepultamento de Abdom estavam em **Piratom**, que pode ser a moderna Fera 'ata, cerca de 9,5 quilômetros a oeste de Siquém. A referência aos **amalequitas** (15) pode indicar uma comunidade desses nômades no deserto do sul que habitavam nas proximidades.

G. Sansão, 13.1 – 16.31

A narrativa de Sansão é a mais longa do livro dos Juízes e trata da última e, em certos aspectos, mais enigmática figura do grupo. Ela concentra sua atenção nas pressões dos filisteus contra Israel e reflete o estado de incerteza das relações antes da guerra declarada entre Israel e a Filístia. Apesar disso, estes capítulos são mais do que um relato familiar da contenda de um homem contra os filisteus. Eles descrevem a longânima misericórdia de Deus por um povo repetidamente apóstata. O versículo 1 traz-nos a costumeira fórmula do livro, usada por diversas vezes para descrever a apostasia das tribos: **E os filhos de Israel tornaram a fazer o que parecia mal aos olhos do Senhor, e o Senhor os entregou na mão dos filisteus por quarenta anos.**

Os **filisteus** eram um povo belicoso que se estabelecera por toda a planície costeira da Palestina depois de emigrarem, procedentes de Caftor (Am 9.7), provavelmente Creta. Pelo menos alguns deles estavam em Canaã já desde o tempo de Abraão (Gn 20 – 22). Mas o principal movimento na direção sul a partir de sua ilha aconteceu na época do êxodo. No tempo de Josué eles já estavam estabelecidos nas cinco maiores cidades governadas pelos cinco "senhores" (ou "tiranos", significado mais apropriado do termo): Asdode, Asquelom, Ecrom, Gate e Gaza. Durante o período inicial dos juízes eles foram expulsos por Sangar (3.31), mas os israelitas aceitaram a adoração de seu deus em determinadas épocas (10.6,7). Os **quarenta anos** de opressão dos filisteus se estenderiam até a vitória de Samuel em Ebenézer (1 Sm 7).

Existem diferentes maneiras de enumerar as aventuras de Sansão nos capítulos 13 a 16. Uma determinada lista divide o material em sete episódios, que começam com seu nascimento e peripécias, e terminam com sua morte.

1. O Cenário e o Nascimento de Sansão (13.2-25)

a. Um anjo visita Manoá (13.2-7). A história de Sansão é prefaciada pelo relato de um anúncio antecipado de seu nascimento por um anjo, tal como nos casos de Isaque (Gn 17.2,9,10) e João Batista (Lc 1.11-17). **O Anjo** (3) apareceu à mulher de um homem da tribo de Dã chamado **Manoá** ("descanso", "calmo") que vivia em **Zorá** (2), a moderna Sar'a, 24 quilômetros a oeste de Jerusalém, em Sefelá ou nas planícies costeiras de Judá. A esposa de Manoá, cujo nome nunca é mencionado, **era estéril**. O anjo apareceu à mulher e disse-lhe que ela teria um filho. Ela deveria se abster de **vinho** (feito de uvas), de **bebida forte** (feita de outros frutos ou grãos) e de comer qualquer coisa que fosse cerimonialmente **imunda** (4).

O filho seria **nazireu de Deus** (5) desde seu nascimento. Em sinal disso, não seria passada navalha em sua cabeça. Os nazireus ("consagrado", "dedicado") eram pessoas de ambos os sexos que faziam um voto de separar-se para Deus, tanto para toda a vida como por apenas um período específico. Eles não eram eremitas e não necessariamente ascetas. Observavam três proibições: não deveriam tomar vinho ou bebida forte, nem comer qualquer fruto da vide; não deveriam aparar ou cortar o cabelo; e não poderiam ficar cerimonialmente imundos por meio de contato com um corpo morto (Nm 6.1-21).[3] Uma vez que o cabelo do nazireu não era cortado, a palavra foi transferida para uma vinha que não era podada no sétimo e também no qüinquagésimo ano (Lv 25.4,5,11), e passou a significar também "vinha não podada". **Ele começará a livrar a Israel,** uma obra continuada por Samuel, Saul e Davi.

A esposa de Manoá relatou o ocorrido com alegria ao seu marido, e chamou o visitante divino de **um homem de Deus** (6), cuja aparência **era semelhante à vista de um anjo de Deus, terribilíssima** – a palavra hebraica também tem o significado de "tremenda, maravilhosa, admirável, santa". Ela lhe contou o que o anjo dissera, e mencionou o fato de que ele não lhe dissera seu nome e nem lhe perguntara de onde vinha.

b. Um pai preocupado (13.8-14). A reação de Manoá foi orar a Deus para que **o homem de Deus** (8) pudesse ser mandado de volta para instruir o casal sobre como cuidar do menino depois que ele nascesse. O Senhor respondeu favoravelmente e o mensageiro celestial reapareceu à esposa de Manoá **quando esta se achava assentada no campo** (9). Desta vez, a mulher correu para buscar seu marido. Manoá perguntou: **qual será o modo de viver e serviço do menino?** (12), ou "que tipo de menino será este? Qual será sua ocupação?" O termo hebraico usado na segunda pergunta também significa "trabalho, negócio, ocupação". O anjo advertiu tanto a Manoá como a sua esposa que observassem cuidadosamente as instruções que lhes foram dadas da primeira vez (13,14).

c. A oferta de Manoá (13.15-20). Manoá ainda não tinha percebido que falava com um anjo do Senhor e, assim, disse: "Se você puder permanecer apenas alguns minutos, vamos lhe preparar um cabrito". O anjo respondeu: "Ainda que você me detenha, não vou comer da sua comida. Se, porém, você preparar uma oferta queimada (holocausto), ofereça-a **ao Senhor**" (16). Quando Manoá perguntou qual era o seu nome para que pudesse honrá-lo quando o menino nascesse, o anjo respondeu que seu nome era segredo (18). Este termo também pode significar "incompreensível" ou "maravilhoso". A expressão segue a mesma tradução desta passagem em Salmo 139.6 e Isaías 9.6.

Manoá tomou um cabrito e uma oferta de manjares (19). A oferta de grãos poderia ser oferecida tanto crua como assada, moída como farinha ou preparada como pão ou bolo. Ele a colocou sobre uma pedra como se fosse um altar improvisado **e agiu o Anjo maravilhosamente**, pois, **subindo a chama do altar para o céu, o Anjo do Senhor subiu na chama do altar**, e ele deixou Manoá e sua mulher prostrados com o rosto em terra e em grande temor.

d. O nascimento de Sansão (13.21-25). O anjo nunca mais voltou e, então, Manoá entendeu que era **o Anjo do Senhor** (21). O medo apoderou-se de seu coração e ele lamentou: **Certamente morreremos, porquanto temos visto Deus** (22). Confira a reação de Gideão (6.22; também Gn 32.30; Êx 20.19; 33.20; Is 6.5). A mulher foi mais realista: "Se o Senhor quisesse nos matar não teria aceitado essas nossas ofertas nem nos teria revelado aquelas coisas".

No tempo devido ela deu à luz seu filho e o chamou **Sansão** (24), um nome que significa "como o sol", embora Adam Clarke baseie-se num termo caldeu com as mesmas consoantes para chegar ao significado de "servir". **O menino cresceu, e o Senhor o abençoou** (24). A expressão é similar àquilo que foi dito sobre Samuel em 1 Samuel 3.19. **O Espírito do Senhor começou a impeli-lo de quando em quando** (25). O termo traduzido aqui como **impelir** também significa "pedir", "empurrar", "levar a fazer". A referência ao **campo de Dã** também é feita em 18.12, em relação a um acampamento a oeste de Quiriate-Jearim em Judá. A localização exata é desconhecida, a não ser pelo fato de que ficava **entre Zorá** (veja o comentário do v.2) **e Estaol**, talvez a moderna Eshu'a.

Os "fundamentos para uma família piedosa" são mostrados nos versículos 15-25. (1) Manoá e sua esposa receberam um anjo "sem saber" (vv. 15,16); (2) os dois apresentaram um sacrifício ao Senhor (vv. 17-19); (3) eles reconheceram o elemento divino na vida (vv. 20,21); (4) eles receberam a palavra de Deus com fé (vv. 22,23); (5) a bênção de Deus repousou sobre sua família (vv. 24,25).

2. *Sansão em Timna* (14.1-20)

a. Um jovem muito tolo (14.1-4). Já crescido e quase na idade adulta, **desceu Sansão a Timna** (1) e apaixonou-se por uma moça filistéia. Timna era uma cidade na fronteira de Judá, atribuída a Dã (Js 15.10; 19.43), e aparentemente estava nas mãos dos filisteus naquela época. É a moderna Tibneh, cerca de 15 quilômetros a oeste-sudoeste de Jerusalém. Quando voltou para casa, deixou seus pais piedosos chocados (cf. a reação de Isaque e Rebeca diante dos casamentos de Esaú, Gn 26.34,35; 27.46), ao anunciar: "Vi uma mulher em Timna com a qual gostaria de me casar. Façam os preparativos para o casamento". Normalmente eram os pais hebreus que escolhiam as noivas para seus filhos (Gn 24.1-3; 28.1,2; 38.6). Sansão fez sua própria escolha, mas desejava que seu pai completasse os preparativos.

Manoá e sua esposa fizeram as devidas objeções. O casamento era definitivamente contrário à lei mosaica (Êx 34.16; Dt 7.3). Muitos filhos deixaram de gozar da sabedoria de seus pais para provarem o fruto amargo de suas próprias escolhas teimosas. "Não há uma moça adequada para você no meio do nosso povo?", perguntaram eles. Esta é a lei de Deus até hoje. Um cristão deve sempre se casar com alguém que identifique com ele a mesma fé (2 Co 6.14). É possível que alguns, inocentemente, achem que poderão encontrar felicidade mesmo quando desprezam esta lei divina. Que tais pessoas ponderem sobre os tristes exemplos que podem ser vistos hoje em dia.

Sansão foi persistente. **Tomai-me esta**, exigiu ele, **porque ela agrada aos meus olhos** (3) ou "porque ela é correta aos meus olhos". Como é comum que os olhos dos jovens os façam tomar decisões tolas e imutáveis! Qualquer casamento baseado puramente na atração física está destinado a não durar "até que a morte os separe". Mas Deus usava a obstinada teimosia desse rapaz para seus próprios propósitos. O Senhor extrairia coisas boas desta situação infeliz. O fato de Israel estar sujeito aos filisteus foi destacado: **naquele tempo, os filisteus dominavam sobre Israel** (4).

b. Um leão doce (14.5-9). Sansão desceu a Timna com seus pais. Quando passou pelos vinhedos, um leão jovem rugiu para ele. Sansão agarrou a fera com suas mãos e o dividiu ao meio (cf. 1 Sm 17.34-36; 2 Sm 23.20). Os leões eram comuns na Palestina dos tempos bíblicos. Mas Sansão não mencionou o incidente a seus pais. Possivelmente, eles discutiram e separaram-se no caminho, e Sansão estava sozinho quando lutou com o leão. Não é necessário mudar o texto e excluir a referência aos pais de Sansão com o objetivo de explicar os verbos singulares em hebraico no versículo 5. Na casa da moça ele discutiu o noivado e estava bastante satisfeito com sua escolha.

É provável que Sansão tenha retornado apenas depois de um ano para reivindicar sua noiva. No caminho, ele passou pelo lugar onde encontrara o rei dos animais e desviou-se **do caminho a ver o corpo do leão morto** (8). Ele se surpreendeu por ter descoberto que as abelhas haviam feito uma colméia naquele corpo sem vida. Colocou um pouco de mel em suas mãos e foi comendo pelo caminho. Quando se reuniu com seus pais, compartilhou com eles aquela iguaria, mas não disse onde havia conseguido aquilo. Até onde sabemos por meio do relato, a única proibição do nazireado (cf. comentário de 13.5) que Sansão observara foi a de não cortar o cabelo. Aqui e em muitos outros momentos em suas batalhas com os filisteus, Sansão entra em contato com algum corpo morto. Não há aqui uma menção específica da abstinência do vinho ou do fruto da vide.

c. O enigma de Sansão (14.10-14). Depois de ter-se casado, Sansão seguiu o costume da época e deu uma grande festa. Trinta homens filisteus foram convidados **como o vissem** (11), ou, como traduz a LXX, "porque o temiam". O propósito usual da companhia de jovens rapazes seria a atitude de agirem como guarda-costas para o noivo. Neste caso, foram usados para proteger os filisteus *do* noivo!

Como parte das festividades do casamento, Sansão propôs **um enigma**, e prometeu que se seus trinta acompanhantes pudessem desvendá-lo antes do final da semana das comemorações, ele lhes daria **trinta lençóis e trinta mudas de vestes** (12) ou "trinta roupas de baixo e 30 conjuntos". Se não conseguissem, então deveriam dar o mesmo para ele. O enigma era: **Do comedor saiu comida, e doçura saiu do forte** (14). Este enigma pode ser tão claro como cristal quanto permanecer obscuro. Mesmo depois de **três dias**, eles não conseguiram resolvê-lo.

d. A traiçoeira noiva de Sansão (14.15-20). Finalmente, **ao sétimo dia** (15), os convidados estavam tão desesperados que ameaçaram queimar vivos a esposa de Sansão e os seus parentes, se ela não descobrisse a resposta do enigma e lhes revelasse. **Chamastes-nos vós, aqui, para possuir o que é nosso, não é assim?** Vários esforços têm sido feitos para conciliar a expressão **ao sétimo dia** com o versículo 17. Na LXX lê-se "no quarto dia"; mas isso não é particularmente útil. Possivelmente os **sete dias** (17) devam ser entendidos como uma expressão para descrever a urgência com a qual a noiva pressionou em busca de uma resposta. Sansão parecia particularmente vulnerável às lágrimas e ao amor fingido de uma mulher (cf. 16.6ss).

Finalmente, **ao sétimo dia,** Sansão revelou a resposta à moça **porquanto o importunava** (17). Imediatamente ela contou aos seus compatriotas e, no último dia, **antes de se pôr o sol** (18) – talvez com o significado de "antes de Sansão descer à câmara nupcial" (cf. comentário de 13.24), uma vez que a união propriamente dita ocorria no final das alegres festividades (cf Gn 29.22,23) e não no início – eles trouxeram a resposta a Sansão: **Que coisa há mais doce do que o mel? E que coisa há mais forte do que o leão?** Sansão não teve dificuldade para descobrir a fonte de sua informação. **Se vós não lavrásseis com a minha novilha** – uma expressão vulgar que significava "se vocês não tivessem dormido com a minha esposa" –, **nunca teríeis descoberto o meu enigma.**

Com uma dívida a ser paga, **o Espírito do Senhor** (19) desceu poderosamente sobre Sansão e capacitou-o com força sobre-humana. Ele **desceu aos asquelonitas,** os habitantes de um dos cinco maiores centros filisteus, a cerca de 32 quilômetros de distância, **matou deles trinta homens** (19), tomou suas roupas como espólio e deu-as aos seus oponentes. **Acendeu-se a sua ira** e, sem reclamar sua noiva, **subiu à casa de seu pai.** Neste meio tempo, **a mulher de Sansão foi dada ao seu companheiro, que o acompanhava** (20), o seu "padrinho" no casamento (cf. Jo 3.29). Isto acontecia com o objetivo de salvar a noiva da desgraça.

3. Trezentas Raposas são Incendiadas (15.1-8)

Na época da **sega do trigo** (1), geralmente em maio ou começo de junho, a ira de Sansão havia esfriado. Pegou um cabrito como uma "oferta de paz" ou como presente costumeiro numa ocasião como aquela, e voltou a Timna. Tem-se conjecturado [4] que o tipo de casamento citado aqui era a união conhecida como um matrimônio *sadiqa*, no qual a mulher permanecia na casa de seus pais em vez de ir para a residência do marido. Ela seria visitada de tempos em tempos por seu esposo, e seus filhos sempre permaneceriam com os pais dela.

Quando Sansão decidiu entrar no quarto de sua mulher, o pai dela o impediu e explicou-se dizendo que imaginara ter ele esquecido da esposa e, por isso, não voltaria mais; informou-o de que, agora, ela era mulher de um outro homem. Em seu lugar, o filisteu ofereceu-lhe uma filha mais nova e mais bonita do que ela.

Ao sentir sua causa justificada pelo tratamento que recebera, Sansão pensou: **Inocente sou esta vez para com os filisteus, quando lhes fizer algum mal** (3); literalmente, "quando eu os partir em pedaços". Tomou 300 raposas (ou chacais), uniu-as pela cauda e amarrou uma tocha em cada um dos pares. Então, ateou fogo às tochas e soltou as raposas **na seara** (um campo de trigo) **dos filisteus** (5), queimando não apenas os grãos, mas também os vinhedos e os pomares (cf. 2 Sm 14.28-33).

Quando descobriram a fonte do desastre em seus campos, os filisteus atacaram e queimaram a esposa de Sansão e o pai dela. Ele ficou tão irado que jurou vingar-se, ao dizer: "Se é isso o que fiz a vocês, juro que me vingarei e depois desistirei" (7). **E feriu-os com grande ferimento, perna juntamente com coxa** (8), "cortou-os totalmente em pedaços". Ao sair de Timna, Sansão foi habitar **no cume da rocha de Etã** ou "na fenda" ou "na caverna" da rocha. A identificação de **Etã** é incerta. O nome significa "lugar de animais de rapina". Também é o nome de um vilarejo transferido de Judá para Simeão (1 Cr 4.32; cf. Js 15.32,42) e de uma cidade nas redondezas de Belém (1 Cr 4.3).

4. *Sansão em Leí* (15.9-20)

a. Um destacamento de três mil homens (15.9-13). Determinados a destruir seu inimigo, os filisteus invadiram **Judá, e estenderam-se por Leí** (9), ou seja, eles saíram de seu país com o objetivo de fazer uma pilhagem. **Leí**, que significa "face" ou "queixada", não pode ser identificada. Quando os judeus alarmados perguntaram pela razão da empreitada, os filisteus responderam: "prender Sansão e puni-lo pelos crimes que cometeu contra nós".

Longe de querer envolver-se com seus vizinhos belicosos, eles enviaram três mil homens até a rocha onde Sansão habitava. O grande número é uma indicação de seu profundo respeito pela extraordinária força de Sansão. Os hebreus tentaram argumentar com ele: "Você não percebe que os filisteus governam sobre nós?", perguntaram eles. "Não vê que com sua atitude coloca toda a nação em risco?". A resposta de Sansão foi: **Assim como eles me fizeram a mim, eu lhes fiz a eles** (11) – "dei a eles o que mereciam".

Quando seus compatriotas deixaram claro o seu propósito de prendê-lo e de entregá-lo aos filisteus, Sansão, aquele homem forte, pediu apenas a garantia de que eles próprios não o matariam. Quando isso lhe foi certificado, ele permitiu que fosse amarrado com duas cordas novas e entregue aos filisteus.

b. Uma arma singular (15.14-20). Quando Sansão foi levado a Leí, os filisteus vieram com grande júbilo para encontrarem-se com ele e os seus captores. Mais uma vez **o Espírito do Senhor possantemente se apossou dele** (14). As cordas em seus braços tornaram-se como fios de linho queimado e **se desprenderam** (lit. "derreteram") **de suas mãos**. Sansão apanhou uma **queixada fresca de um jumento** (portanto, mais dura e menos frágil do que se estivesse seca) como sua única arma e matou **mil homens** do exército inimigo. Ao fazer uso daquilo que é claramente um resquício de um cântico da vitória (cf. Êx 15.1-19; Jz 5), ele disse:

Com uma queixada de jumento um montão, dois montões;
com uma queixada de jumento feri a mil homens (16).

Depois da vitória, Sansão jogou fora a queixada de jumento e o lugar onde isso ocorreu foi chamado de Ramate-Leí (17), "a altura ou colina de Leí, i.e., colina de uma queixada". Tomado de terrível sede depois de seu esforço, Sansão orou e **o Senhor fendeu a caverna que estava em Leí; e saiu dela água** (19), ou seja, Deus abriu um buraco na colina e a água fluiu. A palavra para caverna no original hebraico tem o sentido de "pilão". Este ponto era provavelmente uma cavidade na superfície da terra que se parecia com um pilão. Foi nesse lugar que Deus miraculosamente fez brotar uma fonte de água.

O fato de Leí significar "queixada" tem levado alguns a interpretar a passagem como se ela quisesse dizer que a água fluiu da queixada do jumento. Esta interpretação é impossível à luz do fato de que a fonte (no original "En-hakkore", traduzido como "A fonte do que clama") ainda fluía até **ao dia de hoje**, ou seja, até o dia em que o relato foi escrito.

É destacado aqui que o período de juizado de Sansão, que parecia consistir inteiramente de façanhas contra os filisteus, durou **vinte anos** (20; 16.31).

5. *Sansão em Gaza* (16.1-3)

Mais tarde, Sansão fez uma visita a **Gaza** (1), uma dentre as cinco maiores cidades dos filisteus, aquela que ficava mais ao sul. Foi ali que ele viu uma prostituta e teve relações com ela. Quando os homens da cidade souberam que seu inimigo público número um aparecera, correram e cercaram o lugar. Durante a noite, eles permaneceram quietos, à espera, no portão da cidade, com a intenção de matar Sansão ao amanhecer. Contudo, à meia-noite, ele acordou e sozinho retirou as duas partes do portão com seus patentes. Colocou tudo em seus ombros e levou até o topo da colina próxima a **Hebrom** (3), distante cerca de 30 quilômetros.

Está claro, naturalmente, que os surtos de força que vinham do Espírito do Senhor eram apenas físicos e não envolviam uma regeneração ou limpeza moral. Nem todos os homens do Antigo Testamento sobre os quais veio o Espírito de Deus eram bons e dedicados. Deus apenas os usou como instrumentos para realizar seus propósitos históricos junto ao seu povo, do mesmo modo que alguém pode usar um galho seco e sujo para espantar um cachorro bravo. Embora os filisteus não pudessem impedir Sansão, ele mesmo se atrapalhou. Sua conduta licenciosa finalmente o envolveu numa situação na qual sua força lhe foi tirada e sua eficácia destruída.

6. *Sansão e Dalila* (16.4-22)

a. *Sansão é amarrado com cordas de arco* (16.4-9). O último ato de Sansão como um homem livre foi causado por seu relacionamento com uma mulher chamada **Dalila**, do **vale de Soreque** (4). **Dalila** é um nome semita que significa "débil, sujeita a desejos" ou "abatida". Não há afirmação de que ela fosse filistéia, embora, sem dúvida, muitos filisteus adotassem nomes semitas para seus filhos por causa de sua grande proximidade com os hebreus. As palavras hebraicas usadas para **vale de Soreque,** adequadamente, significam "vale de vinhas selecionadas", onde se localiza provavelmente a moderna Wadi Sarar. Excelentes uvas eram cultivadas ali (cf. Nm 13.23) e transformadas em vinho, o que pode explicar por que Sansão estava freqüentemente sonolento na casa de Dalila.

Quando os chefes dos filisteus ouviram que Sansão fora fazer uma visita, ofereceram a Dalila uma quantia de dinheiro recompensadora. Aparentemente ele era de estatura comum, de modo que o segredo de sua tremenda força não era conhecido de seus inimigos. Se Dalila descobrisse o mistério e o revelasse, cada um deles lhe daria **um mil e cem moedas de prata** (5). Como os **príncipes dos filisteus** eram cinco (1 Sm 6.4), e se moedas em questão fossem o siclo (ou *shekel*), o preço para atrair Sansão seria de pelo menos US$ 3.300,00, um valor significativo para aquela época.

Dalila consentiu prontamente. E tomou providências para extrair o segredo de seu amante. Não há dúvidas de que Sansão percebeu o que ela estava desejosa de fazer, de modo que, primeiramente, disse que se fosse amarrado **com sete vergas de vimes frescos, que ainda não estivessem secos** (7), ou sete cordas de arco de tripa – talvez as mesmas cordas usadas para fixar uma tenda às suas estacas – sua força não seria superior à de um outro homem comum. Depois de ter arranjado que homens esperassem na casa, Dalila amarrou o sonolento Sansão de acordo com suas instruções e então gritou: **Os filisteus vêm sobre ti, Sansão** (9). Ao fazer uso do mesmo esforço utilizado para quebrar as cordas novas (15.13-14), Sansão se libertou. Desse modo, **não se soube em que consistia a sua força**.

    b. Sansão é preso com cordas (16.10-12). A segunda tentativa de Dalila não foi mais bem-sucedida do que a primeira. Ao repreender seu amante por zombar dela e contar-lhe mentiras, ela pede mais uma vez para saber o segredo. Desta vez, Sansão afirmou que, se fosse amarrado **com cordas novas** (11) que nunca foram usadas, ele seria como um homem comum. Em sua primeira oportunidade, Dalila o amarrou com cordas novas. Mas quando ela gritou: **Os filisteus vêm sobre ti, Sansão**, ele as partiu **como um fio** e logo ficou livre. **Os espias estavam assentados numa câmara** em oculto.

    c. Cabelos humanos tecidos num tear (16.13,14). Dalila estava indignada. "Até agora você só zombou de mim e só me disse mentiras", reclamou ela. "Diga-me agora a maneira como você deve ser preso!". Sansão respondeu: "Se você fizer **sete tranças dos cabelos da minha cabeça com os liços da teia**...". Aparentemente Sansão nem mesmo terminou esta sentença. A ARA adiciona: "...e se as firmares com o pino de tear, então, me enfraquecerei e serei como qualquer outro homem".

    Assim, enquanto ele dormia, Dalila teceu seu cabelo e o **fixou com uma estaca** (14). F. F. Bruce explicou o processo como se segue:

> Dalila, assim podemos entender, ao ter o sonolento Sansão com a cabeça deitada em seu colo (como no versículo 19), tece o seu cabelo numa trama e o prende numa teia *com uma estaca* (14), uma peça chata de madeira, de modo que seu cabelo se tornou parte do material trançado. O tear seria do tipo primitivo, com duas ripas fixadas no chão, onde uma delas segurava o novelo de lã e a outra, o cilindro. Quando Sansão despertou, ele se levantou e levou consigo o tear e tudo o mais fixado em seu cabelo, e tirou as estacas fixadas no chão.[5]

Vê-se aqui uma ilustração do processo de comprometimento e queda. Ao envolver o seu cabelo, Sansão aproximava-se da verdade fatal. Seriam necessárias outras tentativas (16), mas o campeão finalmente cairia vítima das súplicas de uma mulher traiçoeira.

    d. Sansão revela seu segredo (16.15-17). Dalila resmungou: "Como você pode dizer que me ama se o seu coração não está perto de mim? Por três vezes você me enganou e recusou-se a me contar seu segredo". Ao pedir-lhe e perturbá-lo todos os dias, **a sua alma se angustiou até à morte** (16), i.e., ele estava finalmente desgastado por sua persistência. **Descobriu-lhe todo o seu coração** (17), ou seja, "ele lhe confidenciou". O segredo de sua força estava no cumprimento de seu nazireado desde seu nascimento. Tal condição era expressa pela regra de que nenhuma navalha poderia tocar sua cabeça. Se seus cabelos fossem cortados, ele seria como um homem qualquer. É difícil determinar o que era maior: a força sobre-humana de Sansão ou sua estupidez asinina.

e. Sansão é traído (16.18-22). Jubilosa por ter conseguido finalmente descobrir o segredo desejado, Dalila envia uma mensagem aos **príncipes dos filisteus**, os quais, sem dúvida, já haviam se afastado desanimados depois dos repetidos fracassos. "Venham apenas mais esta vez", implorou ela, "porque ele me contou tudo". Assim, eles **trouxeram o dinheiro na sua mão** (18) para o "pagamento". Tão logo Sansão dormiu com a cabeça no colo da moça, Dalila **chamou um homem, e rapou-lhe as sete tranças do cabelo de sua cabeça; e começou a afligi-lo** (19), ou "enfraquecê-lo, subjugá-lo" ou "humilhá-lo".

Quando Dalila o despertou com as palavras familiares "os filisteus vêm atrás de você, Sansão!", ele abriu os olhos e se vangloriou: "Vou sair como de costume e me livrar dos laços" ou, como pode ser traduzido a partir do hebraico, "eu sairei, rugirei e rosnarei". **Ele não sabia que já o Senhor se tinha retirado dele** (20). Sansão já tinha brincado demais com o pecado. Sua força já se fora.

Os filisteus o pegaram, arrancaram-lhe os olhos e o prenderam com correntes de bronze. Levaram-no para Gaza e, ali – como John Milton o descreve, "um cego em Gaza" – aquele que um dia fora um campeão poderoso foi colocado para moer grãos num moinho manual na prisão.

A história de Sansão alcança seu clímax nos versículos 15 a 21, onde vemos o resultado da "fascinação fatal do pecado". (1) Foi um homem de grande força física (vv. 14.6; 14.19; 15.14-16; 16.3; etc); (2) Teve uma mente fértil (vv. 14.12-14); (3) Era moralmente fraco (v. 16.15); (4) Era espiritualmente infiel (vv. 17,18); (5) **o Senhor se tinha retirado dele** (20).

7. *A Vingança e a Morte de Sansão* (16.23-31)

a. Sansão entretém os filisteus (16.23-27). **Então, os príncipes dos filisteus se ajuntaram para oferecer um grande sacrifício ao seu deus Dagom e para se alegrar** porque seu inimigo lhes fora entregue em suas mãos. **Dagom** em hebraico significa "pequeno peixe". Este deus, provavelmente, era o pai de Baal e tornara-se a divindade nacional da Filístia, embora houvesse originalmente um deus dos grãos, adorado na Mesopotâmia em tempos tão remotos quanto o século XXV a.C. Acredita-se que a cabeça, os braços e a parte superior do corpo desse ídolo tivessem formas humanas (1 Sm 5.4), enquanto as partes inferiores lembravam um peixe.

Quando os corações das pessoas reunidas começaram a se alegrar, certamente em função do vinho que bebiam nas celebrações, então chamaram Sansão. Foi trazido ao pátio do templo de Dagom para que pudessem brincar com ele, provavelmente para puxá-lo e fazê-lo saltar e dançar diante deles. O mesmo termo hebraico traduzido aqui como "brincar" é usado em Êxodo 32.6 ("folgar" na ARC e "divertir-se" na ARA) para descrever a festança dos israelitas diante do bezerro de ouro no deserto, a qual envolveu dança (Êx 32.19).

Então seus captores fizeram com que Sansão se levantasse, talvez para uma exibição, e ficasse entre os dois pilares que sustentavam aquela edificação. O templo estava lotado e, além disso, havia três mil homens e mulheres no telhado que assistiam ao "show". Ele pediu que o conduzissem pela mão até um ponto em que fosse possível tocar os pilares de sustentação, de sorte que pudesse se apoiar neles e descansar depois de seu esforço. [6]

b. Sansão se sacrifica (16.28-31). O cabelo de Sansão começara a crescer (22); ele orou com sinceridade e pediu um novo surto de força que o capacitasse a realizar a vingança final contra seus inimigos. **De uma vez me vingue dos filisteus, pelos meus dois olhos** (28) – em hebraico "por um de meus dois olhos". Enquanto bradava, **morra eu com os filisteus!** (30), apoiou-se com toda a força nos pilares principais e toda a estrutura ruiu. Sansão matou mais filisteus em sua morte do que aqueles que aniquilou durante toda sua vida. Eles o sepultaram **entre Zorá e Estaol, no sepulcro de Manoá, seu pai** (31). É claro que a morte de Sansão não foi suicídio no sentido comum da palavra. Ele morreu na luta contra os inimigos de seu país, tal como um soldado numa batalha perdida.

Seção V

UM APÊNDICE

Juízes 17.1 — 21.25

Os cinco últimos capítulos do livro de Juízes aparecem como um apêndice da parte principal da narrativa, finalizada com a morte de Sansão. Dois eventos são descritos ali: uma migração da tribo de Dã, juntamente com o estabelecimento da cidade e de um lugar sagrado em Dã no extremo norte de Canaã (caps. 17 e 18); e a quase extinção da tribo de Benjamim, seguida de sua reabilitação parcial (caps. 19 a 21).

É impossível estabelecer a datação desses eventos. A seção inteira está marcada por um espírito geral de falta de lei. Somente três pessoas são citadas por seus nomes. Há indicações de que o registro das histórias mencionadas aqui seja bem posterior aos fatos. Em quatro lugares menciona-se que não havia rei naqueles dias (17.6; 18.1; 19.1; 21.25), a fim de indicar que o reino fora estabelecido na época em que se fizeram os registros escritos. A referência ao cativeiro do reino do Norte em 18.30 apontaria para uma data de composição posterior a 722 a.C. Por outro lado, a referência a Finéias, neto de Arão (20.28), impõe ao evento descrito nos capítulos 19 a 21 uma data bem no início do período dos juízes.

A. Os DANITAS EXPANDEM-SE, 17.1–18.31

1. O Santuário Particular de Mica (17.1-6)
Somos primeiramente apresentados a uma família que vive no território de **Efraim**, cujo filho **Mica** (1) roubara 1.100 peças de prata de sua mãe. O nome **Mica** ("Quem é como o Senhor?") era muito popular nos tempos do Antigo Testamento. São citadas quatro outras pessoas que possuíam o mesmo nome: um rubenita (1 Cr 5.5); o pai de Abdom (2 Cr 34.20 e Micaías em 2 Rs 22.12); um filho de Meribe-Baal (1 Cr 8.34) e o bastante conhecido profeta menor Miquéias (Mq 1.1; a semelhança está no hebraico).

UM APÊNDICE   JUÍZES 17.2—18.6

A restituição promovida por Mica não foi voluntária, porque sua mãe lançara maldições (2) contra o ladrão, e um homem bastante supersticioso certamente temeria manter para si um ganho obtido desonestamente. Em retribuição, a mulher consagrou a prata ao Senhor **para fazer uma imagem de escultura e de fundição** (3), ou seja, um ídolo. Esta associação de idolatria com o nome do Senhor é uma triste constatação do alcance da corrupção promovida pela religião cananéia sobre a adoração pura a Deus. A imagem de fundição, um termo que também significava "cobertura", pode ter sido um tipo de revestimento com o mesmo formato do ídolo que ela guardava.

A mãe separou 200 peças do montante recuperado e entregou a um ourives que fez a imagem e sua cobertura. Mica fez um santuário com **um éfode** (para ser usado por um sacerdote enquanto estivesse diante do santuário) **e terafins**, e então **consagrou a um de seus filhos, para que lhe fosse por sacerdote** (5). Terafins eram pequenas imagens caseiras de deuses (Gn 31.19,30,34), freqüentemente mencionadas no AT. Eles estavam associados à adoração pagã, embora tenham sido adotados pelos israelitas, de maneira ilícita, em alguns momentos.[1]

A anarquia civil e religiosa é explicada com base no fato de que **não havia rei em Israel** naqueles dias para instruir o povo. Como conseqüência, cada homem fazia o que achava ser certo. Este é o abismo no qual qualquer pessoa vai mergulhar mais cedo ou mais tarde quando abandonar os princípios morais absolutos e a autoridade das Escrituras.

2. Mica Contrata um Levita (17.7-13)
Um jovem levita que vivia em Belém da Judéia procurava um lugar para viver. Viajou para o norte e chegou à casa de Mica. Quando ele descobriu que o jovem procurava uma ocupação, propôs que o levita ficasse ali e se transformasse em um sacerdote doméstico. **Sê-me por pai e sacerdote** (10). O termo **pai** é usado aqui como expressão de honra e estima. Ele receberia dez peças de prata por ano, roupas e comida. **E consagrou Mica o levita** (12) e o jovem tornou-se o seu capelão particular. Pelo fato de um membro da tribo sacerdotal servi-lo agora como seu sacerdote, Mica estava certo de que o Senhor fá-lo-ia prosperar.

3. Cinco Visitantes Inesperados (18.1-6)
O território entregue a Dã na divisão de Canaã entre as tribos nunca foi plenamente ocupado (veja o mapa). Naquela época a pressão dos filisteus crescia cada vez mais e os homens de Dã decidiram enviar um grupo **dos seus confins** (2, "fronteiras") para encontrar mais terra que pudesse ser conquistada. **Cinco homens** se dirigiram ao norte e chegaram **à montanha de Efraim, até à casa de Mica**.

Ali eles reconhecem a voz do jovem levita, talvez por causa de seu sotaque sulista (cf. 12.6). Quando descobrem que ele servia como sacerdote, pedem que ele pergunte a Deus se sua empreitada será bem-sucedida. O método dessa adivinhação provavelmente foi o de colocar pedras gravadas dentro de um vaso, chacoalhá-lo e então tirar a sorte ou jogá-las à mesa (cf. 1 Sm 14.41; 1 Cr 24.5; Et 3.7; Jn 1.7; Mt 27.35; At 1.26). Neste caso, o resultado foi favorável. **Ide em paz**, disse o levita; **o caminho que levardes está perante o Senhor** (6), ou "o Senhor olha a sua jornada com favor".

4. O Relatório dos Espias (18.7-10)

Os espias continuaram sua jornada e chegaram finalmente a **Laís** (7), uma cidade cananéia localizada cerca de 160 quilômetros ao norte do monte Efraim. É a moderna Tell el-Qadi. Seus habitantes eram de origem fenícia, mas não tinham laços com qualquer outro povo que pudesse vir em seu auxilio. Eles viviam em paz e segurança numa terra bastante fértil.

O grupo de espias voltou **a Zorá e a Estaol** (8) e sugeriu uma saída imediata. "Vocês verão que o povo não desconfia de nada e a terra é espaçosa", disseram eles. "Deus nos deu essa terra – um lugar onde não há falta de nada".

5. A Migração Danita (18.11-13)

Apenas uma parte da tribo aceitou o desafio. Seiscentos homens saíram de suas casas munidos de armas de guerra. Acamparam-se primeiramente em Judá, em **Quiriate-Jearim** (12), originalmente uma cidade gibeonita (Js 9.17), cerca de 13 quilômetros a noroeste de Jerusalém, localizada na fronteira oeste entre Judá e Benjamim (Js 15.9; 18.14,15), mas pertencente a Judá (Js 15.60). A localização atual é incerta. O acampamento danita, bem a oeste de Quiriate-Jearim, ficou conhecido como **Maané-Dã**, ou "o campo de Dã" (cf. 13.25). Dali eles se dirigiram para o território de Efraim e chegaram à casa de Mica.

6. O Santuário de Mica é Levado (18.14-20)

Os espias relataram a presença do santuário na casa de Mica. **Um éfode, e terafins, e uma imagem de escultura, e uma de fundição** (14), cf. comentário de 17.4,5. Ofereceram ao jovem levita uma oportunidade de se tornar sacerdote de uma tribo em vez de ser simplesmente um sacerdote doméstico, persuadiram-no a acompanhá-los e levaram consigo os objetos sagrados de Mica.

7. Os Saqueadores Escapam (18.21-26)

Os danitas moveram-se na direção norte e colocaram seus homens armados entre **os meninos, e o gado, e a bagagem** (21). **Bagagem** tem o sentido literal de "coisas preciosas, riqueza, bens". Mica reuniu seus vizinhos e homens de sua própria casa e começou a busca. Desesperadamente em menor número, Mica voltou para casa triste depois de ter sido advertido pelos danitas do risco que corria caso continuasse a discutir com eles.

8. Os Danitas Tomam Laís (18.27-31)

Os danitas chegaram rapidamente a Laís, capturaram-na com facilidade, mataram seus habitantes à espada e queimaram a cidade. Pelo fato de ela estar **longe de Sidom** (28) e ficar **no vale que está junto a Bete-Reobe**, e por seu povo não ter relações comerciais com seus vizinhos, **ninguém houve que os livrasse**. Bete-Reobe ficava no vale da parte superior do Jordão e é citada como Reobe em Números 13.21. Sua localização atual é desconhecida.

A cidade foi reconstruída e passou a ser chamada de Dã em honra ao patriarca daquela tribo. Estava localizada mais ao norte da ocupação das tribos em Canaã e a expressão, "de Dã a Berseba", no extremo sul, tornou-se equivalente a "comprimento e largura da terra". O santuário roubado é fixado ali e **Jônatas, filho de Gérson, o filho** de Manassés (30) foi empossado como sacerdote, e ele e seus filhos serviram nessa função **até ao dia do cativeiro da terra**. É provável que Jônatas fosse o jovem levita mencionado como sacerdote de Mica (cf. 18.19). O nome significa "quem o Senhor deu" e foi um dos mais populares dos tempos do AT, pois nada menos que 14 outras pessoas receberam este nome (Cf. 1 Sm 14.39; 2 Sm 15.36; 21.21; 2 Rs 25.23; 1 Cr 2.32; 11.34; 27.25,32; Ed 8.6; 10.15; Ne 12.11,14,35; Jr 37.15).

O **Gérson** mencionado aqui era tido pelos rabis como o filho de Moisés (Êx 2.22), uma vez que o caractere hebraico *nun* necessário para transformar a palavra Moisés em Manassés foi escrito acima da linha, na forma de uma correção feita por um escriba. Se os rabis estavam corretos e se nenhuma geração foi omitida, a migração danita deve ter acontecido bem no início da história judaica. Obviamente não poderia ter acontecido no período dos juízes. **Até ao dia do cativeiro da terra** (30) pode indicar o cativeiro assírio de 722 a.C. ou a invasão anterior de Tiglate-Pileser III em 733 a.C., período no qual o santuário danita parece ter sido destruído. Também é possível que seja uma referência indefinida a alguma outra calamidade. O santuário, juntamente com a adoração idólatra da imagem de Mica, é contrastado com **a casa de Deus... em Siló** (31).

B. Os benjamitas são quase aniquilados, 19.1–21.25

1. *Uma Concubina Infiel* (19.1-9)

Tal como a história do santuário danita em Laís, os três últimos capítulos do livro relatam um evento e suas conseqüências, os quais ilustram vividamente a falta de leis daquele período. Um levita que vivia numa parte remota do território de Efraim tomou para si uma concubina, que significa uma esposa secundária, de Belém de Judá. A palavra normalmente se refere a uma escrava que também era uma mulher legal. Ela podia se divorciar mais facilmente do que uma esposa comum (Gn 21.10-14); ainda assim, a lei mosaica reconhecia e protegia seus direitos (Êx 21.7-11; Dt 21.10-14).

A sua concubina adulterou contra ele (2), ou seja, ela se tornou prostituta, e voltou a Belém, onde permaneceu por quatro meses. Depois desse período, o levita retornou e encontrou-a na casa de seu pai, **para lhe falar conforme o seu coração e para tornar a trazê-la** (3). O pai da mulher estava feliz por encorajar a reconciliação, o que removeria o estigma da separação, mas parecia relutante em permitir que o casal desse início a sua viagem de regresso.

2. *O Sol se Põe em Gibeá* (19.10-15)

Já perto do final do quinto dia, o levita levantou-se para ir embora. Já perto da noite, eles passaram por **Jebus** (10), o antigo, mas raramente mencionado nome de **Jerusalém**. A se julgar pela distância envolvida (veja o mapa), eles provavelmente deixaram Belém cerca de três horas antes do pôr-do-sol. Em vez de permanecerem numa cidade estranha (o local foi ocupado pelos jebuseus até a época de Davi), o levita prosseguiu até **Gibeá** (12), na esperança de permanecer ali ou nas proximidades de **Ramá** (13). Gibeá, a cerca de 6 quilômetros ao norte de Jerusalém, é a atual Tell el-Full. Mais tarde ela ficou conhecida como a Gibeá de Saul (1 Sm 10.5,10), provavelmente pelo fato de este ser o local de nascimento do primeiro rei de Israel. O local já foi escavado e as ruínas dão apoio ao relato bíblico sobre sua violenta destruição e subseqüente reconstrução. ² Os viajantes não encontraram hospitalidade em Gibeá e prepararam-se para passar a noite na rua.

3. *Um Amigo Verdadeiro* (19.16-21)

Os visitantes mal recebidos foram finalmente encontrados por um homem idoso que voltava de seu trabalho no campo. A história destaca-se ainda mais porque o benfeitor não era benjamita, mas pertencia à tribo de Efraim e vivia em Gibeá. O levita viajante explicou sua situação. Embora tivessem provisões para si, eles precisavam de abrigo. O anfitrião levou os viandantes para sua própria casa e deu forragem aos seus animais. Os convidados lavaram seus pés, comeram e beberam (cf. Gn 18.1-8; 24.31,32).

4. *A Concubina do Levita Sofre Abuso* (19.22-26)

Enquanto a festa de boas-vindas prosseguia, certos **filhos de Belial** (22) cercaram a casa e pediram que o estrangeiro lhes fosse dado para que pudessem praticar com ele o abominável pecado de sodomia. Existe um notável paralelo aqui com o texto de Gênesis 19 e as ações dos homens de Sodoma para com os visitantes de Ló. **Não façais semelhante mal** (23), "não tratem meu visitante de maneira tão vil". O resultado da maldade daquela noite foi a morte da concubina, um pecado horrível lembrado com repugnância por séculos (Os 9.9; 10.9). Veja o comentário de 1 Samuel 1.16 sobre **filhos de Belial**. O nome *beli-ya'al* tornou-se um termo característico de Satanás ou do demônio.

5. *Um Terrível Chamamento às Armas* (19.27-30)

O levita encontrou o corpo da mulher pela manhã, colocou-o em seu jumento e foi para casa. **Seu senhor** (27) tem o significado tanto de mestre como de marido. Ali ele **despedaçou** o corpo **em doze partes** e as enviou a todas as tribos de Israel. **Despedaçou** ou cortou como uma vítima de sacrifício (cf. Êx 29.17; Lv 1.6,12; 8.20, onde é usado o mesmo verbo em hebraico). Quando ouviram a explicação para tal atitude, as pessoas ficaram horrorizadas e disseram: **Nunca tal se fez, nem se viu desde o dia em que os filhos de Israel subiram da terra do Egito, até ao dia de hoje** (30).

6. *O Clamor por Justiça* (20.1-11)

A resposta do povo foi um grande ajuntamento em **Mispa,** cerca de 5 quilômetros a oeste de Gibeá. **Desde Dã até Berseba** (1); cf. comentário de 18.29. Berseba é a moderna Bir es-Seba, 45 quilômetros a sudoeste de Hebrom, no deserto do sul de Judá. O povo prometeu vingar o mal quando a história do crime foi recontada. Eles concordaram em formar um exército com um décimo de todos os homens de Israel. **Conforme toda a loucura** (10), "devido ao terrível crime cometido".

7. *Benjamim Reúne um Exército* (20.12-16)

A primeira tentativa das tribos unidas foi negociar a prisão especificamente dos homens responsáveis pelo mal que fora feito. A resposta dos benjamitas foi reunir um exército próprio, em muito sobrepujado, mas que contava com unidades de habilidades especiais.

8. *Os Israelitas são Derrotados* (20.17-28)
Os homens de Israel foram a Betel (**a casa de Deus,** 18) e buscaram a orientação do Senhor. Apesar disso – e por razão desconhecida – os primeiros dois encontros com os guerreiros de Benjamim resultaram em derrota das forças muito mais numerosas das tribos unidas. A **arca do concerto** (27) é mencionada apenas aqui em todo o livro dos Juízes. **Finéias, filho de Eleazar, filho de Arão, estava perante ele naqueles dias** (28); mais uma vez cf. comentário de 18.30. Se nenhuma geração foi omitida, isto indicaria uma data bastante antiga para o evento aqui descrito. Contudo, uma vez que a expressão "filho de" pode significar "descendente de" (e.g., Jesus como filho de Davi), e os nomes apareciam de maneira recorrente dentro os das famílias, este pode ser outro Finéias da mesma linhagem, um antecessor de Eli, que também deu este nome a um de seus filhos (1 Sm 1.3). Referências ao Finéias original podem ser encontradas em Êx 6.27; Nm 25; Js 22.9 ss; 24.33.

9. *Gibeá é Atacada* (20.29-48)
Encorajado pela promessa de que a vitória chegaria no terceiro dia (28), o exército israelita foi dividido em aparentemente três companhias. Uma foi enviada secretamente a **Baal-Tamar** (33), cuja localização é desconhecida. A segunda cercou a própria Gibeá. A terceira formou a linha de frente de batalha diante de Gibeá, de modo semelhante às outras oportunidades. Mais uma vez os benjamitas conseguiram fazer com que os israelitas se afastassem, ao expulsarem da cidade o pequeno exército.
É nessa hora que as outras duas companhias começam a atacar. A emboscada foi bem-sucedida, a cidade tomada e incendiada e, como a coluna de fogo indicava o sucesso da manobra, os israelitas que estavam em fuga voltaram e atacaram seus perseguidores. Os benjamitas perceberam tarde demais que foram enganados: **viraram as costas e fugiram para o deserto** (45). Foram mortos 25 mil homens nesta empreitada. A localização de **Gidom** é desconhecida. Provavelmente tenha existido na direção da **penha** (ou rochedo) de **Rimom** (47); talvez o moderno rochedo de pedra calcária chamada Romom, localizado 5,5 quilômetros a leste-nordeste de Betel. Ele é cercado de desfiladeiros ao norte, ao sul e ao oeste e possui cavernas nas quais os refugiados podem ter vivido. **Seiscentos homens** refugiaram-se ali e permaneceram naquele local por **quatro meses.** As tribos vitoriosas continuaram sistematicamente a vingar o território de Benjamim, ao queimarem a cidade e matarem seus habitantes e os animais.

10. *A Reabilitação de Benjamim* (21.1-25)
Os israelitas vitoriosos vieram a Belém e choraram diante do Senhor. Levaram muito tempo para perceber que tinham ido longe demais com sua vingança. Sem piedade, eles eliminaram quase toda a tribo de Benjamim, ao deixarem apenas seiscentos homens. Juraram solenemente que não permitiriam que suas filhas se casassem com eles.
Buscou-se uma saída para reparar o dano. Descobriu-se que os homens de **Jabes-Gileade** (8) não tomaram parte na campanha contra Benjamim. Jabes em Gileade estava localizada no terreno montanhoso a leste do Jordão (Dt 3.16,17; 1 Sm 31.11). Uma força de 12 mil homens foi despachada para Jabes; a cidade foi tomada e todos os seus habitantes massacrados, com exceção de 400 virgens que foram trazidas como noivas para os homens de Benjamim.[3]

Ainda não havia esposas suficientes e o resto da nação estava subordinado ao juramento de Mispa (1). Então alguém se lembrou de uma festa celebrada em **Siló... ao sul de Lebona, a leste do caminho alto que sobe de Betel a Siquém** (19). Como parte do festival, **as filhas de Siló** saíam **a dançar** (21). Os benjamitas deveriam se esconder nos vinhedos e cada um deveria raptar uma noiva para si. Se os habitantes de Siló criassem algum impedimento, eles não seriam culpados de violar o voto e, ao mesmo tempo, seriam graciosos em tornar possível a reconstrução de uma das tribos de Israel. É interessante lembrar que, caso a tribo de Benjamim tivesse sido exterminada, o mundo jamais teria ouvido falar do apóstolo Paulo (Rm 11.3; Fp 3.5). Não há dúvidas de que a verdade e o cumprimento de votos são de grande valor. Contudo, como no caso de Jefté (11.29-40), pode-se pensar se o legalismo não é levado longe demais quando se permite que o assassinato e o rapto sejam usados como meios de se manter um voto. Cumprir um voto levou a males muito maiores do que aqueles que estariam envolvidos numa renúncia a ele.

O livro termina com aquilo que se transformou quase que num refrão: **Naqueles dias, não havia rei em Israel, porém cada um fazia o que parecia reto aos seus olhos** (25).

Notas

INTRODUÇÃO

[1] Sl 106.34-46 é uma descrição detalhada de todo este período.

SEÇÃO I

[1] No hebraico, *Yahweh* é o mais santo e inefável nome de Deus. Ele aparece 6.855 vezes no AT e é invariavelmente traduzido como "o Senhor" na ARC. Seguindo a prática da Septuaginta, a tradução grega do Antigo Testamento, a palavra, sem vogais, é escrita como JHWH. Quando um escriba judeu copiava um manuscrito antigo, era exigido que ele se banhasse e colocasse roupas limpas cada vez que fosse transcrever a palavra JHWH.

Aparentemente JHWH é um termo composto, que consiste de duas diferentes formas do verbo *ser*. Numerosas tentativas têm sido feitas para defini-lo, mas talvez o verdadeiro significado seja encontrado em Êxodo 3.14, onde Deus explica a Moisés que seu nome é (a) EU SOU ou (b) EU SOU O QUE SOU. Talvez este nome divino denote a eterna auto-existência de Deus. JHWH é *aquele que é*, i.e., Ele é absoluto e imutável. Ele é *o que existe para sempre*. Também pode ter a conotação de *aquele que é inominável e inexplicável*.

Desde muitos séculos antes da era cristã os judeus consideravam JHWH santo demais para ser pronunciado e tinham escrúpulos quanto até mesmo mencioná-lo. Todas as vezes que se deparavam com JHWH no AT eles pronunciavam *Adonai*, "meu Senhor". Mais tarde, a vogal inicial da palavra *Adonai* foi transferida para JHWH no texto massorético. Percebe-se, portanto, que a pronúncia correta de JHWH foi perdida na história. No ano 1520 de nossa era, Galatino sugeriu a palavra *Jeová*. Este autor prefere o termo *Yahweh*, mas o assunto continua obscuro.

[2] Cf. F. F. Bruce, "Judges", *The New Bible Commentary*, ed. F. Davidson (Grand Rapids: Wm. B. Eerdmans Publishing Co., 1953), p. 239.

[3] John Peter Lange, ed. *Numbers – Ruth*, "Commentary on the Holy Scriptures", nova edição. Grand Rapids: Zondervan Publishing House, 1960, reimpressão, p. 32.

[4] Charles F. Pfeiffer, ed., "Judges". *The Wycliffe Bible Commentary* (Chicago: Moody Press, 1962), p. 236.

[5] Bruce, *op. cit.*

[6] G. F. Moore, *A critical and exegetical commentary on Judges*, The International Critical Commentary (Nova York: Charles Scribner's Sons, 1923), pp. 45-47.

[7] Bruce, *op. cit.*, p. 240.

SEÇÃO II

[1] Lord A. C. Hervey, "Judges"; *The Pulpit Comentary*, edited by D. H. M. Spence and Joseph S. Excell, VIII (New edition; Chicago: Wilcox and Follet, n.d.), p. 21.

[2] Benjamin H. Carroll, "Numbers to Ruth", *An Interpretation of the English Bible* (editado por J. B. Cranfill; Nashville: Braodman Press, 1947), IV, pp. 257-59.

[4] Cf. Fred E. Young, "Judges", *The Biblical Expositor*, editado por Carl F. H. Henry, 2ª edição, I (Filadélfia: A. J. Holman Co., 1960), p. 250.

[5] Cf. C. F. Burney, *The Book of Judges*, 2ª edição (Londres: Rivingtons, 1930), p. 93.

[6] Cf. Jacob M Myers, *op. cit*, p. 723

[7] *From the stone age to Christianity* (segunda edição. Baltimore: Johns Hopkins Press, 1957), p. 120.

[8] C. F. Keil e F. Delitzsch, *Biblical Commentary on the Old Testament*, trad. de James Martin (Edimburgo: T. & T. Clark, 1875), IV, p. 330.

[9] *Ibid.*, pp. 339-40.

[10] Cf. Burney, *op. cit.*, p.217

[11] *Op. cit.*, p. 247.

[12] Cf. Young, *op. cit.*, p. 252.

SEÇÃO III

[1] Cf. Moore, *op. cit.*, pp. 244-52.

[2] Cf. Keil e delitzsch, *op. cit.*, pp. 563, 564.

[3] Cf. Lange, *op. cit.*, pp. 155-56.

SEÇÃO IV

[1] Cf. Keil e Delitzsch, *op. cit.*, pp. 378-80.

[2] "The Book of Judges" (exposição), *The Interpreter's Bible*, ed. George A. Buttrick, *et al.*, II (Nova York: Abingdon Press, 1953), p. 774.

[3] Cf. Young, *op. cit.*, p. 258.

[4] F. F. Bruce, *op. cit.*, p. 252; Myers, *op. cit.*, p. 786.

[5] *Op. cit.*, p. 254.

[6] Cf. Burney, *op. cit.*, p. 389.

SEÇÃO V

[1] Cf. Burney, *op. cit.*, pp. 420-21.

[2] Cf. J. A. Thompson, *The Bible and Archaeology* (Grand Rapids: Wm. B. Eerdmans Co., 1962), pp. 90, 95.

[3] Cf. Moore, *op. cit.*, pp. 445-48.

Bibliografia

I. COMENTÁRIOS

BRUCE, F. F. "Judges", *The New Bible Commentary*. Editado por F. Davidson, *et al.* Grand Rapids: Wm. E. Eerdmans Publishing Co., 1954.

BURNEY, C. F. *The Book of Judges*. 2ª ed. Londres: Rivingtons, 1930.

CARROLL, Benjamin H. "Numbers to Ruth," *An Interpretation of the English Bible*. Editado por J. B. Cranfill, Vol. IV. Nashville: Broadman Press, 1947.

COHEN, A. *Joshua and Judges* (*Soncino Bible*). Londres: Soncino Press, 1950.

COOKE, G. A. *The Book of Judges*. "The Cambridge Bible for Schools and Colleges". Cambridge: Cambridge University Press, 1918.

DUMMELOW, J. R. (ed.). "Judges", *A Commentary on the Holy Bible*. Nova York: Macmillan Co., 1940.

ELLIOTT, Phillips, P. "The Book of Judges " (Exposição). *The Interpreter's Bible*. Editado por George A. Buttrick *et al.*, Vol. II. Nova York: Abingdon Press, 1953.

EXELL, Joseph Samuel (ed.). "Judges", *The Bible Illustrator.* Grand Rapids: Baker Book House, 1958 (reimpressão).

FULLER, J. M. (ed.). *Exodus – Ruth*. "The Bible Commentary," editado por F. C. COOK. Grand Rapids: Baker Book House, 1957.

GARSTANG, John. *Joshua – Judges*. Londres: Constable, 1931.

GRAY, James M. *Christian Workers' Commentary on the Old and New Testaments*. Nova York: Fleming H. Revell, 1915.

HERVEY, Lord A. C. "Judges", *The Pulpit Commentary*. Editado por H. D. M. Spence e Joseph S. Exell, Vol VIII. Nova edição. Chicago: Wilcox & Follett, s. d.

KEIL, C. F., e DELITZSCH, F. *Joshua, Judges, Ruth*. "Biblical Commentary on the Old Testament". Grand Rapids: Wm. E. Eerdmans Publishing Co., 1950 (reimpressão).

LANGE, John Peter (ed.). *Numbers – Ruth*. "Commentary on the Holy Scriptures". Traduzido e editado com adições por Philip Schaff. Nova edição. Grand Rapids: Zondervan Publishing House, 1960.

MACLAREN, Alexander. "Judges, Ruth", *Expositions of Holy Scripture*. Nova York: George H. Doran, s.d.

MILLAR, J. P. *A Homiletical Commentary on the Book of Judges*. "The Preacher's Complete Homiletical Commentary on the Old Testament". Nova York: Funk & Wagnalls, 1892.

MOORE, George Foot. *A Critical and Exegetical Commentary on Judges*. "The International Critical Commentary." Nova York: Charles Scribner's Sons, 1923.

MORGAN, George Campbell. "Judges, Ruth", *The Unfolding Message of the Bible*. Westwood, New Jersey: Fleming H. Revell, 1961.

MYERS, Jacob M. "The Book of Judges" (Exegese). *The Interpreter's Bible*. Editado por George A. Buttrick, *et al.*, Vol. II. Nova York: Abingdon Press, 1953.

PFEIFFER, Charles F. (ed.). "Judges", *The Wycliffe Bible Commentary*. Chicago: Moody Press, 1962.

POORE, L. A. "The Book of Judges", *The Twentieth Century Bible Commentary*. Editado por G. Henton Davies, *et al.* Edição revisada. Nova York: Harper and Brothers, 1955.

SIMPSON, C. A. *Composition of the Book of Judges*. Oxford: Blackwell, 1957.

STRAHAN, James. "Judges", *A Commentary on the Bible*. Editado por Arthur S. Peake. Nova York: Thomas Nelson & Sons, s.d.

TERRY, M. S. "Books of Judges to II Samuel". *Commentary on the Old Testament*. Editado por D. D. Whedon, Vol. III. Nova York: Nelson & Phillips, 1875.

THATCHER, G. W. "Judges and Ruth." *The New Century Bible*. Editado por Walter F. Adeney. Nova York: Frowde, s.d.

WATSON, Robert A. "The Book of Judges". *The Expositor's Bible*. Editado por W. Robertson Nicoll, Vol. I. Grand Rapids: Wm. E. Eerdmans Publishing Co., 1943.

WILLIAMS, George. *The Student's Commentary on the Holy Scriptures*. Nova versão melhorada. Grand Rapids: Kregel Publications, 1960.

YOUNG, Fred E. "Judges". *The Biblical Expositor.* Editado por Carl F. H. Henry. 2ª Edição. Vol. I. Filadélfia: A. J. Holman Co., 1960.

II. OUTROS LIVROS

ALBRIGHT, William F. *From the Stone Age to Christianity.* 2ª Ed. Baltimore: Johns Hopkins Press, 1957.

BAXTER, J. Sidlow. *Judges to Esther* ("Explore the Book"), Vol. II Londres: Marshall, Morgan & Scott, 1956.

BLAIKIE, William G. *A Manual of Bible History.* Revisado por Charles D. Matthews. Nova York: Ronald, 1940.

FREE, Joseph P. *Archaeology and Bible History.* Edição revisada. Wheaton, Illinois: Scripture Press Publications, 1962.

HASTINGS, James (ed.). "Deuteronomy – Esther". *The Great Texts of the Bible.* Grand Rapids: Wm. E. Eerdmans Publishing Co., s.d.

JAMES, Fleming. *Personalities of the Old Testament.* Nova York: Charles Scribner's Sons, 1949.

LEE, James W. (ed.). "Judges – Song of Solomon". *The Self-Interpreting Bible,* Vol. II. St. Louis: Bible Educational Society, 1905.

MANLEY, G. T. (ed.). *The New Bible Handbook.* Chicago: Inter-Varsity Christian Fellowship, 1952 (reimpressão).

PURKISER, W. T. (ed.). *Exploring the Old Testament.* Kansas City, Missouri: Beacon Hill Press, 1961.

RAVEN, John Howard. *Old Testament Introduction.* Nova York: Fleming H. Revell, 1910.

SIMEON, Charles. "Judges Through II Kings". *Expository Outlines on the Whole Bible,* Vol. III. Grand Rapids: Zondervan Publishing House, 1956.

THOMPSON, J. A. *The Bible and Archaeology.* Grand Rapids: Wm. E. Eerdmans Publishing Co., 1962.

III. ARTIGOS

BENFIELD, W. A. "The Historical Books", *Understanding the Books of the Old Testament: A Guide to Bible Study for Laymen.* Editado por Patrick H. Carmichael. Richmond, Virginia: John Knox Press, 1950, pp. 65-88.

DRUM, Walter. "Judges". *The Catholic Encyclopedia,* Vol VIII. Editado por Charles Herbermann, *et al.* Nova York: The Encyclopedia Press, 1913, pp. 547-49.

GEDEN, A. S. "Judges, Book of ". *The International Standard Bible Encyclopedia,* Vol. III. Editado por James Orr, *et al.* Grand Rapids: Wm. E. Eerdmans Publishing Co., 1939, pp. 1772-75.

O Livro de
RUTE

R. Clyde Ridall

Introdução

A. Título

O título deste livro é derivado do nome de sua personagem principal, Rute, uma mulher moabita. Ela é a bisavó do rei Davi, mas é pura conjectura a questão de ela ter sido realmente uma filha de Eglom, rei de Moabe, como diz a tradição judaica.

B. Autor

O livro de Rute é anônimo. Tem-se atribuído sua autoria a Samuel, a Ezequias ou a Esdras. À luz das poucas informações de que dispomos, a única resposta válida é que não sabemos quem foi o autor inspirado deste registro da obra de Deus nas vidas de pessoas que viveram no período dos juízes.

C. Data

Alguns críticos têm afirmado que este livro foi escrito na época dos últimos reis de Israel ou até mesmo depois da volta dos judeus da Babilônia. Eles dizem que (a) os termos *lahan*[1] e *mara*[2] são aramaicos e apontam para um período posterior de composição. Mas essa afirmação não é convincente, pois o hebraico (assim como o ugarítico) continha aramaísmos desde o início. É fato que (b) Davi é mencionado pelo nome (4.22), mas isso não pode ser considerado prova cabal de que o livro tenha sido escrito várias gerações depois, quando este nome se tornou o título de uma dinastia. Se foi realmente assim, devemos perguntar por que o nome de Salomão não foi citado também. É inegável que (c) o estranho costume de tirar os sapatos para renunciar a um pedido (4.7) não era mais praticado quando este livro foi escrito. Nem mesmo isto é evidência conclusiva para uma data posterior. Os críticos argumentam que (d) o autor de Rute estava familiarizado com Deuteronômio[3] e o livro de Juízes, possuidor de um caráter deuteronômico. Mas se for aceita a visão tradicional da origem e das datas desses dois livros, nada seria mais natural do que o fato de o autor de Rute estar familiarizado com seu conteúdo. Finalmente, (e) os críticos apontam para um número de palavras em Rute que, segundo eles, estavam ausentes do vocabulário hebraico do período de Davi. Mas este argumento deve ser rejeitado porque os poucos trechos da literatura hebraica que restaram deste período são escassos para justificar uma inferência tão ampla.

Os eventos narrados em Rute aconteceram duas gerações[4] antes de Davi nascer. Desconhecemos quanto tempo depois o Espírito Santo inspirou o autor a registrá-los. Contudo, uma vez que Davi é citado de maneira específica, parece seguro presumir que o livro não foi escrito antes de seu nascimento. Além disso, existem expressões em Rute que podem conectá-lo com o período geral da monarquia davídica, como, por exemplo, (a) "Assim me faça Deus e outro tanto"[5], (b) "toda a cidade se comoveu"[6] e (c) "caiu-lhe em sorte"[7]. A partir disso, este autor sugere que a data mais provável de composição do livro de Rute foi o reinado de Davi.

D. Historicidade

O livro não é nem mito nem lenda. É claramente uma narrativa histórica. Os incidentes relatados aqui ocorreram num período de tempo específico, a saber, "nos dias em que os juízes julgavam" (1.1). A linguagem é simples e franca, jamais apologética. Cada referência aos costumes daquele período é precisa e factual. Durante aqueles primeiros dias havia paz entre Israel e Moabe (1 Sm 22.3,4)[8] e aparentemente não era proibido o casamento misto entre os descendentes de Abraão e os de Ló (Gn 19.38). Pode ser que Deuteronômio 23.3 se aplique apenas a moabitas e amonitas do sexo masculino. Além disso, parece pouco provável que um escritor de ficção tivesse "inventado" uma ancestral de Davi que fosse de origem moabita. Seria mais lógico preencher este espaço usando uma israelita em vez de uma estrangeira, especialmente se o autor tivesse vivido depois do exílio (Ed 9.2; 10.3). Também é significativo o fato de Mateus incluir o nome de Rute na genealogia de Jesus Cristo (Mt 1.5) e que a lista inspirada de Lucas siga a mesma linha (Lc 3.32). Portanto, este autor conclui que Rute é uma pessoa histórica e o registro de sua vida apresentado aqui é um relato preciso.

E. Propósito

O livro foi escrito para fornecer um "elo perdido" na linhagem dos ancestrais de Davi (4.17-22). Desse modo, ele se torna um importante "ramo" da "árvore" genealógica de nosso Senhor. Uma vez que Cristo morreu pelo mundo todo (2 Co 5.15), é bastante adequado que alguns de seus ancestrais "segundo a carne" (Rm 1.3) fossem gentios.[9]

Rute também nos fornece valiosos lampejos para uma vida doméstica mais feliz neste período. O livro já foi chamado de história de amor. Ele é, na verdade, a história de um grande homem debaixo da orientação e da bênção de Deus. Este livro revela que a nobreza e a graça não desapareceram de Israel, até mesmo naqueles dias mais rudes de agitação e anarquia. A verdadeira piedade e simplicidade do modus vivendi nunca deixaram de existir, nem mesmo no meio de um período tão rústico.

F. Posição

Na Bíblia hebraica moderna este livro está colocado no *Megilloth*[10] e é lido publicamente na Festa das Semanas[11] (no tempo da colheita). Contudo, até por volta do ano 450 de nossa era, o livro de Rute era considerado uma continuação de Juízes. Em sua lista de livros inspirados, Josefo[12] aparentemente considera Juízes e Rute como um único livro. Ao que tudo indica, Jerônimo[13] deixa implícito que os dois estavam juntos no cânon hebraico. Rute aparece na LXX e na Vulgata logo depois de Juízes (como em nossas versões atuais). Não se sabe *por que* nem *como* o livro saiu de sua posição original junto aos "Profetas Anteriores" e foi parar no Hagiógrafo (ou Escritos), a terceira divisão do cânon hebraico.

Esboço

I. A TRAGÉDIA ATINGE UMA FAMÍLIA HEBRÉIA, 1.1-22

    A. Um Viúva Solitária, 1.1-5
    B. Uma Decisão Difícil, 1.6-14
    C. A Devoção de Rute, 1.15-18
    D. Duas Estranhas em Belém, 1.19-22

II. RUTE VAI APANHAR ESPIGAS JUNTO AOS SEGADORES, 2.1-23

    A. Rute Encontra Boaz, 2.1-7
    B. Boaz Conversa com Rute, 2.8-13
    C. Rute Come com Boaz, 2.14-16
    D. Um Parente de Sangue, 2.17-23

III. O ESTRANHO PEDIDO DE RUTE, 3.1-18

    A. Noemi Aconselha Rute, 3.1-5
    B. Boaz Faz um Voto, 3.6-13
    C. Rute Volta a Noemi com um Presente, 3.14-18

IV. BOAZ REDIME A HERANÇA DE ELIMELEQUE, 4.1-22

    A. Um Remidor Muda de Idéia, 4.1-6
    B. Um Casamento em Belém, 4.7-12
    C. O Nascimento de Obede, 4.13-17
    D. A Genealogia do Rei Davi, 4.18-22

Seção I
A TRAGÉDIA ATINGE UMA FAMÍLIA HEBRÉIA

Rute 1.1-22

A. Um viúva solitária, 1.1-5

O pano de fundo dos eventos relatados no livro de Rute é uma fome em Israel **nos dias em que os juízes julgavam** (1), o que forçou a emigração de uma pequena família de Belém, em Judá, para a terra de Moabe, a sudeste da Palestina (veja mapa). A expressão **peregrinar** significa viver na situação de estrangeiro residente. O nome do pai da família era **Elimeleque** (2), que significa "Deus é [o seu] rei". **Noemi** ("deleite, prazer") e dois filhos, **Malom** ("doente, fraco") e **Quiliom** ("definhando" ou "decaindo"), completavam a família. Eles eram **efrateus**, um termo que normalmente se refere à tribo de Efraim. Contudo, como Boaz, o remidor, era claramente da tribo de Judá (4.18-21; Mt 1.3-5), neste caso **efrateus** é provavelmente derivado de Efrata, um termo do Antigo Testamento intimamente relacionado com Belém (Gn 35.19; 48.7; Rt 4.11; 1 Cr 4.4; Mq 5.2).

Tanto Malom como Quiliom se casaram com moças moabitas: **Orfa** (4) e **Rute** ("amizade" ou "amiga").[1] Os três homens da família morreram durante os dez anos de residência em Moabe e Noemi ficou sozinha com suas duas noras.

B. Uma decisão difícil, 1.6-14

Quando Noemi ouviu que a fome em Israel havia acabado, resolveu voltar para casa acompanhada de suas duas noras. Noemi pediu às duas mulheres mais novas que voltassem para suas casas em Moabe, na esperança de que ambas pudessem se casar novamente e, assim, acharem **descanso** (9), ou seja, que formassem um lar com um marido de seu próprio povo. O versículo 11 é uma referência à lei do levirato (Dt 25.5,6), que exigia que um homem se casasse com a viúva de seu irmão se este morresse e não deixasse filhos. Esta lei é mencionada pela primeira vez em relação a Judá e Tamar (Gn 38.8-11) e foi o tema principal da argumentação contra a imortalidade proposta pelos saduceus em Marcos 12,19. **A mão do Senhor se descarregou contra mim** (13) – A atitude submissa de Noemi faz paralelo com a história de Jó (Jó 1.21). Neste momento de decisão, **Orfa beijou a sua sogra** e afastou-se; **porém Rute se apegou a ela** (14).

C. A devoção de Rute, 1.15-18

Noemi pediu mais uma vez para que Rute voltasse, mas a jovem permaneceu firme. Sua resposta é uma das mais memoráveis promessas de devoção e amor encontradas em toda a literatura: **Não me instes para que te deixe e me afaste de ti; porque, aonde quer que tu fores, irei eu e, onde quer que pousares à noite, ali pousarei eu; o teu povo é o meu povo, o teu Deus é o meu Deus. Onde quer que morreres, morrerei eu e ali serei sepultada; me faça assim o Senhor e outro tanto, se outra coisa que não seja a morte me separar de ti** (16,17). Esta terna amizade humana é similar à de Davi e Jônatas (1 Sm 20.17,41) e à de Cristo e os apóstolos (Jo 15.9,15). Além disso, é o reflexo de uma firme decisão religiosa. [2] Rute estava determinada a abandonar os deuses de Moabe e tornar-se seguidora do Deus de Israel juntamente com Noemi. Ela viu alguma coisa nas vidas e na fé daqueles israelitas que fez com que ela se aproximasse não apenas deles, mas também do Senhor Jeová.

O fato de Rute ser recebida na situação em que estava pode indicar que as restrições divinas contra os descendentes de Moabe haviam sido removidas (Dt 23.3) ou que tais restrições se aplicavam apenas aos moabitas do sexo masculino.

"A grande escolha de Rute" é resumida nos versículos 14 a 18 num retrato preciso da opção que uma pessoa faz quando se torna um cristão. Ela foi (1) uma escolha de convicção, e não de emoção, conforme se vê no contraste com Orfa (v. 14); (2) uma escolha feita apesar de todas as dificuldades (veja vv. 11-13); (3) a escolha em favor de um povo (v. 16); (4) a escolha de um objeto supremo de devoção (v. 16); (5) uma escolha sem opção de voltar atrás (vv. 17,18).

D. Duas estranhas em Belém, 1.19-22

Noemi – em torno de quem gira a história – e Rute chegaram a Belém no começo da colheita da cevada. Toda a vila se agitou com sua chegada e as mulheres perguntavam: "É realmente Noemi?". Tal como muitos antes e milhões desde então, Noemi ficou tentada a colocar em Deus a culpa por seu infortúnio. **Não me chameis Noemi** (20), respondeu ela; **chamai-me Mara**, um nome que significa "amargura" ou "tristeza". **Pois o Senhor testifica contra mim** (21), "o Senhor me humilhou", na LXX. **O Todo-poderoso me tem afligido tanto** significa que Deus a "quebrou em pedaços".

Seção II

RUTE VAI APANHAR ESPIGAS JUNTO AOS SEGADORES

Rute 2.1-23

A. Rute encontra Boaz, 2.1-7

Na busca de um meio de sobreviver, Rute vai para os campos recolher aquilo que os segadores deixavam para trás, um privilégio concedido aos pobres pela lei (cf. Dt 24.19-21). O termo **espigas** (2) pode se referir a trigo, cevada ou grãos de qualquer tipo e não apenas ao milho que encontramos nas três américas. **Caiu-lhe em sorte** (3) ou "por casualidade" (ARA) ir para o campo de um parente de Elimeleque, um homem de posses chamado Boaz, o que certamente foi uma questão de providencial orientação.[1]

O próprio Boaz foi verificar o progresso de sua plantação naquele dia. Ao cumprimentar os segadores com a tradicional saudação judaica: **O Senhor seja convosco** (4), ele percebeu a presença da viúva moabita que trabalhava nas proximidades. Ao ser informado de sua identidade e da diligência com que trabalhava, ele se aproximou dela para conversar. **A não ser um pouco que esteve sentada em casa** (7) dá a idéia de que ela trabalhou praticamente o dia inteiro, a não ser por uns poucos momentos de ausência. O mesmo termo é usado em Deuteronômio 23.13.

B. Boaz conversa com Rute, 2.8-13

Boaz conversou com Rute e a instruiu para que ficasse perto das moças cujo trabalho era juntar o feixe de espigas depois de os segadores terem tirado os grãos. A expressão: **não ouves, filha minha?** (8) sugere que Boaz era mais velho que Rute. Ele ordenara aos rapazes que não a molestassem. Ela recebeu permissão para beber água dos vasos trazidos pelos próprios servos de Boaz.

Quando Rute expressou sua surpresa por ser tratada tão generosamente, apesar de sua condição de estrangeira, Boaz respondeu que ele já fora informado da bondade com que Rute tratara sua sogra Noemi desde a morte de seu marido e que, naquele momento, ela deixara seus pais e sua terra natal para habitar entre estrangeiros. Lealdade e fé religiosa sincera são companheiras de toda pessoa de bom raciocínio. **O Senhor galardoe o teu feito**, disse Boaz, **e seja cumprido o teu galardão do Senhor, Deus de Israel, sob cujas asas te vieste abrigar** (12) – outra indicação do caráter religioso da grande escolha de Rute (cf. comentário de 1.16,17). Ela se tornou uma prosélita judaica.

C. RUTE COME COM BOAZ, 2.14-16

Na hora da refeição do meio do dia, Rute foi convidada por Boaz para comer com ele e seus segadores. A refeição consistiu de **trigo tostado** e **pão** molhado **no vinagre** (14), que pode ter sido vinho amargo ou vinagre de vinho. **Levantando-se ela a colher** (15) indica que Rute deixou o grupo e voltou à sua tarefa antes de os trabalhadores retornarem ao trabalho. Então Boaz instruiu seus servos para que favorecessem Rute e não fizessem algo que a embaraçasse.

D. UM PARENTE DE SANGUE, 2.17-23

O resultado do trabalho do primeiro dia de Rute **foi quase um efa de cevada**, ou dez ômeres (Êx 16.36), cerca de 18 litros de grãos. Quando Rute falou com sua sogra sobre os eventos daquele dia e relatou a bondade de Boaz, Noemi deixou clara sua apreciação pela estima daquele homem. **Bendito seja do Senhor, que ainda não tem deixado a sua beneficência nem para com os vivos nem para com os mortos** (20). Beneficência é a tradução da palavra hebraica *chesed*, também traduzida como "lealdade", "misericórdia", "benignidade" ou "bondade". Ela dá a idéia de fazer mais do que se é exigido pela lei, princípio comunicado pela palavra "graça" no Novo Testamento. **Este homem é nosso parente chegado e um dentre os nossos remidores** (20) indica que Boaz não era o parente mais próximo. Este parente mais próximo (heb. *goel*) tinha o direito de resgatar um campo que fora vendido (Lv 25.25). Era sua tarefa vingar o sangue derramado (Nm 35.19) e casar-se com a viúva de um irmão falecido (Dt 25.5-10). Boaz não tinha esses direitos e obrigações, mas era o próximo na linhagem. É possível que o termo hebraico possa ser traduzido como "ele é o próximo depois do nosso *goel*". O termo *goel* significa basicamente "remidor" ou "protetor, vindicante" (Jó 19.25). [2]

Noemi insistiu para que sua nora ficasse com as servas de Boaz durante toda a colheita da cevada e do trigo. **Para que noutro campo não te encontrem** (22) também pode ter o sentido de "para que em outro campo nenhum homem te moleste". O termo traduzido como **encontrem** é freqüentemente usado com a idéia de lançar-se com intenção de ferir.

Seção III

O ESTRANHO PEDIDO DE RUTE

Rute 3.1-18

A. NOEMI ACONSELHA RUTE, 3.1-5

Com o término da colheita, Noemi coloca em prática seu plano em relação a Rute. Cheia da intuição feminina, ela talvez tenha percebido a possibilidade do interesse de Boaz por sua nora. Ela expressou o desejo de **buscar descanso** (1) para aquela mulher moabita, um termo que significa segurança no casamento ou encontrar um lar (cf. 1.9). Rute foi instruída para tomar um banho, ungir-se, colocar uma roupa ("um manto" ou um tipo de xale ou véu, normalmente uma peça quadrada de tecido que servia como vestimenta exterior, mas que era usada de diversos modos – Gn 9.23; Êx 12.34; Dt 22.17; Jz 8.25; 1 Sm 21.9 – provavelmente "os teus melhores vestidos" – ARA) e que fosse ao lugar onde Boaz estaria para limpar a cevada na eira.

Quando Boaz tivesse terminado de comer e beber e fosse se deitar, Rute deveria marcar bem o lugar. Então, ela deveria entrar, descobrir os pés dele e deitar-se. Boaz lhe diria o que fazer em seguida. Com um espírito de obediência ao conselho de Noemi e com a disposição de uma mulher que busca o casamento e um lar, Rute concordou em seguir suas instruções: **Tudo quanto me disseres farei** (5).

B. BOAZ FAZ UM VOTO, 3.6-13

Rute fez conforme lhe foi dito. Boaz fez sua cama ao lado de um monte de grãos, provavelmente para guardá-los dos ladrões. Depois de pegar no sono, Rute veio **de mansinho, e lhe descobriu os pés, e se deitou** (7). À meia-noite, Boaz **estremeceu** – melhor "assustou-se" (ARA) – e, quando se virou, encontrou uma mulher aos seus pés.

O ESTRANHO PEDIDO DE RUTE   RUTE 3.9-18

"Quem é você", perguntou ele. "Sou Rute, a sua serva", respondeu ela. **Estende, pois, tua aba sobre a tua serva, porque tu és o remidor** (9). O pedido seria compreendido como um desejo de que Boaz cumprisse a tarefa de remidor em relação à viúva de seu parente falecido.[1]

Boaz indicou sua disposição. **Após nenhum jovem foste** (10) deixa mais uma vez implícito que Boaz era mais velho que Rute. Ele já tivera abundante testemunho do caráter virtuoso daquela jovem. **Toda a cidade do meu povo** (11), literalmente "todo o portão do meu povo", ou seja, o conselho de anciãos que se encontrava nos portões da cidade. Só haveria uma possível complicação. Havia um parente mais próximo que deveria ser consultado em primeiro lugar. Boaz prometeu vê-lo pela manhã, e comprometeu-se por meio de um voto: **vive o Senhor** (13).

C. RUTE VOLTA A NOEMI COM UM PRESENTE, 3.14-18

Rute deita-se calmamente até a manhã, conforme Boaz orientou. Embora os procedimentos estivessem de acordo com as práticas sociais da época, Boaz sabiamente protegeu a reputação tanto de Rute como a sua própria por meio da ordem dada aos seus servos: **Não se saiba que alguma mulher veio à eira** (14). Então, enquanto ainda estava muito escuro para que alguém fosse reconhecido, Boaz derramou **seis medidas** (15) de cevada no véu de Rute e a despediu. Não há indicação da medida usada, tanto no texto hebraico como na LXX. Se fosse um ômer, seria o equivalente a quase quatro litros. Rute foi até Noemi e esta lhe perguntou: **Como se te passaram as coisas?** Depois de contar o que acontecera, Noemi disse: "Apenas seja paciente, minha filha. Este homem não descansará até que resolva esta questão ainda hoje".

Seção **IV**

BOAZ REDIME A HERANÇA DE ELIMELEQUE

Rute 4.1-22

A. Um remidor muda de idéia, 4.1-6

Logo cedo, na manhã seguinte, **Boaz subiu à porta** (1). O portão da cidade era o lugar onde os anciãos se encontravam para a administração da justiça e resolução dos problemas do povo.[1] Quando o parente mais próximo de Elimeleque apareceu, Boaz o chamou e disse: **Ó fulano, desvia-te para cá e assenta-te aqui**. Chamou também dez dos anciãos, número que, aparentemente, era o *quorum* para qualquer tipo de ação oficial. Boaz contou ao outro parente a intenção que Noemi tinha de resgatar um campo que pertencera a Elimeleque e perguntou se o homem tinha interesse em comprá-lo. Não se sabe mais nada sobre esta transação a não ser esta breve menção. Uma vez que, nos tempos do AT, uma propriedade deveria permanecer dentro da família e da tribo, era necessário que a venda fosse feita a um parente próximo. **Manifestá-lo-ei em teus ouvidos** é mais compreensível do como está na ARA: "Resolvi, pois, informar-te disso".

Como o homem manifestou sua disposição de comprar a propriedade, como era esperado de um *goel* ou remidor (Lv 25.25), Boaz afirmou depois que, com a redenção do campo, o homem também precisaria ficar com a viúva, ou seja, Rute. Neste ponto, o remidor faz objeção: **Para mim não a poderei redimir, para que não cause dano à minha herdade** (6). Talvez seja por isso que a lei especificava que o campo seria dado ao primeiro filho de Rute, que seria considerado o filho de seu falecido marido, e o remidor não estava disposto a ter esta perda. Por causa disso, ele transferiu suas responsabilidades nessa questão para Boaz, o próximo parente na seqüência.

B. Um casamento em Belém, 4.7-12

O versículo 7 indica um lapso de tempo entre os eventos descritos e o registro da história. Era costume antigo que, nos casos de **remissão e contrato** (7) que envolvessem propriedades, aquele que fazia a transação tiraria suas sandálias e as daria ao outro como confirmação do acordo. Foi isso o que fez o remidor, e a transferência foi devidamente testemunhada. Os presentes expressaram a Boaz o desejo de que o Senhor fizesse a Rute **como a Raquel e como a Léia, que ambas edificaram a casa de Israel** (11), por meio de seus filhos. É feita uma menção especial a **Perez (que Tamar teve de Judá)** (12), visto que ele foi o ancestral por meio de quem surgiu o clã de Belém. Os filhos eram a maior bênção do lar hebreu e eram grandemente desejados.

C. O nascimento de Obede, 4.13-17

Uma grande felicidade invadiu aquela pequena família quando nasceu Obede. Ninguém estava mais feliz que Noemi, que via a criança como um filho seu e como a perpetuação de sua família em Israel. Por sua vez, ele se tornou pai de Jessé, o genitor de Davi, o maior rei de Israel.

D. A genealogia do rei Davi, 4.18-22

O livro de Rute termina com uma breve genealogia ou histórico familiar de Davi, ao partir de Perez, o filho mais velho de Judá com Tamar, sua nora (Gn 38.29). A genealogia inclui **Esrom,** "fechado, murado", **Arão,** "alto", **Aminadabe,** "parente do príncipe", **Naassom,** "encantador" e o pai de Boaz, **Salmom,** "vestido".

Assim, à humilde, mas devotada moabita Rute, foi dada a sublime honra de ter um lugar na sucessão de ancestrais do maior rei de Israel e do maior Filho de Davi, Jesus, o Messias (Mt 1.5,16; Lc 3.23,32). A história parece terminar como um conto de fadas no qual a heroína viveu feliz para sempre. Mas a história de uma vida boa e piedosa nunca é um paraíso. Nenhum homem ou mulher que serve a Deus alcança tudo o que deseja. A vida da pessoa piedosa tem alguns desapontamentos, mas ainda assim é infinitamente mais rica e mais satisfatória do que uma existência sem Deus. Todo homem e mulher que se identificam com Deus e com seu povo vivem para se regozijar com esta decisão. Todo aquele que, como Orfa, se afasta, sempre se arrepende de sua decisão. "O caminho dos ímpios perecerá" (Sl 1.6), "mas a vereda dos justos é como a luz da aurora, que vai brilhando mais e mais até ser dia perfeito" (Pv 4.18).[2]

Notas

INTRODUÇÃO
[1] "Porquanto" (1.13).
[2] "Amargura" (1.20).
[3] Cf. Rt 4.7 e Dt 25.7,9.
[4] Talvez sessenta anos.
[5] Cf. Rt 1.7; 1 Sm 3.17; 14.44; 1 Rs 2.23.
[6] Rt 1.19; 1 Sm 4.5; 1 Rs 1.45;
[7] Rt 2.3; 1 Sm 6.9; 20.26.
[8] Esta afirmação não é negada pelo fato de Davi ter se refugiado em duas oportunidades em Gate em vez de em Moabe (1 Sm 21.10; 27.2). Tal decisão foi tomada em função da proximidade de Gate.
[9] Raabe também era gentia (Mt 1.5; cf. Is 56.1-8; At 10.34,35; Rm 3.29; 1 Co 12.13; Gl 3.28; Cl 3.11).
[10] I.e., *rolos*, viz., Rute, Cantares, Eclesiastes, Lamentações e Ester.
[11] I.e., Pentecostes.
[12] Em sua obra intitulada *Contra Apionem*.
[13] Em sua obra intitulada *Prologus Galeatus*.

SEÇÃO I
[1] Rute era esposa de Malom, provavelmente o filho mais velho (4.10).
[2] Cf. A. Macdonald, "Ruth"; *The New Bible Commentary*, editado por F. Davidson, *et al.* (Grand Rapids: Wm. B. Eerdmans Publishing Co., 1954), p. 259.

SEÇÃO II
[1] Cf. Robert A. Watson, "The Book of Ruth", *The Expositor's Bible*, editado por F. Robertson Nicoll (Grand Rapids: Wm. B. Eerdmans Publishing Company, 1943), I, pp. 389-94.
[2] Cf. Macdonald, *op. cit.*, p. 260.

SEÇÃO III
[1] Cf. Macdonald, *op. cit.*, p. 261.

SEÇÃO IV
[1] "Os muros das cidades do oriente eram largos e, conseqüentemente, o portão era um pequeno túnel que fornecia sombra e brisa fresca. Era ali que os homens da cidade se reuniam" (A. Macdonald, *op. cit.*, p. 261).
[2] Cf. Watson, *op. cit.*, pp. 416-20.

Bibliografia

I. COMENTÁRIOS

BAXENDALE, Walter. "The Preacher's Commentary on the Book of Ruth", *The Preacher's Complete Homiletical Commentary on the Old Testament*. Nova York: Funk & Wagnalls, 1892.

BETTAN, Israel. *The Five Scrolls*. Cincinnati: Union of American Hebrew Congregational, 1950.

CLARKE, Adam. *A Commentary and Critical Notes*, Vol. II. Nova York: Abingdon-Cokesbury, s.d.

COOKE, G. A. *The Book of Ruth*. "The Cambridge Bible for Schools and Colleges". Cambridge: Cambridge University Press, 1918.

DUMMELOW, J. R. (ed.). "Ruth", *A Commentary on the Holy Bible*. Nova York: Macmillan Company, 1940.

EXELL, Joseph Samuel (ed.). "Ruth", *The Biblical Illustrator*. Grand Rapids: Baker Book House, 1958.

KEIL, C. F., e Delitzsch, F. *Joshua, Judges, Ruth*. "Biblical Commentary on the Old Testament". Grand Rapids, Michigan: Wm. E. Eerdmans Publishing Co., 1950 (reimpressão).

MACDONALD, A. "Ruth", *The New Bible Commentary*. Editado por F. Davidson, *et al*. Grand Rapids: Wm. E. Eerdmans Publishing Co., 1954.

MORISON, James. "Ruth," *The Pulpit Commentary*, editado por H. D. M. Spence e Joseph S. Exxell. Nova edição, vol. VIII. Chicago: Wilcox & Follett, s.d.

PFEIFFER, Charles F. (ed.). "Ruth", *The Wycliffe Bible Commentary*. Chicago: Moody Press, 1962.

POORE, L. A. "The Book of Ruth", *The Twentieth Century Bible Commentary*. Editado por G. Henton Davies, *et al*. Edição revisada. Nova York: Harper and Brothers, 1955.

ROWLEY, H. H. "The Marriage of Ruth", *The Servant of the Lord and Other Essays on the Old Testament*. Londres: Lutterworth Press. Publicado primeiramente na *Harvard Theological Review*, XL (1947).

SLOTKI, J. R. *The Five Megilloth*. Editado por Abraham Cohen. Londres & Bournemouth: The Soncino Press, 1952.

STRAHAN, James. "Ruth", *A Commentary on the Bible*. Editado por Arthur S. Peake. Nova York: Thomas Nelson & Sons, s.d.

VERHOEF, P. A. "Ruth". *The Biblical Expositor*. Editado por Carl F. H. Henry. 2ª Edição, Vol. I. Filadélfia: A. J. Holman Co., 1960.

WATSON, Robert A. "The Book of Ruth", *The Expositor's Bible*. Editado por W. Robertson Nicoll, vol. I. Grand Rapids: Wm. E. Eerdmans Publishing Co., 1943.

II. PESQUISAS

CHAPPELL, Clovis G. *Feminine Faces*. Nova York: Abingdon-Cokesbury, 1942.

DEEN, Edith. *All of the Women of the Bible*. Nova York: Harper and Brothers, 1955.

MORGAN, G. Campbell. *Living Messages of the Books of the Bible*, vol. I. Nova York: Revell, 1912.

MORTON, H. V. *Women of the Bible*. Nova York: Dodd, Mead, & Company, 1952.

SIMEON, Jeannette. *Some Women of the Old Testament*. Londres: Allenson, 1905.

III. ARTIGOS

GEDEN, A. S. "Ruth, Book of", *The International Standard Bible Encyclopedia*, Vol. IV. Editado por James Orr, *et al*. Grand Rapids: Wm. E. Eerdmans Publishing Co., 1939, pp. 2628ss.

GIGOT, Francis E. "Ruth", *The Catholic Encyclopedia*, Vol. XIII. Editado por Charles G. Herbermann, *et al*. Nova York: The Encyclopedia Press, 1913, pp. 276ss.

Os Livros de
1 E 2 SAMUEL

W. T. Purkiser

Introdução

Os dois livros de Samuel são os primeiros dos seis "livros duplos" que originalmente não estavam divididos e que perfaziam um total de três: Samuel, Reis e Crônicas. Samuel e Reis são encontrados no cânon hebraico ao lado de Josué e Juízes em uma seção conhecida como "Os Profetas Anteriores". Juntos, estes livros contêm o registro histórico iniciado por Josué e a travessia do Jordão e estendem-se até o período do exílio babilônico.

Na Septuaginta, a tradução grega do Antigo Testamento hebraico, os volumes, originalmente não divididos, foram separados. Os dois livros de Samuel foram chamados de Primeiro e Segundo dos Reinos, e os nossos *1* e *2 Reis* eram chamados de Terceiro e Quarto dos Reinos. Jerônimo adotou nomes similares na Vulgata Latina, a fim de chamá-los de Primeiro, Segundo, Terceiro e Quarto Reis, uma prática refletida nos subtítulos da versão inglesa do rei Tiago, conhecida como "King James Version" ou apenas KJV, "O Primeiro Livro de Samuel, outrora chamado O Primeiro Livro de Reis" e "O Primeiro Livro de Reis, comumente chamado de O Terceiro Livro de Reis".

A. Autoria e Data

Os livros de Samuel são anônimos no que se refere à autoria, embora tenham recebido o nome do grande profeta-juiz, cuja obra é descrita em algum detalhe em 1 Samuel 1–8. Uma vez que a morte de Samuel é descrita em 1 Samuel 25.1, ele não poderia ter escrito os livros da maneira como se encontram hoje. Porém, uma das funções do profeta era agir como historiador, e é possível que ele tenha deixado anotações ou registros que foram incorporados aos livros. Temos informações de um livro escrito por Samuel e colocado por ele "perante o Senhor" (1 Sm 10.25); em 1 Crônicas 29.29 há uma referência ao relato dos atos de Davi num livro chamado "crônicas de Samuel, o vidente".

As mais importantes teorias a respeito da autoria e da composição dos livros de Samuel variam em detalhes. Em adição à história de "Samuel, o vidente", outras fontes do período abrangido pelos registros de 1 e 2 Samuel são mencionadas no Antigo Testamento, tais como as "crônicas do profeta Natã" e as "crônicas de Gade, o vidente" (1 Cr 29.29). Entretanto, a afirmação relativa à duração do reinado de Davi em 2 Samuel 5.4 deixa claro que os livros não poderiam ter assumido sua presente forma antes de algum tempo depois do reinado de Davi. Referências ocasionais a condições ou marcos existentes "até ao dia de hoje" (1 Sm 5.5; 6.18; 27.6) parecem apontar para uma data posterior à época de Salomão, mas anterior ao exílio babilônico – provavelmente para o período da monarquia dividida, entre 931 e 721 a.C. O texto de 1 Samuel 9.9 mostra que o termo "profeta" veio para substituir a palavra anterior, "vidente".

O estudo conservador está mais inclinado para a idéia de que 1 e 2 Samuel foram compilados, em grande parte, das fontes já mencionadas, isto é, os livros de Samuel, Natã e Gade. As vidas destes três profetas cobriram todo o período. Há pequenas indicações nos próprios livros de que pequenas fontes foram empregadas, tais como dois relatos da advertência feita a Eli (1 Sm 2.29-36; 3.11-14) e da guerra dos amalequitas (1 Sm 14.48; 15.1-35), ou das repetidas explicações das conexões da família de Davi (1 Sm 16.11-

13; 17.12). Porém, não há necessidade de supor que esses dois relatos antagônicos tenham sido inadvertidamente inseridos por algum editor do século VI, como se alega. [1]

O material certamente representa uma história da mais verdadeira e alta qualidade, isto é, trata-se da avaliação dos eventos a partir do ponto de vista de uma grande idéia. Esta grande idéia tornou-se a inspiração dos líderes proféticos de Israel em épocas posteriores e justifica plenamente o lugar dado a esses livros dentre os "Profetas Anteriores" na parte das Escrituras Sagradas chamada *Nebhiim* ou Profetas. A verdade tão bem ilustrada é que a história realmente é "a sua história", a revelação dos atos poderosos de Deus nos acontecimentos humanos, a fim de recompensar a retidão e punir o pecado. Os sucessos de Israel são vistos por toda parte como a defesa de Deus e de seus propósitos e promessas. Os fracassos e derrotas da nação são claramente mostrados como resultado da rebelião e do pecado. Toda a história é uma ilustração viva da verdade condensada em Provérbios 14.34, uma pequena afirmação de longa observação: "A justiça exalta as nações, mas o pecado é o opróbrio dos povos".

B. Cronologia

A cronologia deste período não pode ser estabelecida com absoluta certeza. Há muitos indicadores temporais que apontam para 931 a.c. como a data da morte de Salomão e da divisão do reino. Como há uma afirmação de co-regência entre os reinos de Davi e Salomão (1 Rs 1.32-40), não é possível simplesmente adicionar os oitenta anos atribuídos aos dois reinos para se descobrir a data da morte de Saul. Uma atribuição razoável para as datas de Samuel, Saul e Davi seria: [2]

Nascimento de Samuel	1115 a.C.
Chamado de Samuel	1105 a.C.
Samuel se torna juiz	1070 a.C.
Unção de Saul como rei	1043 a.C.
Morte de Samuel	1025 a.C.
Davi torna-se rei	1010 a.C.
Morte de Davi	970 a.C.

C. Arqueologia do Período

Apesar de o período de um século e meio abrangido pelos livros de Samuel ser o mais importante momento entre o êxodo e o exílio, além de ser amplamente coberto pelos livros bíblicos, a arqueologia do período ainda não foi totalmente produzida.

Explorações na planície litorânea da Palestina revelaram um grande número de fósseis dos filisteus, os maiores inimigos de Israel durante os dias de Samuel e Saul. O próprio nome, *Palestina,* é derivado do termo filisteu. Os fragmentos de cerâmica mostram uma conexão próxima com a cultura *egéia* da Grécia e atualmente há pouca dúvida de que os filisteus tenham sido originalmente um povo de origem grega, mais precisamente da ilha de Creta.

Os filisteus também foram pioneiros no uso do ferro no Oriente Médio e desfrutavam do monopólio completo do trabalho com metal na época de Saul. A língua dos filisteus é desconhecida, uma vez que não foram deixadas inscrições. Entretanto, numerosas evidências de sua religião foram descobertas na escavação de dois templos em Bethsan, feitas por Fisher, Rowe e Fitzgerald entre 1921 e 1933. Um destes templos é, sem dúvida, um local onde a armadura de Saul foi levada após sua morte na batalha do monte Gilboa. [3]

Outro item da época de Saul é a escavação na fortaleza de Gibeá por William F. Albright em 1922 e 1923. Hoje conhecidas como Tell el-Ful, distantes aproximadamente cinco quilômetros ao norte de Jerusalém, essas ruínas da Gibeá bíblica revelam um estabelecimento anterior no local, o qual foi queimado no final do século XII a.C., provavelmente na época dos eventos descritos em Juízes 19 e 20. A segunda ocupação aconteceu cerca de um século mais tarde.

Em um segundo nível, datado como no tempo de Saul, foi encontrada uma fortaleza de dois pavimentos. Ela foi construída com paredes duplas e uma torre em cada extremidade. Vasos de cerâmica dão idéia do que tem sido chamado de "uma certa medida de luxo rústico". Um arado de ferro encontrado nas ruínas indica alguma atividade agrícola na região. Este era, sem dúvida, o quartel-general de Saul durante as guerras filistéias. Ele foi destruído e ficou abandonado por alguns anos, provavelmente após a morte deste rei. Foi construída uma outra fortaleza no mesmo lugar, só que em escala menor. [4]

No Sudeste da Palestina foram construídas várias cidades fortificadas na época de Davi, caracterizadas pelas assim chamadas paredes de casamata. Estas edificações eram paralelas e relativamente finas, suportadas por paredes transversais entre elas, a fim de dar um efeito de grande força e solidez. A disposição das fortificações sugeriria defesa contra os filisteus.

A conquista da fortaleza jebusita em Jerusalém tem um destaque arqueológico interessante. Davi disse: "Qualquer que ferir os jebuseus, (...) será cabeça e capitão". A ARA traz a seguinte tradução: "Todo o que está disposto a ferir os jebuseus suba pelo canal subterrâneo". Os arqueólogos encontraram um canal vertical, coberto pelas rochas sobre as quais a cidade foi construída, que levava a um tanque alimentado pela Fonte da Virgem, do lado oposto da vila de Siloé. Este canal teria permitido às tropas o acesso à água do tanque sem que tivessem que passar por suas paredes fortificadas. S. R. Driver descreve o canal como um túnel que desce 15 metros até um outro horizontal, com aproximadamente 12 metros de comprimento, e segue em um ângulo de 45 graus por cerca de 13 metros e termina num canal perpendicular de 14 metros abaixo do poço. [5] É bem possível que Joabe e seus homens tenham conseguido subir por este local desguarnecido e pegaram de surpresa os super-confiantes e descuidados jebuseus.

Uma nota arqueológica conclusiva vem das escavações de J. B. Pritchard em 1956, no lugar da descoberta de Gibeão, atual El-Jib. A identificação do local da descoberta está acima de questionamento em função da cerâmica encontrada com inscrições do nome bíblico Gibeão. Um grande tanque com 10 metros de profundidade, com uma escada em volta, foi escavado na rocha. Pritchard sugeriu que esse era o local onde os servos de Davi e de Isbosete se reuniram para a batalha, conforme descrito em 2 Samuel 2.12-17. [6]

Esboço

I. O Ministério De Samuel, I Samuel 1.1–8.22

    A. Nascimento e Infância de Samuel, 1.1–3.21
    B. Samuel como Profeta e Juiz, 4.1–8.22

II. Saul torna-se rei, 1 samuel 9.1–15.35

    A. A Escolha e a Coroação de Saul, 9.1–12.25
    B. A Guerra contra os Filisteus, 13.1–14.52
    C. A Missão contra Amaleque, 15.1-35

III. Saul e davi, 1 samuel 16.1–31.13

    A. A Unção e a Graça Na Infância de Davi, 16.1–17.58
    B. Davi e Jônatas, 18.1–20.42
    C. Davi Foge de Saul, 21.1–24.22
    D. O Constante Perigo Enfrentado por Davi, 25.1–27.12
    E. A Última Guerra de Saul e sua Morte, 28.1–31.13

IV. O reino de davi, 2 samuel 1.1–20.26

    A. Davi Reina em Hebrom, 1.1–4.12
    B. Davi Reina sobre toda a Nação, 5.1–10.19
    C. O Pecado de Davi e suas Conseqüências, 11.1–14.33
    D. A Revolta de Absalão, 15.1–19.43
    E. A Revolta de Seba, 20.1-26

V. Um apêndice, 2 samuel 21.1–24.25

    A. A Vingança Gibeonita, 21.1-14
    B. Ilustrações de Coragem em Batalha, 21.15-22
    C. Cântico de Davi em Ação de Graças, 22.1-51
    D. As Últimas Palavras de Davi, 23.1-7
    E. Os Valentes de Davi e suas Façanhas, 23.8-23
    F. A Legião de Honra, 23.24-39
    G. A Peste, 24.1-25

SEÇÃO I

O MINISTÉRIO DE SAMUEL

1 Samuel 1.1 — 8.22

Os livros de Samuel iniciam-se com um resumo da vida e obra do profeta Samuel, conhecido como o último dos juízes e o primeiro da ordem profética. Ele foi considerado o maior personagem na história de Israel entre Moisés e Davi. (cf. Jr 14.1).

A. Nascimento e Infância de Samuel, 1.1—3.21

Há muitos nascimentos extraordinários contados na Bíblia. Na maioria dos casos, as pessoas nascidas destacaram-se em algum aspecto. Podemos citar os exemplos de Isaque, Moisés, Sansão, Samuel, João Batista e, de uma maneira totalmente singular, Jesus.

1. *A Família de Elcana* (1.1—2.10)
O pai de Samuel era **Elcana** ("criado ou adquirido de Deus"), cuja ascendência vai até Levi em 1 Crônicas 6.33-38, mas que não estava na família araônica ou sacerdotal. Sua casa estava no território de Efraim; conseqüentemente, ele era conhecido como **efrateu** (1).

Este tinha duas mulheres (2). A poligamia (várias esposas) era permitida pela lei de Moisés (Dt 21.15). Jesus deixou claro que o plano original de Deus era o casamento de um homem com uma mulher para toda a vida (Mt 19.8). O registro do Antigo Testamento mostra que a prática do casamento poligâmico sempre foi seguida de problemas. **Penina**, que teve filhos, importunava a vida de **Ana** ("graça" ou "presente gracioso"), que era estéril. O favoritismo também era uma fonte de atrito (5-8).

Elcana era um homem muito devoto, aparentemente o chefe da família de Zufe, de quem sua aldeia tomou o nome. **Ramataim-Zofim** (1) significa "os cumes gêmeos de

Zofim", empregados para distinguir esta cidade de outras localidades, as quais também são conhecidas como Ramá. Esta última significa "cume" e, numa região montanhosa como a Palestina, é provável que existisse uma diversidade de locais com este nome. Seis delas são mencionadas no Antigo Testamento. Mais tarde, Samuel viveu e foi sepultado na cidade de Ramá (1.19; 2.11; 7.17; 8.4; 25.1, 28.3).

A cada ano, Elcana levava sua família para **Siló**, onde estava localizado o tabernáculo desde os dias de Josué (Js 18.1). Eles realizavam essa jornada com o intuito de **adorar** e **sacrificar ao Senhor dos Exércitos** (3; heb., *Yahweh tsaba*, "o Senhor de todos os poderes"; a Septuaginta traduz a expressão como "o Todo-Poderoso") – usado aqui pela primeira vez no Antigo Testamento.[1]

Eli (uma contração de "Deus é grande") era um sumo sacerdote. Entre os outros sacerdotes estavam os seus dois filhos, **Hofni e Finéias**, notáveis por sua corrupção e incredulidade (2.12-17, 23.25; 3.13). Como era hereditário, o sacerdócio passava do pai para para os filhos sem consideração pelo caráter ou da falta do mesmo.

a. O desejo e oração de Ana (1.4-11). Ana lamentava muito o fato de não poder ter filhos, pois isto era motivo de vergonha para as mulheres hebréias. Seu marido tentava consolá-la. **Uma parte excelente** (5) seria uma "uma porção dobrada" (ou "porção dupla" na ARA).

Penina tirou plena vantagem da situação e tornou-se **competidora** de Ana (6), ou sua rival. **E assim o fazia ele de ano em ano** (7). Em sua aflição, Ana orou na porta do Tabernáculo. **Templo** (9) – hebraico *hekal*, também pode significar "palácio" ou "majestosa construção". O templo ainda não fora construído àquela época.

A oração de Ana por um filho incluía o voto de que (a) ele seria entregue ao Senhor **por todos os dias da sua vida**; e (b) **sobre a sua cabeça não passará navalha** (11). Este último detalhe era a característica principal dos nazireus (Nm 6.5), homens ou mulheres que eram especialmente consagrados a Deus. Os votos dos nazireus deveriam ser seguidos por um período de tempo limitado, mas o propósito de Ana era a dedicação de seu filho para toda a vida. Duas regras especiais impediam os nazireus de ficarem cerimonialmente impuros pelo contato com mortos e também de tomarem qualquer tipo de vinho ou bebida forte. Sansão também foi consagrado como nazireu, mas não considerou o grande significado de sua devoção. Em parte, pelo menos, os votos e a vida dos nazireus eram uma forma de santidade no Antigo Testamento.[2]

b. Repreensão e bênção de Eli (1.12-18). Ana continuou a orar (12), não satisfeita com apenas um pedido – a importância da persistência foi claramente ensinada por Jesus (Lc 18.1-8). **Eli fez atenção à sua boca** – ele notou o movimento de seus lábios. Sem perceber uma voz audível, erroneamente concluiu que ela estava bêbada e resmungava numa espécie de estupor da embriaguez. Este é um triste comentário sobre o estado da religião daquela época e particularmente sobre o santuário de Siló. As coisas pioraram muito em função do caráter e da conduta dos próprios filhos de Eli.

Eli exigiu que a mulher se apartasse do vinho (14). A palavra hebraica para vinho é *yayin*, "o que é prensado", e refere-se à bebida feita de uvas. De acordo com Gênesis 9.21 – onde esse termo aparece pela primeira vez na Bíblia – e o uso por todo o Antigo Testamento, o vinho embriagava. **Bebida forte** (15), do hebraico *shekar*, referia-se a qualquer bebida embriagadora feita de frutas ou grãos tais como tâmara, cevada, mel ou flor de lótus. *Yayin wa-shekar*, **vinho** e **bebida forte** (15), fazem a inclusão de todo tipo de bebida alcoólica.

A oração é notavelmente definida como o derramar da **minha alma perante o Senhor** (15). Ana não era **filha de Belial** (16), mas sim uma mulher em profundo sofrimento e que carregava um grande fardo, pelo que pediu a ajuda de Deus. É sempre perigoso chegar a conclusões a partir de rápidas observações. Um filho ou **filha de Belial** (heb., *beliya'al*, "inútil, maldoso") era uma pessoa vil ou maldosa. A expressão é usada num total de dezesseis vezes no Antigo Testamento e nove nos livros de Samuel.

Eli rapidamente corrigiu seu erro e uniu-se a Ana em seu pedido para que Deus atendesse seu desejo. Ana ilustra a natureza da fé conforme ensinada no Novo Testamento. Convencida de que o Senhor ouvira sua oração, ela não estava mais triste, muito embora não houvesse um sinal verdadeiro de que seu pedido fora atendido. "Tudo o que pedirdes, orando, crede que o recebereis e tê-lo-eis" (Mc 11.24); "Ora, a fé é o firme fundamento das coisas que se esperam e a prova das coisas que se não vêem" (Hb 11.1).

Os versículos 1-18 ilustram "Os ingredientes para uma vida maravilhosa". Eles devem ser dados em números de três: (1) Um lar piedoso (vv. 1-8); (2) Uma mãe que ora (vv. 9-11) e (3) um pastor fiel (vv. 12-18).

c. *Nascimento e dedicação de Samuel* (1.19-28). Quando a criança nasceu, Ana **chamou o seu nome Samuel** (20; *Shemuel* em 1 Cr 6.33), que literalmente significa "nome de Deus" ou "um nome piedoso". Como recebera a criança em resposta a sua oração, Ana procurou por um nome e um caráter divinos. Os nomes do Antigo Testamento compostos por "el" são derivados de *Elohim* ou *El*, os termos hebraicos genéricos para Deus.

Ana não acompanhou a família até Siló para a festa anual depois do nascimento de Samuel, até que seu filho crescesse o suficiente para ser **desmamado** (22), o que geralmente acontecia entre os dois e três anos de idade. Fica claro que Elcana foi informado sobre o voto que Ana fizera em relação ao seu filho desejado e que ele consentiu plenamente com o desejo de sua esposa. O significado de um sacrifício pessoal, tanto para ele como para Ana, é visto na atitude de Jacó para com José, o primeiro filho de sua esposa favorita, Raquel (Gn 37.1-4). No versículo 21, em vez de **sacrifício anual e a cumprir o seu voto**, a Septuaginta traz "pagar seus votos e todos os dízimos de sua terra".

Na época da festa seguinte ao desmamar Samuel, Ana o levou para Siló com ofertas que consistiam em **três bezerros e um efa de farinha e um odre de vinho** (24; as versões LXX e a Siríaca trazem "bezerros de três anos de idade"). Um dos bezerros seria para a oferta queimada da dedicação de Samuel (25); os outros dois, seguindo a KJV, seriam parte dos sacrifícios anuais da família. Um **efa** seria um pouco maior do que um alqueire em termos de medidas atuais. O **odre de vinho** era um *nebel*, uma garrafa de couro ou pele de animal, ou ainda um jarro. Isso indicaria uma oferta muito generosa.

Quando apresentou o menino a Eli juntamente com o animal do sacrifício, Ana fez questão de lembrar ao idoso sacerdote a sua oração. **Ao Senhor eu o entreguei** (28) – a idéia melhor seria expressa como "Eu o devolvi ao Senhor". **E ele adorou ali ao Senhor** – A ARA substitui "ele" por "eles". De qualquer maneira, o ponto a destacar é que Samuel, que permaneceu e cresceu em Siló no serviço do Tabernáculo, aprendeu a adorar ao Senhor ali.

d. *O cântico de louvor de Ana* (2.1-10). **Então, orou Ana** (1) na forma de um salmo de ação de graças. Esta é uma poesia de grande beleza e profundidade, e é o modelo do "Magnificat" de Maria no Novo Testamento (Lc 1.46-55). **O meu poder** (1) – melhor na ARA, "minha força". **A minha boca se dilatou** – anteriormente sem palavras por causa das provocações de sua rival, a boca de Ana agora se abre em louvor a Deus. **Na tua salvação** – do hebraico *yeshuah*, "segurança, bem-estar, salvação" – é usada de muitas maneiras por toda a Bíblia: em vitória política ou militar, alívio do sofrimento ou enfermidade, mas principalmente na libertação do pecado.[4]

Rocha nenhuma há como o nosso Deus (2) – Deus é freqüentemente descrito como uma rocha (e.g., 2 Sm 22.2,3; Sl 18.2; 28.1; 62.2,6; etc.), tanto no sentido de refúgio como de alicerce. **Não multipliqueis palavras** (3) – "não fale mais", dirigido à adversária de Ana. **Até a estéril teve sete filhos** (5) – pode ser a profecia da família subseqüente de Ana, apesar de a quantidade de seus filhos parecer ser seis (21). O número poderia ser usado em seu significado secundário ou relacionado à perfeição ou inteireza.

E dará força ao seu rei, e exaltará o poder do seu ungido (10). Apesar de Israel não ter tido um rei durante muitos anos após estas palavras terem sido ditas, a idéia era familiar, pois as pessoas quiseram que Gideão se tornasse um monarca (Jz 8.22). Sem dúvida, mesmo naquela época, a nação sentia que precisava de um governo forte e centralizado, o que raramente foi alcançado com os juízes. **Seu ungido** (*mashiac*, de onde vem a palavra "Messias") é usado pela primeira vez aqui. Isto se tornou tanto um título como um nome para Jesus ("Cristo" é o termo grego para o hebraico *mashiach*). A expectativa da vinda do Messias cresceu muito durante a era profética posterior em Israel e é a base do cumprimento neotestamentário em Cristo, tanto em sua primeira vinda como em seu retorno.

2. *No Tabernáculo com Eli* (2.11-36)
Samuel **ficou servindo ao Senhor, perante o sacerdote Eli** (11). A natureza das atividades de Samuel não é explicada, a não ser pelo fato de ele estar à disposição de Eli (3.5, 8) e de abrir os portões do Tabernáculo pela manhã (3.15).

a. *Os filhos maus de Eli* (2.12-17). Hofni e Finéias são descritos **como filhos de Belial e não conheciam o Senhor**. (12) Veja os comentários de 1.16 sobre os **filhos de Belial**. Nas Escrituras, "conhecer" ou "não conhecer" o Senhor normalmente se refere a um conhecimento pessoal de Deus em adoração e obediência. Os hebreus não consideravam o conhecimento primeiramente como algo intelectual, mas sim como algo completamente pessoal. O termo usado significava "ter proximidade de", em vez de simplesmente "conhecer".[5] Mesmo treinados no ritual e nas cerimônias do Antigo Testamento e, sem dúvida, familiarizados com as exigências da lei, esses dois jovens eram maldosos e inescrupulosos em caráter pessoal.

A lei prescrevia cuidadosamente a natureza das ofertas que deveriam ser trazidas ao altar do Senhor, juntamente com a maneira pela qual o sustento dos sacerdotes era provido (cf. Lv 7.28-34). A iniqüidade dos filhos de Eli residia em suas exigências magnânimas e pouco razoáveis de receberem sua porção antes de o sacrifício ser formalmente dedicado ao Senhor. O resultado foi que **os homens desprezavam a oferta do Senhor** (17).

Por todo o texto dos capítulos 1 a 4 o autor inspirado estabelece um contraste entre a maldade dos filhos naturais de Eli com a espiritualidade crescente e o discernimento de Samuel, filho adotivo do sumo sacerdote. Sem dúvida, o ambiente do início da vida desempenha um papel importante no caráter moral e na experiência espiritual das crianças. Contudo, uma das mais certas evidências de liberdade e autodeterminação da alma humana é vista em situações como as apresentadas aqui.

b. As Visitas de Ana a Samuel (2.18-21). A visita anual de Elcana e sua família a Siló tinha um duplo significado agora, pois, além da adoração religiosa, havia a alegria de se reunir com o filho que fora dedicado ao serviço do Senhor. O **éfode de linho** (18) era um traje cerimonial usado por aqueles que serviam em um local religioso. É provável que ele cobrisse apenas a parte frontal do corpo e, por isso, às vezes era chamado de avental. Ana também trazia para Samuel, a cada ano, uma **túnica** feita por ela. A família de Elcana foi abençoada com mais **três filhos e duas filhas** (21), todos de Ana.

c. O desconsolo de Eli (2.22-26). A razão do fracasso de Eli em lidar com a imoralidade de seus filhos pode ser explicada parcialmente em função de sua idade avançada. Tal imoralidade era agravada por ser cometida no próprio Tabernáculo. A presença de mulheres ligadas ao funcionamento do Tabernáculo é expressa em Êxodo 38.8. O escândalo era evidente (24).

A advertência de Eli a seus filhos abrangia tanto o efeito da conduta deles sobre os outros – **fazeis transgredir o povo do Senhor** (24) – como as conseqüências sobre eles mesmos (25). A conduta ética imprópria – o pecado de um homem contra outro – poderia ser julgado nas cortes da lei; mas o pecado religioso contra Deus seria punido pelo próprio Senhor. Pelo fato de o termo hebraico traduzido como **juiz** ser *ha-Elohim*, que também significa "Deus", a ARA e outras traduções modernas trazem: "Pecando o homem contra o próximo, *Deus* lhe será o árbitro", ou *"Deus* o julgará". Em vista do mal agravado, a repreensão de Eli parece ser muito branda.[6] Para pecados "com alta mão" – desafio e rebelião contra o próprio Deus – o Antigo Testamento não apresenta uma solução. Somente Cristo pode ser o mediador entre o homem e Deus (1 Tm 2.5,6).

Porque o Senhor os queria matar – a partícula primitiva hebraica *kee*, **porque**, é usada em relações causais de todos os tipos, antecedentes ou conseqüentes. Também pode ser apresentada como "portanto". Os homens não eram pecaminosos porque Deus desejava matá-los, mas, porque eles se tornaram ímpios, o Senhor os julgaria e traria uma morte dolorosa e prematura.

Mais uma vez, a piedade de Samuel é contrastada com a pecaminosidade dos filhos de Eli. No mesmo ambiente, **o jovem Samuel ia crescendo e fazia-se agradável, assim para com o Senhor como também para com os homens** (26). Uma declaração similar é feita em relação ao menino Jesus (Lc 2.52). Isso demonstra aprovação completa, tanto em sua conduta ética como religiosa.

d. É profetizado julgamento contra a casa de Eli (2.27-36). **E veio um homem de Deus a Eli e disse-lhe: Assim diz o Senhor** (27) – **homem de Deus** e **assim diz o Senhor** são as credenciais do profeta, como o ofício se desenvolveu mais tarde em Israel. Mesmo nestes primórdios havia aqueles que o Senhor mandava juntamente com sua palavra. Aparentemente foi um homem de Deus não identificado que confrontou o sacerdote Eli. **A casa de teu pai** – Moisés e Arão eram ambos da tribo de Levi, da qual Eli também fazia parte. Todos os levitas eram dedicados ao serviço do Senhor para tomar o lugar dos primogênitos, que foram poupados durante a última praga antes do êxodo (cf. Nm 3.41, 45).

Os sacerdotes eram tomados da descendência de Arão. **Para trazer o éfode perante mim** (28), cf. comentário de 2.18. Deus provera generosamente as necessidades dos levitas e dos sacerdotes. Apesar disto, os filhos de Eli não estavam satisfeitos. **Por que dais coices (...)?** (29); a Septuaginta traz "Por que tratais isso com desprezo?".

O fato da eleição condicional na Bíblia é claramente mostrado aqui (30). Deus escolheu a casa de Levi e prometeu que ela seria estabelecida para sempre. **Portanto, diz o Senhor** – as promessas estavam sujeitas às condições de obediência e fidelidade em confiar. Tanto no Antigo como no Novo Testamento a eleição não é designação para o privilégio, mas para a responsabilidade. É um dom de Deus e, portanto, não pode ser conquistada ou merecida; mas pode ser perdida pela rebelião e pela descrença (cf. Rm 9 – 11).

Porque aos que me honram honrarei (30). Dentro da liberdade do homem, Deus colocou a opção entre a honra e a humilhação, entre a glória e a vergonha. **Serão envilecidos** – hebraico *qalal*, "ser humilhado", "ser desprezado", "ser menosprezado". **Cortarei o teu braço** (31) – isto é, "sua força, sua eminência ou sua liderança". **Para que não haja mais velho algum** – uma vida longa e idade madura eram considerados sinais da bênção especial de Deus. (cf. Sl 91.16).

O versículo 32 é difícil de ser traduzido. Ele pode significar que um sacerdote rival ministraria no santuário. Moffatt traduz: "Então, em sua necessidade você olhará com inveja toda a prosperidade que dou a Israel"; Berk: "Em minha casa você testemunhará a escassez dentre todas as bênçãos que eu darei a Israel"; ARA: "E verás o aperto da morada de Deus, a um tempo com o bem que fará a Israel".

O homem citado no versículo 33 refere-se a Abiatar, o único que escapou do massacre dos sacerdotes em Nobe, evento no qual esta horrível profecia se cumpriu (1 Sm 22.18-23; 1 Rs 2.26-27). **Ambos morrerão no mesmo dia** (34) – cf. 4.11. **E eu suscitarei para mim um sacerdote fiel** (35) – parcialmente cumprido em Samuel, e talvez também em Zadoque (2 Sm 8.17; 15.24). **Meu ungido** – o rei, mas ultimamente o Messias. **Todo aquele que ficar de resto** (36) – os poucos descendentes de Eli que restassem procurariam sustento em Samuel e nos principais sacerdotes dos dias posteriores.

3. *A Primeira Visão de Samuel* (3.1-21)

Como o julgamento dos filhos pecadores de Eli aproximava-se rapidamente, o Senhor apareceu a Samuel, que tinha então entre dez e doze anos de idade. **A palavra do Senhor era de muita valia** (1) – do hebraico, *yaqar*, "raro", o mesmo termo usado em várias versões como nas frases "pedras preciosas" ou "metal precioso". **Não havia visão manifesta** – isto é, as visões não eram comuns ou freqüentes. A palavra em hebraico é *parats*, "irromper"[7]. Não existia um profeta reconhecido para transmitir a palavra do Senhor.

A lâmpada de Deus (3) – o castiçal de ouro, com sete canas, colocado no lugar santíssimo fora do véu que abrigava a arca de Deus (Êx 25.31-40). **Se apagasse** – uma vez que a lâmpada era acesa à tarde e iluminava até pela manhã. **Templo** – ou Tabernáculo; cf. comentário sobre 1.9. Uma voz audível despertou o rapaz que dormia.

O relato da rápida resposta de Samuel ao que ele julgou ser a voz de Eli, e o reconhecimento de Eli de que Deus falava com o rapaz, é uma das histórias favoritas do Antigo Testamento. **Samuel ainda não conhecia o Senhor** (7) – em hebraico, *yada*, "conhecer", significa mais que o conhecimento intelectual (cf. comentário sobre 2.11). Implica em conhecimento pessoal. Até agora, Deus não tinha aparecido a Samuel com visões proféticas, embora o Senhor o preparasse para o lugar que deveria ocupar.

Em resposta às palavras de Samuel, **Fala, Senhor, porque o teu servo ouve** (9-10), ao quarto chamado do Senhor, Deus disse as suas primeiras palavras proféticas ao jovem. A esta altura nós podemos perceber a disposição para ouvir como uma condição para as palavras posteriores de Deus (cf. At 26.14-18). Aparentemente, houve algum tipo de aparição visual, pois o texto afirma, **veio o Senhor, e ali esteve** (10) – em hebraico, *yatsab*, "esteve", tipicamente quer dizer "apresentar-se perante"[8]. A mensagem era similar àquela trazida pelo homem de Deus, sem referência de nome, em 2.27-36, exceto que anunciava a proximidade da época do julgamento na casa de Eli. **Vou eu a fazer** (11) significa literalmente: "Eu estou fazendo". Os acontecimentos já naquela ocasião modelavam aquilo que proporcionaria o cumprimento das predições feitas previamente. Inúmeras traduções posteriores trazem "Eu irei fazer". **Tinirão ambas as orelhas** (11) era uma expressão comum que significava ouvir com horror e medo (cf. 2 Rs 21.12; Jr 19.3).

"Ouvindo o Chamado de Deus" é o tema dos versículos 1-10. As principais verdades são: (1) Deus está em silêncio quando a Sua Palavra não é conhecida, 1; (2) O chamado de Deus pode ser confundido, 2-7; (3) A Palavra de Deus é transmitida quando os seus servos ouvem, 8-10.

Como havia sido anunciado previamente, Eli deve compartilhar do destino dos seus filhos pecadores, embora ele mesmo tenha sido um homem virtuoso. O seu pecado foi não usar a sua autoridade para interromper ou pelo menos conter a conduta sacrílega dos dois, apesar de saber o que eles faziam de errado (13). **Fazendo-se... execráveis** – a Septuaginta diz "blasfemaram Deus". O problema tinha ultrapassado o "ponto sem retorno", isto é, já era irreversível, e nem **sacrifício nem oferta de manjares** (14) poderiam repará-lo. A repetição das palavras **para sempre** (13-14) indica a terrível certeza das ações poderosas de Deus. Parece que o primeiro aviso (2.27-36), embora expresso em um futuro absoluto, tinha o objetivo de ocasionar uma mudança na atitude de Eli com relação aos seus filhos (cf. o aviso de Jonas a Nínive, 3.4, e os seus resultados, 3:10, 4.1-2). Mas existe um fim definitivo para a rebelião impenitente, e um pecado para a morte, e para esse não há oração (1 Jo 5.16).

Somente com o firme pedido de Eli na manhã seguinte Samuel revelou-lhe a natureza da mensagem que o Senhor tinha dado. Existe algo de patético e ainda assim nobre na maneira humilde como o sumo sacerdote aceita as tristes notícias de Samuel (18)[9].

O crescente reconhecimento, entre o povo de Israel, de que o Senhor estava com Samuel e fazia dele o Seu porta-voz, está indicado em 19-21. **Cair em terra** (19), isto é, "deixar de ocorrer, ou ser provada errada". **Desde Dã até Berseba** (20) é a típica maneira de descrever "a extensão e a amplitude da terra" (cf. Jz 20.1). Dã estava no extremo norte, Berseba era o ponto mais ao sul.

Profeta do Senhor (20). O registro de Atos 3.24: "E todos os profetas, desde Samuel, todos quantos depois falaram, também anunciaram estes dias", indica que Samuel foi o primeiro de uma nova ordem ou linhagem de profetas. A palavra *nabi* (provavelmente de uma raiz do hebraico, que significa "borbulhar como uma fonte") foi aplicada somente a três pessoas antes de Samuel (Abraão, Moisés, e o homem cujo nome não é mencionado em Juízes 6.8), mas se tornou um dos títulos de maior honraria a partir da época de Samuel. O profeta é "aquele que anuncia" e sua missão não era predizer, mas sim "passar adiante" a palavra do Senhor.

É importante observar que **o Senhor se manifestava a Samuel, em Siló, pela palavra do Senhor** (21). O fato de uma apresentação visual ter acontecido está implícito em 3.10 (veja comentário) e podem ter havido outras. Contudo, a revelação de Deus vinha principalmente através da sua palavra. *Dabar*, "palavra", é um dos termos-chave do Antigo Testamento. A palavra de Deus tinha por trás de si a sua autoridade e o seu poder, e vinha como uma revelação da sua vontade e natureza.

"A criação de um homem de Deus" está resumida nos versículos 19-21 em (1) Uma vida em crescimento, 19; (2) A presença de Deus, 19; (3) Uma palavra ungida, 19; (4) Uma boa reputação, 20; e (5) **A palavra do Senhor**, 21 – ou, como deveria ser para nós, uma Bíblia aberta.

A frase: **E veio a palavra de Samuel a todo o Israel** (4.1) deveria ser conectada ao capítulo 3, para significar que a mensagem do Senhor tornara-se a palavra de Samuel, e que a reputação deste jovem como profeta espalhou-se pela terra. A mensagem de Samuel, como a palavra de qualquer pregador ou professor, era poderosa a ponto de refletir e personificar a mensagem do Senhor.

B. Samuel como Profeta e Juiz, 4.1—8.22

A ocasião que levou Samuel a tornar-se juiz enquanto simultaneamente era profeta foi um novo início de guerra contra os filisteus. Não sabemos o que ocasionou isso, embora tenha sido afirmado que a crescente reputação de Samuel alarmou os filisteus. A versão Septuaginta implica que foram os estes vizinhos de Israel que provocaram o novo ataque, e o idioma hebraico pode simplesmente dizer que os israelitas saíram para resistir a alguma nova agressão por parte de seus inimigos de longa data. A última referência aos filisteus está em Juízes 13-16, embora sejam mencionados desde a época de Abraão (Gn 21.32,34; 26.1), e tenham permanecido no caminho de Israel na sua rota natural do Egito a Canaã, no êxodo (Êx 13.17-18). Não se conhece com exatidão a sua origem, embora hoje se acredite que eles sejam procedentes da Grécia e Chipre ou Creta e estabeleceram-se ao longo da planície marítima da Palestina, de Jope a Gaza, um território com cerca de oitenta quilômetros de extensão e 24 de largura.

Os arqueólogos que trabalhavam ao longo da planície costeira da Filístia desenterraram uma forma distinta da "cerâmica dos filisteus" que é encontrada mais freqüentemente nas cidades identificadas na Bíblia como ocupadas por eles, embora seja rara em outros lugares. As escavações desenterraram inúmeras fornalhas tanto para cobre como para ferro, que indicam que os filisteus eram talentosos trabalhadores com metais (cf. 13.19-20). Um objeto comum encontrado nas suas cidades é a caneca de cerveja, que nos recorda a referência à festa dos filisteus na qual houve muita bebida (Jz 16.25)[10]. Eles eram um povo belicoso, e não foram completamente dominados antes da época de Davi. Durante os primeiros anos de conflito, os filisteus freqüentemente derrotaram os israelitas.

1. A Invasão dos Filisteus (4.1-22)

Aparentemente, os filisteus avançaram sobre o território israelita a partir da extremidade norte de sua planície costeira, e eles atacaram os hebreus no seu acampamento em Afeca, em torno de quarenta quilômetros de Siló (veja mapa). Em seu primeiro combate, os israelitas perderam cerca de quatro mil homens. Mas, ao reagruparem as suas forças dispersadas, os líderes hebreus decidiram trazer de Siló **a arca do concerto do Senhor dos Exércitos** (4). Ela era um objeto em forma de caixa que se constituía o centro da adoração de Israel, tanto no Tabernáculo como mais tarde, no Templo. Era guardada no Santo dos Santos. Somente o sumo sacerdote podia ministrar perante ela, e só uma vez por ano (cf. Êx 25.10ss.). Ela incluía as figuras esculpidas dos querubins, seres semelhantes a anjos com as asas abertas, um de frente para o outro, com o propiciatório entre eles, que formava a cobertura da arca[11]. Freqüentemente se afirma que Deus **habita entre os querubins** (4; cf. também Nm 7.89; 2 Sm 6.2; 2 Rs 19.15; Sl 80.1; 99.1; Is 37.16).

Devido à santidade da arca, e conectada à presença de Deus, os israelitas decidiram levá-la à batalha como um tipo de talismã para assegurar a vitória. Os dois filhos de Eli acompanharam-na, e ao grito de triunfo antecipado dos israelitas, os filisteus amedrontados, mas com a energia nascida do desespero, atacaram novamente. As palavras, **destes grandiosos deuses** (8), indicam o pensamento politeísta dos filisteus; isto é, a sua crença em muitas divindades. De acordo com a tradução correta do versículo 8, o plural também deveria aparecer no versículo 7, como em Moffatt e Berkeley, por exemplo, "os deuses vieram ao arraial".

As pragas junto ao deserto (8) indicam que, embora os filisteus soubessem sobre as pragas do Egito e a libertação no mar Vermelho (o deserto), eles confundiam as duas coisas. Aqui o autor pode ter tido a intenção de expor tal ignorância. As ações poderosas de Deus na libertação de Israel do Egito eram um fator básico na fé da nação, e um marco que a distinguia dos outros povos do Oriente Próximo.

Não venhais a servir aos hebreus (9) – em hebraico, *abad*, "servos", pode significar tanto escravo como uma pessoa em cativeiro. Os hebreus tinham sido oprimidos pelos filisteus durante o período dos juízes (Jz 10.7; 13.1; etc.) e o seriam de novo e periodicamente (1 Sm 13.19ss.), até a libertação final realizada por Davi. Na parte inicial do Antigo Testamento, o termo "hebreu" era freqüentemente usado pelos inimigos de Israel como uma expressão de desprezo. A sua origem é obscura – talvez derive de Éber (Gn 10.21) ou de um termo que significa "alguém do outro lado, um nômade"[12].

a. A captura da Arca (4.10-11). A presença física da arca não tinha poder quando o Deus da arca era ignorado, e os israelitas foram derrotados com um **grande estrago** (10). Foram mortos 30 mil homens, inclusive Hofni e Finéias, os filhos apóstatas de Eli.

A própria arca foi capturada pelos filisteus como um troféu de sua vitória, embora eles mais tarde se lamentassem por tê-la capturado (cap. 5). Neste fiasco temos outra demonstração do fato de que Deus está mais preocupado com a lealdade íntima do que com os símbolos; sejam eles, como naquela época, o Tabernáculo e a arca ou, em nossos dias, coisas como a filiação à igreja, o batismo, a confirmação ou a ortodoxia doutrinária. "O homem vê o que está diante dos olhos, porém o Senhor olha para o coração" (16.7).

b. A morte de Eli (4.12-22). Um mensageiro escapou e retornou a Siló com as tristes notícias da derrota e da captura da arca. **As vestes rotas e terra sobre a cabeça** (12) – sinais típicos de profunda tristeza e pesar. A preocupação de Eli com a arca é patética. Ele **estava assentado... vigiando ao pé do caminho** (13), embora cego (cf. 15, comentário), à espera, com o coração pesado e agourento, de alguma notícia sobre a arca. Ele recebeu as notícias somente depois de ouvir os gritos de pesar dos habitantes da cidade (13-14). **Estavam os seus olhos tão escurecidos, que já não podia ver** (15) – em 3.2 lemos que os olhos de Eli "se começavam já a escurecer [ou se escureciam gradualmente]". Naquele trecho a palavra em hebraico, *keheh*, significa "tênue, obscuro, um pouco escuro". Aqui, este termo significa "definitivo". Eli havia ficado completamente cego.

Existe uma progressão trágica na narração do mensageiro: a derrota do exército, o grande número de mortos e feridos, a morte dos filhos de Eli, e, para maior tristeza, a captura da arca. Quando ouviu esta última notícia, o sumo sacerdote, com noventa e oito anos de idade e muito pesado, caiu para trás da sua cadeira que estava próxima à porta e quebrou o pescoço (15,18). Ele suportou a notícia da morte dos seus filhos, mas entrou em colapso ao ouvir o destino da arca. O velho sacerdote tinha muitos defeitos, mas era um homem profundamente preocupado com a obra de Deus. **Quarenta anos** (18) é um número encontrado freqüentemente nos registros dos juízes como a duração de um determinado período. É talvez um número aproximado que representaria uma geração.

A tragédia para a casa de Eli ainda não havia terminado. A esposa de Finéias estava grávida e as notícias desencadearam nela o trabalho de parto. Ela morreu pouco tempo após o nascimento de seu filho, mas não antes de dar a ele o nome simbólico de **Icabô**, "sem glória" ou "oh, glória", e acrescentou: **Foi-se a glória de Israel** (21). O autor deixa claro, como no caso de Eli, que o golpe supremo foi a notícia da captura da arca [13].

Os versículos 19-22 tratam do impressionante tema: "Quando a glória se vai" – Ela **chamou ao menino Icabô, dizendo: Foi-se a glória de Israel**, 21. Quando a glória se vai, (1) as pessoas dependem mais dos símbolos da sua fé (a arca) do que da sua própria realidade, 19; (2) A derrota e a morte atingem a alma, 19; (3) O medo substitui a fé, 20; e (4) Os filhos são destituídos de sua verdadeira herança, 21.

2. Os Filisteus são Afligidos (5.1-12)

Os capítulos 5 e 6 parecem um parêntesis na história de Samuel, e descrevem os problemas vividos na Filístia por causa da arca do Senhor. **Asdode** (1) [veja mapa] era uma das cinco cidades principais dos filisteus, e o lugar de adoração a Dagom. **Dagom** (2) seria o deus nacional da Filístia, também adorado entre os fenícios. As tábuas de Ras Shamra, descobertas em 1929 nas proximidades da costa do Mediterrâneo, no lugar da antiga Ugarit, faziam de Dagom ou Dagan o pai de Baal, o deus da agricultura. Supõe-se que o ídolo tivesse a cabeça, os braços e o tronco com forma humana e que a sua parte inferior se afilava em um rabo de peixe.

Dagom não era páreo para o Senhor Deus. Na primeira manhã, o ídolo foi encontrado prostrado diante da arca; e no segundo dia ele estava novamente no chão, com a cabeça e as mãos cortadas sobre o limiar do templo. **Somente o tronco ficou a Dagom** (4), isto é, "somente o tronco da forma humana do ídolo". Isto é dito como a explicação para o fato dos sacerdotes de Dagom e os seus adoradores saltarem (não pisarem) o limiar do templo de Dagom, **até ao dia de hoje** (5). Pode haver uma referência a este rito de saltar o limiar em Sofonias 1:9. A existência destas cidades e da adoração do ídolo parece indicar que o relato foi escrito antes da época de Uzias (cf. 2 Cr 26.6). Além da profanação do ídolo, os filisteus sofreram de **hemorróidas** (6) – em hebraico, *aphal*, "inchação". Em 6.11,17, elas são chamadas de *techor*, "furúnculos, úlceras" ou ainda "hemorróidas, tumores", particularmente tumores no ânus; portanto, hemorróidas. Uma boa argumentação foi feita para a teoria de que os filisteus foram acometidos por uma epidemia de peste bubônica, e que as hemorróidas eram as glândulas linfáticas intumescidas na virilha, características desta temida doença. A inclusão de "ratos" de ouro como parte da oferta propiciatória em 6.5 reforça esta suposição, uma vez que ratos e roedores são infestados por pulgas, conhecidas por serem transmissoras da praga[14].

Os líderes da comunidade de Asdode rapidamente reuniram um conselho dos **príncipes** (chefes ou príncipes) **dos filisteus** (8), e a arca foi levada a Gate, outra das cinco principais cidades do país. As referências em 7,8,10,11 parecem indicar que os filisteus haviam aprendido que o Deus de Israel era o Senhor, porque agora a referência está no singular (cf. 4.8, comentário). Em Gate, uma destruição similar teve lugar, embora não haja menção de que a arca tenha sido colocada em um altar ou templo. Talvez esta cidade tenha sido escolhida porque não havia um templo de Dagom, com base na suposição de que a epidemia era o resultado de um conflito entre o Senhor e este deus.

Ecrom (10) foi a próxima cidade a ser ameaçada pela temida presença da arca do Senhor. Mas os filisteus já tinham aprendido. Outro conselho reuniu-se rapidamente, e foi decidido devolver a arca a Israel (11). **O clamor da cidade subia até o céu** (12) – uma expressão para a grande lamentação e o grande pranto do povo atingido, assim como um possível reconhecimento por parte dele da causa de sua aflição.

3. *O Retorno da Arca (6.1—7.2)*

A arca esteve na Filístia durante **sete meses** (1). Os príncipes filisteus **chamaram os sacerdotes e os adivinhadores** (2). **Adivinhadores** (mágicos, Moffatt; ou aqueles que lêem a sorte) eram funcionários religiosos altamente considerados pelos povos pagãos do Oriente Próximo. Eles afirmavam ter o poder de predizer eventos futuros. A esta altura eles foram consultados para dizer o que deveria ser feito com a arca e **como a tornaremos a enviar** (2), ou o que deveria ser enviado com ela com o propósito de aliviar a praga.

Os adivinhadores aconselharam **uma oferta para a expiação da culpa** (3), ou oferta pela transgressão. Quando eles fossem curados, saberiam então a origem de seus sofrimentos e a razão deles. Com base na reciprocidade, os adivinhadores sugeriram que a oferta consistisse de **cinco hemorróidas de ouro e cinco ratos de ouro** (4). Para o possível significado dos ratos, veja o comentário sobre 5.6. Chegou-se ao **cinco** devido ao número de cidades principais e chefes dos filisteus – **porquanto a praga é uma mesma sobre todos vós** (4). **Ratos que andam destruindo a terra** (5) indicariam uma infestação de roedores, algo raro naquelas terras; e que os animais mortos, assim como as pessoas mortas, contaminavam a cidade e o país. O modo como se relata o conselho dos adivinhadores parece indicar que eles não eram da Filístia. Certamente estavam familiarizados com a história do êxodo e advertiram os filisteus contra o endurecimento dos seus corações **como os egípcios e Faraó endureceram o coração** (6).

Deveriam ser tomadas providências detalhadas para a devolução da arca a Israel. Ela deveria ser colocada em um carro novo juntamente com a oferta para a expiação da culpa, e duas vacas – sobre as quais não tivesse subido o jugo – deveriam ser atadas ao carro, e os seus bezerros separados delas (7-8). Se não houvesse uma força sobrenatural envolvida, as vacas assustadas iriam debandar e esmagar o carro, e sob nenhuma circunstância deixariam os seus bezerros. Com este teste, os filisteus esperavam determinar se os seus sofrimentos eram um julgamento de Deus, ou se era um **acaso** ou coincidência que lhes **sucedeu** (9) – para conectar a presença da arca com a erupção da epidemia. **Pelo caminho do seu termo** – "o caminho para a sua própria terra". Para **Bete-Semes**, uma cidade sacerdotal na fronteira, perto da Filístia.

Quando essas instruções foram seguidas, **as vacas se encaminharam diretamente pelo caminho de Bete-Semes e seguiam um mesmo caminho, andando e berrando, sem se desviarem nem para a direita nem para a esquerda** (12). Os chefes filisteus, que iam atrás delas para ver o que aconteceria, dificilmente poderiam ter tido um sinal mais evidente do sobrenatural.

Os homens de Bete-Semes ficaram felizes por verem a arca, e imediatamente ofereceram uma oferta em holocausto ao Senhor, usando a madeira do carro como combustível e as vacas como sacrifício. Como eram **levitas** (15), eles tinham permissão de tocar a arca, e a puseram sobre uma grande pedra (**a grande pedra de Abel**, "o campo" – 18) próxima à cidade. Os chefes dos filisteus viram aquilo, e podemos ter a certeza de que o fizeram com grande interesse; então retornaram às suas cidades, cujos nomes estão listadas (17).

Alguns dos homens de Bete-Semes, no entanto, cometeram sacrilégio e **olharam para dentro da arca do Senhor** (19), literalmente "olharam com curiosidade profana". Isto tinha sido proibido, e a punição era a morte (Nm 4.19-20); os homens da tribo levita dificilmente seriam ignorantes quanto à lei a esse respeito. **Cinqüenta mil e setenta homens** é provavelmente o resultado de uma variação textual. O texto em hebraico usado pelos tradutores da versão KJV em inglês apresenta "setenta homens e cinqüenta mil homens", mas alguns dos textos em hebraico não contêm os "cinqüenta mil" e provavelmente sejam corretos.

O povo de Bete-Semes ficou aterrorizado com esta demonstração da impressionante santidade de Deus, e enviou mensageiros aos sacerdotes de **Quiriate-Jearim** (21), a cerca de quatorze quilômetros de distância, uma cidade próxima a Siló, para que viessem e levassem o objeto sagrado. A arca foi então levada **à casa de Abinadabe**, e seu filho **Eleazar** foi ordenado seu guardião. O termo **consagrado** ou **consagraram** (1) é usado aqui no seu sentido mais comum do Antigo Testamento, o de "separar para o serviço a Deus". Embora nunca lhe faltasse completamente o conceito de libertação do pecado ou de pureza moral, mesmo no Antigo Testamento, foi somente com a vinda de Cristo que o significado da palavra pôde ser totalmente compreendido. No Novo Testamento, o conceito da separação ou consagração permanece, mas o significado predominante é o da santificação ou da libertação do pecado.

É difícil saber exatamente por que a arca permaneceu tanto tempo em Quiriate-Jearim. A referência a **vinte anos** (2) é aparentemente o período de tempo entre o retorno da arca a Israel e a reforma feita por Samuel em 7.3ss, desde que a arca ainda permaneceu na casa de Abinadabe até o começo do reinado de Davi (2 Sm 6.3,4). Alguns supõem que Siló tenha sido ocupada pelos filisteus durante essa época, enquanto Samuel preparava-se para a reforma que será descrita a seguir. Talvez Siló estivesse em ruínas nesse período. O que se sabe é que a cidade esteve, em determinada época, completamente destruída, pois suas ruínas são apontadas por Jeremias (7.12-14) como uma evidência da certeza do julgamento divino.

4. Samuel como Juiz (7.3-17)
Samuel havia sido reconhecido como profeta do Senhor há muito tempo. Agora ele assume o seu lugar na história sagrada como o último dos juízes. Estes eram líderes militares por cujas mãos o Senhor trouxe libertação para o seu povo. Também serviam em um trabalho civil, em razão do respeito que os seus companheiros tinham por eles. Embora não saibamos a idade de Samuel na época da captura da arca pelos filisteus, provavelmente estava na casa dos seus quarenta anos na época em que ocorreram os seguintes eventos[15].

Samuel convocou o povo de Israel para **com todo o coração retornarem [converterem-se] ao Senhor** (3). Os desastres dos últimos anos e a ocupação pelos filisteus tinham preparado o caminho para essa convocação, pois **lamentava toda a casa de Israel após o Senhor** (2). **Converter-se ao Senhor** é a expressão familiar do Antigo Testamento para descrever o genuíno arrependimento. Somente um afastamento sincero dos falsos deuses e um serviço decidido ao Deus verdadeiro poderia abrir caminho para a libertação divina das mãos de seus inimigos.

Os baalins e os astarotes (4) representam os deuses dos cananeus e de grande parte do Oriente Próximo daquela época. **Baalins** é a forma plural de *baal*, uma palavra que significa "senhor", "possuidor" e "marido". Originalmente um substantivo comum, a palavra passou a ser usada como um nome próprio para descrever as várias divindades locais que supostamente controlavam a fertilidade das terras e dos rebanhos. Também era usada para descrever o baal supremo ou senhor de um país. A adoração aos baalins era viciosa e depravada. **Astarote** era uma deusa também conhecida como Astarte, adorada pelos fenícios e pelos cananeus. Era correspondente à Vênus dos gregos, e era a deusa do sexo e da fertilidade.

O passo seguinte de Samuel foi reunir o povo em Mispa, quase treze quilômetros ao norte de Jerusalém, e não distante da cidade de Ramá, que era a sua terra natal e onde ele havia estabelecido a sua moradia (1.19; 7.17). Este era um local tradicional de encontro das tribos (Jz 20.1-3; 21.1,5,8; 1 Sm 10.17). Ali o povo jejuava, confessava seus pecados e orava. **Tiraram água, e a derramaram perante o Senhor** (6) como uma libação. Esta não era uma forma comum de adoração entre os israelitas, mas provavelmente está indicada em 2 Samuel 23.16. Há várias suposições de que representa a oração, a absolvição, a purificação, o ato de fazer um voto, ou uma penitência[16].

As notícias da reunião dos israelitas provocaram um ataque dos filisteus, que supunham que se planejava uma revolta e esperavam esmagá-la antes que ela pudesse ser concretizada. Os israelitas foram tomados pelo medo e agora se voltaram a Samuel para pedir-lhe: **Não cesses de clamar ao Senhor... para que nos livre da mão dos filisteus** (8). A oração anterior de Samuel (5) tinha sido para o perdão e a restauração do povo ao favor de Deus, algo que deve preceder a esperança de qualquer forma de ajuda divina.

A seguir, Samuel sacrificou um cordeiro em holocausto a Deus, e orou pela libertação de seu povo – **e o Senhor lhe deu ouvidos** (9). **Sacrificar inteiro em holocausto** ou sacrificar completamente em holocausto significa ser inteiramente consumido pelo fogo. Enquanto se fazia a oferta, os filisteus iniciaram os seus ataques. **Trovejou o Senhor aquele dia com grande trovoada sobre os filisteus e os aterrou** (10) – Em várias versões lê-se: "O Senhor os atacou com fortes trovoadas. Então eles ficaram em completa confusão". **Abaixo de Bete-Car** (11) – os estudiosos tentam identificar este local como uma elevação a cerca de sete quilômetros a oeste de Jerusalém.

Tomou Samuel uma pedra (12) – grandes pedras como monumentos eram comuns na época do Antigo Testamento (por exemplo, Gn 28.22; 31.45; 35.14; Js 24.26; 1 Sm 14.33). **Entre Mispa e Sem** – não se identificou Sem. O nome significa "dente", e pode ter sido uma formação rochosa com a aparência de um dente. A Septuaginta apresenta Jesana no lugar de Sem, uma vila não distante de Mispa. **Ebenézer**, "pedra de ajuda", foi o nome usado para identificar o lugar antes mesmo de receber o seu nome formal (4.1; 5.1).

"Deus, nossa ajuda" é o tema dos versículos 3-12: **Até aqui nos ajudou o Senhor**, 12. Aqui podemos encontrar: (1) Condições para receber a ajuda de Deus, 3,4; (2) Confissão da necessidade da ajuda de Deus, 5,6; (3) A crise como ocasião da ajuda de Deus, 7; (4) Chamado à oração pela ajuda de Deus, 8,9; (5) Vitória por meio da ajuda de Deus, 10-12.

Uma sinopse do balanço da vida de Samuel é apresentada em 13-17. Ele fixou a sua residência em Ramá, sua terra natal. Como Siló não é mais mencionada durante a sua vida, assume-se que ela tenha sido destruída durante as guerras contra os filisteus. Samuel erigiu um altar em Ramá, e anualmente visitava Betel, Gilgal e Mispa. Os filisteus a oeste já não representavam uma ameaça, embora o seu poder tenha ressurgido mais tarde (cf. 9.16; 10.5; 13.9-23), e havia paz com os amorreus a leste e na região montanhosa. O território perdido havia sido recuperado, e o quadro geral era de paz e prosperidade.

5. *O Povo Procura um Rei* (8.1-22)

O capítulo 8 é uma transição entre o período dos juízes e a era da monarquia. Em termos teológicos, ele representa o fim da teocracia, ou o reino de Deus por meio de juízes ou líderes indicados diretamente. Vários críticos assumiram que 1 Samuel 8-12 (como, na verdade, todo o registro de 1 e 2 Samuel) é o resultado da união de duas fontes independentes e bastante diferentes. Supõe-se que haja uma fonte anterior favorável à idéia de um reino, e refletida em 9.1-10.16; e uma posterior, oposta à monarquia e vista em 8.1-22; 10.17-27; e 12.1-25. No entanto, tal reconstrução é altamente especulativa e bastante desnecessária[17].

Tendo Samuel envelhecido (1) – em nenhum lugar se define a sua idade, mas em 12.2 ele fala de si mesmo com os termos "envelheci e encaneci". **Constituiu a seus filhos por juízes** – os seus nomes são expressos em 1 Crônicas 6.28 como Vasni e Abias. No entanto, o Texto Massorético não os menciona, e o nome Joel pode ter sido obtido a partir de 1 Crônicas 6.33, como também o do versículo 2. A passagem sugere que Samuel associou os seus filhos consigo mesmo devido à sua própria idade avançada. Os seus próprios nomes expressam a devoção que havia no coração de Samuel: Joel significa "O Senhor é Deus", e Abias quer dizer "O Senhor é Pai". Infelizmente, eles não corresponderam à esperança que seus nomes expressavam (3-5).

O Ministério de Samuel

1 Samuel 8.3-22

Uma irônica semelhança entre os últimos anos de Samuel e os de Eli está descrita no versículo 3. Nos dois casos, os filhos em quem se confiava provaram ser desleais. No entanto, existe uma diferença, a de que o autor inspirado não sugere a culpa de Samuel em nenhum ponto. Os pecados de seus filhos não eram tão exacerbados e eram de um tipo que não era imediatamente visto ou detectado. **Avareza** (3) – dinheiro; ou, como Lutero traduziu, cobiça. **Perverteram o juízo** – "perverteram a justiça".

Todos os anciãos de Israel (4) vieram até Samuel, para demonstrar uma ampla insatisfação com a situação. A sua exigência de um rei se baseava em duas razões: **já estás velho, e teus filhos não andam pelos teus caminhos** (5), além do desejo de que o rei pudesse ser o seu juiz ou líder e de que eles pudessem ser como **todas as nações**. Este desejo de adequar-se aos outros, rebelando-se contra as características divinas, foi uma fonte de problemas para o povo de Deus em todas as épocas.

O descontentamento de Samuel (6) não ocorreu porque o povo julgou que ele estava velho e que os seus filhos não eram dignos de sucedê-lo, mas porque pediram um rei – fato no qual ele via claramente implicações profundas com envolvimentos morais e espirituais. Os seus receios se confirmaram quando o Senhor lhe disse: **o povo não te tem rejeitado a ti; antes, a mim me tem rejeitado, para eu não reinar sobre ele** (7). A nação já tinha uma triste história de rebelião e idolatria, e estava, agora, apenas fazendo a Samuel o que já havia feito ao Senhor (8). Esperava-se que o profeta concordasse com o pedido, mas ele protestou e claramente informou os líderes do resultado da sua escolha (9).

Há argumentos de que a descrição de Samuel sobre os abusos do poder na monarquia (11-18) só poderiam ter sido escritos muito tempo mais tarde, quando a experiência gerou essas tristes linhas. No entanto, tal conclusão é definitivamente desnecessária. A história dos despotismos do Oriente nas nações forneceu abundantes exemplos da indubitável verdade de que "o poder corrompe, e o poder completo ou absoluto corrompe completamente". Adicionalmente, Samuel era um homem que possuía uma visão profética, e falava **todas as palavras do Senhor** (10). Incluídos nos abusos da monarquia estavam o alistamento militar obrigatório (11-12); o trabalho forçado (12-13, 16-17); a apropriação das propriedades (14); e uma pesada carga tributária (15,17). O termo **perfumistas** (13) significa "confeccionadoras de perfumes" (Berk.). Embora o povo **clamasse sob estas injustiças, o Senhor não vos ouvirá naquele dia** (18). A ordem: **lavrem a sua lavoura** (12) significa semeá-la ou cultivá-la.

Embora mais do que avisado, o povo renovou o seu pedido por um governante, para ressaltar novamente o seu desejo de ser **como todas as outras nações** (20). Além disso, indicou a necessidade de ter alguém que o liderasse na guerra e lutasse nas suas batalhas. Samuel, ao falar a Palavra de Deus como o seu profeta, agora se voltou e falou a mensagem do povo a Deus, como o seu sacerdote (21). Novamente o Senhor indicou a sua aquiescência quanto ao pedido dos representantes da nação, e Samuel os enviou às suas casas para que aguardassem a ocasião para agir (22).

Seção II

SAUL TORNA-SE REI

1 Samuel 9.1—15.35

A carreira diversificada do primeiro rei de Israel é mais extensamente detalhada do que a história de qualquer monarca, com a exceção de Davi. O relato ocupa o balanço de 1 Samuel, em que a última parte apresenta o relacionamento entre Saul e Davi[1].

A. A Escolha e a Coroação de Saul, 9.1—12.25

1. A Escolha de um Rei (9.1-27)
Como é de costume, o registro começa com a genealogia de Saul, que parte através de Quis, seu pai, Abiel (14.51), Zeror, Becorate e Afias, que é identificado como **filho de um homem de Benjamim**. Em 1 Samuel 14.51; 1 Crônicas 8.33 e 9.39 apresenta-se Ner como o pai de Quis, uma aparente discrepância, melhor compreendida quando entendemos que as genealogias bíblicas freqüentemente omitem algumas gerações. **Varão alentado em força** (1) é a expressão usada para descrever Quis. Ela pode indicar a sua riqueza ou a sua bravura, ou ambas. De qualquer maneira, o registro mostra que Saul vinha de uma família importante e abastada da tribo de Benjamim – uma família de boa situação econômica e altamente respeitada.

O próprio Saul é descrito como **jovem e tão belo** (2). O termo hebraico utilizado não indica necessariamente juventude, mas sim o apogeu da vida – pois Saul tinha pelo menos um filho adulto na época de sua escolha como rei. **Belo... mais belo** – a palavra em hebraico indica uma impressão favorável e pode significar "bonito, elegante, bem feito, robusto". Uma menção especial é feita à altura de Saul.

O extravio das jumentas de Quis é a ocasião para o primeiro encontro entre Saul e o profeta Samuel. A casa da família de Quis ficava em Gibeá (11.14; 2 Sm 21.6) e a procura foi feita pela região montanhosa de **Efraim** (4) e por um distrito conhecido como **Salisa**, não identificado de outra maneira. **Saalim** é igualmente desconhecida, mas **Zufe** (5) é a área onde se localizava Ramá, a cidade de Samuel, ao sul do território da tribo de Benjamim. Depois de três dias (cf. 20), Saul concluiu que àquela altura seu pai deixara de pensar nos animais e passara a se preocupar com o seu filho e o seu servo.

Quando eles estavam prestes a abandonar a busca, o servo sugeriu uma consulta a Samuel, descrito como **um homem de Deus, e homem honrado** (ou estimado) (6). **Esta cidade** seria Ramá, a terra de Samuel. O fato de que Saul não parece ter conhecimento de Samuel levantou alguns debates entre os estudiosos do Antigo Testamento, e foi usado para argumentar a favor da teoria das duas fontes dos livros de Samuel. No entanto, isso pode ser suficientemente justificado pelo fato de que nessa época Saul era um jovem tímido e reservado, ocupado com o trabalho da fazenda e aparentemente sem interesse pelos assuntos políticos ou religiosos. É possível também que o servo, mais velho, estivesse mais familiarizado com o território, o que trouxe Samuel à sua mente e não à de Saul.[2]

A cortesia exigia que se levasse um presente, e Saul objetou que eles não o possuíam, uma vez que **o pão de nossos alforjes se acabou** (7), ou, como diz Moffatt: "nossos sacos já não têm pão". O servo tinha consigo **um quarto de um siclo de prata** (8). Como não existia a cunhagem de moedas naquela época, os metais eram pesados. Essa quantidade corresponderia aproximadamente à oitava parte de uma onça, com um valor aproximado de dez centavos de dólar na atualidade, mas que valia muito mais naqueles dias.

Um parêntesis é fornecido no versículo 9, a fim de indicar a data posterior do registro da narração. Aqui se explica que a pessoa conhecida como profeta na época em que o registro foi feito era chamado vidente nos dias de Saul e também anteriormente a ele. *Roeh* ou "vidente" refere-se principalmente ao fato da visão profética. O profeta é aquele que "vê". Esse era, sem dúvida, o nome popular para os homens de Deus nos tempos antigos. *Nabi* ou "profeta" tinha referência particular à proclamação pública da vontade de Deus, conforme discernido através da visão profética. O último uso da palavra "vidente" no Antigo Testamento é encontrado em conexão com a época de Asa, no início do século X a.C.[3]

Os dois chegaram em uma boa hora, pois **as moças que saíam a tirar água** (11) disseram a Saul e ao seu servo que somente naquele dia Samuel tinha retornado à cidade. O trabalho das jovens de retirar e carregar água nos tempos bíblicos é freqüentemente refletido no Antigo Testamento (por exemplo, Gn 24.11, 43; Êx 2.16). Era considerado um trabalho humilde (Js 9.21-27). A expressão **no alto** (12) freqüentemente reflete a referência no Antigo Testamento aos "lugares altos" como lugares de adoração. Durante o período em que não havia tabernáculo central nem templo, os sacrifícios autorizados e a adoração ao Senhor eram realizados ali. Depois da construção do Templo, os "lugares altos" tornaram-se sinônimos de idolatria.

Comer (13) – as épocas de sacrifício e adoração eram ocasiões para se comer em conjunto. Exceto no caso do "sacrifício completo em holocausto" – no qual tudo era consumido pelo fogo no altar – somente o sangue e o fígado, com o seu envoltório (o redenho), do animal sacrificado eram ofertados ao Senhor (Êx 29.13, 22; Lv 3.4,10,15). O que sobrasse das carcaças era comido pelos sacerdotes e pelos adoradores. **Samuel lhes saiu ao encontro** (14) – melhor ainda "Samuel saiu e veio em direção a eles".

1 Samuel 9.15—10.1   Saul Torna-se Rei

Samuel fora avisado sobre o encontro. **O Senhor o revelara aos ouvidos de Samuel** (15), ou "o Senhor tinha revelado a Samuel". O homem que viria até ele deveria ser ungido **capitão sobre o meu povo de Israel** (16). **Capitão** – do hebraico *nagid* – significa "príncipe, chefe, cabeça" (cf. 17, **dominará**). Os filisteus novamente ameaçavam e oprimiam Israel depois de terem sido anteriormente derrotados por Samuel. O profeta apresentou-se a Saul **no meio da porta** (18) – que seria a entrada da cidade. Samuel lhe disse para ir ao lugar de sacrifício e do banquete e declarou-lhe: **pela manhã te despedirei e tudo quanto está no teu coração to declararei** (19). Saul provavelmente estivesse preocupado com a opressão dos inimigos de Israel. O jovem não devia mais se preocupar com os animais perdidos, porque haviam sido encontrados. **Todo o desejo de Israel** (20) traduz melhor como "todas as coisas desejáveis de Israel". Saul tinha viera procurar as jumentas. Ao invés disso, receberia um reino. A sua modesta renúncia (21) era em parte verdadeira – porque Benjamim tornara-se a menor das tribos de Israel (Jz 19-21) – e em parte era uma indicação do seu espírito modesto e humilde.

Saul foi conduzido **à câmara** (22), ou sala de jantar, e colocado no lugar de honra entre os trinta convidados acomodados na sala. **A espádua** (24) do animal sacrificado, reservada para o sacerdote que presidia e que fora cerimonialmente apresentada ante o altar do Senhor, foi colocada diante de Saul como um símbolo da mais alta honra. **Levantou** significa literalmente "alçou" – cf. Êx 29.27; Lv 7.34; etc. **Guardou-se** – melhor "manteve" ou "reservou".

Ao retornar à casa do profeta na cidade, **chamou Samuel a Saul ao eirado** (25). Na Septuaginta lê-se: "Uma cama foi preparada para Saul sobre o telhado, e ele deitou-se para dormir" ou, como nas versões modernas: **Aí arrumaram uma cama para Saul no terraço, e ele dormiu ali**. Sem dúvida, o homem mais velho passou o tranqüilo entardecer ao lado de Saul, a fim de falar-lhe sobre os assuntos nacionais e religiosos da época. Os tetos achatados das casas orientais eram (e são) freqüentemente usados como lugares para dormir. O telhado da casa do profeta também fornecia a privacidade necessária para tal conversa. No versículo 26, conforme a versão *Berkeley:* "E se levantaram de madrugada; e sucedeu que, quase ao subir da alva, chamou Samuel a Saul ao eirado, e disse-lhe: Levanta-te, e despedir-te-ei. Levantou-se Saul, e saíram ambos, ele e Samuel". Na extremidade da cidade, ordenou-se ao servo que fosse antes, e Samuel disse a Saul **a palavra de Deus** (27).

2. A Unção em Particular (10.1-16)

O processo de tornar Saul rei envolveu dois estágios. O primeiro foi a cerimônia privada relatada aqui. O segundo foi a escolha pública, seguida por uma coroação oficial (10.17-25; 11.14-15). **Um vaso de azeite** (1) – o azeite de oliva era usado na cerimônia de unção, o que significa borrifar ou aplicar o óleo sobre a pessoa que era ungida. O vaso era um jarro de gargalo estreito de onde o óleo saía em gotas. Os sacerdotes (Êx 28.41, etc.) e os profetas (1 Rs 19.16) eram ungidos; mas a cerimônia se aplicava particularmente à instalação de reis. O povo freqüentemente se referia ao rei como "o ungido do Senhor" (16.6; 24.6). O termo hebraico *mashiach* (em português, "Messias") significava "o ungido" e aplicava-se ao futuro rei ideal de Israel. *Christos*, a palavra grega para "o ungido", é o equivalente a Messias, e tornou-se o nome de Jesus de Nazaré[4]. **E o beijou** – o típico sinal oriental de sujeição ou de subordinação a um superior. **O Senhor tem te ungido** – por meio de seu profeta, que agiu de acordo com as suas instruções. **A sua**

herdade – terras, herança, posses. Israel pertencia a Deus em razão tanto da libertação da nação da escravidão no Egito como da sua escolha de Israel, entre todas as nações, para ser o canal do seu amor e de redenção para todo o mundo.

Saul receberia três sinais relacionados à veracidade das palavras de Samuel e da certeza da sua escolha como príncipe e rei: (*a*) dois homens iriam informá-lo do regresso das jumentas; (*b*) ele iria encontrá-los **subindo a Deus** (3) – isto é, encaminhando-se para a adoração – e iriam dar parte das suas ofertas a Saul; e (*c*) ele iria **encontrar um rancho de profetas**, e o Espírito do Senhor desceria sobre ele, a fim de torná-lo um homem diferente. A localização do **carvalho de Tabor** não é conhecida. Saul deveria então ir **a Gilgal**, onde esperaria sete dias pela vinda de Samuel e receberia instruções (2-8). **O outeiro de Deus** (5), ou *Gibeah-Elohim*, provavelmente uma elevação perto de Gibeá, uma vez que Saul era bastante conhecido na cidade que tinha aquele nome (10-11). *Gibeah* é a palavra em hebraico para "colina", e a sua tradução é uma questão não resolvida, poderia ser "colina" ou "Gibeá".

Saltérios, e tambores, e flautas, e harpas (5) – não se conhece a exata natureza desses antigos instrumentos musicais. Moffatt traduz: "alaúdes, tambores, flautas e liras tocando diante deles". A música e os instrumentos musicais têm tido um lugar importante na adoração desde tempos imemoriais (cf. Sl 150). A natureza da declaração profética é obscura. Da descrição em 19.23-24, de um segundo acontecimento desse tipo, parece que a profecia em questão era uma declaração extasiada, talvez similar ao fenômeno das "línguas", observado na história do cristianismo, assim como em algumas religiões não cristãs. A expressão – **faze o que achar a tua mão** (7) – pode ser traduzida como "faça o que quer que a sua mão encontre para fazer".

Cada um dos sinais preditos aconteceu. Quando Saul se virou para partir em direção à sua casa, **Deus lhe mudou o coração em outro** (9). O humilde trabalhador rural estava a caminho de tornar-se um líder militar e civil. **O Espírito de Deus se apoderou dele** (10) e os seus conhecidos, ao vê-lo, perguntavam uns aos outros: **Está também Saul entre os profetas?** (11), uma frase destinada a tornar-se famosa em uma época posterior, sob as mais extremas manifestações de 19.23-24. **Tornou-se provérbio** (12) não significa necessariamente a partir daquele momento, mas pode ter sido na época posterior narrada no capítulo 19[5].

Os versos 6-11 mostram "A criação de um novo homem", pois Samuel disse a Saul: **te mudarás em outro homem**, 6. Aqui temos (1) Redenção – **Deus lhe mudou o coração em outro**, 9; (2) Renovação – **O Espírito de Deus se apoderou dele**, 10; e (3) Reconhecimento – **todos os que dantes o conheciam viram que eis que com os profetas profetizava; então disse o povo, cada qual ao seu companheiro: Que é o que sucedeu ao filho de Quis?** 11.

A pergunta do versículo 12 é difícil de ser entendida. O que quer dizer a resposta de um homem de Gibeá: **Pois quem é o pai deles?** Em conexão com o assombro do povo expresso em 11: **Que é o que sucedeu ao filho de Quis?** A resposta pode querer dizer simplesmente que o fato do filho de Quis profetizar não era mais surpreendente que o fato de que aqueles homens, cujos pais eram desconhecidos, também profetizassem. Moffatt tenta dar sentido à interpretação do versículo, ao traduzir a observação como um comentário adicional, uma expressão de surpresa por Saul ter sido encontrado "'entre homens sem família!', como observou um habitante local".

O tio de Saul, ao saber que seu sobrinho tinha se encontrado com Samuel, tentou descobrir o que o profeta havia dito. Ele respondeu somente que o homem de Deus lhe tinha dito que **as jumentas se acharam. Porém o negócio do reino... lhe não declarou** (16).

3. *A Escolha Pública* (10.17-27)

O próximo passo de Samuel era organizar uma apresentação pública do rei recém-ungido. Com essa finalidade ele **convocou... o povo ao Senhor em Mispa** (17), à cidade de Benjamim que era o lugar das convocações nacionais. Não ficava longe de Ramá, onde morava Samuel (cf. comentário sobre 7.5).

As palavras introdutórias de Samuel recordaram ao povo as libertações de Deus, do Egito e das mãos dos inimigos (18). Esses fatos imputaram ainda mais culpa à sua rejeição ao seu governo direto sobre eles, ou seja, a teocracia (19). O povo apresentou-se **pelas... tribos e pelos... milhares**. A palavra hebraica para **milhares** também significa "famílias", o que parece ser o caso aqui. **Tomou-se a tribo de Benjamim** (20) – isto é, a tribo foi escolhida por sorteio. Embora não se conheça a exata maneira de conduzir a seleção, é muito provável que fosse extraído de um vaso o nome da tribo escolhida, como em Números 33.54. Das famílias da tribo de Benjamim, **a família de Matri** (21) foi escolhida. Esse nome não é mencionado em outra passagem do Antigo Testamento. É possível que diversos passos intermediários não estejam descritos, ou talvez devêssemos ler conforme a Septuaginta: "Finalmente, ele trouxe a família dos matritas, homem por homem".

Quando Saul foi chamado, mas não encontrado, perguntou-se ao Senhor **se aquele homem ainda viria ali** (22) – ou, como se lê na Septuaginta: "O homem veio aqui?". Não se conhece a razão pela qual Saul se escondeu **entre a bagagem**, mas, provavelmente, foi por causa da sua modéstia e timidez – características lamentavelmente perdidas posteriormente em sua vida. Como em 9.2, há um comentário sobre a sua elevada estatura. Quando Samuel então apresentou-o, **jubilou todo o povo, e disseram: Viva o rei** (24) – ou "Longa vida ao rei!" – uma expressão de respeito e lealdade.

Novamente Samuel **declarou ao povo o direito do reino** (25), para que, avisados previamente, estivessem prevenidos – embora haja conjeturas sobre uma eventual distinção entre **o direito** (ou lei) **do reino** e a "maneira (ou costume) do rei" (8.11ss.). A lei do reino ("os direitos e deveres da monarquia" ou "os direitos e deveres de um rei") representaria os limites constitucionais colocados, por sanção divina, nos poderes da monarquia; ao passo que "o costume do rei" representaria os abusos desses poderes que pudessem ocorrer. Samuel **escreveu-o num livro** – a primeira menção à escrita desde o tempo de Moisés, e a primeira referência à escrita entre os profetas. **Pô-lo perante o Senhor** – talvez em um Tabernáculo agora reconstruído em Siló, ou talvez em Mispa, de alguma maneira que desconhecemos. Embora o reinado estivesse aprovado e o rei fosse apresentado, ainda foi Samuel quem dispersou o povo[6].

Saul, por sua vez, voltou à sua casa em Gibeá, acompanhado por um **exército, aqueles cujo coração Deus tocara** (26). A Septuaginta diz: "homens de valor". Em contraste com estes estavam **os filhos de Belial** (27 – literalmente, "filhos dos sem-valor", que o desprezaram. Diante de tal desprezo, ele somente **se fez como surdo** – em hebraico, literalmente, "ele ficou como surdo", e agiu como se não tivesse ouvido nada).

SAUL TORNA-SE REI   1 SAMUEL 10.27—11.11

A fortaleza de Saul em Gibeá foi escavada por W. F. Albright[7]. Anteriormente, houve uma cidade neste lugar, destruída pelo fogo nos tempos dos juízes (Jz 19-20). Embora essa fortificação que data da época de Saul não seja ampla nem luxuosa, é descrita como possuidora de "uma certa quantidade de luxo rústico"[8]. Era uma estrutura retangular com paredes duplas e possuía uma torre em cada canto. O interior do edifício tinha dois andares. Nas ruínas foram encontrados inúmeros recipientes de cerâmica, alguns grandes caldeirões e um arado de ferro. A partir das referências a "Gibeá de Saul", parece que este foi o quartel general deste rei durante as guerras contra os filisteus, e a capital do seu reino.

4. *As Primeiras Proezas de Saul* (11.1-15)

Não foi muito tempo depois da convocação em Mispa, da escolha pública de Saul, e de sua posterior ida a Gibeá, que alguns acontecimentos confiaram ao novo rei uma liderança ativa. A Septuaginta acrescenta as palavras: "Aconteceu, depois de um mês" (cf. 12.12). O **amonita** (1), do Leste – não tão poderoso como os filisteus do Oeste, mas ainda assim fornece a ocasião para a primeira vitória de Saul. **Jabes-Gileade**, a leste do Jordão, foi o primeiro ponto de ataque. De acordo com Juízes 11.13, parece que os amonitas reivindicavam o território a leste do Jordão. Foi talvez a renovação dessa reivindicação que causou o ataque sem outra justificativa. O fato de que havia fortes laços entre Jabes e Benjamim é visto em Juízes 21.8-14, onde se lê que quatrocentas jovens de Jabes foram dadas como esposas aos sobreviventes de Benjamim.

Os indefesos habitantes de Jabes queriam se render sob quaisquer termos razoáveis, uma oferta que Naás, rei dos amonitas, recusou com desdém. Ele iria arrancar o **olho direito** (2) dos seus cativos como uma afronta e uma desgraça que cairia sobre toda a nação de Israel, e que não teria como ser evitada. No entanto, ele permitiu uma prorrogação de **sete dias** (3), período em que os homens de Jabes poderiam procurar ajuda junto às tribos que estavam a oeste do Jordão.

Embora os mensageiros tivessem sido enviados **por todos os termos de Israel** (3), eles foram em primeiro lugar **a Gibeá de Saul [e], falaram estas palavras** (4) aos ouvidos do povo. Somente com o choro do povo o futuro rei de Israel soube do perigo, quando retornava de seu trabalho nos campos (5). Com essas notícias, **o Espírito de Deus se apoderou de Saul... e acendeu-se em grande maneira a sua ira** (6). É assim que é descrita a ação do Senhor sobre os homens do Antigo Testamento, dotados de poder sobrenatural e de sabedoria. A expressão é usual no livro dos juízes (3.10; 6.34; 11.29; 14.6; etc.) e posteriormente. Existe uma ira santa diante da injustiça e do mal que é uma parte essencial da vida cheia do Espírito em qualquer época. No Novo Testamento, demonstra-se claramente que a ira é compatível com o amor perfeito. Não é a ira o oposto do amor, mas sim o ódio.

A reação de Saul foi fazer uma convocação para a guerra em todas as tribos, e tomou partes de seu próprio par de bois, que ele sacrificou e cortou (7). Sob **temor do Senhor**, 300 mil homens de Israel e 30 mil de Judá reuniram-se em Bezeque, do outro lado do rio Jordão nas proximidades da sitiada Jabes (8, veja mapa). A enumeração em separado de Israel e Judá reconhece a linha de divisão que já existia há muito tempo, e que finalmente resultou na divisão do reino depois da morte de Salomão.

Saul dividiu os seus homens em três grupos e atacou na **vigília da manhã** (11), em hebraico, *boqer*, "amanhecer, nascer do dia". Este período de tempo era entre as três e as seis horas da manhã. Os desprotegidos amonitas, desarmados pela promessa dos homens de Jabes de que naquele mesmo dia se renderiam, foram tomados de surpresa e completamente expulsos.

A esmagadora vitória de Saul cimentou a lealdade do povo, que queria executar aqueles que tinham objetado quando ele foi declarado rei. No entanto, generosa e sabiamente proclamou uma anistia, a fim de mostrar a sua gratidão, pois **hoje tem feito o Senhor um livramento em Israel** (13). **Livramento** é uma palavra-chave, tanto no Antigo como no Novo Testamento. Aqui ela é usada com referência a uma notável vitória militar (cf. 2.1, comentário).

Samuel novamente reuniu o povo, desta vez em Gilgal, no vale do Jordão, outro ponto que tem associações sagradas (cf. Js 4.19; 5.9; etc.), para **renovar ali o reino** (14)[9]. Saul havia sido previamente ungido; daí a expressão **levantaram ali rei a Saul perante o Senhor** (15), uma solene proclamação e a inauguração formal de seu reinado. A menção aos sacrifícios indica a natureza essencialmente religiosa deste encontro. Compreensivelmente, foi uma época de grande alegria.

5. *O Adeus de Samuel* (12.1-25)

Samuel aproveitou a ocasião para fazer a sua despedida formal, ao dirigir-se às tribos reunidas, como tinham feito Moisés (Dt 31.1ss.) e Josué (Js 24) antes dele. Ao relatar a sua aceitação da demanda popular por um rei, Samuel desafiou o povo a indicar qualquer impropriedade em sua conduta. **O Senhor seja testemunha... e o seu ungido seja hoje testemunha** (5) – o povo concordou que tanto Deus como Saul eram testemunhas da integridade do velho profeta.

O apelo de Saul baseia-se na bondade de Deus para com Moisés e Arão, ao tirar o povo **da terra do Egito** (6), e também no que Ele tinha feito pelo povo ali reunido e pelos seus pais. **Todas as justiças do Senhor** (7), isto é, "atos de poder e graça realizados para o seu povo com base em sua relação do concerto instituído por Abraão e por meio de Moisés"[10]. **Contenderei convosco** (7) – em hebraico, *shaphat*, é um termo judicial que implica em litígio ou julgamento perante um juiz, neste caso o Senhor. Samuel revê os fatos da história de Israel, a partir do êxodo. **Esqueceram-se do Senhor, seu Deus** (9), em contraste com a inesgotável lealdade de seus atos justos. **Baalins e astarotes** (10), cf. comentário sobre 7.3-4. **Jerubaal**, ou seja, Gideão (Jz 6.28-32) **e Bedã** (11); o último, um nome que não aparece no livro dos juízes, embora seja encontrado em 1 Crônicas 7.17 como um descendente de Manassés, desconhecido se não fosse por isso. A Septuaginta apresenta "Baraque", mas o nome pode ser outra forma de Abdom (Jz 12.13) ou de outro juiz menor não mencionado em outros trechos. Em Hebreus 11.32 lê-se "de Gideão, e Baraque, e de Sansão, e de Jefté", uma ordem que parece concordar com a Septuaginta. **E a Samuel** – ele apresentou a si mesmo sem ostentação, não apenas como alguém enviado pelo Senhor, mas como o último dos juízes em cujo mandato não fora necessário um rei para a segurança do povo. O perigo da invasão amonita é visto no versículo 12 como a causa imediata do pedido de um rei, e mostra o curto período de tempo decorrido entre a escolha de Saul e os eventos narrados no capítulo 11.

Samuel relembrou os israelitas que, embora eles agora tivessem um rei, o reinado ainda estava sob a lei de Deus e a sua perpetuação dependia da lealdade a Ele (14-15). Até o final, ele considerava o desejo de um rei como uma evidência de deslealdade por

SAUL TORNA-SE REI   1 SAMUEL 12.12—13.5

parte do povo (cf. 12, **sendo, porém, o Senhor, vosso Deus, o vosso Rei) – é grande a vossa maldade** (17). Samuel orou ao Senhor e Ele enviou **trovões e chuva naquele dia** (18) como um sinal de seu descontentamento. Como era a época da colheita do trigo, entre meados de maio e de junho, e normalmente não chovia entre abril e outubro, o sobrenatural foi claramente visto pelo povo. Reconheceram o pecado deles e pediram a Samuel que orasse por eles (19).

Uma vez mais Samuel recomendou aos homens de Israel que fossem fiéis a Deus e que o servissem com **todo o... coração** (20). **Não vos desvieis... às vaidades** (21) – **vaidades**, "futilidades", é um termo usado em referência a ídolos e à adoração a eles. A mesma palavra é usada em Isaías 44.9: "Todos os artífices de imagens de escultura são vaidade, e as suas coisas mais desejáveis são de nenhum préstimo; e suas mesmas testemunhas nada vêem, nem entendem, para que eles sejam confundidos". **Pois o Senhor não desamparará o seu povo** (22) – a fidelidade de Deus está assegurada. O único elemento de incerteza é a obediência do homem e a sua lealdade.

Samuel prometeu orar pelo povo e também ensiná-lo. Ele identificava a falta de oração como um pecado – **longe de mim que eu peque contra o Senhor, deixando de orar por vós** (23). Mas, se apesar de todas as orações e da instrução, **perseverardes em fazer o mal, perecereis** (25) – a palavra em hebraico traduzida como **perecer** significa literalmente "ser lançado fora" ou "ser varrido em ruínas".

Os versículos 20-25 falam do "pecado da falta de oração", a qual é uma obrigação (1) apesar da rebeldia do povo, 20; (2) em vista das possibilidades da devoção de todo o coração, 20-21; (3) à luz da fidelidade de Deus, 22-24; (4) na esperança de trazer a vida ao invés da morte, 25.

B. A GUERRA CONTRA OS FILISTEUS, 13.1—14.52

1. O Início do Conflito (13.1-23)

O texto hebraico do versículo 1 literalmente é: "Um ano tinha estado Saul em seu reinado e o segundo ano reinou sobre Israel". Várias conjeturas foram feitas quanto aos números adequados que deveriam ser inseridos nesse texto. Uma vez que Jônatas nessa época já era um guerreiro de valor (3), provavelmente o número 40, como a idade de Saul, não estaria muito errado, a menos que suponhamos um lapso de tempo de alguns anos entre os capítulos 11-12 e 13, o que parece pouco provável. Talvez "trinta" pudesse ser a segunda opção. Esse número, somado aos sete anos e meio do reinado de Isbosete, resultaria em cerca de quarenta anos como a duração da dinastia de Saul (At 13.21). **Micmás e na montanha de Betel** (2), uma cidade e uma elevação ao norte de Gibeá. **Gibeá de Benjamim** pode indicar Geba (cf. 3), uma cidade não distante de Micmás.

O ataque de Jônatas aos exércitos dos filisteus deu início às hostilidades. Ao saber que, como resultado desta ação, **Israel se fez abominável** (4) – em hebraico, "foi ofensiva, odiosa ou detestável" – **aos filisteus**, Saul reuniu o seu povo em Gilgal, onde ele fora proclamado rei (11.15). Os filisteus reuniram um exército impressionante, e **se acamparam em Micmás, ao oriente de Bete-Áven** (5) – a última, uma versão alternativa para Betel. A moral israelita estava em um nível muito baixo

– **Vendo, pois, os homens de Israel que estavam em angústia (porque o povo estava apertado)** (6), talvez como na versão *Berkeley*, "viram que eram cercados (pois os exércitos estavam ameaçados)". **Pelos penhascos, e pelas fortificações, e pelas covas** – ou "pelas cavernas, e pelos buracos, e pelos penhascos, e pelos túmulos, e pelas cisternas". Alguns inclusive **passaram o Jordão para a terra de Gade e Gileade** (7, veja mapa).

Em meio a esta situação difícil, Saul decidiu tomar as rédeas em suas próprias mãos. Por alguma razão não clara para nós, o rei tinha recebido ordens expressas de esperar até que Samuel viesse e oferecesse o habitual sacrifício antes da batalha, e lhe desse instruções (8,13; 10.8). Com a demora do profeta, o próprio Saul ofereceu o holocausto. Ele procurou justificar este erro perante Samuel com base no fato de que **o povo se espalhava** (11), como também na demora de Samuel e na ameaça dos filisteus. Este foi o primeiro dos vários passos que o rei deu, ao afastar-se de Deus, cada um deles explicado da mesma maneira: "o povo!" **Forçado pelas circunstâncias** (12) – isto é, fiz isso com relutância; mas apesar disso, o fiz[11].

Samuel então teve que declarar a Saul as trágicas conseqüências de sua desobediência. Em seu primeiro teste, e diante de uma ordem direta – e não importava a urgência das circunstâncias extenuantes – Saul havia fracassado. Uma desobediência direta nunca pode ser justificada com base na "necessidade". **Agiste nesciamente** (13) – de acordo com Moffatt: "Você fez uma coisa tola". **Já lhe tem ordenado o Senhor** – que não conhecemos, mas do qual Saul havia sido definitivamente informado. **Já tem buscado o Senhor** (14), um exemplo do "presente profético", quando os eventos futuros são mencionados como já em pleno acontecimento, por causa da sua certeza. Ao despedir-se de Saul, Samuel foi para **Gibeá de Benjamim** (15).

"Fracassando no teste da fé" é o tema dos versículos 5-14. (1) O teste da fé chega: (*a*) quando o perigo aumenta, 5,6; (*b*) quando o medo se instala, 7; (*c*) quando o apoio humano falha, 8; (2) Fracassar no teste da fé resulta em: (*a*) desobediência, 9-10; (*b*) desculpas, 11,12; (*c*) a perda das bênçãos de Deus, 13,14.

O exército, agora reduzido a **seiscentos varões** (15), liderados por Saul e Jônatas, acampou em **Gibeá**, (16) – onde provavelmente deveríamos ler: Geba, o lugar de onde Jônatas havia anteriormente expulsado os filisteus, que, agora, das suas trincheiras em **Micmás**, que estava localizada nas proximidades, realizavam sistemáticos ataques contra Israel. **Os destruidores** (17) – eram literalmente "invasores" que promoviam ataques repentinos. Os lugares citados ficam ao norte, a oeste e ao sul de Micmás.

Um parêntesis aparece em 19-23, com a intenção de explicar o estado em que se encontravam os israelitas sob a opressão dos filisteus, que, aliada à presença dos exércitos em Geba (13.3), indicava uma situação que já existia há algum tempo. **A sua relha, e a sua enxada, e o seu machado, e o seu sacho** (20) – típicas ferramentas de fazendas que incluíam o que chamaríamos de foice (segundo a Septuaginta). O versículo 21 é muito difícil no hebraico. Moffatt não tenta traduzi-lo, mas indica a sua omissão por marcas de elipse. A idéia a traduzir é provavelmente a de que a necessidade de ter as ferramentas afiadas por ferreiros filisteus resultou em uma situação de tamanha falta de equipamentos preparados que, quando a guerra começou, até mesmo as ferramentas rudes de trabalho eram de pouca serventia. **E saiu... ao caminho de Micmás** (23), ou de acordo com Berkeley, "ocuparam o desfiladeiro de Micmás".

2. A Grande Vitória de Jônatas (14.1-15)

Como as coisas já estavam assim há algum tempo, Jônatas tomou o seu pajem de armas e cruzou o vale para o lado dos filisteus, a cerca de cinco quilômetros do acampamento de Saul em **Migrom,** no distrito de Geba (2), sem deixar que alguém soubesse de seus planos. Uma vez mais nos é dito que o exército de Saul contava apenas com **seiscentos homens**, e também está dito que com eles estava **Aías** (3), bisneto de Eli, que usava o **éfode** sacerdotal (cf. 2.18, comentário). Aías é provavelmente o próprio Aimeleque, mais tarde assassinado por Saul (22.9).

A passagem onde Jônatas abordou a guarnição dos filisteus está bem marcada com um rochedo agudo de cada lado; aquele que está mais ao norte é conhecido como **Bozez** (provavelmente o nome deriva de uma raiz que quer dizer "brilhante"), e o que está mais ao sul é conhecido como **Sené** ("espinheiro, ou arbusto espinhoso"). Diz-se que o General Allenby, durante a Primeira Guerra Mundial, enviou um esquadrão entre esses mesmos penhascos para surpreender e capturar um exército turco. **Estes incircuncisos** (6), um epíteto usado em particular com referência aos filisteus, que, após virem do oeste, não praticavam a circuncisão como o faziam os povos semitas. **Nenhum impedimento** – isto é, "nenhuma limitação, nenhum obstáculo". Deus pode agir para e com o seu povo sem levar em conta o seu número, quer sejam muitas pessoas, quer poucas. A fé atreve-se a coisas impossíveis quando tem em vista "o invisível" (Hb 11.27). Tais palavras bem poderiam ser o lema da igreja em tempos como estes.

A natureza da condição de ação de Jônatas era algo como "um velo de lã" (cf. Jz 6.36-40). Sob circunstâncias normais, seria altamente improvável que uma guarnição militar, quando desafiada, convidasse os desafiadores: **Subi a nós** (10). **Nos descobriremos** (8), isto é, "nos mostraremos". Os filisteus supuseram que eles lidavam com dois desertores que tinham saído **das cavernas em que se tinham escondido** (11). Com a confiança de que Deus havia verificado a sua liderança pelas palavras que lhes foram ditas pelos inimigos, Jônatas e o seu pajem rapidamente subiram até onde os desavisados soldados filisteus esperavam para ensinar-lhes (12) uma lição. Com a vantagem da surpresa, Jônatas e o seu companheiro rapidamente dominaram a guarnição e mataram **uns vinte homens** (14). **Quase no meio de uma jeira de terra que uma junta de bois podia lavrar** – o texto em hebraico aqui é muito difícil, mas a versão em português provavelmente traduz o significado, ou seja, que a ação teve lugar em uma área tão grande quanto uma junta de bois poderia arar em um dia.

Na ocasião deste ousado ataque, aconteceu um terremoto tão severo que **houve tremor no arraial, no campo e em todo o povo** (15). **Era tremor de Deus.** O texto hebraico deixa claro que o Senhor, e não apenas um terremoto comum, era a causa do terror do inimigo, embora a versão em português não traduza claramente este fato. O pânico não se limitou ao povo, mas afetou também **a guarnição e os destruidores**, supostamente soldados cuidadosamente escolhidos e amadurecidos.

"Deus é sempre maior do que as circunstâncias"; este é o ensinamento nas palavras de fé de Jônatas: **Pois com o Senhor não existe impedimento para salvar com muitos ou com poucos** (6). Nos versículos 4-14 vemos: (1) circunstâncias desencorajadoras, 4,5; (2) uma fé crescente, 6; (3) um companheiro corajoso, 7; (4) um claro sinal, 8-12; (5) uma vitória poderosa, 13,14.

3. O Voto Precipitado de Saul e os seus Resultados (14.16-46)

As sentinelas de Saul relataram a fuga dos filisteus e o fato de que na sua confusão eles atacavam os seus próprios companheiros. **Se derramava** (16), literalmente significa "moviam-se de um lado para o outro". Saul ordenou a vinda da **arca de Deus** (18) – a Septuaginta diz "o éfode", o que estaria de acordo com o comentário de Saul: **Retira a tua mão** (19). Aparentemente o éfode sacerdotal continha um bolso no qual eram guardados o Urim e o Tumim, os pequenos objetos religiosos usados para determinar, ao lançar a sorte, a vontade de Deus. Não existe menção do uso deste meio de determinação da liderança de Deus depois do reinado de Davi. A maneira exata como se usavam esses objetos não é conhecida (cf. também 23.6, comentário). Neste caso, a típica impaciência de Saul fez com que ele não estivesse disposto a esperar pela consulta de Aías. **Naquele dia, estava a arca de Deus com os filhos de Israel** (18) é uma afirmação que explica uma condição que já não existia na época em que o registro foi escrito. Portanto, indica uma data muito posterior para a escrita do relato, provavelmente após a arca ter sido guardada no Templo em Jerusalém.

Saul rapidamente aproveitou-se da confusão nos exércitos inimigos e uniu-se à batalha. O seu pequeno contingente teve os reforços dos grupos daqueles **hebreus que estavam com os filisteus** (21) e de **todos os homens de Israel que se esconderam** (22). A natureza humana parece ser assim. Se alguém assume a liderança e conduz um grupo à vitória, há muitos que se juntarão às linhas e se unirão ao lado vencedor. É possível que o autor quisesse usar os termos "hebreus" e "israelitas" no versículo 21 com diferentes sentidos. "Hebreu" era o termo mais amplo, e, embora todos os israelitas fossem hebreus, nem todos os hebreus eram israelitas. Com o uso posterior, as duas palavras se tornaram sinônimas. **Livrou o Senhor a Israel** (23) – o escritor enxerga claramente a vitória completa como um dos atos salvadores de Deus. **A Bete-Áven** – literalmente, "além de Bete-Áven" (cf. 31). Bete-Áven estava a oeste de Micmás, em direção à região dos filisteus.

No entanto, a vitória foi limitada pela proibição precipitada de Saul de que o povo se alimentasse até o entardecer depois que a batalha tivesse terminado em completo triunfo. O rei pode ter estado interessado em evitar atrasos ou, mais provavelmente, devido à linguagem utilizada, teria imposto a restrição como um jejum religioso. De qualquer forma, os resultados foram prejudiciais (24-26)[12]. **Todo o povo** (25) – leia-se "o povo". Jônatas não fora informado e, sem sabê-lo, transgrediu o juramento ou a proibição (27-31). Também com fome, o povo começou a comer os despojos da sua batalha, sem retirar o sangue e oferecê-lo em sacrifício, como a lei ordenava (32; Lv 17.10-14,28; 19.26; Dt 12.16).

Ao tomar conhecimento do pecado ritual do povo, Saul edificou um altar onde os requisitos da lei pudessem ser cumpridos (33-35) – **Este foi o primeiro altar que edificou ao Senhor** (35), e que também serviu para comemorar a sua vitória. O objetivo de Saul era o de prosseguir com a sua vitória depois que o povo tivesse comido. O povo estava disposto a acompanhá-lo, mas o sacerdote Aías, talvez ao pressentir a insatisfação divina, sugeriu: **Cheguemo-nos aqui a Deus** (36). Porque o Senhor não respondeu à sua consulta, Saul concluiu que alguém teria pecado e jurou a morte ao culpado, **ainda que seja em meu filho Jônatas** (39). Como ninguém do exército delatou Jônatas, o processo de eliminação, com o uso dos dois objetos sagrados, foi usado, e Jônatas foi exposto como o culpado (39-43). Quando Saul estava prestes a cumprir o seu juramento, o povo interveio, baseado em que o seu filho **com Deus fez isso, hoje**

(45). **Assim, o povo livrou a Jônatas** – a palavra em hebraico é *padah*, "resgatar ou redimir", provavelmente através de sua substituição pelo sacrifício de algum animal (Gn 22.13; Êx 13.13; 34.20). O final desta fase da guerra (que foi concluída posteriormente) está marcado pelo versículo 46.

4. *Resumo do Reinado de Saul* (14.47-52)
Estes versículos resumem os feitos militares de Saul e descrevem os seus relacionamentos familiares. As suas campanhas o levaram **contra Moabe** na direção sudeste (veja mapa), contra os amonitas para o leste, contra os edomitas além de Moabe para o sul e para o leste, contra os reis de Zobá para o norte além de Damasco e **contra os filisteus** para o oeste (47). A campanha contra os amalequitas (48) está descrita com detalhes no próximo capítulo.

A família imediata de Saul consistia de sua esposa Ainoã; dos seus filhos Jônatas, Isvi, e Malquisua; e das suas filhas Merabe e Mical. O seu tio Abner era **o general do exército** (50), o comandante. Os inimigos persistentes de Saul eram os filisteus, contra quem ele permaneceu em conflito durante toda a sua vida. Para manter fortalecidos os seus exércitos, ele seguiu a política do alistamento militar conforme Samuel havia previsto em 8.11.

C. A Missão contra Amaleque, 15.1-35

1. *O Compromisso de Saul com a sua Incumbência* (15.1-9)
Samuel foi levar uma mensagem do Senhor a Saul. O povo de Amaleque já tinha chegado aos limites da iniqüidade. Em Levítico 18 encontra-se uma lista dos pecados dos moradores da região, que incluía os amalequitas. Esse povo pecador e guerreiro tinha atacado os israelitas pela primeira vez em Refidim (Êx 17.8-13; Dt 25.17,18), onde foram derrotados. Mais tarde, eles entraram em Horma (Nm 14.43,45), onde tiveram êxito. Eles uniram forças com Eglom, rei de Moabe, em um ataque contra Israel (Jz 3.13) e com os midianitas nas suas incursões às colheitas e aos rebanhos de Israel (Jz 6.3-5,33; 7.12; 10.12).

A ordem era **destruir totalmente** (3), uma frase que literalmente significa "banir". A palavra (*charam, cherem*) em geral é usada com respeito a objetos ou pessoas que estão sob o julgamento de Deus, e que devem ser destruídos ou tornar-se uma propriedade especial do Senhor. A palavra corresponde à extração radical de um câncer, realizada por um cirurgião, para evitar que o mal se espalhe pelo corpo. Para deixar claro o fato de que esta não era uma guerra que tinha simplesmente o objetivo de saquear e roubar, Israel recebeu a ordem de não levar os despojos. Todas as criaturas vivas deveriam ser levadas à morte, e, no caso de Jericó (Js 6.17-21 – "anátema" significa *cherem*, "colocado sob anátema"), tudo o que pudesse ser queimado deveria ser destruído pelo fogo, e a prata, o ouro, o metal e o ferro deveriam ser consagrados a Deus.

Saul reuniu o seu exército **em Telaim** (4), cuja localização é desconhecida. Havia 200 mil homens de onze tribos e 10 mil de Judá, outra evidência da separação entre elas, que no final resultaria em dois reinos. Antes de iniciar o grande ataque, Saul avisou aos **queneus** (6) que se separassem dos amalequitas, entre os quais habitavam. Os primeiros eram um povo relacionado com os midianitas e os amalequitas. Eram ferreiros por profissão, e tinham favorecido os israelitas durante os anos que passaram no deserto. Saul realizou um

1 Samuel 15.6-35 — Saul Torna-se Rei

ataque esmagador sobre os acampamentos dos amalequitas desde **Havilá**, no deserto árabe perto do Sinai, até **Sur**, a leste do Egito e ligada com as suas fortificações de fronteira (7). Mas o rei e os israelitas permitiram que vivesse o rei Agague e trouxeram **o melhor** do rebanho (9). **Vil e desprezível** – de acordo com Moffatt, "comum e sem valor".

2. A Rejeição do Rei (15.10-35)

Saul agora enfrentava a sua prova final. Ele fora avisado em muitas ocasiões, mas tinha fracassado repetidas vezes. O Senhor disse a Samuel: **Arrependo-me de haver posto a Saul como rei** (11) – a palavra hebraica, *nacham*, "arrepender", significa "suspirar, sentir muito, lamentar", e, quando usada a respeito de Deus, indica uma mudança de planos com relação aos instrumentos ou agentes humanos. O termo mais caracteristicamente utilizado para o arrependimento humano no sentido evangélico ou do Novo Testamento é *shuwb*, "virar ou retornar". Embora Samuel, sem dúvida, tivesse visto a chegada da crise, entristeceu-se muito e **toda a noite clamou ao Senhor**.

Quando Samuel veio a Saul, este atrevidamente disse: **Executei a palavra do Senhor** (13). A resposta clássica de Samuel foi: "Que balido, pois, de ovelhas é este nos meus ouvidos, e o mugido de vacas que ouço?" (14). Uma vez mais Saul culpou o povo que, disse ele, **perdoou ao melhor das ovelhas e das vacas, para as oferecer ao Senhor, teu Deus** (15). O significado da palavra **teu** é clara. O Senhor já não era mais o Deus de Saul.

Com pesar, Samuel revelou a Saul o que Deus lhe dissera. Face às repetidas alegações de obediência do rei, Samuel fez uma das maiores afirmações com a natureza da verdadeira devoção que se encontra na literatura profética: "Tem, porventura, o Senhor tanto prazer em holocaustos e sacrifícios como em que se obedeça à palavra do Senhor? Eis que o obedecer é melhor do que o sacrificar; e o atender melhor é do que a gordura de carneiros. Porque a rebelião é como o pecado de feitiçaria, e o porfiar é como iniqüidade e idolatria" (22,23). Após desprezar a Palavra do Senhor, Saul foi rejeitado como o rei do povo de Deus.

Saul imediatamente confessou: **Pequei** (24); uma confissão que não parece sincera, uma vez que ele ainda culpava o povo e estava mais preocupado com a sua reputação do que com o seu caráter (25; cf. também 30). O rasgar acidental da capa de Samuel ilustra dramaticamente a perda do reino. O julgamento contra Saul era agora definitivo, pois **a Força de Israel** (29) não mudaria, novamente, os seus propósitos em relação a Saul. A palavra hebraica para **Força** é *netsach*, literalmente "o objetivo", como um objeto brilhante em cuja direção alguém daria "a glória, o esplendor". Ela só é usada aqui como um título de Deus.

Samuel rendeu-se à insistência de Saul para que oferecessem sacrifícios juntos. Mas a "adoração" do rei parecia ser somente aparente, e formada por palavras vazias (30,31). O velho profeta executou pessoalmente Agague (32,33). Saul havia demonstrado a sua falta de dignidade para governar. O seu sucessor seria agora escolhido – apesar disso **Samuel teve dó de Saul** (35). **O Senhor se arrependeu** – cf. comentário sobre 15.11.

Sobre o significado de **animosamente** (32), leia-se: "E, animadamente, Agague aproximou-se dele, cujo significado é: "Certamente a amargura da morte já passou" (Berk.).

O obedecer é melhor do que o sacrificar, 22, isto é visto no decorrer de toda esta narrativa. Aqui temos (1) uma obediência parcial, 10,11, cf. 3,9; (2) uma fidelidade declarada, 12,13; (3) um fracasso público, 14-19; (4) uma desculpa insatisfatória, 20,21; (5) uma repreensão profética, 22,23; (6) um arrependimento fingido, 24-27; (7) a destruição predita, 28-31.

Seção III

SAUL E DAVI

1 Samuel 16.1—31.13

A última metade de 1 Samuel prossegue com a história de Saul, mas apresenta Davi como o seu sucessor divinamente escolhido, e preocupa-se principalmente com as relações entre os dois.

A. A Unção e a Graça na Infância de Davi, 16.1—17.58

A tristeza de Samuel devido à rejeição de Saul foi interrompida por uma nova missão. A dinastia de Saul não podia continuar. O profeta precisava afastar-se do passado e de suas situações, e olhar para o futuro, quando se cumpririam os próximos objetivos de Deus.

1. *Samuel é Enviado à Casa de Jessé* (16.1-13)

A escolha de Deus, do sucessor de Saul seria encontrada entre os oito filhos de **Jessé, o belemita** (1). Jessé era o neto de Boaz e Rute, a moabita (Rt 4.17). É interessante observar que a mãe de Boaz também não era de Israel. Ela era Raabe, de Jericó, um fato que Mateus destaca em sua relação da genealogia de Jesus (Mt 1.5).

Samuel com razão temia a vingança de Saul, se o rei soubesse de sua ida a Belém. Então, o Senhor o instruiu a organizar um sacrifício e um banquete que fossem relacionados à sua visita naquela localidade. A vinda inesperada de Samuel produziu consternação entre os anciãos da pequena cidade, porque ele representava a amedrontadora presença de Deus. Mas o profeta lhes assegurou que vinha em missão de paz: **Santificai-vos, e santificou ele a Jessé e os seus filhos** (5; "consagrou" ou "purificou") – o uso ritual da palavra "santificar", que poderia significar "consagrar" ou "separar" (cf. 7.1, comentário). Isto provavelmente envolvia uma lavagem ritual daqueles assim consagrados.

1 SAMUEL 16.5-23

Quando Jessé chamou o seu filho mais velho, **Eliabe**, Samuel pensou que certamente o jovem alto de postura nobre fosse **o ungido** do Senhor (6; cf. 10.1, comentário). Mas a ele foi recordado que **o Senhor não vê como vê o homem. Pois o homem vê o que está diante dos olhos, porém o Senhor olha para o coração** (7). Esta é uma observação importante que devemos recordar, porque somos rápidos para julgar pelas aparências, quando elas podem ser muito enganadoras. Depois que a mesma coisa já havia acontecido com sete dos filhos de Jessé, Samuel perguntou: **Acabaram-se os jovens?** (11). Ainda havia **o menor, e eis que apascenta as ovelhas** – uma tarefa servil designada ao filho menos importante ou aos empregados do dono da casa. Davi foi chamado, e quando chegou, viu-se que era **ruivo, e formoso de semblante** (em hebraico "bonito aos olhos") **e de boa presença** (12) – "uma complexão ruiva, os olhos brilhantes e uma aparência atraente" (Berk.)[1].

Conforme fora instruído, **Samuel tomou o vaso do azeite e ungiu-o no meio dos seus irmãos** (13). Ao considerarmos a atitude dos irmãos, refletida em 17.28, não é certo que eles soubessem o significado da unção, uma cerimônia usada na designação de sacerdotes e profetas, e também de reis. **Desde aquele dia em diante, o Espírito do Senhor se apoderou de Davi** – para dotá-lo com sabedoria e poder, e deu-lhe orientação para o cumprimento dos propósitos de Deus para a sua vida. **Samuel se levantou e tornou a Ramá**, o seu lar. A próxima menção a ele é encontrada em 19.18, quando Davi fugia de Saul.

"O que Deus observa" é visto tanto negativa como positivamente em 6-13. **O Senhor não vê como vê o homem. Pois o homem vê o que está diante dos olhos**, 7. O Senhor não procura (1) semblantes formosos, 7; (2) estatura física, 7; (3) idade ou maturidade, 11; (4) condição ou posição, 11. **O Senhor olha para o coração**, 7; e derrama o seu Espírito sobre aqueles que Ele aceita (13).

2. *Davi e Saul se Encontram* (16.14-23)

O relato agora se dedica ao primeiro encontro entre Saul e Davi. As primeiras relações entre os dois são difíceis de compreender. A narrativa é breve e a ordem cronológica não é sempre rigorosamente mantida[2]. Mas a idéia principal é clara. Davi crescia em estatura e em promessas, ao passo que Saul se deteriorava. **O Espírito do Senhor**, que estava sobre Davi, **se retirou de Saul, e o assombrava** (em hebraico, *ba'ath*, "aterrorizar, atemorizar") **um espírito mau, da parte do Senhor** (14). O fato de que o **espírito do mal** fosse **da parte do Senhor** somente significava que Deus permitiu o ataque de poderes malignos que resultaram em alguma coisa muito parecida com insanidade. Para aliviar a melancolia do rei, Davi foi trazido à corte como um talentoso tocador de harpa. Embora ainda fosse um pastor, o filho mais jovem de Jessé é apresentado pelo seu amigo à corte como alguém que **sabe tocar** (talentoso)... **e de gentil presença; o Senhor é com ele** (18). A expressão: **valente, e homem de guerra, e sisudo em palavras** (no hebraico, "fala") provavelmente faz referência a Jessé, o pai, uma vez que Davi nessa época ainda era um jovem inexperiente. A expressão **foi seu pajem de armas** (21) é uma rápida previsão dos eventos posteriores resumidos em 18.5, depois da derrota de Golias.

O som da harpa tocada por Davi teve o seu efeito desejado (23) e aparentemente o rei temporariamente melhorou o suficiente para permitir que Davi retornasse à sua casa, onde de novo cuidou das ovelhas de seu pai (17.15). A harpa (em hebraico, *kinnor*) é o instrumento musical mais antigo mencionado na Bíblia Sagrada. Era um instrumento portátil (cf. 10.5), com oito ou dez cordas que eram tocadas com uma palheta ou com os dedos. Em termos dos nomes dos instrumentos musicais de hoje, seria provavelmente chamada de lira.

3. Davi e Golias (17.1-58)

É evidente que alguns anos se passaram entre o primeiro encontro entre Saul e Davi e os eventos descritos no capítulo 17. Pelo menos houve um intervalo suficientemente longo para que o rei não reconhecesse o jovem que derrotou Golias (17.55-58). Outro ataque trouxe os filisteus ao vale de Elá (ou vale do Carvalho), acerca de 26 quilômetros a sudeste de Jerusalém, e talvez a 16 quilômetros de Belém, nas fronteiras ao sul de Judá. **Socó** (Js 15.35) **e Azeca** (1; cf. Js 10.11; 15.35) eram cidades vizinhas na Sefelá, ou a planície sul de Judá, e entre essas cidades os filisteus acamparam-se em **Efes-Damim** (**termo de Damim**) (1). Os israelitas, liderados por Saul, estavam em uma colina do outro lado de um **vale** (3), em hebraico *gay*, um desfiladeiro ou vale estreito com laterais íngremes; em comparação com **o vale de Elá** (2; em hebraico, *'emeq*, "um vale ou depressão larga", "um vale largo").

Um homem de estatura gigantesca, **Golias, de Gate** (4), apresentou-se como o campeão dos filisteus, e desafiou um oponente do exército de Israel – uma prática comum nas antigas táticas de guerra. Ele tinha mais de dois metros e oitenta centímetros de altura, usava uma armadura que pesava cerca de sessenta e oito quilos, e a haste de sua lança era como um eixo de tecelão, cuja ponta pesava cerca de nove quilos. O côvado era a distância desde a ponta do cotovelo até a extremidade do dedo médio, cerca de quarenta e cinco centímetros. O palmo era a distância entre a ponta do mindinho até a ponta do polegar, quando os dedos estão esticados, e mede em torno de quinze a vinte centímetros. **Grevas** (6), perneiras. **Escudo**, ou seja, dardo. **Ouvindo, então, Saul e todo o Israel... espantaram-se e temeram muito** (11). Os israelitas sabiam que Saul, o homem mais alto e mais forte do exército, deveria ser o campeão de Israel[3].

E Davi era filho de um homem, efrateu, de Belém de Judá (12) – como os livros históricos do Antigo Testamento registram, em alguns casos, compilados a partir de documentos mais antigos (por exemplo, 10.25; 1 Rs 11.41; 14.19; 15.7; etc.), existe a ocasional repetição de informações dadas anteriormente. Jessé era um homem idoso nessa época. Os seus três filhos mais velhos estavam no exército com Saul. **Davi, porém, ia e voltava de Saul, para apascentar as ovelhas de seu pai** (15) – uma referência à aparição anterior de Davi na corte de Saul em Gibeá (cf. 16.19-23).

Davi foi enviado por seu pai ao acampamento de Israel com provisões para os seus irmãos mais velhos. **Um efa** (17), aproximadamente um alqueire (cerca de 35 litros). **Tomarás o seu penhor** (18), isto é, alguma lembrança ou recordação deles – Moffatt: "traga-me notícias deles". **Ao lugar dos carros** (20), ao acampamento. **Em ordem de batalha**, à linha de batalha ou à formação militar. Aparentemente, durante **quarenta dias** (16) os israelitas procuraram um campeão sem sucesso. **A gritos, chamavam à peleja** (20), "soltando o seu grito de guerra". **Se puseram em ordem** (21) "posicionaram suas linhas de batalha" (Berk.). **Deixou a carga que trouxera** (22), pacote ou pacotes. **Guarda da bagagem** – ou do armazém de suprimentos. **Fará isenta de impostos a casa de seu pai em Israel** (25), ou seja, livre do trabalho forçado e dos impostos (8.11-18).

1 Samuel 17.26-45   Saul e Davi

Quando Golias lançou o seu desafio costumeiro, Davi perguntou aos homens que estavam ao seu redor o que seria feito ao que matasse o filisteu e, portanto, tirasse **a afronta de sobre Israel** (26) – em hebraico, *cherpah*, "desgraça, vergonha", por causa do seu fracasso em enfrentar aquele que desafiava os **exércitos do Deus vivo**. **O Deus vivo** está em contraste com as futilidades sem vida adoradas pelos pagãos. A maneira de falar de Davi ofendeu o seu irmão mais velho, Eliabe, que o repreendeu. **Não há razão para isso?** (29), ou "Não é um problema?"

As palavras corajosas de Davi chamaram a atenção de Saul, que o convocou à sua presença. Quando ele se ofereceu para lutar contra o gigante filisteu, o rei objetou, com base na pouca idade de Davi. Como resposta, o jovem relatou a sua experiência com o leão e o urso que atacavam os rebanhos que estavam sob os seus cuidados. Os leões da Ásia são muito semelhantes aos da África, e com base na freqüência com que são mencionados no Antigo Testamento (130 vezes), eles eram muito comuns na Palestina nos tempos bíblicos. Os ursos eram os da espécie de cor marrom, e até mais temíveis que os leões, por causa da sua força superior e das suas ações imprevisíveis. No inverno, quando não era possível obter frutas silvestres, eles atacavam os rebanhos e levavam as ovelhas e os cordeiros.

Mas a confiança de Davi fundamentava-se em algo mais seguro do que a sua experiência como um pastor. A base era uma forte fé religiosa. Golias tinha desafiado **o exército do Deus vivo** (36) – veja 26, comentário. Era o Senhor quem tinha realmente livrado o seu servo do leão e do urso – e **Ele me livrará da mão deste filisteu** (37). Foi feita uma tentativa de vestir Davi com as armas de Saul. Ele **começou a andar** (39), ou seja, tentou andar.

Ao perceber a futilidade de tentar lutar com armas que jamais tinha experimentado nem testado, Davi deixou-as de lado, e, ao invés delas, levou **o seu cajado** (40), a **sua funda** de pastor e **cinco seixos** do ribeiro. O Dr. J. B. Chapman usou isto para ilustrar o significado de ser "mais do que vencedor". Se Davi tivesse usado todas as cinco pedras em sua luta com Golias, ele ainda teria vencido. Mas da maneira como os fatos ocorreram, ele matou o gigante com uma, e estaria pronto caso quatro outros tivessem aparecido no horizonte. O **alforje** era uma pequena bolsa de dinheiro. A **funda** – em hebraico, *qela'* – era uma arma usada principalmente pelos pastores, mas também reconhecida como uma arma de guerra. Normalmente era feita de uma tira de couro, com um bolso no centro onde continha as pedras. As duas extremidades eram seguras na mão, e era girada sobre a cabeça até que o soltar de uma das pontas lançava a pedra com tremenda força. Era possível ter uma boa precisão de pontaria; porém, isto requeria grande habilidade e treinamento (cf. 1 Cr 12.2).

A ira e o desprezo fizeram com que Golias se irasse; então **amaldiçoou a Davi pelos seus deuses** (43) e ameaçou dá-lo como alimento às aves e aos animais do campo. A nobre resposta do filho de Jessé inspirou a muitos frente a grandes desafios: **Tu vens a mim com espada, e com lança, e com escudo; porém eu vou a ti em nome do Senhor dos Exércitos, o Deus dos exércitos de Israel, a quem tens afrontado** (45). **O Senhor dos exércitos** é uma designação do Deus de Israel usada pela primeira vez em Samuel, mas encontrada normalmente ao longo dos salmos e dos livros proféticos, especialmente em Isaías. Esta expressão se refere a Deus como o Senhor de todos os poderes celestiais e terrenos, o invisível líder de Israel que luta pelo seu povo. O conceito apareceu até mesmo antes que a palavra fosse usada – por exemplo, Êx 15.1, 3; Js 5.14; Nm 21.14.

SAUL E DAVI   1 SAMUEL 17.46—18.6

Confiante em Deus, Davi previu a vitória: **toda a terra saberá que há Deus em Israel** (46). O Senhor não se limita à espada e à lança para salvar o seu povo, **porque do Senhor é a guerra** (47). A pedra de Davi atingiu a testa do gigante, atordoou-o (cf. 51) e quando ele caiu por terra, o jovem pegou a própria espada do filisteu e matou-o, ao cortar-lhe a cabeça. Com a morte de seu campeão, o resto dos filisteus fugiu com terror, perseguido pelos exércitos de Israel com grandes mortes até lugares tão distantes como **Gate** e **Ecrom**, duas das principais cidades da Filístia, e passaram por **Saaraim** (52) nas planícies de Judá, a oeste de Socó e Azeca. Mais tarde, Davi trouxe a cabeça de Golias a Jerusalém, mas manteve as armas do gigante em sua tenda (54). O fato de Saul e Abner não reconhecerem a identidade do jovem indica um lapso de tempo entre a aparição de Davi como um músico na corte (16.23) e a expulsão dos filisteus. **Jovem** (56) – em hebraico, '*elem* – pode simplesmente significar "homem moço". A referência de Saul, **jovem** (58) também enfatiza a aparente juventude de Davi[4].

"O nome vitorioso" é corajosamente pronunciado por Davi diante dos eventos impossíveis: **Tu vens a mim com espada, e com lança, e com escudo; porém eu vou a ti em nome do Senhor dos Exércitos, o Deus dos exércitos de Israel, a quem tens afrontado**, 45. No contexto e nos resultados deste episódio, podemos ver: (1) o contraste entre o mundano e o homem de Deus, 32-37; (2) a batalha entre as armas de guerra e a funda de pastor, 38-51; (3) a supremacia do exército do Senhor sobre os poderes do mal, 52.

B. DAVI E JÔNATAS, 18.1—20.42

Uma das maiores amizades de todos os tempos é descrita como a que se desenvolveu entre Davi e um filho de Saul, Jônatas.

1. *Uma Devoção Proverbial* (18.1-5)
Saul conservou Davi consigo, como um membro da sua corte, e desde o início **a alma de Jônatas se ligou com a alma de Davi** (1). Os dois eram jovens de intrépida coragem. Os dois tinham espírito puro e não eram egoístas. **Jônatas e Davi fizeram aliança** (3) – em hebraico, *berith*, um acordo compacto e fechado, voluntariamente feito entre duas pessoas que antes não estavam associadas. É a mesma palavra usada com respeito ao concerto ou aliança de Deus com o seu povo, de onde deriva a palavra "testamento" no Antigo e no Novo Testamento. O ato de Jônatas de apresentar as suas roupas e armas a Davi foi um sinal público de grande afeição e respeito (4). Davi de fato se tornou o embaixador e comandante de Saul, e **conduzia-se com prudência** (5), ou era bem-sucedido. **Era aceito** – estava nas graças de, ou era o favorito de, tanto do povo como de todos os seus companheiros mais próximos na corte.

2. *O Ciúme Crescente de Saul* (18.6-30)
O versículo 6 parece referir-se a uma vitória posterior à derrota de Golias por Davi, pois o intervalo indicado no versículo 5 seria uma referência a outras disputas. O rei e os seus soldados receberam as boas-vindas, no seu retorno, das **mulheres** das cidades que **cantavam e dançavam,** tocando **adufes** (6), um tipo de pandeiro associado, no Antigo

Testamento, à alegria e à felicidade; e **instrumentos de música** – em hebraico, *shalosh*, provavelmente um instrumento de três cordas.

As mulheres... respondiam umas às outras (7), que cantavam em duas vozes, com um grupo que citava a primeira frase: **Saul feriu os seus milhares** e o outro declarava: **porém Davi, os seus dez milhares**. O rei irou-se ao perceber a diminuição da sua popularidade e a fama crescente de seu jovem capitão. Para alguém que prezava a opinião do povo como Saul, parecia que Davi já tinha tudo, exceto a própria coroa, **e, desde aquele dia em diante, Saul tinha Davi em suspeita** (9), isto é, "vigiava-o com ciúme".

A seguir, há o relato de uma série de atentados de Saul contra a vida de Davi. O primeiro aconteceu um dia depois do despertar do ciúme do rei. **O mau espírito, da parte de Deus** (10), cf. o comentário sobre 16.14. Saul **profetizava no meio da casa** – o verbo hebraico, *naba*, deriva de uma raiz que significa "borbulhar como uma fonte" e refere-se a um discurso extasiado. É importante recordar que, no Antigo Testamento, havia tanto profetas falsos como verdadeiros (cf. 1 Rs 22.22). A versão RSV em inglês traz a frase "teve um acesso de cólera" (na expressão "teve uma crise de raiva"). Enquanto Davi tocava para tranqüilizá-lo, Saul apanhou uma **lança** e tentou encravá-lo na parede. Isto aconteceu duas vezes. Pela expressão **se desviou dele** entenda-se "escapou da presença dele" (Berk.). Mesmo em seu estado alterado, Saul temia **Davi, porque o Senhor era com ele e se tinha retirado de Saul** (12). O rei então colocou Davi no comando de uma companhia de soldados (**mil homens**, 13 – em hebraico, *eleph* significa "mil, família, parelha ou companhia"), sem dúvida na esperança que ele morresse em alguma batalha. O resultado foi apenas o de tornar o filho de Jessé mais conhecido entre o povo. **Se conduzia com prudência** (14), como em 5, "era bem-sucedido".

A má vontade de Saul para com Davi é também mostrada em um plano que envolveu a promessa de dar **Merabe**, sua **filha mais velha**, por esposa ao filho de Jessé, com a condição de que ele prosseguisse na guerra contra os filisteus (17). Embora Davi pareça ter cumprido a sua parte no acordo, Saul não realizou o prometido. Ao invés de Merabe, **Mical**, a filha mais jovem, que **amava a Davi**, lhe foi oferecida pelo incomum **dote** da prova de morte de cem filisteus (20-25). **Com a outra** (21) pode significar: "Com esta segunda serás, hoje, meu genro" ou "Você agora pode ser meu genro com a segunda" (Berk.). Saul ainda esperava **fazer cair a Davi pela mão dos filisteus** (25). **Dote** – em hebraico, *mohar* – era o presente de casamento que o homem dava ao seu sogro pela mão de sua esposa, como, por exemplo, os anos de trabalho de Jacó para Labão (Gn 19); não se trata do *zebed* (Gn 30.20) que a mulher recebia de seu pai. **Os dias se não haviam cumprido** (26) – antes do vencimento do prazo, Davi e os seus homens trouxeram a Saul o dobro do dote que ele havia pedido – os prepúcios de duzentos filisteus. **Todos** (27) – o hebraico diz simplesmente "todos".

Com o passar do tempo, Davi continuou a prosperar e Saul tinha cada vez mais medo dele (28,29). A cada combate contra as forças dos filisteus, Davi era mais bem-sucedido do que todos os servos de Saul (30). **O seu nome era mui estimado** (30), "altamente respeitado".

3. *Jônatas Intercede por Davi* (19.1-10)

Jônatas logo teve uma verdadeira oportunidade de provar a sua amizade por Davi, quando Saul tentou incluir o seu filho nos seus planos de assassinato. O rei parece ter disfarçado publicamente os seus sentimentos até essa época. No entanto, agora ele mostra abertamente sua hostilidade para com Davi a **seu filho, e a todos os seus servos** (1). Jônatas revelou a conspiração ao amigo, e insistiu para que ele esperasse escondido em um campo enquanto falaria bem dele a seu pai. A resposta mostraria quais eram os propósitos mais íntimos de Saul. Já se pensou que a razão de Davi esconder-se nas proximidades era para que Jônatas pudesse passar-lhe as informações sem demora (2,3). **Falarei de ti a meu pai** (3); Moffatt: "falarei ao meu pai sobre você". **Verei**, isto é, "perceberei ou descobrirei".

Jônatas lembrou a seu pai o trabalho de Davi e assegurou-lhe que o jovem soldado era inocente de qualquer mau procedimento (4,5). **Os seus feitos te são mui bons** (4) – "os seus atos foram de boa serventia para você". **E Saul deu ouvido** (6) – em hebraico, *shama*, ouvir inteligentemente com a implicação de atenção, acordo ou obediência. Nessa ocasião ele não estava tão dominado pelos seus medos irracionais e demoníacos a ponto de não poder "ouvir a voz da razão". O resultado foi uma reconciliação entre o rei e Davi (7).

Algum tempo se passou, durante o qual houve guerra novamente contra os filisteus, e de novo Davi se destacou. Isto resultou em outra explosão de ira por parte de Saul, e outro atentado contra a vida do jovem soldado (8,9; cf. 18.10,11). **O espírito mau da parte do Senhor** (9) – cf. 16.15, comentário, e 18.10. Aqui há uma diferença. Em 16.15 e 18.10, o espírito mau é identificado como procedente de Deus (*Elohim*, o nome geral para a divindade). Aqui ele é dito **da parte do Senhor** (*Yahweh*, o Deus da aliança com Israel, cujo nome teve o significado revelado a Moisés em Êxodo 3.14; 6.3). O filho de Jessé estava agora convencido de que a sua vida corria grave perigo se ele permanecesse com o rei. Então, **fugiu Davi e escapou naquela mesma noite** (10).

4. *Mical Salva a Vida de Davi* (19.11-17)
Davi escondeu-se em sua própria casa, enquanto os mensageiros de Saul o procuravam com ordens de matá-lo **pela manhã** (11), provavelmente muito cedo, antes que ele acordasse totalmente. Mical soube do plano e avisou a seu marido: **Se não salvares a tua vida esta noite, amanhã te matarão** (11). A vida de alguém e o seu futuro dependem perfeitamente de uma decisão tomada em um só momento. Como os homens de Saul guardavam a porta, Mical ajudou Davi a escapar **por uma janela** (12; cf. fugas semelhantes em Js 2.15; At 9.25; 2 Co 11.33).

Para confundir os potenciais assassinos, Mical também arrumou a cama para que desse a impressão de que havia uma pessoa deitada nela. **Uma estátua** (13) – em hebraico *teraphim*, um ídolo doméstico que pelo menos alguns israelitas mantinham, para desafiar a lei (Êx 20.4-6)[5]. Parece que os homens de Saul não estavam muito ansiosos para cumprir as suas ordens. Quando Mical disse que Davi estava doente, eles retornaram a Saul, somente para receber a ordem de levá-lo em sua cama. O truque foi descoberto, e o rei censurou sua filha por sua participação na fuga. A segunda mentira dela é narrada simplesmente como um fato, como ocorre freqüentemente na Bíblia Sagrada, sem elogios nem acusações (14-17).

A "necessidade de decisão" é evidenciada nos versículos 8-18. É expressa nas palavras de Mical a Davi: **Se não salvares a tua vida esta noite, amanhã te matarão**, 11. Aqui temos (1) perigo, 8-11; (2) decisão, 11,12; (3) libertação, 13-18.

5. Com Samuel em Naiote (19.18-24)
O primeiro pensamento de Davi foi o de encontrar Samuel, e ele foi ao encontro do profeta em **Ramá, e lhe participou tudo quanto Saul lhe fizera** (18). A localização e o significado de **Naiote** são obscuros. Julgou-se que era um distrito de Ramá, ou algum lugar nas redondezas, onde os profetas associados a Samuel tinham sua residência (20, 22). O nome pode ser derivado de um termo que significa "moradia".
Quando o paradeiro de Davi foi levado ao conhecimento de Saul, ele novamente enviou homens para prendê-lo. Ao chegarem à presença dos profetas, **o Espírito de Deus veio sobre os mensageiros de Saul, e também eles profetizaram** (20). Cf. 18.10, comentário. Deve-se recordar que a palavra em hebraico *naba* "profetizar" é usada para descrever o balbuciar incoerente dos falsos profetas, como também as inspiradas afirmações dos verdadeiros profetas. Quando a mesma coisa ocorreu com outras duas companhias de emissários, Saul veio pessoalmente e caiu sob o mesmo estado, e despiu as suas roupas e **esteve nu por terra todo aquele dia e toda aquela noite** (21-24). Como foi afirmado anteriormente (10.12, comentário), este fato, em conexão com as experiências anteriores de Saul, deu origem ao dito: **Está também Saul entre os profetas?** (24)[6].

6. *A Separação de Jônatas* (20.1-42)
O capítulo 20 é uma das mais tocantes narrativas de amizade e lealdade pessoal de toda a literatura, e representa uma grande parte da base para o caráter proverbial da amizade entre "Jônatas e Davi". A perseguição de Saul até Ramá, e inclusive na presença de Samuel, alarmou o filho de Jessé, e ele procurou outro encontro com Jônatas, que se comprometeu novamente servir de mediador, embora Davi compreensivelmente estivesse cauteloso. **Apenas há um passo entre mim e a morte** (3) é uma afirmativa autêntica para todos nós, embora a incerteza da vida não seja sempre tão óbvia. Assim fez uma prova final dos verdadeiros sentimentos de Saul. No dia seguinte haveria **lua nova** (5) – a ocasião para uma festa religiosa mensal descrita em Números 10.10; 28.11-15, em que se ofereciam sacrifícios em holocausto pelo pecado, e Davi, em circunstâncias normais, seria esperado à mesa do rei.
Combinou-se que Jônatas observaria a reação de Saul quando ele percebesse a ausência de Davi. Se não ficasse satisfeito com a explicação – de que ele teria se ausentado para fazer um sacrifício anual com a sua família – isto seria interpretado como o sinal de um objetivo fixo de destruir o jovem (5-7). Não é impossível que Davi realmente pretendesse ir a Belém, embora, na verdade, ele não pareça ter ido (cf. 24). **Fizeste a teu servo entrar contigo em aliança do Senhor** (8; cf. 18.1-3) indica que Jônatas tinha tomado a iniciativa no acordo solene entre os dois jovens. O filho do rei ainda não conseguia acreditar que o seu pai realmente desejasse fazer mal a Davi (9). **Te responder asperamente** (10) – em hebraico, "severamente, cruelmente, ferozmente".
Ap procurar a privacidade de um campo aberto, Jônatas expressou na linguagem mais solene e na forma de um juramento feito na presença de Deus a sua promessa de que certamente levaria ao conhecimento de Davi o que pudesse descobrir sobre as intenções de Saul (11-13). **Sondando** (12) – literalmente "penetrando, examinando, descobrindo, investigando". Jônatas só pediu ao amigo que, quando ele ascendesse ao trono, mostrasse bondade para com ele e sua família (14,15). Este filho do rei morreria antes

que Davi tivesse a oportunidade de recompensá-lo, mas esta promessa não foi esquecida (2 Sm 9). Sob estas emocionantes circunstâncias, a aliança foi renovada (16,17). **O Senhor o requeira da mão dos inimigos de Davi** (16), ou "que o Senhor se vingue dos inimigos de Davi". **Lua nova** (18), cf. 5, comentário.

Foram feitos os planos para notificar a Davi da reação de Saul à sua ausência. Dentro de três dias ambos iriam **àquele lugar onde te escondeste no dia do negócio** (19), muito provavelmente o campo mencionado em 19.2,3. A frase **no dia do negócio** foi interpretada como "no dia dos acontecimentos". **A pedra de Ezel** (19), literalmente "a pedra da partida", era possivelmente uma predição do fato de que Davi seria forçado a fugir. Criou-se um sistema de sinais que pareceria bastante inocente a qualquer pessoa que visse a cena. Jônatas enviaria um rapaz para recolher as flechas que ele atiraria. Se ele gritasse ao rapaz, **olha que as flechas estão para cá de ti**, isto seria um sinal de que tudo estava bem. Se, no entanto, as palavras fossem: **olha que as flechas estão para lá de ti**, então Davi saberia que deveria partir (20-22). **O Senhor está entre mim e ti, eternamente** (23; cf. Gn 31.49,53), uma forma habitual e solene de firmar um acordo.

Quando houve a reunião do banquete do rei, Saul percebeu que o lugar de Davi estava vazio, mas nada disse sobre isso, ao pensar: Ele **não está limpo** (26). A **lua nova** (24; cf. 5, comentário) era uma festa religiosa, e as regras para a limpeza cerimonial (cf. Lv 13-14) prevaleciam. **Jônatas se levantou, e assentou-se Abner ao lado de Saul** (25) – a Septuaginta diz "Jônatas se sentou em frente a Saul, e Abner ao lado de Saul". Josefo interpretou que Jônatas se sentou à direita de Saul e Abner do outro lado. No segundo dia, entretanto, Saul perguntou a Jônatas sobre o desaparecido Davi. Jônatas respondeu como planejado, e acrescentou somente que Davi tinha pedido permissão para ir à realização do sacrifício de sua própria família devido à insistência de um irmão mais velho (27-29).

A reação de Saul não deixou dúvidas na mente de Jônatas quanto às verdadeiras intenções de seu pai. Dominado pela ira, o rei denunciou o seu filho como o **filho da perversa em rebeldia** (30). A palavra **mulher** não consta no texto hebraico, que literalmente diz: "perverso filho da rebelião", ou um homem de natureza perversa e incorrigível – assim parecia a Saul. **Não sei eu?** (30) indica que Saul estava a par da amizade entre Jônatas e Davi, algo que o rei acreditava que destituiria seu filho da sucessão do trono (31). **Para vergonha tua e para vergonha da nudez de tua mãe** (30), isto é, "para a sua vergonha, e para a desonra da sua mãe". Erdmann traduz: "que terá vergonha de ter dado à luz a você"[7].

O juramento do rei: **É digno de morte** (31) suscitou o protesto de Jônatas. **Que tem feito?** (32). A resposta de Saul foi atirar uma lança com ódio em direção ao seu próprio filho, que agora tinha a prova em primeira mão da determinação do rei de eliminar Davi (33).

Encolerizado (34), Jônatas deixou a mesa sem participar do banquete – não por causa da ameaça à sua própria vida, mas porque **se magoava por causa de Davi, pois seu pai o tinha maltratado** – "o comportamento vergonhoso de seu pai com relação a Davi" (Berk.), ou "porque seu pai o havia insultado" (Moffatt), isto é, a Davi.

Na manhã seguinte, no horário combinado, Jônatas levou consigo um rapaz e foi para o campo onde Davi esperava. Ele enviou o sinal combinado de que seu amigo deveria fugir; então, ciente que o filho de Jessé observava tudo, entregou o arco e as flechas ao rapaz e enviou-o de volta à cidade sem que ele soubesse o que acontecia (35-40). **Armas** (40), equipamentos. Davi então saiu do esconderijo e os dois amigos se viram, e pensaram que esta seria a última vez que se encontrariam (cf. 23.15). **Da banda do sul** (41), a Septuaginta diz: "de trás do monte de pedras". Além de estar preso a laços de afeição mútua, Davi honrou o filho do rei e herdeiro natural do trono com uma saudação mais pessoal (41). **Davi chorou muito mais** – ou chorou mais alto, ou mais copiosamente que Jônatas.

Uma vez mais Jônatas disse ao seu amigo: **vai-te em paz** (42), a fim de lembrá-lo da aliança entre os dois. **E Jônatas entrou na cidade**, "para cumprir os deveres filiais tão difíceis, e servir ao interesse da sua nação na terrível crise precipitada por seu pai"[8].

C. DAVI FOGE DE SAUL, 21.1—24.22

Três capítulos são dedicados ao período da vida de Davi em que ele fugia de Saul. O cenário é amplo, dentro das fronteiras da própria nação israelita.

1. *Ajudado por Aimeleque* (21.1-9)

Davi fugiu primeiramente para Nobe, uma cidade sacerdotal (22.19), cuja localização não se conhece ao certo, mas que, com base em Isaías 10.28-33 e Neemias 11.32, encontrava-se entre Anatote e Jerusalém. Aqui Aimeleque, bisneto de Eli (cf. 22.9 e 14.3) era o sumo sacerdote. Ele receou que houvesse problemas quando Davi apareceu sozinho. O filho de Jessé respondeu que estava em uma missão para o rei, e que havia marcado um encontro com os seus jovens (1-2). **Aos jovens, apontei-lhes tal e tal lugar** – "enviei os jovens a um lugar de encontro determinado" (Berk.).

Davi pediu **cinco pães** ou o que se pudesse encontrar (3). Só havia o **pão sagrado**, o pão da proposição (6; Êx 24.30; 35.13; etc.), que só poderia ser comido pelos sacerdotes no Tabernáculo (Lv 24.9). Aimeleque estava disposto a abrir uma exceção se os jovens se abstivessem **das mulheres** (4), uma questão de pureza cerimonial (cf. Lv 15.18). Em Mateus 12.3, o Senhor Jesus usa este incidente para justificar o descumprimento do texto da lei, quando o seu cumprimento violasse o espírito do mandamento de se cumprir outros deveres. **Santo... santificará** (5), referindo-se ao equipamento ou recipiente onde o pão seria colocado e ao próprio pão, é usado no sentido cerimonial de "separar ou consagrar". A idéia é a de que o pão sagrado não seria mal utilizado nem corrompido ou aviltado, embora a missão fosse secular. Com os escrúpulos do sacerdote satisfeitos, Davi recebeu o alimento requisitado (6).

Esta negociação não passou despercebida, mas era um fato que teria conseqüências amargas (7; cf. 22.11-23). **Doegue**, um **edomita** e o mais poderoso dos pastores de Saul, foi **detido perante o Senhor** (7), como um convertido da sua religião nacional, para alguma purificação cerimonial, ou como punição por algum pecado. Davi adicionalmente perguntou sobre a possibilidade de conseguir armas, e foi-lhe dito que a espada de Golias era a única disponível (cf. 17.51,54). **Aqui à mão** (8), ou seja, disponível. **Detrás do éfode** (9), ou seja, o lugar sagrado diante do altar. **Não há outra semelhante** – Davi enxergou uma profecia da providência de Deus na espada que lhe havia dado a fama, e, indiretamente, o exposto ao perigo.

2. *Em Gate* (21.10-15)

Davi continuou a fugir, e chegou à cidade de Gate, dos filisteus (cf. 5.8, comentário) a Aquis, seu rei. Aqui o reconheceram e falaram dele como **o rei da terra** (11); sem dúvida, porque ele tinha aceitado o desafio de Golias como um rei normalmente deveria ter feito, e ele tinha sido o tema da canção de triunfo das mulheres. Para salvar sua vida, Davi fingiu estar louco e **esgravatava nos portões da entrada** (13), ou seja, arranhava, ou, como na Septuaginta, "tamborilava" nas portas. O respeito oriental em presença da loucura salvou-o da morte praticamente certa. Os seus atos eram tais que, quando foi trazido à presença de Aquis, o rei repreendeu a seus criados por terem lhe trazido um louco. **Temeu muito** (12), teve muito medo.

3. *O Grupo de Davi* (22.1-5)

Depois de escapar de Gate, o próximo refúgio de Davi foi **a caverna de Adulão** (1), assim chamada devido a uma cidade nas suas proximidades[9]. Estava situada na Sefelá, a planície de Judá, em torno de 26 quilômetros a sudoeste de Jerusalém, e vinte quilômetros a sudeste de Gate. Existem na região muitas cavernas que poderiam facilmente ter abrigado o grupo de Davi. Com ele estavam não somente os membros da família de seu pai, mas também **todo homem que se achava em aperto, e todo homem endividado, e todo homem de espírito desgostoso** – literalmente, de alma amargurada (2). Este grupo chegou, no início, a 400 homens, e posteriormente a 600 (1 Sm 23.13). Não foi uma tarefa fácil reunir um grupo de homens tão comuns em um exército eficaz. É provável que muitos deles, se não todos, fossem refugiados das leis arbitrárias e mal orientadas de Saul.

De Adulão, Davi e os seus homens foram a **Mispa**, dos moabitas, um nome que significa "torre de vigia" ou "altura". A localização de Mispa, em Moabe, é desconhecida. Preocupado com seu pai e sua mãe, Davi levou-os ao **rei dos moabitas** e conseguiu refúgio para eles, com o seguinte pensamento: **até que saiba o que Deus há de fazer de mim** (3). O pai de Davi, que era neto de Rute, a moabita, provavelmente encontrou alguns parentes de sua avó ainda vivos em Moabe. Ali eles permaneceram **todos os dias que Davi esteve no lugar forte** (4), isto é, em Mispa.

O **profeta Gade** insistiu para que Davi retornasse a Judá, e o jovem fugitivo e os seus homens refugiaram-se em seguida no **bosque de Herete** (5), uma região não identificada, mas com base em 23.1 provavelmente se situava na parte ocidental do território de Judá (veja no mapa sua provável localização).

4. *O Massacre dos Sacerdotes de Nobe* (22.6-23)

Enquanto os informantes de Saul lhe traziam notícias do paradeiro de Davi, o rei de Israel ainda conservava o seu centro militar em Ramá, perto de Gibeá, cerca de cinco quilômetros ao norte de Jerusalém. Ele aparentemente mantinha um exército de prontidão para uma ação instantânea (6), embora seja possível que a cena aqui descrita fosse uma reunião de sua corte. Saul acusou os seus servos de cumplicidade com Jônatas na fuga de Davi, e apelou para os próprios interesses dos seus homens e as posições que mantinham a seu serviço como a base para o apoio ao seu regime (7,8).

A esta altura **Doegue, o edomita** (9), relatou o que havia testemunhado em Nobe, quando Davi fugiu de Saul pela primeira vez (cf. 21.1-9). O relato fez de Aimeleque um cúmplice (9,10), visto que, na verdade, ele tenha imaginado que Davi estivesse a serviço do rei quando veio ao santuário (21.2). A reação de Saul foi mandar trazer Aimeleque e todos os sacerdotes de Nobe à sua presença, e acusá-los de conspiração (11-13). A defesa do sacerdote foi a negação de qualquer má intenção, falou dos leais serviços prestados por Davi ao rei e indicou a sua completa ignorância de qualquer problema entre o rei e seu genro (14,15).

Irado, não convencido e tomado por um ódio selvagem, o rei ordenou a execução de todo o grupo de sacerdotes. Quando seus próprios soldados se recusaram a obedecer, o rei ordenou que Doegue executasse o crime. O edomita assassinou oitenta e cinco sacerdotes, e destruiu a cidade sacerdotal de Nobe com todos os seus habitantes (17-19). Existe um vívido contraste entre a recusa dos próprios homens de Saul e a perversa disposição de Doegue – o que ressaltou a atrocidade do acontecimento. **Vestiam éfode de linho** (18), ou seja, eram sacerdotes do Senhor. **Os de peito** (19) eram bebês de colo.

Abiatar, um dos filhos de Aimeleque, conseguiu escapar do massacre e fugiu ao encontro do grupo de Davi, a quem relatou o brutal crime que Saul incitara (20,21). O filho de Jessé foi tomado pela tristeza, e contou a Abiatar sobre o seu medo quando reconheceu Doegue em Nobe, durante a sua primeira e precipitada fuga (21.1-9). Ele confessou ser a causa da morte de todos os sacerdotes e do povo de Nobe, embora não intencionalmente (22). Abiatar foi convidado a permanecer com ele sem temer, seguro de que, enquanto o mesmo inimigo procurasse matar a ambos, ele estaria sob a proteção do destino de Davi, conforme a vontade de Deus (23). **Estarás a salvo** (23) – ou seja, em segurança. Abiatar na verdade tornou-se sumo sacerdote durante o reinado de Davi, e foi seu companheiro durante muitos conflitos e crises (cf. 23.9; 30.7; 2 Sm 14.24, *passim*). Porém, foi deposto por Salomão, devido a uma suposta cumplicidade no plano de Adonias (1 Rs 2.26,27).

5. O Resgate de Queila (23.1-15)

É bem possível que o retorno de Davi, de Moabe a Judá, ordenado pelo profeta Gade (22.5), estivesse relacionado com novos ataques dos filisteus contra as cidades de Judá. As batalhas eram travadas nas áreas de debulho dos israelitas, e a cidade de **Queila** estava sitiada (1). **Queila** não pode ser identificada com precisão, mas ficava provavelmente a noroeste de Hebrom, na direção da cidade de Gate, dos filisteus.

Davi **consultou ao Senhor** (2), possivelmente com o auxílio de Abiatar (cf. 9), e Deus lhe disse: **Vai, e ferirás os filisteus, e livrarás Queila** (2). Os homens de Davi, porém, não se mostraram muito dispostos. Eles argumentaram que, se estavam em perigo em Judá, encontrariam um perigo muito maior se enfrentassem os exércitos filisteus, perseguidos por Saul (3). Humanamente falando, eles estavam certos. Mas quando Davi consultou ao Senhor novamente, recebeu uma promessa: **Desce a Queila, porque te dou os filisteus na tua mão** (4); uma promessa abundantemente justificada (5).

A dependência que Davi tinha da direção de Deus é enfatizada do princípio ao fim. Quando Abiatar se juntou ao grupo fugitivo, levou o **éfode** (6) consigo, a veste de linho que cobria a parte superior do corpo do sacerdote. De alguma forma, não clara a nós agora, o éfode era usado para determinar a vontade do Senhor. Acredita-se que ele continha um bolso no qual eram guardados o "Urim e Tumim", que possivelmente tinham um lado que significava afirmativo e o outro, negativo. Quando estes eram tirados do bolso ou "lançados", serviam como sortes que forneciam um "sim", um "não" ou uma resposta indeterminada (cf. 14.19)[10].

Quando soube da presença de Davi em Queila, Saul pensou que poderia certamente encurralar a sua presa ali (7). O rei, portanto, convocou o povo para a guerra, ostensivamente contra os filisteus, mas na verdade contra Davi (8). De sua parte, o filho de Jessé soube do plano e novamente buscou o conselho de Deus através de Abiatar e do éfode (9,10). Para as duas perguntas de Davi: **Descerá Saul?** (11) e: **Entregar-me-iam os cidadãos de Queila, a mim e aos meus homens, nas mãos de Saul?** (12), o Senhor respondeu afirmativamente. Os homens de Queila tornaram-se ingratos por sua libertação dos filisteus, porque, ou estavam com medo do rei enlouquecido, ou não eram dignos de confiança.

Davi partiu imediatamente de Queila com seu grupo, naquele momento já com o número de 600 valentes (13). Ao ouvir que ele fugira, Saul cancelou a expedição planejada para Queila. O grupo refugiado voltou-se em direção ao **deserto** de Judá, particularmente **em um monte no deserto de Zife** (14), provavelmente o outeiro de Haquila mencionado no versículo 19, e aparentemente situado ao sul de Hebrom. O campo era arborizado e fornecia um excelente lugar de esconderijo contra a implacável busca de Saul (14,15).

6. O Último Encontro com Jônatas (23.16-18)

Enquanto estava próximo a Zife, **Jônatas**, o filho de Saul, visitou Davi **e fortaleceu a sua mão (ou confiança) em Deus** (16). As palavras dele mostram uma natureza generosa e altruísta, bem como uma fé firme em Deus e em suas promessas. Jônatas ficaria feliz por **ser o segundo** junto com seu amigo Davi (17) quando este se tornasse rei. Saul sabia disto, embora estivesse relutante a admiti-lo até para si mesmo.

Além disto (cf. 20.16), Jônatas e Davi fizeram uma **aliança perante o Senhor** (18). Mais uma vez os amigos se separaram, agora pela última vez. O filho do rei retornou à sua casa, e Davi permaneceu em seu lugar de esconderijo (18).

As "fontes de força espiritual" são sugeridas em três palavras: (1) Coragem – **Não temas**, 17; (2) Confiança – **Tu reinarás**; e (3) Aliança – **Ambos fizeram aliança perante o Senhor**, 18. Há um resultado: a coragem para aguardar o tempo de Deus – **Davi ficou no bosque**, 18.

7. A Traição de alguns dos Zifeus (23.19-29)

Informantes entre **os zifeus** (no hebraico lê-se simplesmente: "Então vieram zifeus a Saul", pois falta o artigo os) revelaram a Saul o lugar do esconderijo de Davi. Este se encontrava na espessa vegetação rasteira dos redutos montanhosos de **Haquila, que está à mão direita de Jesimom** (19), isto é, o deserto a oeste do mar Morto. Saul ficou satisfeito com a palavra e procurou recrutar a cooperação adicional dos informantes (21-23). **É astutíssimo** (22): "Ele é muito perspicaz" (Moffat), como na verdade tinha que ser, se quisesse viver. Milhares de Judá (23) – a mesma palavra hebraica significa "milhares, famílias ou divisões".

Os homens de Zife retornaram para seguir as instruções do rei. Enquanto isso, Davi e seu grupo mudaram-se para **Maom**, cerca de dez quilômetros ao sul (24). Saul e seus homens tentaram cercá-los, e quase obtiveram êxito quando um de seus mensageiros alcançou o rei e o informou de um novo ataque filisteu, forçando-o a desistir naquele momento da perseguição (25-27). **Por esta razão** (provavelmente Davi e seus homens, seguindo o antigo costume de dar nome aos lugares em comemoração aos eventos ocorridos ali) **aquele lugar se chamou Sela-Hamalecote** (28), ou "pedra de divisão, ou de escape". O nome foi provavelmente usado porque esta formação rochosa fora a única coisa que separara Davi de seu inimigo.

Além disso, Davi foi para outro lugar, desta vez para a região de **En-Gedi** (29), próxima à margem oeste do mar Morto, um lugar identificado como o atual Ain Djedy.

8. Davi Poupa a Vida de Saul (24.1-22)

Ao voltar de sua perseguição aos filisteus que atacaram de surpresa, Saul soube do mais recente esconderijo de Davi. Tomou 3.000 **homens escolhidos dentre todo o Israel** (2), e correu apressadamente para En-Gedi, em uma área conhecida como as **penhas das cabras monteses**. A maneira como são descritos os **currais de ovelhas no caminho** (3) e as **penhas das cabras monteses**, mostra que estes eram pontos bem conhecidos na região, embora não sejam agora identificáveis. Ao deixar seus homens, Saul entrou sozinho em uma caverna para **cobrir seus pés** (3), "aliviar o ventre" – não sabia que Davi e seus homens estavam escondidos naquele local.

Para os soldados de Davi, isto pareceu uma entrega providencial de seu inimigo em suas mãos: **Eis aqui o dia do qual o Senhor te diz** (4), para mostrar o conhecimento do destino que Deus planejara para Davi. O capitão fugitivo, porém, moveu-se sozinho para perto de Saul e cortou um pedaço da orla do manto do rei **mansamente** (4) ou furtivamente. **Orla** – em hebraico, *kanaph* – significa a ponta ou a extremidade, não o manto em si. Porém, em seguida, isto pareceu a Davi uma atitude que ia muito além do que deveria ter feito, e assim **o coração doeu a Davi** (5), "a sua consciência o perturbou" – tão elevada era a sua consideração pelo ungido do Senhor e pelo cargo que Saul ocupava (6). Então **Davi conteve os seus homens** (7) e não permitiu que eles atacassem o rei, que logo se levantou e prosseguiu o seu caminho[11].

O filho de Jessé seguiu o rei e chamou-o, já fora da caverna. Quando Saul olhou para trás, **Davi se inclinou** (8), defendeu novamente a sua inocência de qualquer ato errado contra o rei, e mostrou a boa vontade evidenciada pela sua recusa em aproveitar a sua oportunidade de matar o seu perseguidor (9-11). Davi mostrou, com esta atitude, que nenhum mal fizera a Saul, porque não o considerava mal intencionado, mas que ele havia sido influenciado por outros (9). Então fez um voto de que jamais usaria as suas mãos para ferir o rei (12). **A minha mão te poupou** (10), ou "Eu te poupei". O antigo provérbio que Davi citou (13) expressa a verdade freqüentemente observada de que os homens agem de acordo com o seu caráter. Visto que a sua ação fora nobre e clemente, seu caráter não poderia ser tão mau. "Por seus frutos os conhecereis" (Mt 7.16)[12].

Saul perseguia **um cão morto** (14), em uma época em que estes animais eram considerados um incômodo e um deles morto era mais que inútil; **uma pulga** (14), notoriamente esquiva e difícil de apanhar, mas sem valor algum quando capturada.

O aparecimento inesperado e o admirável ato de misericórdia de Davi afetaram profundamente o rei. Não precisamos suspeitar de nenhuma falta de sinceridade em suas palavras, embora o sentimento do qual elas vieram não tenham durado por muito tempo (cf. c. 26). Reduzido a lágrimas, Saul se dirigiu a Davi, chamou-o de **meu filho** (16) e reconheceu que Davi era mais justo do que ele, porque retribuíra o mal com o bem

(17). A palavra hebraica traduzida como **justo** é *tsadiq*, e é derivada de um termo que significa "reto", portanto, "direito", "justo". Davi não só professou sua lealdade, mas a demonstrou da maneira mais convincente (18,19). Saul então admitiu o conhecimento de que Davi fora escolhido para **ser rei: hás de reinar** (20), e buscou apenas uma promessa solene de que Davi não destruiria sua família quando chegasse ao poder (21), uma prática muito comum nas mudanças de dinastia e que depois aconteceu sucessivamente no reino do Norte. Davi ficou feliz por fazer esta promessa, e os dois separaram-se por um tempo. Saul retornou a Gibeá, e o filho de Jessé e seus homens ao seu refúgio, aparentemente de volta em Haquila, perto de Zife (cf. 26.1ss.). Subiram ao lugar forte ou ao local seguro. A partir desta base eles podiam facilmente se deslocar para o sul, ao entrar no deserto de Parã (25.1).

D. O CONSTANTE PERIGO ENFRENTADO POR DAVI, 25.1—27.12

1. *A Nação Chora por Samuel* (25.1)

Nesta junção, a morte de Samuel é registrada. Ele cessara aparentemente suas atividades durante os dias turbulentos narrados, e não participara dos acontecimentos que se seguiram à primeira fuga de Davi, do ciúme assassino de Saul (19.18). A estima que tinham por ele é refletida no ajuntamento de todo o Israel para o seu sepultamento, e o pranto genuíno por alguém, cuja integridade e piedade eram inquestionáveis. Samuel foi sepultado na cidade onde estabelecera seu lar, em Ramá.

2. *Davi e Abigail* (25.2-44)

O resumo do capítulo é uma narração de um aspecto da vida fugitiva de Davi. Somos informados de que ele se mudara do sul, de En-Gedi e Haquila, para o **deserto de Parã** (1), um território definido como a oeste da extremidade sul do mar Morto. Ali ele se envolveu com um homem chamado Nabal, que morava em Maom, na extremidade norte do deserto de Parã, e cujas ovelhas e cabras pastavam nas proximidades do **Carmelo** (2) – este não deve ser confundido com o monte Carmelo, mais famoso e próximo do norte.

Abigail, a mulher de Nabal (o carmelita, 27.3); ela é descrita como uma mulher **de bom entendimento e formosa** (3), ou "inteligente e de boa aparência" (Berk.); embora o próprio homem rico seja descrito como **duro e maligno nas obras**, ou "bruto e inculto" (Berk.).

Nabal estava no Carmelo **tosquiando as suas ovelhas,** quando Davi enviou dez de seus moços para pedir-lhe uma ajuda, a fim de suprir sua necessidade de alimento. O pedido foi feito da maneira muito educada, e é explicado ao menos em parte porque os homens de Davi haviam protegido os pastores desarmados de Nabal dos ataques das tribos nômades (4-7; cf. 16,21). O costume de compartilhar a **boa hora** (8) ou o dia de festa também era bem estabelecido, e teria somado à sensatez do pedido de Davi.

A resposta de Nabal foi insolente, falou de Davi como um servo fugitivo (10) e recusou categoricamente a sua solicitação (11). Quando os homens de Davi retornaram e relataram esta recepção, seu líder convocou-os a pegarem em armas; deixou 200 no acampamento e levou 400 consigo (12,13). A **bagagem** (13), os suprimentos, as provisões e os materiais. Um dos próprios homens de Nabal, nesse meio tempo, contou a Abigail o que

1 SAMUEL 25.14-38   SAUL E DAVI

acontecera. A expressão **ele se lançou a eles** (14), vem de uma raiz hebraica primitiva, "investir violentamente ou voar" – a própria avaliação do servo sobre a resposta imprópria de seu senhor. Ele contou à sua senhora sobre os serviços que os homens de Davi haviam prestado (15,16), e avisou-a das prováveis conseqüências que se seguiriam à ingratidão e ao desprezo demonstrado por Nabal. **Determinado está o mal** (17) – em hebraico, *ra*, "calamidade, dano, dificuldade". **Um filho de Belial** (17), de *beliya'al*, "sem proveito", "sem valor"; portanto, "um homem inútil" (cf. 1.16, comentário). **Não há quem possa lhe falar** (17); ninguém consegue discutir com ele.

Abigail rapidamente juntou mantimentos e, sem contar ao seu marido, ordenou que os próprios servos de sua casa os pusessem sobre jumentos e os levassem a Davi, enquanto ela os seguiria de perto (18,19). **Desceu pelo encoberto do monte** (20), isto é, através de uma passagem na montanha. **Davi e os seus homens lhe vinham ao encontro, e encontrou-se com eles**. A ira de Davi está refletida no juramento que ele havia feito de que nenhum do sexo masculino (22) da casa de Nabal estaria vivo pela manhã. **Assim faça Deus aos inimigos de Davi** (22) – na Seputaginta lê-se, mais provavelmente, "faça a Davi", a forma usual deste tipo de afirmação.

Ao prostrar-se, Abigail procurou apaziguar a ira de Davi. Seu discurso é uma obra-prima de sabedoria. Ao referir-se ao nome de seu marido (*nabal* em hebraico significa "tolo, uma pessoa ignorante ou má"), ela explicou que não sabia da vinda dos mensageiros (23-25). **Homem de Belial** (25), cf. o comentário sobre 17; 1.16. Ela tentava, na verdade, evitar o derramamento de sangue inocente (26), e levou os mantimentos necessários aos homens de Davi (27). **Tais quais Nabal** (26), cujo nome significava "tolo". **Esta é a bênção** (27), isto é, estes são os presentes.

Abigail expressou a confiança de que Davi certamente seria estabelecido como rei, embora no momento fosse perseguido por um inimigo implacável (28,29). **Atada no feixe dos que vivem** (29), "escondida em segurança entre os viventes" (Moffatt), uma expressão para aquele cuja vida está sob a proteção de Deus. Ela acrescenta o pensamento de que, quando Davi se tornasse rei, seria uma fonte de satisfação para ele o não ter se vingado daqueles que lhe fizeram o mal, mas ter deixado as suas vidas nas mãos de Deus (30,31).

A reação de Davi ao apelo de Abigail foi de gratidão. Ele sentiu que o Senhor a mandara para evitar que ele fizesse com as suas próprias mãos o que Deus reservara para si mesmo (32-34). "Minha é a vingança; eu recompensarei, diz o Senhor" (Rm 12.19; citando Dt 32.35), e o Senhor jamais permite que a sua vingança seja aplicada por outrem. Ao receber a oferta de Abigail, Davi lhe disse que voltasse em paz para a sua casa, e que ele não executaria o seu ato pretendido (35). **Tenho dado ouvidos à tua voz** (35), isto é, concedi o teu pedido.

Quando Abigail chegou em casa, encontrou seu marido em meio a um banquete irreverente, **como banquete de rei** (36) em sua profusão e abandono. Nabal estava completamente embriagado, e sua mulher nada lhe disse até a manhã seguinte. No entanto, pela manhã, quando a sua embriaguez já havia passado, ela contou a este "tolo rico" do Antigo Testamento como ele escapara por muito pouco da morte. Por pavor ou ira, Nabal sofreu o que agora provavelmente chamaríamos de ataque cardíaco ou derrame – **e se amorteceu nele o seu coração, e ficou ele como pedra** (37). Dez dias depois, ferido pela mão de Deus, ele morreu (38)[13].

222

Quando a notícia chegou até Davi, ele novamente se sentiu grato por ter sido impedido de tomar providências com as próprias mãos. Ele também iniciou negociações para fazer da atraente viúva sua esposa, uma proposta que ela aparentemente recebeu com boa vontade (40,41). Acompanhada por cinco servos pessoais, ela foi com os mensageiros de Davi e tornou-se sua esposa. Os versículos 43 e 44 são inseridos na narrativa neste ponto para indicar os outros casamentos de Davi. Ele também se casou com **Ainoã de Jezreel** (43) – uma cidade em Judá que não estava longe do esconderijo dele. Mical, a primeira mulher de Davi e filha de Saul, fora entregue a Palti (ou Paltiel, 2 Sm 3.5) depois que ele fugiu da corte do rei (44). Sobre a poligamia, veja os comentários em 1.2.

3. *Davi Poupa outra vez a Vida de Saul* (26.1-25)
As semelhanças entre este relato e os acontecimentos descritos em 23.19-24.22 têm levado alguns a afirmar que temos nestas passagens relatos com variações do mesmo acontecimento. Mas existem diferenças significativas, e não há motivo para supor que encontros semelhantes não pudessem ter ocorrido na mesma localidade.

Davi havia retornado a Haquila, e outra vez alguns dos homens de Zife relataram a sua localização a Saul, em Gibeá. À entrada de Jesimom (1) isto é, em frente ou à margem do deserto. **Deserto de Zife** (2) – cf. 23.14, comentário.

Saul estabeleceu um acampamento em Haquila, e os espias de Davi lhe revelaram que o rei **vinha decerto** (4), isto é, o relatório com certeza era verdadeiro. O próprio filho de Jessé visitou o acampamento de Saul de noite e viu onde ele e seu comandante, Abner, estavam deitados **dentro do lugar dos carros** (5) – em hebraico, *magalah*, que é derivado de um termo que significa "redondo"; portanto, um parapeito de formato circular. Provavelmente a bagagem fora colocada desse modo, de forma a fazer um círculo dentro do qual o rei dormia juntamente com seus soldados à sua volta.

Um dos dois homens que estavam com Davi, Abisai, filho de Zeruia (6; irmã de Davi, cf. 1 Cr 2.16) prontificou-se a acompanhá-lo naquela jornada. Os dois encontraram Saul, que dormia profundamente, com sua lança pregada na terra à sua cabeceira (7), seu travesseiro ou apoio para a cabeça. Abisai impulsivamente pensou em matá-lo de um só golpe com aquela própria lança (8), mas outra vez Davi o conteve com a ordem – **nenhum dano lhe faças** (9) – e a pergunta: **porque quem estendeu a sua mão contra o ungido do Senhor e ficou inocente?** (9; cf. 24.5, comentário). No entanto, Davi e Abisai retiraram aquela arma e a bilha de água do rei sem serem notados, **pois havia caído sobre eles um profundo sono do Senhor** (12) – tal feito teria sido impossível sob circunstâncias normais.

Davi retirou-se para o **cume do monte ao longe** (13), provavelmente onde ele esteve pela primeira vez no acampamento, e estabeleceu uma certa distância entre ele e Saul adormecido. Então bradou a **Abner** (14) como aquele que deveria cuidar da segurança do rei. Davi censurou-o por ter falhado em seu dever e segurou a lança e a bilha de Saul como evidência do perigo em que Saul estivera (15,16). Como antes, o rei ficou profundamente abalado (17; cf. 24.8ss.). Davi outra vez defendeu a sua inocência de qualquer ato errado, e sugeriu que se o Senhor o havia incitado, uma oferta poderia apaziguar a sua ira. No entanto, se os homens haviam causado o ciúme do rei, eles deveriam ser colocados sob a maldição (18,19). **Eles me têm repelido hoje... dizendo: Vai, serve a outros deuses** (19), como poderia ser o caso se Davi fixasse residência permanente entre os povos idólatras que cercavam Israel. Outra vez ele aponta para a incoerência do rei que busca uma única pulga, ou caça **uma perdiz** solitária e desgarrada **nos montes** (20).

Saul ficou outra vez arrependido diante do ato de misericórdia de Davi, e confessou: **Pequei** (21). Desta vez ele convidou Davi a voltar à sua corte, e prometeu não lhe fazer mal, e reconheceu: **Eis que procedi loucamente e errei grandissimamente** (21). O termo traduzido como **errei** é *shagag*, literalmente, "desviei-me, desgarrei-me", e, portanto, significa ter pecado. **Grandissimamente** traduz dois termos hebraicos que significam "aumentar", "em abundância", e "veementemente", "excessivamente, muito"; Moffatt o traduz como: "Eu me desviei muito".

A resposta de Davi foi devolver a lança ao rei e entregar seu caso novamente nas mãos de Deus (22-24). Ele sabia que não poderia descuidar-se diante do poder do instável Saul. Embora o rei parecesse ser sincero naquele momento, o seu desequilíbrio emocional era tal que poderia se voltar contra Davi tão rapidamente como havia expressado o seu favor. **De tanta estima** (24), preciosa. A resposta de Saul foi profética: **Bendito sejas tu, meu filho Davi; pois grandes coisas farás e também prevalecerás** (25). Com isto, os dois se separaram, para nunca mais se verem.

4. *Davi no Exílio em Ziclague* (27.1-12)

Finalmente, convencido de que jamais poderia confiar na instabilidade de Saul (cf. 4, evidência que mais uma vez o seu arrependimento registrado em 26.21 durou pouco), Davi decidiu sair de Judá e ir para a Filístia, onde estaria a salvo das tramas do rei. **Por todos os termos de Israel** (1) – "por todos os limites de Israel". Com seus 600 soldados, suas esposas e todos os seus familiares, ele foi para Gate, cujo rei era Aquis (cf. 21.10). É fácil perceber a diferença entre a recepção de Davi em Gate nesta ocasião, e aquela que teve quando ali esteve primeiramente, em uma fuga solitária de Saul. O rei filisteu sem dúvida alguma ficou ciente da hostilidade de Saul contra Davi, e supôs que aquele jovem soldado retribuiria tal sentimento e recebeu-o como um aliado na chefia de um grupo poderoso e bem disciplinado.

Davi pediu a concessão de um lugar em alguma cidade no campo, ao sugerir que a sua presença na capital com Aquis seria um fardo ao rei (5). Seu verdadeiro motivo era a necessidade de liberdade de movimento no qual ele poderia preservar a imagem de inimizade com Saul sem ter que realmente pegar em armas contra o seu próprio povo. **Ziclague** (6), uma cidade provavelmente situada a sudeste de Gate na fronteira sul de Judá, mas ocupada pelos filisteus há muito tempo, foi concedida a Davi e seus homens. **Pertence aos reis de Judá, até ao dia de hoje** (6), indica uma data para a escrita deste relato, algum tempo após a divisão do reino com a morte de Salomão, mas antes do exílio de Judá em 586 a.C. Davi e seus homens passaram **um ano e quatro meses** (7) na Filístia.

Durante este período, Davi e seus homens fizeram vários ataques contra as tribos do deserto ao sul, identificadas como os **gesuritas, os gersitas e os amalequitas** (8). O texto em Josué 13.2 identifica os gesuritas como habitantes das redondezas da Filístia, e perto dos amalequitas. Os gersitas não são mencionados em qualquer outra passagem do Antigo Testamento, e são atualmente desconhecidos. Os amalequitas tinham uma longa história de hostilidade contra Israel, e devem ter sido completamente destruídos por Saul (cf. 15.1-35). Os remanescentes da tribo tinham aparentemente fugido, se reorganizado, e retomado uma vida semi-nômade no deserto a sudoeste de Judá. O extermínio desses povos por Davi, e o fato de ter enganado a Aquis (9-12) é completamente indefensável sob o ponto de vista moral, mas não deve ser julgado inteiramente à luz dos padrões cristãos atuais. **Sobre onde destes hoje?** (10) – "Onde atacaste desta vez?" (Berk.) Aquis concluiu que Davi havia se separado para sempre de seu povo; portanto, merecia a sua confiança (12).

E. ÚLTIMA GUERRA DE SAUL E SUA MORTE, 28.1—31.13

Os três últimos capítulos de 1 Samuel levam a uma rápida conclusão da história do primeiro rei de Israel e seu longo conflito com Davi.

1. *A Invasão Filistéia* (28.1-7)
Durante a permanência de Davi na Filístia – **Naqueles dias** (1) – uma nova guerra irrompeu entre os israelitas e os filisteus, provocada, como o texto indica, pelos filisteus. Aquis, então, incorporou Davi e seus homens ao seu próprio exército, ao receber a promessa evasiva: **Assim saberás tu o que fará o teu servo** (2). **Te terei por guarda da minha cabeça para sempre** (2), isto é, "meu guarda-costas perpétuo" (Berk.).

O versículo 3 é uma nota explicativa que prepara para a estranha cena em En-Dor (7-25). Algum tempo antes, Saul tinha expulsado os médiuns e feiticeiros da terra, ao guardar o mandamento da lei (cf. Êx 22.18; Dt 18.9-12).

Os exércitos adversários estavam acampados na margem norte da planície de Megido, no norte da Palestina. Os filisteus estavam em **Suném** (4) na planície, e os israelitas **em Gilboa**, que é citado como um monte (31.1,8), provavelmente nas regiões altas ao norte da planície. Desta proeminência Saul podia facilmente medir o tamanho do exército adversário, e ele **temeu, e estremeceu muito o seu coração** (5). O terror do rei foi aumentado quando **perguntou... ao Senhor, porém o Senhor lhe não respondeu, nem por sonhos, nem por Urim, nem por profetas** (6). Quanto ao Urim, cf. 23.6, comentário. Desesperado, Saul pediu aos seus servos que encontrassem **uma mulher** que tivesse **o espírito de feiticeira** (7), o que podemos chamar de uma médium. A palavra necromante é uma tradução do termo hebraico *ob*, que significa "murmúrio, balbucio", e, por extensão, "alguém considerado capaz de se comunicar com os mortos". A maior parte dos espiritualistas nos tempos bíblicos eram mulheres, assim como acontece hoje. Várias versões traduzem o termo como "médium".

2. *Saul e a Mulher de En-Dor* (28.8-25)
Um dos servos conhecia uma feiticeira e médium em En-Dor, aproximadamente 20 quilômetros ao norte de Gilboa, um lugar onde havia várias cavernas que podiam servir como esconderijo. **Saul disfarçou-se** (8) vestindo roupas que não tinham as suas costumeiras insígnias reais e, acompanhado por dois homens, procurou a mulher à noite. Seu pedido foi: **me adivinhes** (8), isto é, "determine ou inquira por mim". **Me faças subir a quem eu te disser**, uma vez que se acreditava que o Seol, o lugar dos mortos, ficava nas profundezas da terra (cf. Nm 16.30; Sl 63.9; Ez 31.14; 32.18).

A objeção da mulher de que o rei havia **destruído da terra os adivinhos e os encantadores** (9) foi anulada pelo visitante disfarçado, que fez seu juramento solene de que não haveria problema algum para ela como resultado da obediência aos seus desejos (10). Quando Saul pediu por Samuel e a aparição surgiu, a mulher gritou em alta voz e disse ao rei: **Por que me tens enganado? Pois tu mesmo és Saul** (12). Em resposta à pergunta do rei quanto ao que a mulher tinha visto, ela declarou: **Vejo deuses que sobem da terra** (13). O termo traduzido como deuses é *ha elohim*, o vocábulo para a divindade ou seres sobrenaturais. Quando usado com um verbo no singular, ele é aplicado ao único Deus, mas é usado freqüentemente ao longo de todo o Antigo Testamento para designar os falsos deuses das nações, anjos, outros seres sobrenaturais, ou homens investidos de autoridade real. Aqui deveria ser provavelmente traduzido "uma forma semelhante a um deus" como na versão *Berkeley*.

Quando perguntada especificamente: **Como é a sua figura?** (14) a resposta da mulher foi: **Um homem ancião... envolto numa capa**, um traje que um profeta como Samuel teria usado durante a sua vida. Embora não seja afirmado que Saul tenha realmente visto alguma coisa, ele concluiu que a médium estava em contato com Samuel. A forma como esta cena deve ser interpretada tem intrigado comentadores por todos os séculos. Alguns, uma maioria considerável, creram que Samuel realmente apareceu. Geralmente, porém, eles ressalvam o fato declarando que foi um juízo especial de Deus sobre Saul, e que Samuel foi incumbido de trazer, uma vez que qualquer tentativa de contatar os mortos era terminantemente proibida pela lei. Outros acreditaram que um demônio personificou Samuel. Ainda outros afirmaram que toda a cena foi uma armação de uma mulher perspicaz e um cúmplice, para tirar vantagem da condição perturbada do rei para fazê-lo crer que estava realmente em contato com o falecido profeta[14].

Aquele ser perguntou: **Por que me desinquietaste** (15), me incomodaste ou me perturbaste do repouso que experimentava no Seol? A resposta patética de Saul é um texto histórico: **Mui angustiado estou, porque os filisteus guerreiam contra mim, e Deus se tem desviado de mim e não me responde mais** (15). Aquela entidade confirma o terrível temor de Saul: **O Senhor te tem desamparado e se tem feito teu inimigo** (16). A ruptura naturalmente ocorreu porque Saul havia se tornado inimigo de Deus. **O Senhor tem feito para contigo** (17) para a sua própria honra, na vindicação de seu decreto, de que o reino deveria ser tirado de Saul e dado a um outro. **Tem rasgado** ou arrancado. A desobediência em geral, e em particular a falha irreparável diante de Amaleque, foi a causa do juízo contra Saul (18). A batalha do dia seguinte deveria resultar em uma completa derrota para Israel, e aquele ser acrescentou: **Amanhã tu e teus filhos estareis comigo** (19) no Seol (a habitação dos mortos). Na visão do Antigo Testamento não havia uma separação completa entre os justos e os ímpios, no lugar dos mortos. Deve ser lembrado que foi o Senhor Jesus Cristo que "trouxe à luz a vida e a incorrupção, pelo evangelho" (2 Tm 1.10).

"O fim da estrada da rebelião" é tragicamente expresso nas palavras do confuso Saul. Um retrospecto da vida do primeiro rei de Israel revela quatro grandes fatos importantes ao longo de sua vida: (1) Libertação, 10.9-11; (2) Desobediência, 15.22,23; (3) Desespero, 28.15; e (4) Morte, 28.19.

O desespero de Saul era infinito, e ele **caiu estendido por terra** (20), completamente prostrado ao chão, e **não houve força nele** (20), uma fraqueza combinada pelo fato de que ele havia passado todo o dia anterior sem se alimentar. O fim da visão não é descrito, mas a feiticeira veio até Saul e rogou a ele que comesse (21,22). O rei não tinha apetite para alimentar-se, mas seus dois servos se juntaram à mulher e **o constrangeram** (23), ou melhor, "o obrigaram vigorosamente", e, finalmente, obtiveram o seu consentimento. Saul **levantou-se do chão e se assentou sobre uma cama** (23), o banco acolchoado ao longo da parede da sala. A mulher preparou uma bezerra e pães sem fermento, e Saul e seus servos comeram antes de partir naquela noite (24,25).

3. *Davi Retorna para Casa* (29.1-11)

Quando os filisteus juntaram seus exércitos para a batalha iminente, Davi e seus homens foram incluídos nas forças de Aquis, rei de Gate, dentro do território em que os refugiados hebreus estavam guarnecidos. **Em Afeca** (1) refere-se à estrada principal para o Egito a partir do nordeste, uma parada no curso para Suném e a planície de Megido, da qual eles esperavam passar rapidamente pelo território de Israel (cf. 28.4). Os israelitas haviam tomado uma posição em **Jezreel**, uma curta distância ao sul de sua base em Gilboa. **Na retaguarda** (2).

Os outros príncipes filisteus desafiaram Aquis na presença dos soldados hebreus, e este rei vigorosamente afirmou a lealdade de Davi. **Há alguns dias ou anos** (3) – foi na verdade um ano e quatro meses de acordo com 27.7. Ao temerem uma traição, os comandantes filisteus exigiram que o rei Aquis mandasse Davi de volta. Eles concluíram que o fugitivo poderia recuperar o favor de Saul, e voltar-se contra eles no calor da batalha e talvez mudasse o curso da vitória para os israelitas (4). A reputação como um guerreiro, de Davi, era bem conhecida (5).

Com a finalidade de se justificar, Aquis explicou a oposição dos outros líderes (6) e o enviou para casa (7). Davi protestou, provavelmente com ironia (8), mas voltou com seus homens enquanto os filisteus prosseguiram e subiram a planície costeira até Jezreel (9-11). **Como um anjo de Deus** (9), isto é, considerado de forma tão elevada quanto um mensageiro dos deuses o seria. O rei Aquis não usa a expressão para o Deus verdadeiro, isto é, *Yahweh*, "o Senhor", mas utiliza o termo geral, *ha elohim*, que neste contexto significa "os deuses".

4. *Davi e os Amalequitas* (30.1-31)

O retorno de Davi a Ziclague, onde ele e seus homens haviam feito seu quartel-general, foi tanto oportuno como trágico. Enquanto os homens marchavam para o norte com Aquis, os amalequitas do sul invadiram aquela região, capturaram e queimaram Ziclague, e levaram as mulheres e crianças cativas, que sem dúvida alguma seriam destinadas a uma escravidão pior que a morte (1-3). A dor dos homens consternados era grande e eles **choraram, até que neles não houve mais força para chorar** (4). Apesar da própria família de Davi ter sido levada (5), seus homens acrescentaram à sua angústia os murmúrios e uma rebelião revoltosa (6). **Davi se esforçou no Senhor, seu Deus** (6), "fortaleceu-se", "se reanimou" – ou como na versão *Berkeley*, "apoiou-se no Senhor seu Deus".

Por intermédio de **Abiatar, o sacerdote** (7), com o éfode sagrado, **consultou Davi ao Senhor** (8) se deveria ou não perseguir os criminosos. Com a certeza de que ele alcançaria o grupo que atacara a cidade e recuperaria tudo o que fora tomado, Davi e

1 Samuel 30.9-23 — Saul e Davi

seus homens **chegaram ao ribeiro de Besor** (9), ao sul de Ziclague. Este provavelmente deve ser identificado com o atual Uádi Ghazzeh, que nasce perto de Berseba, a sudeste de Ziclague, e deságua no Mediterrâneo a sudoeste de Gaza. Duzentos homens da companhia estavam tão exaustos que não podiam ir mais além; então a companhia foi dividida – em parte por prudência e necessidade – e 400 continuaram a perseguição (10).

Os versículos 1-10 dão algumas sugestões valiosas "sobre como lidar com o desânimo", pois **Davi se esforçou no Senhor, seu Deus**, 6, uma chave para a profundidade de seu abatimento. (1) As causas do desânimo são: (*a*) aflição e perda, 1-3; (*b*) a dor e a tristeza que vêm dos golpes inesperados da vida, 4; e (*c*) a imcompreensão de companheiros íntimos quando se dá o melhor de si, 6. (2) A cura para o desânimo é encontrada em: (*a*) buscar a Deus em oração, 7,8; (*b*) ação resoluta, 9,10; e (*c*) acima de tudo, forte apoio do Senhor Deus.

Davi e seus homens logo acharam **um homem egípcio**, quase inconsciente **no campo** (11), doente e sem alimento ou água por três dias. Os israelitas o reanimaram, e souberam que ele era um **servo** (13) – literalmente, escravo – de um senhor **amalequita**. Ele contou: **Nós demos com ímpeto para a banda do sul dos queretitas, e para a banda de Judá, e para a banda do sul de Calebe e pusemos fogo a Ziclague** (14). Em todos os territórios que faziam fronteira com o sul do Neguebe, a terra deserta entre o sul do mar Morto e o Mediterrâneo. Perguntado se poderia conduzir Davi até o grupo de ataque, o jovem egípcio concordou desde que lhe fosse concedida imunidade e proteção (15).

Davi e seus homens encontraram os inimigos desguarnecidos, ocupados em uma festa e na embriaguez por causa da grande quantidade de despojos que haviam trazido **da terra dos filisteus e da terra de Judá** (16). A destruição da companhia dos amalequitas foi completa, exceto dos 400 jovens que formavam uma corporação que montava camelos e que conseguiram fugir para o deserto (17). Todos os cativos e os bens pessoais dos israelitas foram recuperados, além dos despojos da guerra – **Este é o despojo de Davi** (20) – que conquistara de outras vítimas do ataque amalequita (18-20).

Ao retornar ao posto avançado no ribeiro de Besor, alguns dos 400 homens de Davi – descritos como **maus e filhos de Belial** (22) – opuseram-se a dividir os despojos com aqueles que foram deixados para trás. **Filhos de Belial**, cf. 1.16, comentário. Davi, porém, recusou a sugestão de que eles fossem menosprezados, reconheceu que Deus havia dado a vitória e estabeleceu o princípio de que **a parte dos que desceram à peleja, será tal qual a dos que ficaram com a bagagem; igualmente repartirão** (24); ou seja, deveriam dividir os despojos com igualdade. Este conceito fora apresentado em Números 31.27 e tornou-se uma regra constante **desde aquele dia em diante** (25). Do despojo tomado dos amalequitas, Davi enviou presentes para os líderes em Judá, que, sem dúvida alguma, o haviam tratado amigavelmente em diversas ocasiões. Estes eram os **lugares em que andara Davi, ele e os seus homens** (31). Todos os lugares mencionados eram cidades em Judá, e este ato de consideração e generosidade sem dúvida ajudou a pavimentar o caminho para que ele logo se tornasse rei de Judá.

"Dividir e dividir Igualmente" é o assunto de 21-25. Princípios que podem ser listados aqui: (1) Nem todos podem estar na linha de frente, 21; (2) Manter o acampamento base é importante, a despeito das reações que isto desperta, 22; (3) A generosidade e a bondade de Deus ordenam um tratamento justo para com todos, 23. Para variar a figura, podemos concluir que não só Paulo "que planta" e Apolo "que rega", mas aqueles que preparam a terra e fornecem a semente, também se regozijam pela colheita que Deus concede (1 Co 3.6-9).

5. A Última Batalha de Saul (31.1-13)

Este capítulo é repetido quase que literalmente em 1 Crônicas 10.1-12. Ele conclui o relato iniciado em 28.1, mas que foi interrompido em 29,30 para apresentar o registro do relacionamento de Davi com Aquis, e sua vitória sobre os amalequitas. A batalha foi travada, e como havia sido predito (28.19), o povo de Israel foi totalmente derrotado (1). Os filisteus estavam especialmente determinados a destruir o rei e a sua família, e três de seus filhos logo caíram na batalha (2). O próprio Saul foi ferido pelos flecheiros inimigos. **A peleja se agravou** (3). Ele rogou ao seu escudeiro para matá-lo com uma espada como um ato de misericórdia, ao temer que os filisteus o torturassem e o mutilassem se o capturassem vivo. A expressão **estes incircuncisos** (4) revela a aversão e o desprezo que os hebreus tinham por seus vizinhos pagãos. Quando o escudeiro se recusou a atender o pedido, Saul tomou a sua própria espada, fixou o cabo na terra e lançou-se contra a sua ponta; suicidou-se – e seu companheiro seguiu o mesmo exemplo (4,5).

Quando as tropas de Israel que não estavam perto de Saul viram o que havia acontecido, abandonaram as suas posições, deixaram as suas cidades e fugiram para o deserto (7). No dia seguinte à batalha, os filisteus descobriram os corpos de **Saul e seus três filhos** (8) no campo de batalha. Profanaram o corpo do rei de Israel, ao cortar-lhe a cabeça. Despojaram-no de suas armas e as puseram no templo de **Astarote**, provavelmente perto de **Bete-Seã**, e fixaram o corpo de Saul e os de seus três filhos no muro da mesma cidade (9,10). Um edifício que era, sem dúvida alguma, este templo foi descoberto na escavação feita por C. S. Fisher, Alan Rowe e G. M. Fitzgerald entre os anos de 1921 e 1933[15].

Uma nota de heroísmo fecha esta triste história. Os homens de Jabes-Gileade, cidade que Saul salvara no início de seu reinado (cf. 11.1-15), souberam da morte de seu rei, e em uma rápida investida noturna tiraram o corpo dele, e os de seus três filhos, do muro de Bete-Seã, os levaram para Jabes, os cremaram ali e sepultaram seus ossos debaixo de uma tamargueira em Jabes, como se lê no texto hebraico. Os ossos foram posteriormente levados para a terra de Benjamim e sepultados na sepultura da família, em Zela (cf. 2 Sm 21.12-14).

SEÇÃO IV

O REINADO DE DAVI

2 Samuel 1.1—20.26

Os livros de 1 e 2 Samuel eram originalmente um único registro sem interrupção. De 1 Samuel 31 em diante, a história faz um paralelo em parte com 1 Crônicas 10-29.

A. DAVI REINA EM HEBROM, 1.1—4.12

Os primeiros quatro capítulos de 2 Samuel referem-se aos sete anos e meio que Davi reinou como monarca de Judá na cidade de Hebrom. O paralelo em 1 Crônicas realiza-se durante este período e vai diretamente ao reino davídico sobre todo o Israel.

1. *Davi é Informado da Morte de Saul* (1.1-27)
Os primeiros versículos estabelecem a ligação da morte de Saul na batalha de Gilboa em 1 Samuel 31 com a derrota dos amalequitas em 1 Samuel 30 – eventos que ocorreram ao mesmo tempo. Gilboa ficava aproximadamente a 100 quilômetros ao norte de Jerusalém e Ziclague ficava a 80 quilômetros a sudoeste (veja o mapa). Foi no **terceiro dia** (2) que a mensagem da tragédia foi trazida pelo jovem amalequita que aparentemente estivera com Saul e os israelitas. Ele chegou **com as vestes rotas e com terra sobre a cabeça**, os sinais tradicionais de luto. Quando alcançou a Davi, ele **se lançou no chão e se inclinou**, ao reconhecer em Davi um parente rei.

A descrição do jovem do que acontecera difere do relato de 1 Samuel 31.4-6. Vários esforços têm sido feitos para explicar a discrepância. Alguns têm argumentado que há aqui duas histórias contraditórias sobre a morte de Saul encontradas em diferentes documentos originais. Outros têm tentado reconciliar as duas versões, para presumir que o jovem amalequita chegou até Saul depois de haver atentado contra a sua própria vida, mas falhado. No entanto, é melhor considerar a história do amalequita como uma completa mentira, contada a fim de garantir uma recompensa de Davi; ele erroneamente supunha que o genro do rei morto retribuiria o sentimento de ódio contra Saul[1].

Em resposta às perguntas aflitas de Davi, o informante relatou a debandada do exército, a morte de muitos do povo e também a de Saul e Jônatas (3,4). Quando ele perguntou especificamente como o mensageiro soube da morte de Saul e de Jônatas, o jovem declarou que se aproximara do rei gravemente ferido e apoiado **sobre a sua lança**, apertado pelo inimigo (5,6). Ele relatou que Saul o chamou e perguntou a sua identidade; ao que ele respondeu: **Sou amalequita** (8). O rei então pediu que lhe desse um golpe mortal, mediante a afirmativa: **porque angústias me têm cercado, pois toda a minha vida está ainda em mim** (9). **Angústias** é literalmente "perplexidade, espanto". O jovem pode ter escutado por alto a conversa de Saul e seu escudeiro, e substituiu parte do que pareceu servir ao seu propósito.

Ao explicar que tinha certeza de que o rei não poderia sobreviver aos seus ferimentos, o mensageiro declarou que desferiu o golpe fatal e tomou a **coroa** e o **bracelete (ou a manilha)** do corpo para entregar a Davi (10). Ele provavelmente retirara estes objetos do corpo do rei morto antes que os filisteus, que se aproximavam, o descobrissem, e fugiu com eles. Davi e todos em sua companhia rasgaram suas vestes, **prantearam, e choraram, e jejuaram** até ao anoitecer com uma dor sincera pela tragédia que acontecera ao seu povo (11-12).

Em resposta à pergunta de Davi quanto à sua origem, ele estendeu a breve afirmação do versículo 8: **Sou filho de um homem estrangeiro, amalequita** (13), isto é, um nômade que se fixara em Israel entre o povo, embora não um completo prosélito ou convertido à religião israelita. Seu pai era o que devemos provavelmente chamar de um residente imigrante. Ele, portanto, teria todo motivo para conhecer a admiração e o respeito com o qual **o ungido do Senhor** (14) era estimado, e deveria ter estado tão temeroso quanto o escudeiro esteve (1 Sm 31.4) para levantar a sua mão contra Saul. Davi rapidamente ordenou a execução do assassino confesso (15,16).

O escritor preserva uma linda elegia composta por Davi que deveria ser encontrada no **livro do Reto** (também chamado de **livro de Jasar** ou **livro dos Justos** 18), uma coleção de poemas heróicos que celebram acontecimentos extraordinários na história de Israel (cf. Js 10.12,13). Jasar significa reto ou justo. Este é um dos diversos livros mencionados no Antigo Testamento, do qual não temos qualquer conhecimento atual, exceto breves citações ocasionais[2]. O versículo 18, a introdução à elegia, é difícil de traduzir, mas devemos provavelmente seguir o texto de algumas versões: "Ordenou que ensinassem aos filhos de Judá o cântico do arco, o qual está escrito no livro de Jasar".

A composição em si é uma bela poesia lírica do tipo que tornou Davi merecidamente famoso como "o suave em salmos de Israel" ou "o mavioso salmista de Israel" (23.1). O poema expressa a genuína dor de Davi, e tem como seu refrão: **Como caíram os valentes!** (19,25,27) **Ah! Ornamento de Israel!** (19) – no hebraico, o esplendor ou a glória de Israel. **Gate... Asquelom** (20), as duas principais cidades da Filístia, que foram completamente dominadas. **Montes de Gilboa** (21), o local onde a batalha foi travada e perdida. **Campos de ofertas alçadas** (21), isto é, colheita da qual as ofertas das primícias seriam tiradas – até mesmo a terra é convocada a prantear, ao tornar-se estéril.

As explorações militares de **Saul e Jônatas** são citadas em 22,23. **A gordura dos valentes** (22), isto é, "a carne dos valentes" (Moffatt). As **filhas de Israel** (24) são convocadas a chorar sobre Saul, que de forma exuberante lhes havia favorecido. A elegia termina com um tributo especial à amizade de Jônatas: **Angustiado estou por ti, meu irmão Jônatas; quão amabilíssimo me eras! Mais maravilhoso me era o teu amor do que o amor das mulheres** (26). A generosa nobreza de todo o poema é um tributo ao caráter de Davi. Poderia se esperar que ele exultasse com o fim da perseguição que o havia afastado da família e de sua terra natal, e da perspectiva de logo se tornar rei; mas, ao invés disso, ele voltou seus pensamentos para as qualidades admiráveis de Saul, e ao seu sentimento autêntico por Jônatas.

Matthew Henry destaca o espírito excelente que Davi mostra nos versículos 19-27. Ele possuía "o verdadeiro espírito de grandeza". Ele foi: (1) Generoso para com o seu inimigo, Saul, ao omitir os seus defeitos e louvar o que era digno, 17,18,21,24; (2) Grato a Jônatas, seu maior amigo, 22,26; (3) Profundamente preocupado com o bem-estar do povo, 19,25,27; (4) Profundamente preocupado com a honra de Deus, 20.

2. Davi, Rei de Judá (2.1-7)

Logo depois, Davi buscou a direção do Senhor quanto a retornar a Judá, e foi instruído a ir para **Hebrom**, cerca de trinta quilômetros a sudoeste de Jerusalém (1). Ele e todo o seu grupo, com suas famílias e bens domésticos, mudaram-se de Ziclague para as **cidades de Hebrom** (3), e o plural refere-se ao fato do nome se aplicar a quatro cidades agrupadas. Ela fora conhecida anteriormente como Quiriate-Arba (Js 20.7), que significa "cidade quádrupla" ou "tetrópolis". Ali os seus habitantes se ajuntaram e **ungiram... a Davi rei sobre a casa de Judá** (4).

Nos versículos 1-4 podemos ver "a descoberta e a atitude de se fazer a vontade de Deus". (1) As circunstâncias transformadoras devem fazer voltar nossa mente ao caminho que Deus nos mandaria tomar, 1; (2) A direção de Deus é, às vezes, muito específica, 1; (3) A obediência humana deve seguir a direção divina, 2,3; (4) A bênção segue a obediência.

Informado do ato heróico dos homens de Jabes-Gileade, ao sepultarem Saul e seus filhos, Davi enviou uma mensagem de apreço por eles. Ele também sugeriu que considerassem o fato de Judá tê-lo feito rei (5-7). Nada resultou disso no momento, a não ser a hostilidade arraigada que existia entre Abner, comandante militar de Saul, e Joabe, que serviu a Davi em uma função similar.

3. Isbosete, Rei de Israel (2.8-11)

Após a morte de Saul, **Abner** (8) tomou a responsabilidade de estabelecer **Isbosete**, o quarto filho de Saul (1 Cr 8.33; 9.39), como rei – ao levá-lo a Maanaim, a leste do Jordão (veja o mapa), onde eles estariam fora do alcance dos filisteus. Em Crônicas, Isbosete é chamado de Esbaal – um nome posteriormente mudado quando *baal*, "senhor", foi alterado para *bosete*, "vergonha", em protesto contra o culto a Baal em Israel.

Provavelmente, Isbosete não estivera presente na batalha de Gilboa, e em vista de sua óbvia subordinação a Abner, não deve ter tido uma personalidade forte. O reino de Isbosete incluía, além de **todo o Israel** (9), **Gileade**, a leste do Jordão; **os assuritas**, não identificados de outra forma no Antigo Testamento; o território ao redor de **Jezreel**, para o norte perto de Gilboa; e as tribos de **Efraim** e **Benjamim**.

O REINADO DE DAVI   2 SAMUEL 2.9—3.5

A cronologia de 10,11 é difícil. Várias tentativas têm sido feitas para reconciliar os dois anos de reinado de Isbosete com os sete anos e meio do reinado de Davi sobre Judá em Hebrom. Foi sugerido por John Bright que Davi continuou a residir em Hebrom cinco anos e meio após a morte de Isbosete, antes de fazer de Jerusalém a sua capital[3]. É mais provável que a solução para a discrepância esteja em **todo o Israel** (9). Isto é, Isbosete dirigiu um governo de refúgio em Maanaim por cinco anos e meio após a morte de Saul, até que o governo israelita fosse restabelecido pelo menos na parte oeste do Jordão. Seu reinado sobre todo o Israel começou, então, quando ele tinha a idade de quarenta anos, apenas dois anos antes de ser assassinado.

4. *Abner e Joabe* (2.12—3.1)

Esta seção fala de uma campanha iniciada por Abner, capitão das forças de Isbosete, contra Joabe, capitão de Davi. **Saiu... de** (12) é a frase hebraica técnica para ir à guerra. Os homens de Davi encontraram-se com as forças invasoras perto do **tanque de Gibeão** (13), ao norte de Hebrom, capital de Judá, e onde as ruínas de um grande reservatório foram encontradas. Doze jovens soldados foram escolhidos de cada lado para uma competição de campeões (como em 1 Samuel 17). **Joguem** (14); o conflito armado sério e fatal que só terminaria com a morte. Quando a competição terminou empatada com a morte de todos os competidores, iniciou-se uma batalha geral que se transformou na derrota de Abner e seus homens (16,17). **Helcate-Hazurim** significa campo das espadas.

O ponto mais importante no registro da batalha é a explicação da inimizade entre Joabe, capitão de Davi, e Abner. O primeiro, sobrinho de Davi (1 Cr 2.15,16), tinha dois irmãos no exército, Abisai (1 Sm 26.6) e Asael, notado posteriormente por ser ligeiro de pés. Este partiu para alcançar Abner, e não seria dissuadido embora obviamente não fosse páreo para o homem mais velho em um combate corpo a corpo. Os soldados em perseguição pararam ao chegar ao corpo de Asael, porque a noite se aproximava (18-24). Os soldados de Abner **fizeram um batalhão**, isto é, reagruparam as suas forças depois da pausa na batalha, e Abner rogou a Joabe que parasse com a matança inútil que resultaria apenas em mais amargura (25,26).

Joabe concordou com uma trégua. Suas palavras (27) têm sido entendidas de diversas maneiras. Ou ele quis dizer que se Abner não houvesse pedido uma trégua, a perseguição e a matança teriam continuado por toda a noite e adentrado pela manhã seguinte, ou ele quis dizer que se Abner tivesse falado antes, a batalha não teria ocorrido ou não teria durado tanto tempo. As duas forças se separaram, e por longas marchas noturnas voltaram para as suas respectivas capitais; Joabe com a perda de 20 soldados, e Abner com uma perda de 360 (28-32). **A planície** (29) era a do vale do Jordão perto de Jericó. **Todo o Bitrom** (29), literalmente "os lugares escarpados", provavelmente a leste do Jordão. Asael foi sepultado em Belém **na sepultura de seu pai**, no caminho de volta a Hebrom (32). O texto em 2 Samuel 3.1 indica uma hostilidade contínua, provavelmente não iniciada por Davi, com o resultado da força crescente da causa deste e com a fraqueza decrescente da causa de Isbosete.

5. *A Família de Davi* (3.2-5)

A narrativa é interrompida para apresentar um breve relato da família de Davi, uma prática comum dos escritores bíblicos em qualquer ponto de transição (cf. 1 Sm

14.49-51; 2 Sm 5.13-16; 1 Rs 3.1; 14.21; 15.2,9). Davi casara-se com Ainoã e Abigail durante os seus anos de refúgio. Amnom, o primeiro filho de Ainoã era, portanto, seu herdeiro legítimo. O filho de Abigail é aqui intitulado de **Quileabe** (3); mas é chamado de Daniel em 1 Crônicas 3.1; não é incomum para os personagens bíblicos terem mais de um nome. Quatro outras esposas são citadas, inclusive a filha do **rei de Gesur**, algo possivelmente típico das alianças políticas que nos tempos do Antigo Testamento eram freqüentemente seladas com um casamento entre os membros das famílias reais envolvidas. O texto em 1 Crônicas 3.5-9 completa o registro da família de Davi com uma lista de mais treze filhos. Sobre a poligamia no Antigo Testamento, cf. comentário sobre 1 Sm 1.2.

6. *O Colapso do Reinado de Isbosete* (3.6—4.12)

O balanço deste capítulo, inclusive o de número 4, descrevem todos os acontecimentos resumidos em 3.1.

a. Isbosete se indispõe com Abner (3.6-11). O domínio por trás do trono de Isbosete era o de seu comandante militar Abner. **Abner se esforçava na casa de Saul** (6), isto é, "Abner estava fortalecendo a sua própria posição dentro do grupo de Saul" (Berk.). O jovem rei acusou seu capitão de ter um relacionamento impróprio com uma das concubinas de seu pai, chamada **Rispa** (7). Se a acusação fosse verdadeira, isto bem poderia ter significado que Abner tramava tomar o trono, visto que o harém de um rei oriental sempre passava para o seu sucessor.

A acusação deixou Abner furioso, e ele jurou transferir o reino para Davi, um juramento que deixou Isbosete calado de tanto temor (8-11). **Cabeça de cão** (8), uma expressão para alguém totalmente desprezível. **Transferindo** (10), passando o controle. **Desde Dã até Berseba**, isto é, do extremo norte até a fronteira do sul. Davi já estava de posse de Berseba. O território de Isbosete uniria todo o país sob o governo de Davi.

b. Abner negocia com Davi (3.12-21). Abner não perdeu tempo em colocar em ação seu plano de entregar seu protegido, Isbosete, a Davi. Por isso, enviou seus mensageiros a Hebrom com uma oferta de **aliança** (12) ou acordo em que Abner traria todo o Israel sob o governo de Davi. Este concordou em negociar somente com a condição de que **Mical, filha de Saul,** sua primeira esposa (1 Sm 18.27), lhe fosse devolvida (13). É possível que o propósito de Davi não fosse tanto ganhar mais uma mulher, mas sim fortalecer a sua reivindicação ao reinado, ao ser novamente reconhecido como o genro de Saul. Ele endereçou a sua exigência diretamente a Isbosete, que ordenou ou permitiu que Abner tirasse Mical de seu então marido (14-16). Seu ato não trouxe qualquer satisfação futura a Davi, uma vez que Mical aparentemente não sentiu mais o amor que no início demonstrava por ele (6.20-23).

Enquanto isso, Abner enviou mensageiros aos anciãos de Israel, para rogar-lhes que agissem prontamente. Ele lhes lembrou das promessas de Deus de livrar o povo das mãos dos filisteus por intermédio de Davi (17,18). Ele procurou, particularmente, consentir com a tribo de Saul, Benjamim, e assim foi pessoalmente a Davi em Hebrom, acompanhado por uma escolta de **20 homens** (19,20). Um banquete foi realizado com a finalidade de selar o acordo. Depois disso, Abner e seus homens partiram para executar o plano de trazer toda a nação sob o governo de Davi (21).

c. Abner é assassinado (3.22-39). Joabe, nesse meio tempo, estivera longe de Hebrom em uma expedição militar. Quando voltou e soube da visita de seu oponente, ficou furioso e acusou-o de ter vindo como um espião (22-25). Sem o conhecimento de Davi, enviou mensageiros após Abner, que o alcançaram a aproximadamente três quilômetros de Hebrom, no **poço de Sira** (26), e trouxeram-no a Hebrom sob algum pretexto. Joabe chamou Abner em separado como para uma conferência particular e matou-o a sangue frio em vingança pela morte de seu irmão Asael (cf. 2;18ss.). O versículo 30 indica que o outro irmão, Abisai, foi um cúmplice na traição.

A reação de Davi foi proclamar a inocência de si mesmo e de seu reino, e requereu o juízo de sangue sobre **a cabeça de Joabe e sobre toda a casa de seu pai** (29). **Nunca da casa de Joabe falte...**, isto é, "que sempre possa haver na casa de Joabe alguém que sofra de fluxo", etc. (30, Berk.). O rei lançou sobre a família do assassino as mais amargas calamidades: morrer de hemorragia ou lepra, ficar extremamente magro e fraco, morte por suicídio ou de fome. A força dessas palavras mostra a reação súbita que Davi expressou contra a traição sofrida por alguém que, há poucos momentos, desfrutara de sua hospitalidade.

Davi convocou um luto geral, e ele mesmo seguiu o corpo de Abner em seu sepultamento em Hebrom (31,32). **Rasgai as vossas vestes, cingi-vos de panos de saco** (31), os sinais de profunda tristeza. **Não morreu Abner como morre o vilão?** (33), isto é, chegaria ao fim um homem nobre com a fama de um *nabal*, um homem desprezível e mau? **As tuas mãos não estavam atadas, nem os teus pés, carregados de grilhões** (34); por não suspeitar o mal, Abner não fez qualquer tentativa de defesa ou fuga. O luto continuou com um jejum por todo o dia, observado tanto pelo rei como pelo povo (35,36). A conduta e a evidente sinceridade do rei deixaram claro para todas as tribos de Israel que a morte de Abner não foi determinada por ele (37). O versículo 38 é um texto fúnebre muito popular: **Não sabeis que, hoje, caiu em Israel um príncipe e um grande?** Davi sentiu a sua fraqueza diante da amarga vingança de Joabe e Abisai, os filhos de Zeruia. **São mais duros do que eu** (39); significa "são duros demais para mim" (Berk.).

d. O assassinato de Isbosete (4.1-12). A morte de Abner trouxe consternação e confusão ao povo de Israel e a Isbosete (1). Neste ponto, dois dos capitães de tropas de Saul, chamados **Baaná** e **Recabe, filhos de Rimom** (2), da tribo de Benjamim, decidiram fazer justiça com as próprias mãos. Eles eram moradores da cidade de Beerote, que aparentemente havia sido destruída na época em que o relato foi escrito, quando seus habitantes **fugiram... para Gitaim** (3), que também estava em Benjamim. **Até ao dia de hoje** sugeriria uma data pré-exílio para a escrita deste livro. Um versículo parentético (4) fala de Mefibosete, filho de Jônatas, que era coxo desde a idade de cinco anos. Ele fora derrubado involuntariamente por sua ama na ocasião em que esta fugia com ele quando chegaram as notícias da derrota do exército israelita, e da morte de Saul e Jônatas (cf. 9.1-13). A menção do defeito físico de Mefibosete é provavelmente feita para explicar por que Saul não tinha outros descendentes que pudessem reivindicar o trono.

Os dois conspiradores foram ao meio-dia, **no maior calor do dia** (5), para a casa de Isbosete, a fim de ganhar a entrada com o pretexto de buscar **trigo** (6). Ao encontrarem o rei reclinado em sua cama, apunhalaram-no e cortaram a sua cabeça. Viajaram durante a noite até Davi em Hebrom, na suposição de que seriam recompensados por terem eliminado o opositor do rei da tribo de Judá (7,8). A reação de Davi foi ainda mais violenta do que quando a notícia da morte de Saul foi trazida pelo jovem amalequita, fato este que ele lembrou aos dois irmãos (9,10; cf. 1.14-16). De forma muito mais covarde do que a morte de um rei ferido no campo de batalha, assim foi a morte de um homem inocente **em sua casa, sobre a sua cama** (11). Os assassinos foram imediatamente executados, e a cabeça de Isbosete enterrada na sepultura de **Abner, em Hebrom** (12).

B. DAVI REINA SOBRE TODA A NAÇÃO, 5.1—10.19

1. *A Coroação* (5.1-5)

A base havia sido preparada para trazer os remanescentes do reino de Saul sob o governo de Davi. **Todas as tribos de Israel** (1) vieram a Davi e disseram: **Eis-nos aqui, teus ossos e tua carne somos**, ligados por laços comuns de nacionalidade e parentesco. Eles lembraram que, mesmo enquanto Saul era rei, era Davi que comandava o exército. Além disso, eles estavam cientes da promessa que Deus havia feito a Davi: **Tu apascentarás o meu povo de Israel e tu serás chefe sobre Israel** (2). **Davi fez com eles aliança** [*berith*] (3), um termo usado como referência ao relacionamento entre Deus e Israel no Sinai. Este foi um acordo baseado na confiança mútua, geralmente selada com o sacrifício de um animal. **Perante o Senhor**, significa com cerimônias religiosas.

A nota cronológica de 4,5 nos diz que Davi tinha trinta anos de idade quando se tornou rei pela primeira vez, e que ele reinou durante um total de quarenta anos – sete anos e meio em Hebrom sobre Judá, e trinta e três anos em Jerusalém sobre toda a nação de Israel e Judá. Deve ser observado que a união de Judá com o restante das tribos foi sempre um tanto frágil, e forneceu a linha mestra de separação na qual o reino se dividiu após a morte de Salomão.

2. *Jerusalém Estabelecida como a Capital* (5.6—7.29)

A primeira ação de Davi como rei foi um golpe de engenhosidade política [4]. Nem Maanaim, onde Isbosete havia reinado, nem Hebrom, que havia sido a capital de Judá, eram adequadas para serem a capital da nação. A primeira ficava na Transjordânia, fora da própria terra da Palestina; a segunda estava longe, ao sul, identificada muito mais com a tribo de Judá. Assim Davi e seus homens vieram a Jerusalém, uma antiga cidade jebusita, situada no sul de Benjamim, mas não distante da fronteira norte de Judá. Ela fica em um planalto na região montanhosa, aproximadamente 32 quilômetros a oeste da extremidade norte do mar Morto. O terreno é fortificado pela própria natureza de tal maneira que, em tempos antigos, foi capaz de resistir a longos cercos. Embora situada no coração da Palestina, a cidade – então chamada de Jebus – jamais fora conquistada pelos israelitas, e era ocupada por uma tribo cananita conhecida como "os jebuseus".

a. Captura e ocupação da cidade (5.6-16). A guarnição de defesa de Jerusalém era tão confiante, e sentia-se tão segura, que seus líderes insultaram Davi com palavras que deveríamos provavelmente traduzir como: "Não podes entrar aqui, porque até mesmo os cegos e os coxos podem repelir os teus ataques" (6). Sua exultação duraria pouco, pois os homens de Davi logo anularam as defesas e entraram na fortaleza. A referência ao **canal** (8), mais propriamente, ao túnel de água, não está inteiramente clara, mas pode fazer referência a um duto não vigiado através do qual os soldados de Davi foram capazes de rastejar, e passaram dessa forma pelas meticulosas defesas. Tem sido sugerido que o sistema de água descoberto pelos arqueólogos do *Fundo de Exploração da Palestina*, pouco depois de 1922, pode ter identificado a entrada. Este sistema consistia de um poço ligado a um túnel vertical que levava a uma fonte do lado de fora dos muros. O texto em 1 Crônicas 11.4-7 identifica Joabe como o capitão que conduziu a ousada expedição[5]. O insulto dos jebuseus fez surgir o provérbio: **Nem cego nem coxo entrarão nesta casa** (8).

Um nome familiar por todo o restante do Antigo Testamento é encontrado pela primeira vez aqui. **Sião** (7) era o monte sobre o qual a fortificação dos jebuseus estava situada, e, posteriormente, se tornou o local para onde Davi levou a arca da aliança. O nome foi mais tarde estendido para incluir toda a área do Templo, e o monte Sião tornou-se o deleite e a alegria do povo de Deus ao longo dos séculos. Esta se tornou conhecida como **a Cidade de Davi** (7,9). **Milo** (9) é um termo de significado incerto, talvez uma fortificação de terra como parte das defesas da cidade[6].

Os versículos 11-16 são uma previsão resumida de alguns aspectos da ocupação de Jerusalém por Davi. Uma casa real foi construída para o novo rei de Israel por Hirão, rei de Tiro, uma cidade-estado na costa mediterrânea voltada à direção noroeste, que era célebre por seus excelentes artesãos e construtores (11). Este foi o início de uma longa associação entre Tiro e Israel (cf. 1 Rs 5.1, onde, nos dias de Salomão, lemos: "**porquanto Hirão sempre tinha amado a Davi**"). Nos acontecimentos que cercaram a sua coroação e seu estabelecimento em Jerusalém, **entendeu Davi que o Senhor o confirmava rei sobre Israel e que exaltara o seu reino por amor do seu povo** (12). Foi dada uma lista dos filhos de Davi nascidos em Jerusalém (13-16; cf. 1 Cr 3;1-9).

b. A derrota final dos filisteus (5.17-25). Os filisteus, os quais estiveram satisfeitos em ver a Palestina divida em dois reinos pequenos e hostis sob os governos de Isbosete e Davi, viram na união das doze tribos de Israel – com Jerusalém como a sua capital – uma séria ameaça ao seu domínio na região (17). Eles agiram rapidamente e marcharam para as próprias portas de Jerusalém, e ocuparam o vale até o sudoeste. O **vale dos Refains** (18), ou "vale dos gigantes" (Js 15.8), é identificado como limítrofe ao vale de Hinom, que fica ao sul da cidade.

Davi, como costumava fazer, consultou ao Senhor, e recebeu a promessa de que Ele entregaria seu inimigo em suas mãos (19). Os movimentos de seu exército, que era menor, porém consolidado, não estão inteiramente claros a partir do relato. Os termos: **desceu** (17) e **subiu** (19) não se encaixam inteiramente na topografia do monte Sião, que era mais alto do que o campo à sua volta. Tem sido conjeturado que quando Davi soube da aproximação dos filisteus, ele desceu para o meio de sua família, a **fortaleza** (17), em Adulão. Dessa forma, flanqueando os filisteus, ele os golpeou inesperadamente a partir da lateral, e assim derrotou as suas forças. A sua declaração: **Rompeu o Senhor a meus inimigos diante de mim, como quem rompe águas** (20), parece sugerir uma força repentina e esmagadora que rompeu sobre o inimigo como uma inundação extremamente veloz.

Os filisteus, porém, logo reagruparam suas tropas e investiram outra vez contra Jerusalém, após ocuparem o mesmo **vale dos Refains** (22). Desta vez o movimento de flanco é claramente descrito, pois o Senhor instruiu Davi a não fazer um ataque frontal, mas a **rodear por detrás** (23), isto é, marchar em torno do inimigo, vindo sobre ele a partir de um arvoredo de amoreiras (23). Seu sinal para o ataque deveria ser o som de **um estrondo de marcha pelas copas das amoreiras, então... É o Senhor que saiu diante de ti** (24); a maneira exata como isto ocorreu não nos é informada, mas talvez tenha sido pelo mesmo som estridente de um batalhão em marcha, o qual deveria ser o sinal para Davi. Desta vez a vitória foi completa e decisiva. Davi e seus soldados feriram os filisteus **desde Geba até chegar a Gezer** (25). Esta primeira localidade ficava perto de Jerusalém, e a segunda estava longe, a noroeste. O texto em 1 Crônicas 14.17 acrescenta o seguinte comentário sobre a fama desta vitória: "Assim se espalhou o nome de Davi por todas aquelas terras; e o Senhor pôs o seu temor sobre todas aquelas gentes" (cf. 1 Cr 14.8-17 para um relato paralelo).

Com armas espirituais e não carnais (2 Co 10.4); podemos ver nos versículos 22-25: "Uma convocação para pegar em armas". (1) A nossa batalha é contra as grandes situações contrárias, 22; (2) Ela deve ser desempenhada com oração pela direção e ajuda de Deus, 23; (3) Deve ser desempenhada sob a direção divina, 23,24; (4) Devemos nos unir em tempo de crise, 24; (5) O resultado vitorioso, 25.

c. O resgate da arca (6.1-23). Davi, outra vez, reuniu um grupo selecionado de 30.000 homens, desta vez com um intento pacífico (1). O novo rei desejava que Jerusalém fosse não só a sua capital militar e política, mas também o centro religioso da nação. Ele determinou, portanto, que se trouxesse para a nova capital a arca do Senhor, o símbolo mais sagrado da presença divina, que estava em Quiriate-Jearim (aqui chamada de **Baalá**, 2; 1 Cr 13.6), onde ela estivera por aproximadamente setenta anos. **Os querubins** eram imagens de anjos alados entalhados acima do propiciatório ou tampa da arca.

O empreendimento terminou em uma tragédia. Por alguma razão não explicada, a arca foi colocada em um **carro** novo, ao invés de ser transportada conforme a determinação de Deus, sobre os ombros dos sacerdotes (3). Ela foi guiada por dois dos filhos de **Abinadabe**, em cuja casa havia repousado, homens cujos nomes são **Uzá** e **Aiô. Em Gibeá...** (3) e (4); este termo deve provavelmente ser traduzido não como o nome de um lugar, mas com o significado de *gibeah*, que é "monte" ou "outeiro". Assim, os versículos podem ser lidos como em Moffatt: "A casa de Abinadabe, que estava no outeiro". Havia três cidades com o nome de Gibeá no Antigo Testamento, mas nenhuma delas ficava perto de Quiriate-Jearim, ou que fosse esta própria cidade.

O destacamento partiu com grande alegria, Davi e aqueles que com ele se regozijavam perante o Senhor com diversos tipos de instrumentos (5). A versão *Berkeley* identifica os instrumentos musicais do seguinte modo: Com toda sorte de instrumentos de madeira de faia, com harpas, e com saltérios, e com tamboris, e com pandeiros, e com címbalos. Mas a alegria durou pouco. O carro chegou a um local chamado "Quidom" em 1 Crônicas 13.9. Como era tão freqüentemente citado, o mesmo lugar pode ter tido mais de um nome. Também é possível que Nacom fosse o nome de um homem, e Quidom o lugar onde a sua eira estava localizada. Ali os bois tropeçaram e tombaram a arca, e Uzá estendeu a sua mão para segurá-la (6). O resultado foi uma morte instantânea, pois as

mãos humanas jamais poderiam tocar naquele objeto sagrado (7; cf. Êx 25.14,15; Nm 4.15,20; 7.9). **Por esta imprudência** (7) também significa "erro" ou "negligência". O texto em 1 Crônicas 13.10 acrescenta: "Por ter estendido a mão à arca".
Várias tentativas têm sido feitas para suavizar a severidade deste juízo sobre Uzá. Israel deve ter aprendido a observar a sua própria lei, e a espantosa majestade de Deus jamais deve ser obscurecida. Visto que a arca havia estado na casa de Abinadabe durante toda a vida de Uzá, ele deveria saber como tratá-la com o cuidado e o respeito adequados. O fato é que simplesmente não sabemos o suficiente sobre as atitudes, o treinamento e a inspiração de Uzá para julgarmos o espírito no qual ele agiu, ou a justiça do juízo que veio sobre ele. Só podemos saber que o Juiz de toda a terra sempre fez e sempre fará o que é certo (Gn 18:25).

A primeira reação de Davi foi de desgosto pela morte de Uzá (8). Seu sentimento seguinte foi mais propriamente de temor no sentido de reconhecer o assombro do julgamento divino (9). "O temor do Senhor" é uma frase freqüente no Antigo Testamento que deve ser entendida como reverência e um profundo sentimento de espanto diante da luz abrasadora da infinita santidade de Deus. Como resultado, Davi abandonou seu plano de levar a arca para Jerusalém. Ele fez com que ela fosse levada **à casa de Obede-Edom, o geteu** (10), onde permaneceu por **três meses** (11), e o resultado foi que "abençoou o Senhor a Obede-Edom e a toda a sua casa". O significado de **geteu** (10) não é inteiramente claro. É possível que Obede-Edom fosse de Gate, na Filístia, e neste caso poderia ter sido um membro da guarda de Davi, com o qual outros geteus serviam (15.18,19). É mais provável que ele fosse da cidade levítica ou sacerdotal de Gate-Rimom em Dã (Js 19.45; 21.24), e que no caso ele tenha sido provavelmente o levita que marchou diante da arca quando ela foi finalmente levada para Jerusalém (1 Cr 15.24; 16.38; etc.). Alguns notaram o fato de que, embora Obede-Edom fosse especialmente abençoado durante os três meses em que a arca esteve em sua casa, não há menção de qualquer bênção recebida com a presença da arca na casa de Abinadabe. Isto pode indicar uma culpa por negligência por parte dos filhos ou netos dele[7].

Quando os relatórios das bênçãos recebidas por causa da arca chegaram a Davi, ele decidiu novamente trazer os objetos sagrados para a capital. O paralelo em 1 Crônicas 15.1–16.43 dá muitos detalhes adicionais. **Os que levavam a arca** (13) – ela estava agora sendo transportada adequadamente, nos ombros dos sacerdotes designados. **Davi saltava [ou dançava] ... diante do Senhor** (14), uma forma de regozijo religioso que expressava a alegria da ocasião. **Um éfode de linho** (14) indica a natureza religiosa da celebração. Havia também **júbilo** e **som de trombetas** (15) enquanto a arca era transportada.

Mical, a filha de Saul, obviamente não tinha interesse por todo aquele procedimento. Ao invés de se juntar às festividades, ela **estava olhando pela janela** (16) como uma espectadora, ao invés de ser uma participante. A maioria das críticas vem daqueles que meramente observam durante as atividades religiosas sem tomar parte delas. Visto que uma emoção que não é compartilhada compreensivelmente, geralmente incomoda, Mical **desprezou** Davi **no seu coração**. Seu comentário sarcástico e seus resultados são descritos nos versículos 20-23.

Andrew W. Blackwood viu nos versículos 1-15: "A necessidade de uma igreja visível". Ele sublinha: (1) A importância do cerimonial religioso, ao trazerem a arca, 1-5; (2) A loucura da interferência humana, 6-11; (3) O estabelecimento da arca em Jerusalém, 12-15.

O tabernáculo havia sido preparado, e a arca trazida para o seu interior é colocada **no seu lugar** (17), no Santo dos Santos. Davi, com os levitas (1 Cr 16.1), ofereceu ofertas queimadas e pacíficas, que serviram tanto para a expiação do pecado como uma expressão de ação de graças (Lv 1-7). Cada um do povo recebeu alimento para o banquete: **pão, carne, e um frasco de vinho** (19), ou no hebraico "um bolo de passas", uvas secas prensadas na forma de um pequeno bolo. Depois disso, podemos ter certeza de que com grande alegria **foi-se todo o povo, cada um para sua casa** (19).

Voltando Davi para abençoar a sua casa (20), ele se deparou com o inesperado e amargo desprezo de Mical: **Quão honrado foi o rei de Israel, descobrindo-se hoje aos olhos das servas de seus servos** (20). O ressentimento de Mical era duplo: pelo rei ter trocado as túnicas reais pelo leve éfode de linho dos sacerdotes; e por ter se misturado com o povo comum – **aos olhos das servas de seus servos como sem vergonha se descobre qualquer dos vadios**, é quase uma acusação de uma exposição indecente. A resposta de Davi foi que ele havia se **alegrado perante o Senhor** (21), que o havia escolhido como rei em detrimento do pai de Mical e de seus irmãos. Ele se humilharia ainda mais; porém as servas a quem Mical sarcasticamente se referiu, reconheceriam a mão de Deus e lhe dariam o respeito que a sua mulher lhe havia negado (22). A atitude de Mical lhe custou muito caro, pois ela foi estéril (23), a maior reprovação que poderia sobrevir a uma mulher oriental (cf. 1 Sm 1.5).

d. O desejo de Davi de construir o templo é negado (7.1-29). Os capítulos 7 e 8 são praticamente idênticos a 1 Crônicas 17 e 18. A ordem aqui é lógica, mas não cronológica, uma vez que é suposta uma passagem de tempo em 1 e 9. O registro do desejo contrariado de Davi de construir o Templo é colocado aqui, porque ele logicamente segue o transporte da arca para Jerusalém e o levantamento do Tabernáculo naquela localidade. Quando Davi estava estabelecido em sua própria **casa de cedros** (2), ele se deu conta da incongruência entre a magnificência de sua casa e o fato de que a arca do Senhor ainda morava **dentro de cortinas**, as tapeçarias e as peles curtidas de animais das quais o Tabernáculo era feito. Natã, o profeta, que aparece aqui pela primeira vez, mas com freqüência depois disso, aprovou o propósito implícito do rei (3).

Naquela noite, porém, **veio a palavra do Senhor** (4) ao profeta em uma **visão** (17), para instruí-lo a reprimir o propósito de Davi. A mensagem deveria ser introduzida com a fórmula profética: **Assim diz o Senhor** (5). A pergunta: **Edificar-me-ias casa para minha habitação?** (5) é uma negativa retórica, e no paralelo em 1 Crônicas 17.4 lê-se: "Tu me não edificarás uma casa para morar". A arca, que simbolizava a presença do Senhor, não tinha um lugar fixo de morada, e Deus não havia ordenado que ele fosse construído (6-7). **Qualquer das tribos de Israel** (7) – a leitura de 1 Crônicas 17.6, "algum dos juízes de Israel", se encaixa melhor neste contexto.

O Senhor lembrou a Davi de sua elevação da **malhada** (8), ou do aprisco das ovelhas, para o trono; das vitórias que haviam sido alcançadas (9); de sua provisão de uma terra para o povo (10); e assegurou-lhe sobre a permanência de sua dinastia (11). No entanto, um filho de Davi, então por nascer, é que edificaria **uma casa ao nome do Senhor** (13), e **o trono do seu reino** seria estabelecido **para sempre**. Embora não expressamente declarado aqui, os textos em 1 Reis 5.3 e 1 Crônicas 28.2,3 acrescentam

O Reinado de Davi   2 Samuel 7.13—8.1

o motivo pelo qual Davi não poderia construir o Templo; isto é, que ele havia sido um homem de guerra e havia derramado muito sangue.

A dinastia de Davi deveria continuar através de seus filhos, e não seria dividida como foi a casa de Saul (14-16). Os versículos 14 e 15 às vezes têm sido citados como evidência para a teoria de que um filho de Deus jamais pode se perder, e que quando esta pessoa peca, ela será castigada, mas não condenada. O que está em vista aqui não é a salvação pessoal de Salomão, mas a posição da dinastia de Davi. Fora este fato, tal interpretação é impossível à luz de passagens como 2 Crônicas 15.2; Isaías 59.1,2; Ezequiel 18.26; 33.12,13,18; João 15.2,6; Romanos 6.1,2; 11.22; 1 Coríntios 9.27; Hebreus 6.4-6; 10.26-29; 10.38,39; 2 Pedro 2.18-22; 1 João 2.4; 3.8,9.

Deve ser destacado que estas profecias do reino são cumpridas, não inteiramente em Salomão, mas no "maior Filho de Davi", o Senhor Jesus Cristo (Hb 1.5; Lc 1.31-33; At 2.29-31; 13.22-23). Nenhum reino meramente terreno poderia permanecer **para sempre** (13,16).

Natã falou fielmente a Davi **conforme todas estas palavras e conforme toda esta visão** (17). A reação do rei mostra humildade, gratidão e resignação à vontade de Deus. Ele **entrou** (18), provavelmente no Tabernáculo, e **ficou perante o Senhor** em meditação e oração. A sua oração expressa a admiração por Deus tê-lo escolhido e lhe feito promessas para um longo futuro. A frase: **É isso o costume dos homens, ó Senhor Jeová?** (19) pode significar: "E isto está muito além do poder que o homem tem de fazer previsões"; ou podemos ler na passagem paralela em 1 Crônicas 17.17: "Proveste-me, segundo o costume dos homens, com esta exaltação, ó Senhor Deus".

Davi não encontrou palavras para expressar os seus sentimentos ao Senhor (20), e só pôde reconhecer a soberania do propósito e da Palavra de Deus (21,22). Ele louvou ao Senhor por redimir Israel da terra do Egito (23), o grande evento que é a parte central de toda a história do Antigo Testamento, e que constituiu Israel como o povo de Deus (24). Ele orou para que o Senhor cumprisse a sua promessa e exaltasse o seu nome (25,26). Foi esta promessa que incentivou o rei a orar como fez (27). Na confiança de que a palavra de Deus é verdadeira, ele concluiu com a petição: **E com a tua bênção será sempre bendita a casa de teu servo** (28,29).

Sob certo sentido, o capítulo 7 pode ser visto sob o título: "Fazendo das decepções os seus compromissos". (1) Davi desejava construir a casa do Senhor, 1-3; (2) Deus se recusa a permitir que o desejo de Davi seja cumprido, 4-11; (3) O Senhor tinha outro plano, 12-17; (4) Davi aceitou a vontade de Deus sem amargura ou rebelião, 18-29.

3. As Vitórias posteriores de Davi (8.1—10.19)

Estes três capítulos cobrem o período de tempo que não é definido por nós, mas que provavelmente ocupou alguns anos. Os capítulos 8 e 10 estão particularmente relacionados com as conquistas militares; o capítulo 9, com a bondade de Davi para com o filho de Jônatas.

a. Estendendo o reino (8.1-18). Os filisteus eram o poder dominante que oprimia Israel por mais de meio século. A primeira tarefa de Davi foi remover esta ameaça do oeste. Ele derrotou estes inimigos naturais de Israel e capturou **Metegue-Amá** (1), um termo composto que literalmente significa "rédeas da metrópole", e que se refere a Gate e às suas cidades satélites (1 Cr 18.1), sempre uma grande ameaça para a paz de Israel.

2 SAMUEL 8.2-18   O REINADO DE DAVI

Em seguida, o rei se voltou para o oriente, e atacou **os moabitas** (2). Não somos informados como estes, que haviam sido amigos de Davi (1 Sm 22.3,4), haviam se tornado inimigos; e o motivo para o tratamento dele em relação a eles também não é inteiramente claro. Aparentemente Davi ordenou a execução de dois terços do povo. **E os mediu com cordel** (2). "Ele colocou os nativos em cordéis, fazendo-os deitar no chão; dois cordéis deles foram mortos, e um cordel deixado com vida" (Moffatt). Ele escravizou aqueles que restaram deles, e exigiu que lhe trouxessem presentes, ou seja, que lhe **pagassem tributos** (2).

Hadadezer (10.16,19; 1 Cr 18.3), **filho de Reobe, rei de Zobá** (3), estava próximo de sentir a força do vigoroso e novo rei de Israel. Zobá, também chamada de Arã-Zobá (10.6, ou siros de Zobá), era um reino arameu (ou siro) ao norte da Palestina e a oeste do Eufrates. Enquanto o seu rei estava ocupado com guerras de fronteira no leste, Davi atacou e causou uma derrota esmagadora, e particularmente aleijou uma enorme quantidade de cavalos, mas ele reservou alguns para **cem carros** (4). **Jarretou** significa incapacitou, e assim os inutilizou permanentemente.

Uma interpretação alternativa é que foi Davi quem **foi restabelecer o seu domínio sobre o rio Eufrates** (3), e desse modo entrou em conflito com Hadadezer, cujo território teria que atravessar. Em favor disto está a leitura de 1 Crônicas 18.3, "Indo ele estabelecer os seus domínios pelo rio Eufrates". Quando **os siros de Damasco** (5) tentaram ajudar seus vizinhos, também foram fortemente derrotados; **guarnições** (6) foram colocadas em seus territórios, e eles lhe traziam **presentes;** isto é, **pagavam tributos. E o Senhor guardou a Davi,** ou "dava vitórias a Davi", aonde quer que ele fosse. **Ouro** e **bronze,** dois metais preciosos, eram proeminentes no despojo que os israelitas capturaram (7,8).

A riqueza acumulada do reino de Davi, o ouro e a prata que eram consagrados **ao Senhor** (11), era aumentada por presentes enviados por **Toí** (10; ou Toú, 1 Cr 18.9), rei de Hamate, inimigo permanente de Arã-Zobá e Hadadezer. Estas dádivas eram trazidas por Jorão (ou Hadorão, 1 Cr 18.10), o filho do rei (9-11). Despojos de guerra obtidos dos amonitas, filisteus e amalequitas também são mencionados, como também uma derrota do exército siro no **vale do Sal** (13; 2 Rs 14.7), onde houve 18.000 baixas entre os inimigos. Nesta campanha Abisai, sobrinho de Davi, figura como comandante de campo (1 Cr 18.12). Edom também se tornou sujeito ao rei (14). **E o Senhor ajudava a Davi** (cf. comentário sobre 6).

A administração do reino é brevemente resumida em 15-18. Davi reinou com **juízo** (*mishpat,* "leis, ordenanças, decisões judiciais") e **justiça** (*tsedeqah,* "justiça, integridade, equidade") (15). **Joabe,** um dos sobrinhos de Davi e foi comandante de campo por muito tempo, estava à frente do exército; **Josafá, filho de Ailude,** que também serviu sob o governo de Salomão (1 Rs 4.3), **era cronista** (16) ou historiador. **Zadoque, filho de Aitube, e Aimeleque, filho de Abiatar, eram sacerdotes** (17), isto é, atuavam conjuntamente como sumo sacerdotes – uma situação que prevaleceu até que Aimeleque foi deposto (1 Rs 2.27) por apoiar a tentativa de Adonias de tomar a coroa de Salomão na ocasião em que Davi estava no leito de morte (1 Rs 1.7ss.). **Seraías** (ou Sausa, 1 Cr 18.16) era **escrivão. Benaia, filho de Joiada,** comandante da guarda real, estava no comando dos **quereteus** e dos **peleteus** (18) – estas companhias formavam a guarda pessoal de Davi. Os **quereteus** eram sem dúvida alguma uma tribo filistéia, e **peleteus** provavelmente eram, igualmente, soldados filisteus mercenários; talvez os termos possam ser substantivos comuns e traduzidos como "executores" e "corredores". Os próprios **filhos de Davi eram príncipes** (18); o idioma hebraico sugere a expressão "conselheiros confidenciais" – ou "chefes auxiliares" (Berk.).

b. Davi honra Mefibosete (9.1-13). Este capítulo reflete o favor de Davi, e é provavelmente datado por volta da metade do seu reinado de quarenta anos. Mefibosete tinha cinco anos de idade na época da morte de Saul e Jônatas (4.4). Quando foi chamado por Davi, ele próprio já tinha **um filho pequeno** (12). Durante uma pausa de suas guerras, Davi pensou em sua aliança com Jônatas, e buscou alguém da casa de Saul a quem pudesse prestar homenagens. Ziba, mordomo do rei antecessor, e ainda encarregado de suas propriedades, foi chamado, e contou a Davi sobre Mefibosete, o filho de Jônatas que era aleijado dos pés (4.4). Ele vivia na casa de **Maquir, filho de Amiel, em Lo-Debar** (4), do outro lado do Jordão, perto da antiga capital de Isbosete, Maanaim (cf. 17.27-29).

Davi mandou buscar Mefibosete, que, quando chegou, **se prostrou com o rosto por terra e se inclinou** (6). Este ato junto com o estímulo de Davi, **não temas** (7), aparentemente indica o medo do destino que geralmente pairava sobre os membros de famílias rivais nas monarquias orientais. Mefibosete não sabia ao certo quais eram as intenções de Davi. O rei, entretanto, decretou a devolução de todos os bens de Saul, que haviam sido administrados por Ziba para o benefício do rei, e prometeu-lhe um lugar em sua mesa real continuamente. **Um cão morto tal como eu** (8): significa alguém tão desprezível quanto eu. Ziba foi instruído a continuar a administrar a propriedade, mas a trazer o produto a Mefibosete (9-11). Este filho de Jônatas tornou-se um membro da casa real em Jerusalém (12,13).

No capítulo 9 temos a lição: "Pagando a nossa dívida com o passado". (1) Davi se lembrou da bondade de Jônatas, 1; (2) Ele buscou uma maneira de retribuir a seu amigo, 2-6; (3) Ele pagou a dívida que tinha com o passado, através de uma provisão para o futuro, 7-13.

c. A guerra com os amalequitas e siros (10.1-19). A paz não deveria durar, e a guerra que é mencionada em 8.12 é agora descrita. O texto em 1 Crônicas 19.1-19 é quase um paralelo. Naás, rei de Amom, morreu, e Davi desejou retribuir ao filho um antigo favor do pai (1). Ele, portanto, enviou mensageiros com expressões de condolências (2). Os príncipes amonitas, porém, insinuaram ao jovem Hanum que os mensageiros de Davi eram espias (3). Ele ordenou que eles fossem tratados com o mais extremo desprezo, e raparam **metade da barba** deles (4). Para poupá-los de mais indignidade, Davi lhes deu permissão de permanecer em Jericó até que suas barbas crescessem.

Os amonitas começaram a se preparar para a guerra. Eles **se tinham feito abomináveis para Davi** (6) (1 Cr 19.6). Eles contrataram uma tropa de 33.000 mercenários dos reinos siros do norte. **Bete-Reobe... Zobá** (6) – *bete* significa "casa de"; Reobe era o rei de Zobá (cf. 8.3). **Rei de Maaca** (6) (cf. 1 Cr 19.6). Este local parece ter sido uma cidade a nordeste de Israel, perto do monte Hermom. **Homens de Tobe** (8), um território a leste do Jordão. O paralelo em 1 Crônicas 19 também indica a presença de uma considerável força de cavalaria, e afirma que o preço pago foi mil talentos de prata. Esta era uma grande fortuna, uma vez que o valor aproximado de um talento de prata tem sido estimado em 1.500 dólares americanos.

Quando as notícias dos exércitos reunidos chegaram até Davi, ele enviou Joabe para tomar a ofensiva. A batalha ocorreu **à entrada da porta** (8) da capital da cidade de Amom, que era Rabá (veja o mapa). Joabe dividiu o exército israelita em dois contingentes e colocou seu irmão Abisai como responsável pela luta contra os amonitas, enquanto ele próprio tomou uma companhia selecionada para batalhar contra os mercenários siros (9-10). A **batalha, por diante e por detrás** (9), isto é, suas posições estariam vulneráveis dos dois lados. Os preparativos de Joabe eram tais que, se uma das forças parecesse estar em apuros, a outra viria em seu apoio (11). A exortação mostra tanto coragem como confiança na providência divina: **Sê forte, pois; pelejemos varonilmente pelo nosso povo e pelas cidades de nosso Deus; e faça o Senhor o que bem lhe parecer** (12).

O ataque de Joabe contra o contingente siro foi bem-sucedido. O inimigo foi derrotado e **fugiu** (13). Quando os amonitas viram que a batalha progredia, eles se retiraram rapidamente para a sua capital fortificada, e Joabe retornou a Jerusalém, talvez porque a hora fosse muito avançada para um cerco contra Rabá, ou porque ele previa um outro ataque siro posterior (14).

Os siros realmente se reagruparam, desta vez sob a liderança de seu príncipe mais poderoso, Hadadezer (8.3). Desta vez, o próprio Davi liderou o exército de Israel, e a derrota foi total. As baixas sírias incluíram 700 carros, 40.000 cavaleiros e Sobaque, o general. Assim, os siros estabeleceram a paz com Israel, tornaram-se tributários e não concederam mais ajuda aos amonitas (15-19). **Da outra banda do rio** (16), isto é, o Eufrates, indica uma mobilização geral da força síria. **Helã**, um lugar a leste do Jordão, provavelmente é a moderna cidade de Alma.

"Enfrentando as nossas batalhas sob a direção de Deus" é o tema dos versículos 6-14: (1) Devemos usar os nossos recursos humanos para alcançarmos a melhor vantagem, 6-11; (2) Devemos ser corajosos no conhecimento de que aquilo que defendemos é o povo de Deus e a obra do Senhor, 12; (3) Devemos *e podemos* confiar o resultado a Deus, 12-14.

C. O Pecado de Davi e suas Conseqüências, 11.1—14.33

O incrível realismo da Bíblia Sagrada é visto em seu relato do trágico pecado de Davi, e a longa lista de conseqüências deploráveis que se seguiram.

1. *Adultério e Assassinato* (11.1-27)

Quando o inverno e sua estação chuvosa passaram, Davi enviou Joabe e o exército israelita para renovar a guerra contra Amom e estabelecer o cerco à capital, Rabá — **porém Davi ficou em Jerusalém** (1). Como teria sido muito melhor se ele tivesse ido com as tropas para o campo de batalha! A ociosidade abre a porta para todos os tipos de tentações.

Durante este período, Davi se levantou depois que o calor do dia havia passado, e enquanto caminhava pelo terraço de sua casa, viu uma mulher que se banhava no pátio de sua casa na cidade baixa. A **tarde** (2) começava às 3 horas, de acordo com a nossa maneira de medir o tempo, e continuava até depois do escurecer. A consulta do rei tornou o nome da mulher conhecido: **Bate-Seba, filha de Eliã e mulher de Urias, o heteu** (3). O rei assim tinha o conhecimento completo de que a mulher era casada. Seu esposo era um homem da guarda de elite do rei (23.39). O fato de ser heteu não o impediria de se tornar um seguidor do Deus de Israel, embora este povo estivesse incluído entre os cananeus que deveriam ser expulsos pelos israelitas.

O rei enviou mensageiros à casa de Bate-Seba para que a trouxessem até ele. Por medo ou por lisonja, ela cedeu aos seus desejos, e mais tarde retornou para sua casa. **Já ela se tinha purificado da sua imundície:** (4) esta frase possivelmente indica que o banho que Davi havia testemunhado era a purificação cerimonial que se seguia à menstruação (Lv 15.19ss.).

O mal gera o mal, e um pecado leva a outro. Bate-Seba descobriu que estava grávida e mandou comunicar a Davi (5). O rei agora começava um grande esforço para encobrir o seu pecado. A sua primeira tentativa foi convocar Urias sob o pretexto de inquiri-lo sobre o progresso da campanha, a fim de liberá-lo então para que fosse dormir com sua mulher (6-8). O fato de ele ter estado em condições de responder as perguntas feitas no capítulo 7 mostra que ele deve ter ocupado uma posição de grande responsabilidade no exército. Urias, porém, passou a noite com os servos diante da **porta da casa real** – o que explica sua resposta à pergunta de Davi no dia seguinte, que ele não poderia desfrutar dos prazeres do lar e da família enquanto seus companheiros sofriam as dificuldades do campo de batalha (9-11). **Pela tua vida e pela vida da tua alma** (11) não é mera repetição, mas o modo costumeiro de reforçar um juramento.

O segundo esforço de Davi para encobrir o seu pecado envolvia deixar Urias embriagado, ciente que isto enfraqueceria a sua resolução. Ainda assim ele se recusou a ir para casa (12,13). Alguns têm pensado que talvez Urias estivesse desconfiado, e que talvez alguma palavra sobre o caso de sua mulher com o rei tivesse chegado até ele. Seja qual for a causa, a próxima manobra desesperada de Davi envolvia um plano que traria a morte deste valoroso soldado. O guerreiro heteu carregou a sua própria sentença de morte em uma carta selada a Joabe, ordenando que o comandante expusesse Urias ao ataque inimigo mais concentrado – **para que seja ferido e morra** (15).

Joabe obedeceu às ordens de seu rei, e Urias morreu em batalha, vítima da luxúria e medo de seu próprio monarca. Quando Joabe precisou anunciar a derrota na batalha a Davi, ele instruiu o mensageiro a relatar o contratempo que o exército havia enfrentado, e caso o rei parecesse irado diante do que parecia ser um serviço militar mau feito, ele deveria rapidamente relatar que **morreu também teu servo Urias, o heteu** (21). O versículo 21 indica que os escritos de Juízes, com o registro da morte de Abimeleque (Jz 9.50-54), eram amplamente conhecidos naquela época, e a sua história era considerada no caso de uma importante questão. Davi recebeu aquilo que para ele foram boas notícias, e enviou o mensageiro de volta com palavras de estímulo a Joabe (22-25).

Quando Bate-Seba soube da morte de seu marido, observou o habitual período de luto de sete dias, talvez de forma mais formal do que real. A sugestão do texto é que imediatamente após o término deste período, Davi a tomou como sua esposa e levou-a para o seu harém. O filho que nasceu pareceu então ter sido concebido no matrimônio (26-27). Bate-Seba parece ter sido uma mulher ambiciosa, e com toda probabilidade era uma parceira muito disposta na culpa do rei. Ela controlou Davi de muitas maneiras até o final de sua vida (1 Rs 1.11-31).

Dois pecados vis mancharam a honra do governante de Israel, mas isto aparentemente não perturbou nem um pouco a sua consciência. O caso todo poderia ter passado sem o conhecimento público e ter sido rapidamente esquecido, exceto por um fato: **Porém essa coisa que Davi fez pareceu mal aos olhos do Senhor** (27). Embora outros monarcas orientais pudessem acreditar que eram senhores absolutos sobre a vida de seu povo, o rei de Israel é claramente mostrado como alguém que está sob o juízo de Deus.

O capítulo 11 é uma vívida lição sobre "como os pecados se acumulam". (1) Davi ficou em casa no momento em que os reis geralmente saíam para a guerra, 1; (2) A ociosidade levou à aparência do mal e à luxúria, 2,3; (3) A luxúria levou à imoralidade e ao perigo de exposição, 4,5; (4) O perigo levou às tentativas de encobrir um passado tortuoso, 6-13; (5) O fracasso no engano levou ao assassinato, 14-25; (6) O juízo de Deus sobre o caminho da iniqüidade, 26,27.

2. *Natã e Davi* (12.1-25)

O profeta Natã (cf. comentário sobre 7.2) foi enviado pelo Senhor para confrontar Davi com seu pecado. Dramaticamente usou uma parábola simples, mas admirável para revelar a verdade à consciência do rei. A sabedoria desta abordagem faz um paralelo com o discurso de Paulo aos atenienses no Areópago (At 17.22-31). Cada elemento da parábola é planejado para estimular a solidariedade do rei e ultrajar o seu senso de justiça: um homem pobre com apenas uma cordeira, a qual ele amava com grande estima; um homem rico com uma riqueza abundante em rebanhos e gado; a cruel desconsideração pelos sentimentos e direitos de seu pobre vizinho ao tomar-lhe a única cordeira e matá-la para os seus convidados (1-4).

A reação de Davi foi imediata e correta. A sua ira foi provocada, e ele declarou: **Digno de morte é o homem que fez isso** (5), ou como o hebraico o expressa literalmente: "é um filho de morte". Além disso, a cordeira roubada deveria ser restituída quatro vezes (6), a devolução exigida pela lei (Êx 22.1; cf. Lc 19.8). Natã revelou com habilidade o ponto-chave da parábola, com as dramáticas palavras: **Tu és este homem** (7). A palavra de Deus para o rei o lembrou de que o Senhor lhe havia ungido rei de Israel; havia lhe livrado da mão de Saul; havia lhe dado muitas esposas, e teria dado ainda mais, se tudo isso não fosse suficiente (8). **E, se isto é pouco, mais te acrescentaria tais e tais coisas**, ou "Eu acrescentaria ainda mais" (Moffatt). Apesar disso, Davi tinha **desprezado** o mandamento de Deus, e tinha feito o mal diante de seus olhos com o pecado duplo de adultério e assassinato (9).

O terrível resultado do pecado começa agora a se desdobrar. Pelo fato de Davi ter usado a espada dos amonitas para causar a morte de Urias, esta ferramenta de guerra jamais se afastaria de sua casa (10). Pelo fato dele ter secretamente tomado a mulher de seu súdito, suas esposas seriam também retiradas publicamente (11,12). O juízo seria duplamente severo porque viria, não de estrangeiros e inimigos de fora, mas da sua **própria casa** (11). **Me desprezaste** (10) deixa inequivocamente claro que o pecado contra outros é um mal contra Deus. É impossível separar o que é moral daquilo que é religioso.

O arrependimento de Davi foi rápido e sincero. **Pequei contra o Senhor** (13). Não houve tentativa de encobrir ou desculpar estes atos, embora em qualquer reino tirânico da época eles pudessem ter sido cometidos sem se pensar duas vezes (cf. Gn 12.12; 20.11; 26.7). Davi viu ainda que os seus crimes contra Urias eram pecados vis contra Deus, porque eram todos contrários à sua santa vontade e lei. O profeta assegurou ao rei o perdão do Senhor. A justa penalidade por seu pecado foi suspensa; ele não morreria naquele momento. Mas as conseqüências ainda se seguiriam e a criança gerada em adultério faleceria, visto que **com este feito deste lugar sobremaneira a que os inimigos do Senhor blasfemem** (14). A morte do menino pelo menos apontaria para a justiça de um Deus santo que vinga o pecado. A menção da criança indica a passagem de aproximadamente um ano entre o pecado de Davi e a vinda de Natã com a palavra de juízo.

"A atitude de Deus em relação ao pecado" é claramente vista nos versículos 1-14. **Tu és este homem**, 7, foram as palavras ditas por Natã a Davi. Vemos: (1) Um apelo à justiça comum, 1-6; (2) Deus fala à consciência do homem, 7-9; (3) Os resultados devastadores do pecado, 10-12; (4) Arrependimento e perdão, 13; (5) As conseqüências perduram, 14.

Quando a criança **adoeceu gravemente** (15), Davi buscou um quarto interior em sua casa onde pudesse ficar sozinho, jejuou e orou, e passou a noite inteira prostrado sobre a terra (16). **Os anciãos da sua casa** (17), isto é, seus servos de maior confiança no palácio, procuraram confortá-lo e fazê-lo comer, mas ele se recusou. **Ao sétimo dia, morreu a criança** (18). Cientes da profunda tristeza de seu rei, seus servos **temiam... dizer-lhe que a criança era morta**, ao pensarem que isto **mais mal lhe faria**, isto é, faria mal a ele. Ao sentir, pela atitude de seus servos (que cochichavam), que a criança estava morta, Davi perguntou abruptamente: **É morta a criança? E eles disseram: É morta** (19).

Quando soube da notícia, ao invés de fazer algum mal a si mesmo, Davi levantou-se, preparou-se, foi ao Tabernáculo e adorou ao Senhor; em seguida, voltou para casa, a fim de comer pela primeira vez em sete dias (20). Surpresos com o que parecia ser o inverso daquilo que esperavam, seus servos perguntaram sobre o seu estranho comportamento (21). A resposta de Davi foi simples e reverente. **Vivendo ainda a criança**, havia esperança de que Deus pudesse ouvir a sua oração e curar o menino (22). Uma vez que a criança estava morta, a tristeza e o jejum não poderiam trazê-lo de volta. Uma das claras sugestões sobre a vida após a morte a ser encontrada no Antigo Testamento é expressa pelas palavras de Davi: **Eu irei a ela, porém ela não voltará para mim** (23).

Nos versículos 15-23 temos um exemplo de um homem "que enfrenta a realidade da morte": **Agora que é morta, por que jejuaria eu agora? Poderei eu fazê-la mais voltar? Eu irei a ela, porém ela não voltará para mim**, 23. (1) Durante a enfermidade de seu filho, Davi jejuou e orou, 15-17; (2) Quando a criança morreu, o rei aceitou a irreversibilidade da morte, 18-20; (3) ele enfrentou a irreversibilidade da morte com fé na imortalidade, 21-33.

Os versículos 24 e 25 contam sobre o nascimento de Salomão, introduzido neste ponto por causa da ligação com Bate-Seba, como o primeiro filho vivo de Davi através desta união. **Salomão** significa "pacífico", o nome dado por Davi. Mas ele também foi chamado de **Jedidias**, "amado do Senhor", por Natã sob a direção de Deus – um nome, porém, que não foi posteriormente usado. **O Senhor o amou** (24), visto que Deus poupou a sua vida, em contraste com a doença e morte da primeira criança.

3. *A Guerra Contínua com Amom* (12.26-31)

O parágrafo final do capítulo volta ao assunto da guerra contra Amom, cujo início é descrito em 11.1. Joabe teve êxito em capturar **a cidade real** (26), que Moffatt, à luz do versículo 27 traduz: "O forte protegendo o suprimento de água". Sem água os amonitas não poderiam resistir por muito tempo, e Joabe solicitou a Davi que completasse o cerco e a captura (28), para que o rei pudesse receber o crédito. O monarca veio com reforços, capturou, saqueou e destruiu não só a capital mas também as outras cidades de Amom (29-31). O tratamento de Davi para com os seus cativos nesta guerra (31) tem sido interpretado literalmente por alguns como uma descrição figurativa de colocar o povo em trabalhos forçados com serrotes, rastelos, machados e em fornos de tijolos.

   4. *O Estupro de Tamar* (13.1-39)
   Há um contraste patético entre os grandes sucessos de Davi como um soldado e general, e a rápida desintegração moral dos membros de sua própria casa. Os frutos tanto da poligamia (casamentos múltiplos) como da decadência moral de Davi podem ser vistos nos acontecimentos que se seguem. O exemplo do pai só poderia ter tido um efeito nocivo sobre os filhos.
   Absalão e sua formosa irmã Tamar eram filhos de Davi com Maaca, com quem ele tinha se casado durante os anos em que fugia de Saul. Amnom, cuja luxúria foi exacerbada pela beleza de Tamar, era filho de Davi com Ainoã, também uma das primeiras esposas dele (cf. 3.2,3). Tal era a paixão descontrolada deste filho do rei, e a sua satisfação parecia tão impossível, que o resultado foi ele realmente ficar doente. O casamento entre irmão e irmã era proibido na lei (Lv 18.11); portanto, a união legal parecia impossível. O isolamento de Tamar no cômodo das mulheres no palácio, bem como seu caráter admirável (12), mostram que o desejo de Amnom também não poderia ser satisfeito de modo ilícito (2).
   Tinha, porém, Amnom um amigo, cujo nome era Jonadabe (3) – um amigo muito superficial e desumano, conforme 32-35. Ele era seu primo, filho do irmão de Davi, Siméia, ou Samá como é chamado em 1 Samuel 17.13. Este jovem era conhecido como um **homem mui sagaz** (3), astuto e ardiloso, e a partir do conselho que deu, percebe-se que não passava de um homem perverso. Jonadabe notou o estado de tormento de Amnom e perguntou: **Por que tu de manhã em manhã tanto emagreces, sendo filho do rei?** (4) Literalmente, "filho do rei", pode sugerir que Amnom já tivesse demonstrado ser como seu pai. **Emagrecer** é *dal* em hebraico, "fraco, magro, débil". Quando o príncipe confessou a sua paixão incestuosa por Tamar, Jonadabe aconselhou-o a fingir estar gravemente enfermo. Então quando Davi viesse para vê-lo, ele deveria pedir que fosse permitido que Tamar viesse e preparasse comida para ele (5).
   A trama covarde funcionou como Jonadabe havia previsto e como Amnom tinha planejado. Quando ela apresentou a comida ao falso doente, ele se recusou a comer, e ordenou que todos saíssem da casa. Ao entrar Tamar em seu quarto, ele fez a sua proposta infame, e quando ela resistiu, ele a forçou (6-14). **Não se faz assim em Israel** (12), um apelo a um código moral e espiritual que distinguia Israel das nações pagãs vizinhas. **Tal loucura** (12); **um dos loucos de Israel** (13) – louco ou tolo diz respeito à conduta ética, e não a qualquer tipo de deficiência mental.
   O mau caráter de Amnom está refletido em seu tratamento com Tamar, uma vez que a sua luxúria foi satisfeita. A paixão foi seguida de repulsa, e ele ordenou que ela saísse da casa. **Não há razão** (16), "não, meu irmão", ela respondeu; mas ao protestar, ele chamou seu servo pessoal para levá-la embora e trancar a porta atrás dela (15-17). Tamar

estava vestida com **uma roupa de muitas cores** (18), a túnica de mangas compridas que era usada pelas filhas solteiras do rei. Ela foi para casa chorando, com cinzas em sua cabeça e vestes rasgadas, os sinais convencionais de profunda tristeza (18-20).

Absalão rapidamente suspeitou do crime que Amnom tinha cometido. Suas palavras para Tamar não foram tão insensíveis quanto parecem; pois ele evidentemente nutriu um ódio profundo e a determinação de vingar a honra de sua irmã (20; cf. 22). **Tamar esteve desolada** [ou **solitária**] (20) – em hebraico: "aturdida, desconsolada, carente". Davi soube destas coisas e ficou furioso, mas nada fez para punir o malfeitor (21), uma fraqueza que não só lhe custaria a vida de seu filho mais velho, Amnom, mas ao final a lealdade e também a vida de Absalão. Este, por sua vez, aguardou um momento favorável para vingar-se (22).

Dois anos depois, Absalão sentiu que o momento havia chegado. Seus servos tosquiavam as ovelhas em Baal-Hazor, não longe de Jerusalém. Este era um tempo festivo, e ele convidou os outros filhos do rei para compartilhar das festividades. Para ter certeza do comparecimento de Amnom, o jovem insistiu em convidar Davi, ciente que ele não deixaria a sua capital para comparecer. **Para não te sermos pesados** (25), isto é, "poderíamos ser um fardo para ti", foi a desculpa de Davi (Moffatt). Em seu lugar, então, Absalão sugeriu que Davi mandasse Amnom, o herdeiro legítimo. Embora Davi tenha contestado, **instando Absalão com ele** (27), ele consentiu em enviá-lo e todos os outros filhos. Absalão havia instruído seus servos a estarem prontos para quando Amnom estivesse um tanto embriagado, e ao seu sinal, feri-lo. O plano foi executado, e quando este príncipe foi morto todos os outros filhos do rei fugiram (28,29). Embora o ódio por Amnom e um desejo de vingança fossem sem dúvida alguma os principais motivos para o ato de Absalão, parece posteriormente que isto o coloca na linha de sucessão ao trono como o próximo filho mais velho dentre os herdeiros do rei (cf. 15.1-6). Assim, a morte de Amnom satisfez tanto a vingança de Absalão como a sua ambição.

O relatório que primeiro chegou a Jerusalém dizia que Absalão havia massacrado **todos os filhos do rei** (30). Davi e seus criados prantearam, mas Jonadabe, cujo mau conselho havia causado toda a seqüência destes eventos, informou a seu tio que somente Amnom havia sido morto (31-33). A chegada dos filhos do rei confirmou o relatório, mas Absalão fugiu para o exílio, a **Talmai... rei de Gesur** (37), de quem sabemos a partir de 3.3 que era seu avô. Gesur era uma cidade-estado na Síria. Davi chorou por seu filho morto diariamente por três anos, até que se consolou pela morte de Amnom (34-39).

5. *Absalão é Trazido de Volta a Jerusalém* (14.1-33)

A atitude de Davi em relação a Absalão parecia ser de profundo afeto, mas ele estava impedido por razões políticas e judiciais de trazê-lo de volta a Israel. Deve ser notado, porém, que a Septuaginta e a versão Siríaca tanto invertem o pensamento da versão KJV, como indicam que Davi estava furioso com Absalão. Esta tradução é preferida por alguns comentadores, que destacam que o rei recusou-se a ver Absalão por dois anos depois do retorno do jovem[8]. No entanto, o amor profundo de Davi por ele, posteriormente demonstrado, parece tornar a versão KJV a mais provável.

Foi Joabe, sobrinho e capitão de Davi, que tomou a iniciativa de trazer o jovem príncipe de volta. Ele pediu a ajuda de **uma mulher sábia** (2) de Tecoa, uma cidade aproximadamente 10 quilômetros ao sul de Jerusalém. Do mesmo modo que Natã (12.1-

12), a mulher apresentou ao rei um relato fictício do assassinato de um irmão pelo outro, e a exigência da família da morte do assassino embora isto deixasse a mãe viúva e o pai morto sem ninguém para dar prosseguimento ao nome da família, uma grande tragédia para os israelitas. Quando os sentimentos de solidariedade de Davi foram tocados, e dada a sua promessa de que o filho culpado seria protegido, a mulher disse: **Falando o rei tal palavra, fica como culpado; visto que o rei não torna a trazer o seu desterrado** (13). **Finge** (2), significa disfarçar. **Apagarão a brasa que me ficou** (7), isto é, destruirão a minha última esperança. **Os vingadores do sangue** (11), aqueles que infligem o castigo sobre o assassino (Nm 35.31). **Mas cogita meios para que o banido não permaneça arrojado de sua presença, ou, mas ideará pensamentos, para que se não desterre dele o seu desterrado** (14) – um apelo à misericórdia de Deus, que arquiteta meios pelos quais aqueles que estão justamente condenados à morte eterna possam, contudo, ser salvos e desfrutar a vida eterna. Os versículos 15-17 retornam à história original.

Davi não teve dificuldade para perceber o fingimento: **Não é verdade que a mão de Joabe anda contigo em tudo isso?** (19). Quando a mulher confessou que o sobrinho dele tinha inventado o seu relato, o rei se voltou para o seu general e ordenou que trouxesse Absalão de volta a Jerusalém. **Fez segundo a palavra do teu servo** (22), indicaria que o próprio Joabe havia anteriormente pedido, sem sucesso, o retorno do filho do rei.

A reconciliação, porém, foi incompleta, pois o rei disse a Absalão: **Torne para a sua própria casa e não veja a minha face** (24). O fato de este príncipe ter mandado chamar Joabe (29) quase sugere que ele estava confinado em sua casa. Certamente o acesso à corte do rei lhe foi proibido. A bela aparência de Absalão era especialmente notada (25). Seu cabelo era pesado e crescia rapidamente, e quando ele **tosquiava a sua cabeça** (26) no final de cada ano, este pesava **duzentos siclos, segundo o peso real**. O peso do siclo real não é precisamente conhecido, mas tem sido estimado como 13 gramas [9], o que coloca o peso do cabelo de Absalão em torno de 2,6 quilos. A família deste príncipe é descrita como composta de três filhos e uma filha, Tamar (27), que tem o mesmo nome de sua desafortunada irmã (13.1). Visto que os seus filhos não são mencionados pelo nome, e à luz de 18.18, onde é afirmado que Absalão não tinha um filho homem, é provável que eles tenham morrido na infância.

Absalão viveu em sua própria casa em Jerusalém por **dois anos** sem ter permissão de ver **a face do rei** (28). Não está claro porque Davi permitiu que ele retornasse à cidade, mas não à corte, a menos que ele sentisse que a justiça exigia um banimento parcial. Finalmente, cansado de seu confinamento, **mandou chamar a Joabe** (29), mas só conseguiu que ele viesse após atear fogo no campo deste comandante, o qual teve êxito em conseguir que Davi concordasse em ver o filho, e os dois se reconciliaram (29-33).

D. A Revolta de Absalão, 15.1—19.43

Cinco capítulos são dedicados ao relato da retribuição de Absalão ao perdão de seu pai. Os detalhes são expressos em outra explicação da predição feita por Natã, de que os pecados de Davi trariam sérios problemas a si mesmo (12.10,11).

1. Absalão Ganha o Povo (15.1-12)

Absalão toma a iniciativa de uma campanha deliberada, para transferir a lealdade que o povo dedicava a seu pai para si mesmo, como o legítimo herdeiro do trono. **Em função disso** (1), passa a agir imediatamente. Através da exibição de realeza com carros e corredores (1), e reunindo-se com aqueles que vinham para juízo na corte do rei, com a insinuação de que se estivesse em posição de autoridade decidiria em favor do queixoso (2-5), **furtava Absalão o coração dos homens de Israel** (6). Ele **parava a uma banda do caminho da porta** (2), isto é, "à entrada da porta" (Berk.), onde as questões judiciais eram decididas.

A declaração no texto Massorético de que foi **ao cabo de quarenta anos** (7) que Absalão deu início à sua insurreição não pode ser diretamente conciliada com a declaração em outra passagem, de que todo o reinado de Davi durou quarenta anos (5:4). A leitura das versões Septuaginta e Siríaca está provavelmente correta, isto é, "depois de quatro anos". A diferença entre quatro e quarenta em hebraico está na adição de *im*, e sem dúvida representa um erro de escrita. Sob o pretexto de cumprir um voto ao Senhor, Absalão conseguiu permissão para ir a **Hebrom** (8,9).

De Hebrom ele enviou espias, que eram **emissários secretos** ou mensageiros (hebraico: *ragal*, "fazer reconhecimento, ir, ver, ser um fofoqueiro") por todo o Israel para anunciar que mediante um dado sinal deveria ser proclamado: **Absalão reina em Hebrom** (10). Esta cidade teve por muito tempo ligações com a monarquia de Israel. Davi havia sido coroado lá (2.4; 5.3), e havia reinado ali por sete anos e meio. Era um local profundamente arraigado no coração da tribo de Judá, da qual Absalão esperava um forte apoio. Com ele estavam **duzentos** homens escolhidos – **convidados** (11) – de Jerusalém, e que não sabiam o que estava em andamento. Também em sua companhia rebelde estava um dos conselheiros de confiança de Davi, Aitofel de Gilo, uma cidade situada aproximadamente a 8 quilômetros de Hebrom. A força da **conspiração** também é notada (12).

2. A Fuga de Davi (15.13-37)

Uma mensagem veio a Davi: **O coração de cada um em Israel segue a Absalão** (13). "Segue a" significa "ter tomado a causa de". A decisão do rei foi a de sair da cidade imediatamente, provavelmente por duas razões – salvá-la de um cerco e possível destruição, e preservar a vantagem de sua menor, porém mais bem treinada e disciplinada tropa, em campo aberto. Também é possível que o seu espírito estivesse desanimado por sua convicção de que os problemas preditos por Natã começassem a lhe sobrevir (12.10ss.).

Ao deixar dez concubinas, ou esposas secundárias, para cuidarem do palácio, o rei e os membros de sua casa se retiraram de Jerusalém para **um lugar distante** (17), ou *Bete-Meraque*, "a última casa", provavelmente nos próprios limites da cidade, para colocar Jerusalém entre si mesmo e Absalão que avançava. Uma nota especial é dada à guarda escolhida de Davi de **seiscentos homens** (18) que haviam estado com ele desde os seus dias de fugitivo em Gate, identificados como **quereteus, peleteus e geteus** – todos soldados experientes, provavelmente da Filístia. Este é o grupo chamado de *gibborim* ou "heróis, homens valentes", em 16.6; 20.7; e 23.8. Sua lealdade pessoal para com Davi era notável. Eles serviriam como sua escolta militar.

Após um apelo especial a **Itai**, que parece ser o comandante dos 600 homens, liberou-o de qualquer obrigação e rogou a ele e a seus homens que retornassem ao palácio,

Davi recebeu a promessa de lealdade de vida e morte de seus guardas. O uso do nome do Deus de Israel na aliança, **Yahweh**, **o Senhor**, indicaria que ele era um prosélito da religião hebraica, bem como um leal súdito da coroa. Com esta garantia, e em meio a um luto geral por parte do povo em Jerusalém e suas vizinhanças, Davi e sua companhia atravessaram o **Cedrom**, o vale que margeava Jerusalém a leste, e se encaminharam para o oriente através do **deserto** em direção ao Jordão (19-23; veja o mapa).

Davi também enviou de volta os levitas liderados por Zadoque e Abiatar, que haviam trazido **a arca de Deus** (24) para se juntarem à fuga. A arca pertencia ao Tabernáculo, e Davi expressou a convicção de que se Deus fosse favorável à sua causa, ele ainda voltaria e a veria outra vez. Nesse meio tempo, os dois sacerdotes poderiam servi-lo enviando-lhe qualquer mensagem **nas campinas do deserto** (28), ou melhor, "nos vaus do deserto", isto é, o lugar onde se costumava fazer a travessia do Jordão.

A mensagem: "A obra de Deus é mais importante que o obreiro" é ilustrada pela atitude de Davi ao enviar a arca de Deus de volta à cidade da qual ele fugiu. (1) A arca simbolizava a aliança de Deus com o seu povo, 24; (2) Era importante na vida daqueles que achariam favor em Deus, 25; (3) Davi estava mais interessado na vontade de Deus do que nas vantagens pessoais, 26.

O monte das Oliveiras surge diretamente do lado oposto ao vale de Cedrom a leste da cidade, e Davi e seus companheiros subiram em prantos (30). A traição de Aitofel foi informada ao rei, e ele orou para que o Senhor tornasse a sabedoria do conselheiro **em loucura** (31). A companhia parou no cimo do monte enquanto o rei orava, e **Husai, o arquita, veio encontrar-se com ele, de manto rasgado e terra sobre a cabeça** (32), os sinais da tristeza mais profunda. Husai era um amigo mais velho de Davi há muito tempo (16.16), e, assim como Aitofel, era conhecido por sua sabedoria. Mesmo disposto a acompanhar Davi no exílio, ele concordou, ao invés disso, em voltar para Jerusalém em uma missão muito perigosa: dissipar... o conselho de Aitofel (34) e passar informações úteis a **Zadoque e Abiatar**, para que eles pudessem retransmiti-las ao rei (35-37). Assim que Davi fugiu, **Absalão entrou em Jerusalém** (37).

3. *Incidentes na Fuga* (16.1-14)

São descritos dois incidentes que ocorreram quando Davi descia a encosta leste no monte das Oliveiras e dirigia-se ao trajeto para Jericó. Primeiro, Ziba, o mordomo chefe do filho de Jônatas, Mefibosete, (cf. 9.1ss.) encontrou-se com o rei em retirada com dois jumentos carregados com alimento e bebida. Quando Davi perguntou sobre Mefibosete, Ziba mentiu (cf. 19.24-28), ao afirmar que seu senhor havia permanecido em Jerusalém na espera de que o reino de Saul lhe fosse restituído pelo povo de Israel. Ao crer neste precipitadamente, Davi deu a propriedade de Mefibosete a Ziba como presente (1-4).

Apenas um pouco além deste local, em **Baurim**, uma aldeia além do monte das Oliveiras, a companhia de Davi foi encontrada por um homem da família de Saul chamado **Simei, filho de Gera** (5). Ao perceber que era seguro amaldiçoar o rei fugitivo, ele deu vazão à ira e ao ódio que estavam reprimidos, e culpou Davi pelos infortúnios que haviam ocorrido à casa do rei antecessor. Abisai, filho de Zeruia e irmão de Joabe, um grande guerreiro, pediu permissão para atacar **este cão morto**, e tirar-lhe **a cabeça** (9). Davi o reteve com o triste comentário de que se seu próprio filho procurava por sua vida, quanto mais deveria um benjamita amargurado pronunciar as suas maldições (5-14)!

4. Absalão em Jerusalém (16.15-23)

Absalão e seus seguidores agora chegaram a Jerusalém com Aitofel como seu fiel conselheiro. Aqui Husai juntou ao fingimento uma declaração que representava lealdade: **Viva o rei!** (16). A observação penetrante de Absalão sobre a aparente traição de Husai à sua amizade com Davi, não se coaduna com a de um jovem que tinha se voltado contra o seu próprio pai. Este conselheiro do rei se livrou da insinuação, ao declarar que **aquele que eleger o Senhor... e todos os homens de Israel** (18), a este ele serviria – o filho – como havia servido ao pai (15-19).

Em resposta à indagação de Absalão, Aitofel aconselhou o jovem a tomar uma atitude vil e totalmente ilegal e imoral. Ele deveria tomar as concubinas de seu pai para si, e fazê-lo à vista de todo o povo em uma tenda armada para este propósito no topo do palácio do rei. Esta seria não só uma admissão de autoridade real, mas tornaria a reconciliação com o rei praticamente impossível. Ciente que o rompimento era definitivo, Aitofel pensou que a aliança dos israelitas seria mais forte e – talvez não incidentalmente – sua posição mais segura (20-22). O seu conselho era tão sábio quanto **uma resposta de Deus** (23), na medida em que as orientações que ele dava atingiam os resultados que ele esperava.

5. O Conselho de Guerra mal Orientado (17.1-29)

O próximo conselho de Aitofel foi o de tomar uma força de 12.000 homens para perseguir a Davi imediatamente, a fim de alcançá-lo e destruí-lo antes que ele tivesse a chance de organizar o seu exército. O versículo 3 é assim traduzido em várias versões: "Trarei de volta todos os homens dele para o senhor, como uma esposa que volta para o seu marido. Já que desejas matar somente um homem, o resto do povo será deixado em paz". Persuadido da sabedoria deste conselho, Absalão chamou Husai para verificar o seu parecer. Ele agora teve a sua chance: **O conselho que Aitofel esta vez emitiu não é bom** (7), disse. Davi e seus soldados eram homens valentes, enfurecidos como uma ursa que teve os seus filhotes roubados, escondidos em alguma fortaleza da qual um ataque repentino traria uma matança inicial entre os que seguiam Absalão. O povo, ciente desta primeira notícia de derrota, então se desviaria (1-10).

Ao invés disso, disse Husai, permita reunir todo o Israel em uma multidão esmagadora, liderada pelo próprio Absalão. Deixai-os então devastar as forças de Davi em número muito menor, pelo absoluto peso numérico e os destrua a todos. Os versículos 12 e 13 contêm vívidas figuras de linguagem que descrevem a ação proposta. Ele, Absalão e seus seguidores imediatos afirmaram que este era o melhor conselho, pois **assim o Senhor o ordenara, para aniquilar o bom conselho de Aitofel, para que o Senhor trouxesse o mal sobre Absalão** (14), isto é, o juízo que ele tão bem merecia.

Husai não perdeu tempo em enviar a mensagem da decisão a Davi através de Zadoque e Abiatar, a fim de avisá-lo a não permanecer no deserto de Judá, mas atravessar o Jordão. **Jônatas e Aimaás**, os mensageiros, esperaram em **En-Rogel** (17), exatamente do lado de fora de Jerusalém. Eles só escaparam dos servos de Absalão em perseguição porque se esconderam dentro de um poço em Baurim (cf. comentário sobre 16.5), escondidos pela mulher da casa, que orientou mal os perseguidores (15-20). É fácil ver que nem todos do povo abandonaram rapidamente a causa de Davi. Husai, sem dúvida alguma, sabia disto. O recrutamento que Absalão deveria fazer do povo de Israel não produziria o número descrito, e o tempo que isto demandaria para reunir o exército maior, daria oportunidade para que Davi reagrupasse aqueles que ainda lhe eram leais. Ao receber a mensagem, Davi e seus seguidores atravessaram o Jordão antes que o dia clareasse. Aitofel, por sua vez – um "Judas" do Antigo Testamento – suicidou-se por enforcamento. Este é o segundo suicídio registrado no Antigo Testamento; o primeiro foi o do rei Saul (1 Sm 31.4). Sem dúvida alguma Aitofel claramente previu os resultados do conselho de Husai, e ciente que estava condenado por causa de sua traição a Davi, tirou a própria vida (21-23).

Davi veio a Maanaim (24), a cidade da Transjordânia que havia sido a capital de Isbosete (2.8,12,29); e Absalão, ao reunir uma grande força, atravessou o Jordão em sua perseguição. O filho do rei constituiu a Amasa, um parente distante de Joabe, como comandante do exército. Em Maanaim, Davi recebeu apoio de Sobi, Maquir e Barzilai. O primeiro não é mencionado em qualquer outra passagem, mas o segundo é o homem que havia agido de forma amistosa para com Mefibosete após a morte de Saul (9.4-5), e o terceiro foi mais tarde convidado por Davi a retornar com ele a Jerusalém (19.31-40). Os mantimentos foram duplamente bem recebidos após a fuga apressada e despreparada através do campo estéril.

6. *A Batalha e a Morte de Absalão* (18.1-33)

E Davi contou o povo (1), ou melhor, "reuniu a tropa", isto é, organizou os homens que tinha consigo em três contingentes, cada um em seu turno, divididos em milhares e centenas com seus oficiais e comandantes. Os capitães de campo eram os irmãos Joabe e Abisai, e Itai, o geteu, comandante da própria guarda do rei (cf. comentário sobre 15.19ss.). O primeiro propósito do rei era tomar ele mesmo o campo, mas foi dissuadido com base de que a sua vida e presença valeriam uma brigada de 10.000 soldados comuns, e que no caso de qualquer uma das corporações tivesse que recuar, ele, com o comando central, então poderia vir em seu auxílio (1-3). **Da cidade nos sirvas de socorro** (3), "nos mande ajuda da cidade".

Davi, portanto, **se pôs da banda da porta** (4) de Maanaim enquanto seu povo marchava, e fez seu exército ouvir a ordem que dava aos seus capitães: **Brandamente tratai por amor de mim ao jovem, a Absalão** (5). Da descrição da batalha, somos levados a entender que esta não foi uma ação defensiva da parte de Davi, mas uma investida forte e provavelmente inesperada que fez recuar as forças de Absalão, as quais atravessaram o Jordão para dentro do **bosque de Efraim** (6), onde ocorreu o combate decisivo. A luta foi sangrenta, e 20.000 homens morreram – talvez de ambos os lados – mais gente perdeu a vida nas gargantas e desfiladeiros das montanhas repletas de bosques do que pela espada (1-8).

O próprio Absalão veio a ficar cara a cara com os veteranos de Davi e voltou-se para fugir na mula em que cavalgava como sinal de realeza. O animal passou correndo por debaixo de um carvalho com galhos espalhados e emaranhados. A cabeça de Absalão ficou presa nos galhos, com seu pesado cabelo que agravava a sua impotência, e a mula passou adiante e deixou-o pendurado, talvez atordoado e meio desacordado. Um soldado que estava por perto informou a Joabe, e quando soube que o príncipe ainda estava vivo, ele próprio traspassou com três dardos o seu coração. Então os escudeiros o feriram com suas espadas. O contraste entre a atitude do soldado em relação à ordem do rei e a de Joabe é impressionante. Este general era um homem de vontade forte que fazia cumprir sempre as suas próprias leis (9-15).

Com a morte de Absalão, Joabe interrompeu a perseguição ao exército disperso de Israel. Eles sepultaram o príncipe rebelde **no bosque, numa grande cova** (17), **e levantaram sobre ele um mui grande montão de pedras.** É feita uma menção do Monumento de Absalão, que teria a finalidade de preservar o seu nome no rol dos filhos de Davi. Um obelisco conhecido por seu nome ainda permanece no vale de cedrom, do lado de fora da antiga área do Templo em Jerusalém. Alguns entendem que os seus filhos citados em 14.27 devem ter morrido na infância ou durante a juventude (17,18).

Joabe enviou oficialmente por um cuxita a mensagem do resultado da batalha a Davi (talvez "o cuxita", ou etíope), e extra-oficialmente por Aimaás. As razões para a recusa do general em autorizar este "repórter" de dar a notícia não estão claras. Poderia ter sido seu sentimento de que alguém com relacionamento tão próximo a Davi como Aimaás, não deveria dar a notícia da morte de seu filho. Isto estaria mais de acordo com os deveres de um escravo etíope. Quando a sentinela informou sobre a aproximação do corredor, Davi disse: **Se ele vem só, traz boas notícias** (25). Um corredor seria ou um mensageiro ou um fugitivo. Se ele estava sozinho, seria um mensageiro. Se outros aparecessem com ele ou atrás dele, ele seria um fugitivo do exército derrotado.

Quando Aimaás chegou, antes do cuxita, ou ele não sabia ou não teve coragem de dizer a Davi sobre a morte de Absalão. O abrupto anúncio do cuxita mergulhou o rei em profunda tristeza, e ele chorou e lamentou: **Meu filho Absalão... Quem me dera que eu morrera por ti!** (33). Há algo de patético nesta cena. A dor do rei foi sem dúvida intensificada no sentido de seu próprio fracasso como pai para Absalão (19-33).

7. A Censura de Joabe a Davi (19.1-15)

A dor do rei e seu efeito sobre o povo foram informados a Joabe, que confrontou Davi com uma censura lacônica: **Se Absalão vivesse, e todos nós, hoje, fôssemos mortos, então, bem te parecera aos teus olhos** (6). A censura continha uma ameaça velada: a preferência do rei por seus "inimigos" levaria o seu povo a abandoná-lo em uma catástrofe pior do que qualquer coisa que ele houvesse experimentado antes (1-7). Davi animou-se e assentou-se **à porta** (8). Enquanto isso houve uma confusão geral entre os israelitas. **Altercando entre si** (9) – em hebraico, *duwn*, de uma raiz que significa "governar", e por implicação, "julgar", "esforçar-se", "defender a causa"; 'acusavam-se uns aos outros" (Berk.).

Davi enviou uma mensagem através dos sacerdotes Zadoque e Abiatar aos anciãos de Judá, a fim de sugerir que eles começassem a tomar as providências para levá-lo de volta em triunfo para a capital. A Amasa, o general rebelde, ele ofereceu o comando do exército que era de Joabe. O movimento foi bem-sucedido – **ele** (Moffatt traduz "Amasa") **moveu o coração de todos os homens de Judá** (14), isto é, "ele inclinou o coração de todos" – e eles enviaram uma mensagem para expressar o seu desejo de que o rei voltasse e fosse encontrá-los em Gilgal perto do Jordão (11-15).

8. O Retorno de Davi a Jerusalém (19.16-43)

O restante do capítulo diz respeito a incidentes relativos ao retorno de Davi ao seu palácio. Entre aqueles que vieram encontrá-lo estavam Ziba, mordomo da casa de Saul, e sua família; e Simei, que se prostrou no pó em busca do perdão pelas maldições que havia proferido durante a fuga de Davi (cf. 16.5ss.). Abisai, que antes queria cortar a cabeça de Simei, agora não estava menos furioso e o teria matado; mas Davi o perdoou e poupou a sua vida (16-23). O uso do termo **barca** (18) parece um anacronismo; o termo hebraico deveria provavelmente ser traduzido como "comboio".

Mefibosete, a respeito de quem Ziba havia mentido (cf. 16.1-4), ainda estava de luto quando veio encontrar o rei. Perguntado por que tinha permanecido atrás, ele explicou a mentira de seu servo. Quando Davi ofereceu dividir os bens que havia precipitadamente transmitido a Ziba anteriormente, Mefibosete nobremente respondeu: **Tome ele também tudo, pois já veio o rei, meu senhor, em paz à sua casa** (30).

Barzilai com oitenta anos de idade viajou de sua casa em Maanaim para ver o rei a salvo no Jordão. Para retribuir a bondade do rico gileadita, Davi ofereceu-lhe um lugar em sua corte em Jerusalém. Ele delicadamente recusou, e pediu ao invés disso que fosse permitido a seu filho Quimã (1 Rs 2.7) tomar o seu lugar (31-40).

Embora ambos os grupos professassem lealdade a Davi, uma profunda mágoa persistiu entre os homens de Judá e o povo das outras tribos de Israel, como é visto em sua rivalidade em prestar homenagens ao rei. O ciúme tribal ao longo destas mesmas linhas de divisão mais tarde levou à divisão do reino (41-43).

E. A REVOLTA DE SEBA, 20.1-26

A turbulência ainda não tinha acabado. Seba, **um homem de Belial** (1; cf. comentário sobre 1 Sm 1.16), reagrupou os membros das tribos de Israel para continuar a sua revolta. Davi, nesse meio tempo, voltou a Jerusalém e providenciou o necessário para as mulheres que Absalão havia maltratado. **As pôs numa casa em guarda, e as sustentava** (3), ou "as colocou em uma casa sob proteção e as sustentou". O rei então ordenou a Amasa que reunisse os homens de Judá **para o terceiro dia** (4), a fim de esmagar a nova rebelião. Como Amasa se demorou, o rei despachou Abisai para perseguir os rebeldes – Joabe foi obviamente rebaixado (1-7).

1. *O Assassinato de Amasa* (20.8-13)

Amasa aparentemente se juntou às forças em Gibeão, a noroeste de Jerusalém. Aqui Joabe, sob o pretexto de amizade, assassinou seu rival como havia feito antes com Abner (3.27). **Adiantando-se ele, lhe caiu** (8). Moffatt traduz assim esta frase obscura: "Quando ele se adiantou, sua mão esquerda pousava nela". Um dos soldados de Joabe agora tentou reagrupar os homens de Judá atrás de seu antigo comandante. Ao perceber que os soldados paravam quando chegavam onde jazia o corpo de Amasa na estrada, ele o moveu para dentro do campo, o cobriu, e assim a perseguição a Seba continuou.

2. *A Revolta é Esmagada* (20.14-22)

Enquanto isso, Seba havia se refugiado em Abel-Bete-Maaca, uma cidade bem fortificada no extremo norte, ligeiramente a oeste de Dã, no território de Naftali (veja o mapa). **E a todos os beritas** (14); "todos os beritas se ajuntaram e o seguiram". Bicri era o pai de Seba (20.1). A sua revolta havia fracassado, pois ele e seus seguidores não estavam preparados para enfrentar o exército de Joabe. Quando os preparativos haviam sido feitos para destruir as defesas da cidade, uma das mulheres do lugar, conhecida por sua sabedoria, procurou ter uma conversa com Joabe. Seu único interesse, disse ele, era a captura de Seba. Ciente disto, o povo da cidade cortou a cabeça de seu hóspede indesejado e a lançou por cima do muro. Joabe então suspendeu o ataque e voltou a Jerusalém (14-22).

3. *A Organização de Davi* (20.23-26)
A organização do reino de Davi é brevemente esboçada nos versículos finais do capítulo (cf. 8.16-18; 1 Cr 18.14-17). As diferenças nas listas se devem às mudanças causadas pelo tempo. **Sobre os tributos** (24), literalmente, "tarefa", ou "trabalhos forçados". **O oficial-mor** [ou ministro] **de Davi** (26), uma posição ocupada em 8.18 pelos filhos de Davi. A palavra geralmente significa "sacerdote", mas talvez aqui, como na versão *Berkeley*, a expressão: "assistente-chefe de Davi" também seja correta.

SEÇÃO V

UM APÊNDICE

2 Samuel 21.1—24.25

Os últimos quatro capítulos de 2 Samuel estão em uma espécie de apêndice; apresentam alguns dos acontecimentos significativos do reinado de Davi, mas não necessariamente em ordem cronológica. Há, ao todo, sete seções[1]. A continuidade histórica é interrompida em 20.26 e é retomada em 1 Reis 1.1.

A. A VINGANÇA GIBEONITA, 21.1-14

Este horrível episódio não está datado, mas deve ter acontecido no início do reinado de Davi, embora depois da vinda de Mefibosete para viver na corte de Davi (7). Se, como alguns acreditam, a maldição de Simei contra Davi como um "homem de sangue", culpado do sangue, da casa de Saul (16.7-8) for uma referência a este fato, então ele ocorreu antes da revolta de Absalão.

Uma fome na terra foi explicada a Davi como resultado dos crimes de Saul contra os gibeonitas, aos quais Josué havia prometido segurança (2; cf. Js 9.15). Não há qualquer outro registro da matança praticada por Saul aos gibeonitas. Incapaz de encontrar uma solução para a culpa de sangue sobre a terra, Davi chamou os gibeonitas sobreviventes e perguntou que providências ele deveria tomar. Deve ser observado que o que se segue não foi o mandamento de Deus, mas era na verdade diretamente contrário à lei como afirmado em Números 35.33 e Deuteronômio 24.16. A morte dos filhos e netos de Saul foi o pedido dos gibeonitas, e Davi o concedeu. Este ainda é um testemunho eloqüente para a convicção humana universal da necessidade de uma **expiação** satisfatória pelo pecado (3), uma expiação que somente Deus poderia prover, e somente pela morte de seu Filho, que não teve pecado (Rm 5.8-11)[2]. **Termo... de Israel** (5), isto é, "o território de Israel" (Berk.).

Um Apêndice																																																																			2 Samuel 21.7—22.7

Mefibosete... Mefibosete (7,8), sobrinho e tio com o mesmo nome. **Mical, filha de Saul** (8) deveria ser Merabe como vemos em 1 Samuel 18.19 e 25.44. De 2 Samuel 6.23 sabemos que Mical não teve filhos. O amor materno de Rispa é a única nota brilhante nesta amarga saga de vingança. Não podemos saber exatamente por quanto tempo sua vigília foi mantida, pois a chuva (10) que sinalizava o seu fim, deve ter vindo antes que o habitual, acabando com a fome. Davi, então, providenciou que os corpos das sete vítimas fossem adequadamente sepultados com os ossos de Saul e Jônatas na sepultura do progenitor da família, Quis, em Benjamim.

B. Ilustrações de Coragem em Batalha, 21.15-22

São dados quatro exemplos da bravura dos soldados de Davi, sem a qual as vitórias fenomenais dos primeiros anos de seu reinado não poderiam ser alcançadas. Em uma guerra contra os filisteus, o próprio Davi quase foi morto por um gigante, **Isbi-Benobe**, cujos três irmãos também são mencionados (16,18-20). Os quatro, possivelmente com Golias (1 Sm 17.23ss.) como um quinto, são descritos como nascidos **dos gigantes em Gate** (22). A vida de Davi nesta ocasião foi salva por Abisai, e o fato de ter escapado por um triz resultou em uma decisão expressa de seus homens: **Nunca mais sairás conosco à peleja, para que não apagues a lâmpada de Israel** (17). Os outros gigantes foram mortos por **Sibecai** (18), **Elanã** (19; cf. 1 Cr 20.5 para o nome do gigante, Lami), e um sobrinho de Davi chamado **Jônatas** (20,21). **O peso de cuja lança tinha trezentos siclos de cobre** (16), "cuja lança pesava mais de cinco quilos" (Berk.). O siclo tinha pouco menos de doze gramas. O peso mencionado provavelmente se refere apenas à ponta da lança.

C. Cântico de Davi em Ação de Graças, 22.1-51

Este capítulo inteiro registra o cântico de louvor de Davi **no dia em que o Senhor o livrou das mãos de todos os seus inimigos e das mãos de Saul** (1). Isto teria ocorrido logo após ele ter sido estabelecido no trono de Israel. Esta passagem é encontrada no salmo 18, praticamente sem mudança. Este cântico é composto por oito estrofes, e contém muitas belas e características notas de louvor. Em toda a sua extensão está repleto de referências às experiências de Davi na fuga de Saul, e nas suas batalhas com os filisteus.

Os versículos 2 a 4 louvam a Deus em termos extraídos da fuga no deserto: **rochedo, lugar forte, escudo, alto retiro, refúgio**. O Senhor havia sido o seu **libertador** e **Salvador**. Os versículos 5 a 7 refletem à profunda aflição do salmista, cercado por **ondas de morte** (5), a multidão de impiedosos que ameaçavam a sua vida. **Encontraram-me laços de morte** (6) – em hebraico, "surpresos, vieram sobre mim"; "confrontados"; "eles bloquearam o meu caminho" (Berk.).

"O multiforme cuidado de Deus" é ensinado nos versículos 1-7 em uma série de metáforas e comparações impressionantes. Deus é o nosso: (1) Rochedo, 2,3; (2) Lugar forte, 2; (3) Escudo, 3; (4) Força de Salvação, 3; (5) Baluarte ou Alto Retiro, 3; (6) Salvador, 3; (7) Supremo objeto de oração e louvor, 4-7.

O livramento de Deus é vividamente retratado em 8 a 19. A majestade e o poder do Onipotente foram trazidos para a ajuda do salmista. As forças da natureza foram usadas para realizar a vontade do Senhor: o terremoto, a **escuridão**, o **vento**, o **trovão** e o **raio**. Aqui está a imagem da mais alta ordem, convocada para ampliar a maravilha do poder salvador do Senhor. Alguns têm se referido a esta descrição da tempestade que surgiu repentinamente durante a batalha como sendo os siros (2 Sm 7.5). Davi mais provavelmente se refere a tudo o que Deus havia feito durante os perigosos anos de sua fuga da presença de Saul. As ocasiões em que Deus aparece são freqüentemente associadas à tempestade (Êx 19.16-18; 1 Rs 19.11,12; Jó 38.1; Jl 2.10-11; Na 1.3-6; At 2.2). **Encontraram-me no dia da minha calamidade** (19), é o mesmo que "vieram sobre mim no dia da minha calamidade".

Os versículos 20 a 25 contrastam o estado atual do rei com a sua insegurança anterior. Deus o havia trazido **para um lugar espaçoso** (20). Esta confiança de Davi era o resultado de ter guardado **os caminhos do Senhor** (22). A obediência é certamente a chave para a bênção divina. O cristão, porém, entende que a bênção de Deus pode não estar na forma de riqueza, saúde, ou no que poderia ser chamado de felicidade. Sofrimento e adversidade podem plenamente se mostrar uma bênção do Senhor tanto quanto a tranqüilidade e a prosperidade.

Os versículos 26 a 30 são uma espécie de hino de louvor, endereçado diretamente ao Senhor. Os procedimentos de Deus para com a humanidade estão condicionados à resposta e à atitude dos homens em relação a Ele. Ele é o Salvador dos aflitos, mas o terror dos orgulhosos. Ele é uma **candeia** (ou lâmpada), e uma fonte de força além do comum. "Reações de Deus à conduta do homem" são ilustradas nos versículos 26 a 29. (1) Ele é **benigno**, 26; (2) Ele é **íntegro** e **sincero**, 26; (3) Ele é **puro**, 27; (4) Ele livra **o aflito**, 28; mas (5) Ele é **avesso** ao perverso, 27; e (6) Ele abate **os altivos**, 28.

Os versículos 31 a 35 voltam-se ao louvor do Senhor, e eles são dirigidos àqueles que vão ouvir ou ler a seu respeito. **O caminho de Deus é perfeito** (31); não há alguém como Ele. Ele dá força e habilidade na batalha.

"O que Deus reserva para o seu povo" é apresentado nos versículos 29 a 33 em vívidas palavras de testemunho. Davi havia encontrado em seu Deus (1) Luz, 29; (2) Força, 30; (3) Proteção, 31; (4) Segurança, 32; (5) Perfeição de caminho, 33.

Além disso, o salmista volta o seu pensamento diretamente ao Senhor (36-46), e louva-o pela vitória na batalha. Uma frase memorável é a seguinte: **Pela tua brandura, me vieste a engrandecer** (36). O Senhor é louvado por livrar Davi das conspirações do povo: **Também me livraste das contendas do meu povo** (44).

"Hino da vitória de Davi" é o título que Alexander Maclaren dá aos versículos 40 a 51. (1) A vitória de Davi vem somente do Senhor, 40-43; (2) Vitórias menores levaram a outras maiores, 44-46; (3) O louvor alegre é devido ao Senhor, 47-51.

D. As Últimas Palavras de Davi, 23.1-7

O primeiro parágrafo do capítulo 23 é introduzido com um título: **Estas são as últimas palavras de Davi** (1). Davi é descrito como **o homem que foi levantado em altura, o ungido do Deus de Jacó, e o suave em salmos de Israel**. É possível que as

últimas palavras aqui signifiquem "as últimas palavras inspiradas", visto que o termo hebraico traduzido como **diz** é um termo que é sempre usado em outras passagens como um pronunciamento divinamente inspirado.

Que **o Espírito do Senhor** realmente falava por Davi (2) é abundantemente atestado nos salmos que ele escreveu. Deus revelou ao rei o seu ideal para a monarquia: **Um justo que domine sobre os homens, que domine no temor de Deus** (3). Ele deveria ser também como a luz do sol em **uma manhã sem nuvens** (4), e como a erva nutritiva da terra. Embora **a minha casa não seja tal para com Deus** (5); Davi reconhece que falhou quanto ao ideal; contudo, ele se regozija na certeza da aliança que Deus tinha feito com ele, "as firmes beneficências de Davi" (Is 55.3; At 13.34). Esta é **toda a minha salvação**, etc. (5) "Não fará prosperar toda a minha ajuda e o meu desejo? Pelo contrário, **os filhos de Belial** (6), desprezíveis e ímpios, serão como os **espinhos** destinados ao fogo" (7).

E. Os Valentes de Davi e suas façanhas, 23.8-23

Esta lista faz um paralelo com 1 Crônicas 11.11-25 (veja também os comentários). As diferenças parecem ocorrer principalmente devido a variações no processo de cópia, das Crônicas copiadas de Samuel, ou de ambos a partir de uma terceira fonte. Nenhuma variação é significativa a ponto de alterar qualquer verdade doutrinária. A partir do relato em Crônicas, parece que estes valentes (8), junto com trinta "valentes" listados posteriormente no capítulo, eram os principais colaboradores de Davi no estabelecimento de seu trono.

O chefe dos três primeiros era **Josebe-Bassebete, filho de Taquemoni** (8), identificado como **Jasobeão, hacmonita** em 1 Crônicas 11.11. **Adino, o eznita,** é um outro nome para este capitão, e poderia ser traduzido como "aquele que brandiu a sua lança". **Depois dele, Eleazar** (9), cuja fama residia em sua valente coragem em uma vitória sem ajuda sobre os filisteus depois que o povo de Israel havia fugido (9-10). **Sama** era o terceiro, e também mudou o resultado da batalha contra os filisteus (11,12). Esses três estavam entre os primeiros que se juntaram a Davi em Adulão. Ao desejar o futuro rei beber do poço em Belém, que na época se encontrava nas mãos dos filisteus, os soldados invadiram as linhas inimigas e carregaram a água para seu chefe. Tocado pelo risco de vida envolvido, Davi a derramou como uma libação ao Senhor (13-17).

Tem-se aparentemente em vista um segundo grupo de três, com os nomes de dois deles citados: Abisai (18,19) e Benaia (20-23). De cada um deles é dito que não chegaram a ser como os **primeiros três** (19,23), embora tenham se destacado em importância **entre os trinta** (23). Algumas versões alteram o texto no versículo 18 para se ler "dos trinta", ao invés de **entre os três**. Contra isso pode ser citado o fato de que os versículos 24 a 39 listam trinta nomes além de Abisai e Benaia. O terceiro de seu grupo pode ter sido Amasa, que apesar de suas proezas não é citado, talvez devido ao seu envolvimento na rebelião de Absalão.

F. A Legião de Honra, 23.24-39

A lista dos **trinta** (24) faz um paralelo com 1 Crônicas 11.26-47 (veja também o comentário), onde as diferenças na ordem e nos nomes podem se dever ao fato de que esta corporação de elite era provavelmente alterada de tempos em tempos. Alguns dos nomes são familiares de outros contextos, tais como **Asael** (24), e **Urias, heteu** (39). Outros são encontrados somente aqui. **Trinta e sete por todos** (39) seriam todos os 30 da "legião de honra", o primeiro e o segundo grupo de "três", e o próprio Davi ou Joabe como comandante supremo, que não é citado aqui.

G. A PESTE, 24.1-25

O último capítulo de 2 Samuel tem sido difícil para os comentadores evangélicos em razão do antecedente incerto ao pronome na frase: **ele incitou a Davi contra eles** (1). O versículo, da forma como está, parece sugerir que o Senhor incitou Davi a um ato pecaminoso (10), a fim de punir a nação por pecados não denominados que tinham causado a ira divina contra o povo. No entanto, deve ser observado que na passagem paralela em 1 Crônicas 21.1 lê-se: "Então, Satanás se levantou contra Israel e incitou Davi a numerar a Israel".

Também não está exatamente claro em que aspecto a tomada do censo seria considerada um pecado. Visto que o relatório foi dado em termos de força militar (9), isto poderia ter sido uma expressão de orgulho e auto-suficiência, um pecado por parte do rei. A resistência de Joabe à contagem (3) pode indicar uma desaprovação popular de uma medida criada para promover algum programa de trabalho forçado, ou uma cobrança de impostos. **Desde Berseba até Dã** (2), a expressão tradicional para toda a terra – Dã, o extremo norte, e Berseba na margem do extremo sul do deserto (cf. Jz 20.1; 1 Sm 3.20; 2 Sm 3.10; 17.11).

A atitude de Joabe é digna de louvor e mostra que juntamente com sua ambição, traição e crueldade desordenada, ele possuía algumas boas qualidades. Ele era evidentemente apoiado pelos outros líderes militares; **porém a palavra do rei prevaleceu** (4). Os recenseadores começaram no leste, do outro lado do Jordão, **Aroer** e **Gileade** (5-6), e trabalharam até o extremo norte, **Sidom** (6), desceram a costa, até **Tiro** (7), e terminaram no sul, em **Berseba**, e levaram ao todo quase dez meses (5-8). Os números relatados eram de 800.000 guerreiros em Israel e 500.000 em Judá (9). Os números diferentes em 1 Crônicas 21.5,6 podem ser o resultado de um método ligeiramente diferente de cálculo, e podem ter sido expressos em dois relatórios diferentes.

Tão logo o relatório foi recebido, **o coração doeu a Davi** (10), a sua consciência se agitou, e ele confessou o seu pecado e buscou o perdão. **O profeta Gade** (11), que havia tomado o lugar de Natã como o **vidente de Davi**, ou conselheiro espiritual, vem na manhã seguinte para oferecer uma escolha de conseqüências: **sete anos de fome** (13), **três meses** de fuga **diante** dos **inimigos**, ou **três dias** de **peste**. A escolha de Davi foi feita com base em seu desejo de cair **nas mãos do Senhor** (14) e não **nas mãos dos homens**.

Setenta mil (15) morreram devido à peste, que só foi interrompida quando chegou a Jerusalém. **O Senhor se arrependeu** (16), cf. comentário sobre 1 Samuel 15.11. O anjo que simboliza ou direciona a praga foi interrompido junto **à eira de Araúna, o jebuseu** (16), descendente dos antigos habitantes de Jerusalém (cf. 5.6). Aqui Davi foi orientado a levantar um altar ao Senhor (18), onde o Templo foi mais tarde edificado.

Um Apêndice   2 Samuel 24.16-25

Quando o rei foi ao local designado e pediu para comprar o lugar, Araúna o ofereceu como um presente sincero (19-23). **Araúna, como um rei** (23) pode indicar uma posição de realeza ou a nobreza de espírito do homem, ou ainda pode ser traduzido da seguinte forma: "Tudo isto, ó rei, Araúna oferece ao rei". A resposta de Davi é uma das grandes declarações das Escrituras sobre a prioridade do sacrifício e a administração na obra do Senhor: **Não, porém por certo preço to comprarei, porque não oferecerei ao Senhor, meu Deus, holocaustos que me não custem nada** (24).

A diferença entre os 50 siclos de prata (24) e os 600 siclos de ouro oferecidos em 1 Crônicas 21.25 pode ser assim explicada: os 50 siclos teriam sido o valor do lugar imediato junto com os bois e os instrumentos da eira, ao passo que os 600 siclos teriam sido o custo de toda a área circundante sobre a qual o Templo deveria ser construído.

Os versículos 18-25 têm muita coisa a nos mostrar sobre "o alto preço da verdadeira adoração". As palavras de Davi (24) apresentam uma grande verdade: (1) A adoração é exigida de todos, até mesmo de um rei, 18,19. (2) Pode haver um tipo de adoração sem custo, 20-23; (3) A adoração que não tem custo, também não tem valor, 24; (4) A adoração que envolve a disposição para sacrificar é recompensada com resultados, 25.

Notas

INTRODUÇÃO

[1] Cf. A. M. Renwick, "I and II Samuel: Appendix II, The Critical View of Sources and Documents"; *The New Bible Commentary*, ed. F. Davidson (Grand Rapids: Wm. B. Eerdmans Publishing Co., 1953), pp. 293-99.

[2] Cf. K. A. Kitchen e T. C. Mitchell, "Chronology of the Old Testament"; *The New Bible Dictionary*, ed. J. D. Douglas (Grand Rapids: Wm. B. Eerdmans Publishing Co., 1962), pp. 212-23; e W. T. Purkiser, *et al., Exploring the Old Testament* (Kansas City: Beacon Hill Press, 1955), pp. 422-23.

[3] J. A. Thompson, *The Bible and Archaeology* (Grand Rapids: Wm. B. Eerdmans Publishing Co., 1962), pp. 94-95.

[4] Cf. T. C. Mitchell, "Gibeá," NBD, pp. 466-67.

[5] *Notes on the Hebrew Text and the Topography of the Books of Samuel* (2a. ed.; Oxford: Clarendon Press, 1913), p. 260.

[6] Cf. Thompson, *op. cit.*, p. 100.

SEÇÃO I

[1] George B. Caird, "The First and Second Book of Samuel" (Exegese), *The Interpreter's Bible*, ed. George A. Buttrick, et al., II (Nova York: Abingdon Press, 1953), 879.

[2] Cf. Merrill F. Unger, *Unger's Bible Dictionary* (Chicago: Moody Press, 1957), art. "Nazarite," pp. 779-80.

[3] C. F. David Erdmann, "The Books of Samuel", *Commentary on the Holy Scriptures: Critical, Doctrinal and Homiletical*, ed. J. P. Lange (Nova York: Charles Scribner's Sons, 1905), V, 60.

[4] Cf. Otto T. Baab, *Theology of The Old Testament* (Nova York: Abingdom-Cokesbury Press, 1949), pp. 115-55.

[5] Cf. Paul Heinisch, *Theology of the Old Testament* (Collegeville, Minesota: The Liturgical Press, 1950), p. 43.

[6] John C. Schroeder, "The First and Second Books of Samuel" (Exposição), *The Interpreter's Bible*, ed. George A. Buttrick, *et al.*, II (Nova York: Abingdon Press, 1953), 889-90.

[7] Henry P. Smith, *A Critical and Exegetical Commentary on the Books of Samuel* ("International Critical Commentary"; New York: Charles Scribner's Sons, 1929), p. 25.

[8] Caird, *op. cit.*, IB, II, p. 894.

[9] W. G. Blaikie, *The First Book of Samuel* ("The Expositor's Bible", ed. W. Robertson Nicoll; Grand Rapids: Wm. B. Eerdmans Publishing Co., 1943), II, p. 20.

[10] J. A. Thompson, *The Bible and Archaeology* (Grand Rapids: Wm. B. Eerdmans Publishing Co., 1962), pp. 78-81.

[11] Cf. A. M. Renwick, "I and II Samuel: Appendix I, The Ark of the Covenant"; *The New Bible Commentary*, ed. F. Davidson (Grand Rapids: Wm. B. Eerdmans Publishing Co., 1953), pp. 292-93.

[12] Cf. M. G. Kline, "Hebrews"; *The New Bible Dictionary*, ed. J. D. Douglas (Grand Rapids: Wm. B. Eerdmans Publishing Co., 1962), pp. 511-12.

[13] Erdmans, *op. cit.*, pp. 102-3.
[14] Renwick, *op. cit.*, NBC, p. 266.
[15] John Bright, *A History of Israel* (Philadelphia: The Westminster Press, 1959), pp. 165-66.
[16] Erdmans, *op. cit.*, pp. 122-23.
[17] Renwick, *op. cit.*, NBC, pg. 295ss.

SEÇÃO II

[1] John Bright, *A History of Israel* (Philadelphia: The Westminster Press, 1959), pp. 164-74.
[2] Cf. A. M. Renwick, "I and II Samuel"; *The New Bible Commentary*, ed. F. Davidson (Grand Rapids: Wm. B. Eerdmans Publishing Co., 1953), p. 268.
[3] Cf. C. F. David Erdmann, "The Books of Samuel", *Commentary on the Holy Scriptures: Critical, Doctrinal and Homiletical*, ed. J. P. Lange (New York: Charles Scribner's Sons, 1905), V, p. 142.
[4] Cf. J. A. Motyer, "Anointing, anointed"; *The New Bible Dictionary*, ed. J. D. Douglas (Grand Rapids: Wm. B. Eerdmans Publishing Co., 1962), p. 39.
[5] A. M. Renwick, *op. cit.*, NBC, p. 298.
[6] Erdmann, *op. cit.*, p. 158.
[7] Cf. a sua obra *Archaeology of Palestine* (London: Pelican, 1956), pp. 120-22; também J. A. Thompson, *The Bible and Archaeology* (Grand Rapids: Wm. B. Eerdmans Publishing Co., 1962), pp. 95,96.
[8] AASOR, IV, 51ss.; citado por Thompson, *op.cit.*, p. 96.
[9] Cf. a discussão em Renwick, *op. cit.*, Apêndice II, pp. 295-97.
[10] Erdmann, *op. cit.*, p. 174.
[11] *Ibid.*, pp. 189-90.
[12] Cf. George B. Caird, "The First and Second Books of Samuel" (Exegesis), *The Interpreter's Bible*, ed. George A. Buttrick *et al.*, II (New York: Abingdon Press, 1953), pp. 953,54.
[13] Cf. Erdmann, *op. cit.*, pp. 211,12.

SEÇÃO III

[1] Cf. T. H. Jones, "David"; *The New Bible Dictionary*, ed. J. D. Douglas (Grand Rapids: Wm. B. Eerdmans Publishing Co., 1962), pp. 294-96.
[2] Cf. a revisão destas questões por A. M. Renwick, "I and II Samuel", *The New Bible Commentary*, ed. F. Davidson (Grand Rapids: Wm. B. Eerdmans Publishing Co., 1953), pp. 271,72.
[3] Cf. J. D. Douglas, "Goliath"; NBD, p. 481.
[4] Cf. C. F. David Erdmann, "The Books of Samuel", *Commentary on the Holy Scriptures: Critical, Doctrinal and Homiletical*, ed. J. P. Lange (New York: Charles Scribner's Sons, 1905), V, pp. 234,35.
[5] Cf. George B. Caird, "The First and Second Books of Samuel" (Exegesis), *The Interpreter's Bible*, ed. George A. Buttrick, *et al.*, II (New York: Abingdon Press, 1953), p. 987.
[6] Cf. a discussão em Renwick, NBC, p. 298.

⁷ Erdmann, *op. cit.*, p. 266.
⁸ Renwick, *op. cit.*, NBC, p. 273.
⁹ Cf. uma sugestão alternativa em Caird, *op. cit.*, IB, II, p. 1000.
¹⁰ Cf. J. A. Moyter, "Urim and Thummim"; NBD, p. 1.306.
¹¹ Cf. Erdmann, *op. cit.*, pp. 299,300.
¹² Caird, *op. cit.*, IB, II, p. 1010.
¹³ Cf. Renwick, *op. cit.*, NBC, pp. 275,76.
¹⁴ A experiência de Saul. A história de Samuel e da feiticeira de En-Dor perturba muita gente nestes dias em que o espiritismo está reavivado. Mas, para mim, qualquer uma das duas explicações é satisfatória: A primeira hipótese é a de que um ser realmente apareceu pela providência especial de Deus, e o seu surgimento foi um juízo sobre o rei ímpio e uma surpresa para a feiticeira, cujas reivindicações fraudulentas foram obscurecidas por esta inesperada intervenção divina. Ou, a segunda hipótese, a de que esta era somente mais uma reivindicação infundada da feiticeira à qual o coração perturbado do rei deu crédito. Penso que 90% das experiências no espiritismo podem ser explicadas com base na psicologia, inclusive a telepatia, e o que quer que não seja humano vem diretamente do diabo. – J. B. Chapman, *Herald of Holiness*, XVI, nº 8 (18 de maio de 1927), 4.
¹⁵ Thompson, *op. cit.*, pp. 94,95.

SEÇÃO IV

¹ Cf. uma reconstrução diferente na obra de George B. Caird, "The First and Second Books of Samuel" (Exegesis), *The Interpreter's Bible*, ed. George A. Buttrick, *et al.*, II (New York: Abingdon Press, 1953), pp. 1.041,42.
² Cf. W. T. Purkiser, *et al.*, *Exploring the Old Testament* (Kansas City: Beacon Hill Press, 1955), pp. 54,55.
³ *A History of Israel* (Filadélfia: The Westminster Press, 1959), pp. 176-78.
⁴ *Ibid.*, pp. 178-81.
⁵ Cf. A. M. Renwick, "I and II Samuel;" *The New Bible Commentary*, ed. F. Davidson (Grand Rapids: Wm. B. Eerdmans Publishing Co., 1953), p. 282.
⁶ Cf. D. F. Payne, "Jerusalem;" *The New Bible Dictionary*, ed. J. D. Douglas (Grand Rapids: Wm. B. Eerdmans Publishing Co., 1962), pp. 614-20.
⁷ Cf. C. F. David Erdmann, "The Books of Samuel", *Commentary on the Holy Scriptures: Critical, Doctrinal and Homiletical*, ed. J. P. Lange (New York: Charles Scribner's Sons, 1905), V, pp. 417,18.
⁸ Renwick, *op. cit.*, NBC, pp. 287,88.
⁹ D. J. Wiseman, "Weights and Measures"; NBD, p. 1.320.

SEÇÃO V

¹ Cf. A. M. Renwick, "I and II Samuel"; *The New Bible Commentary*, ed. F. Davidson (Grand Rapids: Wm. B. Eerdmans Publishing Co., 1953), pp. 290-92.
² Cf. Ganse Little, "II Samuel" (Exposição), *The Interpreter's Bible*, ed. George A. Buttrick, *et al.*, II (New York: Abingdon-Cokesbury Press, 1953), pp. 1,157,58.

Bibliografia

I. COMENTÁRIOS

BLAIKIE, W. G. *The First Book of Samuel*, "The Expositor's Bible". Editado por W. Robertson Nicoll. Nova York: Eaton e Mains, s.d.

— *The Second Book of Samuel*, "The Expositor's Bible". Editado por W. Robertson Nicoll. Nova York: Eaton e Mains, n.d.

BROCKINGTON, L. H. "I and II Samuel". *Peake's Commentary on the Bible*. H. H. Rowley, editor do Antigo Testamento. Londres: Thomas Nelson and Sons, Ltd., 1962.

CAIRD, George B. "The First and Second Books of Samuel" (Introduction). *The Interpreter's Bible*. Editado por George A. Buttrick, *et al.*, Vol. II. Nova York: Abingdon Press, 1953.

—"The First and Second Books Of Samuel" (Exegesis). *The Interpreter's Bible*. Editado por George A. Buttrick, *Et Al.*, Vol. II. Nova York: Abingdon Press, 1953.

CHAPMAN, C. "I Samuel" (Homilética). *The Pulpit Commentary*. Editado por H. D. M. Spence e Joseph S. Exell. Nova Edição. Chicago: Wilcox E Follett, s.d.

— "II Samuel" (Homilética). *The Pulpit Commentary*. Editado por H. D. M. Spence e Joseph S. Exell. Nova Edição. Chicago: Wilcox e Follett, n.d.

CLARKE, Adam. *The Holy Bible with a Commentary and Critical Notes*, Vol. II. Nova York: Abingdon Press, s.d.

CLARKE, W. K. Lowther. *Concise Bible Commentary*. Nova York: Macmillan Co., 1953.

DAVIS, G. Henton, Richardson, Alan, Wallis e Charles L. (Eds.). *The Twentieth Century Bible Commentary*. Edição Revisada. Nova York: Harper and Brothers, 1955.

DUMMELOW, J. R. (ed.). *A Commentary on the Holy Bible*. Nova York: Macmillan Co., 1946.

EISELEN, Frederick C., Lewis, Edwin, Downey e David G. (eds.). *The Abingdon Bible Commentary*. Nova York: Abingdon-cokesbury Press, 1929.

ELLIOTT-BINNS, L. *From Moses to Elisha*. "The Clarendon Bible". Old Testament, Vol. II. Oxford: The Clarendon Press, 1949.

ERDMANN, C. F. David. "The Books Of Samuel". *A Commentary on the Holy Scriptures: Critical, Doctrinal and Homiletical*. Editado por J. P. Lange. Nova York: Charles Scribner's Sons, 1905.

GARDINER, F. "II Samuel". *Commentary on the Whole Bible*. Editado por Charles John Ellicott, Vol. II. Grand Rapids, Michigan: Zondervan Publishing House, s.d. (reimpressão).

GORE, Charles e Goudge, H. L., Guillaume, Alfred. *A New Commentary on the Holy Scriptures*. Nova York: Macmillan Co., 1945.

HARRIS, W. "Homiletical Commentary on the Books of Samuel". *The Preacher's Complete Homiletical Commentary on the Old Testament*. Nova York: Funk and Wagnalls, 1892.

HENRY, Mattew. *Commentary on the Whole Bible*, Vol. II. Nova York: Fleming H. Revell, n.d.

HUFFMAN, Paul E. "First and Second Samuel". *Old Testament Commentary*. Editado por H. C. Alleman e E. E. Flack. Filadélfia: The Muhlenberg Press, 1948.

JAMIESON, Robert, Faussett, A. R., Brown, David. *A Commentary: Critical, Experimental and Practical*, Vol. II. Grand Rapids, Michigan: Wm. B. Eerdmans Publishing Co., 1948 (reimpressão).

KEIL, C. F., e Delitzsch, F. *Biblical Commentary on the Books of Samuel*. Traduzido por James Martin. Grand Rapids, Michigan: Wm. B. Eerdmans Publishing Co., 1950 (reimpressão).

KENNEDY, A. R. S. (ed.). *Samuel*. "The Century Bible". Editor Geral, Walter F. Adeney. Edinburgo: T. C. e E. C. Jack, 1905.

KIRKPATRICK, A. F. *The First Book of Samuel*. "Cambridge Bible for Schools and Colleges". Editor Geral, J. J. S. Perowne. Cambridge: University Press, 1894.

— *The Second Book of Samuel*. "Cambridge Bible for Schools and Colleges". Editor Geral, J. J. S. Perowne. Cambridge: University Press, 1894.

LITTLE, Ganse. "The Second Book of Samuel" (Exposição). *The Interpreter's Bible*. Editado por George A. Buttrick, *et al.*, Vol. II. Nova York: Abingdon Press, 1953.

MACLAREN, Alexander. *Expositions of Scriptures*, Vol. II. Grand Rapids, Michigan: Wm. B. Eerdmans Publishing Co., 1944 (reimpressão).

MARTIN, William J. "I Samuel; II Samuel". *The Biblical Expositor*, Vol. I. Editado por Carl F. H. Henry. Filadélfia: A. J. Holman Co., 1960.

MORGAN, George Campbell. *An Exposition of the Whole Bible*. Westwood, N. J.: Fleming H. Revell, 1959.

NEIL, Wiliam. *Harper's Bible Commentary*. Nova York: Harper and Row, 1962.

RENWICK, A. M. "I and II Samuel" *The New Bible Commentary*. Editado por Francis Davidson, *et al.* Grand Rapids, Michigan: Wm. B. Eerdmans Publishing Co., 1956.

RUST, Eric C. *The First and Second Books of Samuel*. "The Layman's Bible Commentary", Vol. VI. Richmond, Va.: John Knox Press, 1961.

SCHROEDER, John C. "The First and Second Books of Samuel" (Exposição). *The Interpreter's Bible*. Editado por George A. Buttrick, *et al.*, Vol. II. Nova York: Abingdon Press, 1953.

SIMPSON, A. B. *Samuel, Kings and Chronicles*. "Christ in the Bible", Vol. V. Harrisburg, Pa.: Christian Publications, s.d.

SMITH, Henry Preserved. *A Critical and Exegetical Commentary on the Books of Samuel*. "International Critical Commentary". Nova York: Charles Scribner's Sons, 1899.

SMITH, R. Payne. "II Samuel" (Exposição). *The Pulpit Commentary*. Editado por H. D. M. Spence e Joseph S. Exell. Nova Edição. Chicago: Wilcox and Follett, s.d.

SNAITH, Norman H. *Notes on the Hebrew Text of II Samuel 16-19*. Nova York: Abingdon Press, 1945.

SPENCE, H. D. M. "I Samuel". *Commentary on the Whole Bible*. Editado por Charles John Ellicott, Vol. II. Grand Rapids, Michigan: Zondervan Publishing House, n.d. (reimpressão).

TERRY, M. S. "Books of Judges to II Samuel". *Commentary on the Old Testament*. Editado por D. D. Whedon. Vol. III. Nova York: Nelson and Phillips, 1877.

WILLIAMS, George. *The Student's Commentary on the Holy Scriptures*. Grand Rapids, Michigan: Kregel Publications, 1949.

YOUNG, Fred E. "I and II Samuel". *The Wycliffe Bible Commentary*. Editado por Charles Pfeiffer E E. F. Harrison. Chicago: Moody Press, 1962.

II. OUTROS LIVROS

ALBRIGHT, William F. *Archaeology and the Religion of Israel*. Baltimore: The Johns Hopkins Press, 1942.

— *The Archaeology of Palestine*. Londres: Pelican Books, 1956.

BAAB, Otto F. *Theology of the Old Testament*. Nova York: Abingdon-Cokesbury Press, 1949.

BARTON, George A. *Archaeology and the Bible*. Filadélfia: American Sunday School Union, 1937.

BLACKWOOD, Andrew W. *Preaching from Samuel*. Nova York: Abingdon-Cokesbury Press, 1946.

BRIGHT, John. *A History of Israel*. Filadélfia: Westminster Press, 1959.

DRIVER, Samuel R. *Notes on the Hebrew Text and the Topography of the Books of Samuel*. Segunda Edição. Oxford: Clarendon Press, 1913.

FREE, Joseph P. *Archaeology and Bible History*. Wheaton, Il.: Van Kampen Press, 1950.

GEIKIE, Cunningham. *Hours with the Bible*, Vol. III. Nova York: James Pott, Publisher, 1883.

HASTINGS, James. *The Great Texts of the Bible: Deuteronomy to Esther*. Nova York: Charles Scribner's Sons, 1911.

HEINISCH, Paul. *Theology of the Old Testament*. Collegeville, Minn.: Liturgical Press, 1950.

OWEN, G. Frederik. *Archaeology and the Bible*. Westwood, N.J.: Fleming H. Revell, 1961.

PRITCHARD, James Bennett. *Archaeology and the Old Testament*. Princeton: Princeton University Press, 1958.

PURKISER, W. T., et al. *Exploring the Old Testament*. Kansas City: Beacon Hill Press, 1955.

SHORT, Arthur Rendle. *Archaeology Gives Evidence: Bible History and Eastern Discovery*. Londres: Tyndale Press, 1951.

SINCLAIR, Lawrence A. *An Archaeological Study of Gibeah (Tell el-Ful)*. New Haven: American Schools of Oriental Research, 1960.

THOMPSON, J. A. *The Bible and Archaeology*. Grand Rapids, Michigan: Wm. B. Eerdmans Publishing Co., 1962.

UNGER, Merrill F. *Archaeology and the Old Testament*. Grand Rapids, Michigan: Zondervan Publishing House, 1954.

URQUHART, John. *The New Biblical Guide,* Vol. V. Hartford: The S. S. Scranton Co., s.d.

WRIGHT, G. Ernest. *Biblical Archaeology*. Filadélfia: Westminster Press, 1957.

III. ARTIGOS

AALDERS, G. Ch. "The Historical Literature". NBC, pp. 31-37.

BURROWS, Millar. "Jerusalem". IDB, Vol. *E-J*, pp. 843-66.

CHAPMAN, J. B. "Editorial Comments". *Herald of Holiness*, XVI, No. 8 (18 de maio de 1927), p. 4.

DOUGLAS, J. D. "Goliath". NBD, p. 481.

JONES, T. H. "David". NBD, pp. 294-96.

KITCHEN, K. A., e MITCHELL, T. C. "Chronology of the Old Testament". NBD, pp. 212-23.

KLINE, M. G. "Hebrews". NBD, pp. 511-12.

MARTIN, W. J. "Samuel". NBD, pp. 1.134-39.

MOYTER, J. A. "Anointing, Anointed". NBD, p. 29.

— "Urim and Thummim". NBD, p. 1.306.

MYERS, J. M. "David". IDB, Vol. *A-D*, pp. 771-82.

— "Saul". IDB, Vol. *R-Z*, pp. 228-33.

PAYNE, D. F. "Jerusalem". NBD, pp. 614-20.

Szikszai, S. "I and II Samuel". IDB, Vol. *R-Z*, pp. 202-9.
Unger, Merrill F. "Nazarite". *Unger's Bible Dictionary*. Chicago: Moody Press, 1957, pp. 779,80.
Wiseman, Donald J. "Weights and Measures". NBD, pp. 1.319-25.

Os Livros de
REIS

Harvey E. Finley

Introdução

Os dois livros intitulados 1 e 2 Reis em nossas bíblias eram originalmente um único texto, e eram os últimos na lista dos "primeiros profetas" do cânon hebraico. A divisão em duas partes ocorreu na Septuaginta, a primeira tradução do Antigo Testamento – uma tradução grega. As duas partes foram ali chamadas de Terceiro e Quarto Reino. O meio-termo entre este e o título hebraico é a Vulgata, III e IV "de Reis". Esta divisão nas bíblias hebraicas impressas é primeiramente encontrada na Primeira Bíblia Rabínica de 1517, de Daniel Bomberg[1].

A. Conteúdo e Estilo

O conteúdo de 1 e 2 Reis é uma outra narrativa e uma interpretação teológica dos acontecimentos significativos na história de Israel, do encerramento do reinado de Davi até a queda de Jerusalém, com uma nota final sobre a libertação de Joaquim, da prisão. Assim, esta narrativa é principalmente uma síntese e interpretação: (1) do restante do reinado de Davi não tratado em 2 Samuel; (2) do reinado de Salomão (1 Rs 1.1-11.41); (3) da divisão (1 Rs 12); (4) dos reinados dos monarcas dos dois reinos divididos (1 Rs 12–2 Rs 17); e (5) dos reinados dos demais reis de Judá (2 Rs 18–25). Várias vezes o relato do reinado de um rei em particular contém incidentes do encontro dele com um profeta ou profetas; por exemplo, os encontros de Acabe com Micaías e Elias.

Várias referências a todos os reis deixam claro que o historiador fez uso das fontes disponíveis. Três são especificamente mencionadas: (1) "O Livro da História de Salomão" (1 Rs 11.41); (2) "O Livro das Crônicas dos Reis de Israel" é mencionado pela primeira vez no final do relato do reinado de Jeroboão (1 Rs 14.19), mas é citado diversas vezes depois disso; (3) "O Livro das Crônicas dos Reis de Judá" é referido pela primeira vez no final do relato do reinado de Roboão, mas também é regularmente mencionado no final dos relatos dos reinados de outros reis judeus[2].

Os relatos dos reinados dos reis posteriores a Salomão são geralmente incluídos em uma estrutura literária do historiador. Esta estrutura é usada pela primeira vez no relatório do reinado de Roboão. Em sua forma mais simples, ela consiste de três partes:

(1) A fórmula introdutória: "Roboão, filho de Salomão, reinava em Judá..." (1 Rs 14.21) – a idade em que o rei iniciou o seu reinado, a duração de seu reinado, e também o nome da rainha mãe.

(2) Segue então o relato dos acontecimentos significativos do reinado, ao menos os eventos que o historiador quis incluir para o seu propósito (para Roboão, veja 1 Rs 14.22-28).

(3) A última parte é a fórmula final: "Quanto ao mais dos atos de Roboão e a tudo quanto fez..." (1 Rs 14.29-31), inclusive a referência ao lugar de sepultamento e o nome do seu sucessor.

A mesma estrutura em geral é usada para os reis do Reino do Norte, exceto que a fórmula introdutória não inclui a idade do rei na época de sua ascensão ao trono, nem o nome de sua mãe (cf. 1 Rs 15.25-32; 15.33-16.7; *et al.*).

B. Autoria e Data

Os livros de 1 e 2 Reis, como a maioria dos livros do Antigo Testamento, são anônimos. Qualquer proposta com relação à data da redação e da autoria deve permanecer como matéria de conjectura. A tradição diz que Jeremias escreveu o Livro de Jeremias, o Livro de Reis e Lamentações. Há vários pontos que tornam esta tradição atrativa. A ênfase em parte de Reis e a interpretação da história da monarquia são as mesmas que as de Jeremias. Também 2 Reis 24.18-25.30 é quase idêntico a Jeremias 52.1-34. No entanto, a autoria de Jeremias como a de Reis é raramente defendida por estudiosos bíblicos[3].

As propostas com relação à autoria e à data para a maior parte dos estudiosos estão dentro do contexto de análise literária moderna do Pentateuco, ou vitalmente associadas a ela. Norman Snaith, por exemplo, propôs que 1 e 2 Reis passaram por duas edições; a primeira por volta de 609 a.C., e a segunda em torno de 550 a.C., e que notações menores as completaram um século mais tarde ou ainda posteriormente[4].

G. Ernest Wright, por outro lado, influenciado pelos estudos de Martin Noth e de Gerhard von Rad, tomou a posição de que os livros de Deuteronômio até Reis (exceto Rute) representam uma das três maiores obras literárias do Antigo Testamento. Esta obra é chamada de "História Deuteronômica". Sua opinião é que esta grande seção histórica – em sua utilização de fontes e em seu "ponto de vista deuteronômico" comum e básico – não é a obra de várias pessoas ou de uma escola de historiadores, mas, antes, a obra de um só escritor. Este historiador escreveu brevemente depois do último incidente registrado, isto é, após 561 a.C.[5]

Existem alguns pontos desta segunda abordagem que a tornam mais favorável do que a descrita antes, particularmente a ênfase sobre a obra de um único autor. Este ponto de vista se move na direção da tradição. Estas opiniões são tentativas sérias e eruditas de se desembaraçar os detalhes escondidos no que diz respeito à autoria e à data; porém, são insatisfatórias em muitos aspectos. A única sugestão que pode ser feita com uma certeza razoável, é que um historiador desconhecido para nós hoje utilizou várias fontes a fim de interpretar os acontecimentos da monarquia do ponto de vista da aliança de Deus com o povo hebreu. Ele escreveu durante o período do exílio, pouco depois de 561 a.C.[6]

C. Ponto de Vista e Propósito Teológico

Os livros de 1 e 2 Reis não são uma narrativa no sentido habitual, mas, antes, a história escrita a partir de um ponto de vista "teológico" específico, com um propósito específico em mente. O historiador compreendia que a aliança de sua nação remontava ao tempo de Moisés, ou até antes, ao período de Abraão. Ele percebeu que isto significava, por um lado, um privilégio como um povo chamado para ser um "reino sacerdotal" e um "povo santo" (Êx 19.6; cf. Am 3.2); e, por outro, uma responsabilidade como uma nação que deveria ser um "povo santo" ou uma "nação santa" (Êx 19.6).

A responsabilidade da aliança era aparentemente a principal preocupação do historiador ao avaliar a monarquia. Ele viu isso como o chamado de Deus para uma vida de obediência em termos de santidade tanto negativa como positiva[7]. É a obediência dentro do contexto do chamado para a santidade que é enfatizada em Deuteronômio[8], e este se tornou o critério que o historiador aplicou aos mandatos dos reis. Assim, este propósito, sob certo ponto de vista, era avaliar o reinado de cada um em termos do princípio da obediência, ou em termos do chamado à santidade.

O propósito do historiador a partir de outro ponto de vista era mostrar que a promessa a Davi (2 Sm 7.12-16) estava sendo ou seria cumprida. Ele se referiu diversas vezes à "lâmpada" deixada a Davi em Jerusalém (1 Rs 11.36; 15.4). Além disso, ele viu na duração mais longa de Judá uma indicação significativa da promessa a Davi de manter a lâmpada acesa. No entanto, foi gerada uma tensão pelo fato de Judá cair por causa da desobediência, um fato que o historiador não menosprezou. Como foi sugerido por alguns comentadores, ele incluiu a menção da libertação de Joaquim da prisão como um sinal de que Deus não havia se esquecido de sua promessa a Davi. Ele nutria a esperança do cumprimento desta promessa, embora Deus, em sua providência, tenha determinado que ele não veria como esta seria cumprida.

D. Quanto à Cronologia

Os Livros dos Reis, com seu relato fluente e sincronizado dos mandatos dos governantes do reino dividido apresentam alguns problemas cronológicos muito complexos. Existem várias discrepâncias aparentes que há muito tempo têm sido reconhecidas, mas que há muito tempo elas têm estado sem uma solução. Estudiosos interessados têm sido desafiados por estes problemas e têm sugerido várias cronologias como soluções. Um dos estudos mais significativos da atualidade, no qual têm sido dadas várias soluções plausíveis para estes problemas, é a obra "The Chronology of the Kings of Israel and Judah", *Journal of Near Eastern Studies* (JNES), 1945, pp. 137-86, de Edwin R. Thiele. É a cronologia dele, ligeiramente modificada, que aparece no final deste volume e que será utilizada ao longo de todo o comentário sobre 1 e 2 Reis[9].

Esboço

I. **REINO UNIDO: SOB A "CASA DE DAVI"** 1 REIS 1.1–11.43

    A. O Final do Reinado de Davi, 1.1–2.12
    B. Salomão Executa as Instruções de Davi, 2.13-46
    C. A Sabedoria e a Grandeza de Salomão, 3.1–4.34
    D. Salomão Constrói o Templo, 5.1–7.51
    E. Salomão Dedica o Templo, 8.1–9.9
    F. O Esplendor do Reino de Salomão, 9.10–29
    G. Apostasia e Declínio, 11.1-43

II. **OS DOIS REINOS: SUAS HISTÓRIAS SINCRONIZADAS**, 1 REIS 12.1–2 REIS 17.41

    A. Divisão: Revolta em Siquém, 12.1-24
    B. O Reinado de Jeroboão em Siquém e Tirza, 12.25–14.20
    C. O Final do Reino de Reoboão, 14.21-31
    D. A "Casa de Davi em Jerusalém", 15.1-24
    E. Instabilidade no Reino do Norte, 15.25–16.28
    F. Acabe, da "Casa de Onri," 16.29–22.40
    G. O Reinado de Josafá, 22.41-50
    H. O Reinado de Acazias, 1 Reis 22.51–2 Reis 1.18
    I. Narrativa de Elias–Eliseu, 2 Reis 2.1-25
    J. O Reinado de Jorão, 3.1-27
    L. O Reinado de Jeorão, 8.16-24
    M. O Reinado de Acazias, 8.25-29
    N. Ascensão e Reinado de Jeú, 9.1–10.36
    O. O reinado de Atália, 11.1-20
    P. O Reinado de Joás, 12.1-21
    Q. O Reinado de Jeoacaz, 13.1-9
    R. O Reinado de Jeoás, 13.10-25; 14.15,16
    S. O Reinado de Amazias, 14.1-14,17-22
    T. O Reinado de Jeroboão, 14.23-29
    U. O Reinado de Azarias, 14.22; 15.1-7
    V. A Fraqueza do Reino do Norte, 15.8-31
    W. O Reinado de Jotão, 15.32-38
    X. O Reinado de Acaz, 16.1-20
    Y. O Reinado de Oséias, 17.1-6
    Z. As Razões da Derrota, 17.7-23
    AA. Os Povos Estabelecidos nas Cidades de Samaria, 17.24-41

III. **UM REINO: JUDÁ CONTINUA SOZINHO**, 2 REIS 18.1–25.30

    A. O Reinado de Ezequias, 18.1–20.21
    B. O Reinado de Manassés, 21.1-18
    C. O Reinado de Amom, 21.19-26

D. O Reinado de Josias, 22.1-23.30
E. O Reinado de Jeocaz, 23.31-35
F. O Reinado de Jeoaquim, 23.36–24.7
G. O Reinado de Joaquim, 24.8-17
H. O Reinado de Zedequias, 24.18–25.7
I. Jerusalém é Saqueada pelos Babilônios, 25.8-17
J. Outra Deportação, 25.18-21
K. Gedalias é Designado Governador, 25.22-26
L. Joaquim é Libertado da Prisão, 25.26-30

Seção I

REINO UNIDO: SOB A "CASA DE DAVI"

1 Reis 1.1—11.43

A primeira parte de 1 Reis é o tratamento que dá o historiador ao governo de Salomão, que depois do reinado de Davi foi o mais importante do período de unidade política. A informação relativa a Davi serve ao propósito de finalizar o relato de seu governo e, ao mesmo tempo, iniciar o relato do reinado de Salomão. Este último talvez tivesse prioridade no pensamento do historiador, pois o seu extenso tratamento do governo de Salomão indica que ele o considerava muito importante, até mesmo crucial. Parece que ele acreditava que o reinado de Salomão ilustrava os dois aspectos da ênfase básica de Deuteronômio (cf. Introdução)[1].

A. O Final do Reinado de Davi, 1.1—2.12

Salomão estava completamente estabelecido como rei antes da morte de seu pai. Os detalhes sobre como isto aconteceu foram provavelmente tomados pelo narrador da história da corte de Davi[2]. Visto que "a lei da primogenitura" (pela qual o filho primogênito deveria ser o sucessor de seu pai como rei) ainda não estava completamente reconhecida, e sempre existia a possibilidade de que Deus pudesse fazer uma escolha diferente da lei, Salomão é apresentado tanto como a escolha de Davi – ignorando a primogenitura – e como aquele que Deus desejava que sucedesse a seu pai no trono.

1. *O Declínio da Saúde de Davi* (1.1-4)[3]

O passar do tempo não abre exceções, nem mesmo para o grande rei Davi. Ele tinha quase setenta anos e a sua força física tinha diminuído devido aos seus sofrimentos passados, assim como a causas naturais. Ele tinha dificuldade para manter o corpo a uma temperatura normal. Primeiramente, os seus criados o cobriram com cobertores (1), mas isso não adiantou. Então, de acordo com o costume, eles procuraram uma virgem cujo corpo pudesse transmitir calor ao rei enfermo (2-4). A jovem escolhida foi **Abisague** (3) de Suném – identificada com a aldeia árabe Sulem (Solem). Esta se localizava no declive noroeste de *Jebel ad-Dahy*, diante do vale Esdraelom, aproximadamente onze quilômetros de Nazaré (cf. Js 19.18).

2. *Adonias Tenta Tornar-se Rei* (1.5-10)
A escolha de Deus e a declaração de Davi sobre o próximo rei eram, evidentemente, conhecidas por Adonias e muitos outros na corte. Apesar disso, como outras pessoas agiriam, Adonias imprudentemente decidiu ir contra a vontade de Deus e seguir o seu próprio caminho. Ele fez planos detalhados, e na época apropriada convocou seguidores para se estabelecer como o próximo rei de Israel. Filho de Hagite, uma das muitas esposas de Davi (cf. 2 Sm 3.4), ele era aparentemente o filho vivo mais velho de Davi, e tinha a primogenitura a seu favor. Deus, no entanto, decidiu ignorar o costume; Adonias não aceitou isto.

a. Adonias exaltou-se a si mesmo (1.5-8). A decisão de se andar em seu próprio caminho ao invés de se submeter à vontade de Deus é auto-exaltação, e esse espírito freqüentemente resulta em uma tendência estabelecida na vida. Isto era verdadeiro no caso de Adonias. Ao exaltar-se a si mesmo, ele seguiu o exemplo de Absalão (cf. 2 Sm 15.1ss). Propositadamente, ele se apresentou como um personagem da realeza, com seus próprios carros, cavaleiros e homens que corriam diante dele. Ao contar com um histórico de disciplina paterna negligente e com a sua formosura (6), ele aparentemente sentiu que Davi, seu pai, não seria empecilho para ele. Adonias procurou a ajuda daqueles que já não gozavam das boas graças de Davi (7): **Joabe**, o antigo comandante do exército do rei (2 Sm 2.13, *passim*); e **Abiatar**, que tinha sido sacerdote leal de Davi no passado (1 Sm 22.20, *passim*). Existem muitas evidências em 2 Samuel de uma crescente discórdia entre Davi e o seu general Joabe (2 Sm 3.23-39; 19.1-8,13; 24.3,4). No entanto, nada se sabe que possa explicar o desafeto de Abiatar, e a sua conseqüente disposição de adotar a causa de Adonias.

Adonias compreensivelmente evitou alguns homens de influência na corte: **Zadoque, o sacerdote** (8) que tinha sido nomeado sumo sacerdote, superior a Abiatar (veja 1 Cr 24.1-6, onde parece haver a base de uma idéia de uma época em que os dois compartilhavam a posição de sumo sacerdote); **Benaia, filho de Joiada**, capitão dos guardas de Davi (2 Sm 23.20-23); **Natã**, provavelmente a voz profética durante a maior parte do reinado de Davi (veja 2 Sm 12.1-15 para a sua destemida condenação do pecado de Davi com Bate-Seba); **Simei e Reí**, sem maiores referências[4]; e os maiores guerreiros ou pessoas importantes do reinado de Davi (veja 2 Sm 20.7)[5].

b. Adonias comemora (1.9-10). Adonias prosseguiu com as cerimônias e os festejos apropriados a uma coroação. **Abiatar, o sacerdote** (7), aparentemente estava ali para ungi-lo. Foram mortos animais com o objetivo primário de proporcionar um banquete conjunto com um sacrifício (cf. o banquete de Absalão, 2 Sm 15.12). O lugar era **a fonte de Rogel** (9) (lit., "o poço do espião" ou "o poço do jorro"), fora dos muros da cidade, além do ponto onde o vale de Cedrom se une ao de Hinom⁶. Não é possível identificar a **pedra de Zoelete**. Este termo significa "serpente" ou "aquilo que rasteja". Adonias também convidou os seus irmãos e meio-irmãos e os da tribo de Judá, na corte de Davi, que ele pensava que o apoiariam (9). Aqueles que se oporiam a ele não foram convidados (10).

3. Natã e Bate-Seba Opõem-se a Adonias (1.11-31)

Natã, o profeta, assumiu a liderança e iniciou uma ação que se opunha à tentativa de Adonias de se tornar rei. Ele entendia que o princípio da escolha divina se aplicava à situação política (veja Dt 17.15, que enfatiza a prioridade da escolha divina com respeito ao reinado em Israel).

Natã percebeu que o movimento de Adonias, se bem-sucedido, significaria uma séria ameaça à vida de Bate-Seba, mãe de Salomão, porque geralmente não havia piedade para com aqueles que faziam parte de um regime político derrotado. Ele insistiu para que Bate-Sabe fosse ver Davi imediatamente. Perante o rei, ela o lembrou de que ele havia declarado previamente que Salomão reinaria depois dele (17); ela também o informou dos movimentos de Adonias.

Quando Natã entrou, ele agiu como alguém que nada sabia; sugeriu que Adonias talvez executasse os desejos de Davi mas que não havia sido informado disso (24-27). Ao iniciar sua declaração com um juramento habitual de confirmação (cf. 1 Sm 14.39) para dar peso às suas palavras, Davi declarou a Bate-Seba e aos demais presentes: **Certamente teu filho Salomão reinará depois de mim** (30). Ela aparentemente havia sido dispensada quando Natã entrou, mas foi chamada de volta (28) para ouvir a promessa do rei.

4. Salomão é Ungido Publicamente em Giom (1.32-40)

Era hora de agir! Davi chamou **Zadoque, Natã** e **Benaia** (32) e lhes deu instruções específicas para assegurar que Salomão seria o rei depois dele. Este evento completo foi comparável ao anúncio público (com a unção implicada) de Saul (1 Sm 10.17-24; cf. 10.1ss., a unção de Saul) e a de Davi (veja 2 Sm 5.3, em Hebrom sobre Israel; cf. 1 Sm 16.11-13, uma unção que o designou como o sucessor de Saul)⁷.

Os **servos** de Davi (33), os **peleteus** (filisteus) e os **quereteus** (38; cf. 2 Sm 8.18) escoltaram Salomão na mula de Davi (que somente o rei poderia montar) até Giom. Este local deveria ser a Fonte da Virgem, fora do muro oriental da cidade, no declive em direção ao vale de Cedrom. Este lugar não pode ser visto da Fonte de Rogel, mas está muito próximo dali, e de lá se ouve o que acontece no outro local. **Benaia, filho de Joiada** (36), como o comandante militar, deu a sua aprovação: **Amém! Assim o diga o Senhor, Deus do rei, meu senhor;** ou "Que assim seja! Que o Senhor, o Deus do meu senhor, o rei, assim o decrete!" (Berk.). **Zadoque**, usando o óleo do tabernáculo, **ungiu a Salomão** (39) à vista daqueles especificamente mencionados, e sem dúvida à vista da multidão curiosa que se reunia ao redor. Esta cerimônia significava a sanção especial divina, assim como a graça de Deus sobre Salomão. Seguiram-se o toque da trombeta, a música de gaitas e os crescentes gritos de aclamação. **Com o seu clamor, a terra retiniu** (40). Salomão então foi conduzido de volta à cidade, para ocupar oficialmente o trono (cf. 35).

Maclaren comenta os versículos 28-39: Vemos na vida de Davi (1) que "o que quer que o homem plante, aquilo é o que ele irá colher"; (2) o doloroso fato de que os partidários em uma ocasião podem desertar o líder escolhido e designado por Deus; (3) o enfraquecimento dos poderes normais com a idade avançada; e (4) o lampejo de fogo que brilhou nos últimos suspiros da vida de Davi.

5. *A Tentativa de Golpe de Adonias Fracassa* (1.41-52)
Localizados como estavam, a pouca distância de Giom e podendo ouvir o que acontecia ali, Adonias e o seu grupo ouviram o tumulto daqueles que aclamavam Salomão como rei. A suspeita de que algo estava errado foi confirmada quando **Jônatas, filho de Abiatar** (42) veio e narrou com detalhes o que havia acontecido em Giom. **Os convidados** (49) de Adonias procuraram refúgio, cada um por si, dispersando-se por todos os lados. Adonias, desesperado, fugiu para o altar diante da arca do concerto e agarrou as suas pontas. Ele esperava que a santidade do altar pudesse conferir-lhe uma proteção especial. Salomão foi misericordioso, com a condição de que ele fosse **homem de bem** (52); especificamente, que ele contivesse o impulso de novamente tentar usurpar o trono. **O rei se inclinou no leito** (47) – Davi estava na cama, mas adorou ao Senhor quando recebeu a notícia da coroação de Salomão.
"Um refúgio a salvo da ira" é vividamente ilustrado nos versículos 50-53; (1) A rebelião de Adonias, 1.5-21; (2) o refúgio de Adonias, **as pontas do altar**, 50; (3) a suspensão temporária da sentença de Adonias, 51-53.

6. *As Últimas Palavras de Davi a Salomão* (2.1-9)
"Aos homens está ordenado morrerem uma vez" (Hb 9.27) são palavras que se podem aplicar a Davi, mesmo registradas nas Escrituras somente muitos séculos depois. A consciência da aproximação da morte pode evocar a expressão dos mais elevados pensamentos, dos mais profundos arrependimentos ou das mais graves preocupações. Para Davi, foi a expressão de grandes preocupações: em primeiro lugar, pelo crescimento moral e espiritual do reino; e, em segundo lugar, pela estabilidade política dos domínios.

a. O conselho para ser obediente (2.2-4). A principal preocupação de Davi era a de que Salomão tivesse uma vida santa, e desta forma conduzisse o povo de Israel à santidade. O idoso rei percebia que o crescimento moral e espiritual, com o desenvolvimento de uma vida santa, só era possível através da obediência àquilo que havia sido revelado por Moisés. Esta revelação colocava Salomão e o povo de Israel sob a responsabilidade, perante Deus, de andar **nos seus caminhos** (3): (*a*) **seus estatutos**, algo prescrito que mais tarde se torna uma prática costumeira (cf. Êx 30.21; Lv 10.13,14); (*b*) **seus mandamentos**, que se referem primeiramente ao Decálogo (o *debarim*, Êx 20.1-17) e também, em um sentido mais amplo, às instruções da lei Mosaica; (*c*) **seus juízos** (*mishpatim*, literalmente, "julgamentos" ou "decretos"); eram decisões da corte com respeito a casos específicos; as leis do tipo "se... então" encontradas principalmente em Êxodo 21.1–23.5; (*d*) **seus testemunhos**, aplicáveis em um sentido específico aos Dez Mandamentos (Êx 31.18), mas em um sentido geral a qualquer comportamento que sirva como testemunho a Deus (veja Sl 19.7; 119.88). A obediência, exemplificando a vida de santidade, era a condição para viver uma vida rica e plena – honrando a Deus e prosperando. A obediência também era a condição para o cumprimento da promessa: **Nunca... te faltará sucessor ao trono de Israel** (4; cf. 2 Sm 7.12-16).

b. Preocupação com determinados indivíduos (2.5-9). Outra grande preocupação de Davi era a de que Salomão começasse o seu reinado adequadamente, dando atenção a assuntos que ele mesmo, por várias razões, havia negligenciado:
(1) **Joabe** (5,6). Davi lembrou particularmente a maneira como Joabe tinha se encarregado de matar Abner (2 Sm 3.27) e a maneira injustificada como ele impulsivamente tinha assassinado Amasa (2 Sm 20.8-10). Com esses atos, Joabe havia manchado de sangue a vida do rei, porque Davi fora responsável pela segurança daqueles homens. Superficialmente, esta passagem parece refletir um espírito vingativo, mas existem circunstâncias atenuantes. Pelos interesses da justiça, Davi era obrigado a punir Joabe, mas nunca conseguiu fazê-lo. Portanto, havia um espectro ameaçador do passado; a justiça não havia sido feita. Ele instruiu Salomão para que punisse Joabe de acordo com os seus crimes.
(2) **Os filhos de Barzilai** (7). Barzilai de Maanaim havia dado a Davi uma ajuda valiosa durante a revolta de Absalão (cf. 2 Sm 17.27-29). O rei deu instruções para que os filhos deste amigo fossem considerados convidados especiais da corte. Esta foi a maneira encontrada para tentar recompensar a amizade que lhe fora mostrada pelo pai. Davi não havia ficado satisfeito com o que ele mesmo fizera (2 Sm 19.31-40). Barzilai supostamente já teria morrido e o rei estava à beira da morte. A amizade de uma geração anterior deveria ser perpetuada pela geração posterior.
(3) **Simei** (8,9). Ao lembrar-se de outra pessoa de seu passado, Davi deu a Salomão instruções para lidar com **Simei, filho de Gera** (8), de acordo com o seu erro, até mesmo a ponto de executá-lo, caso necessário. Simei havia tratado Davi sem o devido respeito (2 Sm 16.5-13). Naquela ocasião, como também mais tarde (2 Sm 19.18-23) Davi não tinha permitido que os seus homens o punissem. O caso não era tanto contra o rei, a pessoa, mas sim contra Davi, o "ungido". Ele próprio lamentava profundamente este caso. Ele tinha tido o cuidado de não levantar um dedo contra Saul como o ungido de Deus (1 Sm 26.6-12; cf. a resposta de Davi à observação de Abisai, em 2 Sm 19.21-23). Davi tinha jurado que ele mesmo nada faria contra Simei. Mas a causa da justiça não fora completamente respeitada no caso de alguém que havia agido contra o "ungido" do Senhor. Por isso Davi deu instruções a Salomão para lidar com a situação que, perante os olhos de muitos, não fora correta.

7. A Morte depois de um Reinado de Quarenta Anos (2.10-12)
O sepulcro do rei, a **Cidade de Davi** (10) foi o monte Sião. Pedro, no dia de Pentecostes, referiu-se ao túmulo como ainda existente (At 2.29). Os quarenta anos do reinado de Davi dividiram-se em **sete anos... em Hebrom** (11) e trinta e três em **Jerusalém** (cf. 2 Sm 5.4,5; 1 Cr 3.4).

B. SALOMÃO EXECUTA AS INSTRUÇÕES DE DAVI, 2.13-46

Duas pessoas mencionadas por Davi juntamente com Abiatar, que também estavam entre os opositores a Salomão, foram tratadas segundo o julgamento de Salomão. Elas foram para o novo monarca uma prova crucial no início de seu reinado. Os seus atos não estão de acordo com os padrões do Novo Testamento e devem ser compreendidos, levando-se em conta os padrões da época.

1. O Pedido de Adonias é Negado (2.13-25)

Apesar de admitir que o reino fora dado a Salomão **pelo Senhor** (15), Adonias ainda não estava satisfeito. Continuou a dar lugar a ambições pessoais e egoístas. A sua vida ilustra a antiga história do homem rebelde: isto é, sabe qual é a vontade de Deus, mas não a aceita.

O pedido de Adonias, que Abisague lhe fosse concedida como esposa, feito por intermédio de Bate-Seba, parece ter sido inocente, mas provavelmente não o foi. Ao requisitar Abisague, ele executava outro sutil movimento para usurpar o trono. Como ela fazia parte do harém real, o pedido, se concedido, teria estabelecido uma abertura para prosseguir e, no final, destituir Salomão. De acordo com os costumes da época, aquele que obtinha a posse do harém de um rei antecessor, é porque havia subjugado aquele governante (cf. 2 Sm 3.6-11; 16.22).

Bate-Seba pode ter sido ingênua com respeito ao pedido de Adonias; Salomão não o foi. Agitado e irritado, ele lhe lançou estas palavras: **Pede também para ele o reino** (22). A promessa de conceder-lhe o pedido (20) não incluía a única coisa que não podia conceder. O pedido de Adonias implicava em traição; ele não se mostrava uma pessoa de bem, como Salomão lhe recomendara anteriormente (1.52). Ele forçava o rei a tomar uma atitude que decidira não realizar depois da tentativa de golpe na Fonte de Rogel. Salomão então ordenou a Benaia que o matasse.

2. Abiatar (2.26,27)

A oposição de Abiatar a Salomão não podia passar despercebida, embora não seja mencionado nas instruções de Davi. Ele havia sido um grande amigo do rei, e talvez tenha estado entre aqueles que levaram **a arca do Senhor** (26) até Davi quando foi trazida a Jerusalém (cf. 2 Sm 6.12-19). Por ser um sacerdote, era "ungido ao Senhor". Salomão, portanto, mostrou clemência, embora fosse **digno de morte** – do castigo da morte. **Anatote**, o lugar de seu exílio, era uma cidade sacerdotal; no futuro seria a residência de Jeremias (Jr 1.1). Seu nome foi preservado em Anata, uma aldeia a cinco quilômetros ao norte de Jerusalém. No entanto, *Tell Ras el Kjarrubeh*, próximo de um quilômetro de distância, era o lugar da Anatote dos tempos passados, antes da chegada dos israelitas[8]. O exílio representava, para Abiatar, o fim de seus deveres sacerdotais e também o da linhagem de Itamar, o sumo sacerdócio. Assim se cumpriu a predição relativa à casa de Eli, que era desta família (cf. 1 Sm 2.27-36)[9].

3. Joabe é Executado (2.28-34)

Nas ordens de Salomão de prender e executar Joabe, o assunto não era meramente uma vingança pessoal. Basicamente era uma questão de justiça. Enquanto permaneceu sem punição, havia culpa em Davi; e a responsabilidade por essa falta foi transmitida a Salomão, seu sucessor, uma vez que o rei morto não tinha sido capaz de removê-la. A ação punitiva apropriada contra Joabe removeria essa culpa para colocá-la **sobre a cabeça dele** (33). Nesta situação, a santidade das pontas do altar não ofereceu refúgio a Joabe como tinha oferecido anteriormente a Adonias (cf. 1.52). **Em sua casa, no deserto** (34): "ele foi enterrado na sua própria casa, na região de Judá" (Moffatt).

4. Benaia e Zadoque São Nomeados por Salomão (2.35)
Aqui a referência a **Benaia** e a **Zadoque** interrompe a narrativa até certo ponto, mas é feita para indicar as substituições dos homens cujas posições estavam desocupadas, devido ao exílio e à execução. Estas foram as primeiras nomeações oficiais de Salomão: Benaia substituiu Joabe como comandante do exército; Zadoque agora era a única pessoa reconhecida como sumo sacerdote (cf. 2 Sm 20.25). **Em lugar de** significa "ocupando o lugar de Abiatar" (Berk.).

5. Simei é Restrito a Jerusalém (2.36-46)
Simei vivia em Baurim, uma aldeia no território de Benjamim, a pouca distância de Jerusalém (a moderna *Ras et-Tmim*, a leste do monte Scopus). Ele tinha amaldiçoado Davi, "o ungido do Senhor", além de envolver-se em atos de traição na época da revolta de Absalão (2 Sm 16.5). Salomão mostrou misericórdia, embora deixasse claro que Simei deveria viver em Jerusalém em uma espécie de prisão domiciliar. Desta forma, precisava estar sob constante vigilância, separado dos seus parentes e sem a possibilidade de liderar uma revolta nem de participar de alguma, como já havia feito no tempo de Davi.
O ribeiro de Cedrom (37) é especificamente mencionado porque seria só questão de cruzá-lo e Simei poderia ir para a sua casa. Por outro lado, Jerusalém era uma cidade de refúgio para ele; enquanto permanecesse ali, ele receberia misericórdia. Ao ouvir as condições, Simei respondeu: **Boa é essa palavra** (38). Esta era uma segunda oportunidade, uma suspensão da execução, para ele. No entanto, prejudicou a sua reivindicação de misericórdia quando saiu em perseguição aos seus servos que tinham fugido. Ele apostou a sua vida pelo valor de dois escravos, e perdeu. Ousou arriscar tudo por algo que, comparativamente, tinha pouco valor. A expressão **toda a maldade que o teu coração reconhece** (44) pode ser entendida como: "O seu coração bem conhece toda a maldade que você fez ao meu pai Davi" (Moffatt).

6. O Reino é Estabelecido (2.46)
E assim foi confirmado o reino na mão de Salomão. Esta afirmação é feita também em 2.12, depois que ele resolveu alguns problemas preocupantes, e provou estar mais do que capacitado para a tarefa. Em cada ocasião ele agiu sabiamente e mostrou um senso de justiça oportuno. A maldição de Simei foi removida. A bênção de Deus sobre Salomão era evidente desde os seus primeiros empreendimentos.

C. A SABEDORIA E A GRANDEZA DE SALOMÃO, 3.1—4.34

O texto destes capítulos varia consideravelmente em conteúdo e em estilo. Consiste de uma miscelânea de extratos de uma fonte principal, "o livro da história [ou dos atos] de Salomão" (11.41). O narrador acrescenta seus comentários com o intuito de apresentar Salomão como uma pessoa sábia, pois sua sabedoria era o sinal mais evidente das bênçãos de Deus sobre ele.

1. Uma Aliança com o Egito (3.1)[10]
Salomão fez uma aliança política com o Egito por meio de seu casamento com uma princesa egípcia, talvez a filha do último governante da 21ª Dinastia. Os acordos entre

as nações eram costumeiramente selados por um casamento real[11]. A aliança era aparentemente vantajosa para os egípcios, uma vez que Israel era a nação mais forte daquela época. Sem dúvida, ele abrangia atividades de comércio que constituíam uma parte importante do reinado de Salomão (cf. 10.26-29). Este casamento não foi contra a lei Mosaica; somente a união com mulheres de Canaã era especificamente proibida (Êx 34.11-16; Dt 7.1-5). O casamento com uma mulher estrangeira era permitido se ela renunciasse os seus deuses e confessasse a sua fé no Deus de Israel (Dt 21.10-14).

O narrador comenta que a filha de Faraó viveu em uma casa na **cidade de Davi** até a conclusão do palácio, do Templo e da muralha de Jerusalém (veja adiante, a discussão de Milo, 9.15; também 2 Sm 5.9). Posteriormente, ela obteve um lugar de morada mais apropriado (cf. 7.8).

2. A Adoração nos Lugares Altos (3.2,3)

Estes dois versículos relatam as condições existentes antes da construção do Templo. **O povo sacrificava sobre os altos** (2); Salomão também **sacrificava e queimava incenso** (3) nos altos. **Altos** (*bamah*) referiam-se às vezes a uma elevação ou colina onde os israelitas adoravam a Deus. Tinha uma conotação puramente geográfica. Também se aplicava aos locais de adoração dos cananeus antes que os israelitas ocupassem a região, e em outros casos, a tais localidades depois que Israel já havia se fixado na região. Supõe-se, com uma fundamentação considerável, que o lugar alto de Samuel em Ramá (1 Sm 7.15-17; 9.25) e o **alto grande** de Salomão em **Gibeão** (4) eram originalmente locais de adoração dos cananeus, que foram tomados pelos israelitas, modificados e adaptados à adoração a Deus[12].

Esta não foi uma situação satisfatória, se de fato a adoração de Israel tomou esta forma. Ela não estava suficientemente distante da adoração dos cananeus. Apesar disso, foi permitida durante algum tempo, e era aceitável devido à lealdade e obediência dos adoradores em relação a Deus. Aparentemente, é esta a razão pela qual o narrador ressalta o amor e a obediência de Salomão ao mencionar o seu costume de ir ao alto grande oferecer sacrifícios a Deus. A afirmação de que o Templo ainda não fora construído também indica que, quando ele estivesse pronto, a adoração nos lugares altos terminaria. De acordo com Deuteronômio 12.11-14, o Templo era o lugar para a oferta dos sacrifícios, uma vez que era o local de permanência do nome de Deus. No entanto, a prática de sacrifícios nos lugares altos não foi completamente eliminada até algum tempo depois da conclusão do Templo. Até mesmo alguns dos reis justos, até a época de Ezequias, a aceitaram (cf. 15.14; 22.43; 2 Rs 12.3; 14.4; 15.4,35; *passim*).

3. A Revelação em Gibeão (3.4-15; cf. 2 Cr 1.1-13)

Gibeão (4) é identificada com *el-Jib*, em torno de dez quilômetros a noroeste de Jerusalém. As escavações realizadas ali desde 1956 por James B. Pritchard revelaram a ocupação dos cananeus desde 2800 a.C., seguida pela extensiva ocupação israelita durante a monarquia hebraica. Encontrou-se um sistema de fornecimento de água comparável àqueles descobertos em Jerusalém, Gezer e Megido; este poderia ser o "tanque de Gibeão" mencionado em 2 Sm 2.13. A identificação foi confirmada graças à recuperação de alças de jarras, encontradas no fundo do "tanque", algumas das quais têm o nome Gibeão (*gb'n*)[13].

Durante a maior parte do reinado de Davi, e nos primeiros anos de Salomão, o Tabernáculo encontrava-se em Gibeão, mas uma tenda foi armada em Jerusalém para ela (2 Cr 1.2-4). Zadoque era o seu sacerdote responsável na primeira localidade (1 Cr 16.39) e Abiatar, no segundo local (2.26). Zadoque veio para a preeminência no final do reinado de Davi. **Os holocaustos** (4) que Salomão oferecia indicavam sua dependência de Deus, e sua devoção a Ele. O grande número de ofertas é explicado pelos muitos líderes de Israel reunidos ali com o novo rei (cf. 2 Cr 1.2). Pode-se deduzir a razão para o sacrifício com base na preocupação expressa na oração de Salomão. Sob sua liderança o povo reuniu-se ali para pedir as bênçãos divinas para o seu reino. Deus honrou a ocasião na noite seguinte, ao aparecer-lhe em um sonho.

Pede o que quiseres que te dê (5) aparentemente é um convite para apresentar qualquer tipo de pedido a Deus. Esta frase inicial pressupõe que os pedidos estarão de acordo com a vontade do Senhor, como nas palavras de Jesus: "Pedi, e dar-se-vos-á" (Mt 7.7). A resposta de Salomão é excepcional e exemplar pelo seu apreço por aquilo que Deus havia feito (6), por sua humildade (7)[14], por seu senso de responsabilidade (8) e por sua preocupação em ter o entendimento e o discernimento apropriados para liderar o seu povo (9). **Porquanto pediste esta coisa** (11), **eis que fiz segundo as tuas palavras** (12). Salomão descobriu o que muitos outros experimentaram depois dele. Ou seja, que Deus não somente atendeu o seu pedido, mas, graciosamente lhe acrescentou mais do que solicitou. Esta grande ocasião exigia os sacrifícios e o banquete para os servos, e que posteriormente foram realizados em Jerusalém (15).

Alexander Maclaren resume os ensinos dos versículos 5-15 sob o título: "A sábia escolha de um jovem que escolheu a sabedoria". Ele destaca: (1) as amplas possibilidades abertas pela oferta divina, 5; (2) a sábia escolha de Salomão ao pedir a sabedoria, 6-9; (3) a grandeza da dádiva de Deus, 10-15.

4. *Um Teste Prático* (3.16-28)

Este acontecimento é incluído para mostrar como Salomão agia corretamente nas situações práticas, e como a sua reputação de rei sábio crescia, como resultado disto. Também mostra que o acesso direto ao rei era permitido a todo o público, até mesmo às prostitutas (cf. 2 Sm 14.4ss.). Aparentemente, era costume em muitas cortes do antigo Oriente Próximo que o rei estivesse disponível para vários assuntos, especialmente em relação aos pobres, aos órfãos e aos oprimidos. Este é o ideal de justiça real refletido nas lendas de *Krt* e *'Aqht* dos textos de Ugarit, encontrados em Ras Shamra[15].

Este é o tipo de preocupação e justiça social que Deus exigia de seu povo (cf. Dt 10.18 e 27.19). É o tipo de justiça defendido por muitos profetas, e a sua falta era denunciada por eles (cf. Is 1.17,23; 9.17; Zc 7.10; Ml 3.5). **Prostitutas** (16) faziam parte das sociedades polígamas do antigo Oriente Médio. Os israelitas refletiam esse fato em respeitá-las e ajudá-las, até essa época. Dois espias de Josué visitaram uma delas, Raabe, que os auxiliou (Js 2.1); as relações de Judá com Tamar (que se disfarçou de prostituta) são narradas fielmente (Gn 38.12-19). **Porquanto se deitara sobre ele** (19), "porque ela se deitou sobre ele" (Berk.). **O seu coração se lhe enterneceu** (26), "o seu coração se comoveu". **Temeu ao rei** (28), "[eles] tiveram medo do rei" (Moffatt).

5. Os Oficiais da Corte de Salomão (4.1-6)

As listas de provedores e vários detalhes relativos à corte de Salomão chamam a atenção a uma das diversas inovações significativas, muitas das quais podem ter tido o seu começo durante o reinado de Davi. Foi por meio dessas melhorias que Salomão colocou o pequeno Estado da antiga Israel no mapa internacional da política e do comércio. **Estes eram os príncipes** (2), literalmente, "seus príncipes", ou seja, os principais funcionários de Salomão. Eles eram chamados "servos" no seu relacionamento com o rei (cf. 3.15) e **príncipes** no seu convívio com o povo. Salomão prosseguiu com o funcionalismo real estabelecido por Davi (cf. 2 Sm 8.15-18, a primeira lista; e 20.23-26, a lista posterior) e o expandiu. Nada é afirmado com respeito à origem do modelo seguido por Davi. Pressupõe-se que, como numerosos cargos dele e de Salomão eram idênticos àqueles da corte egípcia, foi este país que forneceu o modelo[16].

a. O sacerdote: Azarias, filho de zadoque (4.2).

Azarias, filho de Zadoque, sacerdote (2) deve ser interpretado como "Azarias, o sacerdote, filho de Zadoque" – **filho** talvez para significar neto (cf. 1 Cr 6.8,9). No reinado pacífico de Salomão, o primeiro funcionário mencionado é o principal conselheiro. Aqui, como em 2 Samuel 8.18, **sacerdote** significa "conselheiro confidencial". **Sacerdote** significa *"Kohen par excellence"*, isto é, o primeiro ou o principal entre os conselheiros do rei[17]. Uma proposta baseada principalmente na natureza grega e não semita de **Eliorefe** é a de corrigir e interpretar: 'Azarias pelo ano", ou seja, "provedor do calendário"[18].

b. Secretários ou escribas: Eliorefe e Aías (4.3).

O secretário, *Sopher*, era um funcionário importante a partir da época de Davi. Salomão expandiu o cargo para incluir dois secretários oficiais, **Eliorefe e Aías, filhos de Sisa** – o escriba de Davi[19]. Este cargo tinha o seu paralelo em uma função egípcia. Quem o ocupasse tinha sob sua responsabilidade a correspondência doméstica e a estrangeira. Era um cargo com aspectos tanto de um secretário real particular, como de secretário de Estado. Sisa (ou Sausa) é um bom nome egípcio, uma sugestão de que Davi aparentemente foi ao Egito para conseguir um homem treinado para ocupar esta importante posição. Além disso, ao invés de eliminar Eliorefe como um nome próprio, como fizeram, por exemplo, Gray e Montgomery, embora difícil, com a ajuda das versões, o nome pode ser interpretado como "Eliafe". Este é outro nome egípcio e conseqüentemente outra indicação de um possível antecedente egípcio para este cargo[20].

c. O chanceler: Josafá, filho de Ailude (4.3b).

O **chanceler** (3) normalmente é considerado o cargo que tem a ver com os registros e os anais. Curiosamente, a palavra hebraica *mazkir* é a equivalente exata de uma palavra que era o título do brasão real egípcio. No Egito, este era um cargo muito importante. Envolvia os preparativos para as cerimônias reais, a atuação como intermediário entre o rei e os demais, a preparação das viagens do rei e o trabalho em geral como relações públicas da corte. Com base nisto, pode-se deduzir que o cargo era provavelmente importante na corte de Salomão; a pessoa que o ocupasse deveria ser um assessor (uma memória viva) e um preparador, mais do que um mero encarregado dos registros.

d. *"Comandante do exército": Benaia* (4.4). Como já foi mencionado anteriormente (2.35), **Benaia** foi promovido de um mero capitão da guarda real a comandante do exército, em substituição a Joabe.

e. *Os sacerdotes Zadoque e Abiatar* (4.4). Está claro que **Abiatar** já havia sido deposto (2.27,35). Não existe base para se supor que tenha havido um perdão. C. F. Keil, de Theodoret, explica que Abiatar tinha sido destituído da sua função sacerdotal, mas não de sua identidade ou dignidade sacerdotal, uma vez que esta era hereditária[21]. H. L. Ellison sugere que o nome Abiatar aparece aqui como uma prova da "escrita mecânica dos escribas"[22].

f. *"Sobre os provedores": Azarias, filho de Natã* (4.5). **Azarias** era o principal provedor sobre os administradores, cujos nomes e regiões são relacionados subseqüentemente (7-19). **Natã**, o pai de **Azarias** e **Zabude**, era filho de Davi (não o profeta Natã; cf. 2 Sm 5.14). Azarias e Zabude eram, portanto, sobrinhos de Salomão.

g. *Um sacerdote* (também chamado do oficial-mor, ministro de Estado), *amigo do rei: Zabude* (4.5). **Zabude** era um dos conselheiros particulares do rei (veja 2 acima, sobre "Azarias, filho de Zadoque").

h. *O mordomo: Aisar* (4.6). Introduzido por Salomão, este foi um posto permanente na corte de Jerusalém (cf. 18.3; 2 Rs 18.18). Nas referências bíblicas, este provedor está significativamente associado com o palácio, como governador ou como ministro de relações exteriores, e corresponde ao *vizir* ou primeiro-ministro do Egito. Este era o cargo ocupado por José; Faraó lhe disse: "Tu estarás *sobre a minha casa*" (Gn 41.40). A partir do que se conhece a respeito das suas responsabilidades em Gênesis, além dos detalhes de fontes egípcias, muito se sabe a respeito das atribuições do primeiro-ministro. Todas as manhãs ele se apresentava ao rei, a fim de relatar determinados assuntos e receber instruções para aquele expediente. Ele abria os gabinetes do palácio e dava início ao dia público. Ele encaminhava e selava todos os documentos importantes e supervisionava todos os departamentos: justiça, obras públicas, finanças, exército, etc.

i. *"Sobre o tributo"* ou *"superintendente dos que trabalhavam forçados": Adonirão* (4.6). Trata-se provavelmente de Adorão (2 Sm 20.24) do gabinete de Davi. Aparentemente um jovem durante o reinado dele, continuou por todo o governo de Salomão e até o de Roboão (12.18). Uma vez mais, os últimos copistas parecem não ter tido certeza sobre a correta grafia de seu nome.

6. *Indicações para os Novos Distritos* (4.7-19)
Os **doze provedores** (4.7) eram governadores-residentes, e cada um deles administrava a sua província ou o seu distrito para onde fora indicado. A tarefa mencionada especificamente era a de prover alimento para a corte de Jerusalém, cada um deles em um mês em particular. Muito provavelmente, este era o principal objetivo da coleta, porque se entende que eles eram coletores de impostos. Eles também formavam parte do exército permanente, criado na época de Davi, se não durante a

época de Saul; cada um deles tinha o seu contingente de soldados e de carros para proteção contra invasões e para manter a ordem. Aparentemente, eram responsáveis por completar cotas de alistamento, a fim de levar os homens para a força de trabalho ou o serviço militar. Estes provedores se envolviam ativamente em projetos de edificação para as suas próprias cidades, e também em programas do governo e na construção de estradas. As cidades, em alguns casos, são residências reais edificadas e fortificadas de forma elaborada, como por exemplo, a de Baaná, em **Megido** (12). Dois provedores, em distritos mais ao sul, eram genros de Salomão (11 e 15). Aparentemente, isto fazia parte da estratégia do rei para assegurar a lealdade destes colaboradores. Alguns dos nomes existem somente como sobrenomes (**filho de Hur**, 8; ou Ben-Hur; cf. também 10,11 e 13); outros são nomes completos, primeiro nome e sobrenome, por exemplo, **Baaná, filho de Ailude** (12). Uma explicação pode ser a de que a extremidade do pergaminho havia sido danificada e foram perdidos os primeiros nomes de alguns[23].

Dos doze distritos, quase a metade respeitava as antigas fronteiras tribais; o restante necessariamente formava fronteiras completamente novas. O significado da expressão: **e só uma guarnição havia naquela terra** (19) não é claro. Moffatt traduz como "todos estes governadores estavam subordinados a um único chefe"; A versão RSV em inglês diz: "Havia um provedor na terra de Judá"; há versões que trazem o texto: "No território de Judá também havia um administrador".

7. *Salomão Desfruta o Sucesso e a Fama* (4.20-34)

O historiador selecionou materiais de sua fonte principal e adicionou os seus próprios comentários para dar a impressão de que Salomão governava com sabedoria, e que por trás de sua inteligência estava Deus, que lhe tinha dado essa capacidade. Como estão colocadas próximas ao começo da narrativa do reinado de Salomão, entende-se que estas condições se aplicam à parte inicial e, talvez, inclusive, à maior parte do governo dele.

a. Um povo feliz (4.20,25). **Judá** e **Israel** (20), todos os israelitas do reino, somavam mais em população do que em qualquer época anterior. O seu grande número durante os reinados de Davi e de Salomão era visto como o cumprimento da promessa feita aos patriarcas (cf. 20*a* com Gn 22.17 e 28.14). Sua ampla felicidade (20*b*), segurança e satisfação (25) são descritos pelo historiador em uma generalização típica do Oriente antigo. Estas circunstâncias aproximam-se das ideais (cf. Is 36.16 e Mc 4.4) mais do que em qualquer outra época na história de Israel.

b. Domínios extensos (4.21,24). Os extensos domínios que Salomão herdou de Davi (cf. 2 Sm 8.1-14) eram um cumprimento da promessa a Israel, anterior à sua travessia do Jordão (Js 1.3,4). Providencialmente, isso foi possível como resultado da falta de um poder mais forte no antigo Oriente Próximo; este foi o período em que não havia alguém ao longo do Nilo, na Mesopotâmia, nem na Ásia Menor. O governo de Salomão consistia em controlar e manter como vassalos os povos vizinhos, as nações como Filístia, Edom, Moabe, Amom e alguns estados sírios (arameus). Contrariamente às opiniões de alguns estudiosos, como demonstrado por W. F. Albright, os domínios se estendiam desde a região ao sul do Hums, no norte (Chun no mapa; Kunu nos textos egípcios e Roman Conna), até o ribeiro (termo ou fronteira) do Egito, ao sul[24]. O **rio** era o Eufrates. Os **presentes** (21) seriam os tributos exigidos.

c. *Provisões da corte* (4.22,23,26-28). A quantidade diária de alimento para a corte de Jerusalém era de aproximadamente 340 alqueires de farinha fina (*soleth*) e 155 alqueires de farinha (*qemah*)[25]. **Vacas de pasto** (23) – o contrato consistia de "dez vacas gordas, e vinte vacas de pasto". Isto indica o tamanho da corte de Salomão – estima-se que os seus funcionários com as suas famílias e servos somassem cinco mil pessoas ou até mais. Isto, sem dúvida, representava uma carga pesada sobre cada distrito. Os muitos cavalos para os carros, e talvez para a cavalaria, requisitavam mais cevada e mais palha dos distritos (26-28). Os cavalos de Salomão nas cidades dos carros provavelmente totalizavam quatro mil; alguns pensam que quarenta mil parece ser um número muito grande e poderia ser algum erro por parte dos escribas – quatro mil é o número dado em 2 Crônicas 9.25, e que está de acordo com o número de carros (1.400) de 10.26. Embora permaneça a discussão, as investigações arqueológicas só encontraram, até a data, evidências que dão suporte à hipótese do número menor (veja comentários sobre 9.19).

d. *A reputação se espalha e a fama cresce* (4.29-34). Deus fazia grandes coisas por Seu povo. Era inevitável que os demais ouvissem falar sobre a manifestação de seu poder por intermédio de seu servo Salomão, e se sentissem atraídos. Esse parece ser o principal pensamento na mente do historiador, ao falar sobre a reputação de Salomão em tais termos.

O antigo Oriente Próximo podia reivindicar um considerável depósito de sabedoria (*hokma*) antes da época de Salomão. O historiador reconheceu isto quando fez referência a **toda a sabedoria dos egípcios** (30). Como se sabe hoje em dia, isto remonta à era das pirâmides, até mesmo à época de Djozer da pirâmide de Step (aproximadamente 2650-2600 a.C.). Nos tempos de Salomão havia mais gente interessada em sabedoria, como, por exemplo, **todos os do Oriente** (30), ou seja, os edomitas. No entanto, o filho de Davi superou a todos. Sem dúvida, esta é uma justa comparação. Ao considerarmos a supremacia de Israel, Salomão poderia perfeitamente ter sido insuperável na sua época, em termos dos seus interesses pessoais e da sua habilidade para criar enigmas. É atribuída a ele a autoria do salmo 89, um dos cânticos de ensino ou de "sabedoria". **Hemã, Calcol, e Darda [ou Dara], filhos de Maol**, são listados em 1 Crônicas 2.6 como filhos de Zerá junto com Etã. Uma vez que o nome – "filhos" – pode significar "descendentes", não existe necessariamente uma discrepância. Afirma-se que "Hemã, o ezraíta", é o autor do salmo 88, outro dos cânticos de sabedoria. Os **três mil provérbios** (32) proferidos por Salomão podem ser entendidos como elaborados pelo seu interesse em coletar a sabedoria existente, assim como a sua criação de provérbios (*mashalim*). Os 1.005 cânticos (*shirim*) por ele compostos podem ser considerados da mesma forma. Por ser um homem sábio, a sua reputação chamou a atenção de muitos governantes (34), como é demonstrado através da visita da rainha de Sabá (veja adiante, capítulo 10). Salomão, por meio das suas buscas intelectuais, foi humanamente responsável, direta e indiretamente, pela literatura sapiencial da nossa Bíblia – Provérbios, Cantares de Salomão, Eclesiastes, Jó e até mesmo por alguns dos salmos.

D. Salomão Constrói o Templo, 5.1–7.51

Estes capítulos podem dar detalhes dos preparativos e da construção do Templo. Dentre os muitos projetos de Salomão – alguns até mais pretensiosos e elaborados em tamanho – nenhum se compara ao Templo, tanto em beleza como em importância.

1. Os Materiais e os Trabalhadores de Hirão (5.1-18)

Em seu projeto de construção do Templo, Salomão aparentemente prosseguiu a partir do ponto onde Davi havia parado. Ele havia reunido diversos materiais, especialmente cedro do Líbano (cf. 1 Cr 22.1-4). Havia estabelecido a base de cooperação entre os israelitas e os fenícios (de Sidom e de Tiro, etc.) para obter esse cedro selecionado. Essa madeira foi cobiçada pelos reis desde antes de 2000 a.C. em cidades tão distantes como no sul da Mesopotâmia e Tebas, no Nilo. **Hirão** (1) este foi Hirão I (969-936 a.C.), conhecido por fontes fenícias como um conquistador, um grande líder em seu próprio país e construtor de diversos templos em Tiro[26].

Hirão enviou a Salomão uma saudação na época de sua ascensão. Era uma cortesia habitual, mas ele também aproveitou a ocasião para comunicar o seu interesse em continuar as relações estabelecidas por Davi. Salomão controlava todas as rotas de comércio que levavam até Tiro através da Palestina (veja mapa), e também produzia os cereais que Hirão não tinha esperança de poder produzir em sua estreita faixa costeira. Portanto, a continuidade da relação pacífica era tão importante para Hirão como para Salomão. **Em lugar de seu pai** (1), "na posição de seu pai". **Mau encontro** (4) significa infortúnio. Saber **cortar a madeira** (6), "saber como cortar a madeira". **Faias** (8) provavelmente significa *ciprestes*.

Em troca dos cedros, Salomão enviou a Hirão 103.200 alqueires de trigo (as "medidas", 11, ou *kor* – coros – continham 5,16 alqueires) e 4.900 litros de azeite de oliva, que é "azeite batido" (20 coros – medida líquida, multiplicados por 55 galões, ou 247 litros, por *kor*)[27]. Para obter uma força de trabalho suficiente para o sistema rotativo entre ele e Hirão, Salomão instituiu a prática de recrutar trabalhadores: **fez subir leva** (13; hebraico, *mas*). **E os enviou... por sua vez** (14), ou seja, em turnos. Por **cortadores** (15) entenda-se *escultor de pedra*. Este esquema de levas era outra invasão na vida privada dos indivíduos, que Samuel antecipou e contra a qual ele advertiu na época em que se considerou o primeiro rei (cf. 1 Sm 8.10-18). Gebal, cidade dos gebalitas (**trabalhadores com pedras**, 18) é o nome antigo de Biblos, localizada a aproximadamente vinte quilômetros ao norte da moderna Beirute.

2. A Construção do Templo (6.1-37; cf. 2 Cr 3.1-14)

O templo foi a mais significativa construção isolada entre os inúmeros projetos de Salomão, e muitos detalhes são conhecidos. Apesar disso, existem algumas perguntas para as quais não há uma resposta específica nos registros bíblicos.

A Bíblia afirma que o templo foi construído com a ajuda dos fenícios (ou cananeus, em um sentido mais amplo) e que os seus objetos sagrados foram feitos por um notável artesão fenício (7.13). Geralmente, a arqueologia ilustra com detalhes suplementares significativos aquilo que a Bíblia indica. A arquitetura do Templo de Jerusalém tinha características similares a construções antigas, a fim de confirmar, assim, a influência fenícia. Embora em sua forma o Templo de Salomão tivesse semelhanças com as edificações de outros povos vizinhos, ele refletia uma profunda compreensão de Deus por parte dos hebreus. Era este conhecimento do Senhor que fazia do Templo um exemplar único na sua localização, e lhe conferia um testemunho singular em relação ao Senhor do universo e aos seus grandiosos atos realizados a favor de seu povo.

a. O tempo necessário (6.1,38; cf. 2 Cr 3.2). Os antigos fixavam as suas datas, para se referirem ao número de anos antes ou depois de um evento significativo. Aqui se trata de 480 anos depois de Êxodo, e o quarto ano de Salomão, quando teve início a construção do Templo. Ele reinou de 971 a 931 a.C.; o início da construção do Templo deu-se em 967 a.C. Ao retrocedermos 480 anos, a data do Êxodo seria aproximadamente 1450 a.C.[28] Após gastar sete anos na sua construção, o Templo foi concluído em 960 a.C.[28] **Zive** (1, Zife), o segundo mês do ano (da metade de abril à metade de maio), e **bul** (38), o oitavo mês (da metade de outubro à metade de novembro) são os nomes dos meses do calendário antes do exílio, supostamente originário de Canaã. Foram substituídos pelos nomes babilônicos dos meses posteriores após o retorno dos judeus da Caldéia[29].

b. Dimensões e características externas (6.2-10; cf. 2 Cr 3.3-9). O Templo media aproximadamente 30 metros de comprimento, 10 de largura e 15 de altura. As medidas em **côvados** (2) consideram os de 18 polegadas (45 centímetros) cada. **O pórtico** (3) era um vestíbulo de 10x5 metros, que funcionava como parte da entrada principal. A iluminação vinha de **janelas de vista estreita,** janelas de fasquias fixas superpostas (4); ou seja, janelas de treliça. Três andares de câmaras laterais foram construídos a fim de rodear externamente a parte principal do edifício (5,6), com a entrada para o andar inferior do **lado direito** (8), isto é, o lado sul. A versão *Berkeley* em seu versículo 6 ajuda a esclarecer a descrição destas salas laterais: "As salas laterais inferiores mediam 2,5 metros de largura; as do meio, 3 metros; e as superiores 3,5 metros; e ele fez reentrâncias ao redor de todo o exterior da casa para que... [as vigas mestras] não se apoiassem nas paredes da casa". Os materiais usados foram, principalmente, as pedras cortadas e preparadas (7) para as paredes externas; cedro do Líbano para as vigas, os painéis e o forro no interior (9-10).

c. A respeito desta casa (6.11-13). Estes versículos transmitem uma mensagem do Senhor. O historiador acreditou que ela era tão importante que a inseriu em um lugar estratégico no meio dos detalhes específicos sobre o Templo. Trata-se, basicamente, de uma reiteração da recomendação de Davi a Salomão (2.3,4), com dois pontos adicionais: em primeiro lugar, a obediência do rei e do povo está vitalmente relacionada com **esta casa** (12). O Templo tinha igual potencial para o bem e o mal. Podia se tornar o meio para exaltar a Deus e promover o seu reino, ou podia ser o local em que o nome de Deus seria aviltado e o seu poder prejudicado. A palavra "se", para apontar a contingência da obediência, era a chave para aquilo que o futuro reservava a Israel com o Templo que se tornou o seu principal lugar de adoração. Em segundo lugar, Deus prometeu: **habitarei no meio dos filhos de Israel** (13; em hebraico, *skakan*, "tabernáculo"). Isto teve o seu precedente na maneira como Deus residiu entre o seu povo nos primeiros tempos (cf. Êx 25.8). Ele veio expressivamente residir entre eles, na nuvem, na época da consagração do Templo (cf. 8.1-11); Ele partiu do seu meio, e retirou a sua presença, na época da decadência moral que precedeu a queda de Jerusalém (Ez 8-10). Esta promessa nos lembra do Emanuel (Is 7.14) e do Verbo que se fez carne e habitou (*tabernaculou*) entre nós (Jo 1.14).

d. Detalhes do Santo dos Santos (6.14-35). O Templo era chamado de **a casa** (2,16) ou de **a Casa do Senhor** (1; *passim*). Foi construído em três partes principais: a primeira, **o pórtico** (3) ou "vestíbulo" – em hebraico, *ulam*; a segunda, **o templo interior** (17), ou "nave" – em hebraico, *hekal*; e a terceira, **o oráculo** (19), ou "santuário interior" – em hebraico, *debir*. **O Santo dos Santos** (16) é a expressão usada também para a parte mais interna do Tabernáculo (Êx 26.34). Algumas vezes se traduz como "Lugar Santíssimo", ou seja, "o mais santo dos lugares santos".

O pórtico (3, "vestíbulo") não é mencionado nesta seção. Era a área imediatamente exterior à entrada da nave, que dava para o leste. Também era o lugar das duas colunas, Jaquim ao sul e Boaz ao norte (7.21). A nave, que media 20x10 metros, aparentemente, só é mencionada casualmente, em uma relação com o lugar santíssimo (cf. 17,29-30 e 33-36). Os únicos detalhes dados são referentes ao acabamento do seu interior.

O santuário interior, oráculo, ou Santo dos Santos, recebe maior atenção (16,19,20,23-28). Era uma área fechada que media 10 metros de largura, por 10 de extensão e 10 de altura. Continha um altar feito de **cedro** (20), **coberto de ouro** (22). Os grandes querubins de madeira de oliveira claramente não eram os do Tabernáculo, cujas asas abertas tocavam cada lado. **A arca do concerto** (19) estava supostamente colocada no chão atrás dos querubins, depois de ter sido trazida ao templo (cf. 8.1-11).

Havia um grande uso de forros e painéis de cedro para que a pedra não ficasse aparente (29), e um abundante uso de revestimentos de ouro (20-22,28,30,32 e 35). Juntamente com as figuras esculpidas (querubins, palmas e flores abertas – 18,29,32,35) tudo tinha a intenção aparente de mostrar que somente os melhores materiais eram dignos de fazer parte do lugar que tinha o nome de Deus (8.18,29). **Pedras** cuidadosamente **lavradas** (36) e vigas de cedro tornavam a estrutura ainda mais impressionante. Foi necessário dedicar **sete anos** (38) a este projeto. O termo **botões** (18) é traduzido como "cabaças" e "botões de rosa" (Berk.). O simbolismo de tudo isto parece ser realmente rico. No entanto, permite-se que o leitor tire as suas próprias conclusões com respeito ao significado originalmente pretendido. **Com cadeias de ouro** (21), "estendeu cadeias de ouro em frente ao oráculo".

e. A reconstrução do Templo, de Stevens-Wright. A Bíblia contém uma quantidade considerável de informações sobre o Templo, mas nem mesmo estas – embora maiores do que as descrições de qualquer outro edifício mencionado nas Escrituras – são suficientes para a visualização da aparência do Templo. Além disso, uma vez que a Bíblia afirma que ele foi construído com a ajuda dos povos vizinhos, existe a sugestão de que a consideração de templos anteriores do antigo Oriente Próximo seja um meio de se obter pistas para a visualização deste majestoso edifício.

A descoberta das ruínas de templos cananeus em Megido, Siquém, Betel, Debir (*Tell Beit-Mirsim*), em outros lugares na Palestina, e em Ras Shamra, ao norte de Biblos, além de outros lugares fora da Palestina, lançam uma nova luz sobre determinadas características do Templo de Salomão. Elas incluem o uso de janelas sobre as câmaras laterais, para a iluminação; forro de cedro para o interior; querubins e outros motivos como decorações esculpidas. A pedra cortada e as vigas de cedro para as paredes (6.35; também 7.12) eram vistas como características fenícias do Templo de Salomão.

Adicionalmente, um complexo palácio-templo descoberto em Tell Tainat (a antiga Hattina) na Síria, que data do século VIII a.C., ou talvez do século IX, tem uma planta quase idêntica à do Templo de Salomão. Tem um vestíbulo parcialmente fechado, com colunas sem travamento, uma nave que era a maior área fechada e um cubículo para a imagem do deus do rei sírio em sua parte interior sagrada.

G. Ernest Wright, em acordo com o professor William F. Albright e com a ajuda do artista George Stevens, reconstruiu o Templo de Salomão conforme ilustrado no Quadro C. É uma composição de detalhes de 1 Reis 6 e 7, de Ezequiel 41 e dos templos cananeus. A sua reconstrução foi o resultado de cuidadosa consideração dos detalhes do Templo de Salomão, como são conhecidos atualmente. Ela obteve uma ampla atenção e, aparentemente, uma aceitação geral[30].

3. O Palácio Construído em Treze Anos (7.1-12)

A **casa** (ou palácio) de Salomão (1) se refere a um complexo de edifícios da realeza, cada parte supostamente conectada à outra (2-8)[31]. Isto explica os treze anos de sua construção, em comparação com os sete de edificação do Templo. Grandes palácios foram descobertos em inúmeros lugares; uma escavação em Samaria revelou um complexo de localidades que abrangia cinco acres (veja J. W. Crowfoot, K. M. Kenyon, E. L. Sukenik, *The Buildings of Samaria*). Pode ser que o Templo fosse apenas uma parte do complexo de edifícios da realeza[32].

Os detalhes desses edifícios que faziam parte do complexo do palácio de Salomão se referem somente aos materiais e às dimensões. Nesta passagem nada é afirmado sobre as suas funções, embora algumas indicações sejam fornecidas mais adiante. Os trabalhadores empregados na construção do Templo, sem dúvida, foram utilizados também na edificação do palácio. **A casa do bosque do Líbano** (2) recebeu esse nome porque o cedro dos seus inúmeros pilares e vigas, etc., vinha dos bosques do Líbano. Aparentemente, foi usada como um edifício do tipo despensa e tesouraria (cf. 10.17,21). É útil a tradução que Moffatt faz dos versículos 4 e 5: "Havia três filas de janelas; e uma janela estava em frente à outra em cada fila, e as portas e as janelas, todas elas, eram quadradas". Supõe-se que o **pórtico** ou **salão de colunas** (6) tenha sido uma entrada sustentada por pilares para a casa do bosque do Líbano, ou talvez uma entrada para todo o complexo do palácio. O **pórtico para o trono** (7), ou Salão do Julgamento era o lugar do trono (10.8-20), onde o rei ouvia os casos e proferia as sentenças.

As áreas dos alojamentos do próprio Salomão, da **filha de Faraó** (8) e, supostamente, de suas outras esposas estavam além do pórtico (Salão do Julgamento?), dentro da área do pátio. O historiador não menciona especificamente se formavam uma parte do complexo. Ele dá uma indicação de que isso possa ser verdade quando se refere a um **grande pátio** (9,12) e a um pátio menor (8). Existe também uma sugestão na tradução de 9b da versão RSV em inglês: "do pátio da casa do Senhor ao grande pátio".

Como não há algo definido a respeito da disposição dos vários edifícios, existem, naturalmente, diferentes disposições propostas nos comentários e nos dicionários bíblicos. Uma proposta interessante, com muito a seu favor, é a de Kurt Galling, *Biblisches Reallexikon* (Tubingen: J. C. B. Mohr), em IDB[33]. Uma disposição completamente diferente é apresentada em ISBE, V, p. 2.932.

4. Hirão de Tiro, Engenheiro Especialista em Bronze (7.13-45)
Aqui a atenção se volta para o Templo, em particular aos seus acessórios de bronze[34]. Aquilo que parece ser uma interrupção quando se fornecem os detalhes sobre o palácio de Salomão, agora pode ser compreendido como uma sugestão indireta de que os outros edifícios da realeza, juntamente com o Templo, constituíam todo o complexo Templo-palácio. Desta forma, não teria havido uma interrupção, afinal.

Esta passagem apresenta dificuldades, tais como termos técnicos cujos significados se perderam, e diferenças entre os textos hebraico e grego. O leitor é remetido à obra de Keil, *The Books of the Kings*, pp. 95-118, que constitui um dos tratamentos mais detalhados desta passagem. Outra fonte útil é ISBE, V, pp. 2940-42. A passagem foi consideravelmente esclarecida por meio de investigações arqueológicas.

A escolha de **Hirão** (13) se deu com base em sua reputação como um artesão habilidoso e talentoso. Ele era de **Tiro**, a mesma cidade do rei Hirão (5.1); no entanto, não se trata da mesma pessoa. A sua mãe era uma israelita de Naftali, uma tribo estabelecida ao norte que fazia fronteira com a Fenícia; isto explica como ela veio a se casar com um homem de Tiro. A sua viuvez pode ter sido uma causa secundária para a seleção de seu filho. **Este veio ao rei Salomão e fez toda a sua obra** (14).

a. As colunas Jaquim e Boaz (7.15-22; 2 Cr 3.15-17). Os primeiros objetos do trabalho de Hirão foram duas **colunas** de bronze (15) com aproximadamente 9x6 metros de diâmetro. Os detalhes a respeito dos **capitéis** (16) não são claros hoje em dia. Elas eram muito decoradas com **obra de rede, obra de cadeia, obra de lírios, romãs**, etc. (17-20). Pode-se ter alguma idéia dos capitéis das colunas a partir dos achados em Megido e em Hazor. Os capitéis do Templo mediam **cinco côvados** (16), cerca de 2,25 metros de altura. Os **quatro côvados** (19) ou 1,8 metro se referem à utilização da **obra de lírio** e não ao tamanho total do capitel[35]. **Em cima do bojo** (20), significa "acima da projeção arredondada".

Essas colunas ficavam na entrada do Templo, que estava sobre uma plataforma de 3 metros (Ez 41.8); um lance de dez degraus conduzia a elas e à entrada do Templo. Supõe-se que **Jaquim** (21), o nome da coluna do sul, e **Boaz**, a do norte, sejam abreviaturas de expressões que davam uma importância simbólica às colunas; **Jaquim**, "Ele estabelece", é uma abreviatura da expressão "Que este templo permaneça para sempre". **Boaz** (lit., "na força de" – H. E. F.) é uma abreviatura de "Salomão desejou que Deus lhe desse resistência e durabilidade"[36].

Mais recentemente, entendeu-se o significado simbólico destes nomes em termos dos oráculos dinásticos ou pronunciamentos em nome do rei: **Jaquim** pode ter significado "Jeová estabelecerá [*yakin*] o teu trono para sempre"; e **Boaz**, "Na força de Jeová possa o rei se alegrar"[37]. Isto destaca ainda mais o Templo como o lugar de adoração do rei. Também enfatiza a sua posição exemplar perante o povo de Israel, e o seu papel representativo entre Deus e o povo. Esta é uma das ênfases do historiador ao longo dos livros dos Reis: conforme o rei se comporta, moral e espiritualmente, assim também o fará a nação de Israel.

Com relação ao objetivo dessas colunas, uma proposta significativa é a de que elas eram imensos altares de fogo onde o incenso sagrado era queimado. O brilho do fogo durante a noite e a fumaça durante o dia eram, talvez, lembranças da coluna de nuvem durante o dia, e da coluna de fogo durante a noite (Êx 40.35-38) dos dias do deserto[38]. Sendo este o caso, haveria uma sugestão simbólica da presença divina no passado e no presente de Israel.

b. O grande mar de bronze (7.23-26). O **mar** de bronze (*yam*, não é a palavra usual para "pia", que é *kiyyor*, como em 40) era um dos dois objetos admiráveis do pátio a leste do Templo. O grande altar, não mencionado aqui, mas sim em 2 Crônicas 4.1 e em Ezequiel 43.13-17, era o outro[39]. O **mar de fundição** (23) era uma grande tigela ou pia de 5x15 metros aproximadamente de diâmetro, com uma capacidade estimada entre 37 a 45 mil litros de água[40]. Dali saía a água usada quando os sacerdotes se lavavam (2 Cr 4.6). O mar de bronze deve ter sido uma visão impressionante, apoiado sobre doze touros de bronze, que estavam, de três em três, voltados para os quatro pontos cardeais (25), com a espessura (**um palmo**, 26) de cerca de 13 centímetros, e a sua borda como a flor de lírios. Todos esses objetos, grandes e pequenos, refletem um sacerdócio estabelecido e um sistema sacrificial.

c. As dez bases de cobre e suas pias (7.27-39). Pode-se ter uma clara idéia dos muitos significados difíceis desta passagem por meio de sua leitura em alguma das versões em um linguajar moderno. As bases de bronze (ou de cobre) com rodas eram carros portáteis para as pias pequenas. Aparentemente eles deviam prover água em pontos convenientes afastados do grande mar. Cada base media 2x2x1,5 metros. O painel que cobria as molduras era decorado com leões, querubins e bois (28,29). O topo de cada base era aberto e equipado com uma cinta na qual deveria ser colocada uma bacia. As **pias** (38,39) tinham a forma de tigelas, mediam 2 metros de diâmetro, cada uma com capacidade de 750 a 900 litros (200 galões, 40x5). Cinco das pias portáteis eram colocadas ao lado sul do Templo, e cinco ao norte. O grande mar situava-se a leste da extremidade sudeste do Templo (39). Pias como estas, com ou sem rodas, foram encontradas por arqueólogos em diferentes locais. A sua finalidade específica era a de prover água para lavar os diferentes tipos de instrumentos usados para as ofertas queimadas no Templo.

d. Resumo dos trabalhos em bronze de Hirão (7.40-45; 2 Cr 4.11-16). **Pias, pás e bacias** (40), recipientes menores não mencionados previamente, também estavam incluídos entre os objetos feitos por Hirão. Eram todos feitos de bronze polido (ou cobre brunido; 45). Na versão inglesa Tudor da KJV, **latão** designava qualquer liga de cobre – por exemplo, cobre-estanho ou cobre-zinco. Isto está preservado na versão ASV em inglês; no entanto, na versão RSV em inglês a palavra "bronze" é usada, com exceção de poucas passagens, para traduzir *nehosheth*, o termo usado aqui.

A recuperação de objetos metálicos nas escavações e a sua análise fornecem base para a compreensão da palavra *nehosheth* como aplicável a uma liga de cobre e estanho, especialmente se usada com referência a objetos moldados. Não se sabe onde se inventou o uso de ligas, mas ele existia em países fora da Palestina antes de 2500 a.C. (por exemplo, Ur na Mesopotâmia). Ele não aparece na Palestina até a Idade Média do Bronze, um século antes de 2000 a.C.[41]. O bronze polido, particularmente para objetos tão grandes como o grande mar e as colunas, indica um avançado estágio de trabalho em bronze, assim como a necessidade de uma grande força de trabalho para o polimento.

5. *Objetos de Bronze Moldados na Planície do Jordão* (7.46,47; cf. 2 Cr 4.17,18)
A moldagem de objetos tão grandes como as colunas e o grande mar era um notável feito de engenharia. Por exemplo, o peso do grande mar foi estimado entre 25 e 30 toneladas, enquanto, em comparação, o grande sino da Catedral de São Paulo, em Londres, pesa cerca de 17,5 toneladas. É compreensível o motivo por que **não se averiguou o peso do bronze** (47).

A localização do canteiro de argila, como também do minério de cobre e outros componentes necessários para a fabricação desses objetos era no lado leste do vale do Jordão, talvez a meia distância entre o mar da Galiléia e o mar Morto. **Sucote** (46) foi identificada com *Deir Alla*, situada ao norte do Jaboque, onde ele faz uma curva para o oeste, na direção do rio Jordão. Escavações neste lugar revelaram escórias de metais de todos os estágios da Idade do Ferro. Foram descobertos restos de fornalhas fora da cidade e em uma delas encontrou-se uma biqueira de cerâmica com um cadinho de cobre. **Sartã** (Zaretã ou Zereda em 2 Crônicas 4.17) é identificada com *Tell es-Sa'idiyeh*, um notável lugar a aproximadamente 22 quilômetros ao norte de Adã (Js 3.16) – a moderna *Tell ed-Damiyeh*. As conclusões obtidas a partir da exploração da superfície, realizada por Nelson Glueck, de que este lugar era a Zaretã da época de Salomão foram admiravelmente confirmadas pelas escavações de James B. Pritchard durante o inverno de 1963-64. Entre as muitas descobertas surpreendentes, estavam depósitos de bronze, um pesado caldeirão moldado com um jarro e uma peneira, um lance de escadas que levava declive abaixo a uma fonte. Estas e muitas outras descobertas mostram que este lugar pode ter sido uma próspera cidade de fundição de bronze na época de Salomão. A exploração destes dois lugares, como também localidades na direção sul para *Tell el-Kheleifeh* na costa norte do Golfo de Ácaba, mostra que toda esta região, com os seus depósitos de cobre, restos de minas e de fornalhas a céu aberto, era a região da indústria de cobre de Salomão[42]. Além disso, mostra que a referência ao cobre em Deuteronômio 8.9 é uma referência metalúrgica correta.

6. *Objetos de Ouro para o Templo* (7.48-50; cf. 2 Cr 4.7,8,19-22)
Os objetos colocados e usados na nave do templo e no lugar santíssimo eram feitos de ouro, ou recobertos com este metal. Era **o altar** do incenso, de cedro recoberto de ouro (48); **a mesa** dos **pães da proposição**; dez **castiçais** de ouro, cinco do lado sul e cinco do lado norte, diante do oráculo ou Santo dos Santos (49; 2 Cr 4.7); e objetos menores e instrumentos como **espevitadores, taças, apagadores, bacias, perfumadores e braseiros. Coiceiras** (50), ou articulações (como dobradiças) de ouro de qualidade inferior ao "ouro finíssimo" eram usadas nas portas. O uso deste metal tem sugestões simbólicas a respeito tanto da atitude do homem em relação a Deus como a sua devoção ao Senhor. Estes objetos eram do tipo similar àqueles do Tabernáculo; suas extensas dimensões e o seu grande número são condizentes com o tamanho do Templo.

7. O Tesouro de Davi é Transferido (7.51; cf. 2 Cr 5.1)
Aqui existe uma referência aos despojos de guerra como sinais da vitória sobre os moabitas, edomitas, sírios, amonitas, filisteus e amalequitas. Davi havia consagrado estes tesouros ao Senhor (2 Sm 8.9-12)[43]. Salomão os trouxe e os colocou **entre os tesouros da Casa do Senhor** (51), talvez em uma seção da área da câmara lateral do templo.

Aqui a informação, juntamente com o que é dito em outras passagens (veja especialmente adiante, 2 Rs 12.4-16), indica que os sacerdotes do Templo mantinham uma quantia monetária à parte do tesouro nacional, ou estatal, supostamente com o objetivo da manutenção e conservação do Templo e dos seus utensílios, para o sustento dos sacerdotes que oficiavam, juntamente com as suas famílias e serviçais. Pode-se supor também que foi instituída uma taxa do Templo, depois da sua inauguração e entrada em operação, isto com base nos dias do Tabernáculo, quando cada homem adulto, acima de 20 anos de idade, tinha que pagar meio siclo como uma oferta ao Senhor para afastar uma praga depois de um censo (Êx 30.11-16 – meio siclo, metade de 11,424 gramas, o peso estimado de um siclo)[44].

Sabe-se que os templos antigos da Mesopotâmia e do Egito eram centros de comércio, assim como locais religiosos. Parece que se o Templo de Salomão enveredou por esse caminho foi somente com o interesse de prover animais para o sacrifício ou outros materiais para aqueles que vinham de longe a fim de adorar ali. Se isto não foi uma evolução do período de Salomão e dos reis seguintes, foi dos tempos do pós-exílio até os dias do Novo Testamento.

E. Salomão Consagra o Templo, 8.1—9.9

A narrativa passa rapidamente para as cerimônias e a oração de consagração do Templo. O dia esperado até mesmo por Davi finalmente havia chegado. O historiador o viu como um dos pontos altos da história do povo de Deus. O Templo significava que o que o Senhor desejava para o seu povo realizava-se naquele dia. O testemunho podia ser dado agora; a luz se propagaria pelas nações.

A casa do Senhor, construída com pedras, vigas de cedro e ouro, era supostamente o meio para a edificação da verdadeira casa do Senhor, o "lar da fé" do qual o Templo era um símbolo (cf. 2 Sm 7.13; cf. Hb 3.2-5). Portanto, o Templo era importante não apenas como o santuário, mas também como o meio de concretizar o objetivo e a esperança da aliança. O historiador aparentemente entendeu que a ocasião era uma época crucial, de grande potencial para que a fé do povo de Deus florescesse como a fé de todos os povos, como Deus determinou que fosse no início (veja comentários sobre 8.43).

1. *A Glória do Senhor Enche a Casa* (8.1-13; cf. 2 Cr 5.2—6.2)

a. A arca é transferida para o Templo (8.1-9; cf. 2 Cr 5.2-10). O Templo, como o Tabernáculo, deveria conter a arca, o símbolo da presença de Deus no meio do seu povo. Uma parte significativa da consagração foi a transferência da arca da tenda de Davi para o Templo. A **cidade de Davi** (1) era a área Ofel de Jerusalém, não tão elevada quanto a do templo-palácio. Ela estava situada ao sul desta magnífica construção. À época, **na festa... no mês de etanim** (2; setembro-outubro) era o período em que se celebrava a Festa dos Tabernáculos. Novamente se utiliza o antigo nome do mês dos tempos do pré-exílio; tisri é o nome posterior.

Os sacerdotes qualificados para manusear apropriadamente a arca levaram-na ao Templo junto com outros utensílios sagrados, em solene e santa procissão (4). Salomão liderou o povo em um sacrifício de **ovelhas e vacas, que se não podiam contar, nem numerar** (5).

A arca foi colocada no *debir*, o **Lugar Santíssimo** (ou Santo dos Santos) do Templo (6), debaixo das asas abertas dos querubins. **Cobriam a arca e os seus varais por cima** (7), "formavam uma cobertura sobre a arca e as varas que a sustentavam" (Berk.). Moffatt traduz o versículo 8 como segue: "As varas eram tão longas que as suas pontas podiam ser vistas, não de fora, mas do vestíbulo sagrado em frente ao santuário". **O dia de hoje** seria a época do historiador. A arca continha as **duas tábuas de pedra** (9), cópias dos Dez Mandamentos da época do acampamento de Israel em Horebe (outro nome para Sinai). Esta é uma referência à aliança feita no Sinai depois da libertação do Egito. O Êxodo, um grande ato de redenção, foi um impressionante testemunho da graça de Deus por eles; a lei indicava a responsabilidade que veio sobre os israelitas como recebedores da graça de Deus.

b. A glória do Senhor (8.10,11; cf. 2 Cr 5.11-14).

Deus estava no meio do seu povo. Aqui, como em inúmeras ocasiões distintas, o Senhor fez a sua presença real e conhecida em uma **nuvem** (cf. Êx 40.34-38, que fala da nuvem que ficou sobre o Tabernáculo quando ele foi consagrado). **Não podiam ter-se em pé os sacerdotes para ministrar, por causa da nuvem** (11). Os sacerdotes, confrontados com a esmagadora presença de Deus, interromperam o seu trabalho. É uma magnífica ocasião, um dia altamente sagrado, quando Deus assume o completo controle e, aqueles que normalmente seriam os condutores dos acontecimentos, passam a um segundo plano.

A presença divina como uma nuvem escura, misteriosa e atemorizante representa duas grandes verdades a respeito de Deus. Por um lado, sugere que o Senhor, que é santo e transcendente, não pode ser visto pelos homens finitos. Por outro lado, sugere que Deus é imanente e que a sua morada é entre o seu povo.

c. A morada de Deus (8.12,13; cf. 2 Cr 6.1,2). Salomão declarou por que julgava necessário construir o Templo e por que era importante que ele estivesse no meio de Israel. A ênfase de que aquela casa de oração deveria ser a morada de Deus na terra não é uma contradição ao pensamento expresso posteriormente na súplica de Salomão (27-30). A morada de Deus no Templo era interpretada como uma manifestação significativa de sua presença ali, não como uma limitação exclusiva de sua pessoa a um lugar geográfico. A morada do nome divino é outra designação para o Templo (29). **Assento para a tua eterna habitação** (13), "lugar eterno" deve ser interpretado como um local permanente, em contraste com o temporário, da época do Tabernáculo.

2. *As Palavras de Salomão* (8.14-21; cf. 2 Cr 6.3-11)

Salomão aparentemente estava de frente para o templo e o Lugar Santíssimo, de costas para o povo, quando proferiu as palavras dos versículos 12,13. **Virou o rei o rosto** (14), ou seja, ele se virou. Ele falou brevemente aos israelitas reunidos, quando lhes lembrou relevantes fatos de seu passado que faziam da consagração uma ocasião significativa. Ele **abençoou toda a congregação de Israel**. O rei, como o ungido, e conseqüentemente com a unção de Deus sobre si, estava qualificado para proferir a bênção do Senhor sobre os demais. Todos estavam em pé quando ele pronunciou:

Bendito seja o Senhor, o Deus de Israel (15); um homem que bendiz a Deus deve ser visto em termos daquele que ora e exalta ao Senhor. Salomão e o povo reunido não se enganavam quanto Àquele em cujo nome eles estavam reunidos e em cujo poder consagravam o Templo.

Deus prometeu e **cumpriu** a sua promessa (15); Ele também foi misericordioso (16). Estes fatos deram um rico significado às cerimônias da consagração. A ênfase de Salomão era sobre a escolha de **Davi**, por Deus, e não sobre a sua determinação de um lugar para o Templo (16). A ordem do Senhor é a escolha da pessoa certa para o seu propósito redentor antes da determinação das instalações e métodos. É basicamente por meio daquele completamente dedicado e obediente que se promove verdadeiramente o reino de Deus. O desejo de Davi de construir uma **casa ao nome do Senhor** (17) foi o propósito de estabelecer um lugar digno para a adoração a Deus, e que desse uma impressão adequada e profunda a respeito do Senhor.

3. *A Oração da Consagração* (8.22-61; cf. 2 Cr 6.21-42)

Ao mudar de posição e lugar, **Salomão** desceu os degraus e **pôs-se... diante do altar** (22) no pátio do Templo (cf. 2 Cr 6.13 – "plataforma", *kiyyor*, onde Salomão ficou). Ele **estendeu as mãos para os céus** (22) e pronunciou a oração da consagração. Aparentemente em algum ponto da oração, talvez na parte intercessora, ele se ajoelhou e, ainda com as mãos estendidas para o céu, terminou a oração (54).

a. O Senhor Deus é o Único Deus Verdadeiro (8.23-30; 2 Cr 6.14-21). "Ó [Yahweh] Senhor, Deus de Israel, não há Deus como tu" (23, heb.). Estas palavras refletem o pensamento monoteísta da época de Davi e de Salomão. Falar de politeísmo ou de monolatria naqueles tempos é uma má interpretação da antiga religião de Israel e do paganismo do antigo Oriente Próximo[45].

Salomão pediu que Deus mantivesse e cumprisse a sua promessa com respeito à continuidade do trono em Jerusalém, assim como fora fiel ao cumprir a sua promessa com respeito ao Templo (24,25). **Céu dos céus** (27) é uma expressão enfática para indicar que não se aplicam limites nem amarras a Deus, e certamente o Templo não seria um obstáculo para o Senhor (cf. Dt 10.14). Em hebraico, a expressão tem a mesma construção da tradução "lugar santíssimo", o lugar mais sagrado do Templo. **Este lugar, do qual disseste: O meu nome estará ali** (29) é uma ênfase importante que segue o pensamento de que Deus, o Todo-poderoso, não pode ser contido nem mesmo pelo mundo que Ele criou. O Templo era visto basicamente como o lugar que leva o nome do Senhor, como a própria oração de Salomão indica. Como o lugar de seu nome, era o local onde Ele se encontrava com o seu povo, quando oravam e adoravam; era o lugar aonde a realidade da comunhão do povo com Deus verificava-se pela nuvem de sua presença. Wright afirmou que o Templo era a ponte mais satisfatória para o espaço entre o Deus distante e celestial, e o desejo que o seu povo tinha de conhecê-lo e de aproximar-se dele. Era a acomodação graciosa do Senhor para as necessidades de seu povo Israel[46].

Reino Unido: Sob a "Casa de Davi"   1 Reis 8.29-53

O uso de palavras humanas por Salomão com respeito a Deus (**teus olhos**, 29; **ouve**, 30) sem dúvida se fez em reconhecimento à sua limitação. Era um tipo de linguagem necessário que continua útil quando as nossas limitações são admitidas.

A oração de Salomão nos versículos 22-30 expressa o tema: "Como Deus é Grande!" (1) Deus é o único Deus, 23; (2) Deus é maior do que todo o seu universo, 27; (3) Deus é misericordioso, 23,24; (4) Deus é fiel, 24-26; (5) Deus tem consideração por sua casa, 28-29; (6) Deus perdoa e restaura os nossos caminhos, 30.

b. Intercessão em situações específicas (8.31-53; cf. 2 Cr 6.22-39). Esta parte da oração fala de condições específicas que podem surgir no futuro. Cada situação é mencionada com a estrutura **se... então** (31,32). Faz-se freqüente referência a Deus **nos céus**; quatro vezes é mencionada a oração no Templo. A ênfase está na súplica ao Senhor do Templo e dos céus; a geografia não é importante.

(1) Se uma disputa entre duas pessoas vier a ser julgada perante o altar, que Deus, o juiz justo, vingue o inocente (31,32). Um **juramento** (31), especialmente levado ao Templo, seria uma afirmação solene cuja veracidade Deus seria convidado a testemunhar.

(2) A derrota nacional e o exílio deveriam ser reconhecidos como um julgamento devido ao pecado nacional; a oração e o arrependimento seriam o caminho a seguir para o retorno à pátria (33,34).

(3) **Fome, peste** (37), condições variadas de desastres ecológicos e enfermidades físicas podem ser instrumentos de julgamento devido ao pecado. Nessas ocasiões, Deus ouvirá a oração e o pedido de perdão (35-40). O objetivo a atingir é que [eles] **te temam** (40); isto é, que possam desenvolver a atitude apropriada de reverência perante Deus como a única atitude adequada na vida. A ausência de tal reverência leva invariavelmente à atitude errada no coração e a atos de pecado contra Deus. **Ferrugem** (37) pode ser interpretada como praga nas plantas. **Chaga do seu coração** (38) foi traduzida como "cada um conhece a aflição do seu coração" (versão RSV em inglês).

(4) A súplica em 41-43 é que Deus possa ouvir a oração das pessoas de outras terras que se sintam atraídas a Ele. A idéia é que as notícias do nome de Deus se espalharão até os povos de outras terras, e estes serão atraídos a Ele de tal maneira que irão abandonar a sua falsa adoração e passarão a praticar a verdadeira adoração de Israel. Aqui talvez exista uma indicação de uma razão primária para a construção do Templo: para que fosse um meio de expansão, de trazer outros povos à presença do Deus vivo e verdadeiro.

(5) Nos versículos 44 e 45 encontramos uma súplica para que Deus acompanhe Israel quando o seu exército enfrentar batalhas contra os inimigos. Como no passado houve ocasiões em que se fez necessário empreender lutas sagradas, as mesmas ocasiões poderiam se repetir no futuro.

(6) Prevendo uma época em que Deus viria a entregar o Seu povo nas mãos de um inimigo, devido aos pecados que praticaram (46-53), a oração é para que Deus possa ouvir o arrependimento de seu povo no exílio. A base para a sua oração, mesmo no exílio, é a sua eleição, que tem raízes na sua história passada. **Não há homem que não peque** (46) esta frase não deve ser interpretada como um texto que evidencia uma "religião pecadora", mas como a contrapartida do Antigo Testamento para Romanos 3.23 e 1 João 1.10. Não existe homem que não tenha pecado ou que não possa vir a pecar.

c. Bênção e ação de graças (8.54-61). Com a intercessão terminada, Salomão, que estava de joelhos, se levantou. Ele tinha assumido o papel de intercessor entre Deus e o povo, não necessariamente como um sacerdote, mas como um rei que representava significativamente o Senhor entre o povo e que também representava o povo perante Deus. As suas palavras em ação de graças são significativas e relevantes nas suas ênfases.

(1) Houve o adequado reconhecimento de Deus, e lhe foram dirigidas palavras adequadas: somente Ele pode proporcionar o verdadeiro **repouso** (56).

(2) Deus seja **conosco, com seu povo** (57) é o que Salomão via como essencial para o cumprimento de seu objetivo como o seu povo. Permanece verdadeiro o fato de que Deus deve estar com o seu povo para que possa cumprir a sua vocação e destino. Que Ele **não nos desampare e não nos deixe**.

(3) O desejo de ter Deus no seu meio, de ter o coração dirigido apropriadamente ao Senhor, deve ser um desejo constante (58-59).

(4) A principal razão por trás do chamado inicial de Israel e da construção do templo era a de que outros povos pudessem vir a saber **que o Senhor é Deus e que não há outro** (60). Aqui, e em 40-43, está o aspecto universal do monoteísmo de Israel, que é uma demonstração da fé de Israel que também é básica na fé cristã. Não existe outro Deus além do Senhor da Bíblia, e não há outro nome além do de Cristo pelo qual devamos ser salvos (At 4.12).

(5) A maneira como os homens aprenderão a conhecer a Deus retorna ao tema da obediência total. **Seja o vosso coração perfeito para com o Senhor, nosso Deus** (61). Ao caminharem perfeitamente perante Deus, os homens terão os seus falsos deuses e os seus maus caminhos pela vida expostos. Os seus olhos e a sua compreensão serão abertos ao único Senhor vivo e verdadeiro, que é a única base válida para uma existência digna nesta terra. Que prenúncio, no Antigo Testamento, da posição do Novo Testamento com respeito à consagração completa e ao amor perfeito!

"Toda a sua boa promessa" é o assunto dos versículos 56-61. Aqui podemos ver que (1) as promessas de Deus nunca deixam de ser cumpridas, 56; (2) Deus promete a sua presença, 57; (3) Temos a promessa de sua graça capacitadora, 58; (4) A promessa de Deus supera qualquer circunstância, 59; (5) A promessa de Deus leva à perfeição e à obediência, 60,61; 2 Co 7.1; 2 Pe 1.4.

4. *Sacrifícios e Festividades* (8.62-66; cf. 2 Cr 7.4-10)

A seguir, Salomão e o povo ofereceram um sacrifício de consagração adequado. O grande acontecimento e a imensa multidão reunida exigia o grande número de animais oferecido. Esta oferta conclui a cerimônia de consagração (62). **Sacrifício pacífico** (63) significa ofertas voluntárias em agradecimento a Deus. O pátio [átrio] diante do Templo também foi consagrado ao Senhor (64). Provavelmente o pátio e os seus objetos foram ungidos com o óleo de unção sagrado, como também foi o caso quando Moisés consagrou o Tabernáculo e os seus utensílios ao Senhor (Êx 40.1-15).

O banquete oferecido por Salomão foi para as pessoas de todas as partes de Israel. O território é aqui descrito de modo diferente do usual "desde Dã até Berseba". Aqui a descrição é **desde a entrada de Hamate até ao rio do Egito** (65; cf. Nm 13.21). "A entrada de Hamate" é a passagem entre o monte Hermom e o Líbano, diretamente ao norte do mar da Galiléia. **O rio do Egito** ou "ribeiro do Egito" está a uma considerável distância ao sul de Gaza, conhecido nos anais de Tiglate-Pileser como *Nahal Musri*[47].

Os **catorze dias** (65) podem ser interpretados como sete dias para a festa de dedicação e os sete dias seguintes para a Festa dos Tabernáculos. O **oitavo dia** (66), portanto, é uma referência ao retorno do povo para casa, depois de observar os sete dias da Festa dos Tabernáculos. Outra possibilidade é observar a versão grega e interpretar somente "sete dias" no versículo 65, como fazem algumas versões.

5. *O Senhor Aparece a Salomão uma Segunda Vez* (9.1-9; cf. 2 Cr 7.11-22)

A ocasião para a segunda aparição de Deus a Salomão aparentemente se deu depois da conclusão do Templo e do palácio; os **vinte anos** de 9.10 representam o total de sete anos para a construção do Templo e os treze para a construção do palácio. Além disso, parece que o final deste período ocorreu logo depois das cerimônias de consagração. Se foi esse o caso, isso significa que o Templo não foi consagrado até depois da conclusão do palácio[48].

O Senhor tornou a aparecer a Salomão (2), ou seja, uma aparição comparável àquela em Gibeão. As suas palavras a Salomão foram uma breve resposta aos pontos principais da oração de consagração do rei. Deus assegurou-lhe que tinha ouvido (3; cf. 8.28-30) e confirmou que o seu nome estava no Templo, que teria a sua atenção contínua. O Senhor novamente declarou que a obediência era a condição para a continuidade do trono de Davi (4,5; cf. 8.24-26). Aqui está o severo aviso de que a desobediência irá certamente resultar em cativeiro em uma terra estrangeira, e na destruição do Templo. Os próprios estranhos entenderiam que a causa de tal ruína seria a deslealdade de Israel ao seu Deus (6-9). **Assobiará** (8): "todos os que passarem irão assobiar de assombro" (Berk.). Portanto, esta é outra passagem que estabelece uma das maiores ênfases dos livros dos Reis: a obediência ou a santidade da vida é a chave para que Israel cumpra o propósito que Deus tem para a nação, como um povo; a sua desobediência não será tolerada de maneira alguma.

F. O Esplendor do Reino de Salomão, 9.10—10.29

Esta parte da narrativa dá detalhes sobre diferentes aspectos do reino de Salomão. Alguns assuntos foram mencionados previamente e outros são aspectos apresentados agora. Em geral, eles corroboram a idéia de que Salomão reinava com sabedoria e que, como resultado, a bênção de Deus estava sobre ele.

Muitos detalhes desta passagem foram esclarecidos pela arqueologia. Um dos melhores comentários recentemente publicados, com discussão detalhada sobre esses pontos, e freqüentes referências a outras fontes, é o trabalho de John Gray, *I & II Kings* (1963), pp. 222-51. Outros trabalhos auxiliares e valiosos são os artigos sobre os lugares mencionados em *The Interpreter's Dictionary of the Bible* (1962) e em *The New Bible Dictionary* (1962).

1. *Hirão Insatisfeito* (9.10-14; cf. 2 Cr 8.1,2)

Uma grande dificuldade na compreensão desta passagem é removida, se seguirmos a versão RSV em inglês ou os seus comentários, e o versículo 14 for lido da seguinte forma: "E enviara Hirão ao rei cento e vinte talentos de ouro". Esta quantia (US$ 3.500.000, Berk.) foi paga com vinte cidades na Galiléia. Elas estavam, em sua maioria, em Naftali, mas incluíam territórios tanto na alta como na baixa Galiléia, e, talvez, alguma parte do vale de Esdraelom. Eram supostamente comunidades de cananeus (cf. 2 Sm 24.7) que não haviam sido conquistadas e levadas ao mesmo patamar de desenvolvimento das cidades israelitas. O interesse de Salomão na negociação era o ouro de que ele precisava para manter o tesouro de sua crescente nação. O interesse de Hirão, aparentemente, era o território que rodeava as cidades, que poderia ser usado para a produção dos cereais de que ele necessitava. Hirão estava desapontado porque a terra não estava desenvolvida e era improdutiva; isto parece ter sido a base para o popular apelido da região – **Cabul** (13), "nada". Deve-se interpretar 2 Crônicas 8.1,2 como uma referência a uma época posterior, quando Salomão obteve novamente a posse das cidades. Esta é a base para a proposta de que estas localidades eram, na verdade, mantidas como uma garantia para Hirão, durante o período em que o ouro estava emprestado a Salomão.

2. *Salomão Usa Trabalhos Forçados* (9.15-23; cf. 2 Cr 8.3-10)

O uso de trabalho forçado (*ham-mas*) foi mencionado em conexão com a construção do Templo (5.13-18). Aqui é feita outra menção, em conexão com outras construções para mostrar o quão abrangentes eram os empreendimentos de Salomão.

a. Milo e a muralha de Jerusalém (9.15). **Milo** (15) foi interpretado como algum tipo de fortaleza ou torre, talvez uma parte da muralha. O seu significado, "enchimento", foi conseqüentemente aplicado no sentido de que a muralha estava em processo de ser "preenchida" ou "concluída". No entanto, a partir de exemplos em Bete-Semes e em Laquis, hoje muitos entendem **Milo** como um palácio-cidadela ou fortificação, construída em uma plataforma com um preenchimento de terra em seu interior[49].

b. Cidades construídas (9.15,16). A lista das cidades que Salomão construiu ou reconstruiu em todo o seu domínio não está completa nesta passagem. A lista deveria, supostamente, pelo menos totalizar o número de provedores administrativos, de 4.7-19. Cada um desses provedores tinha a sua cidade-centro ou local de munições, onde fazia a sua residência; em alguns casos ele também tinha uma cidade de carros (19). **Hazor** (*Tell al-Kedah*) está localizada estrategicamente no norte, entre o mar da Galiléia e o gago Huleh, onde controlava importantes rotas de comércio. **Megido** (*Tell el-Mutesellim*) da mesma forma estava estrategicamente localizada na extremidade oeste do vale de Esdraelom (veja mapa), a fim de controlar rotas através da passagem para o seu sul e a costa do Mediterrâneo, no oeste. **Gezer** (*Tell Jezer*) estava situada aos pés de Judá, onde havia uma estrada-tronco através da planície costeira. Estas são somente três das numerosas cidades cuja investigação arqueológica mostrou que foram reconstruídas ou reformadas durante a época de Salomão. Os seus portões em forma de *E* invertido e outras estruturas em pedra são testemunhas do trabalho de um arquiteto, ou do estabelecimento de padrões arquitetônicos de um período em particular[50].

Com respeito a **Gezer** (16,17), Albright sugeriu que este nome é uma variação de *Gerar*, pois alguns pensam que um incêndio em Gezer, na época de Salomão, seria de difícil justificativa arqueológica. Esta cidade provavelmente estava em mãos israelitas na época de Salomão. Gerar, localizada a nordeste de Berseba, estava em mãos de cananeus até ser atacada pela expedição durante a época de Salomão. O **Faraó** (16) desta expedição foi o último governante da fraca 21ª Dinastia. Ele não era Sesonque (Sisaque), cuja filha havia se casado com Salomão (3.1), e que julgava ser vantajoso para ele estar aliado a Israel, que era a força política em ascensão na Palestina[51].

c. Outras cidades na região montanhosa (9.17,18). **Bete-Horom**, a alta e a baixa Bete-Horom (que talvez deva ser considerada como a Baalate, de acordo com Josefo e a versão RSV em inglês), pode estar localizada a aproximadamente vinte quilômetros a noroeste de Jerusalém, em um cume que conduz do planalto até o vale de Aijalom. Aparentemente faziam parte do sistema de fortificações afastadas de Jerusalém, e controlavam um dos poucos acessos à cidade desde a planície costeira. **Baalate** ficava a aproximadamente 16 quilômetros mais para o oeste, nas proximidades de Gezer. **Tadmor** ou Tamar ("palmeira"), na região semi-árida chamada Neguebe (Estepe ou Terra do Sul) é designada em Ezequiel 47.19 e 48.28 como o limite sudeste da Terra Santa.

d. Cidades de munições e cidades de carros (9.19). A palavra *miskenoth* que descreve estas cidades é também usada em relação aos locais de munições durante a permanência dos israelitas no Egito (Êx 1.11). Trata-se, claramente, de uma referência a cidades com instalações para armazenamento de grãos. O conceito provavelmente está relacionado com as cidades dos doze provedores administrativos. Cada um deles deveria fornecer provisões durante um mês para a corte; cada um precisaria ter grandes instalações para armazenamento. Não está totalmente esclarecido em quantas cidades são incluídas adicionalmente às dos doze provedores.

A arqueologia lançou uma importante luz sobre essas instalações, assim como sobre as cidades para cavalos e carros. Em Bete-Semes e em Laquis, os arqueólogos encontraram, ao lado da residência do governador, um edifício com paredes espessas e salas longas e estreitas. O objetivo deste tipo de edifício parece ter sido o de armazenar grãos e outras provisões[52]. As ruínas de estábulos encontrados em Megido, Hazor e outros lugares são testemunhos eloqüentes da arqueologia com respeito às cidades de carros de Salomão[53].

e. O trabalho forçado não se aplicava aos israelitas (9.20-23). Os habitantes não israelitas da nação eram usados para os projetos que necessitassem de trabalhos forçados. A expressão **Seus filhos** (21) – descendentes – indica que os não israelitas, na época de Salomão, estavam separados por muitas gerações daqueles que escaparam ao extermínio na época da conquista liderada por Josué. A prática de usar essas pessoas como servos em Israel foi estabelecida por Josué como um resultado do engano dos gibeonitas (Js 9.22-27). Era uma prática muito difundida na época do assentamento quando as tribos ocuparam suas respectivas regiões (Jz 1.27-36). Quanto aos israelitas, Salomão fez deles soldados, supervisores, etc., a fim de colocá-los em posição de autoridade e poder sobre os cananeus (22,23).

É difícil harmonizar a afirmação de 9.22 com as declarações de 5.13 e 11.28, que parecem indicar que Salomão também empregava israelitas para o trabalho forçado. No entanto, as afirmações de 5.13 e 11.28 podem ser interpretadas como inclusive todos os povos das regiões tribais de Israel, e aqueles que eram tomados em levas de trabalhos, nessas regiões, eram os cananeus.

3. *A Filha de Faraó Muda-se para a sua Própria Casa* (9.24)
Isto conclui um assunto deixado em aberto anteriormente. A filha de Faraó finalmente se muda para um palácio adequado em Jerusalém (cf. 3.1; 7.8; 9.16).

4. *Os Três Sacrifícios Anuais de Salomão* (9.25)
Após a construção do Templo, Salomão deixou de oferecer sacrifícios no grande alto em Gibeão. O lugar dos seus sacrifícios era o altar diante do Templo em Jerusalém. Isto acontecia pelo menos em três ocasiões anuais: Na festa dos Pães Asmos, na Festa das Semanas e na Festa dos Tabernáculos (cf. 2 Cr 8.12-16).

5. *A Frota de Salomão* (9.26-28; cf. também 10.11-12,22)
Os detalhes referentes às atividades marítimas de Salomão, juntamente com Hirão de Tiro, falam significativamente, embora um pouco de forma casual, de um importante aspecto econômico do reinado de Salomão.

A arqueologia esclareceu um aspecto inesperado desta fase das atividades do rei: a sua altamente desenvolvida indústria de metais. As explorações de Nelson Glueck, em Arabá, a depressão que se estendia na direção sul desde o mar Morto até o golfo de Ácaba, revelou restos de minas exploradas e pequenas fornalhas usadas para a fusão preliminar. Seguiram-se as escavações das ruínas da maior usina de fusão de cobre (uma *tarshish*) já encontrada no Oriente Próximo. Este lugar, chamado *Tell el-Kheleifeh*, deve ser identificado com **Eziom-Geber** (26)[54].

Este foi o lugar onde Salomão construiu e lançou seus barcos em suas longas viagens a **Ofir** (28). Como não há espaço suficiente para duas cidades separadas, Glueck interpreta **Elate** (26) como um nome posterior para Eziom-Geber (cf. Dt 2.8). Por outro lado, Gray explica que Elate era um assentamento novo na época de Salomão, "idêntico ao local industrial de Tell el-Kheleifeh". A sua interpretação é a de que tanto Elate como Eziom-Geber ocupavam o mesmo lugar; uma delas, entretanto, se dedicava à construção de barcos, e a outra ao beneficiamento do cobre[55].

"Naus de Társis" (10.22) agora são interpretadas como "barcos da refinaria". Társis, que significa "refinaria" ou "lugar de fusão" é um termo industrial e não geográfico. A frota, tripulada por israelitas e fenícios, levava o cobre ou o bronze refinado em Eziom-Geber até as terras distantes em troca dos artigos de luxo desejados por Salomão (9.28; 10.11-12,22). A identificação mais plausível e satisfatória para **Ofir** (28) é a região de Somalilândia, ao longo da costa da África, e está de acordo com Punt, das fontes egípcias, que mencionam esta região de itens similares àqueles dos registros bíblicos: ouro, prata, marfim e dois tipos de macacos (como agora se entende a palavra hebraica de 10.22, não mais como pavões). A viagem de três anos (10.22) provavelmente incluía paradas ao longo da costa da Arábia; para reiniciar-se quase ao final de um ano, incluía todo o segundo ano e terminava na primeira parte do terceiro ano[56].

6. *A Rainha de Sabá Visita Salomão* (10.1-10,13; cf. 2 Cr 9.1-12)
A curiosidade feminina foi talvez um fator determinante na viagem que **a rainha de Sabá** (1) fez a Jerusalém para visitar Salomão. Ao ouvir falar dele como um governante muito famoso, ela veio para contemplar por si mesma. A **sabedoria** de Salomão (3,4), a riqueza (4), os servos do palácio e os impressionantes sacrifícios religiosos (5) domina-

ram-na e removeram qualquer dúvida a respeito dos relatos que ela tinha ouvido (7). Os versículos 4 e 5 foram assim traduzidos: "Vendo, pois, a rainha de Sabá toda a sabedoria de Salomão, e a casa que edificara, e a comida da sua mesa, e o assentar de seus servos, e o estar de seus criados, e as vestes deles, e os seus copeiros, e a sua subida pela qual subia à Casa do Senhor, não houve mais espírito nela". Ela ficou tão enormemente impressionada que exclamou: **Bendito seja o Senhor, seu Deus** (9). A sabedoria de Salomão e o esplendor da corte eram um grande testemunho sobre o Deus a quem ele servia. Para retribuir a cortesia da corte, ela veio com presentes: **ouro, pedras preciosas** e, mais notavelmente, **especiarias** (2,10). Salomão não seria excedido por alguém; ele lhe deu presentes ainda maiores (13). O objetivo do historiador foi cumprido, ao novamente enfatizar a sabedoria dele como um sinal evidente da bênção de Deus sobre ele e o seu povo.

Por outro lado, a arqueologia destaca as implicações de um acordo comercial que esta visita deve ter produzido. Sabá, a forma hebraica para *Saba*, era o nome de um dos diversos estados da área de Hadramaut, no Iêmen, no sul da Arábia. Juntamente com os demais estados, ele era famoso pelo comércio de especiarias e incenso; este comércio era bem desenvolvido na época de Salomão. Sabá, no sul da Arábia, controlava as rotas comerciais da região de Hadramaut ao norte, até a Síria e a Mesopotâmia. O controle de Salomão, de Eziom-Geber e dos estados afastados como Edom, Moabe, Amom, Zobá, Damasco e Haurã, significava que ele podia controlar o comércio de caravanas entre a Arábia e o norte[57]. Além disso, os seus navios que navegavam a costa da Arábia sem dúvida causavam uma preocupação adicional a Sabá. **Salomão deu à rainha de Sabá tudo quanto lhe pediu o seu desejo** (13), o que poderia perfeitamente ter incluído um acordo comercial satisfatório. Ainda existia algum tipo de coleta de impostos, pois entravam no tesouro de Salomão taxas e impostos da Arábia (10.15)[58]. Salomão também ofereceu presentes que foram tirados de sua fortuna pessoal; provavelmente, à moda oriental, a fim de superar o valor dos presentes que a rainha lhe tinha trazido.

A maravilha da sabedoria e da magnificência dadas por Deus a Salomão está refletida na reação da rainha de Sabá: **eu não cria naquelas palavras, até que vim, e os meus olhos o viram; eis que me não disseram metade** (7). Aqui temos (1) uma reputação amplamente difundida, 1; (2) uma visitante curiosa, 2-5; (3) uma examinadora maravilhada, 6,7; e (4) uma partidária convencida, 8-10.

7. *As Riquezas e a Sabedoria de Salomão* (10.14-29, cf. 2 Cr 1.14-17; 9.13-28)

A riqueza e a sabedoria de Salomão foram enfatizadas pela visita da rainha de Sabá. Talvez isto explique por que estes materiais tão diversos sejam mencionados agora; eles têm a intenção de ilustrar a grande riqueza dele e a sua fama tão difundida.

a. Renda (10.14,15). A renda coletada anualmente dos estados vassalos era de 666 talentos de ouro (US$ 20.000.000; Berk.). Esta era complementada pela renda que vinha do controle do comércio.

b. Os escudos de ouro (10.16). Havia dois tamanhos de escudos de ouro usados pela guarda real nas ocasiões especiais (cf. 14.27,28 e 2 Cr 12.10). Eles foram colocados **na casa do bosque do Líbano** (17; cf. 7.2). **Duzentos** (16) eram escudos grandes (*sinnot*) que protegiam o corpo inteiro, com **seiscentos siclos** (US$ 6.000, Berk.) **de ouro** em cada um. **Trezentos** (17) eram escudos pequenos e circulares (*meginnot*), com três arráteis de ouro (US$ 1.800, Berk.) em cada um.

    c. O trono de marfim (10.18-20). O **trono** era enormemente adornado com **marfim** e coberto com **ouro**. Vários detalhes nele eram símbolos de estado ou símbolos de significado religioso relativo ao governo do rei. Não havia algo, em algum lugar, comparável a ele (20) – uma forma de descrever a sua incomparável beleza e o seu valor material. **Estavam juntos** (19) – "descansos para os braços".

    d. Os vasos de beber de ouro (10.21). O ouro é apresentado como o único metal digno de Salomão. Em contraste, a prata, que é normalmente considerada superior aos metais mais comuns, era vista quase com desprezo.

    Para uma discussão sobre 10.22, veja o comentário sobre 9.26-28. Para 10.25,26, veja o tópico *h* adiante.

    e. Cidades dos carros (10.26). Veja comentários sobre 4.26 e 9.19. Estas cidades eram outro aspecto da grande riqueza e do grande poder de Salomão. Os **carros**, assim como as suas muitas esposas (11.1ss) e o seu grande acúmulo de ouro e prata, eram proibidos pela lei Mosaica (Dt 17.16,17). O desrespeito a essas específicas determinações era uma clara indicação do início de uma negligência moral e espiritual. Parece que a segunda aparição de Deus (9.1-9) tinha a intenção de corrigir essa transgressão, da qual já havia indicações óbvias.

    f. A prata e o cedro se tornam comuns (10.27). Novamente, dois artigos de grande valor e altamente prezados eram reduzidos a um lugar comum pela grande riqueza e glória de Salomão.

    g. O monopólio que controlava o comércio de carros e cavalos (10.28,29). A tradução do versículo 28 é considerada difícil: *miqweh*, em particular, é um termo enigmático. **Fio de linho** não se encaixa no contexto de cavalos e carros. Dos materiais gregos e extrabíblicos, *qweh* (QWH) deve ser interpretado como o nome de um lugar, como na versão RSV em inglês. "*Que*" é a palavra hebraica para a Cilícia, na Ásia Menor. Esta tradução está justificada por Heródoto, o qual registra que a Cilícia nos tempos antigos era a origem dos bons cavalos para os países estrangeiros. Também se sabe que os egípcios do Novo Império importavam madeira da Síria para fabricar carros. Como Salomão controlava todas as importantes rotas comerciais entre o Egito e a Síria, parece que poderia muito bem ter havido um monopólio virtual do comércio de cavalos para fora da Cilícia, e dos carros exportados do Egito. Conseqüentemente, os sírios e outros dependiam de Salomão para ter os carros egípcios, ao passo que os egípcios e outros dependiam dele para ter os cavalos da Cilícia – e Salomão era o intermediário todo-poderoso.

    Com base em tais considerações, Albright traduz estes versículos: "E os cavalos de Salomão eram exportados da Cilícia: os mercadores do rei os obtinham na Cilícia ao preço corrente; e um carro era exportado do Egito ao custo de seiscentos siclos de prata e

REINO UNIDO: SOB A "CASA DE DAVI" 1 REIS 10.23—11.8

um cavalo da Cilícia ao custo de cento e cinqüenta; e assim (com esses preços) eles eram entregues pelos seus agentes a todos os reis dos heteus e aos reis da Síria"[59]. Não se sabe quais eram os preços originais, mas a taxa estabelecida para a troca ou o valor corrente era de quatro cavalos da Cilícia (150 siclos de prata cada um – US$ 100, Berk.) para um carro egípcio (600 siclos cada – US$ 400, Berk.).

h. *Resumo – "Salomão excedeu a todos os reis"* (10.23-25). **Todos os reis da terra** (23) é uma expressão que se aplica mais especificamente ao mundo de Salomão e dos israelitas, ou seja, o antigo Oriente Próximo. Como as investigações arqueológicas tão notavelmente mostraram, o reino de Israel sob Davi e Salomão era o principal poder político. Salomão, em particular, foi o maior e mais poderoso rei, sem nenhuma exceção. Ele foi visitado por vários motivos, e presentes de todos os tipos lhe foram trazidos de acordo com a etiqueta das visitas diplomáticas de então e de agora. Portanto, dos pontos de vista de sabedoria, fama, riqueza e poder (político, comercial e industrial) não é exagerado dizer que Salomão excedeu a todos os reis.

G. APOSTASIA E DECLÍNIO, 11.1-43

A tragédia da vida de Salomão não foi uma catástrofe pessoal repentina, mas a diminuição gradual de sua completa devoção a Deus. Isto está relacionado com os interesses das suas esposas, que no final resultaram em sua própria adoração idólatra (8). Ele trilhou o repetido caminho para longe de Deus: o conhecimento do coração tornou-se somente um entendimento da mente, e o conhecimento da mente finalmente deu lugar à apostasia total. A sua vida ilustra vividamente a verdade de que "uma grande sabedoria e um conhecimento cultivado de Deus", não são uma garantia de lealdade contínua a Deus[60].

Além disso, a vida de Salomão ensina que as grandes bênçãos e oportunidades que Deus dá também possuem ameaças ocultas para o relacionamento do qual nascem essas dádivas e oportunidades. As nossas próprias bênçãos podem solapar a fé naquele que nos outorgou essas vitórias. É evidente que um relacionamento adequado de um indivíduo com Deus sempre se apóia na obediência continuada, consciente, disposta. Quando falta obediência, a alternativa é a desobediência – até mesmo a idolatria, como foi o caso de Salomão. Tal desobediência traz o julgamento divino.

1. *A Apostaria de Salomão Devido às suas Muitas Esposas* (11.1-8)

O fato de Salomão ter muitas esposas era contrário à política para os reis israelitas (cf. Dt 17.17). Isto é aparentemente o que o historiador tinha em mente quando reviu este aspecto do reinado do filho de Davi (2). Nos últimos anos de Salomão, ele gradualmente aceitou e participou daquilo que no início apenas perdoava. Construiu lugares de adoração para as suas mulheres estrangeiras (8) para que elas pudessem venerar os seus deuses em Jerusalém; então ele as acompanhou em sua adoração pagã (5,7,8)[61]. **O seu coração não era perfeito** (4) "completamente fiel" (cf. 6) **como o coração de Davi**. O seu coração estava dividido em sua lealdade, e ele desobedecia em um assunto crucial, ao passo que isso nunca aconteceu com Davi.

309

2. *As Palavras Iradas de Deus a Salomão* (11.9-13)
Deus, que é santo, não abre exceções com respeito ao pecado e à injustiça. Esta mensagem a respeito da ira divina provavelmente veio por intermédio de Aías, o profeta (cf. 26-40). Era uma palavra basicamente de julgamento, embora não destituída de misericórdia. A punição devida à idolatria de Salomão seria evidente na divisão de seu reino pouco tempo após a sua morte (11,12). Ele teve que conviver com o pensamento de que a maior parte daquilo que ele tentara construir e estabelecer não duraria muito. Talvez este tenha sido o verdadeiro castigo para ele. A nota de misericórdia estava na declaração de que o seu reino não seria completamente destruído: uma tribo permaneceria como testemunha da misericórdia de Deus, **por amor de meu servo Davi** (13).

3. *Os Adversários como Instrumentos do Julgamento* (11.14-40)
Os acontecimentos que envolveram **Hadade** (14), **Rezom** (23) e **Jeroboão** (26) são usados para ilustrar a verdade de que Deus enviou o julgamento divino sobre o rei basicamente por meio daqueles que se levantaram contra ele. Esta é outra maneira pela qual o reinado de Salomão serve de exemplo para a compreensão e a interpretação da história dos tempos posteriores. A idolatria foi o problema do filho de Davi; foi também o assunto crucial com os dois reinos, o do Norte e o do Sul. Da mesma forma como Deus puniu o idólatra Salomão por meio de seus adversários, Ele também castigou os dois reinos idólatras das tribos divididas através de adversários estrangeiros – os assírios e os babilônios.

a. *"Hadade, o edomita"* (11.14-22). Edom, ao sul de Israel, tinha sido um Estado vassalo desde a época em que foi dominado por Joabe, sob o comando de Davi (2 Sm 8.13,14). **Hadade** (14) era **da semente do rei**, isto é, era um membro da família real. Ele conseguiu fugir para o Egito onde não somente encontrou segurança, mas também as graças do Faraó (17-20). Quando soube que Davi e Joabe tinham morrido, voltou à sua terra natal (21,22). Se ele ouviu as notícias pouco tempo após a morte de Davi e retornou logo em seguida, não é necessário supor que ele imediatamente planejou e liderou uma revolta contra Salomão. Quando finalmente liderou os edomitas em uma tentativa de remover o filho de Davi do trono, havia mais do que o próprio interesse do edomita envolvido; havia também a mão de Deus (14).

b. *Rezom, o sírio (arameu)* (11.23-25). **Rezom**, talvez uma variante de Heziom (15.18)[62], tinha começado a sua carreira militar subordinado a Hadadezer de Zobá, derrotado por Davi (2 Sm 8.3-8). Parece que ele fugiu naquela época, e tornou-se o líder de um grupo de saqueadores que ele usou para se estabelecer em Damasco, a nordeste de Israel. **Foi adversário... por todos os dias de Salomão** (25). O seu contínuo assédio e crescente poder, nos últimos anos do reinado de Salomão, ameaçaram dividir o controle israelita nos estados sírios. Na verdade, foi pouco tempo depois do final do governo de Salomão, provavelmente junto com a revolta de Jeroboão e a invasão de Sisaque, que Israel perdeu todo o controle do território sírio[63]. Deus usou isso como um julgamento sobre Salomão (23).

c. *"Jeroboão, filho de Nebate"* (11.26-40). Jeroboão era um israelita, em contraste com os outros, que se tornaram adversários estrangeiros de Salomão. Para acompanhar o estilo narrativo dos dois acontecimentos anteriores, afirma-se que Jeroboão era adversário de Salomão (26; cf. 14 e 23). A seguir são apresentados os detalhes (27-40; cf. 15-22 e 24,25).

Jeroboão, filho de Nebate (26) de Zereda em Efraim (localização específica desconhecida) tinha sido designado pelo **profeta Aías** (29) de Siló para governar a porção do reino que se separaria da casa de Salomão (30,31)[64]. Ainda jovem, Jeroboão estava nas graças de Salomão. **Salomão... o pôs sobre todo o cargo da casa de José** (28) significa "supervisor de todo o trabalho recrutado" (Berk.). Ao agir prematuramente com base nas palavras do profeta, Jeroboão **levantou a mão contra o rei** (27), isto é, cometeu algum tipo de ato de traição. Como Davi, ele tinha sido escolhido pela mensagem profética para suceder um governante desobediente depois da morte dele; mas, diferentemente de Davi, não aguardou o momento de Deus e, ao invés disso, tentou fazê-lo no seu próprio tempo. Portanto, teve que fugir para o Egito para não perder a vida (40).

Os **dez pedaços** (31) da roupa, que representavam as dez tribos que seriam a parte que se separaria de Salomão, eram simbólicos. Eles indicavam que o maior número participaria da rebelião. A menção de **uma tribo** (32) reservada para Davi em Jerusalém deixa isto claro[65].

A referência a Davi tendo **uma lâmpada... em Jerusalém** (36) é repetida em 15.4; 2 Reis 8.19; e 2 Crônicas 21.7. A explicação talvez esteja em 2 Samuel 21.17. A lei de Davi, considerada a "lâmpada de Israel", desejada por Abisai e outros, não seria apagada, e, de acordo com a promessa de 2 Samuel 7.16, não seria extinta.

A promessa de Deus a Jeroboão relativa a **uma casa firme** (38), em comparação à de Davi, aparentemente sugere uma estabilidade no trono para a parte que se desintegrasse do reino de Salomão durante o período planejado pelo Senhor para a separação. Deus não pretendia que o afastamento fosse permanente (39). As condições para esta estabilidade eram as mesmas que foram expressas para Davi e Salomão: **se ouvires tudo o que eu te mandar** (38).

Sisaque, rei do Egito, para quem Jeroboão fugira, invadiu Judá durante o reinado de Roboão (veja comentários sobre 14.25).

4. O Fim do Reinado de Salomão (11.41-43)

A narrativa do governo de Salomão é encerrada conforme o padrão característico dos relatos dos livros dos Reis. O seu reinado de **quarenta anos** (42) é geralmente reconhecido como genuinamente histórico, e não meramente um número arredondado.

Seção II

OS DOIS REINOS: SUAS HISTÓRIAS SINCRONIZADAS

1 Reis 12.1 — 2 Reis 17.41

Os livros de 1 e 2 Reis como a história da salvação – A posição de 1 e 2 Reis em nossa Bíblia indica a importância que judeus e cristãos lhes dedicaram na história escrita da *Heilsgeschichte* ("história da salvação")[1]. Esses livros não foram incluídos em nosso cânon das Escrituras meramente por causa de seus detalhes históricos, mas como fonte de importantes conhecimentos relativos ao povo que Deus escolheu para ser o seu instrumento de salvação no mundo.

O povo de Israel, como uma nação de Canaã (Palestina), tinha um destino especial a cumprir e, ao cumprir essa determinação, realizava o propósito que Deus reservara para ele e os demais povos. É esse ponto de vista essencial que faz dos livros dos Reis uma parte integrante do registro bíblico da *Heilsgeschichte*. Foi dessa convicção que surgiu uma profunda preocupação com a obediência e a santidade da vida. A obediência, revelada através de uma vida santa, era a única forma de que Israel dispunha para ser o instrumento pretendido por Deus. Também existia o reconhecimento de que tanto fatores externos como internos relativos a Israel interpunham formidáveis obstáculos para o cumprimento do destino que Deus traçara para essa nação.

O historiador abordou a história de seu povo a partir do ponto de vista dessas considerações básicas. Dirigido pelo Espírito de Deus, ele transcreveu a interpretação estabelecida para 1 e 2 Reis e, embora preocupado com Israel como povo de Deus, ele se manifestou claramente na pessoa do rei e também dos profetas que freqüentemente aparecem com suas importantes pregações. Ele viu o reino unido de Davi, e a maior parte do reino de Salomão, como uma época em que seu povo cumpria um destino especial. Eles eram internamente fortes, o coração de Davi havia sido "perfeito" para com Deus (11.4) e Salomão amara ao Senhor (3.3), mas externamente havia uma inércia. O Templo fora construído e atraía as atenções além das fronteiras da nação, como podemos ver na visita da rainha de Sabá (10.1ss) e daqueles que vieram e trouxeram presentes para Salomão (10.23-25).

Entretanto, o pecado que mora no coração dos homens, e manifesta-se através de atos e relacionamentos, começou a modificar essa efetiva e pacífica influência do povo de Deus. Embora o historiador não tenha afirmado com tantas palavras, o que ele realmente descreve é um significativo capítulo sobre o conflito espiritual que se iniciou na época do primeiro pecado cometido (Gn 3.15). Parecia que o reino de Deus conquistava uma grande vitória; no entanto, aconteceu exatamente o contrário quando Salomão se entregou ao culto aos ídolos praticado por suas esposas.

Parecia que havia alguma esperança para o reino de Deus[2], além do tempo do castigo pela idolatria de Salomão, pois essa correção não deveria ser interminável (11:39). Entretanto, à medida que o autor acompanhava essa história, ele pode ter chegado a um momento de desilusão.

A idolatria tornara-se o fator preponderante da derrota, e ele se defrontou com o colapso total de sua nação. Milhares de seus conterrâneos, e, com toda probabilidade, também o historiador, foram para o exílio. A partir da época de Salomão, o relato sobre o período dos reis se transformou na interpretação óbvia da história de sua nação e, necessariamente, um desdobramento daquilo que se sabia a respeito do relacionamento pactual de seu povo com Deus. Entretanto, qualquer desilusão que possa ter sentido foi substituída por uma esperança para o reino de Deus quando Joaquim foi libertado, e também havia a promessa do retorno do exílio (8.33,34). Além disso, ele deve certamente ter tido conhecimento das declarações dos escritos proféticos.

A *sincronização das duas histórias* – Os dois livros, de 1 Reis 12.1 até 2 Reis 17.41, representam a sincronização das histórias dos dois reinos israelitas feita pelo historiador. Essa sintonia se tornou possível através do uso das crônicas oficiais de seus dois reis. Elas são freqüentemente mencionadas como fonte de informações adicionais, caso o leitor tenha interesse em consultá-las (veja a Introdução). Não existe qualquer informação sobre como o historiador teve acesso a essas crônicas. Talvez os habitantes do reino do Norte, levados para Jerusalém depois da queda de Samaria em 722 a.C., tenham conduzido consigo todos os documentos ou registros oficiais quando foram para o cativeiro. Ao considerar o grande interesse literário dos reis da antiguidade (por exemplo, Assurbanipal com sua grande biblioteca em Nínive), não seria inconcebível que Nabucodonosor possa ter sido parcialmente responsável pela preservação dos sagrados documentos e dos registros oficiais de Israel.

Essa sincronização, que vemos com bastante perplexidade, representa um documento quase sem paralelos nos escritos da história da antiguidade (veja a Introdução). Entretanto, ainda permanece a intrigante pergunta: Por que alguém resolveu executar tão difícil tarefa? A resposta é que essa pessoa foi guiada pelo Espírito de Deus. Humanamente falando, ela considerava a história dos dois reinos essencial para o relato da conduta de Deus para com o seu povo, pois se assim não fosse, teria se limitado apenas à história de Judá.

Da forma como foram sincronizadas, essas duas histórias mostram a continuidade do trono em Jerusalém, isto é, da "casa de Davi" ou dos seus descendentes, que reinaram ininterruptamente até a derrota de Judá. O reino do Norte, ao contrário, não alcançou essa estabilidade dinástica e apenas a "casa de Onri" e a "casa de Jeú" são as que mais se aproximaram dela em relação a quaisquer outras.

É interessante notar que o oposto também era uma realidade do ponto de vista cultural. O período de 900 até 600 a.C. representou uma época de estabilidade dos costumes do povo, e isso se refletia nas mudanças graduais que aparecem nas formas das cerâmicas e em outros objetos remanescentes desse período[3].

Sobre a divisão – Existem inúmeras explicações sobre a divisão, mas nenhuma pode esconder o fato de ela ter ocorrido como um castigo divino que caiu sobre a "casa de Davi" como conseqüência da apostasia de Salomão. O fator do ciúme tribal tinha suas raízes na conquista (cf. Josué 22), e desde essa época ele se manifestava de forma intermitente (cf. Jz 8.1ss.; 2 Sm 20.1ss.). Os pesados impostos podem ter representado uma justificada insatisfação (12.9) e, além disso, as nomeações políticas teriam se limitado exclusivamente aos membros da tribo de Judá (12.16). No entanto, todas essas causas eram secundárias e elas se tornaram o meio através do qual o castigo divino tornou-se realidade.

Ainda existe o problema de como entender o papel de Jeroboão na divisão, e depois dela. Ele havia sido determinado pela mensagem profética de Aías como aquele que Deus usaria para efetivar a divisão (11.35). Mas, logo depois da divisão, ele foi condenado pelo Senhor e seus pecados permaneceram como a principal ofensa cometida pelo reino do Norte em toda a sua existência. O historiador não fornece uma resposta direta, mas esta pode ser concluída a partir dos detalhes que ele fornece a respeito de Jeroboão.

Entretanto, Jeroboão poderia ter servido melhor aos propósitos de Deus se tivesse se contentado em ser apenas um líder político durante o período que o Senhor considerasse necessário para a punição da "casa de Davi". Sua principal preocupação em assegurar a dinastia, conforme a promessa de Aías (11.38), além do fato de não esperar que Deus o guiasse, isso o levou a adotar uma medida malograda e religiosamente pervertida. Dessa forma, ele foi além dos desígnios de Deus, da mesma forma que a Assíria foi além dos desígnios estabelecidos para essa nação para ser o instrumento de sua ira (Is 10.5-19)[4].

A. DIVISÃO: REVOLTA EM SIQUÉM, 12.1-24

Geralmente, se acredita que os acontecimentos registrados nesse capítulo aconteceram bem no início do reinado de Jeroboão, e o primeiro versículo parece deixar isso bem claro. A cidade de **Siquém**, o lugar para onde ele aparentemente se dirigiu para acomodar o povo das tribos do Norte, está localizada na passagem que fica entre os montes Gerizim e Ebal. Esse lugar pode ser identificado com *Tell Balatah*, aproximadamente dois quilômetros e meio a leste da moderna Nablus. Ele foi escavado antes da primeira Guerra Mundial por arqueólogos alemães. Desde 1956 este tem sido o local de várias temporadas de escavações conduzidas pela expedição Drew-McCormick tendo G. Ernest Wright como seu diretor de campo. Essas escavações revelaram que a cidade de Siquém era habitada desde a Era do Cobre (antes de 4000 a.C.). Depois de certo tempo, os cananeus vieram a habitá-la por volta de 1800 a.C. e desde essa época ela continuou a ser ocupada até o período da monarquia[5].

1. *Roboão Perante Israel* (12.1-15)
Foi Roboão para Siquém (1) para dar ao povo lá reunido a oportunidade de participar de sua escolha como rei. O povo insistia para que ele fosse o resultado de sua

escolha, sujeito à sua nomeação, e não desejava aceitá-lo meramente por causa de um ritual de Jerusalém. O fato de ir a Siquém manifestava sua disposição de acomodá-los. Entretanto, a insistência do povo para que ele fosse a essa cidade, e não a Jerusalém, indicava que tinham outros propósitos em vista.

a. Jeroboão perante a assembléia de Israel (12.2-4). A palavra **Israel** (1) refere-se, aqui, aos representantes das tribos do Norte (cf. 20), e acredita-se que Judá já tivesse supostamente aceitado Jeroboão como rei. Porém ele, que havia permanecido no Egito durante o reinado de Salomão (11.40), retornou ao lar depois da morte do rei (2; cf. 2 Cr 10.2,3) e seria discutível afirmar sobre todos os planos e esquemas dos quais já teria participado. Ele estava entre os membros da assembléia de Israel, pois havia sido especialmente convidado (3). Os líderes apresentaram a Roboão uma queixa relativa aos pesados tributos a que haviam sido submetidos na época de Salomão, e expressaram seu desejo: **"Agora, pois, alivia tu a dura servidão de teu pai e o seu pesado jugo que nos impôs"** (4). Na verdade, essa queixa era mais um ponto a ser debatido, e a decisão de Roboão serviria como indicação de lealdade para consigo mesmo ou uma rebelião contra ele próprio.

b. A decisão de Roboão (12.5-11). Primeiramente, Roboão consultou aqueles que haviam servido sob seu pai Salomão, provavelmente os que haviam sido relacionados como oficiais em 4.1ss. O conselho que recebeu foi para aliviar a carga dos impostos, pois aparentemente reconheciam que a queixa era justificada.

Essa é a primeira afirmação direta em relação aos impostos que Salomão havia instituído; porém, essa taxação está implícita em sua organização fiscal e administrativa (4.7-19) e em suas disseminadas atividades de construção, industrial e comercial. Entretanto, pode parecer que muitas das despesas dessas atividades eram cobertas por impostos e taxas coletados dos estados vassalos (10.14,15). Embora essa queixa tivesse fundamento, ela também pode ter se originado do ciúme e da inveja, pois a maior parte do dinheiro era gasta na cidade de Jerusalém e nas de Judá, ao Sul.

Os jovens da própria geração de Roboão insistiam em medidas mais rigorosas, e sua linguagem figurada indicava uma atitude tirânica; eles o aconselharam a exagerar (10), a colocar um certo abuso em sua autoridade, a exceder o rigor de seu pai na medida em que seu **"dedo mínimo"** fosse mais grosso que os **"lombos"** (coxas) de seu pai. **Escorpiões** (11) é uma referência às bordas em farpas na extremidade de um açoite. Embora tenha procurado o conselho de outros, ele se baseou em sua própria decisão, isto é, aumentar a carga de impostos e não aliviá-la (12-14). Ele escolheu, de forma egoísta, seguir o curso de um tirano ao invés de caminhar na trilha de um servo, exatamente o que o rei de Israel deveria ser. Escolher entre ser um egoísta ou um servo é uma decisão que muitos, além de Roboão, já tiveram que tomar.

2. *A Rebelião, e Jeroboão Foi Feito Rei* (12.16-20)

Os líderes de Israel já haviam apresentado sua queixa (12.4), mas não está claro se Jeroboão estava disposto a atender a alguma outra demanda caso fosse apresentada. Depois de receber a resposta dele, eles tiveram a certeza de que não seriam contemplados com nenhuma consideração por parte do descendente de Davi; portanto se perguntaram: **"Que parte temos nós com Davi?"** (16; cf. 2 Sm 20.1).

Esses são os fatos conhecidos sobre os eventos que aconteceram na época da divisão entre Judá e as tribos do Norte. O que está escrito nos versículos 17-20 reflete o ponto de vista de um evento já consumado. O reinado de Roboão ficou limitado a governar sobre Judá, inclusive sobre as tribos do Norte **que habitavam as cidades de Judá** (17). Mais tarde, Roboão acompanhou seu capataz, **Adorão** (18; cf. 4.6), em uma tentativa de persuadir as tribos do Norte; porém, Adorão foi apedrejado e Roboão quase perdeu a vida. A palavra **tributo** (18) deve ser entendida como "trabalho escravo" (Berk). Uma anotação feita pelo historiador indica que a rebelião contra **a casa de Davi** ainda não havia sido dominada por Roboão, ou pelos reis que o seguiram, até a data em que esse registro foi feito. Pouco tempo depois que a assembléia de Siquém havia se dissolvido, o povo novamente se reuniu e oficialmente escolheu Jeroboão como seu rei (20)[6].

3. *Nova Tentativa de Roboão para Restaurar o Reino* (12.21-24)

Seguindo a política que havia adotado anteriormente, Roboão deu início ao recrutamento de um exército a fim de obrigar as tribos do Norte a voltarem ao seu domínio (21). A menção do nome de **Benjamim** indica o território de uma tribo que permaneceu sob o governo dos reis de Jerusalém. Entende-se, também, que Simeão havia sido ofuscado por Judá, e tinha parcialmente perdido sua identidade, mesmo antes da divisão[7]. Portanto, essa e outras referências feitas a Judá incluem Benjamim e Simeão. Judá, entretanto, é a designação comum do reino do Sul, por ser a tribo dominante.

As palavras proféticas proferidas por Semaías foram: **"Assim diz o Senhor"** (24). Como Deus estava presente nesses acontecimentos, Roboão deveria esquecer seus planos de usar o exército contra as tribos do Norte. "**Semaías, o homem de Deus**" (22) é mencionado em relação à invasão de Sisaque cinco anos mais tarde (2 Cr 12.5-8), e como historiador do reino de Roboão (2 Cr 12.15). Devemos dar crédito a Roboão por ter ouvido a Semaías, embora pouco mais exista que lhe faça merecedor de mais algum crédito. "**O resto do povo**" (23) significa os israelitas que viviam no Norte e não os outros membros de Judá e Benjamim. A frase pouco comum "**volte cada um para a sua casa**" (24) significa literalmente que eles "retornaram novamente para casa".

Roboão estava sem dúvida preocupado com algo mais do que trazer as tribos do Norte de volta para o seu reino. Durante o seu reinado, os extensos limites conquistados por Davi e mantidos por Salomão foram rapidamente dissociados. A Síria a nordeste, incentivada pelo exemplo de Damasco, tornou-se completamente livre e, dentro de pouco tempo, constituiu uma séria ameaça. As cidades filistéias a sudoeste – exceto Gate – lançaram fora a sua vassalagem. Os estados ao leste do Jordão, Amom, Moabe e Edom, já não podiam ser dominados por Judá. Assim, a divisão teve sérias repercussões tanto interna como externamente. Parece que Judá conseguiu manter o controle sobre Eziom-Geber[8].

B. O REINADO DE JEROBOÃO EM SIQUÉM E TIRZA, 12.25—14.20

O lugar para estabelecer a capital do reino do Norte só foi decidido depois que Onri escolheu Samaria (16.24). **Siquém** (25) era, claramente, a capital de Jeroboão no início de seu reinado e fatores políticos e militares podem ter sido a razão da sua posterior mudança para Tirza (14.17). Essa cidade pode ser identificada com *Tell el Far'ah*, aproximadamente a 12 quilômetros a nordeste de Nablus, na estrada que vai de Nablus (Siquém) até Bete-Seã. Escavações feitas nesse local parecem confirmar o registro bíblico, particularmente no que concerne ao reinado de Onri que aconteceu nesse local (1 Rs 16.17,23)[9].

1. Atividades de Construção Desenvolvidas por Jeroboão (12.25)

A frase: **Jeroboão edificou a Siquém** deve ser entendida em termos da cidade ter sido aumentada ou modificada de acordo com suas necessidades particulares. Evidências bíblicas e arqueológicas mostram que Siquém já era uma cidade que havia sido estabelecida muito tempo antes da época de Jeroboão (cf. 12.1; Js 24.1). A cidade de **Penuel** (Peniel é uma variação ortográfica; cf. Gn 32.24-32 e Jz 8.8,9,17) é identificada com *Tulul edh-Dhahab* (Os montes de Deus), localizada na Transjordânia ao longo das margens do Jaboque, aproximadamente a 8 quilômetros a leste do lugar onde esse rio desemboca no Jordão[10]. Nestes dois lugares, as edificações feitas por Jeroboão foram provavelmente motivadas por sua preocupação com fortificações mais adequadas.

2. Provisões Religiosas de Jeroboão para Israel (12.26-33)

Jeroboão adotou medidas para atender às necessidades religiosas de seu povo que, segundo ele, eram importantes para garantir a continuidade de seu reinado. Por isso, ele foi além dos desígnios que Deus havia lhe preparado para ser um instrumento do castigo divino sobre a casa de Davi (cf. comentários sobre 11.29-32). Embora geralmente se afirme que Jeroboão não tinha uma alternativa, a promessa feita a Aías (11.38), além de outras considerações, deixa bem claro que esse não era o caso. A ênfase sobre a importância do Templo como santuário central continuava válida, mesmo nesse período tão precoce de seu reinado. Os israelitas do reino do Norte poderiam, e deveriam, ter exercido sua adoração em Jerusalém e o governo continuaria sob a "casa de Jeroboão" pelo tempo que Deus determinasse. Algumas objeções podem ser apresentadas à sugestão de que havia uma alternativa para Jeroboão[11]. Porém é necessário lembrar que as situações humanas apresentam muitas possibilidades. Portanto, parece pouco apropriado dizer que não havia outra saída.

a. Os bezerros de Betel e Dã (12.28-31). Depois de consultas feitas a outras pessoas, Jeroboão **fez dois bezerros de ouro** (28) e os apresentou a Israel como a imagem de seus deuses (a expressão hebraica é traduzida como, "Vês aqui teus deuses"). Ele colocou um deles em Betel (29), perto da fronteira sul de seu reino, e o outro em Dã, perto da fronteira ao norte, além do lago Huleh. Cada uma dessas cidades tinha um passado religioso. **Betel**, antigamente chamada Luz, era o lugar onde Deus aparecera de forma significativa a Jacó em duas ocasiões (Gn 28.10-21; 35.5-15), e **Dã**, chamada antigamente de Laís, era o lugar onde os sacerdotes de linhagem mosaica serviam aos danitas (Jz 18.24-31)[12].

Os bezerros de Jeroboão (ou, como alguns entendem, os seus touros), assim como as outras facetas dessa adoração, levaram muito sutilmente o povo de volta às características de seu passado pelo qual sentiam um apelo muito real. Portanto, este rei aparece como reformador religioso e não como um inovador. Entretanto, ao examinar mais detalhadamente as suas mudanças, fica evidente que ele havia regredido às características que foram rejeitadas por aqueles que adoravam ao Senhor. E foi isso, assim como a sua verdadeira ou quase idolatria, que deu uma origem bastante justificada à sua rigorosa condenação através da expressão vindicativa: "Os pecados de Jeroboão, filho de Nebate". Muitas explicações foram oferecidas a respeito do cenário e do significado dos bezerros de Jeroboão. A mais comum é que ele imitou o culto prestado aos touros no Egito[13]. Suas razões são óbvias: em primeiro lugar, ele havia passado um tempo considerável no Egito como refugiado político e, em segundo lugar, sua declaração a respeito de seus touros representava uma clara lembrança do bezerro de ouro de Arão (Êx 32.1-6) que tinha um antecedente egípcio bastante claro. Aparentemente, esta era uma tentativa de fazer a representação visível de Deus através da apropriação de uma forma egípcia[14].

Esta origem egípcia, entretanto, não era necessariamente verdadeira com respeito aos bezerros de Jeroboão. Embora os elementos egípcios não possam ser totalmente excluídos, existem abundantes provas para mostrar que a religião dos cananeus era a fonte imediata desses ídolos. Eles, assim como os arameus (ou siros) e os hititas, representavam seus deuses sobre um trono ou sobre as costas de um animal, ou em pé sobre algum animal. Sendo assim, podemos entender que Jeroboão simplesmente adotou em seus santuários a idéia do touro como pedestal para o entronizado e invisível Senhor. Ele provavelmente reconheceu que não podia quebrar tão drasticamente o reconhecido e acatado culto a Deus. Dessa forma, ao apresentar os bezerros ele disse: "Vês aqui teus deuses". É provável que ele tenha apresentado o Deus invisível entronizado no pedestal de um touro em seus santuários[15]. Embora seus bois não tivessem a intenção de representar uma completa idolatria, tinham uma associação tão íntima com o paganismo que estavam a poucos passos dele.

b. Sacerdotes escolhidos ao acaso (12.31,32). Os santuários que Jeroboão construiu seguiam, aparentemente, o padrão dos templos ou lugares de oração dos cananeus. Ele edificou casas (templos) em lugares **altos** (31), aparentemente tanto em Betel como em Dã, embora **Betel** (32) seja o único lugar mencionado especificamente. Os sacerdotes que ele nomeou para seus santuários vinham do povo em geral, e não eram **dos filhos de Levi** (31).

c. Mudança da festa (12.32,33). Jeroboão transferiu a Festa dos Tabernáculos, que deveria ser comemorada no sétimo mês, para o **décimo quinto dia do oitavo mês** (33). Pode ser que isso tenha sido provocado por uma colheita tardia das tribos do Norte, embora a mudança se pareça mais com uma provável reversão a uma comemoração anterior a Moisés. Esse era o plano que **ele tinha imaginado no seu coração.** Por isso, através dessa mudança específica, ele havia planejado promover a causa de "Jeroboão, filho de Nebate" e não a causa de Deus.

Em 12.26–13.3 temos uma descrição da "religião subordinada". (1) Ela se origina de interesses egoístas, 26,27; (2) Ela é justificada pelo subterfúgio e pela falsidade, 28; (3) O afastamento de Deus torna-se cada vez mais acentuado, 29-33; e (4) Deus se recusa a aceitar um lugar tão desprezível, 13.1-3.

3. *A Condenação do Altar de Jeroboão* (13.1-34)

A expressão **um homem de Deus** (1) falou ao rei é um padrão freqüentemente mencionado nos livros dos Reis. O **homem de Deus** aparece para falar a palavra do Senhor ao rei e à nação. Existe aí a evidência da manifestação da misericórdia e da paciência para com um povo rebelde e pecador. Sempre existe mais do que um aviso adequado antes da vinda do castigo; ele é sempre precedido por demonstrações de misericórdia, e a própria repreensão pode ser entendida como um instrumento de misericórdia.

a. Jeroboão e o profeta de Judá (13.1-10). Betel (1), a moderna Beitin, estava localizada a aproximadamente 19 quilômetros ao norte de Jerusalém, em território benjamita, e a uma pequena distância da fronteira entre Judá e Benjamim. Na época da divisão, a região norte desta tribo havia se separado das do Norte, e a região sul, mais perto de Jerusalém, havia permanecido com Judá. Movido pelo Espírito de Deus, **um homem de Deus** foi a Betel para pronunciar a condenação divina sobre a nova religião de Jeroboão; e o altar proibido, sobre o qual ele realizava os sacrifícios, era o objeto dessa condenação. **Clamou contra o altar com a palavra do Senhor** (2) significa: "Ele bradou contra o altar, movido por uma palavra do Eterno" (Moffatt). O poder de Deus se manifestou através do profeta na milagrosa destruição do altar, na paralisia que secou o braço de Jeroboão e em sua cura (3-6), e na profecia de que **Josias**, da **casa de Davi,** destruiria o altar e seus sacerdotes (2). Estas notáveis manifestações da autoridade divina mudaram a atitude de Jeroboão em relação ao profeta, que passou do antagonismo (4) ao respeito; ele disse: "**Vem comigo à minha casa e... dar-te-ei um presente"** (7). A recusa do profeta, de aceitar o convite de Jeroboão para compartilhar uma refeição (8), era uma atitude de obediência à ordem de Deus. Essa recusa era bastante razoável devido à pequena distância entre Betel, através da fronteira, até Judá. A ordem de Deus era uma indicação da impureza ritual do reino do Norte, e também de seu desagrado devido à religião apóstata de Jeroboão.

b. O velho profeta em Betel (13.11-32). Esse incidente recebeu várias interpretações. É possível entender a frase **morava em Betel um profeta velho** (11) como alguém que tinha acompanhado Jeroboão. Se isso estiver correto, o velho profeta usou essa mentira para atingir alguém que falou contra ele e os outros profetas, embora na análise final ele tivesse que admitir a verdade básica da mensagem do profeta de Judá (32). Foi sob essa luz que ele foi considerado o primeiro dos falsos profetas de Israel. Por outro lado, parece ser preferível ver esse velho profeta como alguém que não tivesse conseguido elevar a voz contra as mudanças de Jeroboão, embora não estivesse a favor delas. Quando, destemidamente, o profeta de Judá apareceu perante Jeroboão, o velho profeta deve ter recebido o encorajamento de que precisava para se afirmar. Se essa interpretação estiver correta, a mentira do velho profeta (18), embora difícil de entender, pode ser considerada um meio ilegítimo para alcançar um fim legítimo. Deus nunca perdoa esse procedimento, embora às vezes ele esteja dirigido à sua glória. A morte do profeta de Judá, por causa de sua desobediência, pode ser entendida como uma impressionante lição sobre a importância da obediência pessoal à reconhecida vontade de Deus. Agora, o velho profeta convencia-se de que o **altar** e os **altos** de Jeroboão (32) estavam errados e que, no devido tempo, seriam destruídos exatamente como havia sido vaticinado pelo profeta de Judá. Mas, não se sabe se ele chegou a se opor ativamente a Jeroboão[16].

Em 13.1-26 vemos que "Deus espera por uma indiscutível obediência". (1) A obediência pode levar as pessoas a situações difíceis, 10; (2) A obediência leva as pessoas a enfrentarem situações em que é difícil tomar decisões adequadas, 11-16; (3) A obediência pode rapidamente se transformar em desobediência quando as pessoas descuidam da vigilância (17-19); (4) A desobediência leva ao castigo, independente da fidelidade e dos serviços prestados no passado, 20-25.

c. *O maior pecado de Jeroboão* (13.33,34). O profeta fez a advertência a fim de que Jeroboão pudesse se submeter, se arrepender e mudar sua atitude. Embora tivesse ouvido o profeta de Judá, assim mesmo ele continuou com sua oposição a Deus. Aumentou o número de lugares altos e de sacerdotes proibidos e ofereceu, assim, maior oportunidade para seu povo participar de sua falsa adoração. A religião de Jeroboão era em parte verdadeira e equivocada, mas, na análise final, não deixava de ser uma religião feita pelo homem e centralizada nele. Como tal, ela era uma religião idólatra, isto é, aquela em que os desejos e as atitudes do homem têm precedência sobre os propósitos e os planos de Deus. É uma espécie de idolatria pior que a pagã. Seu adepto adora de maneira falsa, porém sincera; Jeroboão e seus seguidores conheciam o certo, porém praticavam aquilo que era errado.

4. *A Esposa de Jeroboão Visita Aías* (14.1-16)

Em seu relacionamento com esse profeta em particular, o rei de Israel às vezes se encontrava em uma situação comparável àquela em que o marido fala em tom de brincadeira sobre sua esposa: "Ruim com ela; pior sem ela". Isso também se aplica ao relacionamento de Jeroboão com Aías. Aparentemente, os dois nada tinham em comum, mas, em tempos de necessidade, o rei ia novamente em busca do profeta.

a. *Jeroboão envia sua esposa a Siló* (14.1-3). **Siló** (2), ou a moderna Seilun, ficava a aproximadamente 14 quilômetros ao norte de Betel e era a terra natal de **Aías, o profeta** (cf. 11.29).O fato de ele ter ali a sua residência sugere que Siló era uma cidade de profetas. Essas localidades são mencionadas posteriormente em conexão com os ministérios de Elias e Eliseu (2 Rs 2). Mesmo que assim não fosse, ela era certamente uma cidade com história religiosa, pois servira como sede intermitente do Tabernáculo (cf. Js 18.1; 21.2; 1 Sm 1.3). A decisão de Jeroboão de procurar a ajuda de Aías estava baseada no apoio recebido desse profeta no passado – que **disse que eu seria rei sobre este povo** (2). Entretanto, o fato de ter mandado sua esposa se disfarçar e levar um presente que qualquer pessoa comum poderia oferecer mostra que ele sabia que Aías não estava contente com a maneira como ele se conduzia desde que se tornara rei. A palavra **pães** (3) pode ser traduzida como "alguns bolos".

b. *Notícias de Aías para a mulher de Jeroboão* (14.4-16). Embora Aías estivesse quase completamente cego, ele sentiu, através da ajuda de Deus, que a mulher de Jeroboão vinha visitá-lo (4,5), e sua simpatia por ambos está refletida em suas palavras de saudação: "**Pois eu sou enviado a ti com duras novas**" (6). Entretanto, ele não permitiu que sua simpatia comprometesse a mensagem do Senhor que lhes deveria transmitir. (*a*) Jeroboão fazia parte dos planos do Senhor para ser um instrumento contra a casa de Davi, e Deus já havia preparado para ele um importante papel político (7,8; cf. 11.30-38). (*b*) Jeroboão tirara vantagem da situação e reivindicara indevidamente sua posição; era culpado dos atos mais graves de desobediência perante Deus. "**E me lançaste para trás de tuas costas**" (9) é uma expressão de extremo desdém. (*c*) A casa de Jeroboão seria destruída até o último descendente¹⁷. **Tanto o escravo como o livre em Israel** (10) se refere tanto aos presos como aos livres. **Quem morrer a Jeroboão** (11), qualquer um que pertencer a Jeroboão e que morrer. (*d*) O filho de Abias irá morrer e **todo o Israel o pranteará** (13) porque ele sucederia Jeroboão no trono. (*e*) Outro **rei para Israel** (14, outra dinastia) se levantaria para substituir Jeroboão. A frase aparentemente vaga: "**mas que será também agora?**" (14) pode significar "hoje, e de agora em diante". (*f*) A religião e a influência de Jeroboão causariam resultados tão nefastos que, por fim, o povo de Israel seria levado para o exílio, **para além do rio** (15, ou rio Eufrates). Jeroboão poderia ter alcançado um lugar de grande proeminência se tivesse agido em conformidade com a vontade de Deus. Entretanto, sua desobediência colocou um ponto final na oportunidade de sua casa continuar a governar o Reino do Norte e traria o castigo divino tanto para o seu lar como para o povo de Israel. Nenhum homem pode restringir a si mesmo as conseqüências de seus atos iníquos. Jeroboão, **o qual pecou** (16), também **fez pecar a Israel**.

5. *Explicações Resumidas sobre o Reinado de Jeroboão* (14.17-20)

A mulher de Jeroboão retornou **a Tirza** (17), cidade que era então a capital do reino do Norte, a aproximadamente 40 quilômetros de Siló. Depois da morte e do sepultamento de seu filho (18), ficou claro que o falecimento de Jeroboão não demoraria. Ele foi sucedido por seu outro filho, **Nadabe** (20). Ele reinara durante vinte e dois anos como o primeiro rei de Israel¹⁸.

C. O FINAL DO REINADO DE ROBOÃO (931-913 a.C.), 14.21-31

Nessa passagem, o material foi selecionado do **Livro das Crônicas dos Reis de Judá** (29). Eles foram obtidos de acordo com a estrutura literária que o historiador emprega repetidamente desse ponto em diante. Nessa estrutura foram incluídos o nome e a idade dos reis, assim como a duração de seu reinado. Um detalhe que nem sempre aparece no prólogo é que a cidade de Jerusalém, depois da época de Salomão, seria sempre identificada como o lugar do Templo (21). O nome da rainha mãe aparece muitas vezes; nesse exemplo, sua identidade como amonita fornece alguma explicação para o drástico abandono de Roboão de uma adoração aceitável a Deus.

1. *Apostasia e Idolatria de Roboão* (14.22-24, cf. 2 Cr 11.5–12.8)

Um relato completo sobre o reinado de Roboão pode ser encontrado no segundo livro de Crônicas, que menciona a construção das cidades fortes e da afluência de sacerdotes do Reino do Norte, e também o fato de Jerusalém ter sido poupada da destruição por causa do arrependimento do rei e do príncipe.

A expressão "tal pai, tal filho" pode ser aplicada a Roboão como sucessor do trono de Judá. Seu reino foi não só a continuação da religião idólatra de Salomão como, pelo menos em grande parte, também um desenvolvimento desse culto.

Sobre o Senhor, foi dito que **Judá provocou o seu ciúme (ou zelo;** 22). Essa frase pode ser comparada à expressão **provocando o Senhor à ira** (15) que é freqüentemente repetida nos livros dos Reis (15.30; 16.7; 21.22; cf. Dt 4.25; 9.18). Ela transmite a idéia de que Deus se irou porque os pecados de Judá representavam uma ofensa ao seu caráter de santidade. A expressão: **o provocaram a zelo** também pode ser traduzida como "provocou-o a uma ação zelosa" (cf. Is 9.7, onde a frase "zelo do Senhor" é usada em uma expressão junto a um substantivo que tem a mesma raiz do verbo traduzido como "provocou à ira" – QN'). Essa expressão acentua a preocupação de Deus com o seu nome e a sua causa.

Sob o governo de Roboão as características mais notáveis da religião dos cananeus tiveram lugar juntamente com a adoração a Deus, ou mediante a exclusão desta – lugares **altos** (23), **imagens** (pilares), **bosques** (ou postes-ídolos) e **sodomitas** (24; prostituição masculina). Todas essas características da religião dos cananeus eram chamadas de **abominações** (24).

Talvez algumas palavras possam estabelecer a diferença entre o relato do reinado de Roboão em Reis e o mesmo relato em Crônicas. Por que o historiador de Reis omitiu as informações sobre o arrependimento de Roboão e o resultado menos severo das conseqüências da invasão de Sisaque? Talvez o historiador não tenha enxergado no arrependimento de Roboão e de seus oficiais a mesma importância que o cronista observou. Ele parece não ver o assunto com bons olhos, pois esses fatos não levaram a uma reforma. Asa, depois de Abias (ou Abião), teve que fazer essas mudanças alguns anos depois do término do reinado de Roboão.

2. *A Invasão de Sisaque* (14.25-28; cf. 2 Cr 12.9-12)

No quinto ano (25) do reinado de Roboão, a nação de Judá foi invadida por **Sisaque, rei do Egito**. A menção desse fato, depois da descrição da idolatria, indica que o historiador considerava essa invasão um aspecto do castigo sobre Judá. A explicação em Crônicas é que o castigo não foi tão severo como deveria, caso Roboão e os seus príncipes não tivessem se arrependido. Parece existir uma sugestão em Reis de que, embora essa experiência devesse tê-lo levado a adotar medidas corretivas, isso não aconteceu. O historiador deixa aparentemente implícito que as condições pecaminosas prevaleceram durante todo o reinado de Roboão.

a. O relato bíblico. Sisaque invadiu Judá, subiu contra Jerusalém e tomou os tesouros da casa do Senhor e todos os escudos de ouro da **"casa do bosque do Líbano"** (cf. 10.16,17). Não está claro se isso aconteceu depois de um breve combate entre os dois exércitos, ou após algum acordo que aconteceu depois da conquista das remotas cidades fortificadas (2 Cr 12.2-4). Também não está claro se isto significava ou não que Judá se tornara uma nação vassala de Sisaque. Roboão substituiu os escudos de ouro pelos de bronze e estes foram usados pela guarda real para aumentar a pompa quando o rei entrava no Templo.

Os versículos 21 a 28 fornecem uma notável ilustração da "forma sem essência". (1) Os escudos de ouro foram perdidos por causa do pecado, 21-26; (2) A religião substituta ficou no lugar da verdadeira, 27; (3) A imitação é tão inferior à verdade como o latão é inferior ao ouro puro, 27; (4) Alguma forma de santidade ainda pode ser mantida quando se perde a verdade, 28.

b. O relato de Sisaque em Karnak. O Sisaque mencionado na Bíblia pode ser identificado com o rei Sesonque I (945-924 a.C.), fundador da 21ª Dinastia do Egito. Ele governou em Bubastis (Pi-Besete em Ez 30.17) e deixou um relato sobre a campanha palestina na parede do famoso Templo de Karnak construído junto ao rio Nilo, na moderna cidade de Luxor. Seu relato é, em grande parte, uma inscrição em baixo relevo que mostra o deus Amun à frente de pelo menos 156 prisioneiros asiáticos, provavelmente israelitas. O nome inscrito no quadro oval abaixo da cabeça e dos ombros de cada prisioneiro é da cidade palestina aparentemente capturada por Sisaque. Algumas das localidades mencionadas são Taanaque, Bete-Seã, Gibeão, Bete-Horom, Megido e Socó[19]. Esse registro confirma o relato bíblico sobre a invasão egípcia e mostra, também, que o historiador omitiu muitos detalhes de considerável importância política. Mas, como é muitas vezes corretamente observado, o seu desejo não era fazer um relato completo da história secular.

D. A "CASA DE DAVI" EM JERUSALÉM, 15.1-24

Antes de retornar à história do Reino do Norte, o historiador dá prosseguimento aos assuntos relativos a Abias e Asa, que foram reis em Jerusalém.

1. *O Reinado de Abias*, 913-911 a.C. (15.1-8; 2 Cr 13.1-22).
O nome **Abias** (1) é uma variação do nome Abião, que ocorre em algumas versões. O seu breve reinado se caracterizou pela permanência de uma idolatria que tinha estado presente desde o reinado de **seu pai** (3), Roboão. Davi foi novamente usado como exemplo de alguém cujo coração havia sido perfeito ("totalmente perfeito", conforme algumas versões), enquanto o coração de Abias **não foi perfeito para com o Senhor**. Nesse ponto, o historiador reconheceu o pecado de Davi quando se envolveu com Bate-Seba (5). A luta entre os dois reinos, que havia caracterizado o governo de seu pai Roboão, continuava a existir como sua herança política (6).

2. *O Reinado de Asa*, 911-870 (15.9-24; cf. 2 Cr 14.1–16.14)
Asa é descrito como alguém que **fez o que era reto aos olhos do Senhor, como Davi, seu pai** (11). Existe, entretanto, uma referência aos lugares **altos** (14) restantes, e à sua imprudente aliança com a Síria (cf. 2 Cr 16.7-12). Parece claro que essa favorável avaliação está relacionada, principalmente, com sua atitude frente à idolatria, pois, se assim não fosse, seria difícil harmonizar essa avaliação com outros fatos conhecidos sobre Asa.
Nos versículos 2 e 10, o nome Maaca é mencionado como o da mãe de ambos, Abias e Asa. Devemos nos lembrar que na Bíblia Sagrada, muitas vezes, os termos que designam relações familiares são usados em um sentido mais amplo para incluir qualquer antepassado ou descendente (cf. Gn 3.20; 17.16). Por isso, o versículo 10 deveria ser traduzido como "o nome de sua avó era Maaca". Ela é mencionada porque havia conseguido manter sua posição como rainha-mãe depois da morte de Abias (13).

a. A reforma religiosa (15.12-15). A extensão da conquista da religião dos cananeus em relação à casa real é indicada pela imagem de Aserá (uma deusa cananita) que a rainha-mãe havia erguido no vale de Cedrom (13). Asa demoveu-a de sua elevada posição de rainha-mãe, e destruiu a sua imagem. Ele também eliminou a prostituição masculina, o culto a Aserá, e os ídolos que haviam sido introduzidos na religião de Judá durante os reinados de Roboão e Abias (12). Quanto ao aspecto positivo, o rei trouxe à

casa do Senhor... prata e ouro (15). Portanto, ele adotou medidas importantes para levar a adoração a Deus ao lugar de direito em sua vida e na vida de seu povo.

b. A guerra contra Baasa (15.16-22). A luta entre os dois reinos continuou durante o governo de Asa. As hostilidades que haviam se avolumado com o passar dos anos se transformaram em guerra (cf. 2 Cr 16.1-6). Os detalhes incluídos aqui estão relacionados com as medidas que Asa tomou para evitar novas tentativas de Baasa de invadir Judá. A estrada que sai de Jerusalém e prossegue em direção ao Norte, provavelmente através ou perto de Ramá, pode ser identificada com a moderna cidade de *er-Ram*, a oito quilômetros de Jerusalém. Baasa havia construído Ramá aparentemente como uma medida que visava bloquear o comércio e a comunicação com o Norte. Não existe qualquer indicação de que, ao construir e fortificar Ramá, Baasa havia se colocado contra Judá e recuperado o controle de certas cidades benjamitas que Abias havia conquistado durante a sua guerra contra Jeroboão (cf. 2 Cr 13.18-21).

Ao encontrar-se debaixo de tanta pressão militar, Asa resolveu fazer uma aliança com **Ben-Hadade..., rei da Síria** (18) e usou o ouro e a prata de seu tesouro como atrativo para essa aliança. Ben-Hadade aceitou o presente de Asa, que foi oferecido sob a condição deste romper seu acordo com Baasa (19). O rei sírio dirigiu os seus exércitos contra as províncias situadas na região mais ao norte de Israel (20) e, ao conquistá-las, acrescentou uma área bastante significativa aos seus domínios. **Ijom** estava situada no extremo norte da fértil área de Merj Ayyun; porém a sua localização exata é desconhecida. **Dã,** centro do culto de Jeroboão para a região norte, que pode ser identificada com Tell el-Qadi ao pé da região sul do monte Hermom, guardava a rota comercial entre Damasco e Tiro. **Abel-Bete-Maaca,** Tell Abil, estava localizada a aproximadamente 19 quilômetros ao norte do lago Huleh e contemplava a interseção de importantes rotas comerciais. **Quinerete** era um distrito de Naftali.

Essas conquistas tiveram o resultado esperado por Asa. Baasa foi obrigado a interromper seus trabalhos em Ramá e retirou-se para a sua capital, **Tirza** (21). Em seguida Asa invadiu Ramá, demoliu a cidade e usou o material para construir suas duas cidades – **Geba** (22), guardiã da passagem Micmás ao sul, próximo de 10 quilômetros a norte-nordeste de Jerusalém, e **Mispa,** ou *Tell en-Nasbeh*, em torno de 13 quilômetros ao norte de Jerusalém, na estrada para Samaria. Esses dois lugares eram tradicionalmente conhecidos como cidades limítrofes de Judá.

c. Ben-Hadade de Damasco. A descrição da dinastia de Ben-Hadade (18) faz dele um descendente de Rezom (ou **Heziom**) que havia sido um adversário de Salomão (11.23-25). Como sabemos através da história secular, essa dinastia havia feito de Damasco o estado sírio mais poderoso da região ao norte da Palestina e a oeste do Eufrates. A menção de Ben-Hadade representa uma introdução ao forte poderio sírio centralizado em Damasco, e que havia ameaçado seriamente os dois reinos israelitas durante e depois do século IX a.C. A invasão de Ben-Hadade ocorreu por volta de 879 a.C.

A tendência habitual é considerar Ben-Hadade da época de Asa como Ben-Hadade I, e o Ben-Hadade da época de Elias e de Eliseu como Ben-Hadade II. Porém Unger, ao acompanhar Albright, apresentou uma interessante coleção de provas para mostrar que o Ben-Hadade da época de Asa também é o mesmo da época de Elias e de Elizeu[20].

Por outro lado, há aqueles que não aceitam essa identificação e ainda defendem um Ben-Hadade I e Ben-Hadade II[21].

Em sua aliança com Ben-Hadade, Asa estabeleceu um perigoso precedente para os reis de Judá. Ele decidiu confiar nos exércitos de outra nação, ao invés de recorrer a uma completa confiança em Deus. E o custo foi mais alto do que ele esperava. Sua aliança contra o Reino do Norte significava uma traição aos seus irmãos hebreus. Ela criou um antagonismo ainda maior que levou, mais tarde, a uma aliança entre Israel (o reino do Norte) e a Síria, contra Judá. Além disso, ao se comprometer com Ben-Hadade, Asa havia colocado os dois reinos formados por povos hebreus em uma posição de subserviência a Damasco[22].

d. *O final do reinado de Asa* (15.23-24). Geralmente se faz referência a fontes de informações adicionais. Uma observação incluiu que Asa teve um grave problema nos pés, e que foi sepultado na cidade de Davi. Seu sucessor foi Josafá.

E. INSTABILIDADE NO REINO DO NORTE, 15.25—16.28

No relato sobre o reinado de Asa, o historiador incluiu incidentes que estavam fora do reinado de Nadabe, do Reino do Norte, e que ainda não haviam sido apresentados. Ele, então, voltou atrás para retomar a história desse reino e continuou desse ponto em diante através de 2 Reis 10, exceto no caso de itens resumidos relativos aos reis em 1 Reis 22.41-49 e 2 Reis 8.16-24. Uma grande parte dessa extensa passagem diz respeito à vida de Elias e de Eliseu, o que sugere que esse período da história de Israel foi caracterizado por um poderoso ministério profético.

O período de vinte e cinco ou trinta anos coberto por 15.25—16.28 foi uma época bastante conturbada para o povo do Reino do Norte. Durante esse breve período, a primeira dinastia de Israel foi substituída por outra que, assim como ela, não conseguiu se perpetuar além da segunda geração. Houve, em seguida, um período quase de anarquia durante o qual o Reino do Norte esteve próximo da extinção. Para o historiador, a instabilidade e a desordem representavam a eloqüente expressão do castigo de Deus sobre Jeroboão e aqueles que insistiam em continuar com as suas práticas pecaminosas.

1. *O Reinado de Nadabe*, 910-909 (15.25-32)

O reinado de Nadabe foi muito curto e coincidiu com parte do reinado de Asa.

a. *"Andou nos caminhos de seu pai"* (15.26). Em muitas famílias, o filho faz bem em seguir o exemplo do pai. Entretanto, isso não é verdade quando o genitor estabelece um padrão de vida pecaminoso, como foi o caso de Jeroboão. A frase **nos caminhos de seu pai** é uma referência particular à falsa adoração de Jeroboão. Nadabe, assim como todos os reis do Norte que o sucederam, preferiu continuar com a mesma forma de adoração de Jeroboão, por acreditar que ela fosse essencial à existência do reino. A escolha que se apresentava perante ele era continuar com essa religião e arriscar o castigo de Deus ou interrompê-la e arriscar o colapso de seu reino. Nadabe preferiu se arriscar a sofrer o juízo de Deus, uma escolha que se deveu mais a uma auto-exaltação do que a uma obediência ao Senhor. Essa é uma decisão que muitas pessoas já tomaram, mesmo cientes de antemão que fazem a escolha errada.

b. Devido aos pecados de Jeroboão (15.27-30). O ambicioso Baasa, (27) provavelmente um oficial do exército, ou funcionário da corte, liderou seus seguidores contra Nadabe em **Gibetom,** a moderna *Tell el-Melat,* situada a alguns quilômetros a oeste de Gezer. Nessa ocasião, Nadabe tentava capturar a cidade dos filisteus. De acordo com a tradição e a previsão profética (cf. 14.10), Baasa matou toda a família de Nadabe, e deu fim, deste modo, à **casa de Jeroboão** (29). Nadabe teve uma morte prematura e violenta porque preferiu desobedecer a Deus.

2. *O Reinado de Baasa,* 909-886 (15.33—16.7)

Baasa foi outro que subiu ao poder com grandes promessas, mas que também fez a escolha errada em relação à falsa adoração que havia herdado da "casa de Jeroboão". O relato da guerra entre ele e Asa foi expresso no registro do reino de Asa (15.16-22) e não vamos repeti-lo aqui.

a. Exaltado a partir do pó (16.2). **Porquanto de levantei do pó e te coloquei por chefe sobre o meu povo, Israel** – essas palavras foram proferidas a Baasa pelo profeta "Jeú, filho de Hanani" ao apresentar sua mensagem de juízo. Elas indicam que Deus havia promovido Baasa ao trono. O termo **chefe** (ou príncipe) é uma palavra que se aplica a uma pessoa digna de respeito e estima, mas de autoridade limitada. Essa foi a maneira de Jeú indicar a Baasa que deveria reconhecer que não era a suprema autoridade de seu reino, e que Deus estava acima dele. Aparentemente, foi baseado no fato de Baasa não reconhecer ao Senhor como sua suprema autoridade, que Jeú pronunciou o juízo de Deus que lhe sobreviria.

b. O retorno ao pó (16.3-7). O pronunciamento profético contra Baasa referia-se ao extermínio de sua casa; ela se tornaria igual à **casa de Jeroboão, filho de Nebate** (3). **Quem morrer a Baasa** (4) significa "qualquer um pertencente a Baasa que morrer". Baasa teve uma morte natural (6), mas seu filho Elá experimentou o castigo que havia sido profetizado sobre a dinastia.

3. *O Reinado de Elá,* 886-885 a.C. (16.8-14)

Elá (8) estava na capital, **Tirza,** e visitava a **casa de Arsa** (9), mordomo do palácio. Não está claro se ele era um indivíduo relapso, que não se preocupava com o seu povo, ou se estava sobrecarregado com grandes preocupações; sua embriaguez resultou em um estupor alcoólico. Além disso, podemos apenas supor que fizesse parte de uma intriga palaciana. Zinri (10) que era um de seus comandantes, veio e o matou.

a. "Conforme a palavra do Senhor" (12, cf. também 3). Nesse ponto, e também em outros em 1 e 2 Reis, devemos entender que as previsões proféticas não predeterminavam ou predestinavam futuros acontecimentos. Os atos morais do indivíduo não eram invalidados, nem ele era desesperadamente envolvido em acontecimentos predeterminados que o levavam à perdição. As previsões eram feitas de acordo com a presciência de Deus, e certamente sob a unção do Espírito Santo. Mas as previsões eram baseadas no conhecimento divino do curso de ação escolhido pelo homem. Os pecados de Baasa e de Elá resultaram de suas próprias escolhas, e não foram causados por circunstâncias inevitáveis sobre as quais o rei não tinha qualquer controle. **Àquele que urinou contra a parede** (11), "não lhe deixou homem algum, nem a seus parentes, nem a seus amigos".

b. Deus estava irado com os ídolos do povo (13). O historiador viu que os pecados dos pais traziam más conseqüências às gerações seguintes, e isso era particularmente verdade em relação ao pecado da idolatria (Êx 20.4-6). De acordo com a perspectiva do autor sobre a história, não há dúvida de que ele tinha em mente o efeito dos pecados de Manassés, que nem as reformas de Josias conseguiram compensar (2 Rs 23.26,27). **Vaidades**; este era o epíteto profético para os ídolos (cf. 32.21; 2 Rs 17.15; Sl 31.6; Jr 8.19).

4. *O Reinado de Zinri*, 885 a.C. (16.15-20)

Enquanto Onri, supostamente sob as ordens de Elá, tentava arrancar Gibetom das mãos dos filisteus, Zinri matou o rei Elá e assumiu o governo. Aparentemente, ele havia agido com pouquíssima ajuda, pois seu reinado durou apenas sete dias. **Todo o Israel... fez rei sobre Israel a Onri** (16) quando soube que Zinri havia matado Elá.

Onri, motivado pela lealdade a Elá, ou por suas próprias ambições mundanas, retirou o seu exército de Gibetom e dirigiu o ataque contra Tirza. Quando Zinri percebeu que havia sido derrotado, ele foi ao palácio, queimou sobre si a casa do rei e morreu (18). Escavações feitas em *Tell el-Far'ah*, que havia sido identificada com Tirza, revelaram uma destruição seguida por uma restauração parcial do local. Isso está de acordo com o relato bíblico do reinado de Onri – seu ataque contra Zinri e sua permanência de seis anos como rei antes de transferir a capital para Samaria[23].

5. *O Reinado de Onri*, 885-874 a.C. (16.21-28)

Onri foi um dos líderes mais competentes do Reino do Norte. Ele trouxe a estabilidade de um governo dinástico a um povo que havia estado cada vez mais envolvido em golpes e intrigas de indivíduos interesseiros. Ele também tomou a sábia decisão de transferir a capital de Tirza. Sua dinastia alcançou uma reputação internacional; os reis assírios, em seus diários desde o tempo de Salmanezer III (858-824 a.C.) até Sargão II (721-705 a.C.), referiam-se aos reis de Israel como a "casa de Onri" (*Bit Humria*)[24].

a. Onri une as facções (16.21,22). Durante vários anos o ciúme entre as tribos, que foi o fator da divisão depois de Salomão, exerceu aparentemente um importante papel na desunião entre as tribos do Reino do Norte. Um grupo aceitava **Tibni** como seu rei, e o outro admitia o endosso do exército para **Onri**. O nome de Tibni foi ignorado, Onri foi capaz de derrotá-lo e, dessa forma, se estabeleceu como único pretendente ao trono.

b. Samaria fundada como a nova capital (16.24). Onri comprou uma colina pelo equivalente a $4.250 (Berk.; dois talentos de prata ou aproximadamente setenta quilos de prata), sobre a qual construiu uma cidade para ser a sua capital. Sua escolha foi aprovada pelos reis que lhe seguiram, pois eles também conservaram e desenvolveram essa cidade como a capital. A cidade se chamava Samaria, nome do antigo proprietário de quem Onri tinha comprado a terra. Samaria (a Sebaste do período romano e da época do NT) está estrategicamente localizada sobre uma colina cercada nos três lados por planícies e encostas férteis. Ela está a cerca de 67 quilômetros ao norte de Jerusalém, e a 40 quilômetros da costa do Mediterrâneo. A cidade contemplava a estrada principal que ligava Jerusalém à planície de Esdraelom, e ao norte. A própria colina forma uma extensa cadeia na direção leste-oeste. Ela podia ser facilmente defendida, um fator sem dúvida muito importante para Onri tomar a decisão de comprá-la. Ela já foi escavada e, exceto por alguns materiais encravados na rocha do início da Era do Bronze, esse local não havia sido ocupado desde a Idade do Ferro II, de aprox. 900 a.C.[25]. Além disso, escavações posteriores revelaram um extenso projeto de construção ali realizado por Onri e Acabe.

c. O erro de Onri (16.25-28). Embora Onri tivesse muitos pontos a seu favor, ele errou e desobedeceu a Deus ao continuar a promover a falsa religião de Jeroboão. **Com as suas vaidades** (26) é uma frase que pode ser corretamente traduzida como "com os seus ídolos". A vida do homem não tem valor, se não estiver em completa obediência a Deus. O historiador considerou a idolatria uma prática que eliminava totalmente o direito que o Senhor tem sobre a vida humana. Portanto, ela era o ponto crucial dos pecados de Jeroboão e dos pecados dos outros reis que continuaram a praticá-la. A perversão do coração abriu as portas à idolatria no sentido visível e habitual.

Dessa forma, os livros dos Reis e o ponto de vista do historiador sobre a idolatria do coração são muito significativos em sua exposição do pecado, que é a mais insidiosa e sutil de todas as idolatrias. Foi isso que o historiador considerou como a verdadeira causa da decadência dos reinados e não o poder dos assírios e babilônios. É provável que o seu único propósito fosse chamar a atenção para a idolatria pelo que ela realmente representa. Porém, outros autores bíblicos proclamam as *boas novas* através do Senhor Jesus Cristo, e dizem que a graça de Deus é mais que adequada para conceder ao homem não só o perdão dos pecados, mas também a purificação que elimina o pecado, a fonte de toda idolatria.

F. ACABE, DA "CASA DE ONRI" (874-853 a.C.), 16.29—22.40

O reinado de Acabe foi um período crucial para o povo da antiga nação de Israel. Os sírios, liderados pelo vigoroso Ben-Hadade, já haviam conquistado o controle da maior parte do território ao norte de Israel. A atenção dos sírios foi um pouco desviada pelo crescente poder assírio na Mesopotâmia; porém, eles continuaram a ser uma séria ameaça não só para o reino do Norte, como também para Judá. Entretanto, o historiador não considerou esse fato de forma tão crítica como a instalação do culto a Baal em Samaria. Através da influência da rainha Jezabel, e dos esforços de seus sacerdotes, o baalismo ameaçava extinguir a adoração a Deus em ambos os reinos. Era uma época que exigia almas corajosas para que a causa do Senhor permanecesse viva, e Deus tinha à sua disposição essa coragem através do profeta Elias, assim como de Eliseu, depois da época de Acabe.

1. *O Casamento de Acabe com Jezabel* (16.29-34)

Provavelmente, Onri arranjou o casamento entre seu filho Acabe e **Jezabel, filha de Etbaal, rei dos sidônios** (31, Fenícios). Foi, sem dúvida, um casamento que selou o acordo entre os dois países. Embora as implicações políticas tenham sido omitidas do registro bíblico, o programa religioso que Jezabel promoveu pode muito bem ter sido parte desse acordo (cf. o acordo de Acaz com a Assíria em uma data posterior, 2 Rs 16.10-16).

a. O interesse de Onri e de Acabe em uma aliança. Os sírios, com as cidades da região norte de Israel que haviam conquistado de Baasa (15.20), estavam em condição de controlar as rotas comerciais para o Ocidente. Esse controle lhes proporcionava os meios necessários para fazerem de Damasco o estado mais poderoso da Síria. Entretanto, isso enfraquecia Israel e ameaçava interromper com a Fenícia um comércio vital para suas necessidades. Onri, provavelmente ao dar início a uma ação diplomática, encarregou-se de formar uma aliança que traria benefícios mútuos para a sua nação e a Fenícia. Isso levou ao casamento de seu filho e sucessor com a filha de Etbaal (ou Ittobaal) da Fenícia[26]. A Bíblia simplesmente informa que Acabe tomou Jezabel como mulher, mas não indica quando. É provável que ele a tenha desposado antes de se tornar rei.

b. Introdução à adoração a Baal (16.31-33). O casamento de Acabe foi realizado sob um profundo desrespeito às injunções de Deus contra tais casamentos mistos. A desconsideração de Onri e de Acabe ao mandamento divino levou a uma total rebelião contra os outros mandamentos. O próprio Acabe se tornou um adorador de Baal e construiu um templo para seu culto em Samaria, que foi ocupado pelas centenas de sacerdotes de Jezabel (18.19). Ele construiu uma espécie de símbolo de Aserá, uma indicação de que o degradante culto à fertilidade estava instalado em Samaria. De certo modo, ele aparentemente tentou permanecer fiel a Deus (21.27-29), mas a adoração a Baal era a sua verdadeira religião.

c. Hiel reconstrói Jericó (16.34). A reconstrução de Jericó, que havia sido profetizada por Josué (Js 6.26) pode ter feito parte do programa de Onri e Acabe para obter fortificações melhores e mais adequadas. A cidade de Jericó estava situada nas proximidades da fronteira entre os dois reinos israelitas. Ela também poderia oferecer proteção contra a rebelião em Moabe (cf. 2 Rs 3.5); porém, o hebraico nesse verso é ambíguo. De certa forma, a construção da cidade custou a vida dos dois filhos de Hiel, e é difícil saber se perderam a vida na própria construção da cidade ou se foram oferecidos como sacrifícios humanos, uma prática que o culto a Baal de Acabe teria permitido.

2. *As Atividades de Elias durante a Seca* (17.1-24)

O profeta mais empolgante do Antigo Testamento apareceu repentinamente como porta-voz de Deus durante o reinado de Acabe. Ele era aquele mensageiro extremamente necessário para o conflito entre a verdadeira religião, com seus padrões de uma vida virtuosa, e o culto a Baal com sua ênfase na devassidão. Elias entrou em cena numa época em que a tentação de viver através de impulsos físicos e sensuais espalhava-se de forma ampla. Por isso, a época do profeta exigia não só um grande espírito como também determinadas realizações, e era contra o cenário daquela época que seu ministério deveria se desenvolver. Deus manifestou o seu supremo poder através deste profeta em acontecimentos milagrosos que ocorreram um após o outro, a fim de derrotar as forças de Baal e de Aserá. Esse relato nos faz lembrar a forma como o Senhor revelou o seu supremo poder nas pragas contra o Faraó e os deuses do Egito na época de Moisés.

a. *Previsão da seca* (17.1). O nome **Elias, o tisbita**, significa provavelmente Elias de Tisbé; porém, esse local nunca foi satisfatoriamente identificado. "Tisbé, na região de Gileade" não ajuda a decidir a sua localização, porque a frase significa apenas "os hóspedes de Gileade". Ela sugere um clã nômade, como os recabitas ou queneus. Já foi considerado um lugar na Galiléia e, se assim for, Elias seria um gileadita que foi viver no lado ocidental do Jordão. A sugestão de Nelson Glueck de que Jabes-Gileade era o lar de Elias é extremamente plausível; porém, não oferece uma solução final[27]. **Nestes anos...** a duração da seca prevista era de três anos e meio, de acordo com Lucas 4.25.

b. *Deus como provedor* (17.2-7). O anúncio da seca deu início ao conflito entre Deus e Baal, que atingiu o seu clímax no monte Carmelo. Assim que a batalha foi consolidada, Elias recebeu ordens do Senhor para se isolar no deserto durante o período da seca, e Deus milagrosamente proveu seu alimento através dos meios mais improváveis. Como está freqüentemente provado na Bíblia, o Senhor não está preso, como o homem, à forma habitual de fazer as coisas. Esse milagroso cuidado foi muito importante para o desenvolvimento da confiança de Elias em Deus, da qual ele necessitaria para o importante confronto com as forças de Baal e Aserá no futuro. A frase "**Querite, que está diante do Jordão**" (3) pode ser aplicada tanto ao lado oriental como ao ocidental. Existe uma tendência de se localizar esse riacho ou uádi no lado leste do Jordão.

c. *Deus dá o reforço* (17.8-16). O segundo esconderijo de Elias era a casa de uma viúva em **Sarepta** (9; a moderna *Sarafand*), uma vila fenícia a cerca de 10 quilômetros ao sul de Sidom.

A expressão **Vou prepará-lo** (12) pode ser traduzida como "que eu possa entrar e prepará-lo". A resposta da viúva ao pedido de Elias, e sua disposição de lhe dar a pequena quantidade de comida e azeite (12,15), indicam que ela era uma mulher temente a Deus. "A farinha da panela não se acabará, e o azeite da botija não faltará" (14). Como essas palavras são sugestivas e nos fazem enxergar os inesgotáveis recursos do Senhor, e seu oportuno atendimento às necessidades humanas!

Nos versículos 9 a 16 é ensinada uma lição sobre o "infalível suprimento de Deus". Vemos aqui (1) Privação, isto é, a hora de uma terrível necessidade, 9-11; (2) Promessa no desafio de se ter a fé obediente, 12-14; e (3) A provisão através da generosa mão de Deus: "**Da panela a farinha se não acabou, e da botija o azeite não faltou, conforme a palavra do Senhor, que falara pelo ministério de Elias**", 16.

d. *Deus dá uma nova vida* (17.17-24). Nessa ocasião, o poder de Deus se manifestou de forma mais impressionante do que em qualquer outro momento da experiência de Elias. O angustiante, mas equivocado, grito do coração dessa mãe no versículo 18 foi esclarecido nas versões modernas: "Homem de Deus, o que o senhor tem contra mim? Será que o senhor veio aqui para fazer com que Deus lembrasse dos meus pecados e assim provocar a morte do meu filho?" (NTLH). A resposta da viúva às instruções de Elias, e a maneira como ela agiu por fé, eram muito importantes. Porém, mais importante foi a oração de Elias e a resposta do Senhor à sua súplica. Vemos aqui uma demonstração do poder de Deus sobre as leis que controlam a vida física. Ela é o exemplo do seu poder de dar renovação à vida espiritual. É essa vida moral e espiritual que recebe uma grande atenção ao longo de todo o Antigo Testamento, e que é declarada como as "boas novas" em Cristo, no Novo Testamento.

3. Elias Apresenta-se a Acabe (18.1-46)
A longa seca havia causado uma grave falta de alimentos para os povos das terras afetadas, bem como de grãos e de pasto para os seus animais. Com a fome que criava as mais graves condições e sentimentos que, sem dúvida, cresciam contra aquele que havia trazido a profecia da seca, Deus enviou Elias de volta para Samaria, a fim de comparecer novamente perante Acabe. Ao se dirigir àquela cidade, o profeta enfrentaria não só a ira do rei, mas também Jezabel e seus fanáticos sacerdotes.

a. Deus manda e Elias obedece (18.1,2). **No terceiro ano** (1) é uma expressão que deve ser entendida como a indicação do tempo que Elias passou em Sarepta – isto é, mais de dois anos. Elias havia iniciado a viagem a Samaria quando ocorreram os dois incidentes de 3 a 16. Apesar da explosiva situação que o aguardava, ele obedeceu à ordem de Deus para se apresentar perante Acabe.

b. Elias encontra Obadias (18.3-16). Podemos imaginar o rigor da falta de alimentos pelo fato do rei Acabe e seu mordomo Obadias serem forçados a procurar sistematicamente, e em lugares longínquos, as ervas para os animais (5,6). Obadias é identificado como um sincero servo de Deus, que teve coragem de esconder **cem profetas do Senhor** (4) em uma caverna para poupá-los da implacável perseguição de Jezabel. Elias o encontrou e pediu-lhe que dissesse a Acabe que gostaria de vê-lo. **És tu o meu senhor Elias?** (7) também poderia ser entendido mais claramente como "És tu, meu senhor Elias?" Podemos entender a relutância de Obadias de procurar Acabe, porque o rei havia despendido um grande esforço, mas sem resultado, para encontrar o profeta. Elias poderia desaparecer outra vez, misteriosamente, do mesmo modo que havia ficado escondido antes. Se isso acontecesse, Acabe se iraria e mandaria matar o mordomo (9-14). Quando Elias lhe garantiu que isso não aconteceria, ele se dispôs a falar ao rei.

c. O perturbador de Israel (18.17-19). O fato de Acabe chamar Elias de perturbador de Israel é típico da cegueira de um pecador. Na verdade, é muito difícil alguém admitir que pecou e que, como pecador, deve ser justificadamente submetido ao juízo de Deus. Esta confissão só acontece quando o indivíduo está misericordiosamente convencido dos seus pecados através do ministério do Espírito Santo.

Elias deixou bem claro quem era o verdadeiro perturbador de Israel: Eu não tenho perturbado a Israel, mas tu e a casa de teu pai, porque deixastes os mandamentos do Senhor (18). Havia chegado o momento da prova final. O Deus de Israel exporia Baal, Aserá e também quaisquer outros falsos deuses, para deixá-los exatamente como eram. E isto aconteceria em uma competição entre Elias e os profetas das divindades dos cananeus no **monte Carmelo** (19).

d. A disputa (18.20-46). O monte Carmelo é uma cordilheira com cerca de 32 quilômetros de comprimento que se estende na direção sudeste-noroeste desde o vale de Esdraelom até a margem do Mediterrâneo. O rio Quisom corre ao longo de sua margem oriental durante grande parte dessa extensão. O promontório ocidental da montanha, situado junto ao mar, forma a região suburbana da moderna cidade de Haifa. Nesse local ainda existe um famoso mosteiro carmelita construído sobre uma caverna que, segundo se acredita, é o lugar onde Elias viveu durante algum tempo.

Acredita-se que o local da disputa entre Elias e os profetas de Baal era perto da encosta sudeste do Carmelo, junto ao seu ponto mais elevado que está a aproximadamente 600 metros acima do nível do mar. Esse lugar é geralmente identificado com *el-Muhraka* ou "lugar queimado", e ajusta-se muito bem aos detalhes fornecidos pela Bíblia Sagrada. Próximo a ele há uma fonte que abastece o local com água. O rio Quisom está logo abaixo, e o monte *Tell el-Qassis* ou "monte do sacerdote" não é muito distante dali.

O monte Carmelo está situado a cerca de 64 quilômetros de Samaria. A Bíblia não afirma se essa cidade foi o lugar onde Elias e Acabe se encontraram (17-19), mas, presumivelmente, isso não foge à verdade. Diferentes sugestões foram apresentadas, para justificar a razão pela qual o monte Carmelo foi escolhido. Essa cadeia de montanhas, com suas cavernas e poucos habitantes, pode ter sido o local do esconderijo de Elias e seus seguidores ou discípulos ("os filhos dos profetas", veja 2 Rs 2). Ele também pode ter sido o local onde havia um ponto elevado e preferido para o culto a Baal, com sua vista imponente do mar do lado oriental e do vale de Aco ao norte. Esse local deve ter sido considerado muito apropriado para o culto a Baal que, como controlador da tempestade e da chuva, terminava com a seca do verão e trazia as vivificantes chuvas do inverno. Se essa última sugestão estiver correta, então Elias levou o conflito ao núcleo da própria fortaleza dos seguidores de Baal.

(1) *O desafio* (21-24). Elias não deu oportunidade aos profetas de Baal de colocá-lo em uma posição defensiva, e tomou a iniciativa da disputa. "Até quando coxeareis entre dois pensamentos? ou "fendas" (21, hebraico) era o seu desafio. O significado exato das palavras não está muito claro para nós atualmente. Mas, a expressão pode ser traduzida como: "Quanto tempo ireis coxear por causa de duas tendências diferentes?" Essa é uma tradução em sentido figurado sugerida pelo contexto.

O que acontece depois está bem claro. O povo tentava encontrar um lugar para Baal e outro para Deus em sua vida, e isso o incapacitava seriamente. Elias desafiou todos a observar o que aconteceria, para depois decidir – **Se o Senhor é Deus, segui-o** (21). Esse desafio era uma proposta definitiva; ela indicava sua grande confiança em Deus, a quem o profeta conhecia como o Senhor de poder e milagres. Ele estava confiante, embora fosse apenas um contra os 450 profetas de Baal. A Bíblia não declara porque os **profetas das cavernas** (19, ou **profetas de Aserá**) não apareceram, pois foram convocados. Cada um dos lados deveria preparar um bezerro para o sacrifício e concordaram em orar e aguardar que os sacrifícios fossem consumidos pelo fogo sagrado (24).

Na indagação de Elias, **Até quando coxeareis entre dois pensamentos?** (21) podemos imaginar: O tormento da indecisão – (1) a atraente sedução de outros deuses, 18,19; (2) a reivindicação do Senhor de ser o único Deus, 21; (3) o crucial teste das conseqüências, 24; (4) O fracasso do falso, 25-29; (5) o triunfo da verdade, 30-40.

(2) *O frenesi dos profetas de Baal* (25-29). **Os profetas de Baal** (25) foram os primeiros a preparar o sacrifício. Clamaram toda manhã pelo seu deus, mas seus gritos foram em vão, e o escárnio de Elias incitava ainda mais a sua agitação. De acordo com seus costumes[28] eles cortavam e feriam profundamente o corpo e proferiam loucamente

palavras sem nexo. Esperavam que Baal fosse responder por causa de suas expressões (razão pela qual eram chamados de profetas); porém, ao consumir o seu sacrifício, "não houve voz, nem resposta, nem atenção alguma" (29).

(3) *A oração de Elias* (30-40). É difícil encontrar uma explicação a respeito do **altar do Senhor** que Elias **reparou** (30). Parece que a adoração a Deus, conduzida nesse local, havia sido interrompida. Uma provável sugestão é que esse altar fora usado por pessoas do Reino do Norte que eram fiéis a Deus, mas que foram proibidas de continuar com suas práticas religiosas por causa da religião de Acabe e Jezabel, que era dirigida à adoração a Baal e Aserá. A restauração de Elias significava que a religião de Deus seria novamente instalada. Talvez exista aí a explicação da razão pela qual Elias escolheu o monte Carmelo para a competição contra os profetas de Baal.

As **doze pedras** (31), as quais simbolizavam as doze tribos de Israel, foram colocadas no altar com a finalidade de retratar o desejo de Deus para a unidade entre as tribos, particularmente uma crença unificada em sua pessoa. Segundo **a largura de duas medidas de semente** (32), isso "não pode significar duas medidas de cereais juntas, mas, provavelmente, a largura da vala em volta do altar, uma grande jarda, ou uma medida semelhante" (Berk). Depois de tomar grandes precauções à vista de todos, contra acusações de fraude (33-35), o sacrifício de Elias estava pronto.

Na hora em que o sacrifício da noite era habitualmente oferecido, Elias orou ao Deus dos patriarcas de Israel, que também era o seu Senhor. Ele orou, como somente uma pessoa obediente pode rogar, para que Deus pudesse responder, afastar o seu **povo** (37) de Baal e Aserá, e trazê-lo de volta para Si.

Deus respondeu a Elias e, bondosamente, honrou os fiéis israelitas com a sua santa presença. Seu fogo sagrado consumiu a lenha, o sacrifício encharcado de água e o próprio altar (38). O povo, cheio de admiração e espanto, confessou o que todo homem deve confessar – quanto mais cedo na vida, melhor: "**Só o Senhor é Deus! Só o Senhor é Deus!**" (39). Essa confissão deixava bem claro que eles haviam decidido em favor de Deus e contra Baal. Elias, então, ordenou que o povo agarrasse os profetas de Baal para matá-los.

O **Quisom** (40), também mencionado na batalha de Débora e Baraque contra Sísera (Jz 4.13; 5.21), e que corre a cerca de 300 metros abaixo de *el-Muhraka*, pode ser alcançado quando se desce uma ravina cheia de pedras.

No sacrifício e na oração de Elias podemos ver: (1) Uma fé que ousa submeter Deus a um teste, 30-35; (2) Um homem que está preocupado com a glória de Deus e a salvação de seu povo, 36,37; (3) A espécie de resposta dada por Deus a essa fé e a esses homens, 38; e, (4) A resposta do povo diante do poder de Deus assim manifestado, 39.

(4) *Deus envia a chuva* (41-46). Elias fez o povo entender que era Deus, e não Baal, quem enviava a chuva e terminava com a terrível seca. A finalidade do milagre era mostrar claramente quem estava no controle de todo o reino da Natureza.

As pessoas consideravam que Baal era particularmente o deus da tempestade e da chuva. Elas acreditavam que durante o verão, quando o campo se tornava seco e tostado, como acontece na Palestina, Baal dormia ou estava confinado ao mundo inferior. O retorno das chuvas em meados de outubro ou no início de novembro indicava que Baal retornava às suas atividades[29].

Dessa forma, a seca anunciada por Elias (17.1) havia acontecido como um desafio direto a Baal. Quanto mais tempo ela continuasse, mais evidente se tornava que ele não era o grande deus que os seus seguidores acreditavam ser, e que só o Senhor era o Deus verdadeiro. A mensagem de Elias a Acabe: **Sobe, come e bebe** (41) indicava que a ansiedade e o temor experimentados durante o longo período de seca logo seriam substituídos pela alegria, pelo fato de que a calamidade finalmente chegara ao fim. E a chuva começou a cair logo depois da oração de Elias. Primeiro apareceu uma pequena nuvem sobre o mar na linha do horizonte. Depois, formou-se a tempestade e finalmente caiu uma chuva abundante (43-45). Acabe, instruído por Elias, tomou o caminho de Jezreel (45,46), a moderna *Zer'in*, na base do monte Gilboa, na região oriental do vale de Jezreel. Este era aparentemente o local da residência de verão do rei, e a distância não era muito longa. Elias, fortalecido pelo Senhor, chegou a essa cidade antes de Acabe.

4. *Elias Volta para o Deserto* (19.1-21)
Porém a vitória conquistada ainda não era completa. Os profetas da deusa Aserá de Jezabel não tinham comparecido ao Carmelo, e agora ela precisava ser particularmente enfrentada. Quando Acabe relatou a Jezabel o que havia acontecido (1) ela não admitiu que sua religião fosse uma aventura insensata e, tomada de fanático zelo, determinou a morte de Elias (2). Quando o profeta **viu [O que vendo ele]** (**que** está escrito em itálico na versão KJV em inglês, para indicar que essa palavra foi acrescentada pelos tradutores), ele **se levantou, e, para escapar com vida, se foi** (3). O hebraico usa a forma do verbo "ver". A versão RSV em inglês traduz essa forma como "temer", o que não se coaduna com o caráter do profeta.

Elias aparentemente esperava que o rei exercesse sua autoridade e influência sobre Jezabel, mas, provavelmente, ele não o fez. Parece que o enfado do profeta, seu desânimo causado pela libertação dos profetas de Aserá, assim como a ameaça à sua vida, foram as razões que o levaram a empreender a longa jornada até Berseba (3), que ficava na extremidade sul de Judá, cerca de 45 quilômetros ao sul de Hebrom, identificada com a moderna *Bir es-Saba'*. Essa distância exigia vários dias de viagem para Elias e seu servo.

a. Elias sob a árvore do zimbro (19.4-8). As más condições de Elias eram evidentes. Como outro homem qualquer (cf. Tg 5.17), ele desejava se retirar para longe e ficar sozinho. Seu cansaço físico e o fato de estar em uma situação embaraçosa tinham provocado um visível efeito sobre sua aparência e atitude mental. Debaixo da sombra protetora de um **zimbro** (4), ou **juníparo** (*rethem*), um arbusto que cresce no leito seco dos rios do deserto, ele se sentia tão deprimido a ponto de desejar que sua vida logo terminasse. Em momentos como esse Deus sabe, mais que a própria pessoa, o que é necessário – dormir, boa alimentação e dormir ainda mais (5-7). Com o toque especial de Deus, e através do alimento trazido por um anjo, ele fez a longa jornada (cerca de 280 quilômetros) em direção a **Horebe**, ao sul (8, Sinai). Novamente, existe aqui uma notável semelhança entre a vida de Elias e a de Moisés, e os quarenta dias sugerem os mesmos quarenta dias que Moisés passou no monte; o Sinai foi para ambos a montanha da revelação.

b. Deus se revela em Horebe (19.9-18). Nessa ocasião, Deus rejeitou a maneira habitual que usara anteriormente para se revelar. Houve apenas uma **voz mansa e delica-**

da (12), literalmente, "uma voz, um murmúrio delicado (quase inaudível)". Em seguida, ele ouviu a pergunta: "Que fazes aqui, Elias?" (13, hebraico), ou literalmente, "Por que estás aqui?" Era a mesma pergunta que Deus fizera anteriormente (9) e à qual Elias havia dado a mesma resposta (14; cf. 10).

A queixa que Elias dirigiu a Deus estava baseada em um exagero, pois não era o único que havia sobrado (cf. 18.4 e 18.39), e devia-se mais à sua impaciência porque Deus não havia interrompido completamente o culto a Baal. Responder a Elias, através daquela fala mansa e delicada, era a maneira de Deus mostrar que seus desígnios também são cumpridos através da paciência e de um longo sofrimento. Muitas vezes, os homens de Deus encontram nesse exemplo uma lição muito difícil, mas que deve ser aprendida.

A ordem de Deus, para Elias ungir certos indivíduos, e as palavras que proferiu a respeito deles (15-17) fixaram ainda mais em Elias a necessidade da paciência. Em seu devido tempo, a pecadora "casa de Onri" – Acabe e Jezabel – seria derrotada. **Hazael**, da **Síria** (15), e **Jeú**, de **Israel** (16), foram "ungidos" através do sucessor de Elias, isto é, Eliseu (cf. 2 Rs 8.7-15 e 9.1ss.). **Ungirás profeta em teu lugar** (16) é o mesmo que dizer "ser profeta em seu lugar".

c. Elias nomeia seu sucessor (19.19-21). De acordo com as instruções de Deus, Elias foi a **Abel-Meolá** (cf. 16) para nomear Eliseu como seu sucessor. **Abel-Meolá** pode ser identificada com *Tell el-Maglub* no Uádi *el-Yabis*, um lugar em Gileade, perto da estrada que vai para o norte, desde Horebe até Damasco[30]. As **doze juntas** de bois (19) usadas por Eliseu para arar a terra indicam que ele era uma homem de posses. Aquele que **estava com a duodécima** significa que Eliseu trabalhava perto do 12º par. O ato de Elias de **lançar sua capa** foi entendido por ambos como um símbolo da transferência da liderança e do ministério. O pedido de Eliseu de **beijar o pai e a mãe** (20) era um costume oriental de pedir para arrumar os negócios a fim de providenciar uma despedida adequada. A tradução de Moffatt acentua o significado das palavras de Elias ao jovem agricultor que havia acabado de ser convocado para o ministério: "Vai", disse Elias, "mas – considere o que te fiz!" Os **aparelhos dos bois** (21) seriam os jugos de madeira.

"A cura de Deus para a tristeza" está retratada no capítulo 19. Elias **veio, e se assentou debaixo de um zimbro; e pediu em seu ânimo a morte,** (4). Para essa habitual experiência humana de profundo desânimo, Deus tem um quádruplo remédio: (1) O cuidado adequado com o corpo, 5-8; (2) uma nova revelação de Deus, ouvida do céu em **uma voz mansa e delicada,** 9-14, (3) uma renovação da missão; e (4) um amigo fiel, 18-21.

5. Acabe é Confrontado por Ben-Hadade (20.1-43)

Os sírios que continuamente ameaçavam Israel, talvez incomodados com a aliança de Onri[31], levantaram-se contra Acabe. As vitórias que este rei havia conquistado sobre Ben-Hadade[32] podem ser parcialmente explicadas pelas sólidas fortificações feitas por Onri e Acabe em Samaria. As batalhas entre Israel e a Síria, relatadas no capítulo final de 1 Reis, ocorreram durante os últimos cinco ou seis anos do governo deste rei. Houve outra grande batalha em Karkar (854 ou 853 a.C.) na qual Acabe e Ben-Hadade se aliaram contra Salmaneser III (858-824 a.C.). Essa guerra foi mencionada na conhecida inscrição monolítica de Salmeneser que se encontra no Museu Britânico, mas foi totalmente ignorada na Bíblia Sagrada[33].

1 REIS 20.1-25

Novamente, é óbvio que o historiador não tinha a intenção de escrever uma completa história política, mas de mostrar a mão de Deus em ação em prol de seu povo. O relato dessas vitórias, que se seguiram ao triunfo divino sobre Baal no monte Carmelo, tem o propósito de sugerir a permanente manifestação de seu poder. Mais uma vez, os profetas aparecem em público sem qualquer temor.

a. A primeira batalha (20.1-21). **Ben-Hadade**, apoiado por uma grande coalizão (os **reis** [1] eram, provavelmente, os governantes das cidades-estado), atacou e sitiou Samaria. Aparentemente incapaz de conquistar a tão fortificada cidade, ele tentou fazer com que Acabe concordasse com as condições de uma derrota. O rei de Israel aceitou dar ouro, prata e reféns (4). Entretanto, ao ouvir o conselho da assembléia dos anciãos, ele se recusou a admitir a entrada de Ben-Hadade na cidade (6-9). Essa atitude deixou o rei da Síria furioso, pois ele havia prometido, como era de seu feitio, reduzir Samaria a um monte de ruínas. **Que o pó de Samaria,** etc., (10) deve ser entendido como "se houver suficiente pó em Samaria para encher completamente as mãos de cada um de meus seguidores" (Berk.).

Acabe respondeu com a antiga versão militar de "Não conte suas galinhas antes de elas chocarem" (11). Um profeta, cujo nome não é mencionado, veio para garantir a Acabe que Deus lhe daria a vitória (13), transmitir conselhos sobre uma efetiva estratégia e encorajá-lo a tomar a iniciativa (14). Acabe, então, deu início ao ataque que resultou em uma grande vitória sobre as forças de Ben-Hadade. Ele enviou primeiro os seus 232 jovens dos **príncipes das províncias** (17) para fora da cidade, como havia sido aconselhado pelo profeta. Eles seriam os líderes de várias seções de Israel. Provavelmente esconderam suas espadas debaixo das vestes para não darem indício de serem homens de guerra. De acordo com a estratégia, eles foram seguidos por 7.000 soldados – se não imediatamente, porém no momento planejado (15; cf. 19). Ben-Hadade, tomado pelo estupor da embriaguez, não percebeu o significado da informação que chegou até ele, e deu ordens para que fossem **capturados vivos** (18), mas isso só poderia ser aplicado a homens desarmados. Deus mostrou a sua mão e novamente todos ficaram cientes que Ele era o Senhor (13; cf. Ez 6.7, *passim*).

b. Cada rei dá conselhos sobre a próxima batalha (20.22-25). A batalha de Acabe contra o agressor havia sido puramente defensiva. E não era sua intenção perseguir Ben-Hadade até Damasco. Portanto, o inimigo fugiu para se recuperar das perdas e atacar novamente Israel. O rei de Israel tomou conhecimento desse fato através do **profeta** (22), aparentemente o mesmo que anteriormente o havia aconselhado (13).

O versículo 23 reflete a antiga e generalizada crença de que a divindade a quem o povo adorava sempre estava ao lado de seu exército e lutava com ele. Entretanto, isso não reflete o que é considerado nos tempos modernos como uma fase do desenvolvimento da crença de Israel em Deus – talvez, isso pudesse acontecer em se tratando de um israelita leigo, mas nunca no caso dos grandes líderes como Moisés, Samuel e Elias. O versículo 24 sugere o fortalecimento da organização militar quando os **capitães** foram colocados no lugar dos **reis**. Cada "rei" podia tomar decisões independentes para as forças sob seu comando; porém, os capitães eram responsáveis pelo próprio Ben-Hadade.

c. *A batalha de Afeca* (20.26-43). A cidade de **Afeca** (26), a medieval *Afiq* (ou moderna *Fig*), estava situada à margem oriental do mar da Galiléia, na antiga Basã da Transjordânia, onde passava a estrada principal que ia de Damasco a Bete-Seã através do vale de Jezreel[34]. Os exércitos tomaram posição para a batalha em uma planície próxima, em que o contingente israelita tinha a aparência de "pequenos rebanhos de cabras" se comparado ao exército sírio (26-27). Novamente, através de um **homem de Deus** (28) que entrou em cena, o Senhor enviou a promessa de uma poderosa vitória sobre os sírios. Deus pretendia que os sírios ficassem cientes que Ele era o **Deus dos vales**, assim como o **Deus dos montes**. O Senhor exibiu o seu poder de uma forma que lembrava as grandes vitórias sobre os cananeus na época de Josué (especialmente cf. Js 10). Muitos soldados sírios, que haviam escapado ao grande morticínio no campo de batalha, encontraram a desgraça em Afeca quando um **muro caiu** (30) sobre eles.

Uma importante verdade está implícita no registro dos versículos 22-30, onde encontramos o Senhor se revelando como o "Deus dos vales". Aqui, então, podemos pensar (1) na falsa filosofia do mundo de que Deus só é Deus nos montes, nos lugares elevados da vida e dos momentos de prosperidade, 23; e (2) na verdadeira teologia da Bíblia quando diz que o Senhor também é o Deus dos vales, das profundezas, dos momentos de provação e de depressão, 28. Há pessoas que dizem: "O sol pode brilhar intensamente no topo das montanhas, mas as frutas crescem nos vales".

(1) *Acabe é clemente com Ben-Hadade* (30-34). Ben-Hadade escapou da morte e encontrou a salvação em **Afeca** (30). Os **panos de saco** (31) de seus servos indicavam humildade e também as **cordas** em volta de sua cabeça (talvez pescoço) sugeriam que estavam resignados em ser prisioneiros de Acabe (31-32). Isto foi, sem dúvida, um fator preponderante na decisão de Acabe de demonstrar clemência para com eles. O elemento mais importante era o crescente poder da Assíria sob o governo de Salmaneser III, que havia se transformado em uma ameaça tanto para Damasco como para Israel. Talvez tenha sido essa circunstância que levou Acabe a se referir a Ben-Hadade como **meu irmão** (32), para significar que perante uma ameaça comum havia a necessidade de serem mutuamente amigos. Essa difícil parte do versículo 33 tem sido traduzida como: "Isso eles consideraram como um bom presságio, prenderam-se às palavras e gritaram: 'Sim, seu irmão, Ben-Hadade'"(Moffatt). E, mais tarde, quando os dois se reuniram, estabeleceram algum tipo de acordo que envolvia o retorno de Ben-Hadade a certas cidades israelitas então controladas pela Síria, e a expressão **faze para ti ruas em Damasco** (34) pode ser interpretada como: "Deixarei você desenvolver o comércio israelita em Damasco" ou "**Tu poderás estabelecer** lugares de comércio em Damasco" (Moffatt). Esse acordo explica porque Acabe e Bem-Hadade faziam parte da coalizão que fez os assírios retrocederem em Karkar e Gilzan (854/853 a.C.).

(2) *Um profeta condena Acabe* (35-43). **Um dos homens dos filhos dos profetas** (escola ou corporação de profetas) foi orientado pelo Espírito de Deus a transmitir uma mensagem do Senhor a Acabe. Essa atividade profética indica que, em seguida à disputa no monte Carmelo, o espírito profético ou o ministério profético havia conquistado outra forte posição, tendo o grande Elias como sua inspiração. Embora Jezabel, seu templo, e seus sacerdotes de Aserá ainda estivessem em Samaria, seu culto cananeu não tinha mais o mesmo domínio sobre o povo (cf. 18.39).

Dessa forma, um outro profeta havia ousado, sem temer por sua vida, aproximar-se de Acabe da mesma maneira que Natã confrontara Davi com seus pecados (2 Sm 12.1-15). Esse profeta anônimo pronunciou o castigo de Deus sobre Acabe por ter concedido liberdade a Ben-Hadade, que estava sob anátema, isto é, "destinado à destruição" como inimigo de Deus e de seu povo. Portanto, ele deveria ter sido condenado à morte. Acabe não tinha desculpa, em vista dos numerosos precedentes (por exemplo, Saul e Agague, 1 Sm 15.17-33).

Acabe, que havia ficado orgulhoso pelos sucessos conquistados em sua vida, foi repentinamente interrompido pela palavra de Deus transmitida pelo profeta. E ele seguiu adiante desgostoso e indignado (43). Não se sabe se ele tinha ou não consciência de que o profeta tentava dizer ao seu rei que no serviço divino somente a completa obediência é aceitável a Deus. Este incidente também reflete a ênfase profética de que Israel nunca deveria confiar em alianças feitas com estrangeiros.

Uma importante lição pode ser aprendida nos versículos 38-43 através da parábola do profeta que estava "ocupado de uma e de outra parte". Encontramos nesta situação: (1) Uma importante missão que deve ser cumprida, 39; (2) um guarda preocupado que nada faz de errado, mas estava "excessivamente ocupado", 40; (3) Um severo castigo, 40-42; e, (4) O triste resultado de permitir que as coisas boas da vida possam afastar outras ainda melhores, (43). **Foi-se o rei de Israel para sua casa, desgostoso e indignado,** ou, como diz a versão RSV em inglês, "ressentido e zangado". A alegria da vitória foi perdida para alguém que estava "muito ocupado".

6. *O Plano Maligno de Jezabel* (21.1-29)

Como o programa religioso de Jezabel havia sido drasticamente interrompido, seus planos contra Nabote podem ser considerados como um último recurso dos deuses de Tiro contra o Deus de Israel.

a. A recusa de Nabote de vender sua vinha para Acabe (21.1-4). Nabote era um israelita de Jezreel que tinha um pedaço de terra cobiçado por Acabe. Jezreel estava localizada na base do monte Gilboa, na região oriental do vale e da planície de mesmo nome. A vinha de Nabote era próxima ao palácio real, isto é, da casa de verão, e, aparentemente, Acabe, levado por um capricho, desejava transformá-la em um jardim.

Nabote tinha todo o direito de se recusar a vendê-la. Na verdade, ele teria transgredido não só uma tradição, como também a sua consciência, se fizesse essa venda (cf. Lv 25.23-28; Nm 36.7ss.). Acabe reconhecia que Nabote estava religiosamente obrigado a conservar a posse de sua terra e que essa obrigação não poderia ser contrariada. Entretanto, ele ainda assim queria essa área; ele se irritou, adoeceu e deixou de comer. A única coisa pior que uma criança mimada é um adulto amuado.

b. O plano de Jezabel (21.5-16). A consciência de Jezabel, de Tiro, não tinha sido desenvolvida pelas tradições israelitas e pelo respeito aos direitos alheios. Como Acabe não se apossou imediatamente da vinha de Nabote, uma coisa que dificilmente seria capaz de entender (7), ela continuou com seu plano diabólico. Os **filhos de Belial** (10) seriam homens desonestos. Nunca foi exposta a falsa acusação de blasfêmia levantada contra Nabote perante a assembléia dos anciãos e dos nobres. Este sincero israelita foi apedrejado de acordo com a lei (13; cf. Lv 24.13-16), sob o testemunho de duas pessoas que teriam presenciado a suposta ofensa (cf. Dt 17.6,7). Com a eliminação de Nabote, Acabe tomou posse do jardim (15-16) que, sem dúvida, havia perdido grande parte de seus antigos atrativos.

c. *Os atos malignos são castigados* (21.17-29). Não foi meramente um dos "filhos dos profetas" que foi enviado a Acabe nessa ocasião, mas o próprio **Elias**. Em relação ao **tisbita** (17), veja o comentário sobre 17.1. Quando os dois se encontraram, Acabe chamou Elias de seu **inimigo** (20). Mas, estava errado outra vez (cf. 18.17,18). O rei, e não o profeta, era o seu próprio inimigo. A desgraça e o castigo que iriam cair sobre ele eram apenas o resultado de seus próprios erros e não de Elias. A pessoa que como Acabe (20) se vende ao pecado traz terríveis conseqüências sobre a sua própria vida.

Elias trazia uma sombria mensagem para Acabe e Jezabel. Eles e toda a sua família seriam eliminados, da mesma maneira como as dinastias anteriores haviam sido rejeitadas por causa de seus pecados (21-22; cf. comentários sobre 14.10). Jezabel teria uma morte horrível na mesma cidade onde havia perpetrado seus crimes (23). **Aquele que de Acabe morrer** (24) significa "qualquer um que pertença a Acabe, e morrer". No versículo 25 o historiador faz um resumo do reinado de Acabe: "Ninguém fora como Acabe, que se vendera para fazer o que era mau aos olhos do Senhor".

A mensagem de Elias trouxe medo e condenação para Acabe. Durante algum tempo ele se comportou com profunda lamentação e completo jejum. **Andava mansamente** (27) pode ser traduzido como "assumiu uma atitude submissa" (Moffatt). Deus reconheceu essa atitude de arrependimento e prometeu que o castigo sobre a sua casa seria suspenso até uma outra ocasião (29).

Em dois versículos foi dito que Acabe havia se vendido (20,25). Ele "se vendeu ao diabo". Nos versículos 17-29 o seu esboço é traçado: (1) Era cobiçoso, 18; (2) considerava o homem de Deus como seu inimigo, 20; (3) era fraco e facilmente influenciado pelos outros, 25; (4) voltou-se a uma idolatria despudorada, 26; (5) foi julgado pelo Deus justo, 19,21-24; e (6) seu arrependimento trouxe uma suspensão temporária da sentença, 27-29 – tanto o arrependimento como a pausa do castigo, foram, de fato, apenas temporários e não permanentes.

7. *Acabe e Ben-Hadade na Guerra pela Conquista de Ramote-Gileade* (22.1-40)
Podemos imaginar que houve uma trégua entre Israel e a Síria, que durou **três anos** (1) desde a data da batalha de Afeca (20.26-29) até a batalha por Ramote-Gileade, aqui descrita. Isso inclui o período do pacto que foi estabelecido entre os dois (20.34), e essa aliança envolvia Acabe e um grande exército israelita na batalha de Karkar. A sua tentativa de retomar Ramote-Gileade ocorreu, obviamente, no último ano de seu reinado. A descrição dessa batalha foi incluída por duas razões: (1) ela indica a posição profética contra alianças com países estrangeiros e (2) a morte de Acabe mostra o cumprimento do juízo previsto, e que lhe sobreveio de forma direta e pessoal.

a. *Josafá aceita marchar contra Ramote-Gileade* (22.2-4). Não foram fornecidos detalhes sobre a aliança entre Acabe e Josafá, de Judá. Ao leitor resta imaginar que tenha sido alcançado algum tipo de acordo entre os dois em vista das ameaças da Síria e da

Assíria. Parece bastante provável que esse acordo tenha sido selado através de um casamento real, das bodas da filha de Acabe, Atalia, com Jeorão, filho de Josafá (cf. 2 Rs 8.18). A maneira como esse casamento é descrito indica que algum tipo de entendimento já havia sido estabelecido.

A cidade de Ramote-Gileade, às vezes chamada de **Ramote em Gileade** (3; Dt 4.43; Js 20.8 *passim*), ou Ramá (2 Rs 8.29), havia sido construída e escolhida para ser um dos centros distritais de Salomão (4.13). Ela pode ser identificada com *Tell er-Rumeith* no norte da Transjordânia. Trata-se de uma colina com três outeiros, localizada várias milhas a sudeste de Ramtha, não muito longe da interseção norte-sul da estrada de Damasco, através de Jarash, e da estrada que vai de leste a oeste de Mafraq a Irbid. Essa estratégica localização fazia dela uma importante cidade sob o ponto de vista do controle do comércio nas épocas de paz, e do movimento das tropas em épocas de guerra. Provavelmente, Ramote-Gileade foi conquistada por Rezom (Heziom) em algum momento do reinado de Onri ou mesmo de Roboão. A Bíblia não faz qualquer referência a esse fato, exceto que ela aparece como uma cidade que Ben-Hadade havia prometido devolver a Israel (20.34). Porém, o fato de não ter cumprido sua promessa levou Acabe a decidir retomar a cidade à força.

b. O pedido de Josafá (22.5-28). Esse incidente traz um grande esclarecimento sobre o desenvolvimento da atividade profética durante a época de Acabe. Ele indica a ascensão dos falsos profetas em Israel, um grupo geralmente reconhecido por sua posição em volta do rei, e junto aos sacerdotes. Posteriormente, esses populares conselheiros passaram a sofrer freqüentes críticas dos verdadeiros profetas de Deus (Is 9.15; Jr 5.13,31; 23.11,15,16,25,26; Os 4.5; Mq 3.5-7). Acabe conseguiu reunir 400 homens com facilidade, porque já havia organizado este grupo em substituição aos profetas de Baal.

Ao que tudo indica, os novos profetas de Acabe se conduziram de acordo com a verdadeira tradição profética. A única diferença – isto é, uma grande diferença – era que haviam sido convocados pelo rei e não por Deus. Sua lealdade e serviço estavam dirigidos a um homem e não ao Senhor. Seu desempenho perante Acabe, predizendo somente o que o rei queira ouvir (6, 11) é uma clara indicação disso. Josafá, acostumado com um círculo de genuínas vozes proféticas, percebeu o tom de falsidade que existia nas palavras dos profetas de Acabe, e então perguntou: "**Não há aqui ainda algum profeta do Senhor?**" (7). A versão Berkeley traz a seguinte tradução: "Não existe por aqui nenhum outro profeta do Senhor?" A **praça** ou **eira** (10) onde os profetas compareciam perante Acabe e Josafá era um espaço aberto perto da porta da cidade. Esse lugar era usado como local de debulha na época da colheita.

(1) *Micaías desafia os profetas de Acabe* (13-23). Micaías, que só é conhecido nesta situação, "brincou" com o mensageiro que o conduzia, ao desejar, aparentemente ver a reação de Acabe (13-15). A mensagem do Senhor que ele transmitia era exatamente o oposto da palavra dos outros profetas. Ela dizia que Israel ficaria sem rei – como **ovelhas que não têm pastor** (17). Essa era uma profecia que Acabe não queria ouvir; no entanto, ele suspeitava que seria proferida pelo verdadeiro profeta de Deus. A frase: **então disse ele** (19) indica que Micaías continuou com outra devastadora mensagem. **O Senhor pôs o espírito da mentira na boca de todos estes teus profetas** (23). Todo o programa de profecias de Acabe, que poderia ter levado a ele um pouco de tranqüilidade,

ficou exposto como falso e totalmente incerto. Não se pode confiar na tentativa do homem de imaginar substitutos para a verdadeira adoração a Deus.

(2) *Micaías é perseguido e preso* (24-27). Zedequias, tomado de ira, ao ouvir as palavras de Micaías sobre ele e os outros profetas, adiantou-se e feriu-o no queixo. O profeta então proclamou a autenticidade de suas previsões (24) e sua réplica foi: **Eis que o verás naquele mesmo dia** (25). Os acontecimentos que se seguiram comprovaram quem era o verdadeiro profeta. O teste crucial de um profeta é a confirmação histórica de suas previsões (cf. Dt 18.18-22). Acabe ordenou, **tomai a Micaías e tornai a trazê-lo a Amom** (26). Aparentemente, isso representava a presença de condições mais severas do que as da sua prisão anterior (27; cf. 8,18). O rei planejava cuidar dele depois de seu retorno da batalha. Entretanto, o profeta anunciou: **Se tu voltares em paz, o Senhor não tem falado por mim** (28).

c. *A batalha em Ramote-Gileade* (22.29-36). Perturbado pela profecia de Micaías, Acabe decidiu despir as roupas que o caracterizavam como rei antes de ir para a batalha e pediu a Josafá que não tirasse as vestes reais. Esta atitude desviou a atenção de Acabe durante algum tempo (30,32).

A ordem de Ben-Hadade aos seus comandantes demonstra o respeito que sentia pela liderança militar de Acabe: **Não pelejareis nem contra pequeno nem contra grande, mas só contra o rei de Israel** (31). Ele era, naturalmente, o personagem crucial do campo de batalha, e sua captura ou morte seria considerada pelo seu exército como sinal de derrota. Isso também explica porque Acabe permaneceu corajosamente no campo da luta, ao demonstrar que nada sentia, embora tivesse sido mortalmente ferido por uma seta perdida. **Entre as fivelas e as couraças** (34) pode ser entendido como "entre as escamas da armadura e do peitoral" (Berk). A batalha terminou com Ramote-Gileade ainda em poder dos sírios, enquanto o exército israelita se desintegrava ao saber da morte de Acabe; a notícia se espalhou, e foi, **cada um para sua cidade, e cada um para sua terra** (36).

d. *Morte e sepultamento de Acabe* (22.37-40). A inesperada morte de Acabe veio comprovar a profecia de Elias (21.19) e de outros profetas (20.42; 22.20). **E, lavando-se o carro no tanque de Samaria, os cães lamberam o seu sangue** (38); o versículo ainda acrescenta: **Ora, as prostitutas se lavavam ali**. Keil sugere que essa construção gramatical deve ser aceita sob a seguinte forma: "as prostitutas estavam se banhando no tanque no momento em que o carro de guerra estava sendo lavado do sangue de Acabe."[35]

Peças de marfim entalhado, encontradas em Samaria, mostram que esse material era usado para decorar o interior do palácio de Acabe, como está indicado na expressão: **casa de marfim** (39). A grande piscina de 10x5 metros, escavada em Samaria, poderia ser o tanque do versículo 38[36]. Uma outra pessoa muito importante sob o ponto de vista da capacidade humana – um governante sagaz, política e militarmente competente – morreu e foi sepultado. Entretanto, assim como seu pai, Onri, Acabe se entregou a uma vida pecaminosa e idólatra que, certamente, ofuscou tudo aquilo que conseguiu realizar. O seu exemplo de impiedade teve continuidade na vida de seu filho e filha, que governaram os dois reinos.

1 Reis 22.41—2 Reis 1.2

G. O Reinado de Josafá (R.S.)* (870-848 a.C.), 22.41-50 (cf. 2 Cr 17.1—20.37)
Tem início aqui a parte principal do sincronismo feito pelo historiador entre os reis de Judá e Israel. Ele prossegue através de 2 Reis 17.23 e termina com o relato da decadência de Samaria. Essa seção dá prosseguimento à atenção dedicada ao ministério dos profetas do reino do Norte. O reinado de Josafá, que foi aqui tratado de forma muito breve, recebe um espaço muito maior em 2 Crônicas. Acontecimentos posteriores no reino do Norte foram reservados para a descrição do reinado de Jeorão (R.N.)** em 2 Reis 3ss.

1. *Um Bom Rei* (22.41-46)
Josafá é caracterizado como aquele que fez **o que era reto aos olhos do Senhor** (42-43) porque nunca se envolveu com a religião idólatra. O historiador não tece comentários sobre o casamento de seu filho Jeorão com Atalia, a filha de Acabe[37]. Assim como seu pai, Asa, ele permitia a realização de cultos nos lugares **altos** e também conservou certos aspectos da reforma religiosa feita por seu antecessor: em particular, ele completou a remoção dos **sodomitas** (46, os *qadesh*, a prostituição masculina) dos cultos cananeus, cujas práticas remontam à época de Roboão (cf. 14.21-24).

2. *Notas Finais* (22.47-50)
Josafá tentou modernizar a refinaria de cobre e desenvolver o comércio com Ofir, como Salomão havia feito (cf. comentários sobre 1 Rs 9.26-28). O texto em 2 Crônicas 20.35-37 relata como Josafá caiu em desgraça ao se aliar ao iníquo Acazias (R.N.). Talvez sua recusa em permitir que os homens de Acazias se juntassem aos marinheiros dos navios de Judá (49), possa ser entendida depois do desastre descrito no versículo 48. Ele foi sepultado na **Cidade de Davi** (50) e sucedido por seu filho **Jorão** (R.S.).

H. O Reinado de Acazias (R.N.) (853-852 a.C.), 1 Rs 22.51—2 Rs 1.18.

Durante dois anos, o reinado de Acazias coincidiu com o de Josafá (R.S).

1. *Foi Caracterizado pela Iniqüidade* (22.52,53)
Podemos observar dois aspectos em relação ao reinado de Acazias: primeiro, ele continuou com o depravado culto aos bezerros que Jeroboão realizava em Betel e Dã, e, em segundo lugar, ele mesmo era um adorador de Baal. A influência de Jezabel, aparentemente, começava a se fazer presente. As forças do mal não desistem facilmente; mesmo depois de exterminadas, elas muitas vezes se reagrupam e tentam voltar rapidamente.

2. *A Rebelião de Moabe* (2 Rs 1.1) – (Veja comentários sobre 2 Rs 3.4ss.)

3. *Acazias Procura a Ajuda de Baal-Zebube* (1.2-4)
A queda de Acazias, da qual ele custou a se recuperar, levou-o a perguntar a **Baal-Zebube, deus de Ecrom** (2), a respeito de sua enfermidade. Ecrom (a moderna cidade de 'Akir) está situada cerca de 16 quilômetros a leste de Jafa. A palavra **Baal-Zebube** significa literalmente "Baal das moscas", o deus que supostamente havia afastado as

doenças que atraíam os insetos. Zebul Baal ("Senhor Baal") aparece nos textos ugaríticos como o nome de Baal, e é possível que esse nome seja uma alteração intencional e depreciadora de Baal Zebul[38]. Não está explicado porque Acazias desejava dirigir essa pergunta ao **deus de Ecrom** (3), embora a falta de fé em Deus por parte do rei esteja claramente implícita nas palavras de Elias.

4. *Elias Desafia a Adoração de Acazias a Baal* (1.5-16)
Aparentemente, Elias encontrou as pessoas que Acazias enviou para interrogar Baal-Zebube nas proximidades de Samaria, do lado de fora da cidade. Sua pergunta, da parte do Senhor, foi dirigida diretamente contra Acazias: "Não há Deus em Israel?" (6). Elias ficou profundamente perturbado pela escolha de Acazias de procurar a Baal, e não a Deus. Como é que podia ignorar que aquela divindade era um deus sem sentido e impotente? Aqui está demonstrada a cegueira e a tolice de todos aqueles que procuram uma alternativa diferente para servir a Deus.

A roupa de Elias, aqui mencionada pela primeira vez, era igual à dos profetas – era feita de pele de carneiro, ou de cabra, ou ainda um traje áspero de pele de camelo enrolado em volta do corpo (cf. Zc 13.4; Mt 3.4). A aspereza e a rusticidade dessas vestes talvez fosse intencional, a fim de sugerir a severidade do juízo divino contra a nação indisciplinada e efeminada.

Os mensageiros enviados pelo rei (2,3,5) podem ser entendidos como profetas de Baal, o tipo mais provável de indivíduos que inquiririam Baal-Zebube sobre a recuperação de Acazias. O fogo que consumiu as duas tropas de soldados (9-12) foi uma outra manifestação da sagrada ira de Deus contra Baal. Havia uma única mensagem para o rei a respeito da recuperação de sua saúde, a palavra de Deus através de Elias: **Certamente morrerás** (16).

5. *O Epílogo do Reinado de Acazias* (1.17,18)
Outro homem havia morrido. Ele se dedicara a Baal e não a Deus. Acazias foi sucedido por seu irmão Jorão, outro filho de Acabe. A dificuldade em harmonizar as declarações de 1 Reis 22.41,51 com 1.17 foi resolvida através da sugestão de uma co-regência para Jeorão, de Judá (veja a Introdução).

I. NARRATIVA DE ELIAS-ELISEU, 2 REIS 2.1-25

O historiador deixa de lado a narrativa sobre a história dos reis e volta a sua atenção para o término da grande missão de Elias, e o início do ministério de seu sucessor. Essa seção retorna à vida de Eliseu, que deixou de ser mencionado desde a breve introdução de 1 Reis 19.19-21.

1. *A Despedida de Elias* (2.1-12)
O Espírito de Deus havia revelado a Elias, a Eliseu e aos jovens profetas que estava próxima a hora em que o primeiro partiria da terra (1,3,5). **Sabes que o Senhor, hoje, tomará o teu senhor por de cima da tua cabeça?** (3) é uma frase que pode ser traduzida como: "O Senhor vai levar o seu mestre antes de vocês" (Berk). Elias e Eliseu

partiram de Gilgal (1; *Jiljulieh* na região montanhosa, cerca de 11 quilômetros ao norte de Betel) **para Betel (2), Jericó** (4) e um lugar próximo do **Jordão** (7). Embora os jovens profetas tivessem recebido uma revelação sobre a transladação de Elias para c céu, eles não tiveram o privilégio de se despedir pessoalmente – mas ficaram **de longe.**

a. O último pedido de Eliseu (2.9-10). "Peço-te que haja porção dobrada de teu espírito sobre mim" (9; hebraico). Essa frase tem sido muitas vezes mal interpretada como um pedido para receber o dobro do Espírito que estava na vida de Elias, e os maiores milagres que ele realizou foram considerados como indicação dessa assertiva. No entanto, esse pedido estava baseado em Deuteronômio 21.15-17, onde a mesma expressão **porção dobrada** (9) é aplicada àquilo que o primogênito recebia da herança de seu pai. Eliseu se considerava o primogênito de Elias, o "filho do profeta" porque havia sido chamado para sucedê-lo como líder (cf. 1 Rs 19.19-21). Ele também estava profundamente preocupado porque passaria a ter aquele importante Espírito na qualidade de primogênito. A resposta de Elias era que não podia conceder esse pedido; somente Deus tinha o poder para tanto. Porém, se o Senhor permitisse a Eliseu presenciar a sua subida ao céu, então ele receberia a "porção dobrada" (10).

b. Elias é tomado em um rodamoinho (2.11-12). Quando os dois caminhavam juntos, Elias foi levado para o céu. Esse fenômeno de fogo que apareceu com cavalos e carruagens, era uma característica das revelações especiais de Deus (cf. Êx 19.16-25; Sl 18.7-15). Eliseu recebeu a permissão de testemunhar essa translação e, clamando disse: **Meu pai, meu pai** (12). Esta atitude demonstra o reconhecimento por parte de Eliseu de que Elias era o seu líder espiritual e o seu reverenciado predecessor.

2. *Eliseu Veste o Manto de Elias* (2.12-25)
O manto de Elias caiu onde Eliseu podia apanhar. A disponibilidade do manto autenticava que Eliseu havia recebido a "porção dobrada". Na verdade, ele representava o endosso de Deus como sucessor de Elias e o símbolo de que o poder do Senhor permaneceria nele, da mesma forma como havia se estabelecido em Elias. Ao retornar, Eliseu feriu as águas (14) do Jordão, como Elias havia feito anteriormente (cf. 8). Ele foi, então, aceito como o novo líder dos profetas de Jericó (15). Ele permitiu a um grupo satisfazer sua curiosidade a respeito da partida de Elias, pois eles achavam que o velho profeta havia sido lançado **em algum dos montes ou em algum dos vales** (15). Ele usou sal para purificar uma fonte em Jericó, cuja água era imprópria para beber e irrigar. **Até ao dia de hoje** (22) poderia significar até o dia em que o historiador vivia.

Os versículos 1-15 realçam a "porção dobrada". No registro da Bíblia Sagrada sobre a profunda experiência de Eliseu com Deus, podemos ver: (1) Um homem de Deus percebeu sua necessidade diante de suas maiores responsabilidades, 1-3; (2) ele era atento e persistente, 2-6; (3) ele enxergou o poder de Deus na vida de outra pessoa, 7,8; (4) ele foi determinado em sua solicitação, 9,10; (5) ele atendeu as condições prescritas, 10-12; (6) ele exerceu a fé e recebeu a promessa, 13,14; e (7) seus seguidores reconheceram a diferença, 15.

A pergunta de Eliseu: **"Onde está o Senhor, Deus de Elias?"** (14) é muito significativa. O Dr. J. B. Chapman costumava explicar que Eliseu tinha o manto, símbolo da função de profeta, mas ele precisava também ter a presença do Senhor dentro de si. As lições da vida de Eliseu podem ser resumidas em relação a essa grande frase. (1) O Senhor de Elias é um Deus que dispensa cuidados providenciais, 1 Rs 17; (2) O Senhor de Elias é um Deus que responde através do fogo, 1 Rs 18.1-40; (3) O Senhor de Elias é um Deus que ouve as orações, 1 Rs 18.41-46; (4) O Senhor de Elias ainda é o Deus da árvore de "zimbro", 1 Rs 19.4-18; e (5) O Senhor de Elias derrama o seu precioso Espírito sobre os seus servos, 2.9-12.

Ao voltar a Betel, Eliseu foi recebido por um grupo de rapazes que o ridicularizaram (23) – *ne'arim qetannim*, "jovens ou meninos". Ele proferiu uma maldição sobre eles em nome do Senhor, depois da qual duas ursas saíram do bosque e os atacaram. Não sabemos como reconciliar completamente esse incidente com o caráter de Deus ou com a bondade do profeta. Se tal reconciliação for possível, devemos entender que os meninos eram suficientemente crescidos para responder moralmente. Keil sugeriu que Eliseu pronunciou essa maldição a fim de vingar a honra do Senhor que havia sido ofendida quando os jovens proferiram aquelas palavras para insultá-lo[39]. Em seguida, ele foi ao **monte Carmelo** (25), provavelmente para estar a sós ou visitar outro grupo de profetas. Depois, Eliseu retornou a Samaria, pois Jezabel lá estava, e os filhos de Acabe haviam se inclinado à adoração a Baal. Dessa forma, o grandioso poder de Deus havia se manifestado através de Eliseu desde o início de sua liderança sobre os profetas. Vemos aqui uma notável confirmação de que ele havia sido escolhido como o sucessor de Elias.

3. Os "Filhos dos Profetas"

Entendemos que a expressão **filhos dos profetas** (3) se refere a uma corporação ou ordem de profetas na antiga nação de Israel que, segundo parece, surgiu primeiramente na época de Samuel e de Saul (cf. 1 Sm 10.9-13). Samuel foi, sem dúvida, o fundador das corporações proféticas[40]. Eles aparecem de forma proeminente nos livros dos Reis durante a época de Elias e de Eliseu (1 Rs 18.4; 20.35; e 2 Rs 2, *passim*). Aparentemente, eles formavam grupos de pessoas que, tendo sido chamadas ao ministério profético, haviam estudado e aprendido com grandes profetas como Samuel, Elias, Eliseu, Isaías (cf. Is 8.16) e outros. Conforme está indicado nesse capítulo, eles viviam em grupos nas cidades escolhidas, entre elas Betel, Jericó e Gilgal.

J. O Reinado de Jorão (R.N.) (852-841 a.C.), 3.1-27

O reinado de Jorão (R.N.) coincidiu com a última parte do governo de Josafá (R.S.) e também com o de Acazias (R.S.), cujos nomes são os mesmos da relação do reino do Norte (veja a Introdução).

1. A Impiedade do Reinado de Jorão (3.1-3)

As ofensas que Jorão cometeu contra Deus não eram tão grandes como as de seu pai e de sua mãe (Acabe e Jezabel). Ele removeu a **estátua de Baal** (2, a coluna) que Acabe havia, aparentemente, erguido no templo de Baal, embora isso não tenha sido mencionado anteriormente (cf. 1 Rs 16.33). Ele continuou a praticar os mesmos **pecados de Jeroboão** (3), mas novamente existe aqui uma diferença cuidadosa entre o culto a Baal e os **pecados de Jeroboão, filho de Nebate**.

2. Jorão Atrai a Ajuda de Josafá contra Moabe (3.4-27)
Depois da morte de Acabe, a rebelião de Moabe contra Israel é mencionada pela segunda vez (5, cf. 1.1). A Bíblia Sagrada não explica quando Moabe caiu sob o controle do Reino do Norte. Porém, uma considerável luz sobre essa questão foi lançada pela famosa Pedra Moabita, um relato contemporâneo do registro bíblico sobre essa revolta contra Israel. Ela foi descoberta em 1868 e está no museu do Louvre. Trata-se de uma inscrição feita pelo rei Mesa, erguida em sua capital Dibom (a moderna Dhiban). Ela contém a admissão de que Onri e seu filho haviam "humilhado" Moabe durante "quarenta anos", mas que ele foi capaz de triunfar sobre o reino do Norte. Existe a mesma questão sobre como entender esses "quarenta anos" da Pedra Moabita. Entretanto, parece que ela fornece uma base adequada para sugerir que Onri conquistou pelo menos a parte norte de Moabe e que ela permaneceu sob o controle de Israel até o início do reinado de Jorão[41].

a. Jorão e Josafá Marcham contra Mesa (3.4-8).
Mesa, ao aproveitar-se da confusão causada pela morte de Acabe, e da fragilidade do breve reinado de Acazias, rebelou-se e recusou-se a entregar o tributo anual que lhe era imposto – "100.000 cordeiros e 100.000 carneiros com a sua lã" (4). A aliança estabelecida entre Acabe e Josafá ainda estava em vigor, e Jorão solicitou a Josafá que o ajudasse na guerra contra Mesa. O **caminho do deserto de Edom** (8) significa que eles tomaram a longa rota ao sul de Judá até o extremo sul do mar Morto, e então seguiram ao longo da fronteira leste de Edom. Assim não teriam que enfrentar os desfiladeiros sinuosos e profundos como o vale de Zerede (*Uádi Hesa*), nas proximidades dos limites a leste do mar Morto.

b. A séria escassez de água (3.9-11). A aliança contra Moabe também incluía o **rei de Edom** (9), aparentemente um vassalo submisso a Josafá, de Judá. Ao final de uma "marcha de sete dias" haviam chegado à extremidade oriental de Edom onde enfrentaram grande escassez de água para os homens e animais. A fonte de água próxima à fronteira ao sul, com a qual eles aparentemente contavam, encontrava-se totalmente seca. Eliseu estava nas vizinhanças, provavelmente enviado pelo Espírito de Deus. A frase: **Que deitava água sobre as mãos de Elias** (11) significa "aquele que era o servo de Elias" (Moffatt). Os reis **desceram a ele** (12) para ouvir a voz do Senhor sobre a sua provação.

c. A palavra de Deus através de Eliseu (3.12-20). Ao se aproximar dos reis, Eliseu demonstrou uma compreensível hostilidade para com Jorão, por causa de sua tolerância aos profetas de seus pais e completa falta de fé em Deus naquelas prementes circunstâncias (13; cf. 10). Ele concordou em procurar a palavra de Deus em vista de sua consideração para com **Josafá, rei de Judá** (14). Enquanto um menestrel tocava um instrumento musical, a palavra de Deus chegou até ele. A música era ocasionalmente usada no Antigo Testamento como uma preparação para a mensagem profética (cf. 1 Sm 10.5). A palavra dizia que Deus enviaria água para eles de uma forma pouco comum; porém, bastante fácil para Ele. Deus também concederia a vitória sobre os moabitas (16-20). Na manhã seguinte, Deus cumpriu a sua Palavra: **a terra se encheu de água** (20), tanto o leito seco do rio (**neste vale**) como as **covas** que haviam sido preparadas (16). Deus atendeu às suas necessidades, justificou o seu porta-voz e honrou a fé de Josafá. **Pelo caminho de Edom** (20) quer dizer desde o sul.

d. Mesa é derrotado (3.21-27). Mesa havia reunido seu exército – **todos os que cingiam cinto e daí para cima** (21) ou todos aqueles que eram capazes de colocar uma armadura, desde o mais jovem até o mais velho. **Puseram-se às fronteiras** seria no limite ou na fronteira de seu território. Os moabitas, por desconhecerem que o leito do rio onde os exércitos dos três reis estavam acampados estava coberto de água, enganaram-se ao interpretar os raios de sol da manhã sobre a superfície de água e acreditaram que se tratava de sangue (22). Ao entenderem que havia rompido uma luta entre os reis dos exércitos acampados, eles se apressaram para recolher os despojos (23). O ataque surpresa dos israelitas forçou os moabitas a fugir. Em sua perseguição a Mesa, Israel arrasou totalmente as cidades que se encontravam em seu caminho (24-25). **Quir-Haresete,** a moderna Kerak, está localizada a aproximadamente 27 quilômetros ao sul do rio Arnom e 18 a leste do mar Morto[42].

Sitiado por seus inimigos e incapaz de escapar, o desesperado Mesa ofereceu seu filho mais velho em holocausto sobre o muro da cidade como uma oferta queimada ao seu deus Quemos. A frase, **e houve grande indignação contra Israel** (27) é difícil de explicar. Não podemos aceitar a interpretação de que os israelitas acreditassem que estavam condenados à ira de Quemos por causa do sacrifício humano de Mesa[43]. A explicação de Keil parece ser a mais apropriada, isto é, no sítio à cidade, os israelitas perceberam a ira de Deus sobre eles por terem sido a causa de um sacrifício humano, o que era proibido pela sua lei (Lv 18.21; 20.3)[44].

Qualquer que tenha sido o seu significado exato, pode ter ocorrido algum outro evento na ocasião que fez com que Israel se retirasse.

K. Mais Narrativas sobre Eliseu, 4.1—8.15

Foi incluído um relato sobre os outros milagres para mostrar como Eliseu deu continuidade ao ministério de Elias. Esses eventos podem ser atribuídos ao reinado de Jorão, embora sua ordem não seja estritamente cronológica.

1. *Deus Supre as Necessidades da Viúva de um Profeta* (4.1-7)

A viúva de um dos profetas, achando-se incapaz de saldar uma dívida, enfrentou a possibilidade do credor tomar seus dois filhos para um período de escravidão. O texto em Levítico 25.39,40 determina que se o devedor não pudesse pagar a sua dívida, ele era obrigado a servir ao credor como escravo até o ano do jubileu. O poder de Deus, manifestado através de Eliseu, aumentou o pequeno suprimento de azeite da viúva até uma quantidade que seria suficiente para saldar a dívida, e ainda sobrar para atender à sua família.

No benevolente milagre que Eliseu realizou para a viúva do profeta, vemos a lição de "muitos vasos... vazios": (1) Havia um urgente senso de necessidade, 1; (2) Foi usado o que estava disponível, um vaso de azeite, 2; (3) A medida da fé e da expectativa tornou-se medida da bênção, 4-6; (4) A necessidade foi atendida através da generosidade e do milagre de Deus, 7.

2. Deus Ressuscita uma Criança (4.8-37)

A cidade de Suném estava localizada em uma elevação que dominava o vale de Jezreel. Eliseu tornara-se amigo de uma rica mulher que morava naquela localidade, e ela sempre insistia que ele fosse seu hóspede toda vez que visitasse aquele local (8-10). Para mostrar sua gratidão, Eliseu procurou retribuir com alguma forma de atenção. **Eu habito no meio de meu povo** (13) pode significar: "Meu povo irá cuidar de mim se eu precisar de alguma coisa" (Berk). Como ela não tinha filhos, ficou surpresa quando o profeta anunciou que ela geraria um filho, embora seu esposo fosse bastante idoso. E isto ocorreu, conforme Eliseu havia previsto (11-17).

Um dia, quando o menino estava na companhia dos segadores, ele se queixou de uma terrível dor de cabeça e morreu, apesar dos esforços para salvá-lo. A mulher de Suném colocou o corpo do menino sobre a cama do quarto de Eliseu e preparou-se para ir ao Carmelo a fim de buscar o auxílio do profeta (18-25). Aparentemente, seu esposo era adepto de uma religião formal e não podia imaginar qualquer razão de entrar em contato com um homem de Deus porque não havia uma observação religiosa a ser cumprida – **não é lua nova, nem sábado** (23). Mas a mãe acreditava em um auxílio para a sua necessidade, e partiu para receber um conselho. Nem bem havia saudado Geazi, o servo de Eliseu, ela se lançou aos pés do profeta, para demonstrar sua amargura e a desesperada ajuda que precisava (25-27).

Os comentários que fez sobre seu filho, sobre o qual não havia pedido, permitiram a Eliseu perceber o que a perturbava (28). Ele enviou Geazi na frente, mediante a instrução de levar o **seu bordão e colocá-lo sobre o rosto do menino** (29). Mais tarde, ao entrar no quarto onde o corpo da criança jazia sobre a cama, Eliseu orou e **deitou-se sobre o menino** (34). Deus manifestou o seu poder e devolveu a vida à criança. Eliseu foi capaz de apresentá-lo novamente à mãe (35-37).

3. Deus Retira o Veneno da Panela (4.38-41)

A seca levou os filhos dos profetas de Gilgal a cozinhar ervas que normalmente não eram usadas como alimento. Quando começaram a tomar a sopa, perceberam que alguma coisa estava errada e disseram a Eliseu: **Há morte na panela** (40). Novamente o poder de Deus se manifestou através do profeta ao colocar farinha dentro dela, e assim aquela comida deixou de oferecer perigo.

4. Deus Multiplica os Pães (4.42-44)

Alguns identificaram Baal-Salisa (42) com a Salisa de 1 Samuel 9.4. *Kefr Thilth*, localizada a sudoeste de Siquém, seria o provável local de onde o homem trouxe **pães das primícias**, vinte pães de cevada e espigas verdes para Eliseu. O milagroso poder de Deus novamente se manifestou através da pequena quantidade de alimento que se multiplicou e se tornou mais do que suficiente para cem homens. Essa era a forma de Deus demonstrar que Ele proveria aos seus profetas.

5. Deus Cura a Lepra de Naamã (5.1-27)

O poder divino, o qual se manifestou através da cura da lepra de Naamã, tinha o propósito de demonstrar que o Deus de Israel era maior que as divindades da Síria. O milagre aconteceu em benefício dos israelitas e também dos sírios. Os israelitas entenderam que Deus desejava fazer deles o seu instrumento para conquistar outros povos. Também está aqui evidente o ponto de vista profético de que o reino do Norte, assim como o de Judá, estava essencialmente relacionado com o cumprimento do propósito de Deus para o seu povo.

a. Naamã procura ajuda em Israel (5.1-7). Podemos supor que **Naamã** (1) procurou primeiramente a ajuda de seu deus sírio (cf. Acazias tentou perguntar a Baal-Zebube, 1.2ss). Porque não recebeu uma ajuda dessa fonte, ele se voltou para Eliseu, o profeta do Deus de Israel. Foi feita uma referência às invasões sírias (2) para explicar a presença de uma serva israelita no lar de Naamã. Sua presteza em compartilhar a sua confiança, não só em Eliseu, mas principalmente no Deus deste profeta, foi um fator importante para a cura e a conversão de Naamã. A reação do rei de Israel (Jorão) é bastante compreensível (7), pois o pedido que havia sido feito era impossível. Embora Naamã tivesse trazido consigo um presente substancial para o rei de Israel (US$20.000 em prata, US$60.000 em ouro e dez conjuntos de roupas – 5, Berk), isso não tranqüilizou os seus temores.

b. Deus cura Naamã (5.8-14). Os detalhes descrevem o cenário externo que, entretanto, era apenas incidental em relação ao milagre da cura que Deus realizou através de Eliseu. Ele representava um outro episódio significativo no ministério de Eliseu, e tinha o propósito de demonstrar que só o Senhor é Deus, e que os deuses de outras nações nada representavam. O rio **Abana** (12), atual Barada, começa nas montanhas do Líbano e corre através de Damasco, e torna possível a existência dessa cidade por causa do oásis formado em seu percurso. O rio **Farpar** (ou **Farfar**) não foi identificado tão facilmente como o Abana. É possível que a Bíblia refira-se a um rio que começa nas montanhas do Líbano e corre cerca de 16 quilômetros em direção à região sudoeste de Damasco e que, nesse caso, seria chamado de rio de Damasco. Outra sugestão é que Farpar seja uma referência a um afluente do Barada, o *Nahr Taura*[45].

O desespero de Naamã, causado pela impureza do rio Jordão, pode ter sido provocado em parte pela correta comparação que fez com esses rios (12). Entretanto, a questão verdadeira era a sua má vontade em se humilhar adequadamente, e obedecer à ordem de Deus para obter a cura. Ele já havia imaginado, antecipadamente, a maneira como isso deveria ser feito (11). Mas devido à sua necessidade ser muito grande, ele foi persuadido pelos servos a se humilhar e Deus, de forma extraordinária, o curou (13,14).

O registro da cura de Naamã representa um cativante relato da "cura do leproso". Existe aqui um retrato notável sobre: (1) A grandeza que não leva a coisa alguma – **um grande homem... porém leproso**, 1; (2) O testemunho da fé de uma escrava, 2-4; (3) Um pedido inesperado e humilde, 9-11; (4) Alternativas mais atraentes, 12; (5) A obediência e a cura completa, 13,14.

c. A conversão de Naamã (5.15-19). Naamã declarou: **Não há Deus senão em Israel** (15). Ele afirmou que, daí por diante, só ofereceria sacrifícios a Deus (17). Aparentemente, sua intenção era usar o solo israelita que havia solicitado (17) para construir um lugar sagrado na Síria para adorar a Deus. Isso reflete o conceito de que Deus deve ser adorado em um lugar especial ou em uma associação com uma nação em particular. Nesse ponto, não há razões para condená-lo, pois muitos israelitas pareciam compartilhar o mesmo ponto de vista. Os profetas, por sua vez, tinham que contrariar essa posição continuamente. Naamã resolveu adorar a Deus, embora os negócios de Estado exigissem que, em certas ocasiões, ele ajudasse o rei da Síria no templo de **Rimom** (18). Esse nome aparece como Ramanu nos textos assírios, onde é um título de Hadade[46].

d. Geazi é atormentado pela lepra de Naamã (5.20-27)

Naamã havia oferecido um presente a Eliseu; porém, o profeta o recusou (15,16). No entanto, sua gratidão era tão grande que ele prontamente deu **dois talentos** (23) de prata a Geazi (US$4.000 – Berk.) supostamente para dois jovens profetas necessitados. Eliseu transferiu a lepra de Naamã para Geazi, não só porque ele havia mentido por razões pessoais, mas o que era ainda pior, seu interesse egoísta por dinheiro havia diminuído a eficiência do ministério de Eliseu para Deus (26,27). Esse incidente se apresenta como uma impressionante advertência a todos os servos do Senhor que colocam os interesses pessoais à frente da causa do Mestre.

6. Deus Permite que Eliseu Recupere o Machado (6.1-7)

Nos é estreito (1) quer dizer: esse lugar é muito pequeno. O fato do machado de ferro ou de bronze, que havia afundado, ter subido à superfície foi um completo milagre. Isto é, esse fato não estava ligado a um fenômeno natural, como às vezes algumas pessoas pensam que acontece em alguns milagres bíblicos, e era mais uma demonstração do poder divino. Sua intenção era enfatizar aos jovens profetas que, no conflito com a adoração a Baal, Deus trabalhava a favor deles.

7. Deus Usa Eliseu em uma Armadilha para os Invasores Sírios (6.8-23)

Nesse ponto, Keil e Unger estão de acordo ao entender que as invasões sírias descritas nessa passagem ocorreram durante a época de Jorão (3.1), e não mais tarde durante o reinado de Jeú, Jeoás ou Jeoacaz[47]. A vitória, concedida por Deus através de seu profeta, deve ser entendida como o triunfo divino permanente sobre Baal, e tinha a finalidade de que Israel se voltasse inteiramente ao Senhor e aos sírios que haviam sido conquistados para Ele. Dessa forma, toda essa história, embora seja principalmente política e militar, não deixa de ser uma *heilsgeschichte* ou "história de salvação". Devido ao dinâmico ministério de Elias e de Eliseu, as batalhas contra os sírios – que em sua maior parte resultaram em vitórias israelitas – podem ser entendidas como meios de promover a adoração a Deus além das fronteiras de Israel. Devemos observar que nesses enfrentamentos militares Israel não era o agressor.

a. O papel de Eliseu como informante (6.8-14). Liderados pelo seu rei, um grupo de sírios começou a perturbar Israel com incursões guerrilheiras. Eliseu, através da divina revelação, frustrou inúmeras vezes essas invasões ao informar o rei de Israel sobre esses planos. Dessa forma, ele permitiu ao rei **não uma nem duas vezes** (10) evitar a armadilha que os sírios haviam preparado. Quando o rei da Síria soube que Eliseu informava contra eles (11,12) cercou Dotã (13) onde o profeta estava instalado. Furtivamente, à noite, os soldados sírios tomaram posição para estarem prontos na manhã seguinte, a fim de prender Eliseu quando ele saísse da cidade (14). **Dotã** (*Tell Dotha*) está situada cerca de 18 quilômetros ao norte de Samaria.

b. *O Senhor castiga os sírios* (6.15-23). O servo de Eliseu ficou assustado quando, na manhã seguinte, viu os sírios acampados fora da cidade. A resposta do profeta permanece como um clássico exemplo de confiança e fé em Deus: **Não temas; porque mais são os que estão conosco do que os que estão com eles** (16). Os olhos do servo, então, foram abertos para que enxergasse o exército que Deus havia disponibilizado.

Ao caminhar em direção aos sírios, Eliseu foi cercado por cavalos e carros de fogo (17) e eles foram feridos **de cegueira** (18). Em seguida, Eliseu levou-os a Samaria onde sua cegueira foi removida e tornaram-se hóspedes do rei de Israel (20-23). Eles não foram mortos porque, na verdade, não haviam sido levados como prisioneiros de guerra. Eliseu lembrou ao rei que mesmo, se assim fosse, seria desumano matá-los. Os sírios podiam ver que estavam reunidos com o profeta e o povo do verdadeiro Deus. Foi um ato que levou à paz durante algum tempo, pois **não entraram mais tropas de sírios na terra de Israel** (23).

"Ver o invisível" é a importante e permanente lição dos versículos 13-18. (1) As circunstâncias ameaçadoras, 14; (2) O medo do servo, 15; (3) A fé de Eliseu, 16; (4) A abertura dos olhos, 17; (5) Os **cavalos e carros de fogo** no monte, 17.

8. *Deus Usa Eliseu durante o Cerco de Ben-Hadade a Samaria* (6.24—7.20)

Apesar daquele período de paz, mais tarde, Samaria sofreu um prolongado cerco de Ben-Hadade. Isso ocorreu depois de 845 a.C., durante uma pausa entre os avanços da Assíria. Nesse período, o rei da Síria usou **todo o seu exército** (24), isto é, toda a força de suas tropas contra Israel[48].

A capacidade de Samaria de efetivamente suportar esse cerco reflete a sabedoria da escolha de Onri quando a fortificou para ser a capital do Reino do Norte (cf. 1 Rs 16.24).

a. *Condições criadas pelo cerco* (6.24-31). O cerco da Síria contra Samaria exauriu o suprimento de alimentos da cidade e até o jumento, um animal impuro, foi usado como comida. **Uma cabeça de um jumento** (25) que era uma das partes do animal menos própria para se comer era vendida por cinqüenta dólares americanos em prata (Berk. Oitenta peças de prata). A **quarta parte de um cabo de esterco de pombas** – que Josefo afirma ter sido usado como alimento em tempos de seca – era vendida por três dólares em prata (Berk. Cinco peças de prata). As mães voltaram-se ao canibalismo. Uma delas se queixou ao rei de que uma outra mulher não cumpriu a sua parte do acordo feito entre elas, quando chegou a vez de comerem o filho da outra (26-29). Quando ele **ia passando pelo muro** (30), rasgou as vestes reais e o povo percebeu que estava vestido com "pano de saco sobre a carne" (Moffatt). O atormentado rei (Jorão) prometeu mandar cortar a **cabeça de Eliseu** (31) em uma indicação de que culpava o profeta por sua provação. Podemos imaginar a razão dessa promessa. O profeta havia aconselhado o rei a não se render aos sírios, arrependesse e confiasse em Deus para a sua libertação.

b. *Eliseu declara que o cerco logo terminará* (6.32—7.2). Provavelmente em 5.24 está indicado que Eliseu havia se alojado em Samaria onde a "altura" ou "outeiro" (em hebraico, *ophel* ou "colina") pode significar a parte da fortaleza da cidade onde estava localizada a sua casa. Aparentemente, ele tinha o apoio dos **anciãos** (32) em qualquer atitude que tomasse durante o cerco. **Filho do homicida** (32) é uma expressão que identifica o rei como assassino por causa de sua intenção. Ela foi traduzida simplesmente como "homicida" ou "assassino" nas várias versões. Eliseu tomou precauções para não ser morto pelo servo do rei antes da chegada do monarca (32). Como esse cerco havia sido enviado pelo Senhor, o sentimento expresso por Eliseu significa que só Deus poderia libertá-los (33). Porém, embora essa libertação não fosse merecida, o Senhor é sempre generoso. Sob a direção do Espírito Santo, Eliseu predisse que a escassez de alimentos terminaria no dia seguinte. Os grãos geralmente disponíveis para fazer o alimento, mas até então impossíveis de serem comprados por causa dos preços elevados, seriam vendidos a preços normais (7.1). Um capitão do rei, que havia mostrado sua descrença, foi informado de que testemunharia esse alívio para a cidade, mas **não participaria dele.**

c. Os quatro leprosos (7.3-15). Quatro leprosos, aparentemente isolados em uma casa fora da cidade (Lv 13.46; Nm 5.3; cf. 2 Rs 15.5), decidiram que nada tinham a perder se fossem ao acampamento dos sírios. Eles descobriram que o local estava abandonado (3-5), pois os sírios haviam fugido quando Deus, miraculosamente, **fez com que ouvissem o ruído de um grande exército** (6). O som parecia a aproximação de reforços para Samaria (6,7). Os leprosos voltaram e informaram os guardas da porta de Samaria, pois eram notícias demasiadamente boas para não serem divulgadas (9-11). O rei pensou que fosse uma artimanha dos sírios (12), porém os mensageiros que haviam retornado provaram que sua suspeita era infundada (13-15). O difícil parêntese no versículo 13 reflete, deste modo, o arrazoar dos conselheiros do rei: "Se eles sobreviverem se tornarão parecidos com toda a multidão de Israel que ficou aqui, mas se eles caírem em uma armadilha, ficarão parecidos com toda a multidão de Israel que pereceu" (Berk.).

"Um dia de boas notícias" é o tema dos versículos 3-11. Observamos aqui: (1) Uma desesperada provação, 3; (2) Uma atitude corajosa, 4; (3) Uma grande descoberta, 5-7; (4) Uma satisfação pessoal, 8; (5) o despertar de um senso de dever – **Não fazemos bem; este dia é dia de boas novas, e nos calamos**, 9; (6) As boas novas foram compartilhadas, 10,11.

d. O fim do cerco (7.16-20). O povo aglomerou-se no acampamento sírio, e assim conseguiu o alimento que desesperadamente precisava. E as previsões de Eliseu, a respeito das condições da libertação e da morte do capitão do rei, cumpriram-se plenamente.

9. *Eliseu Ajuda a Sunamita Novamente* (8.1-6)
O relato desse incidente é um exemplo da falta de uma estrita ordem cronológica nesse material sobre Eliseu. A seca de sete anos provavelmente ocorreu quase na metade do reinado de Jorão, antes do profeta curar a lepra de Naamã (5.1-27). A conversa de Geazi com o rei (4,5) mostra que o servo de Eliseu ainda não havia sido atacado pela doença.

Eliseu havia aconselhado a mulher sunamita (4.8-37) a partir para outro país durante a seca. Seguindo esse conselho, ela foi para a Filístia e, lá, permaneceu durante sete anos. Ao retornar, encontrou dificuldade para estabelecer o seu devido direito à propriedade da terra. Geazi, servo de Eliseu, estava com Jorão em Samaria quando a mulher **clamou ao rei pela sua casa e pelas suas terras** (5). O conhecimento que existia entre ambos foi, sem dúvida, um fator que influiu na atitude do rei de lhe assegurar a reintegração de sua propriedade (6).

10. *Eliseu Visita Damasco* (8.7-15)
Aparentemente, devemos entender que a presença de Eliseu em Damasco se devia à obediência a uma ordem de Deus para "ungir" Hazael como rei da Síria (1 Rs 19.15). Essa determinação foi obedecida por Eliseu. A "unção" pode não ter sido necessariamente uma verdadeira cerimônia em que se derramou o óleo sobre Hazael, mas a designação de Hazael por Eliseu (no período 841-798 a.C.) como sucessor de Ben-Hadade. Em fontes não bíblicas, ele ficou conhecido como alguém que havia usurpado o trono de Damasco[49].

a. A enfermidade de Ben-Hadade (8.7-9). O imenso presente que Ben-Hadade deu a Eliseu indica o grande respeito que o rei sírio nutria por ele. Mais importante ainda, o fato de pedir a opinião de um profeta do Senhor sugere que ele havia ficado bastante impressionado com o poder e a força do Deus de Israel com o passar dos anos. Não podemos afirmar com segurança se ele havia se convertido ao Senhor, mas pelo menos nessa ocasião ele dispensava a Deus uma certa consideração e negligenciava a divindade de sua cidade, Hadade (Baal). **Teu filho** (9) era a maneira do servo expressar a deferência de Ben-Hadade em relação a Eliseu.

b. Eliseu confronta Hazael com seu futuro (8.10-15). Eliseu afirmou a Hazael, um oficial da corte de Ben-Hadade: **o Senhor me tem mostrado que tu hás de ser rei da Síria** (13). Suas palavras: **Vai e dize-lhe: Certamente, não sararás** (10) eram a forma de Eliseu mostrar a Hazael que ele conhecia os seus pensamentos e planos. O profeta sabia que ele mentiria ao rei, pois qualquer outro tipo de mensagem provavelmente colocaria Ben-Hadade de sobreaviso contra os atos que Hazael praticaria no dia seguinte (10,15). Eliseu também confrontou Hazael com a barbaridade cometida contra Israel, da qual ele seria responsável quando se tornasse o rei de Damasco. Ele, entretanto, rejeitou vigorosamente essa acusação: **Pois que é teu servo, que não é mais do que um cão, para fazer tão grande coisa?** (13).

L. O Reinado de Jeorão (R.S.) (848-841 a.C.), 8.16-24 (cf. 2 Cr 21.1-19)

O nome **Jeorão** (16) foi usado nas duas relações dos reis. Às vezes, ele aparece numa forma mais abreviada como **Jorão** (16; cf. 1.17), onde o divino elemento do nome foi eliminado – *Jeho* foi abreviado para *Jo*.

1. *"Ele fez o mal"* (8.17-19).
O mal de Jeorão, ao qual o historiador se refere, foi o de se dedicar ao culto idólatra dos cananeus. Isso pode ser atribuído, parcialmente, à influência de Atalia, filha de Acabe, com quem Jeorão se casara. Foi através desse casamento que o culto de Acabe e Jezabel, a Baal e Aserá, transformou-se em uma grave ameaça ao povo de Judá. A razão de Deus permitir que esta tribo continuasse, apesar da desobedi-

ência de Jeorão, pode ser encontrada na promessa feita a Davi de que **lhe daria para sempre uma lâmpada a seus filhos** (19).

2. *A revolta de Edom* (8.20-22).
Edom, e também os outros estados vassalos, sempre procuraram a oportunidade de se libertar do jugo de Judá. Essa guerra pode ter sido provocada pela incapacidade de Judá dominar Moabe completamente (3.25-27) e pela preocupação com as invasões assírias no oeste entre 850 e 841 a.C.[50]. **Zair**, (21), de onde Jeorão realizou seu ataque noturno contra Edom, pode ter sido localizada na extremidade sul do mar Morto (cf. Zoar, Gn 13.10), ou na região nordeste de Hebrom (cf. Zior, Js 15.54, cerca de 8 quilômetros de Hebrom). **Libna** (22) estava localizada na fronteira entre a Filístia e Judá, e servia como uma cidade fortaleza que os filisteus conquistaram na época da revolta edomita (cf. 2 Cr 21.16,17). Ela pode ser identificada com *Tell es-Safi* na extremidade ocidental do vale de Elá, ou mais ao sul com *Tell Bornat* no *Uádi Zeita*[51].

3. *Epílogo* (8.23-24).
Os detalhes a respeito das terríveis doenças e da morte violenta de Jeorão foram omitidos pelo historiador (cf. 2 Cr 21.11-15,18,19).

M. O Reinado de Acazias (R.S.). (841 a.C.), 8.25-29 (cf. 2 Cr 22.1-6)

A mãe de Acazias, Atalia é identificada como **filha de Onri** (26; em hebraico, *bat omri*). Essa expressão também significa neta ou descendente do sexo feminino; o contexto exige a tradução "neta".

1. *"Ele Fez o que era Mau"* (8.27)
Novamente, a impiedade do rei foi participar e promover a religião de Acabe e Jezabel.

2. *Guerra contra a Síria por Ramote-Gileade* (8.28,29)
Ramote-Gileade (28) continuava sob o controle da Síria devido às más sucedidas tentativas de Acabe e Josafá de conquistá-la (1 Rs 22.29-36, em torno de 853 a.C.); porém, ela foi violentamente arrebatada dos sírios através dos esforços combinados de Jeorão (R.N.) e Acazias (R.S.), talvez no início do ano 841 a.C. O período de confusão e incerteza que se seguiu depois que Hazael se apossou do trono (veja os comentários sobre 8.15) havia criado um momento oportuno para um movimento contra Ramote-Gileade[52]. **Contra Hazael** (28,29) significa, provavelmente, contra o exército sírio, então sob a liderança de Hazael. O amigável relacionamento entre os dois reis israelitas está refletido na visita de Acazias a Jezreel para ver Jorão, que se recuperava dos ferimentos sofridos na batalha de Ramote-Gileade.

N. Ascensão e Reinado de Jeú (R.N.) (841-814 a.C.), 9.1—10.36

A forte dinastia de Onri deu origem à outra "casa" poderosa no reino do Norte. "A casa de Jeú" permaneceu em Samaria durante quatro gerações (10.30). A usurpação do trono por ele teve início, e foi fortemente promovida pelos profetas de Deus, com o interesse de uma total eliminação da adoração a Baal no reino do Norte.

1. Jeú é Ungido (9.1-10)

Eliseu transferiu para **um dos filhos dos profetas** (1) a ordem de Deus para ungir a Jeú (1 Rs 19.16) que lhe havia sido dada como sucessor de Elias. Ele, um indivíduo capaz e ousado, era o comandante em **Ramote-Gileade** (4,5). **Leva-o** (2) significa leva-o à "câmara interior". Sua principal tarefa como rei seria destruir **a casa de Acabe** (7) e, dessa forma, destituir a dinastia de Onri dentro do propósito de libertar a terra da religião dos canaaneus. Para o significado do versículo 8, veja os comentários sobre 1 Reis 14.10.

2. Jeú Derrota Jorão (9.11-37)

A maneira do jovem profeta, sua urgência em penetrar repentinamente na reunião dos oficiais, e talvez sua própria aparência, provocaram o desprezível epíteto de camarada **louco** (11, "este louco") ou "homem louco" (Berk).

Quando Jeú anunciou que fora ungido rei, os oficiais e companheiros expressaram sua aprovação e o proclamaram rei (11-13). Moffatt interpreta o significado da primeira parte do versículo 13 da seguinte maneira: "Então, cada um dos homens correu e colocou o seu manto nos degraus aos pés de Jeú". A Bíblia não informa se a unção de Jeú representava o ponto culminante dos planos que ele havia preparado. Entretanto, essa ajuda profética proporcionou a base para levar adiante a sua conspiração contra Jorão (14).

Jeú saiu vitorioso de seu "golpe de Estado", porque ele manteve o sigilo necessário (15), a rapidez (17-20) e a surpresa (21-24). Quando o rei percebeu que ele pretendia feri-lo, **voltou as mãos** e fugiu (23), isto é, ele "se virou e fugiu". Mas Jeú matou o fugitivo Jorão com uma **flecha** (24) bem colocada, e ordenou que o corpo fosse sepultado na vinha de Nabote. O novo rei tinha tomado conhecimento do desprezível incidente de Nabote, quando era um oficial sob as ordens de Acabe (25). A morte de Jorão vingou a vida de Nabote (26; cf. 1 Rs 21.19). Jeú também deu ordem a seus homens para perseguir Acazias, que havia fugido. Eles o encontraram e feriram, não muito longe de Jezreel. Ele conseguiu escapar para **Megido**, 16 quilômetros a oeste, onde morreu. O ex-comandante de Acabe também é responsável pelo terrível destino de Jezabel em Jezreel (30-35). **Pintou em volta dos olhos, e enfeitou a sua cabeça** (30), isto é, "pintou os seus olhos e adornou a sua cabeça". Antes de ser lançada pela janela, ela o lembrou, ou chamou-o de Zinri (31), que também havia cometido um assassinato para conseguir o trono (1 Rs 16.8-10). Aparentemente, esse nome havia se tornado o epíteto de um assassino, semelhante ao de Judas como traidor. Jeú entendeu naquele terrível destino a concretização da profecia que Elias havia proferido a respeito dela (36,37; cf. 1 Rs 21.23). A frase, **que não se possa dizer: esta é Jezabel** (37) parece ser a fórmula da lamentação. Moffatt a interpreta do seguinte modo: "Não haverá ninguém para dizer: ei-la! ei-la!"

3. Jeú Removeu Baal de Israel (10.1-36)

É muito difícil justificar os massacres generalizados realizados por Jeú à luz dos padrões cristãos. Até mesmo um dos profetas do Antigo Testamento chegou a julgá-lo porque, aparentemente, ele fora muito longe com suas medidas extremas (Os 1.4,5). Mas não seremos justos com Jeú se ele for julgado sob a luz dos padrões cristãos. O historiador apresenta os extermínios em massa e usa quase o mesmo ponto de vista dos extermínios anteriores feitos pelos cananeus e apresentados no livro de Josué. Ele entendia que a situação exigia medidas extremas; Baal deveria partir, ou Deus os abandonaria.

a. A ajuda dos oficiais (10.1-11). A fim de assegurar o sucesso de seu golpe, Jeú continuou com a habitual eliminação de todos os descendentes masculinos da linhagem real precedente. Sua primeira carta aos oficiais e anciãos de Samaria[53] inteligentemente os forçava a declarar se estavam do seu lado ou se pretendiam apoiar algum membro da família real (3). Embora do ponto de vista militar a vantagem estivesse do seu lado (2), eles respeitavam demasiadamente a habilidade de Jeú para recusarem o seu apoio e responderam: **A ninguém poremos rei** (5). Ele, então, mandou um recado: **Tomai as cabeças dos homens, filhos de vosso senhor, e amanhã a este tempo vinde a mim, a Jezreel** (6). Ao forçar os oficiais de Samaria a matar os filhos do rei, Jeú os manobrava para, aos olhos do povo, levá-los ao seu lado do golpe. Sua razão era: **Eu conspirei contra o meu senhor e o matei, mas quem feriu a todos estes?** (9). **Vós sois justos,** deve ser interpretado como: "Vós sois homens de mente justa" (Moffat).

b. A morte dos parentes de Acazias (10.12-14). Jeú encontrou os familiares do rei de Judá aparentemente a caminho de Jezreel para visitar seus parentes reais. Alguns deles, provavelmente nem todos, seriam descendentes de Acazias através de Atalia, sua mãe, filha de Acabe. Jeú matou a todos eles, sem fazer distinção entre quem era descendente ou não. **A casa de tosquia – Bete-Equede** – a casa em que os pastores tosquiam as ovelhas (12,14 – em hebraico *Beth-eked*) era um lugar com uma cisterna, no caminho de Jezreel a Samaria. Talvez seja uma referência a *Beit-Qad*, cerca de cinco quilômetros ao norte de Jenin.

c. Jonadabe, o recabita (10.15-17). A revolta de Jeú, em uma reação contra o culto a Baal, atraiu o elemento conservador de Israel. Como essa é a primeira referência feita aos recabitas no Antigo Testamento, parece que eles tiveram seu início durante os dias do baalismo de Acabe. Eles formavam um grupo que insistia no modo de vida simples e rude que os israelitas haviam conhecido no deserto quanto estavam a caminho de Canaã (cf. Jr 35.1-11). Apesar das ações positivas de Jeú, não deixa de ser um dia muito triste aquele em que o **zelo de um homem para com o Senhor** (16) é medido pelo número de vidas que ele destruiu.

d. A solene assembléia dos adoradores de Baal (10.18-27). O golpe final de Jeú, para o extermínio do culto a Baal, veio através de uma armadilha. Em nossa luta diária contra a impiedade, devemos ir além das práticas do Antigo Testamento, mas não podemos desobedecer à lei de Deus em nossos esforços para promover a causa divina. Sob o disfarce de uma sanção real, Jeú instituiu um feriado em honra a Baal a ser comemorado no templo desse deus em Samaria. Traga **as vestimentas** (22) pode indicar as vestes especiais usadas durante a cerimônia do culto. No apogeu dos ritos religiosos, ele enviou seus guardas ao templo para matar os adoradores desse deus falso. **Foram à cidade** (25) provavelmente significa "entraram nos aposentos interiores da casa de Baal". A maldade de Jeú contra o baalismo não terminou até que todos os vestígios do templo dessa entidade, e também todos os seus pertences, fossem destruídos. Essa completa eliminação é atestada pelo fato de nenhum traço do templo de Baal ter sido encontrado nas escavações em Samaria nas camadas atribuídas à época de Acabe. **Fizeram dela latrinas** (27) significa "fizeram dela uma latrina" (Berk.).

e. Jeú mantém a adoração de Jeroboão (10.28-31). Jeú, entretanto, não foi muito longe em sua reforma religiosa. Ele parou antes de eliminar os **bezerros de ouro** (29) e a adoração que Jeroboão I introduzira em Betel e Dã. Foi a benignidade de Deus que o levou a usar um homem que não o servia de todo o **seu coração** (31). Uma dinastia formada por quatro gerações a partir dele, foi a maneira que Deus utilizou para honrá-lo pela sua importante contribuição ao libertar a terra de Israel da adoração a Baal (30).

f. Epílogo (10.32-36). Durante o período em que ele se estabelecia em Samaria, Hazael, rei de Damasco, invadiu o território de Israel desde o **Jordão, a leste** (33), inclusive Ramote-Gileade,[54] e outras cidades da região. Jeú foi sucedido por seu filho **Jeoacaz** (35)[55].

O. O Reinado de Atalia (R.S.) (841-835), 2 Rs 11.1-20 (cf. 2 Cr 22.10—23.21)

O povo de Judá não exigiu uma ação militar contra Jeú por causa da forte oposição que existia contra o envolvimento político e religioso representado pelo casamento de Jeorão com Atalia, filha de Acabe (8.16). Essa oposição estava refletida na execução de um número considerável de membros da família real e de oficiais da corte (2 Cr 21.4)[56].

Estas execuções, ao invés de eliminarem a oposição, provavelmente serviram para aumentá-la. Atalia percebeu que o movimento do Reino do Norte contra Baal alcançaria, de maneira semelhante, Judá e daria àqueles que sempre se opuseram à adoração a esse deus que ela levara para Jerusalém, a oportunidade de se levantar contra o seu governo. Atalia conseguiu lidar com essa oposição durante seis anos, e o relato de seu reinado poderia ser diferente, se tivesse sido capaz de obter o apoio do sumo sacerdote, Joiada.

1. *Jeoseba Salva Joás* (11.1-3)
"Vida por vida" era o curso de ação de Atalia. Toda a **semente real** (1) refere-se aos filhos de Jeorão dos quais ela não era a mãe. Esse conceito atingiria o primogênito de Josafá ou qualquer outro membro da linhagem de Davi. Ela tinha a intenção de eliminar todos os pretendentes ao trono. Jeoseba (2) era tia do infante Joás, a quem ela rapidamente afastou e escondeu na **casa do Senhor** (3). Ela também era mulher de Joiada (2 Cr 22.11).

2. *Joás é Coroado* (11.4-12)
Joiada havia planejado, com cuidado e inteligência, o momento de retirar Joás do esconderijo, para que, desta forma, pudesse derrubar Atalia e seu culto a Baal. Ele conquistou a confiança dos **capitães e dos da guarda** (4), isto é, dos guardas do palácio, e eles juraram manter segredo sobre seus planos (4-8). Ele contava com a ajuda dos sacerdotes que tinham ido a Jerusalém para cumprir os seus deveres religiosos (9; cf. 2 Cr 23.4), e distribuiu entre eles as armas do Templo usadas nas ocasiões oficiais (cf. 1

Rs 10.16,17; 14.25-28). Os **escudos de Davi:** (10) significa que eles acompanhavam a tradição do uso dos escudos que Salomão preparou com os espólios de guerra de Davi[57]. **Entrar entre as fileiras** (8) significa: "qualquer um que se aproximar das fileiras". No dia determinado, Joás, então com sete anos de idade, foi proclamado rei, acompanhado de palmas e brados. A sua coroação foi celebrada sob a autoridade do sumo sacerdote (12; cf. Êx 29.6,7; Lv 8.9,10). **O testemunho** (12) era talvez um amuleto ou algum documento escrito que simbolizava a Lei e, dessa forma, associava a aliança de Deus com a dinastia de Davi.

3. *Joiada Derruba Atalia* (11.13-16)
Os planos de Joiada foram bem preparados. Além disso, Joiada e Joás estavam do lado do Deus de Israel. Atalia, aparentemente tomada de surpresa, correu ao Templo em um frenético esforço para assumir o controle. Seu desespero era evidente pela forma como ela rasgou as vestes, e pelos seus lancinantes gritos: **Traição, Traição** (14). Ela foi presa e, como adoradora de Baal e assassina dos herdeiros reais, exceto Joás (11.1-2), foi morta fora do Templo, para que este não fosse profanado (15,16).

4. *Joiada Restabelece o Pacto* (11.17-20)
Era necessário restabelecer o pacto entre Deus e o reino de Judá porque o governo de Atalia havia causado uma ruptura na linhagem de Davi e no pacto. A **casa de Baal** (18), que foi destruída, mostra a extensão com que o culto a este deus havia sido estabelecido durante a presença de Atalia em Jerusalém. Joiada também nomeou vários **oficiais sobre a casa do Senhor** (18) e reorganizou suas desordenadas atividades. A palavra **capitães** (veja também 4 – em hebraico *carites*) pode ser entendida como um desenvolvimento posterior dos quereteus que faziam parte do corpo real de guarda-costas (cf. 2 Sm 8.18; 1 Rs 1.38). É possível que eles fossem os caritas ou um grupo asiático conhecido através de fontes não bíblicas, e serviam como mercenários[58].

P. O REINADO DE JOÁS (R.S.) (835-796 a.C.), 12.1-21 (cf. 2 Cr 24.1-27)

Joás (ou **Jeoás,** 1, em algumas passagens, como uma variação ortográfica) começou seu reinado como um menino-rei. Nada se sabe sobre sua mãe, exceto seu nome e sua cidade, **Zíbia, de Berseba** (1). Nos primeiros anos, pelo menos, o poder que estava por trás do trono encontrava-se nas mãos de **Joiada, o sumo sacerdote** (2). Enquanto ele viveu, o reinado de Joás foi caracterizado pela justiça, exceto quanto ao insucesso de remover os **lugares altos** (2,3; cf. 2 Cr 24.15-22). Devido aos esforços de Joiada, na ocasião em que Joás foi feito rei, a terra de Judá ficou livre da pecaminosa adoração a Baal, e assim permaneceu até a sua morte.

1. *Joás Insiste na Reparação do Templo* (12.4-16)
A religião de Baal, introduzida por Atalia, havia ocasionado uma séria negligência em relação aos serviços e a adoração no Templo. A rainha, de fato, era a responsável por uma considerável destruição do ambiente sagrado e de seus objetos, e pelo confisco de ofertas destinadas a Deus, que ela reverteu para a causa de Baal (2 Cr 24.7).

a. *Joás confia aos sacerdotes a tarefa de reparar o Templo* (12.4-8). Os recursos destinados aos sacerdotes e à manutenção do Templo normalmente provinham de três origens: (*a*) **o dinheiro daquele que passa** (4), isto é, o dinheiro da análise do censo (Ex 30.13); (*b*) **o dinheiro de cada uma das pessoas,** o dinheiro da alma ou da redenção (cf. Nm 18.15,16); e, (*c*) **o dinheiro que trouxer cada um voluntariamente,** as ofertas espontâneas. Os sacerdotes deveriam utilizar esses recursos para reparar o Templo. O fato de terem deixado de fazer esses reparos quando Joás já tinha chegado aos vinte e três anos não indica necessariamente que houve uma apropriação indébita. Parece, antes, que os proventos esperados, através das fontes naturais, não eram tão elevados quanto o necessário, e que os sacerdotes talvez não tivessem sido muito cuidadosos a respeito da apropriação do dinheiro para seu uso pessoal, como deveriam ser. "**Conhecidos**" (5,7) significa "eleitores" ou "apoiadores" (Berk.).

b. *O uso da caixa de coleta* (12.9-16). O plano convencional entre Joás e os sacerdotes era o de usar uma arca (ou caixa) do lado direito do altar para coletar as ofertas para o Templo (9). **Contavam e ensacavam o dinheiro** (10) quer dizer que ele era contado e guardado. Trabalhadores foram contratados especificamente para as obras de reparação (11,12). A caixa e a nomeação dos funcionários chamaram a atenção para a necessidade da reparação do Templo. As ofertas aumentaram e os trabalhos foram concluídos, o que serve para ilustrar que, quanto mais específica é uma necessidade, mais pessoas estão dispostas a contribuir. Alguns pensaram que existisse uma discrepância entre as afirmações do versículo 13 e 2 Crônicas 24.14 em relação à elaboração da mobília do Templo – **taças de prata, garfos, bacias, trombetas, vaso de ouro ou vaso de prata** (13). O problema ficou resolvido quando entenderam que a declaração em Reis aplica-se ao período dos trabalhos de reparação, e a de Crônicas refere-se ao período depois que os reparos foram concluídos.

2. *Joás Paga Tributos a Hazael* (12.17,18)
Depois de conquistar a Transjordânia e chegar até o monte Arnom (10.32,33), Hazael continuou a sua expedição em direção ao oeste e depois para o sul, ao longo da costa do Mediterrâneo. A conquista de **Gate** (17) tinha aparentemente a finalidade de controlar o comércio com o Egito no sul, ao longo da costa no norte e no interior, até Jerusalém. A sua ameaça contra Jerusalém (cf. 2 Cr 24.23,24) foi interrompida quando ele recebeu de Joás os tesouros do Templo e do palácio como tributos à sua pessoa (cf. 1 Rs 15.18). Não está claro se isso significa que a nação de Judá tornara-se vassala, na obrigação, portanto, de lhe pagar esses tributos.

3. *Joás é Morto* (12.19-21)
As razões da conspiração contra Joás não foram explicadas nos livros dos Reis. Podemos supor, com base em 2 Crônicas 24.15-22, que ele havia contrariado os interesses da religião quando se voltou para o culto a Baal depois da morte do sumo sacerdote. Ao ser condenado devido a esse ato por Zacarias, filho de Joiada, ordenou que este fosse apedrejado. A expressão **casa de Milo** (20) possivelmente seja uma referência a uma estrutura construída sobre uma plataforma de terra batida (veja os comentários sobre 1 Rs 9.15), provavelmente localizada na região noroeste da cidade de Davi. O local chamado **Sila** não pôde ser identificado; talvez esta seja uma referência a um bairro da cidade.

Q. O REINADO DE JEOACAZ (R.N.) (814-798 a.C.), 13.1-9

Depois da eliminação do culto a Baal, levada a efeito no reino do Sul, a atenção é dirigida novamente ao Reino do Norte. Em 13.1 e 13.10 existem certas diferenças nas informações que servem para fazer a sincronização entre os governos de ambos os reis. A afirmação em 13.1 diz que Jeoacaz (R.N.) começou a reinar no vigésimo terceiro ano de Joás (R.S.), e que reinou durante **dezessete anos**, e dar a entender que Jeoacaz reinou até o trigésimo nono ou possivelmente até o quadragésimo ano de Joás. Entretanto, o versículo 13.10 declara que ele morreu e que seu filho Jeoás (R.N.) veio a sucedê-lo no trigésimo sétimo ano de Joás (R.S.). Esse último versículo, portanto, indica que o reinado de Jeoacaz teve uma duração de quinze ou talvez quatorze anos.

Foram apresentadas diferentes sugestões como soluções plausíveis para esse problema. Uma delas é que o versículo 13.1 deveria ser corrigido e interpretado como quinze anos para o reinado de Jeoacaz – uma proposta feita por Keil, entre os primeiros comentaristas, e de Albright, dentre outros, nos últimos anos. Outra sugestão é que o versículo 13.1 está correto e que o texto do 13.10 deveria ser corrigido com base em evidências encontradas em manuscritos gregos que mencionam o trigésimo nono ano do reinado de Joás como o ano em que Jeoacaz morreu. Ainda outra possibilidade foi apresentada por Gray e outros, os quais afirmaram que o versículo 13.1 foi escrito sob o ponto de vista de uma co-regência, e 13.10 sob o ponto de vista de um reinado integral ou independente.

1. *O ímpio reinado de Jeoacaz.* O reinado de Jeoacaz, filho de Joás, deu continuidade aos mesmos **pecados de Jeroboão** (2); portanto, estava condenado. **E também o bosque ficou em pé em Samaria** (6) ou "Aserá também reinava em Samaria". Em nenhum lugar está escrito que Jeú destruiu o "bosque" ou a Aserá de Acabe (1 Rs 16.33).

2. *O frágil e ineficiente reinado de Jeoacaz.* Ele foi incapaz de impedir que Hazael, livremente, aniquilasse e conquistasse partes de Israel (3). Seus domínios ficaram reduzidos quase que somente à região montanhosa de Efraim. O tamanho do exército que o rei sírio enviou (7) reduziu Israel a uma humilhação sem precedentes[59]. Os "salvadores" prometidos, para buscar o Senhor (4,5), seriam os sucessores de Jeoacaz, Joás e Jeroboão, que foram capazes de libertar Israel da opressão Síria, e restaurar o seu prestígio.

R. O REINADO DE JEOÁS (JOÁS) (R.N.) (798-782 a.C.), 13.10-25; 14.15,16

O relato sobre o reinado de Jeoás é diferente dos outros. O prólogo (10,11) é imediatamente seguido pelo epílogo (12,13), que também é repetido com pequenas variações (14.15,16). A parte principal dos dados sobre esse reinado vem depois do epílogo (14.24)[60].

1. *A Enfermidade e a Morte de Eliseu (13.14-21)*
Joás visitou Eliseu devido ao grande respeito que tinha pelo profeta, que estava próximo de falecer. A sua saudação: **Meu pai, meu pai, carros de Israel e seus cava-**

leiros! (14), foi a exclamação que o profeta pronunciou na ocasião em que Elias foi levado ao céu (2.12). O fato de Joás utilizar esta expressão é uma indicação de que ele reconhecia a proximidade da morte de Eliseu. A ordem relacionada ao uso **do arco e das flechas** (15) estava relacionada com a Síria, que era a nação que oprimia Israel. Uma flecha lançada em direção ao oriente simbolizava a vitória **em Afeca** (17); as setas lançadas ao solo simbolizavam a vitória de Israel sobre a Síria (18).

Eliseu **se indignou muito contra Joás** (19), por saber que confiar e se apoiar em outras nações era uma atitude errada. Era necessário ter uma completa confiança em Deus para que fossem ajudados contra as nações estrangeiras que procuravam oprimir Israel. O poder miraculoso associado aos ossos de Eliseu (20,21) tinha a finalidade de mostrar a Joás que o poder do Deus de Israel seria manifestado na vitória sobre a Síria, mesmo após a morte do profeta.

2. *As Vitórias de Jeoás sobre a Síria* (13.22-25)
Hazael (841-798 a.C.) foi sucedido por seu filho Ben-Hadade (798-733), de quem Jeoás foi capaz de recuperar cidades e territórios que **Hazael** (22) havia anteriormente tomado de Israel (24,25). As **três vezes** (25) que Jeoás derrotou Ben-Hadade e retomou as cidades de Israel sugerem que estas aquisições territoriais tinham uma extensão considerável, ou seja, a Transjordânia, as terras altas da Galiléia e o território situado a noroeste de Samaria que Jeoacaz havia perdido para Hazael[61]. Suas vitórias representaram um cumprimento parcial da promessa dos "salvadores" para o alívio de Israel (13.4,5). A palavra **ainda** (23), usada pelo historiador, reflete a expressão da bondade de Deus para com Israel. A versão RSV em inglês traduz esta passagem da seguinte forma: "até o momento, ainda não os lançou da sua presença".

S. O REINADO DE AMAZIAS (R.S.) (796-767 a.C.), 14.1-14,17-22 (cf. 2 Cr 25.1-28)

A Bíblia Sagrada não indica a natureza da conspiração contra Jeoás, pai de Amazias. Ela foi instigada por um partido de oposição, como foi sugerido acima (veja os comentários sobre 12.19,20) e, aparentemente, estava dirigida à pessoa de Jeoás e não contra a "casa de Davi".

1. *O Prólogo* (14.1-6)
Novamente a afirmação: **E... fez o que era reto aos olhos do Senhor** (3; cf. 2 Cr 25.14-16), é difícil de compreender (cf. 12.2). Ela, provavelmente, se aplica à tentativa de evitar o pecado específico da adoração a Baal.

O **livro da lei de Moisés** (6) é uma segunda referência à forma escrita da lei mosaica (cf. 1 Rs 2.3). Este livro, encontrado no Templo e lido publicamente, era a base para as reformas de Josias (2 Rs 22–23). Embora a análise literária possa estar correta ao atribuir essas referências ao historiador, e não às suas fontes analíticas, isso não quer dizer que o livro, ao qual a referência foi feita, seja tão posterior (ou aproximadamente posterior) à menção feita a ele. A passagem citada do livro da lei para explicar a ação leniente de Amazias em relação aos filhos daqueles que conspiraram contra o seu pai, foi Deuteronômio 24.16.

2. A Campanha Edomita (14.7)

Um considerável número de detalhes foi incluído em 2 Crônicas 25.5-13, relacionados ao avanço de Amazias contra Edom, e que, também, são importantes para o incidente de Bete-Semes (11-14). O rei de Judá tinha a intenção de trazer Edom novamente para o seu controle, porque os edomitas haviam se revoltado contra Jeorão, seu pai (8.20-22). Ele começou com um grande contingente do reino do Norte, o qual recebeu a recomendação de um profeta antes de entrar na batalha contra Edom (2 Cr 25.6-10). Em seguida ele prosseguiu, com o objetivo de submeter os edomitas a uma sonora derrota o que, aparentemente, transformaria novamente Edom em um estado vassalo de Judá.

O vale do Sal (7) é, provavelmente, *es-Sabkha*, uma planície salgada e estéril a oeste do mar Morto, localizada em território edomita. **Sela** é o nome da capital (cf. Is 16.1), a famosa Petra. Trata-se de uma fortaleza construída sobre uma rocha de cor rosa-avermelhada, cerca de 80 quilômetros ao sul e a oeste do mar Morto, cuja entrada é feita através do impressionante *canyon* de calcário (chamado Siq) do *Uádi Musa*. O nome **Jocteel** ocorre em Josué 15.38, e refere-se a uma colônia nas planícies de Judá. Talvez esse nome tenha tido a finalidade de representar um epíteto humilhante, por usar o nome de uma vila pouco conhecida para a orgulhosa capital de Edom (cf. Ob 1-4).

3. Jeoás (R.N.) Derrota Amazias (14.8-14)

Os detalhes de 2 Crônicas 25.1-13 fornecem um proveitoso cenário para se entender o choque que ocorreu entre os dois Reinos israelitas em Bete-Semes. O comunicado oficial de Amazias a Jeoás: **Vem, vejamo-nos cara a cara** (8) era, na realidade, uma declaração de guerra contra o reino do Norte. Não há dúvida de que ele foi provocado pelas invasões das cidades de Judá, feitas pelos soldados de Jeoás que haviam sido contratados; porém, logo depois despedidos por Amazias (cf. 2 Cr 25.10,13).

A fábula de Jeoás (cf. Jz 9.7-15) sugeria a Amazias que reconsiderasse seus conceitos, e que a sua vitória sobre os edomitas o havia tornado presunçoso (8-10). A superioridade militar de Jeoás logo ficou evidente na batalha de Bete-Semes, e ele não só derrotou a Amazias de uma forma esplendorosa, como também perseguiu o seu exército até Jerusalém, derrubou uma considerável porção da parte norte do muro da cidade, e saqueou os tesouros do Templo e do palácio (11-14). O nome **Bete-Semes** (11; *Tell er-Rumeileh*) foi propositalmente distinguido de Bete-Semes de Naftali (Js 19.38; Jz 1.33); ela estava localizada na estrada principal que ia de Jerusalém a Asdode, quase 40 quilômetros a oeste da capital de Judá, e 24 quilômetros ao norte de Laquis[62].

4. Amazias – Vítima de Conspiração (14.17-22)

A conspiração contra Amazias tem sido atribuída à oposição por causa de sua incompetência nas batalhas contra Jeoás. Porém, o texto em 2 Crônicas 25.27 indica que a verdadeira razão era a sua apostasia. Ele foi assassinado por certas pessoas anônimas em Laquis, depois de uma perseguição (19). Esta cidade (a moderna *Tell ed-Durveir*) está localizada a sudoeste de Jerusalém, cerca de 24 quilômetros ao sul de Bete-Semes. Depois do sepultamento de Amazias, o povo aclamou Azarias como o novo rei. Vamos observar apenas um evento aqui. Ele foi capaz de recuperar o controle de Elate (22; na área de Eziom-Geber).

T. O Reinado de Jeroboão II (R.N.) (782-753 a.C.), 14.23-29

O longo reinado de Jeroboão II foi um dos mais fortes e prósperos do Reino do Norte. Ele era um competente líder militar e sábio administrador, exatamente como seu pai Jeoás. Teve muito sucesso ao recuperar territórios israelitas adicionais das mãos dos sírios. A partir das mensagens de Amós, Isaías e Oséias ficou claro que o Reino do Norte alcançou o ápice de seu poder comercial e político sob o seu reinado. No mesmo período, devido a um momento de paz que havia se instalado entre os reinos, e à sábia liderança de Azarias, Judá também gozou a mesma prosperidade material.

1. *Jeroboão Praticou a Impiedade* (14.24)
A impiedade praticada por Jeroboão foi identificada pelo endosso e continuação da falsa religião iniciada por **Jeroboão, filho de Nebate** (24).

2. *Jeroboão Restaura a Fronteira de Israel* (14.25-28)
Jeroboão foi capaz de restabelecer os **termos** (fronteiras) **de Israel** (25) ao norte e a leste, e igualou-a aos limites estabelecidos por Davi (cf. 2 Sm 8.1-14; 1 Rs 4.21). Ele recuperou áreas que ainda estavam sob o controle dos sírios – o território que Ben-Hadade havia tomado de Baasa pouco mais de cem anos antes daquela ocasião (cf. 1 Rs 15.20). Ele também conquistou o sul da Transjordânia e chegou talvez até o *Uádi el-Hesa* (Zerede), isto é, a fronteira entre Moabe e Edom. **O mar da Planície** (25) é uma referência ao mar Morto. **Jonas** é identificado como o profeta do livro de igual nome. **Gate-Hefer** (Js 19.13) é geralmente identificada com *al-Meshed*, uma vila ao norte de Nazaré. A última parte do versículo 26 pode ser interpretada da seguinte forma: "Nada havia restado, que estivesse preso ou livre, e não havia alguém para ajudar Israel". Jeroboão, como "salvador" de Israel (27), cumpriu uma profecia anteriormente pronunciada durante a época de Jeoacaz (13.5).

U. O Reinado de Azarias (R.S.) (767-740 a.C.), 14.22; 15.1-7 (cf. 2 Cr 26.1-23)

Azarias é chamado de Uzias em 2 Crônicas 26 e em Isaías 1.1; 6.1. Não se sabe como esses dois nomes tão diferentes foram usados para designar o mesmo rei. Acredita-se que esse uso seria intercambiável, porque têm um significado inter-relacionado: Azarias significa "Jeová ajuda", e Uzias quer dizer "Jeová fortalece". Mais uma vez um importante reinado é tratado com brevidade pelo historiador, e será necessário voltar a 2 Crônicas 26.1-23 para obtermos maiores informações.

1. *Prólogo* (15.1-4)
Azarias fez o que era reto, como Joás (12.2) e Amazias (14.3), exceto que **os altos se não tiraram** (4). Parece que ao fazer a avaliação dos reinados de Judá, o historiador novamente escreveu, ao ter em mente a adoração a Baal. A presunçosa oferta de Azarias ao Templo (2 Cr 26.16-19) pode ter sido um desenvolvimento do culto estranho que ocorreu em seus anos posteriores.

2. A Expansão Militar e Comercial de Azarias (14.22)

Essa breve referência a **Elate** nos dá uma idéia a respeito da maneira como Azarias desenvolveu o comércio de Judá. Esta era a cidade-porto de Salomão situada no golfo de Ácaba (1 Rs 9.26). O rei a levou de volta ao controle do Sul ao derrotar os edomitas (14.70). O fato de ter sido capaz de realizar essa façanha está explicado em 2 Crônicas 26.6-15, que descreve a poderosa máquina de guerra que Judá havia se tornado sob Azarias. Dessa forma, seu reino se igualou ao de Jeroboão, no Norte, não só cronologicamente, como também em termos de poder e prosperidade.

3. A Lepra de Azarias e a Co-regência (15.5-7)

A lepra de Azarias está explicada em 2 Crônicas 26.16-20 como um castigo de Deus sobre ele por causa de seus atos presunçosos no Templo. Sua moradia em uma **casa separada** (5), fora da cidade, estava de acordo com as leis relativas à lepra (Lv 13.45,46). Sua condição de leproso, que exigia um isolamento da sociedade, explica a nomeação de seu filho **Jotão** para estar sobre a casa, isto é, ele "administrava os funcionários do palácio e governava a nação" (Moffatt). Ele morreu e foi sucedido por este seu filho.

V. A FRAQUEZA DO REINO DO NORTE, 15.8-31

O final do Reino do Norte aproximava-se depois da morte de Jeroboão II, embora tivesse alcançado o apogeu político e material sob seu reinado. Inúmeros fatores contribuíram para essa derrocada – entre eles a falta de um rei forte e as investidas assírias no oeste. Mas nenhum deles foi tão crucial como a desobediência e sua conseqüente decadência moral.

1. O Reinado de Zacarias, 753-752 (15.8-12)

A conspiração de Salum foi acompanhada por uma mudança na dinastia, a primeira entre várias outras que aconteceram no breve período de vinte anos. **Jabes** (10) pode ser mais uma designação geográfica do que um nome de pessoa. A morte de Zacarias e a subseqüente perda do trono para a "casa de Jeú" foram o cumprimento de uma profecia anterior (12; cf. 10.30).

2. O Reinado de Salum, 752 (15.13-16)

Salum foi incapaz de unir os grupos políticos, e foi assassinado. Porém o assassino tirou esta idéia de um ato que o rei havia praticado no ano anterior. **Tifsa** (16) é o nome de uma cidade que ficava no extremo norte do reino de Salomão (1 Rs 4.24), e talvez seja *Sheikh Abu Zarad*, localizada cerca de 13 quilômetros ao sul de Siquém. Ao saqueá-la, por não lhe ter oferecido apoio, Menaém tornou-se culpado de um ato bárbaro contra o seu próprio povo, semelhante àquele que Eliseu havia previsto que Hazael praticaria contra Israel (8.12).

3. O Reinado de Menaém, 752-742 a.C. (15.17-21)

O reino do Norte debatia-se em dificuldades por causa de ambiciosos usurpadores, em uma época em que mais necessitava de uma excelente liderança. O exército assírio, sob Salmaneser (858-824) e Hadade-Nirari (805-782 a.C.), constantemente invadia a região oeste e sul em direção ao Egito. Sua expansão a oeste durante o reinado de Tiglate-Pileser III (745-727) e de seus sucessores, havia envolvido o reino do Norte. **Pul, rei da Assíria** (19) é o nome hebraico para o termo babilônio *Pulu*, uma abreviatura de Tiglate-Pileser que cobrou um pesado tributo de Menaém. **Mil talentos de prata** seriam US$2.000.000 (Berk). A fim de levantar o dinheiro desse tributo, o rei de Israel cobrou US$2.000 em prata de cada homem rico (20, Berk. Cinqüenta siclos de prata)[63]. **Para que sua mão fosse com ele** (19), isto é, "para que ele pudesse ajudar a confirmar a posse do poder real".

4. *O Reinado de Pecaías*, 742-740 a.C. (15.23-26)

O trono foi ocupado por Pecaías, filho de Menaém; porém, aqueles que se opunham fortemente à política de submissão ao jugo assírio, particularmente os mais abastados, procuraram um outro rei. O homem escolhido era Peca, um capitão do exército que havia liderado um contingente de gileaditas contra o palácio. Peca assassinou Pecaías e **reinou em seu lugar** (25).

5. *O Reinado de Peca,* 740-732 a.C. (15.27-31)

Peca foi confrontado com a invasão do exército assírio de Tiglate-Pileser e perdeu para ele o precioso território (29) que Jeroboão II havia reconquistado. Além disso, nessa ocasião o seu povo ficou sujeito à nova política assíria de tomar prisioneiros de guerra, e os israelitas dessa região foram levados como cativos para a Assíria (29; cf. 17.6). Por causa desses acontecimentos, manifestações de agitação e insatisfação deram ensejo a uma outra conspiração. Oséias matou Peca para assumir, não o papel de rei, mas de um vassalo da Assíria.

6. *Os Eventos Finais do Reino do Norte*

É difícil acompanhar os eventos finais do Reino do Norte somente através das informações contidas em 15.27–17.1. Esses eventos faziam parte de relacionamentos internacionais que foram mencionados de forma sucinta e indireta. Como agora se tornaram conhecidos através de fontes não bíblicas, os eventos registrados em 15.32–16.18 ocorreram antes daqueles que foram descritos em 15.29; na verdade, as informações contidas em 15.32–16.18 ajudam a explicar os eventos descritos em 15.29.

a. A Assíria sob Tiglate-Pileser III. Seu reinado colocou um ponto final em um período de fraqueza da Assíria, o inimigo do norte de Israel. Entre os detalhes contidos nos seus registros de suas façanhas, há referências à derrota de uma coalizão liderada por *Azriyahu de Jaudi* ("Azarias, o judeu"), o único governante de uma nação forte entre os estados pequenos da costa oriental do Mediterrâneo daquela época[64]. Isso aconteceu em 743 a.C., o mesmo ano em que Tiglate-Pileser impôs um tributo sobre Menaém (15.19) que, provavelmente, fazia parte da coalizão contra a Assíria formada por Azarias.

b. A aliança Peca-Rezim. Peca, do Reino do Norte, formou uma aliança com Rezim da Síria em um aparente movimento contra a Assíria. A formação dessa coalizão e a invasão de Judá (16.5; cf. Is 7.1-17) aconteceram enquanto Tiglate-Pileser conduzia uma campanha em Urartu (737-735 a.C.)⁶⁵. Peca e Rezim haviam, aparentemente, coagido a Filístia e Edom a se unirem à aliança e, da mesma maneira, tentaram obter a participação de Judá (cf. 15.37). Mas Jotão foi inflexível e não concordou. Eles, então, seguiram com seus exércitos contra o Reino do Sul durante o reinado de Acaz na assim chamada guerra siro-eframita (16.5; Is 7.1,2). Como Judá havia se recusado a participar da coalizão, aparentemente desejavam tornar essa nação ineficaz, já que era um possível aliado da Assíria. Acaz foi capaz de suportar o ataque lançado contra ele, e enviou mensageiros com grandes dádivas a Tiglate-Pileser (16.7-9).

c. *Tiglate-Pileser Intervém a Favor de Judá*. É provável que Tiglate-Pileser tenha acolhido com agrado a esplêndida oportunidade que se lhe oferecia de avançar para o oeste. Ele marchou contra a Síria (16.9) e, depois, contra o Reino do Norte em 734 a.C., anexou esse território como parte de seu império e levou os prisioneiros de guerra (15.29). Dessa forma, sob uma ampla perspectiva histórica, o ataque de Tiglate-Pileser contra o Reino do Norte durante o reinado de Peca é considerado uma ajuda concedida a Judá, ao atender um pedido de Acaz. Entretanto, isso custou alguma coisa ao rei de Judá que, aparentemente, foi obrigado a introduzir a religião assíria na adoração de Judá no Templo (16.10-18). Os acontecimentos dos anos seguintes levaram à rápida decadência do Reino do Norte. O golpe fatal foi desferido por Salmaneser V.

W. O Reinado de Jotão (R.S.) (740-732 a.C., co-regente a partir de 750), 15.32-38 (cf. 2 Cr 27.1-8)

Jotão é outro rei que foi avaliado como alguém que fez o que era reto aos olhos do Senhor, mas, que, também, não removeu **os lugares altos** (35). Ele se dedicou a uma considerável atividade de construção (2 Cr 27.3,4). A **Porta Alta** não foi identificada, cf. Jr 20.2 e Ez 9.2. Ele conduziu vitoriosas campanhas militares e alcançou a reputação de ser um rei poderoso (2 Cr 27.5,6). A presença de um exército bem desenvolvido, que Jotão havia recebido como herança de Acaz, explica em parte como Peca e Rezim não conseguiram tomar Jerusalém (16.5). Por ter se recusado a participar de um bloco contra a Assíria, ele precisou enfrentar um ataque permanente de **Rezim, rei da Síria**, e de **Peca**, de Israel (37).

X. O Reinado de Acaz (R.S.) (732-716 a.C.), 16.1-20 (cf. 2 Cr 28.1-27)

O povo de Judá havia experimentado prosperidade e sucesso sob a vigorosa liderança de Azarias e Jotão. Os pecados da luxúria e a despreocupação das classes governantes foram veementemente condenados por Isaías (cf. 2–6) e outros profetas. Durante o reinado de Acaz a iniqüidade e a incredulidade transformaram-se em uma ultrajante idolatria, particularmente em relação ao próprio rei. Dessa forma, o ataque sírio-israelita aconteceu como um juízo divino sobre a pecadora Judá (15.37; 2 Cr 28.5-7). O apelo de Acaz aos assírios pode ser entendido como um ato arrogante de um rei generoso que se recusava a entender "os sinais dos tempos" cujo propósito era levá-lo ao arrependimento.

1. *Prólogo* (16.1-4)

Acaz dedicou-se ao culto a Moloque, isto é, começou a realizar sacrifícios humanos e **até a seu filho fez passar pelo fogo** (3). Tal procedimento, imitado anos mais tarde pelos israelitas, era sempre fortemente condenado pelos profetas (23.10; cf. Jr 7.31 e Ez 16.21). Não há uma indicação sobre quando Acaz ofereceu seu filho a Moloque. Ele pode ter recorrido a essa prática na época do cerco sírio-efraimita de Jerusalém, na esperança de que esse sacrifício pudesse ser tão efetivo para ele como parecia ter sido para Mesa, rei de Moabe (cf. 3.25-27).

2. *Acaz é Sitiado por Rezim e Peca* (16.5-9)

Aparentemente, esse cerco continuou durante um período considerável de tempo. A estratégica localização de Jerusalém, assim como as bem desenvolvidas forças de Judá, tornaram impossível aos dois reis conquistarem a cidade (5). Considerações históricas e textuais permitem interpretar "edomitas" como os **siros** (6), que se aproveitaram da preocupação de Acaz com Rezim e Peca para assumir o controle de Elate.

Acaz enviou mensageiros a Tiglate-Pileser (7) com ouro e prata dos tesouros do Templo e do palácio para persuadi-lo a ajudar Judá que estava sob o ataque da Síria e de Israel. Estes bens materiais haviam sido acumulados como ofertas ao Templo e rendimentos públicos do palácio, embora anteriormente esses valores tivessem sido exauridos por várias vezes de forma semelhante (1 Rs 14.26; 15.18; 2 Rs 12.18). Tiglate-Pileser tinha suas próprias razões para ajudar Judá, e assim **subiu contra Damasco e matou Rezim** (9; cf. também 15.29). **Quir** é o nome da localidade original dos sírios, em alguma área ao norte da Mesopotâmia ou da Armênia.

3. *Acaz Copia um Altar em Damasco* (16.10-20)

Acaz fez uma visita oficial a Damasco, aparentemente obrigado por Tiglate-Pileser (10), onde viu um altar que despertou a sua imaginação. Ele enviou **o desenho e o modelo do altar** a **Urias** para que uma cópia fosse erguida no pátio do Templo. **Antes que o rei Acaz voltasse** (11), isto é, antes que ele retornasse a Jerusalém. É difícil determinar com precisão o significado desse acontecimento. Uma sugestão poderia ser que o uso desse altar, e outras mudanças no Templo (17,18), indicassem concessões religiosas feitas como símbolo da disposição de Acaz de aceitar a política assíria. Não se pode afirmar com segurança se isso envolvia alguma forma de culto (por exemplo, a adoração às estrelas, a Tamuz ou a Marduque). **A cobertura do sábado** (18) parece ser algum tipo de proteção àqueles que compareciam aos serviços. **Por causa do rei da Assíria**, isto é, "devido ao rei da Assíria" (Berk). Com seu passado de culto a Moloque, Acaz não teria se perturbado em incluir características da Mesopotâmia em seu repertório religioso. Com a morte de Acaz, **seu filho, Ezequias, reinou em seu lugar** (20).

"Colocou Deus em segundo lugar": esta atitude está ilustrada nos versículos 10-16. (1) Acaz viu um novo altar em Damasco, 10; (2) mandou fazer uma cópia para colocar no Templo do Senhor, 11; (3) colocou o novo altar no lugar do altar do Senhor, 12-14; (4) passou a oferecer sacrifícios diários no altar de um falso deus, 15; (5) Ele mantinha o altar de cobre do Senhor com a finalidade de receber orientações nas situações de emergência, 15.

Y. O REINADO DE OSÉIAS (R.N.) (732-723/22 a.C.), 17.1-6

O reinado de Oséias foi o último de Israel. Durante seu governo, a nação de Israel foi esmagada pelos impacientes reis sírios. Seu colapso deixou Judá como o único reino israelita da Palestina.

1. *Prólogo* (17.1,2)
Os nove anos do reinado de Oséias, que antecederam o "furacão" assírio que passou pelo Reino do Norte, foram caracterizados pela prática da iniqüidade. Entretanto, essa afirmação fica suavizada pela frase, **contudo, não como os reis de Israel que foram antes dele** (2). Talvez esta seja uma referência ao fato de Oséias permitir que pessoas de outras tribos fossem a Jerusalém para celebrar a festa da Páscoa (2 Cr 30.10ss).

2. *A Traição contra a Assíria* (17.3,4)
Oséias iniciou o seu reinado sob Tiglate-Pileser. Quaisquer que tenham sido as políticas específicas impostas a Israel, aparentemente ele subiu ao trono depois de Tiglate-Pileser. Parece que Salmaneser veio à Palestina como parte de uma campanha voltada ao oeste. Nessa época, **Oséias ficou sendo servo dele e dava-lhe presentes** (3), isto é, o rei da Assíria reduziu o Reino do Norte à posição de vassalo e lhe cobrava tributos anuais[66]. Um partido que se opunha ao pagamento de tributos anuais aos assírios provavelmente influenciou Oséias a tentar fazer uma aliança com o Egito e, ao mesmo tempo, parar de pagar o tributo a Salmeneser. Com base nos detalhes registrados nos anais assírios, **Sô, rei do Egito** (4), foi identificado com Sib'e (em hebraico *Siwe*), comandante de uma das pequenas monarquias do delta egípcio[67].

Salmaneser mandou prender Oséias por causa de sua rebelião. A posição desse detalhe no relato bíblico parece indicar que, através de oficiais da terra ou por outros meios, o imperador assírio mandou prender o rei de Israel antes de iniciar o ataque contra Samaria. Entretanto, essa afirmação pode significar simplesmente que ele foi capturado e preso depois da queda da cidade[68].

3. *Samaria é Sitiada pela Assíria* (17.5,6)
Inúmeras fontes extrabíblicas comprovam e complementam o relato bíblico sobre a queda de Samaria como conseqüência do cerco dos assírios. Entretanto, no versículo 3 não está claro se o **rei da Assíria** (5) deve ser entendido como Sargão II ou Salmaneser V. A tendência é acreditar que Sargão era o governante assírio que estava realmente no poder na época da derrota de Samaria. A afirmação da Crônica Babilônica de que Salmaneser conquistou Samaria não deve ser entendida como uma contradição às afirmações sobre Sargão, mas como um complemento a ela. A combinação das informações dessas fontes sugere que Salmaneser V deu início ao cerco, mas que ele morreu no outono do último ano de seu reinado (723/722) e que seu sucessor, Sargão II, completou a conquista de Samaria[69]. Por outro lado, Olmstead afirma veementemente que Salmaneser V era o rei ao qual foi feita uma referência no versículo 5[70].

4. *Os Prisioneiros Israelitas são Levados para a Assíria* (17.6)
Salmaneser (ou Sargão) seguiu o procedimento estabelecido por Tiglate-Pileser e levou milhares de israelitas do abatido Reino do Norte para o cativeiro. Talvez **Hala** e

Gozã sejam as cidades Chalchitis e Gausanitis de Ptolomeu. Se assim for, a primeira estava localizada no lado ocidental do baixo Zab, próximo à sua desembocadura no Eufrates; e a segunda, pode ser identificada com *Tell Halaf*, no rio Habor, a leste de Harã. **Habor**, a moderna *Kjabur*, é o nome de um rio que corre em direção ao sul através da região de Gozã até alcançar o lado oriental do Eufrates.

Z. AS RAZÕES DA DERROTA, 17.7-23

Foram apresentadas evidências que incriminam o Reino do Norte no registro que vai de 1 Reis 12 até esse ponto. Apenas restaram o resumo (7-17), as declarações finais (18) e a reafirmação das razões da derrota do Reino do Norte (21-23).

Nos versículos 7-17 o historiador relacionou numerosos exemplos de quase todas as ofensas cometidas contra o Senhor. A história de Israel foi um trágico registro de desobediências e insucessos em relação às responsabilidades da aliança, e essa ação impediu que Deus tivesse qualquer outro curso alternativo de atitude. O versículo 8 nos lembra que nenhum servo de Deus está desobrigado de ter uma vida virtuosa em razão das pressões políticas. A nação de Israel foi castigada embora andasse **nos estatutos [iníquos]... estabelecidos pelos reis de Israel** (8). A expressão, **em todas as suas cidades, desde a torre dos atalaias até à cidade forte** (9) significa "das vilas até as grandes cidades" (Moffatt). **Endureceram sua cerviz** (14), isto é, "eram tão teimosos quanto os seus pais" (Berk.). **Andaram após a vaidade** (15) significa "seguiram os falsos ídolos". **Portanto** (18), a nação foi conquistada e o povo foi levado ao cativeiro.

Devemos observar que, de acordo com o ponto de vista profético, o historiador não fez qualquer consideração à inevitabilidade da derrota antes do crescimento do poderoso império assírio. Existe refletida a fé de que Deus, o qual havia libertado o seu povo das mãos do Faraó, poderia da mesma forma libertá-lo dos assírios. As palavras **até Judá** (19) prevêem que a mesma história seria escrita sobre esta nação. Outra referência à adoração afrontosa de Jeroboão foi incluída como a razão do comentário final; **assim, foi Israel transportado da sua terra** (23).

Os versículos 9-18 retratam o "fim da linha". Existe uma longa estrada que vai desde a inocência até à desgraça, e um passo sempre leva a outro. Vemos o inexorável progresso da iniqüidade: (1) pecados secretos, 9. (2) adoração a outros deuses, 10-12; (3) descaso em relação à Palavra de Deus, 13; (4) endurecimento do coração e descrença, 14; (5) iniqüidade desenfreada, 15-17 e (6) julgamento e desgraça, 18. Mas apesar do juízo final, em todos os passos ao longo do caminho, até chegar ao final, o chamado de Deus é sempre um desejo de se "buscar (ou voltar) ao Senhor" (Is 55.6,7).

AA. OS POVOS ESTABELECIDOS NAS CIDADES DE SAMARIA, 17.24-41

A política dos assírios de deportar os cativos significava não só acabar com a população do Reino do Norte, mas de reocupar essa região com outro povo nas mesmas condições. Não se sabe exatamente quando os assírios trouxeram outros moradores para Canaã depois da queda de Samaria. Existem alguns detalhes nos diários de Sargão, de que ele deportou os cativos do sul da Mesopotâmia para a terra de Hatti, ou para o ocidente em geral, inclusive a Síria e a Palestina[71].

1. O Povo Levado a Samaria (17.24)
Nesse ponto, o registro indica que o povo levado para o reino do Norte vinha das extremidades da Mesopotâmia. Aparentemente, isso reflete novas conquistas assírias, assim como rebeliões em diversas partes do império.

a. Do Sul da Mesopotâmia. **Babilônia (ou Babel)** é o nome da antiga capital da baixa Mesopotâmia cujas ruínas podem ser encontradas cerca de 90 quilômetros ao sul de Bagdá, em um afluente do rio Eufrates, próximo a Hilla (Iraque)[72]. Sua primeira dinastia foi fundada por Sumuabu, e o sexto rei dessa sucessão foi o famoso Hamurabi. A última dinastia foi a dos caldeus, que causaram a decadência de Judá. **Cuta** era o centro da adoração a Nergal, a nordeste da Babilônia; suas ruínas são *Tell Ibrahim*[73].

b. Do norte da Mesopotâmia. O nome **Ava** talvez seja uma ligeira variação de Iva (18.34 e 19.13), uma cidade ou região da Síria. Assim como **Hamate** (*Nahr el-'Asi*), ela pode ser provavelmente localizada em algum lugar nas proximidades do rio Orontes. **Sefarvaim** – uma outra forma desse nome pode ser Sibraim (Ez 47.16), o equivalente hebraico do termo assírio *Shabarain*. Este era o nome de uma cidade em algum lugar da terra de Hums, que estava localizada entre as localidades de Damasco e Hamate. A região de Samaria teve o seu significado geográfico ampliado para indicar as partes centrais e norte da Palestina.

2. O Problema dos Leões (17.25-28)
Os leões, que se tornaram numerosos por causa da instabilidade na terra, são considerados um castigo de Deus contra os novos habitantes de Israel. Entendemos que a reposição da população ocorreu durante um período de vários anos e que quando esse problema foi apresentado ao rei assírio (Sargão ou possivelmente Senaqueribe), um sacerdote israelita foi escolhido, dentre os prisioneiros, para retornar. Ele foi enviado para reiniciar a adoração a Deus em Betel, e seguiu aparentemente a forma como ela fora praticada durante a existência do Reino do Norte (27,28).

3. A Religião Sincretista dos Samaritanos (17.29-33)
O resultado foi que os povos das regiões da Mesopotâmia combinaram o culto ao Deus de Israel com a sua antiga religião. **Assim, ao Senhor temiam e também seus deuses serviam** (33). Não sabemos como foi resolvido o problema dos leões. É provável que eles deixaram de ser um problema à medida que a população aumentava. Os povos são relacionados novamente, cada um com o seu deus particular que trouxeram a Samaria (30,31; cf. 24). **Sucote-Benote** (30), o deus dos babilônios, não pode ser explicado de forma adequada. Parece que ele tinha alguma ligação com Zarbanit, a consorte de Marduque, o principal deus da Babilônia. **Nergal**, do povo de Cuta, era uma divindade masculina que originalmente estava associada com o calor do sol e do fogo, mais tarde foi o deus da guerra e da caça, e por fim passou a ser o deus dos

desastres em geral. **Asima** dos hamateus pode ser uma variação de Aserá ou o primeiro elemento do *Ashembethel* mencionado nos papiros de Elefantina. **Nibaz** e **Tartaque** (31) não puderam ser identificados com algum grau de certeza. Foi sugerido que o primeiro tinha origem elamita; mas isso ainda é questionável e também foi proposto que o segundo podia ser uma variante da deusa síria Atargatis relacionada com Atar ou Anate. **Adrameleque,** do povo de Sefarvaim, é considerado uma variante hebraica de Adadmeleque (Adadmilki). Parece que Anameleque teria alguma relação com o deus sumério-acadiano Anu. Em fontes sírias, como nessa passagem bíblica, o elemento divino *melech* (o termo hebraico para malik) ocorre na composição de nomes de deuses associados com o sacrifício humano[74].

4. *A Incapacidade de Estabelecer a Pura Adoração a Deus* (17.34-41)

Não foram descritas a maneira nem a época em que aconteceu uma tentativa de purificar a religião dos samaritanos. O ponto principal a ser notado é que essa empreitada foi malsucedida. Como era do conhecimento do historiador, desde o início e ao longo de sua história, os samaritanos nunca aceitaram a verdadeira adoração a Deus: **Até o dia de hoje fazem segundo os primeiros costumes; não temem o Senhor** (34).

Aquilo que pode ser chamado de "Anatomia de uma falsa fé" está descrito nos versículos 32-36: (1) serviam a Deus apenas em seu modo de falar, 32; (2) dedicação prática a outros interesses, 33; (3) vidas que não apresentavam qualquer mudança, 34; (4) votos esquecidos, 35; (5) o abandono das heranças do passado, 36.

SEÇÃO III

UM REINO: JUDÁ CONTINUA SOZINHO

2 Reis 18.1—25.30

A. O REINADO DE EZEQUIAS (716-687 a.C., CO-REGENTE A PARTIR DE 729), 18.1—20.21 (cf. 2 Cr 29.1—32.32; Is 36–39).

A descrição do reinado de Ezequias é essencialmente a mesma em 2 Reis, 2 Crônicas e em Isaías. As fontes primárias foram os escritos de Isaías e "o livro das crônicas dos reis de Judá" (21.25).

Os registros extrabíblicos, particularmente a descrição do próprio Senaqueribe de seu cerco a Jerusalém, permitiram um estudo mais preciso da descrição bíblica do reino de Ezequias do que seria possível sem eles. O resultado foi o reconhecimento geral de que os registros das duas campanhas assírias foram resumidos ao que parece ser a descrição de uma invasão[1]. Este enfoque tem suas objeções, no entanto, ele elimina um número insuperável de problemas decorrentes da tentativa de entender o registro bíblico como a versão de uma única invasão. A favor do registro de duas invasões está o frágil arranjo cronológico; ou, de fato, a falta de ordem dos acontecimentos ou ainda a aparente falha na colocação da explicação da doença de Ezequias (20.1-19).

1. *Prólogo* (18.1-8)

O prólogo um tanto longo, provavelmente reflete a grande estima do historiador por Ezequias. O escritor estava interessado, primariamente, na inviolabilidade de Jerusalém como o lugar do Templo. Seu interesse, portanto, não era a cronologia ou uma descrição totalmente histórica.

a. O justo reinado de Ezequias (18.2-7). O reinado de Ezequias foi caracterizado como **reto aos olhos do Senhor** (3) porque ele conduziu reformas religiosas mais completas do que os seus predecessores (cf. 2 Cr 29.2–30.21). Ele **tirou os altos** (4) jamais removidos pelos reis anteriores, e destruiu as colunas de Aserá que haviam sido estabelecidas durante os reinados de Jotão e Acaz (16.4). Desfez até da serpente de bronze que Moisés havia feito (Nm 21.8,9). **Neustã** (4), "a coisa de bronze" [ou "uma coisa de latão"] era, talvez, a expressão de desprezo de Ezequias por ela. Ela tinha aparentemente se tornado um objeto de adoração, ao invés de um monumento comemorativo de um grande evento do passado.

A fé de Ezequias em Deus, nos tempos de grandes crises, não foi superada por nenhum dos outros **reis de Judá** (5). Isto estava evidente para o historiador pelo modo como ele conseguiu libertar-se de Senaqueribe. A bênção de Deus era prova suficiente de que as alianças com outras nações não eram necessárias. Este grande rei **não se apartou** do Todo-Poderoso (6). O modo como **foi o Senhor com ele** (7) era um sinal óbvio do seu reino justo.

b. A revolta de Ezequias contra a Assíria (18.7,8). **O rei da Assíria** (7), contra quem Ezequias se revoltou, foi, talvez, Senaqueribe. Sargão expandira o império em seu comprimento e largura; ele controlava os povos de Elão até Chipre e a fronteira do Egito. Sargão foi morto durante uma expedição à terra de Tabal ao norte de Elão. A sucessão de Senaqueribe ocorreu sem uma grande revolta interna, mas surgiram levantes da Babilônia ao Mediterrâneo.

Aparentemente, Ezequias liderou a formação de uma coalizão na Palestina. Os anais de Senaqueribe contam sobre a ação tomada contra o rei de Judá e os outros estados rebeldes[2]. O historiador aparentemente não mencionou a ação de represália do rei assírio, pois ao analisá-la, mais de um século depois, a revolta de Ezequias foi justificada pela libertação dada por Deus[3]. **Da torre dos atalaias**, etc. (8), veja os comentários sobre 17.9.

2. A Queda de Israel (18.9-12)

Este parágrafo deve ser comparado com 17.1-6. É outra descrição do ataque de Senaqueribe contra Samaria, e a subseqüente queda da cidade. Ela é tirada dos anais reais de Judá, enquanto a versão anterior havia sido tirada dos registros do reino do Norte. Está incluída uma declaração que fornece uma razão para a queda – eles **não obedeceram à voz do Senhor, seu Deus** (12). A data no versículo 10 sugere uma co-regência de Ezequias com Acaz.

3. A Primeira (?) Invasão de Senaqueribe, 701 a.C. (18.13-16)

As bases para a rebelião de Ezequiel contra o domínio assírio e o conseqüente ataque de Senaqueribe são fornecidas em grande parte por fontes assírias disponíveis. A história completa é colhida dos anais de Sargão e Senaqueribe. Quando o primeiro foi morto na terra de Tabal, Merodaque-Baladã, apoiado pelos elamitas, estabeleceu-se como rei da Babilônia (por volta de 704 a.C.). Ao mesmo tempo, uma revolta contra a Assíria espalhou-se entre os estados mediterrâneos, quando Ezequiel se une e torna-se o líder em sua região (veja os comentários sobre 18.7,8). Esse empreendimento foi o resultado de planos bem elaborados; Merodaque-Baladã havia enviado emissários a Ezequias (20.12-19; cf. Is 39), a Shabaka do Egito e, sem dúvida, a outros reis[4]. Essas revoltas ocorreram por volta de 704/3 a.C. A expedição de Senaqueribe para o oeste, a fim de sufocá-las ocorreu por volta de 701.

a. Senaqueribe sobe contra as cidades fortificadas de Judá (18.13). Após ter lidado com Merodaque-Baladã, na Babilônia, Senaqueribe conduziu sua campanha contra os estados revoltosos a oeste. Ele esmagou Tiro. Isto desmanchou a rebelião, porque alguns estados perceberam que seria fútil continuar com suas revoltas, e apressadamente lhe trouxeram tributos. Duas cidades filistéias, Asquelom e Ecrom, junto com Judá, recusaram-se a capitular.

Senaqueribe moveu-se para o sul contra Asquelom, removeu sua resistência e a partir de lá pretendia negociar com Ecrom. Os oficiais e nobres filisteus haviam feito uma aliança com Shabaka, que enviou reforços egípcios e etíopes para ajudar na resistência ao enfurecido Senaqueribe. Ele enfrentou e derrotou as forças egípcias e etíopes combinadas em Elteque (norte de Ecrom e oeste de Timna).

Após submeter Elteque, Timna e Ecrom, invadiu o sul de Judá[5]. **Laquis** (14) é a cidade à qual Ezequias enviou uma mensagem para Senaqueribe, não é mencionada especificamente, mas estava certamente incluída na referência às cidades fortificadas de Judá. Ela estava localizada cerca de 24 quilômetros ao sul de Bete-Semes, e era maior do que Jerusalém e Megido na época de Ezequias e Senaqueribe. Ele, portanto, moveu-se contra uma das maiores cidades da Palestina. Relevos em paredes, que descrevem o cerco e a conquista de Laquis pelo rei assírio, foram descobertos por Layard durante a escavação do fabuloso templo-palácio de Senaqueribe em Nínive[6]. Esta, portanto, é a situação que serviu como base para a declaração bíblica: **Porém, no ano décimo quarto do rei Ezequias subiu Senaqueribe, rei da Assíria, contra todas as cidades fortes de Judá e as tomou** (13).

b. A carta a Senaqueribe (18.14-16). Com suas distantes cidades fortificadas sob controle assírio, Ezequias percebeu que era inútil continuar sua rebelião. Sua carta ao rei assírio em Laquis admitia o erro que cometera ao se rebelar, e era seu desejo aceitar o que quer que ele lhe impusesse (14). Senaqueribe, o conquistador, impôs, então, o pagamento de um pesado tributo – **trezentos talentos de prata** (US$ 600.000) **e trinta talentos de ouro** (14; US$ 900.000, Berk.). Este valor levou toda a prata dos tesouros e a camada de ouro das portas e ombreiras do Templo (14-16).

Os detalhes desta passagem coincidem notavelmente com os dos anais de Senaqueribe, que dizem:

> Quanto a Ezequias, o judeu, que não se submeteu a meu jugo, 46 de suas cidades fortes muradas, bem como as cidades pequenas em suas cercanias, que eram um sem número – ao atacá-las com arietes (?) e trazendo máquinas de cerco (?), combatendo e atacando a pé, através de minas, túneis e brechas (?), eu sitiei e tomei (aquelas cidades).
>
> Eu trouxe 200.150 pessoas, grandes e pequenas, homens e mulheres, cavalos, mulas, jumentos, camelos, gado, carneiros sem número, e tudo contei como espólio.
>
> Ele próprio, como um pássaro engaiolado, eu calei em Jerusalém, sua cidade real. Joguei terra contra ele – todos os que saíram pelos portões de sua cidade – fiz

com que retornassem à sua miséria. Todas as cidades que foram saqueadas, eu separei de sua terra e entreguei a Mitinti, rei de Asdode; a Padi, rei de Ecrom e a Silli-bel, rei de Gaza. E (assim) eu diminuí a sua terra. Eu aumentei o seu imposto anterior e lhe impus que abrisse mão de sua terra, além de me trazer impostos extras – presentes para a minha majestade.

Quanto a Ezequias, o aterrorizante esplendor da minha majestade submeteu a ele e aos urbi (árabes). Suas tropas mercenárias(?) que ele havia trazido para fortalecer Jerusalém, sua cidade real, o abandonaram (lit. partiram). Além dos 30 talentos de ouro e dos 800 talentos de prata, (havia) pedras preciosas, antimônio, jóias (?), grandes pedras *sandu*, poltronas de marfim, cadeiras domésticas de marfim (lit. "dentes" de elefante), ébano (?), madeira para caixas (?), todos os tipos de (grandes) tesouros valiosos, bem como suas filhas, seu harém, seus músicos, homens e mulheres que ele me havia trazido a Nínive, minha cidade real. Ele enviou seus mensageiros para pagar tributos e aceitar a servidão[7].

4. *A Segunda (?) Invasão de Senaqueribe, em Torno de* 688 a.C. (18.17–19.37).

Há várias razões para se acreditar que haja um intervalo de cerca de doze anos entre os versículos 16 e 17, do cap. 18.

Primeiro, a submissão de Ezequias, evidente no comunicado a Senaqueribe e no subseqüente pagamento de tributos que lhe foram impostos (18.13-16) está ausente no manuscrito mais recente (18.17—19.37). Aqui, a atitude de Ezequias é de desafio e recusa a se submeter à ameaça dos assírios. Existe a expectativa de Deus livrar a cidade.

Segundo, a menção de Tiraca (19.9), o etíope, como ilustrado pelas fontes seculares, é uma referência a um governante do Egito que se tornou co-regente com seu irmão Shebitko em 690/89. Não é provável que ele tenha levado um exército egípcio à Palestina tão cedo quanto em 701 a.C.[8]. Assim, as forças egípcias que Senaqueribe encontrou em Elteque não eram as mesmas lideradas por Tiraca.

Terceiro, a ênfase diferente de certas profecias de Isaías são mais bem explicadas sob o pano de fundo histórico de duas invasões. Os oráculos que podem ser designados para os anos entre 705 e 701 mostram que Isaías era contra a rebelião e a aliança com o Egito, que a estimulou e que previu o desastre por causa desses acontecimentos (cf. Is 28.14-22; 30.1-17; 31.1-3). Outras profecias refletem que Deus quebrará o jugo assírio e salvará Jerusalém (cf. Is 10.24-27; 14.24-27; 29.5-8 em adição àquelas de 2 Rs 19.20-34)[9].

Quarto, a repentina e impressionante libertação de Jerusalém, relatada na Bíblia Sagrada, é indiretamente aceita por historiadores seculares. A explicação bíblica, com sua descrição da real ameaça dos assírios que avançavam, e dos emissários negociadores, perde sua força se a entendermos como seguindo, imediatamente, a rendição de Ezequias a Senaqueribe. É, portanto, mais satisfatório, localizar os eventos de 18.17–19.37 algum tempo depois daqueles mencionados em 18.13-16. Além disso, a afirmação nos anais assírios de que Ezequias enviou um espólio a Senaqueribe em Nínive é aceita como historicamente válida, e quase exige uma explicação baseada em duas invasões. Ezequias não teria enviado espólios a Senaqueribe após a vitória que o anjo do Senhor lhe havia dado sobre os assírios.

a. *Os oficiais de Senaqueribe vão a Jerusalém* (18.17-18). Entende-se, portanto, que o versículo 17 provavelmente inicia o registro de uma segunda invasão. A época dela é sugerida como cerca de 688 a.C., porque se sabe que Senaqueribe teve de lidar com o levante dos babilônios e elamitas em 689 a.C. Foi durante este período, que a rebelião novamente se inflamou no oeste, talvez tendo Tiraca do Egito como líder, e a participação de Ezequias de Judá[10].

(1) *Um exército é enviado de Laquis* (17a). Senaqueribe moveu-se primeiro contra as cidades afastadas de Jerusalém, como havia feito antes. **Laquis** (17), uma metrópole maior e mais importante do que Jerusalém, foi provavelmente o local que deveria servir como quartel general na execução da campanha da Assíria contra Judá; foi também o lugar a partir do qual se controlava a planície filistéia e a fronteira egípcia. Ela pode ter servido, por várias vezes, como a base das operações de Senaqueribe[11].

Os emissários assírios eram designados por títulos, não por seus nomes pessoais. O termo **Tartã** (em assírio, *tartanu*) também é usado em Isaías 20.1. Era o título do comandante em chefe do exército de campo assírio. **Rab-Saris** é o termo hebraico para o assírio *rb sha reshi* – literalmente "chefe do comando". Ele também ocorre em Jeremias 39.3,13. É o título de outro alto oficial no exército assírio, e aplica-se, talvez, ao chefe dos guarda-costas do rei. **Rabsaqué** (assírio, *rab shaqu*) significa "oficial chefe". Este é o título de outro oficial de alta patente, embora não esteja claro qual é a sua função específica. **Rabsaqué** era o porta-voz de Senaqueribe e seus colegas oficiais, quando os representantes da corte de Jerusalém vieram para uma reunião em resposta ao chamado destes.

(2) *A reunião junto ao aqueduto* (17,18). Os oficiais de Senaqueribe e a delegação oficial de Ezequiel se encontraram ao lado de um aqueduto aberto (às vezes chamado de "canal"). Este era parte do sistema de água de Jerusalém, e levava água de Giom, a principal fonte de abastecimento da cidade (cf. 20,21). A **piscina superior** (ou açude superior, 17) é entendida como um grande reservatório deste sistema de água identificado com o tanque de Siloé. Pode-se tentar identificar o **campo do lavandeiro** com uma área ao sul de Jerusalém próxima a um antigo estabelecimento de purificação, ou com a área adjacente a *Bir Ayyub* (ou En-Rogel; veja 1 Reis 1.9,10). Este campo era o lugar onde a lã recém-tosquiada e as roupas recentemente tecidas eram processadas através do uso de um purificador alcalino. Era, portanto, um lugar próximo a uma fonte de água, e geralmente fora da cidade por causa dos desagradáveis odores provenientes deste local.

Em resposta às intimações dos oficiais de Senaqueribe, Ezequias enviou vários de seus oficiais de alta patente da corte como seus representantes: **Eliaquim**, o **mordomo** (18), seria o primeiro ministro. Ele havia sido designado para esta posição acima de **Sebna**, de acordo com a profecia de Isaías (22.15-23); **Sebna**, **o escrivão**, talvez "secretário de estado" (veja Is 22.15,16)[12]. **Joá** é chamado de **chanceler** ou **cronista**.

b. *Rabsaqué adverte Ezequias* (18.19-25). A mensagem de Rabsaqué era uma típica ostentação assíria planejada para destruir a confiança de Ezequias. Deve-se observar a partir de suas advertências que o rei de Judá estava, naquele momento, resoluto e determinado em sua revolta contra Senaqueribe. **O grande rei, o rei da Assíria** (19) é apenas parte do título freqüentemente usado pelos reis da Assíria. Os anais deste rei têm início da seguinte forma: "Senaqueribe, o grande rei, o poderoso rei, rei do universo, rei da Assíria..."[13]. A aliança, estabelecida entre Judá e o Egito, era tão frágil quanto a **pala-**

vra de lábios (20), com o **bordão de cana quebrada** como suporte (21). O **Faraó** é Tiraca (Taharqo), que foi o co-regente com seu irmão a partir de 690/89. Ele era o líder das forças egípcias que Senaqueribe enfrentou (19.9).

A referência a lugares **altos** (22) e à remoção deles por Ezequias, e sua ênfase na adoração perante o **altar** de **Jerusalém**, era uma tentativa aparente de infiltrar uma confusão religiosa. O inimigo insinuava que o rei de Judá negava a seu povo o direito à adoração e, portanto, rejeitava qualquer possibilidade de que a fé deles no Senhor fosse recompensada. A menção orgulhosa a **dois mil cavalos** (23) e o poder de um só príncipe dos menores servos de meu senhor (24) pretendia desdenhar do poderio militar combinado de Judá e do Egito. Rabsaqué fez a reivindicação de que Senaqueribe e seu exército estavam lá, para lutar contra Jerusalém, pela seguinte razão: **o Senhor me disse: Sobe contra esta terra** (25). Talvez os assírios tivessem sabido da profecia de Isaías de que Deus os usaria como a "vara de sua ira" contra Judá (veja Is 10.5-11).

c. O pedido de Eliaquim (18.26,27). Eliaquim, como oficial da corte de Jerusalém, conhecia o **siríaco** (26, ou aramaico). Ele sabia, também, que Rabsaqué e os outros oficiais de Senaqueribe podiam falar este idioma. Isto sugere que o aramaico era a língua oficial daqueles dias. Este ponto é comprovado por várias fontes seculares. O **judaico** (26) é uma aparente referência ao hebraico, porém mais especificamente ao dialeto de Jerusalém. As circunstâncias mais terríveis (27) que as outras cidades sitiadas pela Assíria haviam experimentado, se tornariam o destino do povo de Jerusalém, caso Ezequias se mantivesse intransigente.

d. Rabsaqué adverte contra dar ouvidos a Ezequias (18.28-35). Rabsaqué, no uso da língua hebraica, falou ao povo da cidade que o podia ouvir. Ele lhes disse que Ezequias os enganava quando lhes dizia que Jerusalém não seria **entregue nas mãos do rei da Assíria** (30). A promessa de desejos realizados em **uma terra como a vossa** (32) era uma alternativa atraente à resistência e morte. De acordo com Rabsaqué, a crença do povo em Deus para a libertação estava errada. Um grande número de cidades e países havia caído, e sob nenhuma circunstância seus deuses os haviam livrado **das mãos do rei da Assíria**. **Hamate** (34; veja o comentário sobre 17.24); **Arpade**, provavelmente *Tell Erfad*, cerca de 40 quilômetros ao norte de Alepo; **Sefarvaim** (veja o comentário sobre 17.24); **Hena**, cuja localização e identidade são desconhecidas; **Iva** (cf. aveus, 17.31) e **Samaria**. A menção desta pode ter sido arrasadora para a fé de alguns, pois a seus olhos o povo da capital do reino do Norte confiara no Senhor, assim como eles faziam em Jerusalém.

e. O relatório de Eliaquim (18.36,37). O ameaçador inimigo assírio em Laquis, e os efetivos argumentos de Rabsaqué, eles pareciam não permitir outro curso que não a rendição. Mas, mostrando boa disciplina e sob instruções do rei, **o povo... não lhe respondeu uma só palavra** (36). Diante das ameaças e blasfêmias de Rabsaqué, os negociadores rasgaram as próprias **vestes** (37) e foram relatar o caso a Ezequias.

f. Ezequias ora e envia representantes a Isaías (19.1-7). Ao rasgar suas vestes e vestir-se de saco, Ezequias propositadamente expôs seu pesar e luto. A roupa de **pano de saco**, derivado do hebraico *saq*, era um traje grosseiro feito de pêlos de camelo ou cabra. Era normalmente usado como sinal de tristeza ou luto (cf. Gn 37.34; 1 Rs 21.27). A men-

ção **entrou na casa do Senhor** (1) possivelmente sugere que Ezequias liderou seu povo em um período de jejum e oração. O chamado de Joel para o jejum e a oração (Jl 2.15-17) foi, aparentemente, estimulado pelo seu conhecimento de que tais chamados haviam sido feitos anteriormente ao povo de Judá.
   Dois oficiais, **Eliaquim** e **Sebna** (2), que relataram os arrogantes insultos dos assírios a Ezequias, foram enviados a **Isaías**. Eles deveriam tornar conhecida ao profeta a situação desesperadora, e pedir que ele buscasse ao Senhor em nome da desesperançada cidade (2-5). O versículo 3 utiliza o que parece ser um provérbio para expressar o tempo de crise. A versão *Berkeley* transmite o texto em forma poética:

Este dia é dia de angústia,
   e de vituperação, e de blasfêmia;
porque os filhos chegaram ao parto,
   e não há força para dá-los à luz.

   O **restante que permaneceu** (4) seriam os **remanescentes**, os habitantes de Jerusalém após as dez tribos terem sido levadas, e após as distantes cidades de Judá terem caído perante Senaqueribe. A palavra do Senhor, através de Isaías, era de esperança e encorajamento. Não havia necessidade de temer as ameaças assírias; o rei da Assíria **ouviria um ruído** (7) que o faria retornar a Nínive, onde seria morto **na sua terra**, em cumprimento de uma profecia sobre o seu assassinato.

   g. Outra mensagem assíria para Ezequias (19.8-13). **Libna** (8) era uma cidade nas terras baixas de Judá à qual Senaqueribe havia ido, a partir de **Laquis**; de lá, Rabsaqué dirigiu-se a Ezequias. **Tiraca** (9) (Hb T-R-H-Q-[H], com a troca entre H e R, do egípcio T-H-R-Q) estava a caminho para fornecer suporte ao rei de Judá. Um relatório dos movimentos de Faraó levou Senaqueribe a despachar um comunicado a **Ezequias** (9).
   Os argumentos anteriores para a rendição foram repetidos (cf. 18.19-25, 33-35). **Rezefe** (12), uma cidade que estava nas mãos assírias algum tempo antes dos dias de Senaqueribe, localizava-se na parte ocidental de *Jebel Singar*. **Os filhos de Éden** devem ser identificados com *Bit-Adini* nas fontes assírias; ela fora uma vez uma cidade-estado aramaica localizada entre o rio Balikj e o Eufrates. **Telassar** era um local no norte da Mesopotâmia que havia sido conquistado pelos assírios e o lugar para onde o povo de Bete-Éden foi levado. A menção de Senaqueribe ao **rei** (13) das cidades, tinha a intenção de sugerir um perigo pessoal para Ezequias (cf. 18.34).

   h. Ezequias vai uma vez mais ao Senhor (19.14-19). Ele reconheceu que a situação era grave demais para ele e os recursos humanos de seu povo. Sua oração é uma expressão de um grande número de pensamentos mais profundos a respeito de Deus. É um modelo por sua objetividade, simplicidade e completa dependência: (1) O **Deus de Israel** é **o Deus de todos os reinos da terra** (15); Ele é o Criador do mundo; Ele está entronizado acima dos querubins no Santo dos Santos no meio de seu povo (cf. 1 Rs 6.23 e 8.6-11). (2) A frase, **Inclina, ó Senhor, o ouvido e ouve; abre, Senhor, os olhos e vê** (16), é típica das expressões do Antigo Testamento referentes à relação entre o humano e o divino. É figurativa e simbólica como, necessariamente, devem ser todas as linguagens com respeito a Deus. (3) A conquista pela Assíria era um fato que não podia ser negado, mas a verdade referente aos deuses das cidades e terras conquistadas é que todos eles eram **obra de mãos de homens** (18). A libertação de Jerusalém das mãos de Senaqueribe seria um importante testemunho da verdade de que só o Senhor é Deus (19). "Enfrentando as ameaças da vida" é o tema de importantes verdades nos versículos 8-20. (1) A gravidade da situação claramente vista, 8-13; (2) Deus é o único refúgio, 14; (3) O Senhor se preocupa com a honra de seu nome, 15,16; (4) Falsos deuses não são uma defesa, 17,18; (5) O fato de Deus nos ouvir é a garantia da vitória, 20.

Na oração de Ezequias notamos, também, vários pontos significativos: (1) A ameaça, 10-13; (2) Ele foi à correta fonte de ajuda, 14; (3) Ele sabia que Deus era capaz, 15; (4) Ele admitiu todos os fatos dolorosos, 16-18; (5) Ele buscou a libertação para que Deus pudesse ser glorificado, 19.

i. A palavra de Deus referente a Senaqueribe (19.20-28). A resposta de Deus à oração de Ezequias, mais uma vez, veio através de Isaías, o profeta. Para compreender claramente a mensagem, veja o texto bíblico completo. Era uma resposta de esperança para o rei de Judá e a angustiada Jerusalém. A atitude deles com relação a Senaqueribe poderia ser de desprezo e **zombaria (21). Jerusalém meneia a cabeça por detrás de ti**, isto é, "ela balança a cabeça detrás de ti". O rei da Assíria não só zombava do povo de Jerusalém, mas de Deus, **o Santo de Israel (22)** – um título para o Senhor, usado principalmente por Isaías (cf. Is 5.24; 30.12, etc). Senaqueribe havia arrogantemente perseguido as suas muitas conquistas (23,24), e contava até mesmo com a aprovação de Deus – **não ouviste que já dantes fiz isso?** (25, cf. Is 10.5-11). A difícil segunda parte do versículo 25 pode ser traduzida como: "E agora eu o executei, transformando as cidades fortes em ruínas" (Moffatt). Entretanto, a Assíria foi além dos planos de Deus. Ela arrogantemente, perseguiu o seu desejo por conquistas, e assim Deus declarou a Senaqueribe: **Eu te farei voltar pelo caminho por onde vieste (28**, cf. Is 10.12-19).

j. O sinal para Jerusalém (19.29-31). **Sinal** (29; heb., *oth*), neste texto, não significa "milagre" como em outras passagens. Pelo contrário, designa o modo pelo qual o povo poderia esperar o cumprimento da promessa de Deus, de libertação. Parece que eles haviam sido importunados pelos assírios por grande parte do período de cultivo, e não foram capazes de plantar os grãos para a sua colheita de inverno. Eles seriam libertos dos inimigos e poderiam **comer** durante aquele ano (29) o que crescesse por si mesmo. E mais: as perdas, em recursos humanos e naturais, seriam tão seriamente sentidas que seria necessário depender, do **ano seguinte**, do que daí procedesse em frutas e grãos. A rotina agrícola normal seria completamente restabelecida ao **terceiro ano**. As pessoas mais proeminentes no repovoamento e na reabilitação da terra seriam os sobreviventes de Jerusalém – **o zelo do Senhor fará isso** (31).

k. A promessa de Deus de salvar a cidade (19.32-34). A promessa feita por Deus, através de Isaías, era de que Jerusalém não seria nem sitiada nem tomada de assalto, porque não haveria batalha. Deus traria a libertação por amor ao seu nome (**por amor de mim**, 34) e por causa da sua palavra transmitida a Davi (2 Sm 7.10-16). Esta promessa foi posteriormente prejudicada pelos constantes pecados do povo (Jr 7.1-15).

l. O Anjo do Senhor intervém (19.35-36). **O anjo do Senhor** (35; cf. Gn 16.7; Êx 3.2; Zc 1.12; etc) significa, primariamente, aquele que é enviado por Deus para realizar uma certa tarefa. Em certas passagens, se não em todas, este termo sugere aparições anteriores à encarnação da segunda pessoa da Trindade. A matança e o desastre causado pelo **anjo do Senhor** no campo de Senaqueribe o forçou a abandonar sua intenção de conquistar Jerusalém e retornar a Nínive, capital da Assíria.

Não se sabe ao certo onde se encontrava o exército de Senaqueribe no momento em que ele sofreu a perda de 185.000 homens. Fica claro que, na época, ele não estava nas vizinhanças de Jerusalém. Heródoto se refere a uma infestação de ratos no Pelúsio quando estes animais roíam os estojos, os arcos e as empunhadeiras dos escudos. Esta pode ter sido a ocasião de uma epidemia, pois os roedores são notórios portadores da peste bubônica. Outros detalhes de fontes não-bíblicas dão ainda mais apoio à historicidade de uma inexplicada e inesperada derrota sofrida por Senaqueribe.

m. Senaqueribe é assassinado (19.37). Isaías havia previamente previsto que este rei cairia pela espada em sua própria terra (19:7). Fontes assírias não declaram especificamente que ele foi assassinado por seus próprios filhos; entretanto, elas, indiretamente, dão suporte aos registros da Bíblia Sagrada. Esar-Hadom, o caçula dos filhos de Senaqueribe, foi escolhido por ele como seu sucessor. Seus irmãos mais velhos, cujos nomes não são mencionados, tentaram por vários meios tortuosos impedir que o irmão mais novo tomasse posse do trono; porém, sem sucesso[14].

A animosidade e o ódio estavam tão profundamente arraigados que Assurbanipal, filho e sucessor de Esar-Hadom, teve de lidar com seus tios que ainda estavam ressentidos por Senaqueribe tê-los preterido. Ele registrou o modo como lidou com os assassinos de seu avô[15]. O termo **Nisroque** (37) é explicado como a versão hebraica de Nusku, um deus do fogo e um intermediário entre os grandes deuses e os homens[16]. Os nomes dos filhos de Senaqueribe só constam na Bíblia Sagrada; foram sugeridos alguns títulos equivalentes extraídos de fontes seculares, mas nenhum deles pode ser usado com certeza. A **Armênia** (ou Ararate) era um país cujo centro geográfico era o Lago Van. Ela é chamada de *Urartu*, em fontes assírias.

1. *A Doença de Ezequias* (20.1-19)

A expressão **naqueles dias** (1) geralmente se refere às turbulentas invasões de Judá promovidas por Senaqueribe. A doença e a recuperação de Ezequias devem ser colocadas pouco antes da invasão de 701 a.C. Ele reinou durante um período de vinte e nove anos (18.2) e enfrentou a primeira incursão do rei assírio no décimo quarto ano de seu reinado (18.13), em torno de 701 a.C. Os quinze anos adicionais que lhe foram concedidos incluem os importantíssimos eventos descritos em 18.13—19.37, e que correspondem ao período de 702 a 687 a.C.

a. A visita de Isaías (20.1-7). Ezequias era um homem cujas orações foram atendidas. Na época em que estava próximo de morrer, por conta de um furúnculo ou carbúnculo, Deus o ouviu. A base de sua petição foi uma vida de fidelidade anteriormente à sua doença (3). O **meio do pátio** (4) sugere que Isaías mal havia deixado o rei em seu leito de enfermidade quando o Senhor lhe revelou a sua mudança de intenções. Como no caso de Salomão (1 Rs 3.11-13), Deus atendeu o desejo do coração do rei de Judá. O Todo-poderoso lhe deu saúde e, além disto, prometeu-lhe a libertação do domínio do **rei da Assíria** (6). Foi novamente o profeta Isaías quem transmitiu a mensagem do Senhor e indicou o remédio natural através do qual Deus curaria o monarca.

Os versículos 1-7 descrevem "a cura de Ezequias". Podemos notar quatro pontos: (1) Uma doença mortal, 1; (2) Uma súplica desesperada, 2,3; (3) Uma promessa animadora, 4-6; (4) A participação humana, 7.

b. O sinal confirma a recuperação (20.8-11). **Sinal** (8; *oth*) aqui se refere a um milagre. Deus, de uma maneira não explicada, **fez voltar a sombra** do ponteiro do relógio de sol, **dez graus** (10), como uma confirmação da recuperação de Ezequias dentro de três dias. Não é necessário considerar uma reversão na rotação da Terra neste caso, mas apenas a regressão da sombra no relógio de sol, independente dos movimentos do sistema solar. Deus não nega a garantia de seu poder quando nossa fraqueza humana a requer para que Ele atinja os seus propósitos em nós, e para nós.

c. Ezequias e os emissários babilônios (20.12-15). Parece que os emissários de **Merodaque-Baladã** (2), ou Berodaque-Baladã estavam mais preocupados com os recursos de Judá do que com a recuperação de Ezequias. Esta visita deve ser relacionada com a tentativa deste general de fomentar e instigar uma revolta na parte ocidental do domínio assírio, durante o período em que Senaqueribe assumia o poder, logo após a prematura morte de Sargão (veja os comentários sobre 18.13).

d. A advertência de Isaías (20.16-19). Isaías, como outros profetas, continuamente reforçava a necessidade da completa crença em Deus, a fim de ressaltar que não deveriam confiar na ajuda de uma nação estrangeira. Assim, qualquer tendência de se depender da Babilônia ou do Egito era condenada (cf. Is 7; 31; etc). A predição de que **teus filhos** (18) serão levados pelos babilônios, pode ser entendida como o significado de que alguns dos descendentes da linhagem real de Ezequias seriam levados ao exílio. O cumprimento desta profecia ocorre em 24.10-17. A reação de Ezequias (19) não foi tão egoísta quanto possa parecer, pois ele, sem dúvida, considerou os anos adicionais como uma oportunidade para o arrependimento.

6. *Epílogo* (20.20-21)

Aqui, há uma menção específica ao aqueduto de Ezequias, o qual **trouxe água para dentro da cidade** (20) de Jerusalém (cf. 2 Cr 32.30). Arqueologicamente, isto é entendido como uma referência ao túnel de Siloé, cavado no subterrâneo desde Giom (a fonte da virgem) para trazer água para um reservatório dentro dos muros da cidade. Com o Giom inteligentemente selado por cima, o inimigo teria dificuldade para cortar a água na sua fonte, e o fornecimento estaria garantido durante o cerco. A inscrição do túnel de Siloé, próxima à extremidade do tanque de igual nome, é um importante documento em hebraico antigo[17]. A época mais adequada para Ezequias ter construído este sistema subterrâneo seria antes de 701 a.C., ou na época em que ele imaginou uma possível revolta contra a Assíria.

B. O Reinado de Manassés (687-642 a.C.), 21.1-18 (cf. 2 Cr 33.1-20)

Manassés teve a distinção de governar por mais tempo do que qualquer outro rei de Judá. Mas, um longo reinado não significa necessariamente um bom mandato. De fato, os seus muitos anos no trono são caracterizados como o tempo de maior impiedade e infidelidade em Judá. Manasses tinha doze anos de idade por ocasião da morte de Ezequias; ele nasceu durante os quinze anos que foram adicionados à vida de seu pai.

1. *Prólogo* (21.1,2)
Manassés, o menino-rei, com certeza teve que depender dos mais antigos oficiais da corte. Aqueles que exerceram influência em sua época não eram, aparentemente, os mesmos que tomaram parte nas reformas religiosas e na política contra a Assíria, no reinado de Ezequias.

Os males, sob o governo de Manassés, são descritos como **abominações dos gentios** (2). Esses eram os hábitos de vida, ou aquilo que se praticava em nome da religião, e que tinham levado outras nações ao julgamento divino. Exceto pela tenacidade e sutileza do pecado, é difícil compreender o modo pelo qual a impiedade que Ezequias banira voltara tão rápido. As vitórias do bem e de Deus nunca podem ser consideradas como garantidas. A batalha contra o pecado e a injustiça deve ser permanente; e novas vitórias devem ser alcançadas. Caso contrário, corre-se o risco de se desenvolverem condições pecaminosas piores do que as anteriores.

2. *A Impiedade do Reinado de Manassés* (21.3-9)
O reinado de Manassés foi caracterizado por um completo desrespeito às tradições e ensinos religiosos. Ele não tem a desculpa de não conhecer o passado de seu povo. O livro da lei perdido no Templo, provavelmente durante o seu reinado (22.8-10), dá testemunho de uma flagrante negligência e não de ignorância. Mesmo que ele não lesse uma única palavra do livro da lei, a própria existência da nação que Manassés governava teria sugerido algo em relação às suas obrigações religiosas.

a. O retorno a Baal e Aserá (21.3,7). Manassés e seus conselheiros modelaram suas vidas e papéis não em Davi ou em Ezequias, seu pai, mas em **Acabe**. Ele **fez um bosque** (3; uma imagem de Aserá) e restabeleceu a adoração a Baal e Aserá em Judá (cf. 1 Rs 16.33). Ele foi culpado de uma ofensa ainda maior quando profanou o santuário ao colocar a imagem de Aserá no próprio Templo (7). Através deste endosso à adoração cananéia, Manassés satisfazia os desejos daqueles que criam mais em Baal do que em Deus.

b. A adoração ao "exército dos céus" (21.3b-4). Ao dar lugar aos cultos astrais da Mesopotâmia (**o exército dos céus**), ele se submetia às exigências do senhor assírio, Esar-Hadom, da mesma forma que Acaz fez da conformidade religiosa parte de seu acordo com Tiglate-Pileser (veja os comentários sobre 16.10-16; cf. Jr 8.2; 19.13; 44.17,19). O lugar dado às seitas astrais era, aparentemente, um símbolo da vassalagem aos assírios.

c. Oferecendo sacrifícios humanos (21.6). O crime de oferecer a criança de alguém a alguma divindade nunca havia tido lugar na religião de Israel, e há muito tempo havia sido rejeitado entre as muitas pessoas que o haviam aceitado anteriormente. Manassés, no entanto, assim como Acaz, retomou esta horrível prática (cf. 16.3). Esta talvez seja uma indicação de como – tendo rejeitado a vontade de Deus – ele se agarrou desesperadamente a cada aparente solução em busca de paz para a sua alma. Ao abrir as portas para o que havia de pior, outros males também entraram: mágicos e seus atos de magia, feiticeiros, médiuns, etc.

3. A Previsão da Queda de Israel (21.10-15)

A onda de impiedade tornou-se tão grande sob o reinado de Manassés, que **o Senhor falou pelo ministério de seus servos, os profetas** (10) para predizer que a queda de Judá seria comparável à do Reino do Norte. **O cordel de Samaria e o prumo da casa de Acabe** (13) seriam a medida do julgamento de Deus. A promessa de que o reino de Davi continuaria para sempre foi baseada na proposta de lealdade permanente. As abominações idólatras de Manassés indicavam seu arrogante desprezo por esta condição, ou o seu desrespeito egoísta ao cumprimento da promessa. Sua vida e reinado malignos não permitiam outra opção, a não ser a previsão da destruição. Fontes assírias suplementam a explicação em 2 Crônicas 33.11-13 do período de prisão de Manassés na Mesopotâmia[18]. Seu arrependimento incentivado por seu cativeiro teve, evidentemente, pouca duração, e não estabeleceu efeitos completos e duradouros em seu reinado.

4. O Derramamento de Sangue Inocente em Jerusalém (21.16)

Uma verdadeira evidência de irreligiosidade ou de religião errada é a maneira pela qual se promove a perda de valores humanos significativos. **Sangue inocente** é entendido por alguns como uma referência à vida do filho de Manassés que foi tirada quando ele o ofereceu como um sacrifício humano (6). Outros entendem, a partir da expressão **até que encheu Jerusalém,** que este versículo se refere à vida dos profetas e pessoas justas que foram vítimas de um programa semelhante àquele que foi empreendido por Acabe, durante o seu reinado em Samaria. Há uma tradição de que o próprio profeta Isaías teria sofrido o martírio durante o governo deste monarca iníquo.

5. Epílogo (21.17,18)

O jardim de Uzá (18) é diferente das referências usuais ao sepultamento na "cidade de Davi". Manassés e seu filho Amom (26) foram os dois únicos reis sepultados neste local. Sua apostasia aparentemente os desqualificou em relação à tradicional necrópole real. Este **jardim** foi localizado nas vizinhanças do tanque de Siloé, próximo à confluência dos vales de Hinom e Cedrom, não muito longe do lugar onde os sacrifícios humanos eram realizados.

C. O Reinado de Amom (642-640 a.C.), 21.19-26 (cf. 2 Cr 33.21-25)

O breve reinado de Amom foi uma monótona e trágica continuação da apostasia e idolatria que aplicaram seu aperto mortal à vida religiosa de Judá durante o governo de Manassés. Algum tipo de rivalidade interna na corte irrompeu no assassinato do jovem rei (23). **O povo da terra** (24), presumivelmente, liderado por seus representantes em Jerusalém, **pôs a Josias... rei**, após seu pai ser assassinado.

D. O REINADO DE JOSIAS (640-608 a.C.), 22.1—23.30 (cf. 2 Cr 34.1—35.27)

Josias, como Ezequias, era tido em alta estima pelo historiador. Quanto a Ezequias, foi dito que não existiu rei que confiasse tanto no Senhor como ele o fez (18.5). De Josias, foi escrito que jamais houve outro rei que tenha dado mais atenção à obediência à lei de Moisés do que ele (23.25).

1. *Prólogo* (22.1,2)
Josias foi mais um que iniciou o seu governo como rei-menino. Mas, diferente de Manassés, os que possuíam influência e autoridade, e o cercavam, estavam interessados em promover a bondade e a santidade. Josias, quando adulto, continuou a promover ativamente a adoração apropriada a Deus, assim como uma vida de fé e devoção. Por isso, ele foi descrito como um rei que **fez o que era reto aos olhos do Senhor** (2).

2. *Instruções Referentes ao Templo* (22.3-7)
O relato do reinado de Josias, comparado a outras narrações, não tinha, primariamente, o objetivo de ser uma seqüência cronológica de eventos, mas, ao contrário, uma apresentação dos aspectos de grande importância religiosa. A seqüência desses eventos em 2 Crônicas está mais próxima de ser cronológica. O **ano décimo oitavo do rei Josias** (3) é uma referência ao décimo oitavo ano de seu reinado (622 a.C.). Entende-se que nem todos os eventos relatados nesta narração ocorreram, necessariamente, no décimo oitavo ano, mas, ao contrário, que este foi um ponto central de seu governo. Dos relatos em Crônicas, parece claro que algum reparo foi executado no Templo antes do décimo oitavo ano de Josias. Esta reforma (4-7) foi realizada de acordo com o padrão estabelecido por Joiada (cf. 12.9-15).

3. *A Lei é Descoberta e Lida para Josias* (22.8-10)
Duas pessoas anteriormente mencionadas, Hilquias, o sumo sacerdote, e Safã, o escrivão (8), ou secretário, foram responsáveis por relatar a Josias a descoberta do **livro da Lei**. Apesar das muitas sugestões modernas, parece claro que esta cópia data da época das fontes mosaicas originais. Não era apenas um conjunto de leis com sua origem nos tempos de Manassés ou de Josias. Adicionalmente, parece que esta era o texto oficial do Templo, que tinha desaparecido há algum tempo. Não era, necessariamente, a única cópia da Lei. As partes que declaram as responsabilidades específicas do rei e do povo foram lidas para Josias.

4. *A Reação de Josias à Lei* (22.11-13)
Quando Josias **rasgou as suas vestes** (11), indicou que ele e seu povo tinham uma causa justa para o remorso por causa da desobediência pessoal e nacional. A ordem para o seu círculo de conselheiros íntimos foi a seguinte: **consultai ao Senhor por mim, e pelo povo** (13). Esta ordenança estava de acordo com a dependência que o rei tinha anteriormente dos profetas quanto à Palavra do Senhor.

Nos versículos 8-13, encontramos "uma resposta certa à verdade divina". (1) Uma piedosa tristeza pelo pecado, 11 – veja também o versículo 19; (2) Um desejo por mais luz, 12,13; (3) Um claro reconhecimento dos resultados que vieram através da ignorância e da desobediência.

5. Hulda, a Profetisa (22.14-20)

O grupo designado por Josias procurou a **profetisa Hulda** (14). É difícil explicar porque eles desconsideraram servos de Deus como Sofonias, Jeremias ou possivelmente Habacuque, que viviam naquele tempo. Ela era uma rara exceção, já que os homens normalmente ocupavam o cargo de profeta. Hulda, presumivelmente, havia se estabelecido como uma confiável porta-voz de Deus. A sua inspiração profética nesta ocasião é justificativa suficiente para os servos do rei a terem procurado. **A segunda parte** (14; "segundo quarteirão") é, provavelmente, uma referência à cidade baixa, uma extensão residencial a oeste do Templo em uma depressão que é a parte superior do vale Tiropeano. A palavra do **Senhor** (15) através de Hulda consistia de dois pontos principais: (*a*) A ira de Deus havia sido acesa e o julgamento viria sobre o povo por causa das práticas idólatras (15-17); (*b*) Josias, o **rei de Judá** (18) não viveria para ver a destruição e a desolação resultante do derramamento da ira de Deus (18-20).

A importância das Escrituras tanto na vida pessoal como nacional é realçada nos versículos 8-20. O tema desta passagem é "trazendo o livro de volta" (1) A lei estava perdida dentro do próprio Templo, 8; (2) Sua recuperação levou ao arrependimento, 9-11; (3) O arrependimento leva ao reavivamento, 12-13; (4) O reavivamento possibilita a prorrogação da pena, e inclina os corações à busca do perdão, 14-20.

6. Um Pacto para Obedecer à Lei (23.1-3)

Ao reunir o povo com o objetivo de ler para todos o livro da lei, Josias já o obedecia. Deus havia ordenado que a lei fosse lida para o povo (Dt 31.9-13). O rei, ao assumir a liderança da divulgação da aliança, procura viver em obediência a esta, e lembra-nos o resoluto Josué, que declarou diante do povo reunido em Siquém que ele serviria ao Senhor (Js 24.15). Moffatt interpreta as palavras: **se pôs em pé junto à coluna** (3) como "permaneceu sobre a plataforma". A expressão **perfilar-se ao pacto**, que consta em algumas versões em inglês, significa "concordar com o pacto" (Berk.).

7. Uma Limpeza Religiosa (23.4-14)

Parece que a atitude de livrar Judá de suas abominações pagãs foi iniciada no décimo oitavo ano de Josias (talvez antes), mas é provável que ela tenha exigido mais de um ano para ser concluída. O propósito inicial desses atos de reforma era uma purificação religiosa e não o estabelecimento de uma adoração central no Templo. Esta prática data de muito antes de Josias.

A limpeza era outro esforço para remover práticas pagãs que haviam sido anteriormente abandonadas, bem como desalojar inovações mais recentes. Agora, como antes, não se pode ter a certeza de que uma vez que uma tendência pecaminosa tenha sido extirpada, ela não retorne. A natureza do pecado consiste em aguardar uma ocasião propícia. Dada a oportunidade, ele retorna em uma forma mais atrativa e sutil do que antes.

a. A adoração a Baal e Aserá (23.4-10,13,14). A adoração a **Baal** e ao **bosque** ou a Aserá (4) tornou-se uma praga no reino do Norte, particularmente sob o governo de Acabe e Jezabel (veja 1 Rs 16.32 e 18.19ss). Esta também tinha sido uma ameaça intermitente à vida religiosa de Judá (veja 1 Rs 14.23,24; 2 Rs 11.17-20; 18.4,5). Anteriormente, na época de Josias, ela tomara conta da vida religiosa de Judá, novamente, em todas as suas múltiplas formas. **Os sacerdotes da segunda ordem** seriam os que atuavam logo abaixo do sumo sacerdote. **Os utensílios que se tinham feito para Baal, e para o bosque**, eram utilizados no Templo. Josias, então, **os queimou... e levou as cinzas deles a Betel,** onde a idolatria de Israel havia começado e se espalhara. **Sacerdotes** estabelecidos queimavam incenso a Baal **sobre os altos** (5). Uma imagem de Aserá (**o bosque**, 6) havia sido erguida no Templo. As prostitutas haviam se tornado um grupo aceitável entre aqueles que ministravam a religião no Templo. **As mulheres teciam casinhas para o ídolo do bosque** (7). Estas seriam "cortinas... para os lugares onde os rituais da impura deusa eram realizados" (Clarke). Os sacerdotes de Baal e Aserá levaram a sua adoração nos lugares altos do extremo norte de Judá para o sul – **desde Geba até Berseba** (8).

Derribou os altos das portas, etc. (8). "Ele derrubou os santuários dos sátiros que ficavam na entrada para a casa de Josué, o governador da localidade, à esquerda de quem entra na cidade" (Moffatt). **As sepulturas... do povo** (6) indica que o vale de **Cedrom** (4) também era usado como um cemitério comum. Como uma praga nociva, esta adoração pagã sufocava a videira da verdadeira adoração a Deus. Judá precisava de um rei como Josias para fazer as reformas e trazer o avivamento tão necessário.

b. A adoração a Moloque (23.10). Acaz foi, aparentemente, o primeiro entre os reis de Judá a recorrer à prática de sacrifícios humanos (16.3). Antes desta época, esta prática era vista como impensável pelos hebreus (cf. 3.25-27). Por razões não expostas na Bíblia Sagrada, isto se tornou um rito religioso associado com o culto a Moloque, a quem alguns freqüentemente recorriam durante os reinados de Manassés e Amom (cf. Jr 19.1-9). Ele **profanou a Tofete**, significa que ele destruiu a imagem de Moloque que estava na vale de Hinom, próximo a Jerusalém. Josias atuou de tal maneira no lugar onde o ídolo havia permanecido que, a partir de então, o local se tornou abominável para qualquer hebreu (A. Clarke).

c. A adoração astral (23.5b,11,12). Ao retornarmos mais uma vez a Acaz, o endosso a vários aspectos da adoração astral fez com que esta se tornasse parte da vida religiosa de Judá. A reinstituição de tais cultos por Manassés, e sua continuidade incentivada por Amom, foram impelidas pela preocupação que tinham de agradar a Assíria (cf. o comentário sobre 21.3,4). A expressão **exército dos céus** (4) é esclarecida pela menção do **sol**, da **lua** e dos **planetas** (5). Os assírios, bem como os habitantes da Mesopotâmia, endeusavam os vários corpos celestes e acreditavam que estes controlavam os acontecimentos humanos. **Os cavalos que os reis de Judá tinham destinado (dedicado) ao sol** (11) indicam que estes animais, junto com as charretes, eram usados em procissões ou em outros tipos de rituais ligados à adoração ao sol. O significado, em hebraico, para a expressão **no recinto** ou **no Átrio** é incerto. Moffatt a traduz como "no anexo", isto é, junto ao Templo. A adoração ao exército dos céus e a Baal era realizada em cenáculos e no topo dos telhados (12), os lugares aparentemente mais adequados para se contemplar os corpos celestes.

d. Os altos são destruídos (23.13,14). Os lugares que Salomão havia providenciado para algumas de suas esposas adorarem os deuses de suas terras natais (cf. 1 Rs 11.1-8) permaneceram até à época de Josias. Eles foram, agora, destruídos. O **monte de Masite** (ou monte de corrupção/monte da destruição; 13) é considerado por alguns como o monte das Oliveiras. **Defronte de Jerusalém**, significa "a leste de Jerusalém". Se estas interpretações estiverem corretas, **os altos** do versículo 13 estariam a sudeste de Jerusalém. **O rei profanou:** significa que ele espalhou, nos lugares consagrados aos deuses pagãos, as cinzas dos objetos religiosos pagãos que havia queimado. **Encheu o seu lugar,** isto é, "encheu seus locais com as cinzas dos ossos dos mortos" (Moffatt). Este era considerado o pior tipo de corrupção que um lugar poderia sofrer. Com tais atos, Josias deliberadamente violou a "santidade" das áreas dedicadas à adoração pagã. Além do mais, a queima e o espalhamento das cinzas transmitiam a idéia de que cada medida era tomada para destruir por completo as falsas práticas religiosas.

8. *A Destruição do Altar em Betel* (23.15-20)

A purificação religiosa de Josias foi realizada na região do antigo reino do Norte, então uma província assíria. Foi, então, sugerido que esta parte de sua reforma deve ser datada após 612 a.C., o ano em que Nínive caiu sob o ataque dos babilônios, medos e citas[19]. Entretanto, a preocupação assíria com a ameaça de invasão teria diminuído o rígido controle da província de Samaria mesmo antes de 612. **O altar** de Jeroboão, **que estava em Betel** (15), e que era chamado de **alto**, esteve aparentemente em uso contínuo desde a queda de Samaria até a época de Josias. Sua destruição pelo rei de Judá, ao lado da eliminação de outros lugares altos, era o cumprimento da profecia do homem que veio de Judá (1 Rs 13.1-3), cuja tumba Josias observou, a qual ele não profanou (17,18; cf. 1 Rs 13.26-31). **Tomou os ossos... e os queimou sobre aquele altar** (16). Esta atitude, mais uma vez, tinha a intenção de ser uma extrema profanação do altar que havia sido dedicado à falsa adoração. **Que é este monumento?** (17) é uma expressão que pode ser traduzida como: "Que monumento é este que vejo?" (Berk.) **Todas as casas dos altos** (19), isto é, "todos os santuários".

9. *A Ordem para a Observância da Páscoa* (23.21-23; cf. 2 Cr 35.1-19)

A Páscoa era a festa anual mais importante de Judá. Era uma lembrança da piedade de Deus que, miraculosamente, tirara seus pais da escravatura para uma vida de liberdade. Esta festividade apontava para uma seqüência de eventos que demonstraram a eles que eram o povo de Deus entre os habitantes da terra. Era uma lembrança constante de que, como povo eleito, tinham uma chamada particular a desempenhar – eles deveriam ser "luz para as nações".

O historiador observou que ninguém, **desde os dias dos juízes** (22) até o tempo de Josias, havia observado a Páscoa da maneira como este rei de Judá o fez. Só podemos conjeturar em que sentido isto ocorreu – possivelmente com a participação sincera e prazerosa do rei e do povo em uma ocasião religiosa há muito negligenciada.

10. *Ninguém se Iguala a Josias em Obediência* (23.24,25)

Com base na purificação promovida por Josias, e em seu intento declarado de obedecer à Lei de Moisés, o historiador o classifica da forma mais elevada possível. **Os adivinhos, os que tinham espíritos familiares** (24), significam os médiuns. A expressão **os ídolos** significa os enfeites do lar. **Que se viam na terra** deve ser entendido: "que foram notados na terra". Não houve **rei** entre os de Israel e os de Judá que tenha dado tanta atenção à observação de **toda a Lei de Moisés** (25).

11. A Ira de Deus (23.26,27)
O historiador, ao escrever algum tempo após a queda de Judá, reconheceu que Judá havia sido destruída e que o reavivamento religioso de Josias não suportara a onda de pecado iniciada no reinado de Manassés. A reforma, embora significativa e substancial, não se manteve após a inesperada morte do rei, e, assim, não foi suficientemente profunda e extensa em seu efeito na vida da nação. Judá havia sido removida da face de Deus e **Jerusalém**, a cidade onde o nome do Senhor estava estabelecido, **fora rejeitada** (27). O restante do livro de 2 Reis fornece os detalhes.

12. Epílogo (23.28-30)
As circunstâncias da inesperada morte de Josias são aqui expressas de forma sucinta. **Nos seus dias, subiu Faraó-Neco, rei do Egito, contra o rei da Assíria, ao rio Eufrates; e o rei Josias lhe foi ao encontro; e, vendo-o ele, o matou** (29). Entretanto, como se sabe agora a partir de fontes seculares, sua morte foi parte de uma complicada situação internacional. O ano de seu falecimento foi 608 a.C.[20]. Os assírios esperavam evitar o assalto dos babilônios e dos medos em Harã. Neco (II) estava interessado em ajudar os assírios contra os babilônios, que eram mais fortes. Ele esperava ganhar o controle da Síria e da Palestina e usar a enfraquecida Assíria como uma proteção entre o seu domínio e os babilônios. Desse modo, Josias saiu com o exército de Judá para ser um obstáculo aos egípcios, que marchavam no intuito de auxiliar os inimigos de longa data dos judeus, a Assíria. O texto, portanto, poderia ser traduzido como: "levantou-se contra o rei da Assíria".

Após a batalha, Neco continuou em direção ao norte e juntou forças com Assur-Ubalite contra a Babilônia em Harã. Eles se dirigiram àquela localidade, mas as forças egípcias conseguiram ganhar o controle de Carquêmis e mantê-la até 605 a.C. **Megido** (30), o lugar da batalha em que Josias foi fatalmente ferido, era o local de uma importante fortaleza-palácio desde 733 a.C. até os tempos deste rei de Judá. Após a batalha entre os egípcios e os judeus em 608 a.C., este deixou de ser um lugar de proeminência.

Judá usufruiu sua independência desde 612 a.C., após a queda de Nínive, até 608 a.C. Nessa época, encontrava-se sob o controle egípcio. Assim, o epílogo da vida de Josias foi o início do fim para o reino do Sul.

E. O Reinado de Joacaz (608 a.C.), 23.31-35 (cf. 2 Cr 36.1-4)

O avô materno de Joacaz, **Jeremias, de Libna** (31), não deve ser confundido com o profeta do mesmo nome, que era de Anatote. O jovem rei havia governado por três meses quando foi chamado a **Ribla** (33), ao sul do lago de Hums, nas proximidades de Cades, no Orontes. Por razões não declaradas, ele foi deposto por Neco, que impôs uma pena de **cem talentos de prata** (US$200.000) **e um talento de ouro** (US$30.000, Berk.). Ele foi substituído por seu irmão **Eliaquim**, aparentemente mais voltado para o Egito, cujo nome Neco mudou para **Jeoaquim** (34). Ele tinha, aparentemente, que pagar um tributo anual a faraó enquanto Judá estivesse sob o controle egípcio (35).

F. O REINADO DE JEOAQUIM (608-597 a.C.), 23.36—24.7 (cf. 2 Cr 36.5-8)

A Bíblia deixa claro que Judá era uma nação vassala do Egito quando Jeoaquim subiu ao trono, mas ela se tornou sujeita à Babilônia no período final de seu reinado (cf. 23.34 e 24.1). Ela também foi perturbada por mãos estrangeiras como parte do juízo divino determinado (2,3), mas a nação que costumava causar os eventos que a levaram à queda foi a **Babilônia**. (7), a grande potência da Mesopotâmia.

É necessário nos referirmos a fontes seculares, para conhecermos certos detalhes e podermos compreender mais claramente os eventos registrados pelo historiador. Os babilônios, liderados pelo caldeu Nabopolassar e seu filho Nabucodonosor, avançaram em direção ao oeste. Em 605 a.c. eles atacaram as forças egípcias em Carquêmis e as derrotaram, e forçaram-nas a fugir em direção a Hamate, onde sofreram um golpe ainda mais humilhante.

As notícias da morte de Nabopolassar em 605 atrasaram a marcha da Babilônia para o sul, em direção à Palestina e ao Egito. No entanto, em 603/2 a.C., Nabucodonosor conduziu o exército babilônio à Filístia. Foi possivelmente nesta época que Jeoaquim considerou uma política sábia transferir a sua lealdade para Nabucodonosor (24.1).

Em 601 a.C., Nabucodonosor foi derrotado em uma grande batalha contra os egípcios. Esta derrota parece explicar porque Jeoaquim **se virou e se revoltou contra** o rei da Babilônia (24.1), evidentemente na esperança de se aproveitar do momento de fraqueza da Caldéia. Os **caldeus e as tropas dos siros**, etc., (2) foram, talvez, contingentes de soldados que Nabucodonosor enviou contra Judá para mantê-la em xeque, até que ele próprio pudesse atacá-la. Finalmente, avançou contra Judá em 597 a.C. Jeoaquim estava vivo quando começou o cerco a Jerusalém. Entretanto, morreu, ou foi assassinado, e seu filho Joaquim, com dezoito anos (24.8), o sucedeu. Três meses depois, ele se tornou prisioneiro dos babilônios.

G. O REINADO DE JOAQUIM (597 a.C.), 24.8-17 (cf. 2 Cr 36.9,10)

O registro bíblico da rendição de Joaquim a Nabucodonosor é notavelmente bem suplementado pela Crônica Babilônica. Ela relata como o rei caldeu marchou para a terra de Hatti (Síria-Palestina), acampou contra a cidade de Judá, atacou-a e capturou o seu rei. A data calculada a partir de detalhes da Crônica é março-abril de 597 a.C., o **oitavo ano de seu reinado** (12). A Crônica também menciona que Nabucodonosor recebeu um pesado tributo e o enviou para a Babilônia, após designar um rei de sua escolha. Este último detalhe é, aparentemente, uma referência à designação de **Zedequias** (17) como rei vassalo após Joaquim.

Este ataque babilônio resulta na primeira grande deportação de Judá (10-16) que foi realizada relativamente com poucos danos a Jerusalém. A intenção de Nabucodonosor era, meramente, trazer esta nação de volta à condição de um de seus reinos subjugados. Judá, entretanto, sentiu a severidade deste governo através da deportação do rei, dos membros da realeza e de todos os cidadãos cultos e bem preparados em diversas áreas. Incluído entre os cativos, nessa ocasião, estava Ezequiel, o profeta (Ez 1.1,2).

O saque do Templo (13) foi, talvez, impulsionado tanto por uma questão religiosa como por um interesse em arrecadar toda a riqueza disponível. Como não havia uma imagem de divindade para se tomar como prêmio de guerra, os vasos com que se ministravam no Templo serviram como substituto. Os babilônios, de posse destes, podiam reivindicar que o Senhor Deus não era tão grande como o deus deles – Marduque ou Bel.

H. O Reinado de Zedequias (597-586 a.C.), 24.18—25.7 (cf. 2 Cr 36.11-16)

Zedequias, um novo nome para **Matanias**, um filho de Josias (17; cf. Jr 52.1 e 2 Cr 36.10), indicou a mudança em sua vida ditada por seu senhor babilônio. Mudar o nome de alguém era proclamar poder sobre essa pessoa.

1. O Reinado Maligno de Zedequias (24.18,19)

As práticas perversas específicas de Zedequias não foram listadas. As condições em Judá e Jerusalém são, no entanto, freqüentemente descritas pelos profetas Jeremias e Ezequiel (Jr 21; 28–29; etc; Ezequiel 6–8; 13; etc.). Embora fosse claro que Judá não poderia mais viver como uma nação independente, Zedequias ainda tinha a responsabilidade de viver corretamente. Os babilônios não incluíram o culto aos deuses deles como uma condição de servidão, e teria sido possível a Judá continuar a servir a Deus fielmente. Esta foi, aparentemente, uma consideração importante que levou Jeremias a pregar publicamente a rendição e a submissão, ao invés da contínua oposição (Jr 38.17-22).

2. A Rebelião de Zedequias (24.20)

Zedequias permaneceu como um fiel vassalo de Nabucodonosor durante nove anos (25.1), e então se rebelou. Pelo que foi registrado em 2 Reis, a revolta parece ter sido uma tentativa de livrar-se do jugo babilônio, pois seu momento coincide com a atividade de Apries, faraó do Egito (chamado de Hofra na Bíblia Sagrada, Jr 44.30; veja a Carta A).

Neco II, do Egito (609-595 a.C.), abandonou a conquista militar durante os últimos anos de seu reinado, ao contentar-se em permitir que os babilônios controlassem os países do rio Eufrates até o rio (ou ribeiro) do Egito (veja 24.7). A mesma política de ficar em casa foi seguida por seu filho Psamético II (594-589). Os anos de submissão de Zedequias ao domínio babilônio correspondem ao período em que Neco II e Psamético II se sentiam satisfeitos por cuidar dos assuntos internos do Egito. Sua rebelião corresponde ao ano em que Apries (Hofra) chegou ao trono, ou seja, 588 a.C. Este reverteu a política dos dois faraós que o antecederam; ele ousou desafiar o controle de Nabucodonosor ao longo do Mediterrâneo.

Os detalhes dados por Heródoto são de que Apries enviou sua frota contra a Fenícia por volta da época em que Nabucodonosor iniciou o seu ataque final contra Jerusalém. Este movimento era direcionado contra o ponto-chave de conexão entre o exército babilônico na Palestina e a sua terra natal. Jeremias registrou que o rei caldeu teve que se retirar temporariamente do cerco a Jerusalém, a fim de proteger-se e derrotar o exército egípcio que vinha em socorro a Zedequias (Jr 37.5,7,8). Fica claro, a partir de

Jeremias, que Zedequias cometeu o erro de ouvir a Apries e depender do socorro do Egito. Ele o fez, apesar de ter sido alertado a não depender de faraó.

3. Nabucodonosor Toma Jerusalém (25.1-7)
Após sitiar a cidade por mais de um ano e meio (de janeiro de 587 a julho de 586 a.C.), o exército de Nabucodonosor irrompeu pelos muros de Jerusalém. A **campina** (4) é uma referência ao vale do Jordão, que se estende por cerca de 80 quilômetros do extremo sul do mar da Galiléia à margem norte do mar Morto. **As campinas de Jericó** (5) seriam a seção semi-desértica ao sul de Jericó. Zedequias e seu destacamento aparentemente fugiam para leste, na esperança de escapar através do rio Jordão. **Ribla** (6) era a localização do quartel-general dos babilônios, na Síria central, cerca de 320 quilômetros ao norte de Jerusalém (cf. 23.33). O severo tratamento dado por Nabucodonosor a Zedequias – quando comparado com a piedade que teve para com Joaquim – talvez possa ser explicado por sua fúria contra esse rei, em quem confiara e que havia traído essa confiança.

I. JERUSALÉM É SAQUEADA PELOS BABILÔNIOS, 25.8-17 (cf. Jr 52.12-23)

No mês posterior àquele em que Zedequias foi capturado e levado a Nabucodonosor em Ribla, Nebuzaradã (8), seu general, queimou os maiores edifícios de Jerusalém (9), **derribou os muros** (10) e reuniu reféns de guerra (11). **Os rebeldes que se renderam** refere-se àqueles "que já haviam se rendido" (Moffatt). Ele também levou **os utensílios** do Templo (14), as **duas colunas** (16) e **o mar** (a grande pia de bronze; cf. 1 Rs 7.13-47). Estes foram cortados em pequenos pedaços, o suficiente para serem levados para a Babilônia. **De puro ouro ou de prata** (15) pode ser lido como: "O que era de ouro, o capitão da guarda levou como ouro e o que era de prata como prata". Talvez pelo menos alguns dos instrumentos tenham sido derretidos e transformados em lingotes de ouro e prata. O magnífico Templo, planejado para permanecer como uma testemunha do Senhor Deus e daquilo que Ele havia feito pelo seu povo, foi demolido e despojado de sua riqueza material e de sua simples beleza. Foi transformado em um lugar que faria com que aqueles que por ele passassem ficassem pasmados e assobiassem com menosprezo (cf. 1 Rs 9.8).

J. OUTRA DEPORTAÇÃO, 25.18-21 (cf. Jr 52.24-30)

Nebuzaradã, **o capitão da guarda** (18), moveu-se, então, contra aqueles que ainda o desafiavam. É possível que algumas informações indicassem que esses líderes em particular tenham sido contra os babilônicos em suas atitudes e ações. Isto é sugerido pelo modo como Nabucodonosor ficou ciente da posição pró-babilônica de Jeremias e ordenou que ele fosse solto (Jr 39.11-18). Entre os executados estava o **sumo sacerdote** (18), bem como outros sacerdotes e oficiais (18,19). Os **sessenta homens do povo da terra** (cf. 21.4) talvez fossem anciãos das províncias que representavam o povo de suas localidades. De acordo com Jeremias (52.29), o número daqueles que foram levados ao exílio desta vez totalizou 832 pessoas.

K. GEDALIAS É DESIGNADO GOVERNADOR, 25.22-26 (cf. Jr 40.1-12)

Gedalias foi designado governador de Judá que, aparentemente, Nabucodonosor havia transformado em uma província de seu império. Ele foi designado para administrar uma terra cujas cidades haviam sido destruídas e os principais cidadãos haviam sido deportados para uma terra estrangeira. A exploração arqueológica revelou que muitas cidades de Judá sofreram grande violência na época da queda de Jerusalém; alguns exemplos são Laquis, Debir e Bete-Semes. Algumas das que foram destruídas naquele tempo jamais foram reconstruídas.

Gedalias veio de uma família notável. Seu pai, **Aicão** (22), teve uma atuação fundamental ao poupar Jeremias em uma ocasião em que o povo de Jerusalém ameaçou matar o profeta (Jr 26.24). Seu avô, **Safã**, havia servido como secretário de Estado no gabinete de Josias (22.3). Um selo de Laquis aparentemente se refere a ele como o ministro chefe de Zedequias ("sobre a casa")[21].

Gedalias tentou convencer os que ficaram em Judá que era importante aceitar o domínio babilônico (24). Entretanto um grupo liderado por **Ismael** (25) continuava a vê-lo com suspeitas, como alguém que colaborava com o inimigo, e assim assassinaram tanto a ele como a outros. **Mispa** (25) foi identificada por vários estudiosos com *Tell en-Nasbeh*, uma antiga colina cerca de 13 quilômetros ao norte de Jerusalém, na estrada para Samaria[22].

O povo, com medo da represália de Nabucodonosor, fugiu então para o **Egito** (26; cf. Jr 43.5-7). É possível que a esperada represália realmente tenha ocorrido, e que os 745 levados cativos no 23º ano de Nabucodonosor (por volta de 582 a.C.; cf. Jr 52.30) tenham sido vítimas dela.

L. JOAQUIM É LIBERTADO DA PRISÃO, 25.27-30 (cf. Jr 52.31-34)

O historiador termina sua descrição com o registro da libertação de Joaquim da prisão. Ele foi solto por **Evil-Merodaque** (27) ou Amel-Marduque, em 561 a.C., após trinta e sete anos de prisão. Parece que este acontecimento foi visto pelo historiador e por outros como um dia que trouxe uma nova esperança em relação ao cumprimento daquilo que os profetas haviam declarado em relação aos reis da linhagem davídica. Mesmo como cativo, ele era visto pelos babilônios como **rei de Judá** (27). Isto talvez explique porque Ezequiel marcou os acontecimentos em sua profecia em termos do cativeiro de Joaquim, ao invés de fazê-lo em termos do reinado de Zedequias.

Tábuas cuneiformes encontradas em uma sala próxima ao portão de Istar, na Babilônia, que podem ser datadas entre 595 e 570 a.C., listam as rações dadas às pessoas de países como Egito, Filístia, Fenícia, Judá, Elão, etc. Entre os nomes das pessoas especificamente mencionadas está o nome Yaukin, rei de Judá[23].

Notas

INTRODUÇÃO

[1] Veja Norman H. Snaith, "I and II Kings" (Introduction), *The Interpreter's Bible*, ed. George A. Buttrick, *et al.*, III (Nova York: Abingdon Press, 1954), p. 3.

[2] A última referência está no final do relato do reinado de Jeroboão (2 Rs 24.5); esta é a décima quinta referência a esta fonte específica.

[3] Veja a obra de Edward J. Young, *An Introduction to the Old Testament* (ed. rev.; Grand Rapids: Wm. B. Eerdmans Publishing Company, 1960), p. 200.

[4] Veja Snaith, *op. cit.*, pp. 10 e 11. Snaith relaciona a primeira edição "deuteronômica" significativa à descoberta da lei durante o reinado de Josias; ele também limita a obra do historiador desconhecido a Reis.

[5] Veja G. Ernest Wright, "The Book of Deuteronomy" (Introdução), IB, II (1953), pp. 314-18; Wright e Reginald H. Fuller, *"The Book of the Acts of God"* (Garden City; Doubleday and Company, Inc., 1957), pp. 99-130. Compare também a obra de John Bright, "The Book of Joshua" (Introdução), IB, II, p. 542.

[6] "Teológico" como é usado aqui não deve ser interpretado em termos de qualquer sistema ou formulação doutrinária em particular, no sentido moderno da palavra. Antes, o termo se refere ao entendimento religioso do historiador, principalmente originado deste conceito de Deus. Ele era monoteísta e considerava os ídolos de outros povos como objetos feitos pelo homem; portanto, vãos e sem sentido.

[7] A base para equiparar o chamado à santidade com a ênfase à obediência é encontrada particularmente em Levítico 17-26, o assim chamado "Código de Santidade". "Sede santo" é uma expressão aplicada repetidamente ao que israelitas não deveriam fazer em muitos casos, e ao que eles poderiam fazer em muitos outros. Além disso, existem repetidas admoestações para guardarem as leis de Deus, isto é, para obedecerem. Dessa forma, fica claro que o chamado à santidade é um chamado à obediência.

[8] A principal ênfase de Deuteronômio é que Israel deve servir a Deus com uma lealdade exclusiva, e que não devem dar lugar ao culto aos ídolos que estão à sua volta (veja Dt 4.35). Uma ênfase adicional é dada às condições pelas quais Israel veio a possuir a sua terra, e através das quais deve retê-la ou afastar-se dela. Desse modo, a lealdade a Deus, a obediência ou a resposta ao chamado à santidade, é a sua questão central. Este é o ponto de vista "deuteronômico" (cf. G. Ernest Wright e Reginald H. Fuller, *op. cit.*, pp. 101,2).

[9] Veja Joseph P. Free, *Archaeology and Bible History* (Wheaton: Van Kampen Press, 1950), p. 179. As datas da cronologia de Free foram usadas em *Exploring the Old Testament*, ed. W. T. Purkiser (Kansas City: Beacon Hill Press, 1955), pp. 424-32. Outras fontes significativas sobre a cronologia da monarquia dividida são: W. F. Albright, "The Chronology of the Divided Monarchy", *Bulletin of the American Schools of Oriental Research* (BASOR), N° 100 (1945), pp. 16-22; James A. Montgomery, *The Books of Kings* ("The International Critical Commentary" – ICC; Nova York: Charles Scribner's Sons, 1951), pp. 45-64; John Gray, *I & II Kings* ("The Old Testament Library"; Filadélfia: The Westminster Press, 1963), pp. 55-74.

SEÇÃO I

[1] O que seria uma contradição deixa de sê-lo, quando se reconhece que o historiador aplicou um aspecto do princípio de Deuteronômio à primeira parte do reinado de Salomão, e o outro aspecto à última parte de seu governo.

[2] John Gray, de acordo com outros, afirma que a "História da Corte" de Davi, como incluída em 2 Samuel 9.20, é a fonte principal que o historiador utilizou para mostrar como Salomão se tornou completamente estabelecido no trono. Os materiais deste registro da corte terminam em 1 Reis 2.46. Veja John Gray, *I & II Kings, A Commentary* (Philadelphia: The Westminster Press, 1963), p. 20.

[3] Não é possível nem exeqüível dar um tratamento completo a 1 e 2 Reis, no que diz respeito aos comentários. A partir deste ponto, o caminho foi: em primeiro lugar, o uso da Bíblia em hebraico para observar o que ela contém, e deixá-la falar por si mesma; em segundo lugar, a utilização de materiais arqueológicos e outros auxílios similares, cujas fontes são dadas nas notas de rodapé; e, em terceiro lugar, a consulta a comentários selecionados e a dicionários bíblicos. Os comentários, em ordem de importância segundo este colaborador os avaliou e utilizou: C. F. Keil, *The Books of the Kings, Biblical Commentary on the Old Testament* (Grand Rapids: Wm. B. Eerdmans Publishing Co., 1950); John Gray, *op. cit.*; Norman Snaith, *op. cit.*; e James A. Montgomery, *The Books of Kings*, ICC, 1951. Os dicionários bíblicos são: *The Interpreter's Dictionary of the Bible*, ed. George A. Buttrick, 4 volumes (New York: Abingdon Press, 1962); e *The New Bible Dictionary*, ed. por J. D. Douglas (Grand Rapids: Wm. B. Eerdmans Publishing Co., 1962). A ausência de referências específicas mais freqüentes a estas fontes se deve à limitação de espaço.

[4] Esta é a única referência a Simei e Reí; nenhum deles é mencionado em 1.32 e 38, como era de se esperar. Este Simei não é o mesmo de 2.8 (veja também 2 Sm 16.5-8 e 19.16-23). Possivelmente trata-se de Simei, filho de Elá (1 Rs 4.18). Reí é completamente desconhecido, com exceção desta passagem.

[5] A sugestão de Norman Snaith de que Natã e Bate-Seba engendraram uma trama para forçar a escolha de Salomão por parte do decadente Davi (*op. cit.*, p. 23) é uma abordagem que tenta forçar as Escrituras a se adequarem a um ponto de vista moderno, ao invés de procurar entender o bíblico. Parece claro que o historiador apresentou todo o incidente de Adonias do ponto de vista de uma tentativa mal-sucedida de usurpação total do trono.

[6] Para um relatório preliminar e geral sobre as recentes explorações na área dos lugares mencionados nestes primeiros capítulos de 1 Reis, veja a obra de Kathleen Kenyon, "Excavation in Jerusalem", *Biblical Archaeologist*, XXVII, No. 2 (1964), pp. 34-51.

[7] A ordem de Davi a Salomão a respeito do Templo (1 Cr 22.6-16), particularmente as palavras: "E confirmarei o trono de seu reino sobre Israel, para sempre" (10, heb.) indica que Davi tinha apresentado este filho como o seu sucessor algum tempo antes do incidente de Adonias. A unção em Giom, portanto, deve ser interpretada não apenas como uma reafirmação de que ele foi escolhido para ser rei, mas também como uma instalação pública oficial no trono.

[8] S. Cohen, "Anathoth", IDB, Vol. *A-D*, p. 125b.

[9] Cf. 1 Crônicas 24.3; veja comentário sobre 1 Samuel 2.27-36.

[10] Na Septuaginta este versículo está combinado com 9.16 e ambos estão colocados depois de 4.34, uma indicação de que durante a transmissão foram levantadas algumas dúvidas com respeito à posição deste versículo.

[11] Um exemplo não-bíblico notável é o de Tushratta de Mitanni, que concedeu a sua filha Taduhepa como esposa a Amenotepe III. Este casamento proporcionou uma relação amigável entre as duas nações. Veja Jack Finegan, *Light from the Ancient Past* (Princeton: Princeton University Press, 1959), p. 198. Compare também os muitos casamentos de Salomão nos anos posteriores, e o matrimônio entre Acabe e Jezabel (16.31).

[12] Veja W. F. Albright, *Archaeology and the Religion of Israel* (segunda edição; Baltimore: The Johns Hopkins Press, 1946), pp. 105-7; Albright, "The High Place in Ancient Palestine", Suplemento de *Vetus Testamentum*, IV (1957), pp. 242-58; G. Henton Davies, "High Place, Sanctuary", IDB, Vol. *E-J*, pp. 602-4; G. T. Manley, "High Place", NBD, pp. 525,26; "High Place", *Unger's Bible Dictionary* (Chicago: Moody Press, 1957), p. 483.

[13] J. B. Pritchard, "Gibeon", IDB, Vol. *F-J*, pp. 391-93; veja outras publicações de Pritchard relacionadas na sua bibliografia, p. 393.

[14] **Sou ainda menino pequeno**, uma expressão tipicamente oriental, que visa dar ênfase. Em 1 Reis 14.21 afirma-se que Roboão tinha 41 anos na época de sua ascensão ao trono. Por ter Salomão reinado durante quarenta anos, podemos admitir que ele era casado nesta ocasião, e Roboão tinha apenas um ano de idade na época da ascensão de seu pai.

[15] Observação de Gray, *op. cit.*, p. 124. Veja Cyrus H. Gordon, "The Ugaritic Texts in Transliteration", *Ugaritic Handbook* (Roma: Pontificium Institutum Biblicum, 1947), p. 164 – Texto 127:45-50 e p. 182 – 2 Aqht: V:5-9. Também Gordon, *Ugaritic Literature, ibid.*, 1949, p. 82 – Texto 127:45-50 e p. 88 – 2 Aqht: V:5-9. Compare trechos correspondentes em H. L. Ginsberg, "Ugaritic Myths, Epics and Legends", *Ancient Near Eastern Texts*, ed. James B. Pritchard (Princeton: Princeton University Press, 1950), p. 149 (coluna *a*, linhas 45-50) e p. 151 (coluna *a*, V:5-9).

[16] John Bright, *A History of Israel* (Philadelphia: The Westminster Press, 1959), p. 184: G. Ernest Wright, *Biblical Archaeology* (ed. rev.; Philadelphia: The Westminster Press, 1962), pp. 125,26. Um estudo definitivo é o de R. de Vaux, "Titres et fonctionnaires egyptiens a la cour de David et de Salomon" (*Revue Biblique*, XLVII, 1939, pp. 394-405). A respeito desta proposta, é importante recordar que o reinado em Israel deveria ser baseado em outros povos (veja 1 Sm 8.4,5) com, naturalmente, diferenças básicas, em particular na sua compreensão "teológica". No entanto, detalhes como o gabinete de Davi e outros aspectos necessariamente humanos se encaixam na cópia pretendida de outros povos, embora não sejam especificamente indicados deste modo nos registros bíblicos.

[17] C. F. Keil, *op. cit.*, p. 44.

[18] James A. Montgomery, *op. cit.*, pp. 113-15; Gray, *op. cit.*, p. 128.

[19] Sausa (1 Cr 18.16), Seva (2 Sm 20.25) e Sisa (1 Rs 4.3) são vistos como diferentes grafias do nome do mesmo homem. As diferenças parecem indicar que os últimos copistas não tinham certeza de como o nome deveria ser escrito. Veja G. Ernest Wright, *op. cit.*, p. 126. Seraías poderia ser o nome de outra pessoa; ele se encontra na primeira lista dos comandantes de Davi (cf. 2 Sm 8.17). É possível que esta também seja uma variação do nome do mesmo homem (cf. C. F. Keil e F. Delitzsh, *The Books of Samuel*, p. 367).

[20] Com respeito a estes detalhes dos antecedentes egípcios para estes e outros cargos de Salomão, veja Wright, *op. cit.*, pp. 125,26.

[21] Keil, *op. cit.*, p. 45.

[22] "I and II Kings", NBC, p. 305.

[23] Para propostas significativas a respeito dos distritos administrativos e provedores de Salomão, veja W. F. Albright, *Archaeology and the Religion of Israel*, p. 140. Cf. John Bright, *op. cit.*, pp. 184,85. Um estudo detalhado sobre este assunto é o de Frank M. Cross, Jr., e G. Ernest Wright, "The Boundary and Province Lists of the Kingdom of Judah", *Journal of Biblical Literature*, LXXV (1956), pp. 202-9. Para um tratamento geral da arqueologia e da organização dos distritos de Salomão, veja Wright, *Biblical Archaeology*, pp. 131-34. Uma investigação de duas semanas, realizada em maio de 1962, da American School em Jerusalém conduzida

por Paul W. Lapp, em Tell er-Rumeith na Transjordânia, forneceu uma base mais ampla para a identificação de Ramote-Gileade (13) por Glueck. Ela deve ser identificada com Tell er-Rumeith (ou Ramith).

[24] ARI, p. 131.

[25] Calculado em O. R. Sellers, "Weights and Measures", IDB, Vol. R-Z, p. 835; a "medida/coro" (em hebraico, *kor*, medida seca) é sugerida como 5,16 alqueires. Cf. também George Augustin Barrois, "Chronology, Metrology, Etc.", IB (1), p. 155; o coro é igual a 6,524 alqueires. Alguns sugerem que o *coro* corresponde a 11 alqueires (Gray, op. cit., p. 137). A medida varia; 5,16 alqueires é talvez a média ou até mesmo a quantidade média, ao passo que 11 alqueires pode ser a quantidade máxima.

[26] ARI, p. 132. Airão é a forma nas fontes fenícias. Hurom (2 Cr 2.3; *passim*), ou Hirão, é uma variação posterior da grafia original de Reis.

[27] Sellers, op. cit., p. 838. A versão RSV em inglês traduz o grego "vinte mil coros de azeite batido".

[28] Esses 480 anos foram o motivo de uma considerável discussão nos estudos da cronologia do Antigo testamento. Veja Merrill F. Unger, *Archaeology and the Old Testament* (Grand Rapids: Zondervan Publishing House, 1954), pp. 140-49, para os argumentos a favor de uma tradução literal e verdadeira de 480 anos, e do ano 1440 a.C. para o êxodo. Veja G. Ernest Wright, *Biblical Archaeology*, pp. 58-60 e 78-85, para uma discussão favorável à interpretação de que 480 anos é um número arredondado que corresponde a doze gerações.

[29] Veja S. J. De Vries, "Calendar", IDB, Vol. A-D, pp. 485,86.

[30] Veja Wright, op. cit., pp. 137-40. Veja também Wright, "The Steven's Reconstruction of the Solomonic Temple", *Biblical Archaeologist* (doravante abreviada como BA), XVI (1955, 2), pp. 41-44. Para uma reconstrução que utiliza muitos detalhes também utilizados por Wright, mas que difere em outros, veja Paul L. Garber, "Reconstructing Solomon's Temple", BA, XIV (1951, 1), 2-24; cf. estudo anterior de Wright, "Solomon's Temple Resurrected", BA, IV (1941, 2), pp. 18-31. Artigos de dicionários de publicação recente onde o assunto foi discutido: A. R. Millard, "Temple", NBD, pp. 1243-45; W. F. Stinespring, "Temple, Jerusalem", ID, Vol. R-Z, pp. 534-47. Para um relatório sobre um templo em Hazor com uma planta similar ao de Salomão, veja Yigael Yadin, "The Fourth Season of Excavation at Hazor", BA, XXII (1959), pp. 3-6.

[31] Veja Keil, op. cit., p. 119; também Gray, op. cit., p. 149; e Ellison, op. cit., p. 308.

[32] Ao entender o templo nessa condição, e contra o antigo cenário, Albright sugeriu que o Templo fosse basicamente uma capela real e que isto significava, entre outras coisas, que o sumo sacerdote e a sua família estavam sob a responsabilidade direta do rei (ARI, pp. 138,39). Bright sugere, além disso, que uma vez que a arca estava ali, o objetivo do templo também era o de santuário nacional do povo (op. cit., p. 197).

[33] G. A. Barrois, "House o the Forest of Lebanon", Vol. E-J, pp. 657,58, que inclui também a disposição de L. H. Vincent (*Jerusalem de l'AT*, II, fig. 134, 428).

[34] Sobre cobre ou "bronze", veja os comentários sobre 7.40-45.

[35] Keil, op. cit., p. 98.

[36] Op. cit., pp. 102-3.

[37] ARI, p. 139 – a aceitação de Albright da proposta de Scott no *Journal of Biblical Literature*, LVIII (1939), pp. 143ss.

[38] ARI, pp. 144-48; especialmente p. 148, para a sugestão de que o fogo das colunas talvez celebrasse a caminhada pelo deserto.

[39] Veja Wright, *op. cit.*, p. 140.

[40] Os números são de C. C. Wylie, "On King Solomon's Molten Sea", BA, XII (1949, 4), pp. 86-90.

[41] Veja P. L. Garber, "Brass", IDB, Vol. *A-s*, p. 461; F. V. Winnett, "Bronze", *ibid.*, p. 467.

[42] Veja Nelson Glueck, "Explorations in Eastern Palestine IV", *Annals of the American Schools of Oriental Research*, XXV-XXVIII (1951), Part I, pp. 334-47; *The Other Side of the Jordan* (New Haven: *American Schools of Oriental Research*, 1940), particularmente os capítulos III e IV. Veja também Gray, *op. cit.*, pp. 187-96; S. Cohen, "Zarethan", IDB, Vol. *R-Z*, pp. 935,36. Para um breve comunicado inicial a respeito da recente escavação de Pritchard em Zaretã, veja "Archaeology", *Time* (13 de março de 1964), p. 48.

[43] Para a proposta de Gray de que os tesouros tinham sido reduzidos a barras de ouro e prata, cf. *op. cit.*, p. 188.

[44] Sellers, *op. cit.*, p. 832. Na versão *Berkeley*, meio siclo é traduzido como "50 centavos".

[45] Veja especialmente ARI, pp. 154,55, onde o professor Albright chama a atenção não apenas para o pensamento monoteísta dessa época da história de Israel, mas também para o seu aspecto universal, que também aparece adiante, na oração de Salomão (8.43). Para outras publicações sobre o monoteísmo de Israel, veja Albright, *From the Stone Age to Christianity* (segunda edição; Baltimore: The Johns Hopkins Press, 1957), pp. 11-17, pp. 209-72; também Albright, *History, Archaeology and Christian Humanism* (New York: McGraw-Hill Book Company, 1964), pp. 56,57, 152-54.

[46] Veja Wright, "The Significance of the Temple in the Ancient Near East, Part III", BA, VII (1944, 4), pp. 75,76; também *Biblical Archaeology*, pp. 145,46.

[47] Veja D. J. Wiseman, "Two Historical Inscriptions from Nimrud", *Iraq* XIII, 1951, pp. 21-26.

[48] Keil é favorável a esta interpretação (*op. cit.*, p. 118). Gray (*op. cit.*, p. 193) e Snaith (*op. cit.*, p. 69) entendem que o Templo foi consagrado aproximadamente um ano após a sua conclusão.

[49] Veja Keil e Delitzsh, *The Books of Samuel*, p. 317; também Wright, *op. cit.*, pp. 131, 171. Para recentes escavações da muralha de Jerusalém, etc., veja Kenyon, *op. cit.*, e "Excavations in Jerusalem", *Palestine Exploration Quarterly* (1962), pp. 72-89.

[50] A bibliografia sobre a arqueologia e estes lugares é vasta. Veja Wright, *op. cit.*, pp. 131-34; Gray, *op. cit.*, pp. 226-29; artigos nos dicionários bíblicos e artigos em *Biblical Archaeologist* e em *Bulletin of American Schools of Oriental Research* desde 1948.

[51] Veja ARI, p. 231, n. 29, e fontes ali mencionadas. Esta explicação foi aceita por Bright, (*op. cit.*, p. 191) e Gray (*op. cit.*, p. 115).

[52] Wright, *op. cit.*, p. 131.

[53] ARI, p. 135; Gray, *op. cit.*, p. 231,32.

[54] Para um informativo geral sobre essas descobertas e o seu significado, veja Wright, *op. cit.*, pp. 135-37. Para as publicações de Glueck, veja *The Other Side of the Jordan* (1940); "The First Campaign at Tell El-Kheleifeh", *Bulletin of the American Schools of Oriental Research*, N. 71 (1938), pp. 3-18; também *Bulletins* N. 79 (1940), pp.2-18.

[55] *Op. cit.*, p. 237.

[56] Para estes e outros detalhes suplementares a respeito da frota de Salomão, veja ARI, pp. 133-34.

[57] Veja ARI, pp. 132,33 a respeito do desenvolvimento do povo de Sabá e do amplo controle de Salomão das rotas de comércio.

⁵⁸ Para análises gerais auxiliares sobre este acontecimento, veja Bright, *op. cit.*, pp. 194,95; e Gray, *op. cit.*, pp. 238-43. Para fontes de estudos mais específicos, veja notas de rodapé em ambos os trabalhos previamente citados. Para uma análise geral das expedições da *American Foundation for the Study of Man*, veja Wendell Phillips, *Qataban and Sheba* (New York: Harcourt, Brace and Company, 1955). Veja também Gus W. Van Beek, "South Arabian History and Archaeology", *The Bible and the Ancient Near East, ibid.*, pp. 229-48.

⁵⁹ Para as razões e para a tradução, veja ARI, p. 135. A tradução de Albright é expressa em Wright, *op. cit.*, p. 130. Ela é usada com apenas uma ligeira modificação de vocabulário na versão *Berkeley*. "Egito" é omitido em 28 porque não há evidências de que fosse uma região de criação de cavalos nos tempos antigos. Alguns entendem que ela acontece como uma inadvertida repetição da escrita, sugerida inconscientemente pela sua aparição posterior no texto.

⁶⁰ Veja Keil, *op. cit.*, p. 166.

⁶¹ Para os nomes e a história dessas variadas divindades, veja os dicionários bíblicos e os artigos.

⁶² Merrill F. Unger, *Israel and the Aramaeans of Damascus* (London: James Clarke & Co., Ltd., 1957), p. 57.

⁶³ Bright, *op. cit.*, p. 211.

⁶⁴ A suposição de Keil e outros de que Aías, embora não mencionado, transmitiu a mensagem de Deus a Salomão (11.9-13) parece estar bem fundamentada, pois ele faz as mesmas afirmações em suas palavras a Jeroboão (31-35).

⁶⁵ Para uma discussão útil e detalhada, veja Keil, *op. cit.*, pp. 178-80.

SEÇÃO II

¹ Um termo freqüentemente utilizado pelos teólogos recentes, e que enfoca a atenção naquela que é considerada a unidade implícita na Bíblia Sagrada. As observações incluídas aqui estão relacionadas com as considerações mais importantes para 1 e 2 Reis.

² O reino de Deus, no sentido completo da expressão, não pode ser igualado à antiga nação de Israel como um governo, embora talvez, por algum tempo, a antiga nação de Israel tenha sido o próprio reino de Deus na terra.

³ Wright, *op. cit.*, p. 148.

⁴ O comentário de Keil sobre a divisão constitui um dos melhores estudos sobre essa questão: veja *op. cit.*, pp. 183-201.

⁵ Veja W. L. Reed, "Shechem" (L. E. Toombs, "Addendum"), IDB, Vol. *R-Z*, pp. 313-15. Para registros preliminares e mais técnicos, cf. artigos em *Biblical Archaeologist* e *Bulletin of American Schools of Oriental Research*, respectivamente, desde 1957.

⁶ Não existe qualquer discrepância entre os versículos 2,3 e 20. Jeroboão estava presente na reunião em Siquém, mas aparentemente as tribos do Norte ainda não tinham considerado a divisão, até Roboão enviar Adorão para reforçar seus cruéis propósitos. Então eles se reuniram novamente, requisitaram a presença de Jeroboão e ele foi aclamado rei.

⁷ Simeão recebeu um território na extremidade sul da Palestina (Js 19.1-9); as suas cidades foram consideradas pertencentes a Judá (Js 15.26-32).

⁸ Bright, *op. cit.*, pp. 211,12.

⁹ Veja W. L. Reed, "Tirzah (Place)", IBD, Vol. *R-Z*, pp. 652,53.

¹⁰ Gray, *op. cit.*; veja também S. Cohen, "Penuel", IDB, vol. *K-Q*, p. 727.

[11] Cf. Bright, *op. cit.*, p. 217.

[12] Para detalhes específicos a respeito da localização de Betel, de escavações realizadas neste local, etc., veja J. L. Kelso, "Bethel (Sanctuary)", IDB, Vol. *A-D*, pp. 391-99. Para Dã, veja Gus W. Van Beek, "Dan" – a city, IDB, Vol. *A-D*, pp. 759,60.

[13] Veja Free, *op. cit.*, p. 180.

[14] "Teus deuses", em 12.28 e Êxodo 32:4, é uma expressão que poderia ser traduzida como "seu Deus". Este plural em hebraico corresponde à forma de *majestade*, e não de número. Veja Keil e Delitzch, *The Pentateuch*, II, 222; Keil, *op. cit.*, p. 198.

[15] Os estudos do professor Albright, mais do que quaisquer outros, contribuíram para esse entendimento. Veja o seu livro *From the Stone Age to Christianity* (Baltimore: The Johns Hopkins Press, 1946), pp. 228-30; ARI, pp. 155,56. Cf. Bright, *op. cit.*, p. 218; Wright, *op. cit.*, pp. 148,49; Merrill F. Unger, *Archaeology and the Old Testament* (Grand Rapids, Zondervan Publishing Company, 1954), pp. 236,37; e outros.

[16] A expressão "**cidades de Samaria**" (32) foi incluída mais tarde; 16.24 deixa bem claro que Samaria, como cidade ou região, não era um nome significativo até ser fundada por Onri.

[17] "**E separarei de Jeroboão todo homem**" é uma linguagem mais prudente, embora tenhamos algumas traduções mais literais: eliminarei de Jeroboão todo e qualquer homem do sexo masculino.

[18] Assim começa o complexo sincronismo das duas histórias. Não puderam ser incluídas as detalhadas discussões sobre as dificuldades encontradas em pontos posteriores, e que se referem a fontes mencionadas na Introdução, assim como a comentários mais abrangentes.

[19] Veja Finegan, *op. cit.*, p. 126. O quinto ano do reinado de Roboão dever ter acontecido entre 926 e 925 a.C. Sesonque era, sem dúvida, o faraó reinante durante toda a permanência de Jeroboão no Egito, se não durante parte dela. Entretanto, existem dúvidas se ele teve alguma coisa a ver com a divisão de Israel. A relação de suas cidades mostra que ele atacou os dois reinos de Israel com a aparente pretensão de fazer de sua conquista militar na Palestina uma impressionante demonstração como governante recém-estabelecido no Egito.

[20] Unger, *Israel and the Aramaeans of Damascus*, pp. 57-61. Parece que Unger e Albright têm argumentos convincentes.

[21] Veja Gray, *op. cit.*, pp. 320,21.

[22] Unger, *op. cit.*, p. 58.

[23] Veja W. L. Reed, "Tirzah (Place)", IDB, Vol. *R-Z*, p. 653.

[24] Veja Andre Parrot, *Nineveh and the Old Testament* (New York: Philosophical Library, 1955), pp. 32-45.

[25] G. W. Van Beek, "Samaria", IDB, Vol. *R-Z*, pp. 182-88.

[26] Veja Unger, *op. cit.*, pp. 62-64.

[27] Veja S. Cohen, "Tishbe", IDB, Vol. *R-Z*, pp. 653,54.

[28] A dança sagrada, a autoflagelação e a necessidade de despertar o deus (particularmente importante no caso de Baal em vista da seca prolongada) foram confirmadas por materiais extrabíblicos relacionados com a adoração praticada em Tiro e na Síria. Veja Gray, *op. cit.*, p. 355.

[29] Veja ARI, pp. 73,74 e 84-92; Wright, *op. cit.*, pp. 111,12.

[30] Veja S. Cohen, "Abel-Meholah", IDB, Vol. *A-D*, p. 5.

[31] Veja os comentários sobre 16.29-34. Para não ser sobrepujado por Acabe, Ben-Hadade provavelmente fez uma aliança semelhante com Etbaal (ou Ittobaal); Unger, *op. cit.*, p. 65.

[32] Veja os comentários sobre 15.16-22 onde se chama a atenção para a forte possibilidade desse Ben-Hadade ser o mesmo das épocas de Baasa e de Acabe. O mesmo argumento aplica-se ao Ben-Hadade mencionado em 2 Reis 6.24, e em várias outras passagens.

[33] Veja Unger, *op. cit.*, p. 68; Parrot, *op. cit.*, pp. 32-34.

[34] Ibid., p. 151, n.24; W. H. Morton, "Aphek", IDB, Vol. *A-D*, p. 156.

[35] Keil, *op.* cit., p. 281.

[36] Wright, *op.* cit. , p. 154.

[*] As letras R.S. antes do nome do rei indicam Reino do Sul – Judá, enquanto R.N. indicam Reino do Norte – Israel. Veja a sincronização sob forma tabulada no Quadro B.

[37] Nos comentários de 22.2-4 foi sugerido que, provavelmente, havia sido feita uma aliança entre Acabe e Jeosafá que seria selada com um casamento real. Essa suposição foi feita com base no conhecimento atual sobre as alianças bíblicas e extrabíblicas da antiguidade, realizadas entre duas nações. Além disso, 2 Crônicas 18.1 afirma que Josafá fez uma aliança matrimonial (cf. 1 Rs 3.1, onde foi usado o mesmo verbo na referência ao casamento de Salomão com a filha do Faraó).

[38] T. H. Gaster, "Baal-zephon", IDB, Vol. *A-D*, p. 332; também Gray, op. cit., p. 413.

[39] Keil, *op.* cit., p. 300.

[40] Cf. 1 Samuel 1.1, comentários introdutórios.

[41] Veja Pritchard, *Ancient Near Eastern Texts*, p. 320; Finegan, *op. cit.*, p. 188.

[42] Veja E. D. Grohman, "Kir-Hareseth", IDB, Vol. *K-Q*, p. 36.

[43] Veja Gray, *op. cit.*, p. 439; Snaith *op. cit.*, p. 202.

[44] *Op. cit.*, p. 307.

[45] Veja A. Haldar, "Pharpar", IDB, Vol. *K-Q*, p. 781.

[46] Gray, *op. cit.*, p. 456.

[47] Veja Keil, *op. cit.*, p. 324; e Unger, *Israel and the Aramaeans of Damascus*, pp. 90,91 e 155, n. 56. Cf. Ellison, *op. cit.*, p. 320; e Gray, *op. cit.*, p. 460.

[48] Em relação a Ben-Hadade, veja os comentários sobre 1 Reis 15.16-22. Para a data desse cerco dos sírios, veja Unger, *op. cit.*, p. 155, n. 56.

[49] Veja Unger, *op. cit.*, p. 75.

[50] Veja Gray, *op. cit.*, p. 481.

[51] Veja R. W. Corney, "Libnah", IDB, Vol. *K-Q*, p. 123 e também Gray, *op. cit.*, p. 482.

[52] Veja Unger, *op. cit.*, p. 75.

[53] A Septuaginta traz o termo "Samaria"; porém a versão KJV em inglês traz Jezreel. Todo o contexto mostra que a carta foi enviada aos governantes de Samaria. (cf. 6).

[54] A sondagem arqueológica realizada durante duas semanas por Paul W. Lapp em Tell er-Rumeith revelou condições de perturbações existentes na primeira parte da Idade do Ferro II, muito semelhantes àquelas descritas para Ramote-Gileade, na Bíblia Sagrada.

[55] O historiador bíblico estava tão preocupado em tratar da perseguição religiosa de Jeú que deixou de mencionar, ou omitiu propositadamente, uma referência a um pagamento de impos-

tos que foi feito por Jeú a Salmaneser no primeiro ano de seu reinado (841). Veja Parrot, *op. cit.*, p. 34; Unger, *op. cit.*, p. 77; Wright, *op. cit.*, p. 158.

[56] Veja Gray, *op. cit.*, p. 510.

[57] Para uma discussão detalhada sobre a utilização dos sacerdotes e dos levitas juntamente com a guarda do palácio, por Joiada, veja Keil, *op. cit.*, pp. 357-59.

[58] Veja Gray, *op. cit.*, p. 516; também J. C. Greenfield, "Cherethites and Pelethites", IDB, Vol. *A-D*, p. 557.

[59] Veja Unger, *op. cit.*, p. 79.

[60] A razão dessa ordem pode ser vista na maneira como os acontecimentos finais do reinado de Jeoás foram relacionados com o fim da vida de Eliseu. Na verdade, o término desse governo coincidiu com a conclusão da vida do profeta. A repetição das informações sobre o reinado de Jeoás pode ser explicada porque elas provavelmente permaneceram nos registros dos reis de Israel depois do relato sobre a guerra entre Jeoás e Amazias. O historiador faz esta repetição para mostrar que Amazias sobreviveu quinze anos à morte de Jeoás. Veja Keil, *op. cit.*, pp. 376 e 383.

[61] Veja Unger, *op. cit.*, p. 84.

[62] Veja V. R. Gold, "Beth-Shemesh", IDB, Vol. *A-D*, p. 402.

[63] Tiglate-Pileser listou Menaém de Samaria em seus registros (*me-ni-hi-im-me al Sa-me-ri-na-a-a*) entre aqueles de quem coletava tributos. Veja Parrot, *op. cit.*, p. 40. Também, Finegan, *op. cit.*, pp. 207ss.

[64] Veja Unger, *op. cit.*, p. 96; Finegan, *op. cit.*, p. 206.

[65] A principal fonte desta possível ordem de acontecimentos é a obra de Unger, *op. cit.*, pp. 96-101.

[66] Isso dá a entender que uma expedição está indicada no cap. 3, e outra posterior para sitiar e dominar a cidade. Parece que Unger está a favor dessa interpretação (veja *op. cit.*, p. 106). Entretanto, Gray acompanha Benzinger ao entender que em 3-6 existe uma referência a uma única expedição assíria (*op. cit.*, p. 584).

[67] Veja J. A. Wilson, "So", IDB, Vol. *R-Z*, p. 394.

[68] Veja Gray, *op. cit.*, p. 386; e Keil, *op. cit.*, p. 411.

[69] Entre as várias fontes disponíveis, veja Finegan, *op. cit.*, pp. 208-10; Wright, *op. cit.*, p. 165.

[70] Veja A. T. Olmstead, "The Fall of Samaria", AJSL, XXI (1904-5), pp. 179-82. A revisão feita por Unger sobre as duas abordagens para esse problema é muito útil (*op. cit.*, pp. 106-9).

[71] Veja Gray, *op. cit.*, p. 593.

[72] Para alguns dos resultados das escavações na Babilônia, veja G. Frederick Owen, *op. cit.*, pp. 121-32.

[73] Veja Gray, *op. cit.*, pp. 593-96; Snaith, *op. cit.*, pp. 283-85; e artigos do IDB.

[74] Veja ARI, p. 163.

SEÇÃO III

[1] Veja W. F. Albright, "New Light from Egypt on the Chronology and History of Israel and Judah" BASOR, N° 130 (1953), pp. 8 e 9; Bright, *op. cit.*, pp. 282-86; Finegan, *op. cit.*, pp 210-14; Gray *op. cit.*, pp. 600-2; Snaith, *op. cit.*, pp. 292-303; Wright, *op. cit.*, pp. 167-73. A teoria das duas invasões, como proposta por Albright e Bright, está refletida na análise do reinado de Ezequias, que se segue.

[2] Veja Parrot, *op. cit.*, p. 52; Wright, *op. cit.*, p. 167.

[3] Veja Daniel David Luckenbill, *The Annals of Sennacherib* (Chicago: University of Chicago Press, 1924), p. 30 e p. 170.

[4] Veja Bright, *op. cit.*, pp. 268-69.

[5] Veja Luckenbill, *op. cit.*, pp. 29-34; e Bright, *op. cit.*, pp. 265-69.

[6] Veja Wright, *op. cit.*, pp. 169-71.

[7] Luckenbill, *op. cit.*, texto, pp. 172-73; transliteração e tradução, pp. 32-34.

[8] Veja Bright, *op. cit.*, p. 283.

[9] *Ibid.*, p. 286.

[10] *Ibid.*, pp. 270-71, 286-87.

[11] Veja Gray, *op. cit.*, p. 616.

[12] Uma tumba talhada na rocha com aprox. 5x2,5 metros, localizada do outro lado do vale de Cedrom a leste da fonte de Giom poderia, possivelmente, ser a tumba de Sebna, mencionada em Isaías 22.15. Com respeito às suas inscrições e outros pontos, veja Wright, *op. cit.*, pp. 174-175.

[13] Luckenbill, *op. cit.*, pp. 23 e 163.

[14] Veja Pritchard, *Ancient Near Eastern Texts*, p. 289.

[15] *Ibid.*, p. 288.

[16] Veja John Gray, "Nisroch", IDB, Vol. K-Q, p. 554.

[17] Veja Finegan, *Light from the Ancient Past*, pp. 90-91; Wright, *Biblical Archaeology*, pp. 172-74.

[18] Veja Pritchard, *op. cit.*, p. 289; e também Unger, *Archaeology and the Old Testament*, pp. 279-80.

[19] Veja Parrot, *Nineveh and the Old Testament*, pp. 79-80.

[20] Para informações relativas aos últimos dias de Judá, as seguintes fontes recentes foram utilizadas: Bright, *A History of Israel*, pp. 302-10; Finegan, *Light from the Ancient Past*, pp. 129-30 e 218-27; e Wright, *Biblical Archaeology*, pp. 176-82. Certas datas fornecidas nestas fontes são ajustadas arbitrariamente em um ano para se adequarem à cronologia apresentada na Introdução.

[21] Veja Bright, *op. cit.*, p. 310.

[22] J. Muilenburg, "Mizpah, Mizpeh", IDB, Vol. K-Q, pp. 407-9.

[23] Finegan, *op. cit.*, p. 188.

Bibliografia

I. COMENTÁRIOS

CALKINS, Raymond. "The Second Book of Kings" (Exposição). *Interpreter's Bible*. Editada por George A. Buttrick, *et al.*, Vol. III, Nova York: Abingdon Press, 1955.

DAVIDSON, F. (ed.) *The New Bible Commentary*. Grand Rapids: Wm. B. Eerdmans Publishing Co., 1953.

GRAY, John. *I & II Kings*, "The Old Testament Library". Filadélfia: The Westminster Press, 1963.

KEIL, C. F. *The Books of the Kings*, "Biblical Commentary on the Old Testament". Grand Rapids: Wm. B. Eerdmans Publishing Company, 1950.

MONTGOMERY, J. A. *The Books of Kings*. "The International Critical Commentary". Nova York: Charles Scribner's Sons, 1951.

SNAITH, Norman H. "The First and Second Books of Kings" (Introdução e Exegese). *Interpreter's Bible*. Editado por George A. Buttrick, *et al.*, Vol. III. Nova York: Abingdon Press, 1955.

SOCKMAN, Ralph W. "The First Book of Kings" (Exposição). *Interpreter's Bible*. Editado por George A. Buttrick *et al.*, Vol. III. Nova York: Abingdon Press, 1955.

II. OUTROS LIVROS

ALBRIGHT, William F. *Archaeology and the Religion of Israel*, Segunda Edição. Baltimore: The Johns Hopkins Press.

_____. *From the Stone Age to Christianity*, Segunda Edição. Baltimore: The Johns Hopkins Press, 1957.

_____. *History, Archaeology and Christian Humanism*. Nova York: McGraw-Hill Book Company, 1964.

BRIGHT, John. *A History of Israel*. Filadélfia: The Westminster Press, 1959.

BUTTRICK, George A. (ed.). *The Interpreter's Dictionary of the Bible*, 4 vols. Nova York: Abingdon Press, 1962.

CAMPBELL, Edward F., Jr. "Section B, the Ancient Near East: Chronological Bibliography and Charts", *The Bible and the Ancient Near East*. Editado por G. Ernest Wright. Garden City, Nova York: Doubleday and Company, Inc., 1961, pp. 214-18.

DOUGLAS, J. D. (ed.). *The New Bible Dictionary*. Grand Rapids: Wm. B. Eerdmans Publishing Co., 1962.

FINEGAN, Jack. *Light From the Ancient Past*, Segunda Edição. Princeton: University Press, 1959.

FREE, Joseph P. *Archaeology and Bible History*. Wheaton: Van Kampen Press, 1950.

GINSBERG, H. L. "Ugaritic Myths, Epics and Legends" *Ancient Near Eastern Texts*. Editado por James B. Pritchard. Princeton: Princeton University Press, 1950, pp. 129-48.

GLUECK, Nelson. *The Other Side of the Jordan*. New Haven: American Schools of Oriental Research, 1940.

GORDON, Cyrus. *Ugaritic Handbook*. Roma: Pontificium Institutum Biblicum, 1947.

_____. *Ugaritic Literature*. Roma: Pontificium Institutum Biblicum, 1949.

KEIL, C. F. e Delitzsch, F. *The Books of Samuel*, Grand Rapids: Wm. B. Eerdmans Publishing Company, 1950.

KITTEL, Rudolph (ed.) *Biblia Hebraica*. Editio undecima... Stuttgart: Privileg. Wurtt. Bibelanstalt – para a Sociedade Bíblica Americana, Nova York, 1959.

LUCKENBILL, Daniel David. *The Annals of Sennacherib*. Chicago: University of Chicago Press, 1924.

OWEN, G. Frederik. *Archaeology and the Bible*. Westwood, N.J.: Fleming H. Revell Company, 1961.

PARROT, Andre. *Nineveh and the Old Testament*. Nova York: Philosophical Library Inc., 1955.

PFEIFFER, Charles. *Ras Shamra and the Bible*. Grand Rapids: Baker Book House, 1962.

PHILLIPS, Wendell. *Qataban and Sheba*. Nova York: Harcourt, Brace and Company, 1955.

PRITCHARD, James B. (ed.). *Ancient Near Eastern Texts Relating to the Old Testament*. Princeton: Princeton University Press, 1950.

PURKISER, W. T. (ed.). *Exploring the Old Testament*. Kansas City: Beacon Hill Press, 1955.

RAHLFS, Alfred (ed.). *Septuaginta, Editio Tertia*. Nova York: Societate Biblica Americana, 1949.

WRIGHT, G. Ernest, e FILSON, Floyd Vivian. *The Westminster Historical Atlas to the Bible*. Filadélfia: The Westminster Press, 1945. Edição Revisada, 1956.

WRIGHT, G. Ernest, e FULLER, Reginald H. *The Book of the Acts of God*. Garden City: Doubleday and Company, Inc., 1957.

YOUNG, Edward J. *An Introduction to the Old Testament, Revised Edition*. Grand Rapids: Wm. B. Eerdmans Publishing Company, 1960.

III. ARTIGOS

ALBRIGHT, William F. "The High Places in Ancient Palestine". Suplemento de *Vetus Testamentum*, IV (1957), pp. 242-58.

____. "The Original Account of the Fall of Samaria in II Kings". *Boletim da American Schools of Oriental Research*, n° 174 (1964), pp. 66-67.

____. "The Chronology of the Divided Monarchy" *Ibid.*, n° 100 (1945), pp. 16-22.

____. "The Catalogue of Early Hebrew Lyric Poems (Psalm LXVIII)". *Hebrew Union College Annual*, XXIII, Parte I (1950-51), pp. 1-39.

BARROIS, G. A. "House of the Forest of Lebanon". IDB, Vol. *E-J*, pp. 657-58.

____. "Chronology, Metrology, Etc". IB (1), pp. 142-64.

COHEN, S. "Abel-Meholah". IDB, Vol. *A-D*, p. 5.

____. "Anathoth". IDB, Vol. *A-D*, p. 125b.

____. "Penuel". IDB, Vol. *K-Q*, p. 727.

____. "Tishbe". IDB, Vol. *R-Z*, pp. 753-54.

____. "Zarethan". IDB, Vol. *R-Z*, pp. 935-36.

CORNEY, R. W. "Libnah". IDB, Vol. *K-Q*, p. 123.

CROSS, Frank M., Jr., e WRIGHT, G. Ernest. "The Boundary and Province Lists of the Kingdon of Judah". *Journal of Biblical Literature*, LXXV (1956), pp. 202-9.

DAVIES, G. Henton. "High Place, Sanctuary". IDB, Vol. *E-J*, pp. 602-4.

DE VAUX, Roland. "Titres et fonctionnaires egyptiens alla cour de David et de Salomon". *Revue Biblique*, XLVII (1939), pp. 394-405.

GARBER, P. L. "Brass". IDB, Vol. *A-D*, p. 461.

____. "Reconstructing Solomon's Temple". *Biblical Archaeologist*, XIV (1951, 1), pp. 2-24.

GASTER, T. H. "Baal-zephon". IDB, Vol. *A-D*, p. 332.

GLUECK, Nelson. "Explorations in Eastern Palestine IV". *Annual of the American Schools of Oriental Research*, XXV-XXVIII (1951), Parte I, pp. 334-47.

____. "The First Campaign at Tell El-Kheleifeh". Boletim da *American Schools of Oriental Research*, N° 71 (1938), pp. 3-18.

GOLD, V. R. "Beth-shemesh". IDB, Vol. *A-D*, p. 402.

Gray, John. "Nisroch". IDB, Vol. *K-Q*, p. 554.

Greenfield, J. C. "Cherethites and Pelethites". IDB, Vol. *A-D*, p. 557.

Grohman, E. D. "Kir-Hareseth". IDB, Vol. *K-Q*, p. 36.

Haldar, A. "Pharpar". IDB, Vol. *K-Q*, p. 781.

Kelso, J. L. "Bethel (Sanctuary)". IDB, Vol. *A-D*, pp. 391-93.

Kenyon, Kathleen. "Excavation in Jerusalem". *Biblical Archaeologist*, XXVII (1964, 2), pp. 34-51.

_____. "Excavations in Jerusalem". *Palestine Exploration Quarterly* (1962), pp. 72-89.

Manley, G. T. *"High Place"*. NBD, pp. 525-26.

Morton, W. H. "Aphek". IDB, Vol. *A-D*, p. 156.

Muilenberg, J. "Mizpah, Mizpeh". IDB, Vol. *K-Q*, p. 407.

Olmstead, A.T. "The Fall of Samaria". *American Journal of Semitic Languages*, XXI (1904-5), pp. 179-82.

Pritchard, James B. "Gibeon". IDB, Vol. *E-J*, pp. 391-93.

_____. News Release to a Time Reporter. "Archaeology", *Time* (13 de março de 1964), p. 48.

Wylie, C. C. "On King Solomon's Molten Sea". *Biblical Archaeologist*, XII (1949, 4), pp. 86-90.

Yadin, Yigael. "The Fourth Season of Excavation at Hazor". *Biblical Archaeologist*, XXII (1959), pp. 3-6.

Os Livros das
CRÔNICAS

Robert L. Sawyer

Introdução

A. Título e Lugar no Cânone

Na Septuaginta (LXX), a versão em grego do Antigo Testamento, o título das Crônicas é *Paralipomena*, que significa "assuntos (previamente) omitidos" em Reis e Samuel. Os dois livros das Crônicas eram originalmente um só texto. Jerônimo traduziu o título em hebraico *divre hayyamin*, "eventos ou anais dos dias (tempos)" (1 Cr 27.24) pela palavra em latim *Chronicorum*, ou "a crônica da história divina completa".

1 e 2 Crônicas estão colocados com os "escritos" ou *hagiographa* no Cânone Talmúdico e nas bíblias hebraicas publicadas pela Hebrew Publishing Company. No entanto, na Septuaginta e na Vulgata, assim como na tradução em português, eles aparecem imediatamente depois dos livros dos Reis.

B. Autoria e Data

Não existe uma afirmação específica nos textos das Crônicas quanto ao seu autor. O ponto de vista tradicional tem sido que esses dois livros da nossa Bíblia faziam parte de um conjunto com os de Esdras e Neemias. De acordo com a tradição judaica, Crônicas foi, afinal, escrito pelo próprio Esdras, para fazer a transição entre a história do passado e os problemas contemporâneos do período pós-exílio, com relação ao restabelecimento da Terra Prometida. Existem divergências quanto a isto, e alguns sugerem que Esdras foi o autor somente das genealogias[1]. Delitzsch, entretanto, o vê como o compilador do material usado nas Crônicas[2]. Este ponto de vista tem encontrado alguma aceitação.

Outros autores conservadores preferem considerar esses livros como uma compilação. Mas, as evidências internas, assim como o peso da opinião, penderia para o lado de um único autor. Os livros indicam que eles são do período pós-exílio; eles tratam de interesses similares; e foram escritos com o mesmo estilo literário. Assim, Esdras certamente se encaixa na descrição de um autor como este, melhor do que qualquer outro homem conhecido daquela época.

Os livros tratam da história dos hebreus até o final do cativeiro e da restauração, com Ciro. Estes fatos exigiriam uma data do pós-exílio. Por exemplo, com base em 2 Crônicas 35.25 teria que ser obviamente após a época de Jeremias. Se, devido à linguagem, estilo e ponto de vista histórico, Esdras for aceito como o autor, os livros teriam que ser do final do século V a.C. W. F. Albright defende a autoria de Esdras e fixa a data entre 400 e 350 a.C.[3].

Desde Wellhausen até Pfeiffer, os críticos tentaram fixar uma data posterior para os livros, mas eles admitem a falta de argumentos conclusivos. Os três principais argumentos para uma data posterior são: (1) linguagem e espírito; (2) a genealogia de 1 Crônicas 3.17-24; (3) a última data de Esdras-Neemias[4].

Como Unger enfatiza, o argumento de Pfeiffer de que a linguagem e o estilo são artificiais e decadentes dificilmente se aplica, uma vez que o vernáculo é mais aramaico que hebraico. É impossível determinar se há cinco ou onze gerações listadas após Zorobabel, como os próprios críticos admitem[5].

Certamente essas evidências são insuficientes para colocar Esdras e Neemias em uma época muito posterior ao século V.

C. Propósito e Fontes

É axiomático que os livros de Crônicas foram escritos para dar perspectiva e continuidade histórica aos hebreus que enfrentaram tarefas hercúleas em sua volta do exílio. Entre essas atividades se incluíam a reconstrução do Templo e a restauração da adoração que envolvia o sistema levítico de sacrifícios. O povo também enfrentou a necessidade de reconstruir as cidades para os legítimos herdeiros dentro das áreas tribais específicas, e a reconstrução da nação como o povo escolhido de Deus para a salvação do homem.

Os livros de Samuel e dos Reis refletem o ponto de vista profético, e incluem as histórias dos reinos do Norte e do Sul. Os livros de Crônicas refletem o ponto de vista sacerdotal e não meramente repetem ou acrescentam alguns detalhes para a posteridade. Ao invés disso, por causa do ponto de vista, são dados detalhes a respeito do Templo e dos rituais, e as omissões e adições são importantes para uma compreensão abrangente dos hebreus e do plano divino da salvação.

O primeiro livro de Crônicas em parte corresponde ao segundo de Samuel; ele trata das tribos fiéis, Judá e Benjamim, que formaram o Reino do Sul. A maior parte do texto lida com o material já encontrado nos outros livros do cânone do Antigo Testamento, desde Gênesis até Reis. As genealogias levam até os reinos de Davi e Salomão com as suas contribuições para a nação dos hebreus.

As assim chamadas omissões, lacunas e diferenças de grafia foram desencorajadoras para muitos estudiosos da Bíblia, mas não devia ter sido assim. No segundo livro de Crônicas a história do Reino do Norte – desde a morte de Salomão, em 931 a.C., até a queda de Samaria, em 721 a.C. – é completamente omitida, pois nenhum dos reis se afastou dos pecados de Jeroboão, e desta forma eles não deram qualquer contribuição para a verdadeira adoração a Deus no Templo de Jerusalém. Judá era o único reino que prosseguia, conforme havia sido profetizado e prometido por meio de Davi, da tribo de Judá. Daí, o grande detalhe a respeito dos reinos de Davi e de Salomão, incluindo aqueles reis do Reino do Sul que seguiam a trilha deixada por eles. O segundo livro de Crônicas abrange o mesmo período dos livros dos Reis: dos últimos dias de Davi até o exílio na Babilônia.

Deve-se notar que toda a história anterior a Davi está resumida pelos quadros genealógicos. Os hebreus precisavam recuperar o trono de Davi e estabelecer a adoração ao Senhor, como na "era dourada" que culminou no reinado de Salomão. O autor omite com muito tato os grandes pecados de Davi e de Salomão porque essas narrativas nada acrescentam ao seu propósito de escrever.

A contribuição peculiar das Crônicas está no material que aparece aqui e não é encontrado nem nos livros de Samuel nem em Reis, e que trata enormemente, se não exclusivamente, dos temas dos rituais relacionados com a adoração no Templo.

O cronista inclui dados omitidos por outros. Com a orientação do Espírito Santo, ele usou aqueles fatos que se adequavam ao seu objetivo. Ao fazer isso, ele menciona algumas das suas fontes, das quais uma parte não está disponível ao estudioso da atualidade. Além do verdadeiro conhecimento do autor e do uso dos fatos encontrados nos outros livros, desde Gênesis até Reis, ele menciona pelo menos dez ou mais fontes. São citados os escritos de oito profetas: Samuel, Natã, Gade, Aías, Semaías, Ido, Jeú e Isaías. O livro dos reis de Judá e Israel não deve ser confundido com os livros canônicos dos Reis (por exemplo, 1 Cr 9.1; 2 Cr 27.7; 33.18; 36.8 referem-se a materiais não encontrados nos nossos livros canônicos em sua forma atual). Os inúmeros quadros genealógicos e fatos poderiam ser encontrados em publicações, diários e registros públicos além dos do Templo, que eram acessíveis ao autor na sua época.

Ao avaliar o ponto de vista do autor, Cartledge diz:

> O ritual pode facilmente ser superenfatizado ou usado inadequadamente, mas também pode ser uma parte importante adjunta à verdadeira adoração. O ritual pode enfatizar a importância da pureza moral e a necessidade de lidar-se com o problema do pecado[6].

Ele prossegue, ao dizer que no Novo Testamento nós podemos ver exemplos daqueles que tomaram os rituais como um substituto para a espiritualidade, mas o ritual no Antigo Testamento era um prelúdio necessário e uma profecia daquele que satisfez todos os aspectos da lei dos judeus.

D. A Importância das Crônicas

Keil ressalta que os livros das Crônicas referem-se "àqueles tempos", "àqueles homens" e "àqueles eventos" que viriam a ser a base para a reconstrução de uma nova nação. Eles também se referem a uma nova adoração no Templo, aceitável a Deus, e profética quanto à revelação da plenitude do Messias, o Filho de Deus[7]. Sem as Crônicas, estaríamos empobrecidos em nossa perspectiva histórica.

Podemos reconhecer que existem aparentes discrepâncias nas menções a alguns nomes e números. Os números nas Crônicas, às vezes, são maiores do que aqueles que são apresentados em outras partes do Antigo Testamento, e parecem ser inacreditáveis para o leitor. Não precisamos ignorar estes fatos, pois não há perigo em confrontá-los. Tampouco colocaríamos toda a responsabilidade naqueles que estiveram envolvidos na transmissão do texto. Depois de tudo o que foi dito sobre o problema, nenhum fato essencial da vida espiritual foi alterado. Podemos ser leais tanto aos fatos como eles são, quanto a uma sólida doutrina de inspiração. O autor é preciso em tudo o que é essencial, e suas fontes são confiáveis (cf. nota de rodapé, Et 9.1-16).

Esboço

I. AS GENEALOGIAS, DE ADÃO A DAVI, 1 Cr 1.1—9.44

    A. De Adão a Noé, 1.1-4
    B. Os Descendentes dos Três Filhos de Noé, 1.5-27
    C. De Abraão às Tribos, 1.28-54
    D. Os Filhos de Israel, 2.1-4
    E. A Tribo de Judá, 2.5–4.23
    F. Simeão, Rúben, Gade e Manassés, 4.24—5.26
    G. A Tribo de Levi, 6.1-81
    H. Descendentes de Issacar, Benjamim, Naftali, Manassés, Efraim, Aser, 7.1-40
    I. Os descendentes de Benjamim, 8.1-40
    J. Registros de Israel e Judá, 9.1-44

II. O REINO DE DAVI, 1 Cr 10.1—29.30

    A. A Morte de Saul, 10.1-14
    B. Davi como Rei, 11.1–27.34
    C. Salomão é Coroado Rei, 28.1–29.30

III. O REINO DE SALOMÃO, 2 Cr 1.1—9.31

    A. A Confirmação de Salomão, 1.1-17
    B. A Construção do Templo, 2.1-5:1
    C. A Consagração do Templo, 5.2–7.22
    D. A Glória de Salomão, 8.1–9.31

IV. A HISTÓRIA DE JUDÁ, 2 Cr 10.1—36.23

    A. O Primeiro Ciclo na História de Judá, 10.1—20.37
    B. O Segundo Ciclo na História de Judá, 21.1—32.33
    C. O Terceiro Ciclo na História de Judá, 33.1—35.27
    D. O Quarto Ciclo na História de Judá, 36.1-23

Seção I

AS GENEALOGIAS DE ADÃO A DAVI

1 Crônicas 1.1—9.44

O objetivo destes quadros genealógicos é o mesmo dos dois livros juntos. Aqui podemos ver o autor esforçando-se para ajudar os levitas, que eram os responsáveis pela adoração no Templo, e os judeus da família governante de Davi, a encontrar a sua reintegração adequada e a responsabilidade pela sua herança. Cada tribo estaria interessada e seria responsável pela sua própria participação e pelo seu lugar na restauração, sob a liderança de Esdras, o servo de Deus.

As genealogias são incompletas e não se parecem, em absoluto, com um diário. Mas elas, realmente, oferecem uma ligação de geração-a-geração, através de Davi, à restauração e também o percurso oposto. O ano do jubileu e o fator do sacerdócio levita hereditário, fizeram com que fosse imperativo manter e assumir o título da propriedade da terra e dos ofícios. Ao invés de serem confusas, estas genealogias ressaltam o caráter histórico do Antigo Testamento.

A omissão de algumas vidas importantes, como, por exemplo, a de Eli, e a inclusão de personagens menos importantes, seguem o princípio que se deduziu acima, de que a ênfase está naqueles que cumpriram a vontade de Deus, fosse ela grande ou pequena. Aqueles cujas vidas não parecem ter contribuído para o objetivo principal do autor foram omitidos.

A. De Adão a Noé, 1.1-4

Esta parte, assim como a seguinte, pressupõe um conhecimento de Gênesis 5.1-32. Os treze nomes não incluem Caim nem Abel. Não se verifica um esforço para mencionar a duração da vida de cada homem. Talvez isto ocorra porque não há coincidência entre os textos: o hebraico, que cobre 1.056 anos no total; o samaritano, que cobre 707 anos; e a Septuaginta (LXX), que cobre 1.662 anos para os homens mencionados.

B. OS DESCENDENTES DOS TRÊS FILHOS DE NOÉ, 1.5-27

Aqui, a ordem na qual são citados os filhos de Noé é a inversa do relato de Gênesis, sem dúvida para enfatizar que os descendentes de Sem são o povo escolhido de Deus.

1. *A Linhagem Familiar de Jafé* (1.5-7)
Jafé é o mais moço; então é considerado em primeiro lugar, para se apresentar por último a linhagem principal de Sem. Esta passagem é idêntica a Gênesis 10.2-4, mas omite o versículo 5: "Por estes, foram repartidas as ilhas das nações nas suas terras, cada qual segundo a sua língua, segundo as suas famílias, entre as suas nações".

2. *A Linhagem de Cam* (1.8-16)
Novamente podemos ver aqui a escassez de detalhes, mas essencialmente os mesmos nomes de Gênesis 10.6-20. A lista consiste dos quatro filhos de **Cam: Cuxe, Mizraim, Pute** e **Canaã** (8) – com os netos e bisnetos, exceto que não há descendentes de Pute, o terceiro filho mencionado. Há seis netos de Cuxe, incluindo **Ninrode** (10); sete netos através de **Mizraim** (11); onze netos através de **Canaã** (13); e uma menção a dois bisnetos através de **Raamá** (9), o quarto filho de Cuxe. Isto leva a lista a um total de trinta pessoas.

3. *A Linhagem de Sem* (1.17-27)
Esta lista se divide em duas na ocorrência do nome Pelegue, exatamente a meia distância na lista dos dez homens de Sem até Abraão.

a. *A lista até Pelegue* (1.17-23). Novamente a lista não fornece o número de anos, mas pára em Pelegue, a fim de dar o nome de seu irmão, **Joctã**, e os nomes dos treze filhos de seu irmão. Em Gênesis 11.10-26 e 10.21-32, podemos ver que os supostos nove filhos de Sem são, na realidade, cinco filhos e quatro netos. Uz, Hul, Geter e Más (ou Meseque) são descendentes de Arã, o último filho de Sem que é mencionado. A linhagem continuará até Abraão por meio do terceiro filho de Sem, Arfaxade, cujo neto, através de Héber [ou Éber], é Pelegue. **Pelegue** quer dizer "divisão", e se explica como vindo da divisão da terra em várias áreas de população (19). Existem vinte e seis nomes nesta lista.

b. *A lista de Pelegue até Abraão* (1.24-27). Em Crônicas não existe a narrativa do Dilúvio nem de Babel. Esta lista, até Abraão, é fornecida sem os números de anos nem comentários, exceto para identificar **Abrão** com **Abraão** (27). A lista inclui dez nomes. Aqui a ênfase é removida de Adão, o "pai comum da carne", e colocada sobre Abraão, o "pai dos fiéis"; da "aliança da inocência" para a "aliança da graça"[1].

C. De Abraão às Tribos, 1.28-54

Todos os filhos de Abraão são mencionados, mas não as suas mães. Somente Quetura, concubina de Abraão, tomada após a morte de Sarai, é mencionada em conexão com os seus filhos.

1. Os Filhos de Ismael (1.28-31)

Isaque (28) é citado em primeiro lugar, pois ele é o filho da aliança. Mas **Ismael**, o filho de Agar, a serva egípcia, é mencionado juntamente com os seus doze filhos (cf. Gn 25.13-15, *Hadade* em lugar de *Hadar*). Após começar pelo menos importante, o autor relaciona os demais descendentes de Abraão fora da linhagem da aliança.

2. Os Filhos de Quetura (1.32,33)

O termo **concubina** é usado aqui ao invés de esposa, como em Gênesis 25.1-4. Há treze nomes nesta lista: seis filhos; sete netos, dois através do segundo filho, Jocsã, e cinco através do quarto filho, Midiã. Exceto pelos três bisnetos através do segundo neto, a lista é a mesma aqui e em Gênesis 25.

3. Isaque, Esaú e Israel (1.34)

Este único versículo destaca a importância de **Isaque** e continua o registro com uma lista dos descendentes de Esaú antes de continuar a linhagem através de Israel (Jacó). O autor usa os nomes **Abraão** e **Israel**, ao invés de Abrão e Jacó, para conservar o seu propósito de rastrear os relacionamentos de Deus com o seu povo.

4. As Gerações de Esaú (1.35-54)

Aqui, novamente, os nomes são dados exatamente como em Gênesis 36.1-43, sem mencionar as mães.

a. Filhos e netos (1.35-37). São mencionados os cinco filhos de **Esaú** (35), os sete netos de Elifaz e os quatro netos de **Reuel** (37). Deve-se observar que, em Gênesis 36.12, **Timna** (36) é mencionada como uma concubina, cujo filho era Amaleque.

b. Os descendentes de Seir (1.38-42). Obviamente **Seir** (38), o horeu, não é um descendente de Abraão, mas o nome de um homem que, provavelmente, deu o seu nome a um lugar e a um povo. A área com esse nome é uma região montanhosa que atinge o sul desde o mar Morto, na Palestina, até o golfo de Ácaba, onde Petra é uma das suas principais cidades. Desse povo, Esaú tomou uma esposa ou concubina, **Timna** (39). A partir de Deuteronômio 2.12 se sabe que eles foram expulsos pelos edomitas, assim como os israelitas expulsaram os habitantes de Canaã.

c. Os príncipes de Edom (1.43-54). A palavra **príncipe** (51) não deve ser confundida com o título, mas, como afirmam as Escrituras, se aplica aos reis ou governantes sobre a terra que os edomitas possuíam.

A história dos edomitas como inimigos de Israel é fascinante, se a estudarmos através dos profetas. Nós os encontramos como convertidos à religião judaica durante o período macabeu.

415

O governador de Israel na época de Cristo era Herodes, um edomita. Eles desapareceram da história em cumprimento à profecia de Obadias, da destruição de Jerusalém por Tito, o romano, em 70 d.C. Talvez a história posterior dê razão suficiente para uma lista tão extensa aqui.

D. Os Filhos de Israel, 2.1-4

Com este capítulo, começam as genealogias que são a principal preocupação do cronista, os doze filhos de Israel e os seus descendentes. Todas as genealogias preliminares são esboços, mas a partir deste ponto a inclusão ou exclusão dos nomes e fatos está de acordo com o seu propósito principal.

1. Os Doze Filhos de Israel (2.1,2)
A ordem na qual estão listados aqui os filhos de Jacó é diferente daquela da bênção de Jacó, por ocasião de sua morte, em Gênesis 49.3-27, como também é diferente da listada por Moisés, em Êxodo 1.2-4. A ordem aqui é: (*a*) os seis filhos da primeira esposa de Jacó, Léia; (*b*) o filho mais velho da criada de Raquel, Bila; (*c*) os dois filhos da primeira mulher que ele amou, Raquel; (*d*) o outro filho da criada de Raquel, Bila; (*e*) os dois filhos de Zilpa, a criada de Léia. Não há outro registro no Antigo Testamento que organize os nomes nesta ordem. Muitos comentaristas acham a posição de Dã, o filho de Bila, a criada de Raquel, a mais difícil de justificar[2].

2. Os Filhos de Judá (2.3,4)
A partir do capítulo 2 existe alguma repetição, e uma aparente confusão, suficiente para fazer com que muitos comentaristas tenham desistido de tentar esclarecer as coisas. Embora as linhagens estejam obviamente descritas para ajudar aqueles que retornavam (do cativeiro), achamos difícil compreender o seu ponto de vista e entender todas as coisas que estavam envolvidas.

Judá, que é listado como o quarto filho de Israel, vem em primeiro lugar. O material aqui é o mesmo de Gênesis 38.6-30 (cf. também Gn 46.12 e Nm 26.19-22).

Judá tem cinco filhos com a sua esposa e com a sua nora: três através da filha de Sua, a cananéia – Er, Onã e Selá; e dois através de Tamar – Perez e Zerá (veja Gn 38.6-30). Er e Onã morreram sem herdeiros, e nós retomamos a linhagem de Selá em 1 Crônicas 4.21-23.

E. A Tribo de Judá, 2.5—4.23

As passagens de 2.3-17,21-41 e as passagens de 4.1-23 são consideradas como genealogias paralelas da tribo de Judá. É fácil ver que Rão, Calebe e Jerameel são os três mais importantes nas genealogias gerais. A descrição dos livros de Crônicas aparece por meio de Rão, a linhagem nobre.

1. Alguns Descendentes de Judá (2.5-8)
Este parágrafo dá diversas gerações, tanto de Perez como de Zerá, que são filhos de Judá através de **Tamar, sua nora** (4). O autor ignora **Selá** (3) para chegar ao ponto

principal, ou seja, a casa real de Davi. Nos versículos 3 e 7, **Er** e **Acar** (Acã) são mencionados pelas suas más ações, embora isto seja de alguma maneira excepcional nas Crônicas.

2. Os Antepassados de Davi (2.9-17)

Os três filhos de Hezrom são o elo principal nestas genealogias, na opinião do cronista. No versículo 9, **Quelubai** deveria escrever-se Calebe, como nos versículos 18,42,50 e 4.15. A tradução da Septuaginta usa *ch* ao invés de *c* em cada caso (4.11)[3].

Devido às referências em 4.15 e em Josué 14.6, alguns estudiosos consideram todas as referências a Calebe como o mesmo homem, e com **Jerameel** (9,25,42) para referirem-se a ambos como possuidores de uma origem edomita[4]. Entretanto, isto certamente não é obrigatório.

Há muitas outras genealogias de Davi, que concordam, em sua maioria, com esta passagem (cf. Mt 1.2-6; Lc 3.31-34).

A menção a **Davi** (15) como o **sétimo** filho difere de 1 Samuel 17.12-14, onde ele é mencionado como o oitavo filho. Em 1 Crônicas 27.18 há a menção a Eliú, que poderia ser identificado com Eliabe do que como o sétimo filho que falta. É perfeitamente possível que um filho morto anteriormente a este período não tivesse importância para a revisão do cronista.

De acordo com 2 Samuel 17.25, **Abigail** (17) era o nome de uma meia irmã de Davi, como também era o nome de uma de suas quinze esposas.

3. Calebe (2.18-20)

Existem pelo menos três possíveis interpretações ou identificações para **Calebe** (18): (1) todas as passagens, versículos 9,18,42,50 e 4.11,15, referem-se ao mesmo homem, um israelita descendente de Judá e relacionado com Josué[5]; (2) todas as passagens referem-se ao mesmo homem, que não é de origem israelita, mas sim dos nômades edomitas, amalgamados na história e na vida de Judá[6]; (3) as referências em 9,18,42,50 são ao mesmo Calebe descendente de Judá, mas o Calebe de 4.11 e 15 é de origem edomita, e deve ser identificado como tendo vivido em uma época posterior, ou seja, na época de Josué. A última interpretação tem certamente mais argumentos a seu favor, e está de acordo com a maneira de Deus lidar com o seu povo. Ele sempre teve um homem para fazer a sua obra, quer na linhagem hereditária ou não.

4. Mais sobre Hezrom (2.21-24)

Na verdade, os versículos 21-24 e 25-41, a respeito de Hezrom e Jerameel, parecem ser uma interrupção no quadro genealógico de Calebe, encontrado em 18-20 e em 42-49. Esse **Jair** mencionado no versículo 22 é, algumas vezes, identificado com o Jair de Juízes 10.3.

No versículo 23, **Gesur** é provavelmente um reino pequeno e vizinho a Arã, que é mais geralmente identificado como o território sírio cuja capital era Damasco (cf. 2 Sm 3.3; 13.37; 15.8). No versículo 24, parece quase impossível identificar **Calebe-Efrata** (cf. 2:19), embora alguns tenham sugerido que se trate de Belém-Efrata[7].

5. Descendentes de Jerameel (2.25-41)

Esta segunda interrupção, antes de prosseguir com a linhagem de Calebe, diz respeito aos descendentes de **Jerameel** (25). Ele não é citado em outra parte, embora o seu povo seja mencionado em 1 Samuel 27.10 e 30.29. O seu nome significa "aquele que Deus ama, aquele de quem Deus se compadece".

No versículo 25 do texto hebraico, não aparece o conectivo **e**; isso poderia dizer que Aías foi a mãe dos quatro homens anteriormente mencionados. O próximo versículo substancia esta hipótese. Nos versículos 25 e 9, **Rão** não se refere necessariamente ao mesmo homem. Poderia se tratar de um tio e um sobrinho com o mesmo nome.

A genealogia continua no versículo 30, em pares de filhos, exceto no versículo 31, onde a palavra **filhos** é seguida por um único nome, o que indica a possibilidade de um registro incompleto. No texto hebraico, a palavra traduzida como **filhos** significa "filhos homens", evidentemente porque no versículo 34 afirma-se que Sesã não teve **filhos**, somente **filhas**. Mas esta poderia ser uma referência específica àquela época[8].

Nos versículos 35-41 são mencionados os descendentes de **Jara** (35), o servo egípcio, e nenhum deles pode ser identificado em alguma outra parte da Bíblia Sagrada. Certamente, os judeus não eram de uma linhagem pura, embora essa descendência não se torne uma parte da genealogia do sangue de Davi. Alguns nomes comuns são usados, mas não é possível fazer uma identificação.

6. *Mais Descendentes de Calebe* (2.42-55)

Esta é uma continuação da genealogia do mesmo homem mencionado em 2.18-20, **Calebe** (42), filho de Hezrom e **irmão de Jerameel**. Nos versículos 46-49 podemos ver os descendentes de duas de suas concubinas.

Com respeito aos versículos 50-55, Keil sugere que a expressão **filho de Hur, o primogênito de Efrata** (50), deveria ser lido em conexão com a frase "**estes foram os filhos de Calebe**", para significar que virá em seguida a relação dos descendentes de Calebe através de seu filho Hur, o primogênito de sua esposa Efrata, e lê-se **filho** como "filhos de" (cf. 19)[9].

É interessante observar que poucas mulheres, como as mães, são mencionadas no cap. 2; que Deus trará os indivíduos ao julgamento pelos pecados que praticaram; que alguns nomes aqui parecem ser títulos tanto de pessoas como de lugares, o que está de acordo com qualquer período, quer contemporâneo quer antigo.

7. *A Família de Davi* (3.1-9)

O cronista dirigiu-se apressadamente a este ponto. A sua narrativa, condensada, resultou em algumas omissões que pressupõem um conhecimento, por parte do leitor, dos materiais registrados nos livros históricos anteriores. Esta seção começa a genealogia – através de Rão, o segundo filho de Hezrom – que tinha sido interrompida em Jéter, em 2.17. Agora continua com Davi até uma época *posterior* ao cativeiro. O restante destes dois livros tratará dos homens mencionados neste capítulo.

Aqui se afirma que Davi teve seis filhos, nascidos de seis diferentes esposas durante os sete anos e meio em que ele governou em Hebrom (1-4). Em Jerusalém, ele governou trinta e dois anos e meio, e teve nove filhos nascidos de outras esposas, além dos quatro de Bate-Seba. Também se menciona que ele teve outras **concubinas** (9) e filhos, além da sua filha, **Tamar** (2 Sm 13.1). Assim, ele teve um total de dezenove filhos de suas esposas, pelo menos uma filha e outros filhos com as suas concubinas, e talvez outras filhas também (5-9). Em 2 Samuel 15.16, existe uma menção a dez concubinas (cf. 9). Há mais variações dos nomes dos filhos nascidos em Jerusalém do que dos nascidos em Hebrom (cf. 14.4-7; 2 Sm 5.14-16). No versículo 5, **Bate-Sua** é obviamente Bate-Seba.

8. A Linhagem de Davi através de Salomão (3.10-24)

A rapidez na enumeração da descendência real aqui reanima, porque os nomes são mais familiares. Os livros de Samuel e de Reis têm o mesmo conteúdo, com a adição dos reis do norte de Israel.

É de se esperar que o cronista ignore Atalia, que usurpou o trono e que reinou durante seis anos. De Davi a Josias há dezesseis gerações de sucessões ao trono do tipo pai-para-filho. Depois surgem quatro sucessões ao trono que representam quatro irmãos, filhos de Josias; então aparecem um neto e um bisneto, através de Jeoaquim.

No versículo 15, os nomes não se encaixam no mesmo tipo de sucessão de pai-para-filho que consta nos versículos precedentes. O reino efetivamente terminou com **Josias**, porque os quatro reis remanescentes eram vassalos do Egito ou da Babilônia. **Joanã** não é conhecido nas outras fontes e não deve ser identificado com Joacaz. **Salum** e Joacaz são a mesma pessoa (cf. 2 Rs 23.30; 2 Cr 36.1; Jr 22.11). Se compararmos 2 Reis 23.31 e 24.18, descobriremos que **Salum** não é o mais jovem, mas é colocado por último por causa do seu curto reinado e do fato de que ele e Zedequias eram filhos da mesma mãe[10].

O **Zedequias** do versículo 16 não é o mesmo mencionado no versículo 15. Uma vez que não é registrado novamente, ele deve ter morrido em Judá antes de ser levado cativo, porque a genealogia que se segue retoma a linhagem somente através de **Jeconias**. Dos quatro últimos reis, três eram irmãos, e **Jeconias** ou Joaquim é um filho de **Jeoaquim**, o que faz dele um sobrinho do seu sucessor, **Zedequias**, o último rei conhecido de Judá (cf. 2 Rs 24.17ss.; 2 Cr 36.10).

A genealogia dos versículos 17-24 contém muitos nomes que não são usados em outro lugar. Os dois que aparecem em outras passagens são **Sealtiel** (17) (ou Salatiel) e **Zorobabel** (19). Em Edras 3.2; Ageu 1.1; Mateus 1.12; Lucas 3.27, afirma-se que Zorobabel era o filho de Sealtiel, uma palavra que pode significar neto[11]. Mas aqui se deduz que ele era um sobrinho de Sealtiel e um filho de Pedaías (17,18). Keil tenta solucionar a aparente discrepância, ao mostrar que, segundo a lei de casamento dos levitas (Dt 25.5-10), Pedaías poderia ter se casado com a sua cunhada depois da morte de Sealtiel, e criado um filho em nome de seu irmão. Desta forma, Ageu, Esdras e Mateus estariam corretos ao dizerem que Zorobabel era filho de Sealtiel e não de Pedaías[12].

A principal importância deste quadro genealógico está em ajudar a definir as datas dos livros de Crônicas por meio do número de gerações a partir de Zorobabel, que liderou o primeiro retorno a Jerusalém, em 536 a.C. O esforço da maioria dos comentaristas é o de determinar se existem duas ou onze gerações listadas, o que altera a última data possível dos escritos, de aproximadamente o ano 400 a.C. para 270 a.C. Embora os distintos pontos de vista sejam defendidos por aqueles que os afirmam, não há uma razão conclusiva para evitar que mantenhamos a idéia de que Esdras foi o autor das Crônicas[13].

9. Uma Genealogia Geral ou Fragmentada de Judá (4.1-23)

Crockett e outros consideram esta como uma genealogia paralela à de 2.3-17,21-41, porém muito fragmentada. Os nomes dos cinco filhos mencionados em 2.3 e 4.1 não são idênticos. A partir de uma comparação de 2.9,19,50, o nome **Carmi** corresponde a Calebe.

Até este ponto, muito pouco esclarecimento biográfico foi dado aos homens mencionados; mas, no versículo 10, **Jabez** é mencionado não pelo mal, mas, sim, por sua vida de oração e fé no Deus de Israel. Ele conquistou o seu pedido de ser mantido **longe do mal** ou dos desastres, talvez para antecipar, de alguma maneira, o padrão do Novo Testamento, da oração do Senhor.

"A oração de Jabez" nos versículos 9 e 10 é uma verdadeira pérola enterrada em uma longa série de genealogias. (1) Ele era o filho de uma mãe preocupada, 9; (2) ele era um homem honrado, 9; (3) ele orou para pedir bênçãos, engrandecimento, a presença e a proteção de Deus, e a preservação do mal, 10; (4) **E Deus lhe concedeu o que lhe tinha pedido**, 10.

Nos versículos 13 e 15, a menção de **Otniel** e **Calebe** neste quadro dá a impressão de que **Calebe** era de uma dinastia não israelita (cf. comentários sobre 2.18-20). Afirma-se que este **Calebe** era **filho de Jefoné** (cf. Js 15.17 e 14.6).

No versículo 21, acrescenta-se a interessante informação de que alguns tinham o talento para fabricar **linho**, e no 22 há a referência a **registros antigos** como a fonte dos dados do cronista. Grande parte deste material parece ser de pouca importância para nós na atualidade, mas, certamente, tinha muito valor para aqueles que retornavam a Jerusalém. No versículo 23, a menção aos **oleiros** que trabalhavam nas terras do rei dá um interessante esclarecimento sobre o fato de que alguns eram servos. É mais significativo transliterar as palavras **Netaim** e **Gedera** como nomes de lugares, ao invés de **hortas e cerrados**. "Estes eram oleiros e habitantes de Netaim e de Gedera".

F. Simeão, Rúben, Gade e Manassés, 4.24—5.26

1. *Simeão* (4.24-43)

Simeão talvez esteja incluído aqui por causa de sua íntima associação com Judá (cf. Js 19.9). No versículo 27, obtemos algum esclarecimento sobre o motivo pelo qual Simeão era uma tribo relativamente sem importância, ou seja, porque suas famílias eram muito pequenas. No versículo 31, a menção da época de Davi nos fornece outro esclarecimento sobre as fontes do cronista. De acordo com 1 Samuel 27.6, pelo menos uma dessas cidades de Simeão se tornou parte de Judá.

Nos versículos 34-38, o autor menciona determinados nomes devido a sua importância; ou seja, eles eram **príncipes** (38) e bastante ricos. Nos versículos 39-41, descobrimos que esses homens evidentemente tomaram a terra e as cidades de que necessitavam desde o tempo de Ezequias.

Nos versículos 42-43, **quinhentos** pode ter sido outro grupo de homens que seguiu na direção sul até **as montanhas de Seir** em Edom, ao lado do mar Morto, na sua conquista do tradicional inimigo de Moisés, Saul e Davi (cf. Nm 13.29; 1 Sm 14.48; 15.7; 2 Sm 8.12). A expressão **até ao dia de hoje** (43) significa até a época do cronista ou até o dia da fonte – pelo menos até o período de Ezequias ou algum tempo depois.

2. *Rúben* (5.1-10)

A razão da posição de Rúben aqui é o fato de que, embora fosse o primogênito, foi deserdado a favor dos filhos de José (Gn 35.22; 49.3,4). No entanto, foi Judá que recebeu o primeiro lugar e através de quem a linhagem messiânica foi traçada. Os filhos de José são levados em conta depois de Rúben, embora a razão para esta ordem esteja aberta a discussões (cf. Gn 29.32; 35.22ss; 48.15,22). No versículo 3, a lista dos filhos de Rúben não é a mesma encontrada em Gênesis 46.9; Êxodo 6.14 e Números 26.5, nem podemos encontrar uma explicação ou conexão com o **Joel** do versículo 4. Existe uma variação na grafia de **Tiglate-Pileser** (6), que também é mencionado em 2 Reis 15.29 e 16.7. A expansão na direção leste para o **Eufrates** (9) indica o desejo por pastagens, assim como a pressão de Moabe para o sul. A guerra aqui descrita pode ser a mesma de 18-22. **Os hagarenos** (10) indicariam um relacionamento com os descendentes de Agar através de Ismael (Gn 25.12-18). **A banda oriental de Gileade** ainda estaria a oeste do Jordão.

3. *Gade* (5.11-17)
Os detalhes encontrados em Números 26.15-18 são omitidos. Os **arrabaldes de Sarom** (16) é melhor traduzido como "as terras de pastagens de Sarom". **Jeroboão,** no versículo 17, teria que ser Jeroboão II (cf. 2 Rs 14.16,28; 15.5,32).

4. *Uma Afirmação Histórica* (5.18-22)
Esta batalha registrada, que contou com a cooperação de Rúben, Gade e meia-tribo de Manassés é provavelmente a mesma que é mencionada no versículo 10. Em Números 32.33 se indica que a meia tribo de Manassés estava assentada a leste do rio Jordão; daí as freqüentes referências ao seu nome.
Os nomes no versículo 19, **Jetur, Nafis e Nodabe** (Quedemá) aparecem em 1.31 e em Gênesis 25.15, como descendentes de Ismael. A relação entre a confiança em Deus e a resposta às orações está bem exposta: **porque clamaram a Deus na peleja, e lhes deu ouvidos, porquanto confiaram nele** (20). A quantidade de gado (21) é grande, mas certamente possível. Por **habitaram em seu lugar** (22) leia-se "habitaram no lugar deles". O exílio mencionado é o cativeiro sob os assírios governados por Tiglate-Pileser (6). Estas tribos ocidentais sempre eram as primeiras a serem aprisionadas pelos inimigos que vinham do norte e do leste.
É possível que nem Reis e Samuel, nem Crônicas contenham uma história completa das tribos[14]. Estas informações, portanto, são tão interessantes quanto importantes, por ser um detalhe não registrado em outra parte.

5. *Manassés* (5.23-26)
Esta **meia tribo de Manassés** (23) não é conhecida por sua piedade e devoção ao Deus de Israel. Existem mais informações em 7.14-19. Em 2 Crônicas, a batalha com os assírios não é descrita com detalhes, mas é a mesma de 2 Reis 15.29; 17.6,7; e 18.11.
No versículo 26, **Pul** e **Tiglate-Pileser** são nomes diferentes para o mesmo rei da Assíria. **Até ao dia de hoje** se refere à época em que viveu o escritor.

G. A TRIBO DE LEVI, 6.1-81

O texto destes versículos está repetido e expandido nos capítulos 23-26. Aqui há um registro dos descendentes de Levi, a linhagem dos sumos sacerdotes até o cativeiro, e a enumeração das cidades levitas. A abundância de detalhes e a repetição aqui refletem a importância que o cronista dava à adoração daqueles que retornavam.

1. *A Linhagem do Sumo Sacerdote* (6.1-15)
A genealogia começa com os três **filhos de Levi** (1) e prossegue através do segundo, **Coate**, a **Anrão** (2). Em seguida, **Arão, Moisés e Miriã** (3). A linhagem continua através de Anrão e de seus quatro filhos. No versículo 3, os descendentes de **Nadabe** e **Abiú** são ignorados, como também acontece com a família de **Itamar**. A genealogia deste está apresentada em Samuel e em Reis (a casa de Eli).

Nos versículos 4-15, as três omissões óbvias, desde Arão até o cativeiro são: (1) Joiada, 2 Reis 11.15; 2 Crônicas 22.11; (2) Urias, 2 Reiss 16.11,16; (3) o Azarias contemporâneo de Uzias e Ezequias, 2 Crônicas 26.17,20; 31.10. **Jeozadaque** é importante (15) por ter sido o último sacerdote antes da nação ter sido levada ao **cativeiro** em 586 a.C. Os versículos 49-53 são aparentemente paralelos a esta lista.

2. *Gérson, Coate e Merari* (6.16-30)
As três linhagens começam nos versículos 20,22 e 29, na ordem dada no versículo 16, e incluem todas as famílias dos levitas. Nos versículos 17-19, são citados todos os descendentes dos três filhos de Levi; e nos versículos 20,27,29 a linhagem continua somente através do mais velho.

Aqui fica claro (27,28), ainda mais do que em 1 Samuel 1.1; 8.2, que **Samuel** era filho de **Elcana**, um levita, e não de um "efraimita" ou "judeu".

3. *Os Antepassados de Hemã, Asafe e Etã* (6.31-48)
Hemã, Asafe e Etã são três músicos designados por Davi para o serviço do louvor em conexão com a arca do Senhor, em Jerusalém, antes e depois da construção do Templo. Os três filhos de Levi – Gérson, Coate e Merari – tiveram um filho ou um neto ao serviço da música. Nos versículos 33-38, a genealogia de **Hemã** é apresentada retrocedendo até o segundo filho de **Coate**. Nos versículos 39-43, a linhagem de **Asafe** é apresentada da mesma forma, até o neto de **Gérson**; e nos versículos 44-47, a linhagem de **Etã** retrocede até o segundo filho de **Merari**. Há diversas variações entre os versículos 20-28 e 33-38. Nenhuma destas listas teria que estar perfeitamente completa para servir aos propósitos do autor.

4. *A Linhagem de Arão* (6.49-53)
Este parágrafo deve ser encarado como um paralelo a 6.1-15, especialmente 4-8. Os nomes são exatamente os mesmos.

5. *As Cidades Levitas* (6.54-81)
Os seus castelos nas suas costas (54) significam "os seus acampamentos nos seus termos [ou limites]". O cronista reordenou e resumiu uma parte das informações encontradas em Josué 21.1-42. A variação usual na grafia dos nomes está presente. As cidades levitas, **e os seus arrabaldes,** (57), terras de pastagens, foram dadas aos três filhos de Arão (Coate, Gérson e Merari) e às suas famílias, lançando a sorte. Dentre as cidades levitas, seis foram designadas como uma classe especial de comunidades chamadas **cidades de refúgio** (67).

Nos versículos 54-63 estão registradas, como em Josué 21.1ss., treze cidades que foram dadas por sorte aos **coatitas** (54) de Judá e Benjamim, e dez da meia-tribo de Manassés (cf. Js 21.5). **Gérson** (62) recebeu **treze cidades** (cf. Js 21.6) e **Merari** (63) **doze cidades** (cf. Js 21.7) – um total de quarenta e oito (Js 21.41).

O registro dos versículos 54-63 não é uma lista completa. Em 64-81 existem mais detalhes em relação a que família foi entregue qual cidade, e de que tribo ela era originária. De acordo com Números 35.6ss., havia seis cidades de refúgio, três do lado leste e três do lado oeste do Jordão, além de quarenta e duas adicionais de todas as tribos. Em Josué 20.7,8, as seis cidades são especificamente mencionadas, e também de que tribo e de que região era cada uma delas. Não é fácil obter essas informações somente a partir de Josué 21 ou de 1 Crônicas 6.54-81. Comparando as duas narrativas, podemos identificar: (1) *Quedes* ("sagrada") na Galiléia, no monte Naftali (1 Cr 6.72; Js 21.32); (2) *Siquém* ("ombro ou força") nas montanhas de Efraim (1 Cr 6.67; Js 21.21); (3) *Hebrom* ("companheirismo") ou Quiriate-Arba, na montanha de Judá (1 Cr 6.57; Js 21.13); (4) *Bezer* ("fortaleza") no deserto acima da planície da tribo de Rúben (1 Cr 6.78; Js 21.36); (5) *Ramote* ("exaltação") em Gileade, da tribo de Gade (1 Cr 6.73; Js 21.38); e (6) *Golã* ("alegria") em Basã, da meia-tribo de Manassés (1 Cr 6.71; Js 21.27). Mesmo nesta comparação, é um pouco difícil ter certeza sobre Bezer em Josué 21.36. A passagem em Josué 20 é a que dá a orientação.

As cidades de refúgio eram designadas àqueles que matassem alguém por acidente. Em uma destas seis cidades o homicida poderia encontrar segurança e proteção dos resultados de seu ato, até a morte do sumo sacerdote. Então ele estaria livre para voltar à sua própria cidade, a sua casa, família, e, ao seu trabalho. As cidades de refúgio são um belo tipo de Cristo. Como elas estavam no alto das montanhas e eram de fácil acesso a todas as tribos, dos dois lados do Jordão, assim também Jesus está acima de todos, mas disponível a todos aqueles que precisem dEle. As cidades eram bem marcadas e os seus nomes sugerem tudo aquilo que Cristo pode ser para o homem que está sujeito à pena de morte. Jesus, o nosso Sumo Sacerdote, por sua morte nos traz liberdade e libertação de todos os pecados. Que glorioso refúgio é o nosso Cristo! Não temos outro!

H. Descendentes de Issacar, Benjamim, Naftali, Manassés, Efraim, Aser, 7.1-40

Este capítulo contém alguns dados genealógicos sobre seis tribos adicionais dentre as outras doze. Duas tribos, Zebulom e Dã, são inteiramente omitidas nestes quadros genealógicos de Crônicas. As de Issacar e Aser, a primeira e a última apresentadas aqui são particularmente conhecidas por sua coragem na guerra. Efraim é conhecida por uma tragédia particular.

1. *A Tribo de Issacar* (7.1-5)

A variação na grafia dos nomes pode ser observada na comparação de Gênesis 46.13 e Números 26.23-25. **Puá** também é traduzido como "**Puva**"; **Jasube** também é traduzido como "**Jó**" em Gênesis 46.13 (cf. Nm 26.24). Os números, 22.600 para **Tola**, 36.000 para **Izraías** e 28.400 para os **seus irmãos** – um total de 87.000 – não mostram um grande aumento sobre a época de Moisés (Nm 1.29), quando havia 54.400, e mais tarde, em Números 26.25 quando havia 64.300. O período da ilegalidade durante a época dos juízes, que precedeu a Davi, certamente não levou a um grande aumento da população[15].

2. A Tribo de Benjamim ou Zebulom (7.6-12)

A genealogia aqui apresentada para Benjamim cria um problema difícil, embora pequeno. Ela não está de acordo com a genealogia detalhada desta tribo, fornecida no capítulo seguinte, nem com as genealogias de Gênesis 46.21 e Números 26.38. É difícil ver por que duas genealogias seriam dadas para uma tribo, ao passo que nenhuma é dada para Zebulom e Dã. Na ordem geográfica, seria possível encontrar Zebulom aqui[16].

Por essa razão, muitos estudiosos acreditam que esta lista na verdade pertence a Zebulom. Uma variação de escrita é bem possível, porque o primeiro filho de cada homem se chama Belá. Outros sustentaram, com menos plausibilidade, que a intenção era Dã, e não Zebulom. No entanto, Dã também está omitida da lista das tribos em Apocalipse 7.5-8, provavelmente por causa da extensa idolatria dessa tribo, e porque a maioria de suas famílias foi absorvida em Judá[17].

3. A Tribo de Naftali (7.13)

Aqui os nomes são os mesmos que os encontrados em Gênesis 46.24ss e, em Números 26.48ss, com exceção do primeiro que é "Jazeel", ao invés de **Jaziel**; e o último é "Silém" ao invés de **Salum**. Não estão mencionadas as famílias dos três em nenhuma das passagens.

4. A Meia Tribo de Manassés (7.14-19)

Esta tabela parece estar incompleta, se comparada à de Números 26.29-34, que menciona quatro famílias a mais, seis no total, desta parte da tribo assentada em Canaã, do lado oeste do Jordão. A meia tribo do leste é mencionada em 5.23-24. Existe também uma variação na grafia dos nomes.

5. A Tribo de Efraim (7.20-29)

Os primeiros quatro nomes, aqui, correspondem aos dos filhos encontrados em Números 26.35-36, com grafias diferentes. Os versículos 21 e 22 referem-se ao ataque do gado dos **homens de Gate** por **Eser** e **Eleade** na Filístia, e o seu conseqüente assassinato pelos homens de Gate. Os detalhes não deixam claro se o ataque foi do Egito ou de Canaã. Se foi de Canaã, a frase **Efraim, seu pai** não significaria necessariamente o filho de José, mas um descendente[18]. Há menos problemas envolvidos se interpretarmos como procedente do Egito. Este acontecimento não está registrado em nenhuma outra passagem.

No versículo 24, **Uzém-Seerá** não pode ser localizada com segurança, mas pode ser a moderna Beit Sira, em torno de 20 quilômetros a noroeste de Jerusalém, perto de **Bete-Horom**.

A genealogia de Josué, nos versículos 25-27 é exclusiva porque os cinco primeiros nomes não são mencionados no Pentateuco (cf. Êx 17.9; 24.13). A falta de genealogias detalhadas para as dez tribos do norte confirma o interesse básico do cronista em Judá.

Os territórios designados aos filhos de José – Efraim e a meia-tribo do oeste de Manassés – certamente são importantes para a definição das fronteiras das tribos. O autor não se propõe a dar os nomes de todas as cidades (28,29). Efraim sempre soube da sua importância e tentou obter mais terras e honra do que merecia. O cronista evidentemente mostrava a sua desaprovação quanto a esta atitude (cf. Abimeleque, Jz 9; o ataque de Efraim a Jefté, Jz 12; e Jeroboão, filho de Nebate, em 1 Rs 11.26).

Gezer (ou Gaza, 28; cf. Js 15.47) provavelmente não é a cidade de mesmo nome dos filisteus[19].

6. *A Tribo de Aser* (7.30-40)

Com **Aser** (30), o cronista conclui os quadros genealógicos das doze tribos, ao ignorar tanto Zebulom como Dã (cf. comentário sobre 7.6-12). Os versículos 30 e 31 são os mesmos encontrados em Gênesis 46.17 e Números 26.44-46, com a exceção de **Birzavite** (31), que alguns pensam se tratar de uma cidade[20].

Os nomes encontrados nos versículos 32-39 são quase impossíveis de identificar em qualquer outra passagem. O número de homens, 26.000 (40) pode se referir a uma única família (Héber), pois não corresponde aos 41.500 de Números 1.41 nem aos 53.400 de Números 26.47 ou aos 40.000 de 1 Crônicas 12.36[21].

I. Os Descendentes de Benjamim, 8.1-40

Este capítulo traça a genealogia desde Benjamim até o rei Saul. Os nomes em 7.6-12 são de difícil identificação com este quadro. As informações de 9.35-44 correspondem à casa de Saul em 8.29-40 e 1 Samuel 14.49-51.

1. *A Tribo de Benjamim* (8.1-28)

A grande quantidade de material aqui se deve provavelmente à importância de Saul. Mas o fato de que Saulo de Tarso tenha sido capaz de rastrear sua linhagem até sua tribo, pode indicar que os registros detalhados algumas vezes foram conservados (cf. Rm 11.1; Fp 3.5).

Os descendentes imediatos de **Benjamim** (1-5) são difíceis de harmonizar com Gênesis 46.21 e Números 26.38-40.

Existe pouca informação sobre a linhagem de **Eúde** (6; cf. Jz 3.15) disponível em outras passagens da Bíblia Sagrada. A menção a **Ono** e a **Lode** (12) vem de Edras 2.33, nos tempos pós-exílicos e, portanto, assume a interpretação de que a maioria dos nomes é de habitantes de Jerusalém na época do pós-exílio (8.28; 9.3 e Ne 11.4)[22]. A batalha na qual os filisteus de **Gate** foram expulsos (13) não está narrada em nenhuma outra passagem, e não sabemos quando ela pode ter ocorrido.

2. *A Casa de Saul* (8.29-40)

E em Gibeão habitou o pai de Gibeão (29). Aqui está a razão para os detalhes relacionados à tribo de Benjamim. Esta passagem é praticamente idêntica à 9.35-44. No entanto, se compararmos 1 Samuel 9.1 com 8.33, veremos que o cronista omitiu alguma informação. Em 1 Samuel 14.51 também está indicado que Ner e Quis eram

1 CRÔNICAS 8.40—9.34 \hfill AS GENEALOGIAS DE ADÃO A DAVI

irmãos. **Abinadabe** é incluído aqui, no versículo 33, e em 1 Samuel 31.2, mas não em 1 Samuel 14.49. Evidentemente houve assentamentos tanto em Jerusalém como em Gibeão (28–29, 32).

Dummelow identifica **Esbaal** (33) e **Meribe-Baal** (34) com Isbosete e Mefibosete, respectivamente. A substituição de *baal*, que é o nome de uma divindade pagã, por *bosheth*, palavra que significa "vergonha", indica a falta de apreço pela divindade pagã (cf. 2 Sm 2.8; Os 2.16)[23].

A **destreza** dos benjamitas com as flechas, mencionada no versículo 40, não é encontrada em 9.35-44.

J. REGISTROS DE ISRAEL E JUDÁ, 9.1-44

Aqui a informação se refere à comunidade em Jerusalém nos tempos do pós-exílio e à repetição dos antepassados e descendentes de Saul. Nesta passagem, como em Neemias 11.1-19 podemos encontrar listas que são similares mas não exatamente correspondentes. Aparentemente não há esforço para unir estes quadros aos encontrados nos capítulos precedentes. Keil afirma que o capítulo 9 é anterior ao exílio, e que Neemias 11.1-19 é posterior[24]. Entretanto, Terry afirma que ambos são da época do pós-exílio, mas separados por aproximadamente 100 anos – 536 a.C. e 444 a.C.[25].

1. Os Chefes das Famílias (9.1-9)
A menção às quatro classes (2) procura separar os leigos dos clérigos – os israelitas em geral, dos **sacerdotes, levitas e netineus** (porteiros).
Chamar a atenção a **Efraim e Manassés** (3) parece ter o objetivo de rejeitar a reivindicação dos samaritanos como os verdadeiros sobreviventes daquelas tribos. Muitos desses habitantes do norte se uniram a Judá (cf. 2 Cr 15.9; 34.9)[26].

2. Os Sacerdotes (9.10-13)
Evidentemente, o cronista aqui não está preocupado com os sumos sacerdotes. Mas a frase no versículo 11, **maioral da casa de Deus**, se refere em 2 Crônicas 31.10,13, ao sumo sacerdote, embora não em 2 Crônicas 35.8.

3. Os Levitas (9.14-16)
Em Neemias 11.15-19 são mencionados tanto Semaías como Matanias. Muitos estudiosos consideram que eles sejam da época do pós-exílio, mas isto não se pode assegurar[27]. Os **netofatitas** (16) eram os habitantes de Netofa, uma cidade ou um grupo de aldeias perto de Belém (Ne 7.26), cuja localização não pode ser identificada.

4. Os Netineus: Porteiros ou Guardas dos Portões (9.17-34)
Este registro parece encurtar aquele encontrado em 1 Crônicas 26.1-19. Aqui são enfatizadas as obrigações de alguns dos levitas, em conexão com o Templo. O termo "netineu" foi aplicado aos levitas na época de Moisés (Nm 3.9; 8.19) e também a um dos dois grupos designados para ajudar os levitas, os midianitas e os gibeonitas (Nm 31.47; Js 9.27). Os gibeonitas são aqueles identificados aqui, pela tradição judaica, com os

netineus. Eles tinham obrigações servis, mas como os seus deveres estavam relacionados com o Templo, a sua genealogia é cuidadosamente preservada com a dos sacerdotes (Ed 2.43-58); estes eram, como um grupo, parte do relacionamento da aliança (Ne 10.28 e Dt 29.11)[28]. No versículo 22, os nomes de **Davi** e **Samuel** conferem honra ao grupo, pois eles ajudaram na reorganização das suas tarefas nos primeiros dias da monarquia. Os versículos 23-33 fornecem algumas indicações das suas tarefas.

Os **utensílios do ministério... por conta** (28) evidentemente significa os utensílios caros que eram numerados (ou seja, **contados**) e levados e trazidos com grande cuidado quando necessário.

Em 1 Reis 7.45-40, como também aqui, todos os instrumentos do santuário são listados.

5. A Família de Saul (9.35-44)

Esta passagem é idêntica à de 8.29-38 e forma uma transição e introdução ao reinado de Davi. Muitos estudiosos pensam que ambos se originam dos mesmos documentos[29].

Seção II

O REINADO DE DAVI (1010-970 a.C.)

1 Crônicas 10.1—29.30

A. A Morte de Saul, 10.1-14

O capítulo 10 representa uma transição, assim como uma introdução à casa de Davi. Os quadros genealógicos dos capítulos anteriores formam o cenário para o restante das informações encontradas nos dois livros de Crônicas.

A informação do capítulo 10 também é encontrada em 1 Samuel 31.1-13. A descrição da derrota de Israel (1-7) pelos filisteus, seus inimigos de longa data, está condensada nos detalhes da morte de Saul e de seus três filhos: Jônatas, Abinadabe e Malquisua. A morte suicida deste rei de Israel foi o fim de um homem que havia se esquecido de Deus. Ele tinha procurado um **espírito familiar** com a ajuda de uma **adivinhadora** ou médium, e o Senhor não ouviu os apelos divididos de tal adorador (13).

Nos versículos 8-12 o resgate do corpo de Saul é parcialmente vingado pelos seus belicosos homens, que perceberam ser ele o ungido de Deus e merecia um enterro decente. Aqui se relembra que o rei derrotado tinha sido decapitado, e que os filisteus tinham **fixado a sua cabeça na casa de Dagon** (10), o ídolo filisteu (cf. 1 Sm 31.9; 5.2).

Certamente, houve uma razão adequada para transferir o reino a **Davi, filho de Jessé**. Evidentemente, o filho mais jovem de Saul, Isbosete (2 Sm 2.8) e o seu neto, Mefibosete (2 Sm 9.1-6) não foram considerados (6) como parte da **casa** de Saul porque não estavam na batalha. Aqui, uma vez mais, o cronista mostra sua interpretação da história; ou seja, a rejeição ou aceitação de Deus, por parte do homem, faz dele um digno ou indigno.

B. Davi como Rei, 11.1—27.34

1. Davi é Ungido Rei (11.1-9)
As semelhanças com o registro de Samuel (2 Sm 5.1-10) já foram ressaltadas no capítulo 10, mas algumas das omissões do cronista fazem com que seja difícil organizar uma narrativa detalhada dos acontecimentos da vida de Davi. Aqui, as duas narrativas são praticamente idênticas. Nos versículos 1-3, Davi é feito rei sobre **todo o Israel** (1) pelos **anciãos** (3). **Davi fez... aliança... perante o Senhor** (2 Sm 5.2) e também com o povo, de modo que todas as coisas fossem feitas de acordo com as instruções de Deus dadas a conhecer por meio de Samuel.

O primeiro passo de Davi para assegurar o seu trono foi tomar **Jerusalém**. Esta era a cidade dos **jebuseus**, os quais tanto Josué (Js 15.8,63; Jz 1.21) como os filisteus não tinham conseguido expulsar (4-9). Assim Davi tinha duas tarefas à sua frente. Certamente, estabelecer Jerusalém como a cidade do rei foi uma de suas grandes realizações. Na batalha pela fortaleza, **Joabe** (6) se mostra como o capitão do exército do rei. O nome **Milo** (8) em hebraico significa "preenchido"; evidentemente o vale entre as duas colinas de Sião e Moriá, onde a cidade estava, necessitava considerável preenchimento para seu nivelamento. Talvez o versículo 8 pudesse ser "ele construiu a cidade ao redor do lugar preenchido, enquanto Joabe renovou o resto da cidade" (veja os comentários sobre 2 Sm 5.9 e 1 Rs 9.15).

2. Os Poderosos de Davi (11.10-47)
O gosto do cronista por genealogias leva-o a incluir a lista dos **heróis** (10) que ajudaram Davi a assegurar e manter unida uma nação poderosa (cf. 2 Sm 23.8-39). A frase: **que o apoiaram fortemente no seu reino** (10) mostra que nem todos os eventos que se mencionam a seguir aconteceram antes da consagração de Davi como rei sobre todo Israel, mas ocorreram durante o reinado de Davi.

Os heróis mencionados nos versículos 10-14 são apenas dois aqui, mas o terceiro, Sama, é relacionado em 2 Samuel 23.25. As divisões da corporação de 37 homens de Davi são: (1) o capitão geral, (2) os três primeiros, (3) outros três e (4) os demais dentre os 30 (26ss).

Dos três capitães que arriscaram a vida para conseguir água fresca para Davi, dois são relacionados pelo cronista e um deles é mencionado por Samuel[1]. Os outros três, além dos **primeiros três**, são apresentados em 20-25, mas, tanto Samuel como o cronista, omitem o terceiro nome deste segundo trio (cf. 2 Sm 23.19ss). Dos heróis mencionados em 25-47, a lista a partir de **Zabade** (41-47) não é encontrada em nenhuma outra passagem.

3. Os Poderosos de Davi no seu Exílio (12.1-40)
Uma vez mais, aqui temos materiais que enriquecem nosso conhecimento a respeito de Davi, porque eles não são encontrados em qualquer outra parte das Sagradas Escrituras (cf. 1 Sm 22.2; 27.8; 29.11 e 2 Sm 2.3). O cronista prossegue com a sua enumeração de homens bons e valentes que se uniram a Davi.

a. Os homens que vieram a Ziclague (12.1-7). Aqui, há uma notável relação dos benjamitas que se uniram a Davi, mesmo antes da morte de Saul. Eles podem não ter sido os primeiros seguidores do filho de Jessé, mas foram os primeiros em importância e coragem.

b. *Os gaditas* (12.8-15). De alguma maneira motivados, **os gaditas** que cruzaram o Jordão para o leste tinham se unido ao grupo de Davi no deserto. Ao decidirem se separar da sua própria tribo e do rei Saul, eles provaram a sua lealdade e devoção a Davi. Os dois Jeremias mencionados nos versículos 10 e 13 não têm os nomes escritos da mesma forma no texto hebraico.

c. *Mais reforços* (12.16-18). A frase **ao lugar forte** (16) muito provavelmente se refere à caverna de Adulão (cf. 1 Sm 22.1,2). A precaução e reserva de Davi no versículo 17 reflete a sua própria sabedoria, assim como a bênção de Deus em sua vida. Ele aceita todos aqueles que estejam do lado de Deus, e aqui especificamente alguns benjamitas e judeus.

A referência a **Amasai** (18) como um dos heróis em quem "entrou o Espírito" (hebraico) poderia ser a Amasa, pois Amasai não é mencionado em qualquer outra passagem (cf. 2 Sm 17.25; 19.13). Ou talvez ele pudesse ser o terceiro homem, cujo nome não é fornecido, do segundo trio dos capitães.

d. *Homens que se uniram a Davi no caminho a Ziclague* (12.19-22). De **Manassés alguns passaram a Davi** (19). Homens de Manassés seguiram Davi depois que os filisteus o libertaram, após o desconsiderarem um soldado mercenário. Estes o soltaram com medo de que ele pudesse trair o povo deles. Estes homens não se arriscaram tanto quanto os primeiros seguidores mencionados por seus nomes, porque o destino de Saul parecia bem definido nesta época. Os novos recrutas uniram-se a Davi quando ele viajava pelo território, ao abandonar os filisteus para recuperar Ziclague das mãos dos amalequitas (cf. 1 Sm 30). Nessa época, os recrutas de Davi haviam se tornado um grande exército honrado por Deus.

e. *Mais informações sobre os guerreiros* (12.23-40). Esta lista das tribos de Judá, Simeão, Levi, Benjamim, Efraim, a meia-tribo de Manassés, Issacar, Zebulom, Naftali, Dã, Aser e as tribos do leste do Jordão – Rúben, Gade e a outra meia-tribo de Manassés, não mostra apenas meros números, mas a qualidade do apoio que deram a Davi como o rei reconhecido em Hebrom.

Os homens chamados **Joiada** (27) e **Zadoque** (28) não são necessariamente os sacerdotes de mesmo nome. Nem os levitas, mencionados no versículo 26, são necessariamente os guerreiros das cidades levitas. Eles eram representantes das suas cidades, reunidos para a coroação do novo governante. **Eram pela casa de Saul** (29) significa "até aqui tinham mantido a sua aliança com a casa de Saul".

No versículo 32, os homens de **Issacar** são mencionados como **destros na ciência dos tempos**; isto é, entendedores do curso de ação adequado a Israel em meio à crise daquele momento. Homens como estes são valiosos em todos os tempos e gerações.

O grande número de soldados, incluindo os levitas e os sacerdotes, precisava da contribuição de todos durante o banquete que durou **três dias** (39). Até mesmo **Issacar, Zebulom e Naftali** (40), ao norte de Judá, enviaram provisões. O número dos guerreiros de Israel era 603.550 na época de Moisés (Nm 1.46) e 800 mil (além dos 500 mil de Judá) nos últimos anos do reinado de Davi (cf. 2 Sm 24.9). Desta forma, os números do cronista, que totalizam quase 350 mil, parecem bastante adequados.

Certamente todos estes acontecimentos que culminaram neste grande banquete nacional representaram uma época de **alegria em Israel**.

4. Davi e a Arca (13.1—17.27)

a. A primeira tentativa de trazer a arca a Jerusalém (13.1-14). Davi, seguindo o espírito da lei que a arca continha, fazia o necessário, com o intuito de trazê-la de Quiriate-Jearim e da casa de Abinadabe a Jerusalém. Esta informação corresponde ao texto de 2 Samuel 6.1–7.29.

(1) *A reunião de Israel* (13.1-8). Davi convocou os representantes de Israel para pedir a sua ajuda e bênção no que ele entendia que era a vontade de Deus (2 Sm 6.1). A arca tinha sido negligenciada por Saul.

A confiança que Davi e Israel sentiam na vontade de Deus, unida ao respeito pela arca, que simbolizava a presença de Deus, expressou-se na alegria que significava a sua elevada consideração pelas coisas espirituais. **Sior do Egito** (5) é identificada como Uádi el Arish, que deságua no Mediterrâneo a leste do Nilo. **Hamate** é a falha topográfica que separa a Palestina do norte da Síria (cf. Js 13.3,5). **Baalá** (6) é a mesma Quiriate-Baal de Josué 15.60.

(2) *A Ira do Senhor* (13.9-14). **A ira do Senhor** (10) contra Uzá, aqui descrita, é vista por Davi com indignação e ao mesmo tempo medo, que se transformam em respeito a Deus, cuja presença a arca representava. O nome **Quidom** (9) é dado como Nacom em 2 Samuel 6.6. (Cf. comentários sobre 2 Sm 6.6-10.)

A casa de **Obede-Edom** (14) foi singularmente abençoada durante **três meses** (14) nos quais a arca permaneceu ali, até que Davi se sentisse seguro para trazê-la a Jerusalém. Obede-Edom é citado entre os levitas.

b. Os primeiros acontecimentos do reinado de Davi (14.1-17). Os detalhes interessantes, aqui apresentados, confirmam o julgamento da nação, de que Davi era o escolhido de Deus (cf. 2 Sm 5.11-25).

(1) *A cooperação de Hirão* (14.1-2). Este rei não deve ser confundido com o homem de mesmo nome, que se encarregou da construção do Templo, sob o reinado de Salomão. Aquele era um talentoso artesão, cujo pai era um homem de Tiro e cuja mãe era israelita. **Hirão** reconhece Davi como rei ao fornecer-lhe a matéria-prima para o desenvolvimento de Jerusalém.

(2) *Salomão é apresentado* (14.3-7). Novamente são enumeradas as esposas que Davi tomou em Jerusalém, e as treze crianças ali nascidas. **Salomão** é o quarto filho nascido de Davi na cidade santa (cf. 3.5-8).

(3) *Vitória em Baal-Perazim* (14.8-12). Aqui a vitória de Davi sobre os filisteus é precedida pela sua busca da orientação do Senhor, e culmina com a sua ordem de queimar os deuses filisteus. Isto foi apenas o começo da completa derrota da Filístia como uma ameaça ao futuro de Israel.

(4) *A vitória final sobre a Filístia* (14.13-17). Então, Davi prosseguiu com o plano marítimo e de norte a sul – **desde Gibeão até Gezer** (16; veja mapa) – expulsou os filisteus, para assegurar a completa vitória de Israel contra o seu eterno inimigo. As instruções de Deus tinham ficado conhecidas: **ouvindo tu um ruído de andadura**

pelas copas das amoreiras (15). Esta campanha vitoriosa trouxe grande fama a Davi, e muito respeito entre as outras nações, tanto as próximas como as distantes.

c. *A segunda tentativa de trazer a arca* (15.1—16.43). Desta vez, Davi preparou-se com os levitas, que eram os servos escolhidos por Deus para cuidar da arca.

(1) *A preparação adequada* (15.1-15). **Santificai-vos** (12) significa que eles deveriam se preparar, como Deus tinha ordenado, para realizar uma tarefa sagrada. Uzá estava morto, não porque Deus não quisesse a arca em Jerusalém, mas porque ele não era um levita e tinha tocado a arca com suas mãos não santificadas. Esclarecimentos auxiliares estão na tradução do versículo 13: "Não foram vocês que a carregaram da primeira vez, e por isso o Senhor, nosso Deus, nos castigou por não o termos consultado como devíamos".

(2) *A indicação de Hemã* (15.16-24). Com o homem certo encarregado, a tarefa é realizada sob a bênção de Deus.

(3) *A caminho de Jerusalém* (15.25-28). A viagem é feita com grande júbilo, desta vez com o respeito e a reverência adequados, e a obediência aos mandamentos de Deus.

(4) *Mical* (15.29). **Mical**, a filha de Saul, e esposa de Davi, despreza-o por sua exuberância – correndo, dançando e divertindo-se – ao vê-lo de sua janela, enquanto a arca é trazida à cidade (cf. comentários sobre 2 Sm 6.16,20-23).

(5) *A adoração regular e a especial* (16.1-6). O acontecimento é comemorado com adoração pública e banquetes, com **holocaustos e sacrifícios pacíficos** (1-3), assim como as celebrações especiais dos levitas **perante a arca** (4) na tenda erguida para ela. **Saltérios, alaúdes, harpas e címbalos** (5) eram instrumentos semelhantes à harpa. Os sacrifícios representavam a mais elevada devoção e o mais alto relacionamento que um homem podia alcançar tanto com Deus como com os seus companheiros.

(6) *Um salmo de louvor* (16.7-36). Podemos fazer uma pausa para agradecer a Deus por todas as grandes almas e por todas as grandes ocasiões que nos dão a adequada linguagem de louvor. Davi, o inspirado do Senhor, escreveu este **louvor** para a ocasião. Partes dele se encontram nos salmos 105.1-5; 96.1-13 e 106.1,47,48. Estes textos foram, sem dúvida, extraídos daquele, porque eles são quase literalmente idênticos. Os versículos 7-16 são uma exortação ao povo para que estivessem cientes daquilo que Deus pode fazer e ser para eles; em 17-22 o rei lembra o que Deus já realizou; o texto em 23-36 traz uma exultação e adoração do **Senhor Deus de Israel**. No final, **todo o povo disse: Amém! E louvou ao Senhor** (36).

Nos versículos 7-22 encontramos "uma canção de agradecimento". Davi convoca todos a **louvar o Senhor**, 8 (1) por **todas as suas maravilhas**, 9; (2) **seu santo nome**, 10; (3) pelos **juízos da sua boca**, 12; (4) por seu perpétuo **concerto**, 13-21; (5) e por sua **unção**, 22.

"A glória do Deus verdadeiro" é o tema dos versículos 23-33, que também aparece em salmo 96.1-13. Aqui vemos que: (1) O Senhor é o único Deus verdadeiro, 25,26; (2) Ele é o Deus Criador, 26; (3) Ele é o Deus da nossa salvação, 23; (4) Ele é o Senhor da história, 24; (5) Ele é a fonte da força e da alegria, 27; (6) Ele deve ser adorado **na beleza da sua santidade**, 29; e (7) Ele **vem a julgar a terra**, 33.

(7) *O ministério em Jerusalém e em Gibeão* (16.37-43). Estes versículos finais nos ajudam a preencher alguns detalhes a respeito do Tabernáculo. **Zadoque, o sacerdo-**

te... em Gibeão (39), evidentemente, era o sumo sacerdote ativo durante a época de Saul, no tabernáculo em Gibeão, que tinha sido levado para lá depois da morte dos sacerdotes em Nobe (1 Sm 22.19). Davi indicou Asafe para ministrar perante a arca na tenda (não no Tabernáculo) em Jerusalém. **Para abençoar sua casa** (43), isto é, para invocar ao seu próprio lar as bênçãos que ele tinha dado ao povo (2).

    d. *O interesse de Davi pela construção do Templo* (17.1-27). Este capítulo é quase idêntico a 2 Samuel 7.1-29.

    (1) *Objetivo* (17.1,2). **Davi**, após compartilhar sua nobre ambição ao **profeta Natã**, encontra inspiração e encorajamento em seu amigo espiritual. Nenhum homem se engana seriamente quando segue um impulso de prestar algum serviço a Deus.

    (2) *A resposta de Deus* (17.3-15). O propósito de Davi estava correto, mas a ocasião não era adequada. Talvez se tivessem orado antes, eles teriam entendido também a ocasião adequada. Davi não obteve permissão para construir o Templo, porque ele era um homem de sangue e de guerra, mas seu filho teria condições de realizar esse desejo de construir uma casa para o Senhor. Embora Deus tivesse que desapontar o seu ansioso servo, Ele fez a Davi uma grande promessa de compensação: **te fiz saber que o Senhor te edificaria uma casa** (10). Não somente Salomão, o filho de Davi, construiria o Templo, mas também no maior "Filho de Davi" o **trono será firme [estabelecido] para sempre** (14).

    Para estar no centro da vontade de Deus e ter as suas bênçãos, são necessários três elementos de nossa parte: (1) devemos fazer a *coisa certa*, 1; (2) no *tempo certo*, 11-12; e, (3) por *motivos e intenções certos*, 2 Cr 6.8. Se qualquer desses elementos faltar, é impossível servir a Deus de modo aceitável. Davi não se qualificou no segundo, mas ele estava de acordo em mais de dois terços dos requisitos.

    (3) *A oração de Davi* (17.16-27). Como a atitude de Davi estava correta, ele pôde responder com louvor e gratidão, mesmo diante da recusa de Deus em aceitar sua oferta. Ele entendeu que o Senhor, que tinha feito uma aliança com Abraão e falara através de Moisés, continuaria a abençoar Israel através da semente de Davi até o Messias. Esse foi um concerto eterno que se estendeu a todos os que são redimidos por Cristo, a Israel universal (16-17). Davi chega ao ponto máximo da sua oração no versículo 20: **Senhor, ninguém há como tu**.

    Nestes versículos, há "elementos de verdadeira oração": (1) aceitação da vontade de Deus, 16; (2) gratidão pela promessa de Deus, 17,18; (3) reconhecimento da divindade de Deus, 19,20; (4) pedido da bênção de Deus, 23; (5) preocupação com a glória de Deus, 24.

    5. *As Operações Militares de Davi* (18.1—20.8)

    Aqui há um resumo das guerras de Davi contra os inimigos do povo do Senhor (cf. 2 Sm 8). Estas vitórias trazem exaltação e fama ao filho de Jessé entre seu próprio povo, e entre as nações do mundo. Ele recebe grande riqueza dos despojos da guerra e dos impostos.

    a. Filístia, Moabe, Damasco e Hamate (18.1-11). Os detalhes dados sobre a Filístia, aqui no versículo 1, como também em 20.4-8, indicam um inimigo formidável. **Gate** (1) como a sua capital, com as outras **cidades ou lugares da sua jurisdição**, representavam a força da Filístia (2 Sm 8.1-14).

A conquista dos **moabitas** (2) é resumida, mas a derrota de Damasco recebe total consideração (3-8), com a menção ao rei **Hadadezer** (3), assim como a delimitação das fronteiras de **Hamate** até o **Eufrates**. Após capturar o rei e dominar o país da Síria, as fronteiras da nação de Davi estenderam-se para o leste, por toda a região que os sírios tinham controlado. Nem todas as cidades mencionadas são identificáveis hoje em dia. O número de **cavalos de carros** e **cavaleiros** (4) é o mesmo em 2 Samuel 8.4 da Septuaginta. Esta vitória foi importante por causa dos despojos de guerra. Davi era um líder militar que servia a Deus; suas vitórias eram usadas para glorificar o Todo-Poderoso. O rei **Davi... consagrou ao Senhor** (11) o **cobre** (8) apreendido em Damasco e os presentes de **Toú** (9-10).

b. Um resumo (18.12-13). No versículo 12, a vitória sobre Edom é atribuída a **Abisai**, ao passo que em 2 Samuel 8.13 ela é creditada a Davi. O rei deveria receber o crédito da vitória obtida porseus comandantes, que agiam sob as suas ordens.

c. Os funcionários de Davi (18.14-17). O reinado de Davi é famoso pela justiça e pelo juízo. Em 2 Samuel 8.18, os filhos de Davi são chamados sacerdotes, ministros ou príncipes (hebraico) ao invés de chefes (17). O cronista evitou a palavra "sacerdote" porque os filhos de Davi não eram levitas[2]. No versículo 16 deve-se ler Aimeleque ao invés de **Abimeleque** (24.3; 2 Sm 8.17).

d. Guerra contra os amonitas (19.1—20.3). Essa narrativa é paralela a 2 Samuel 10.1-19 com poucas variações de grafia e dados adicionais (cf. 2 Sm 11.1 e 12.26-31). Aqui o cronista omite o caso da bondade de Davi para com Mefiboseteo. Veja o comentário sobre 2 Samuel 10.

(1) *Hanum, o filho de Naás* (19.1-5). Às vezes, é difícil aceitar os bons motivos e não imputar más razões a outros. Os amonitas recusaram as propostas de paz de Davi e foram derrotados, com os seus aliados[3].

(2) *Joabe* (19.6-15). Estes **mil talentos de prata** (6) representavam uma soma imensa, porque Amazias mais tarde empregou cem mil homens por cem talentos (2 Cr 25.6). Joabe e Abisai, com a ajuda de Deus, são considerados dignos da tarefa de derrotar os amonitas. O versículo 13 reflete novamente o fato de que Deus recebe o reconhecimento nas grandes questões da vida de Israel.

(3) *A campanha síria* (19.16-19). Os números de cavalos, carros e cavaleiros apresentados aqui diferem dos de 2 Samuel 10.18. Alguns autores fizeram uma combinação deles, e o resultado foi sete mil cavaleiros, sete mil carros e quarenta mil homens a pé[4]. Mas outros consideram que houve alguma divergência na transmissão do texto[5]. Os sírios foram derrotados, e mesmo depois disso recusaram a ajuda aos amonitas.

(4) *A segunda guerra amonita* (20.1-3). Evidentemente, Davi foi a **Rabá** (2 Sm 12.26-31), para atender ao chamado de Joabe, embora o rei, a princípio, tenha ficado **em Jerusalém** (1).

O tempo em que os reis costumavam sair para a guerra seria depois das chuvas da primavera. A óbvia omissão do pecado de Davi com Bate-Seba não tem a finalidade de encobrir o acontecimento. O cronista prefere manter seu objetivo de narrar os detalhes da obediência deste rei à lei de Deus, e, como o Senhor realizou suas obras por meio dele (cf. 2 Sm 11.4—12.24). Ellison sugere que a expressão **e cortar com** (3) seria *vvshm*, ao invés de *vyshr*, no texto em hebraico, e indica extrema servidão e não massacre[6] (cf. o comentário sobre 2 Sm 12.31).

e. A morte dos campeões filisteus (20.4-8). A leitura aqui serve como complemento ao texto hebraico de 2 Samuel 21.18-22, pois evidentemente existiram outros membros na família de Golias[7].

6. O Pecado de Davi e a Praga (21.1–22.1)

O cronista, apropriadamente, culpa **Satanás**, que, ao apelar para o orgulho do rei, incita Davi a contar o povo. A narrativa de Samuel dá a entender que o Senhor lhe permitiu esse pensamento. Certamente, como tinha acontecido com Jó, Deus permite; mas é Satanás que nos tenta e é o nosso adversário (cf. 2 Sm 24.1).

a. A contagem (21.1-6). O Senhor tinha prometido que os números de Israel seriam como a areia do mar, mas que a vitória na guerra não seria por força ou sabedoria superior, mas sim pelo poder de Deus. Se Davi estava preocupado com a força militar, ele deveria ter se lembrado disso. Se realmente estivesse interessado nos impostos, deveria ter consultado ao Senhor em primeiro lugar. Não é de se admirar que o Senhor estivesse insatisfeito!

b. A escolha da punição (21.7-13). A punição de Deus sobre as pessoas reflete a influência das escolhas do homem sobre os que estão próximos a ele. Davi poderia escolher entre **três anos** de **fome**; ou **três meses** de guerra amarga e humilhante, e derrota, ou **três dias** de **peste na terra** (12; 2 Sm 24.13). Ele escolheu a última opção.

c. A peste (21.14-17). A escolha da **peste** pareceu melhor a Davi, porque a mão de Deus era melhor do que a do homem. Foi a consciência de Davi que o ajudou a reconhecer o seu pecado, porque ele teve o conhecimento do pecado antes de ser ameaçado com a punição (8). Foi também a sua consciência que lhe indicou o caminho para o perdão (17).

d. Um altar e um sacrifício (21.18-27). A variação do nome, como aparece em 2 Samuel 24.16 (Araúna) e aqui, **Orna,** (18) é muito menor nas consoantes do hebraico.

Davi se recusou a viver segundo uma religião emprestada: **não tomarei o que é teu, para o Senhor...** (24). Ao admitir o seu próprio pecado e oferecer os seus próprios sacrifícios, que lhe permitiriam desfrutar do mais elevado e completo relacionamento com Deus e seus companheiros, Davi foi trazido a um relacionamento correto com o Senhor.

O preço aqui – **seiscentos siclos de ouro** (25) – parece ter incluído tanto a eira como a área toda (cf. 2 Sm 24.24).

e. O sacrifício na eira de Ornã (21.28—22.1). Após encontrar o tão precioso Senhor aqui, e desejoso de continuar na comunhão com Deus, Davi quis fazer um sacrifício no lugar dos jebuseus, embora o Tabernáculo ainda estivesse em Gibeão. Apesar do profundo entendimento de Deus por parte de Davi, existe refletida no versículo 30 uma atitude que não corresponde à certeza do perdão de Deus, expressa no Novo Testamento.

7. *A Preparação de Davi para a Construção do Templo* (22.2-5)
Não existe em Samuel um paralelo a esta seção, embora seja possível encontrar um em 1 Reis. Aqui a decisão é a de reunir a matérioa-prima e usar este lugar para o Templo que Salomão construirá. A expressão **os estranhos** (2) é provavelmente uma referência aos cananeus nativos que se tornaram escravos (2 Cr 8.7-10).

8. *A Exortação Final de Davi* (22.6-19)

a. A Salomão (22.6-16). Davi fez com que Salomão fosse ungido como rei antes da sua morte (23.1). A ambição de Adonias pode ter forçado o rei a escolher um sucessor, algo que ele talvez não tivesse feito sob outras circunstâncias (1 Rs 1.5).
No versículo 8, existe o registro do derramamento de sangue por Davi (mas não houve essa menção em 17.11-15, nem em 1 Rs 5.3) como uma razão para designar a Salomão a tarefa de construir o Templo. Não é necessário deduzir que o filho fosse moralmente superior, ou que as guerras de Davi tenham sido erradas. Esta era a vontade de Deus[8]. Se o povo tivesse conquistado Canaã completamente na época de Josué ou dos juízes, Davi poderia ter aproveitado as mesmas condições que Salomão, sem ter que corrigir as conseqüências da época sombria dos juízes.
Davi fez grandes preparativos em mão-de-obra, matéria-prima e artífices. Mas Salomão é que construiria. A oração do rei no versículo 12 pode ter suscitado o pedido posterior de Salomão por sabedoria e entendimento da tarefa a ele imputada. A expressão **na minha opressão, preparei** (14) pode ser traduzida como "**com muito esforço eu ajuntei**". No versículo 16, há uma clara indicação do ensino bíblico da interdependência entre a iniciativa humana e o poder divino: **levanta-te, pois, e faze a obra, e o Senhor seja contigo**. A mesma interdependência é vista na ordem de Davi aos príncipes de Israel: **Disponde, pois, agora, o vosso coração e a vossa alma para buscardes ao Senhor, vosso Deus; e levantai-vos e edificai o santuário do Senhor Deus** (19).
Nos versículos 6-16, "aquilo que é necessário para construir para Deus" é sugerido. Os requisitos são: (1) O conhecimento da vontade de Deus, 9-11; (2) sabedoria e entendimento, 12; (3) obediência, 12,13; (4) força e coragem, 13.

b. Aos príncipes (22.17-19). As guerras foram concluídas. Deus tinha dado, não apenas a Salomão, mas ao povo, a tarefa de edificar o seu Templo. **Príncipes** (17, em hebraico *Sarim*) não significam apenas homens da casa real de Davi, mas todos os líderes de Israel, tanto civis como religiosos.

9. *A Convocação Nacional* (23.1—27.34)
Nessa reunião, tanto os religiosos como também os líderes civis precisavam estar organizados para as suas tarefas particulares.

a. Organização e obrigações dos levitas (23.1—26.32). O cronista coloca aqui, em primeiro lugar, os líderes religiosos e as suas obrigações (cf. 23.3—26.32, líderes religiosos; 27.1-34, civis e militares). Estes capítulos apresentam alguma dificuldade para o estudioso crítico[9], mas aqui se pode ter uma bonita imagem de como Davi era o procurador do Senhor.

O REINADO DE DAVI   1 Crônicas 23.1—25.31

(1) *Os últimos atos de Davi* (23.1,2). Aqui a ordem **príncipes de Israel... sacerdotes e levitas** (2) está invertida; mas isto é basicamente um resumo da história de como Davi fez de Salomão rei (28.1—29.25) e **ajuntou todos os príncipes de Israel** (27.1-34), **como também os sacerdotes** (24.1-19) **e levitas** (23.3-32; 24.20—26.32).

(2) *Os vinte e quatro turnos dos levitas* (23.3-23). A idade limite daqueles homens contados para o serviço ativo era acima de trinta anos, e abaixo de cinqüenta (Nm 4.3,47). Em lugar de **o número deles, segundo as suas cabeças** (3) leia-se "foram contados". Os números no versículo 4 não parecem excessivos para a tarefa. A passagem em 24.20-31 é fragmentada em comparação com esta. Existem as usuais variações de grafia. Os dois filhos de Gérson forneceram dez das 24 ordens ou **turnos** (6). Os quatro filhos de Coate forneceram nove; os dois filhos de Merari forneceram cinco. É feita menção à morte de **Eleazar** (22), que **não teve filhos**.

(3) *A idade para o serviço no Templo* (23.24-27). Alguns percebem uma discrepância entre a idade mencionada no versículo 24, e aquela que é apresentada no versículo 3. A idade de **trinta** parece ter sido diminuída para **vinte anos** para algumas tarefas no Templo (cf. Nm 8.24 para outra idade). O limite de vinte anos de idade era aceitável e normal a partir do período de Davi (2 Cr 31.17; Ed 3.8). Em 25-26, o cronista nos recorda da mudança dos serviços levíticos quando a nação de Israel estabelecida já não precisava que o Tabernáculo fosse levado de um acampamento a outro.

(4) *Definição das tarefas dos levitas* (23.28-32). A tarefa dos levitas era ajudar na preparação dos sacrifícios: juntar madeira, acender o fogo, matar os animais, cuidar das purificações cerimoniais (28), preparar ofertas de manjares (29), realizar atos de adoração (30) e, cuidar do **Tabernáculo (ou tenda da congregação,** 32; cf. Nm 3.5-10; 18.1-7).

(5) *Os turnos sacerdotais* (24.1-19). Os descendentes dos dois filhos de Arão foram também divididos em 24 turnos para as suas tarefas oficiais. A família de **Eleazar** tinha **dezesseis chefes** (homens) **de famílias** (4) e **Itamar** tinha **oito** para chefiar os turnos. Cada levita era sorteado para um dos 24 turnos e cada um servia uma semana de cada vez; começavam no entardecer de um sábado e terminavam na manhã do sábado seguinte.

(6) *As famílias levitas* (24.20-31). Estes não eram os mesmos levitas mencionados acima, que eram assistentes do sacerdote. Esta lista não é a mesma do capítulo 23, mas inclui somente os descendentes de Coate e de Merari, que não são apresentados no capítulo 23. Estes homens também eram sorteados para servir nos 24 turnos.

A palavra transliterada **Beno** (26) deveria, possivelmente, ser traduzida como *seu filho*. **Jaazias** (26,27) não é necessariamente um terceiro filho de Merari, mas um descendente posterior. Segundo o versículo 31, a geração mais velha não parece ter tido vantagem sobre a mais jovem na escolha por sortes.

(7) *As famílias e os turnos de cantores* (25.1-31). Os músicos também foram escolhidos por sortes e divididos em 24 turnos. Davi reconhecia, como Samuel, a importância da música na adoração. **Profetizarem com harpas** (1) era louvar a Deus com voz e instrumentos (1 Sm 10.5). O sorteio incluiu os mais velhos e os mais jovens, professores e alunos, talentosos, e nem tanto. Conseqüentemente, os quatro mil levitas indicados para o serviço do canto incluíam o que havia de melhor. Ao mesmo tempo, os jovens e não muito talentosos estudantes podiam tirar vantagem da sua oportunidade de melhorar e dar o melhor de si a Deus.

Ao juntarmos frases de diversos versículos, vemos um claro testemunho ao "comissariado do talento musical": (1) **Jedutum... para tanger harpas... profetizava, louvando e dando graças ao Senhor**, 3; (2) **Todos estes... para exaltar a corneta**, 5; (3) **Todos estes estavam ao lado de seu pai para o canto da casa do Senhor, com saltérios, e alaúdes e harpas, para o ministério da Casa de Deus**, (6).

(8) *Os porteiros* (26.1-19). Os termos usados para a localização dos porteiros parecem obscuros (13.18). Eles estavam evidentemente mais relacionados com a tenda de Davi, do que com o Templo de Salomão[10]. Algumas traduções nos ajudam a compreender melhor este texto. Em algumas, a **casa de Supim** (15) é traduzida como "a casa das tesourarias". Uma possível tradução para os versículos 16-18 é a seguinte: "A Supim e Hosa, a do ocidente, com a porta Salequete, junto ao caminho da subida; uma guarda defronte de outra guarda. Ao oriente estavam seis levitas; ao norte, quatro por dia; ao sul, quatro por dia; porém às tesourarias, de dois em dois". Não se conhece o significado de **Parbar** (18). Há 24 porteiros mencionados, e os versículos 17 e 18 afirmam que eles trabalhavam simultaneamente. No versículo 13, **lançaram sortes** para os postos de serviço.

(9) *Os vários funcionários* (26.20-32). As duas principais divisões desta lista eram os tesouros do Templo (20-28) e os **oficiais** e **juízes** (29-32). O tesouro sagrado evidentemente era conhecido desde os tempos de Josué (Js 6.24). O versículo 27 reflete a política do uso religioso de Davi dos despojos de guerra. As **obras de fora**, isto é, as tarefas civis de **Israel,** (29-32) eram realizadas pelos escrivãos locais, magistrados, com professores para proclamar, expor e fazer cumprir a lei de Deus e as ordens do rei[11]. O grande número de homens incluídos aqui (cf. 30, 32) reflete a extensão dos funcionários públicos no ápice do reinado de Davi.

b. Líderes militares e civis (27.1-32)

(1) *Os turnos do exército* (27.1-15). Devia haver 24 mil homens em cada uma das doze divisões que serviam durante um mês do ano. Durante o restante do tempo eles eram livres para seguir a sua vida pessoal. Aqui o serviço militar era tão cuidadosamente organizado quanto o eclesiástico. Os nomes desses capitães são encontrados nas listas dos heróis de Davi (11.11-47 e 2 Sm 23.8-39). No versículo 5, **oficial-mor** significa "oficial chefe".

(2) *Os príncipes das tribos* (27.16-24). Todos, exceto Gade e Aser, são mencionados na enumeração dos líderes tribais. Estes homens são os respeitados anciãos de cada uma das tribos. O censo (23-24) é mencionado outra vez para mostrar que os números aqui são de outras fontes; os resultados do censo jamais foram incluídos nos registros reais[12].

(3) *Os funcionários do rei* (27.25-31). Os homens aqui relacionados eram os doze comissários chefes sobre as propriedades reais.

(4) *Os conselheiros do rei* (27.32-34). Esta não parece ser a mesma lista de 18.14-17 e de 2 Samuel 20.23-26; esta é, provavelmente, uma lista complementar dos conselheiros mais próximos.

C. Salomão é Coroado Rei, 28.1—29.30

O ato final da convocação nacional para organizar a vida nacional e militar, e as equipes de governo para o seu povo, foi o de coroar Salomão rei. Todos os detalhes meticulosos teriam sido inúteis sem um herdeiro para o seu trono. Não foi apenas a escolha de Davi, mas também a de Deus, de que Salomão deveria suceder o seu pai (5).

1. Salomão é Apresentado à Assembléia (28.1-8)
Perante a augusta assembléia dos líderes e governantes de Israel, Davi relatou duas coisas: (1) ele queria construir uma casa para o Senhor, mas Deus rejeitou a sua oferta (2,3); e (2) Deus tinha prometido que a semente de Davi teria um trono eterno, e Salomão era o escolhido de Deus entre os seus filhos (4-7). Portanto, ele transmitia as suas ordens tanto para o povo como para Salomão, ao apresentar o rei já ungido por Deus (8).

2. Instruções com Respeito ao Templo (28.9,10)
A escolha era de Deus. Salomão poderia decidir se obedeceria ou não, mas ele não poderia escolher as conseqüências. Havia aceitação se ele obedecesse; rejeição, se não cumprisse o mandato do Senhor. Davi exortou Salomão: **Esforça-te e faze a obra** (10). Esta exortação ecoa e volta a clamar nos ouvidos de todos os servos de Deus em suas próprias gerações.

Os versículos 6-10 sugerem "as condições para se estabelecer". Entre elas estão (1) a busca e o cumprimento dos mandamentos de Deus, 7 e 8; (2) um conhecimento pessoal de Deus, 9; (3) um coração perfeito, 9; (4) uma mente disposta, 9; (5) a força para obedecer, 10.

3. Os Projetos do Templo (28.11-19)
Davi recebeu o projeto ou modelo **por escrito... por mandado do Senhor** (19; cf. Êx 25). Este estava naturalmente baseado no projeto do Tabernáculo, com vários adicionais. **O risco de tudo quanto tinha no seu ânimo** (12) era "a planta de tudo quanto tinha em mente". É interessante que o Templo não é usado nas Escrituras como um símbolo, como acontece com o Tabernáculo. Como o projeto do Templo se baseou no do Tabernáculo, com o qual Davi já estava familiarizado, é provável que o **mandado do Senhor** a Davi (19) fosse o Espírito de Deus trabalhando através da própria mente dedicada de Davi.

Os **castiçais de prata** (15) não são mencionados em qualuqer outra passagem[13]. A frase o **carro... dos querubins** (18) pode ser lida como "o carro, e mesmo os querubins". Porque os querubins são o carro de Deus (cf. Sl 18.10 e Ez 1.5).

4. O Encorajamento a Salomão (28.20,21)
Este texto parece ser uma continuação das palavras de encorajamento de Davi, que tiveram início em 9 e 10.

"Uma promessa para uma grande tarefa" é vista quando Davi encoraja seu filho Salomão a se preparar para a construção do Templo. Este inclui: (1) a presença capacitadora de Deus, 20; (2) a cooperação dos ministros e dos leigos – sacerdotes, artesãos, príncipes e do povo, 21; (3) força e coragem para completar a tarefa, 20.

5. Um Apelo à Generosidade (29.1-5)
Davi prosseguiu com as suas palavras, ao declarar que grande parte de sua própria fortuna tinha ido para o Templo; portanto, outros deveriam fazer o mesmo pelo Senhor. Aqui certamente há um incentivo válido para fazer uma oferta pela causa de Deus.

6. A Resposta (29.6-9)
Houve uma pronta resposta de todo o povo. Era generosa e suficiente para a tarefa. As quantias eram grandes, mas a causa era desafiadora. Somente as doações feitas **voluntariamente** e com um **coração perfeito** (9) são aceitáveis a Deus. As pessoas que doam por motivos menos nobres terão a aclamação popular como única recompensa.

7. A Oração de Agradecimento (29.10-19)
A oração está dividida em duas partes: (1) ação de graças e louvor (10-13); e (2) a petição (14-19). Esta é uma das mais belas orações do Antigo Testamento, e é certamente comparável à súplica de Salomão na consagração do Templo (2 Cr 6.14-42).

A vida do homem na terra é breve (15) e não existe esperança, exceto na vontade de Deus. Davi ora para que o povo possa sempre reagir tão positivamente ao Senhor quanto naquele dia (18).

Davi entoa um hino de louvor que é uma expressão bíblica do pensamento: "Quão grandioso é o Senhor!" Ele glorifica a Deus como (1) o Senhor de toda a criação, 11; (2) o provedor de todo bem, 12; (3) o dono de todas as riquezas, 13,14; (4) a esperança do nosso destino eterno, 15; (5) o juiz de cada coração, 17.

Também refletidos nesta oração do Antigo Testamento estão os princípios básicos da mordomia do Novo Testamento. (1) **Tua é, Senhor, a magnificência**, 11; (2) É Deus quem dá a **força** e a riqueza aos homens, 12,13; (3) Podemos dar a Deus somente o que Ele nos deu, 14-16; (4) Deus conhece os nossos motivos e se alegra com as doações generosas e prazerosas, 17,18.

8. O Encerramento da Convocação (29.20-25)

a. A resposta da congregação (29.20-22a). O povo **louvou ao Senhor** e dedicou o devido respeito ao seu **rei** (20); eles fizeram sacrifícios e banquetes porque Deus estava com eles. **Adorar** em hebraico significa prostrar-se (Ap 19.10).

b. A segunda unção de Salomão (29.22b). A segunda unção veio em meio à pompa e circunstância apropriada. **Zadoque** (22) foi feito sumo sacerdote em substituição a Abiatar, que tinha perdido a qualificação ao se juntar à conspiração de Adonias (1 Rs 1.7; 2.26,35). O autor de Reis confere a Salomão o crédito pela deposição de Abiatar, que evidentemente teve a aprovação da assembléia.

c. Salomão é aclamado rei (29.23-25). Até mesmo Adonias, entre **os filhos do rei Davi** (24) parece ter aclamado Salomão, e não houve governante mais magnífico em todo Israel. O curso do destino de Israel sob as ordens de Deus está refletido nas expressões: **o ungiram** [a Salomão] **ao Senhor** (22), e **Salomão se assentou no trono do Senhor** (23).

9. Um Resumo do Reinado de Davi e da sua Morte (29.26-30)
A revisão do reinado de quarenta anos, sete em Hebrom e trinta e três em Jerusalém, resume não apenas o período, mas confere um significado aos **atos... do rei Davi** (29).

Em hebraico, usam-se três palavras diferentes para "profeta": Samuel, o vidente (*ro'eh*); o profeta Natã (***nabi***); e Gade, o vidente (***chozeh***) (29). *Ro'eh* – **vidente** ou profeta – é usada onze vezes no Antigo Testamento. Ela significa, literalmente, "ver". Samuel foi o precursor espiritual dos profetas (1 Sm 9.9). Estes homens tinham poderes de visão especiais. *Chozeh* é usada vinte e nove vezes no Antigo Testamento e tem um significado correlato ao de *ro'eh*, que enfatiza o ato de ver ou contemplar, com o significado de receber a verdade ao invés de qualquer outro tipo de entrega ou comportamento[14]. *Nabi* é usada trezentas vezes no Antigo Testamento e enfatiza a transmissão da mensagem, e não a visão. Esta é a palavra traduzida pela palavra grega *prophetes* na Septuaginta. Os profetas que escreveram estão classificados nesse tipo.

Todo o conteúdo do primeiro livro de Crônicas é relacionado com Davi, mas não é somente isso, porque foi através deste rei, o leão da tribo de Judá, que veio o Messias, o Cristo. O cronista estava, em parte, consciente do lugar único de Davi na história divina da salvação.

Davi conheceu algumas frustrações – o seu desejo de construir o Templo foi rejeitado, e o seu filho favorito, Absalão, desqualificado para a sucessão devido à traição e ao pecado. Mas ele certamente deve ter visto a confirmação do perdão de Deus para o seu pecado com Bate-Seba na escolha de Salomão, um dos filhos dela, para ser o seu herdeiro no trono. Nem todas as suas recordações poderiam ser bênçãos. Mas ele podia louvar a um Deus majestoso pelo perdão pessoal, pela paz entre os povos da terra, por um lugar entre as nações e pela presença de Deus em sua partida. Davi terminou a sua vida como um humilde e sensível servo de Deus, como iniciara quarenta anos antes: "**um homem segundo o coração de Deus**".

Seção III

O REINO DE SALOMÃO (cerca de 971-931 a.C.)

2 Crônicas 1.1—9.31

Aqui a narrativa omite detalhes encontrados na passagem correspondente em 1 Reis 1.1—11.43. O cronista omite a revolta de Adonias e o castigo de Salomão (1 Rs 1—2); o casamento de Salomão com a filha do Faraó (1 Rs 3.1,2); o seu sábio julgamento (1 Rs 3.16-28); os seus funcionários públicos, os oficiais, a magnificência e a glória real (1 Rs 4.1—5.18); a construção do seu palácio (1 Rs 7.1-12); a sua idolatria e a crescente atividade dos seus inimigos (1 Rs 11.1-40). Por outro lado, há detalhes importantes, inclusive aqueles que são omitidos pelo autor do primeiro livro de Reis. Seis capítulos tratam dos detalhes do Templo. É evidente que a construção do Templo é mais importante para o cronista do que a biografia do construtor.

A. A Confirmação de Salomão, 1.1-17

1. *A Ascensão de Salomão ao Trono* (1.1)
O cronista escreve este versículo como uma introdução a todo o reinado de Salomão. O monarca era de muitas maneiras majestoso e régio. Mas existem detalhes em Reis que fazem o seu talento menos que admirável, a partir de um ponto de vista democrático. Até mesmo o Senhor Jesus reconheceu o seu esplendor e a sua glória, mas reduziu-os ao compará-los com a beleza de um lírio. Os sucessos materiais de Salomão certamente não podem ser o único critério de avaliação. Ele só foi grande na primeira parte do seu reinado.

2. *O seu Sacrifício em Gibeão* (1.2-6)
A arca estava na tenda de Davi em Jerusalém, mas o altar de cobre encontrava-se no Tabernáculo, em Gibeão. **Salomão e a congregação o visitavam** (5) é traduzido me-

O REINO DE SALOMÃO   2 CRÔNICAS 1.5—2.10

lhor como "Salomão e a congregação buscavam ao Senhor". Aqui ele pretendia unir o seu reino ao do seu pai, Davi, ao oferecer **em sacrifício mil animais** (6). Este altar de cobre em Gibeão fora criado por Bezalel (cf. Êx 31.2-5; 38.1-7). Grande parte do material destes versículos é peculiar a Crônicas (cf. 1 Rs 3.4).

3. *O seu Sonho e o Pedido por Sabedoria* (1.7-13)

O pedido de Salomão provavelmente foi inspirado pela oração de que ele, como novo rei, pudesse ter sabedoria e entendimento (1 Cr 29.10ss.). A aparição do Senhor, em visão, deu a ele a oportunidade de pedir o que quisesse (cf. 1 Rs 3.5-15). Aqui está o princípio hebraico de que **riquezas, fazenda e honra** (12) seguem aquele que faz a vontade de Deus. Isso não era sempre verdade naquela época, nem o é hoje em dia; mas o que era verdade então, e continua hoje, é que o homem que obedece a Deus é sempre melhor do que o que o ignora.

Nesta passagem, vemos "a grande escolha": (1) Deus dá a cada homem uma escolha, 7; (2) os fundamentos de uma herança divina, 8,9; (3) a escolha de valores mais elevados, 10; (4) a recompensa pelas escolhas corretas, 11,12.

4. *A sua Riqueza* (1.14-17)

Os detalhes aqui correspondem aos de 1 Reis 10.26-29 e são elaborados em 2 Crônicas 9.13-28. Dizer que o ouro e a prata eram **em Jerusalém** [tão abundantes] **como pedras** (15) é uma descrição vívida da riqueza do governo de Salomão.

A multiplicação de cavalos, que representa guerra ao invés de paz, e o acúmulo de ouro e prata eram expressamente proibidos pela lei mosaica (Dt 17.14-20). Também era proibido ter várias esposas, mas o cronista não as menciona ao narrar a riqueza do novo rei[1].

B. A CONSTRUÇÃO DO TEMPLO, 2.1—5.1

Salomão se propõe, de coração, a construir uma casa para o Senhor, e um palácio para o seu reino.

1. *Salomão e Hirão* (2.1-10)

Salomão, antes de negociar com Hirão, realiza um censo de todos os seus construtores e das suas habilidades, para ter a possibilidade de obter os talentos adequados, e a força de trabalho suficiente para executar a sua tarefa herdada, porém dada por Deus.

Salomão contata **Hirão, rei de Tiro** (3) para garantir madeira de cedro para o Templo. Ele lhe afirma que será um edifício grandioso e magnificente, porque o seu **Deus é maior que todos os deuses** (5). Mas existe uma humildade que é envolvente no testemunho de Salomão: **Quem teria força... quem sou eu?** (6). Desta forma, ele pede ajuda – um arquiteto e materiais, em troca de produção agrícola (10).

A grandeza mencionada (5) não era em tamanho, porque a estrutura completa media somente 40x15 metros – um lugar para a morada de Deus, não uma grande sala para assembléias. Muitas igrejas podem ser maiores do que esta.

Sábio para trabalhar (7) significa talentoso no entalhe e no trabalho com ouro, prata e bronze. **Sabem cortar** (8) significa talentosos no corte e na preparação da madeira.

2. A Resposta de Hirão e o Acordo (2.11-16)

Hirão responde a Salomão por carta, ao reconhecer o Deus de Israel (11,12). Isto pode ter sido um reconhecimento genuíno ou um gesto de cortesia política; parece melhor acreditar na segunda hipótese[2].

O nome do arquiteto no texto em hebraico é *Huram-abi*, que pode ser traduzido como **Hirão, do meu pai ou Hirão-Abi** (13) ou ainda "meu trabalhador mestre", "Hirão, meu conselheiro de confiança". Este engenheiro era parcialmente hebreu, filho de uma mulher de Dã e de um homem de Tiro. Evidentemente, ele tinha sido treinado em seu ofício por seu pai. Hirão, o rei, concordou com a remuneração (15).

3. As Levas de Trabalhadores de Salomão (2.17-18)

Nos versículos 16-17, o autor trata, como no versículo 1, dos trabalhadores locais (153.600). Aqui, o cronista diz que eles eram estrangeiros, mas em 1 Reis 5.13 também existe a menção a uma leva de trabalhadores de Israel. Havia 70 mil carreteiros, 80 mil cortadores nas montanhas do Líbano e 3.600 inspetores. Em 1 Reis 5.16 há somente 3.300. Em 1 Reis 9.23 havia 550 chefes de oficiais, enquanto que em 2 Crônicas 8.10 mencionam-se 250. O total, em ambos os casos, é de 3.850[3].

4. A Construção do Templo (3.1-7)

Aqui o lugar é identificado como **monte Moriá** e **eira de Ornã** (1; cf. 1 Cr 21.18; Gn 22.2). As duas montanhas, ou elevações, onde Jerusalém estava situada eram Moriá, no nordeste, e Sião, no sudeste. Sião deu o seu nome a Jerusalém, mas o Templo foi construído em Moriá.

A descrição começa com o exterior e segue para o interior até o Santo dos Santos. As dimensões aqui são comparáveis àquelas de 1 Reis 6.2. O côvado é estipulado com 18 polegadas (aproximadamente 45 centímetros), embora alguns acreditem que essa medida possa ser variável[4]. O **alpendre** (4) de 120 côvados de altura, em frente a uma casa de 30 côvados, indica uma torre ao invés de um mero **pórtico**[5]. Ele era **coberto com ouro**[6].

Nos versículos 5-7, o interior do lugar sagrado é descrito como ouro sobre madeira de faia e decorado com **palmas e cadeias** esculpidas. A palavra **Parvaim** (6) não aparece em qualquer outra parte. A sua localização é desconhecida; provavelmente na Arábia do leste. Salomão também decorou as paredes com **pedras preciosas**[7].

5. O Lugar Santo (3.8-14)

Os **seiscentos talentos** (8; 65 mil libras, ou 29.500 quilos) parece desproporcional para ser fixado com **cinqüenta siclos** de **pregos** (9). Tradutores modernos interpretaram essas expressões com o significado de "o peso dos pregos era de um siclo para cinqüenta siclos de ouro". O lugar santo – a casa da Santidade das Santidades – era um cubo de vinte côvados (cf. 1 Rs 6.20).

O significado de **trabalho de imagem** (10) é incerto. A versão *Berkeley* traz o seguinte texto: "na casa da Santidade das Santidades fez dois querubins esculpidos, e cobriu-os de ouro". No versículo 13, os querubins, evidentemente, tinham os rostos **virados para a casa**, voltados para a casa da Santidade das Santidades, e não estavam dirigidos um para o outro (cf. Êx 25.20).

O véu (14) aqui é similar ao do Tabernáculo. Não é mencionado em 1 Reis 6.21 (cf. Êx 26.31).

6. As Duas Colunas de Bronze (3.15-17)
As colunas diante da casa em 1 Reis 7.15; 2 Reis 25.17 e Jeremias 52.21 são descritas com a medida de somente dezoito côvados, ao invés de trinta e cinco. No entanto, no texto em hebraico os números são escritos de maneira a causar uma fácil confusão. As **cadeias** (16) parecem ser decorações no topo das colunas. **Como no oráculo** pode ser interpretado "como um colar". Os nomes das colunas, à direita **Jaquim** e à esquerda **Boaz** (17), também aparecem em 1 Reis 7.21. **Jaquim** significa "**Ele estabelece ou estabelecerá**", e **Boaz** é traduzido "**força**" ou "**nele está a força**". Elas provavelmente simbolizam as promessas de Deus à casa de Davi.

7. Os Utensílios (4.1-8,10)

a. O altar de bronze (4.1). Este era o altar para os holocaustos. Media aproximadamente 9x9 metros, e 4,5 metros de altura. Se ele fosse construído com degraus de todos os lados, a área para as ofertas no topo mediria somente 5 metros de largura (Ez 43.13-17) [8]. (Veja os comentários sobre 1 Rs 7.23-50).

b. O mar de bronze e a pia (4.2-6,10). O cronista omite a descrição dos suportes para as pias, dada em 1 Reis 7.23-29. O termo **bois** (3) pode ser traduzido como *botões ornamentais* ou *figuras de colocíntidas*. Em 1 Reis 7.26 lê-se dois mil ao invés de **três mil batos** (5).
As **dez pias** (6), cinco de cada lado, serviam para lavar o que seria para o holocausto, ao passo que **o mar era para... os sacerdotes**. O **mar** era um grande recipiente para água, feito de bronze, no qual os sacerdotes lavavam as mãos e os pés antes de se aproximarem do altar.

c. Os castiçais (4.7). [Ele] **fez** aqui se refere a Salomão e não a Hirão. Os versículos 7-9 não são encontrados em 1 Reis 7. Havia **dez castiçais** (candelabros), divididos igualmente nos lados do lugar santo.

d. As mesas (4.8). Não deviam estar no lugar santo, como os castiçais. As **mesas** eram para o pão da proposição e não para os castiçais.

8. Os Pátios (4.9,10)
Os dois pátios não são descritos detalhadamente aqui. Um deles era o **pátio dos sacerdotes** e o outro era o **pátio grande** ou exterior (cf. 1 Rs 6.36; 7.12). No versículo 10 há outro detalhe a respeito da posição do **mar**.

9. Resumo do Trabalho em Bronze de Hirão (4.11-18)
Idêntico ao apresentado em 1 Reis 7.40-47. **Caldeiras, pás, bacias** (11), **as duas colunas** (12) com a sua decoração, as **pias, bases** (14), os **garfos** e todos os **utensílios** (16) foram feitos **em abundância** e fundidos na **campina do Jordão... entre Sucote e Zereda** (17,18). Em lugar de **Hirão, seu pai** (16) pode-se ler o nome **Hirão-Abi**.

10. *Os Utensílios de Ouro* (4.19–5.1)
Este texto é idêntico ao de 1 Reis 7.48-51. Parece haver uma diferença entre o versículo 19 e 1 Reis 8.48. O cronista menciona dez **mesas**; o autor de reis fala somente de *uma*, para o pão da proposição. De 2 Crônicas 13.11 a conclusão é de apenas uma; então, possivelmente, a antiga mesa do Tabernáculo era usada com as dez novas[9].

Em 5.1 temos a afirmação de que **se acabou toda a obra**; todas as **coisas consagradas de Davi** tinham sido trazidas; e todos os **utensílios** ou recipientes de ouro e prata foram postos **entre os tesouros da casa de Deus** (1 Rs 7.51; cf. 1 Cr 22.14; 26.26). A conclusão foi a ocasião para uma grande celebração. A bênção de Deus estava presente ali. Se Salomão não tivesse sido tão extravagante em outras áreas administrativas, com os impostos excessivos, os historiadores poderiam ter escrito uma história diferente no final de sua vida.

C. A CONSAGRAÇÃO DO TEMPLO, 5.2–7.22

A grande celebração da consagração do novo Templo consistiu de quatro partes: (1) o transporte da arca à **Santidade das Santidades**, ou o Santo dos Santos, 7; 5.2-14; (2) o ato da consagração, 6.10–7.3; (3) os sacrifícios, 7.4-10; e, (4) a aprovação e a promessa de Deus, 7.11-22.

1. *O Transporte da Arca* (5.2-14)
Este capítulo é praticamente idêntico a 1 Reis 8.1-11. O banquete de consagração coincidiu com a Festa dos Tabernáculos no **sétimo mês** (3; Tisri). **Os sacerdotes e os levitas** não somente trouxeram a **arca,** mas também o antigo **Tabernáculo** (ou a **tenda da congregação**) de Sião a Moriá (4-8). **A arca** (4) era o símbolo da presença de Deus. Nessa época, ela continha apenas o segundo conjunto das **duas tábuas** (10) de pedra que Deus deu a Moisés no Sinai, depois que ele quebrou as primeiras. Seria interessante saber o que aconteceu com a vara de Arão e os vasos que continham o maná, mas não há algum indício de seu destino nas Escrituras. Evidentemente, a serpente de metal foi trazida juntamente com os utensílios do Tabernáculo, pois posteriormente teve que ser destruída porque o povo a adorava como a um ídolo (Nm 21.9; 2 Rs 18.4).

O cronista observa que os varais da arca eram vistos de cada lado das cortinas no oráculo e podiam ser removidos (8-10). **O dia de hoje** (9) seria a data em que o cronista escreveu. A arca encontrara o seu lugar permanente da mesma forma que os filhos de Israel acharam um lar permanente na Terra Prometida. Não seria necessário mudar-se novamente. A arca permaneceu ali até o cativeiro em 586 a.C., e, a partir desta data, não há mais menções a ela. Ela foi evidentemente destruída com o Templo, pelos babilônios (cf. Dt 10.2-5; 1 Rs 8.8,9; Hb 9.4).

Os versículos 11-14 representam um esclarecimento e um entendimento da celebração única de Crônicas. Os 120 sacerdotes com trombetas (não poderiam ser menos do que dois) e todos os levitas que eram cantores (não somente as turmas da semana) estavam ali, liderados por **Asafe, Hemã** e **Jedutum** (12). Deve ter sido uma bela visão, quando todos eles se apresentaram, vestidos de **linho** [branco] **fino** com seus

címbalos, alaúdes, harpas e trombetas. Alguns opinam que havia pouca harmonia na melodia, mas a música instrumental e o canto **uniforme, fazendo ouvir uma só voz** (13) deve ter sido delicioso para os ouvidos, e magnífico para os olhos, quando eles cantaram *"Ki tob, ki leolam chasdo"*, **porque ele É bom, porque a sua misericórdia dura para sempre.** Que aprovação celestial, a ponto de a glória de Deus encher o lugar como uma **nuvem**, de tal maneira que os sacerdotes não puderam ficar **em pé, para ministrar, por causa da nuvem** (14)![10]. O serviço a Deus não está completo até que Ele venha nos encher e abençoar com a sua presença. E Ele o faz quando nos unimos para buscar as suas bênçãos.

2. *A Consagração* (6.1—7.3; cf. 1 Rs 8.12-61)

a. As palavras de abertura de Salomão e a bênção (6.1-11). A referência a Deus que habitaria **nas trevas** (1), e a nuvem majestosa que encheu o Templo falavam de aprovação, proteção, salvação e orientação para o povo de Israel (cf. Êx 16.10; 24.16; 40.34; Nm 9.15; 1 Rs 8.10-11).

As palavras de abertura e a bênção eram adequadas e aceitáveis, porque Salomão agia como um rei, e não como um levita ou um sacerdote. Ele lembrou à congregação que tudo se devia à escolha de Deus: **Jerusalém** (6) como o lugar da arca, e Salomão – a semente de Davi – como o seu construtor e conservador (10). O símbolo do **concerto** é a **arca** do Senhor (11)! Não há nos versículos 5 e 6 uma indicação clara de que Deus por várias vezes faz coisas novas à medida que habita no meio de seu povo?

b. A invocação da constante proteção de Deus (6.12-21). A **base** de metal (13), ou plataforma, é a mesma palavra para "pedestal", no hebraico (*kiyyor*). Evidentemente, era oval ou em forma de tigela, localizada perante o altar de bronze. Salomão subiu nela e ajoelhou-se diante do povo e perante o seu Deus (1 Rs 8.54; cf. Ne 8.40). Em sua oração, ele invocou a vindicação de Deus a respeito de seu servo Davi, e a proteção para o filho dele, ou seja, para si mesmo.

Nos versículos 18-21 está a oração de aceitação e de consagração: **o céu e o céu dos céus não te podem conter, quanto menos** (18) uma casa que mãos humanas construíram! Ela poderia conter os homens, mas não a Deus! Salomão pede a aceitação divina para si mesmo e para Israel. O costume de olhar para Jerusalém durante a oração (21) simbolizava o ato de adoração no Templo, o lugar de habitação da arca de Deus. Não era a arca, mas sim o Senhor que traria a salvação – **ouve, pois, e perdoa** (21).

c. Um juramento é feito no altar (6.22,23). Aceitar o juramento do acusado na ausência de testemunhas parece ter se tornado um costume, e era honrado como uma parte da lei[11]. Salomão pede a ajuda divina para alcançar a justiça através desse procedimento. Este é o primeiro de sete casos, expostos para especial consideração do Senhor pelo novo rei (cf. 1 Rs 8.31-46).

d. Na derrota (6.24,25). Salomão roga que se eles sofressem uma derrota por causa do pecado, e pedissem o perdão de Deus, fossem perdoados e obtivessem a vitória sobre os seus adversários.

e. Durante a seca (6.26,27). Aqui, Salomão pede ajuda caso a seca sobrevenha por causa do pecado (cf. 1 Rs 17.1). No entanto, não é pelo perdão fácil que o rei ora. Ele pede a misericórdia divina na ocasião em que Deus **lhes ensinar o bom caminho em que devem andar** (27).

f. Na fome e na peste (6.28-31). Todas essas oito calamidades poderiam vir por causa do pecado. Uma vez mais, Salomão pede misericórdia a favor de seu povo, para que viva de acordo com os requisitos do Deus justo; **ouve tu desde os céus... e perdoa... a fim de que te temam, para andarem nos teus caminhos** (30,31).

g. Pelo estrangeiro (6.32,33). A quinta oração de Salomão é para que aqueles que queiram ser prosélitos possam ser aceitos por Deus e pelo povo. Aqui se esclarece o fato de que o Senhor é o Deus de toda a terra. O rei ora por essa manifestação de misericórdia, **a fim de que todos os povos da terra conheçam o teu nome** (33).

h. Batalha (6.34,35). O sexto caso está relacionado com a guerra. O pedido consiste em dar a vitória ao seu povo. Mas, mesmo na guerra, o rei pede a vitória somente quando seu povo for para a batalha **pelo caminho** que Deus os enviar (34).

i. No cativeiro (6.36-39). O sétimo pedido se refere provavelmente à redenção da idolatria ou corrupção. A frase, **pois não há homem que não peque** (36) pode ser traduzida "pois não há homem que esteja isento de pecar" (cf. Lv 5.1; 1 Sm 2.25; 2 Cr 6.22)[12]. Este texto não fala de uma religião pecadora; simplesmente implica que se um homem peca enquanto está em período de experiência – e a possibilidade de pecar está sempre presente – ele pode e deve pedir perdão, e Deus perdoará! Tal perdão será concedido somente quando aqueles que pecaram "se converterem... com todo o seu coração e com toda a sua alma" (38).

j. A conclusão da oração (6.40-42). Esta passagem substitui a de 1 Reis 8.50b-53 como a conclusão da oração de consagração. Salomão ora pelos sacerdotes, como também por si mesmo.
Estejam... os teus ouvidos atentos (40) deve ser lido como "estejam os teus ouvidos atenciosos". A frase **os teus sacerdotes... sejam vestidos de salvação** (41), ou justiça, menciona o fato de que eles não estarão somente vestidos com linho fino e branco, mas também deverão estar adornados com a beleza moral da verdadeira santidade. O desígnio completo de um Deus santo é que Ele tenha um povo santo e sem pecado.
Salomão termina a oração mediante o pedido a Deus que se lembre das suas misericórdias – ou de seu "constante amor" para com Davi, seu servo, e que lhe estenda o mesmo favor (cf. Sl 132.10).

k. A confirmação Divina (7.1-3). O Senhor enviou fogo para consumir os holocaustos e os sacrifícios, e **a glória do Senhor Deus encheu o Templo**, provavelmente sob a forma da luz radiante conhecida como *Shekinah*. E o povo se encurvou com Salomão e adorou a Deus e o louvou. *Ki tob, ki leolam chasdo* – **porque ele É bom, porque a sua misericórdia dura para sempre** (3). Esta expressão não é encontrada na passagem paralela em Reis.

O REINO DE SALOMÃO   2 CRÔNICAS 7.4—8.4

3. Os Sacrifícios e o Banquete Público (7.4-11)
Os holocaustos e ofertas pacíficas foram tão grandes que o novo altar de bronze não pôde abrigar a todos (4-6). Nessa ocasião não houve ofertas para expiação de pecados nem transgressão; este foi um ministério de devoção e de comunhão com Deus e os companheiros. O banquete durou **sete dias** e terminou com uma **grande congregação** no **oitavo dia** (7-10; cf. 1 Rs 8.62-66).
Desde a entrada de Hamate até ao rio do Egito (8) é equivalente a "**desde Dã até Berseba**". Esta expressão significa o país inteiro. **Prosperamente o efetuou** (11) pode ser entendido como "ele realizou com sucesso".

4. A Segunda Aparição de Deus a Salomão (7.12-22)
O Senhor apareceu de noite a Salomão para conceder-lhe bênçãos adicionais (12-18) juntamente com uma advertência (19-22; cf. 1 Rs 9.1-9). A oração de Salomão pelas bênçãos de Deus tinha sido condicional. A resposta do Senhor foi dada nas mesmas condições. Não importa quão profundo seja o problema trazido pelo pecado; existe uma promessa segura de Deus: **e se o meu povo, que se chama pelo meu nome, se humilhar, e orar, e buscar a minha face, e se converter dos seus maus caminhos, então, eu ouvirei dos céus, e perdoarei os seus pecados, e sararei a sua terra** (14). Mas o povo de Deus deve caminhar em obediência às suas leis ou será rejeitado.
"As condições para o renascimento nacional" são dadas em uma das passagens mais queridas e freqüentemente citadas: a dos versículos 12-16. Aqui temos (1) o problema – a fome e a peste que ilustram profundas necessidades morais e espirituais, 13; (2) a provisão: **Se o meu povo...**, 14; (3) A promessa: **então, eu ouvirei...**, 14; (4) a presença, 15,16.

D. A GLÓRIA DE SALOMÃO, 8.1—9.31

Seria difícil exagerar na grandiosidade, na riqueza, na sabedoria, na honra e na grandeza que tinha Salomão. Não há necessidade de mencionar mais o assunto. As Escrituras são adequadas em suas descrições (cf. 1 Rs 9.10—10.29; 11.41-43). O conteúdo de 1 Reis 9.11-16 é omitido, ao passo que o cronista acrescenta a informação de 8.13-16.

1. A Troca de Cidades entre Salomão e Hirão (8.1,2)
Não se trata exatamente de uma contradição de 1 Reis 9.10-14. Estas cidades não tinham sido propriamente tomadas dos cananeus pelos israelitas. Elas não eram satisfatórias para Hirão, ou foram usadas apenas como garantia e voltaram às mãos de Salomão. O rei as restaurou como uma colônia de israelitas[13].

2. O Grupo de Trabalhadores Forçados e a Construção das Cidades (8.3-10).

a. As cidades (8.3-6). Entende-se que **Hamate-Zoba** (3) eram de fato duas cidades, Hamate e Zoba, as capitais dos pequenos reinos da Síria, no rio Orontes. O rei Toí de Hamate tinha sido um aliado de Davi (2 Sm 8.9ss.). Salomão evidentemente desejava essas cidades do norte, tanto para armazenamento como para proteção. **Tadmor** (4) é a cidade de Palmira, 240 quilômetros a nordeste de Damasco, na mesma região. Ela

449

já existia desde 1100 a.C., na época de Tiglate-Pileser I da Assíria. Alguns estudiosos, no entanto, consideram que ela pode ser uma variação de escrita, por causa de um texto de 1 Reis 9.18, onde se lê "Tamar", ao sul de Judá. Esta opinião não é necessariamente correta[14].

b. O trabalho forçado (8.7-10). O problema dos estrangeiros parece ser difícil de ter solução. Salomão obrigou todos os remanescentes dos povos nativos, os cananeus, a se empregarem como escravos. Os israelitas eram funcionários somente naqueles trabalhos que eram nobres ou um símbolo de status. Parece haver uma discrepância entre o versículo 10, **duzentos e cinqüenta, que presidiam**, e 1 Reis 9.23, que diz *"quinhentos e cinqüenta"*. Entretanto, os totais, como mencionamos anteriormente em relação a 2 Crônicas 2.18 e 1 Reis 5.16 e 9.23, perfazem o mesmo valor, 3.850.

3. A Filha do Faraó Recebe a sua Própria Casa (8.11)
Esta esposa egípcia parece ter morado temporariamente na casa da mãe de Salomão, ou na casa de Davi, até que ele pudesse construir um palácio especialmente para ela (cf. 1 Rs 3.1; 7.8). Como a arca tinha encontrado um alojamento temporário no palácio de Davi, que Salomão ocupava, ele evidentemente não julgou apropriado que uma mulher estrangeira e pagã permanecesse ali. Este respeito pelas coisas sagradas não deve ser diminuído[15]. Atualmente faríamos bem se reassumíssemos esta atitude (1 Co 11.27).

4. A Adoração de Salomão (8.12-16)
A definição de Salomão dos serviços de adoração marcou a conclusão do projeto do Templo. O trabalho havia sido comissionado a ele por Davi desde a fundação até os cultos de adoração. A autoridade divina para a construção e o ministério, com as tarefas especiais atribuídas aos levitas foram **o mandado de Davi, o homem de Deus** (14)[16].

5. A Marinha de Salomão e de Hirão (8.17,18)
Os israelitas eram um povo agrícola. Não é de surpreender, portanto, que o país de Tiro, sob o governo de Hirão, que ganhava um bom dinheiro no mar, pudesse se mostrar disposto a fornecer marinheiros para manejar os barcos de Salomão em **Eziom-Geber**. Os pescadores da Galiléia não eram treinados para essa tarefa. O texto parece dar a entender que Hirão forneceu tanto os barcos como os homens, ou pelo menos a madeira para os barcos (cf. 1 Rs 9.26-28). Veja no mapa a localização de **Eziom-Geber... na praia do mar, na terra de Edom** (17).

6. A Visita da Rainha de Sabá (9.1-12)
Esta passagem é idêntica à de 1 Reis 10.1-13. A visita da rainha de Sabá é tão conhecida como qualquer acontecimento do Antigo Testamento, e o valor dos presentes trocados seria fabuloso em qualquer época. Estudiosos mais recentes negam que Sabá seja a Etiópia. Eles identificam a hóspede de Salomão como uma rainha de algumas tribos árabes do sul[17].
Houve muitas coisas que impressionaram a rainha: (1) a sabedoria de Salomão; **eis que me não disseram a metade da grandeza da tua sabedoria** (6); (2) a **sua ascensão** (veja a seguir); (3) os **seus servos**; (4) e a sua riqueza.

A expressão **sua ascensão** (4) tem causado considerável especulação. Pode ter sido sua entrada no Templo, ou a procissão real, ou as ofertas, ou uma ponte ou viaduto em arco sobre o vale Tiropeano, entre o monte Sião e o muro oeste da área do Templo. A distância é estimada em mais de 110 metros, com uma altura superior a quarenta metros. Esta teria sido certamente impressionante, caso fosse uma ponte ou um viaduto [18].

Além do que ela mesma trouxera ao rei (12) significa que "os presentes dados por ele eram equivalentes àqueles dados por ela" (Berk.).

7. A Renda de Salomão, o Comércio e o Esplendor (9.13-28)

Ao ler o relato do cronista sobre a glória do reino de Salomão, ao aproximar-se de seu final, ficamos impressionados com o que ele ignora: a verdadeira condição da nação; a saúde deteriorada do rei, uma presa dos seus inimigos, um idólatra e um ditador desprezado por causa das suas extravagâncias e dos impostos pesados. O Novo Testamento faz menos referências a Salomão do que a Davi, e não há a preocupação em retratá-lo como um homem devoto e temente a Deus no final de seu reinado (cf. Mt 6.29; 12.42; Lc 11.31; Jo 10.23; At 3.11; 5.12; 7.47)[19].

a. A renda (9.13-16). A renda anual de 666 **talentos de ouro** (13) seria de cerca de vinte milhões de dólares americanos (cf. 1 Rs 10.14). **Negociantes** (14) é uma palavra alternativa para "comerciantes". **Paveses** (15) eram grandes escudos feitos de ouro e cada um deles valia o equivalente a 280 mil dólares americanos. Os **trezentos escudos** (16) eram menores, e valiam 140 mil dólares cada. **A casa do bosque do Líbano** era "provavelmente assim chamada por causa do efeito das fileiras de colunas de cedro. Era provavelmente um salão para atos públicos com a armaria e o almoxarifado" (H. L. Ellison).

b. O trono de marfim (9.17-19). O trono de marfim de Salomão, e seus degraus com esculturas de leões dos dois lados, deve ter sido impressionante, especialmente quando as decisões tomadas naquele local eram justas e sábias. Os doze leões representavam as doze tribos, mas também simbolizam a de Judá, à qual pertencia o rei.

c. O comércio (9.20-22). **Reputava-se por nada** (20) – "a prata não era considerada durante a época de Salomão" (Berk.). No versículo 21, o cronista descreve o comércio com Társis (provavelmente a Espanha) pelo Mediterrâneo, ao invés de dar a volta pelo sul da África, pelo porto de Eziom-Geber. Muitos desses cargueiros eram exóticos, mas também traziam as especiarias e o incenso necessários para a adoração. (cf. a explicação alternativa no comentário sobre 1 Reis 9.26-28).

d. Os presentes (9.23,24). Estes presentes vinham das nações vizinhas, assim como das doze províncias do próprio reino de Salomão, uma quantia especificada anualmente. Em lugar de **armaduras** pode-se ler "roupas ou armas".

e. Os cavalos (9.25-28). Duas coisas que provam a grandeza mundana de Salomão eram a multiplicação dos seus cavalos e o acúmulo de ouro e prata. Embora isso impressionasse os homens, era algo repugnante a Deus, porque eram coisas expressamente proibidas em Deuteronômio 17.14-20. Alguns têm contestado o número de

estrebarias de cavalos (25) como exagerado, porém as escavações realizadas em Megido tendem a confirmar esta cálculo[20].

8. O Resumo do Reinado de Salomão (9.29-31)

O reinado de quarenta anos do filho de Davi chega ao seu final. O cronista ignora os tristes detalhes da carreira de Salomão ao enfatizar as glórias de seu período inicial. Ele faz isso porque está mais interessado nas instituições que o rei estabeleceu do que em sua biografia.

O cronista cita as suas fontes (29): **Natã, Aías** e **Ido** (cf. 1 Cr 29.29). **Roboão, seu filho, reinou em seu lugar** (31).

Seção **IV**

A HISTÓRIA DE JUDÁ

2 Crônicas 10.1—36.23

O texto em 2 Crônicas 10.1 marca um ponto na história em que o reino estabelecido durante o governo de Saul – e levado ao seu apogeu durante o governo de Davi e Salomão – foi dividido em dois. O filho, e também sucessor de Salomão, foi tanto fraco como incapaz, e vítima de um astuto e forte oponente, Jeroboão. Existiram dois reinos israelitas por pouco mais de dois séculos após Salomão. Eles eram conhecidos como Reino do Norte, ou Israel; e Reino do Sul, ou Judá. Somente restaram as tribos de Judá e Benjamim como remanescentes do reino de Salomão. As outras 10, que tinham Efraim como líder, retiraram-se da "casa de Davi" e foram governadas por uma sucessão de dinastias, das quais a de Jeroboão foi a primeira.

O cronista dá poucos detalhes sobre o Reino do Norte, pois nenhum de seus reis seguiu o Senhor para fazer sua vontade. Todos eles adoraram as imagens dos bezerros de ouro em Dã e Betel. Até mesmo em Judá houve apenas quatro reis reformadores que buscaram um reavivamento dentre os dezenove homens e uma mulher que se sentaram no trono de Davi: Josafá, Uzias, Ezequias, e Josias. A história de Judá pode ser dividida em quatro ciclos. Existiu um reformador para cada um dos períodos, exceto para o quarto. O segundo possuiu dois. Existem outros reis que poderiam ser classificados como bons, mas não foram tão bem-sucedidos na promoção de um reavivamento religioso.

A. O Primeiro Ciclo na História de Judá, 10.1—20.37

Este primeiro ciclo contém as histórias de quatro reis; dois deles eram moral e religiosamente indiferentes, e dois eram bons.

1. Roboão – 931-913 a.C. (10.1—12.16)

Ocorreram muitos eventos importantes no reinado de Roboão: (1) sua tola política de não dar ouvidos ao sábio conselho dos mais velhos, e sim à orientação impulsiva dos jovens bajuladores e inexperientes com quem ele havia crescido; (2) a secessão de dez tribos sob Jeroboão; (3) a migração dos levitas e piedosos das dez tribos de Judá e Benjamim; (4) a invasão de Sisaque do Egito; e (5) o desvio do Reino do Sul ao seguir o exemplo de seu rei.

a. *O tumulto* (10.1-19). Os detalhes do retorno de Jeroboão e da secessão são tratados o mais rapidamente possível (cf. 1 Rs 12.20). Mas Crônicas discute o tumulto e a disputa civil entre as duas tribos do sul, Judá e Benjamin; e as dez do norte, que vieram a liderar em Siquém (1-5). As demandas das tribos do norte eram razoáveis – menos impostos e mais liberdade.

Os conselhos dos anciãos e dos jovens amigos foram avaliados por Roboão (6-11). Então, após três dias, Jeroboão e o povo retornaram para ouvir sua resposta, que era pouco realista e completamente insensível. Achavam que Salomão havia sido duro com eles, e ainda não tinham visto mudança alguma. No entanto, o novo rei pretendia afligi-los mais, ao acrescentar escorpiões aos açoites (12-15). O atraso nas decisões é melhor do que a precipitação, mas estas também devem ser sábias e válidas!

Porque esta mudança vinha de Deus (15). Tanto Roboão como o povo das tribos do norte agiram de acordo com a sua livre escolha. O novo rei aceitou um conselho iníquo, e os homens das tribos se revoltaram contra o governo legítimo. Porém o Senhor Deus trabalhou esta maldade dupla segundo a sua própria vontade, e usou-a como uma punição para a casa de Davi, por causa da apostasia de Salomão.

Israel, cada um às suas tendas! (16). O que Roboão esperava? Certamente não uma resistência passiva. As tribos do norte apedrejaram Hadorão, o coletor de impostos e formaram uma aliança de governo que durou até o cativeiro (722 a.C.) nas mãos de Sargão, o assírio.

b. *Semaías evita uma guerra civil* (11.1-4). Roboão reuniu seus melhores guerreiros em Jerusalém para vencer os rebeldes. Mas o profeta Semaías falou da parte do Senhor. Porque de mim proveio isso (4). E foi para o crédito de Roboão que ele ouviu o profeta de Deus. Assim, a passagem em 12.15 nos mostra que havia uma luta contínua na fronteira entre os reinos rivais.

c. *As fortificações de Judá* (11.5-12). Havia quinze cidades ao todo (veja o mapa) que se chamavam: Belém, Tecoa, Bete-Zur, Adoraim, Zife e Hebrom na região montanhosa de Judá, Etã, Socó, Adulão, Maressa, Azeca, Zorá e Aijalom nas terras baixas de Judá; Gate, uma cidade Filistéia; e Laquis na planície marítima. Aijalom e Zorá estavam provavelmente no território de Benjamim. Roboão, certamente, precisava de fortificações por todos os lados, pois Jeroboão e as tribos do norte levavam vantagem nos números e nos assuntos comerciais.

d. *A afluência dos levitas* (11.13-17). A afluência dos levitas a Judá não é surpreendente quando o escritor nos informa que os **demônios**, "bodes" (heb. *se'irim*), e os **bezerros** que Jeroboão fez (15) teriam seus próprios **sacerdotes** ordenados por ele (cf. 1 Rs 12.31; 13.33). O rei do norte alienou muitos fiéis do povo, ao misturar a adoração egípcia e cananéia com a verdadeira adoração a Deus. Roboão deu as boas-vindas a esta afluência, e foi fortalecido por ela. Pelo menos por **três anos** (17) ele e seu povo **andaram no caminho de Davi e de Salomão**. A referência a Salomão seria certamente aos primeiros anos de seu reinado. Após estes primeiros três anos, o Reino do Sul também se esqueceu de Deus.

e. *A família de Roboão* (11.18-23). Roboão não excedeu seu pai em número de esposas (dezoito) e concubinas (sessenta), mas o fez em número de filhos (vinte e oito) e filhas (sessenta). **Jerimote** (18) não é em lugar algum mencionado como filho de Davi, mas pode ter sido dele com uma concubina.

Roboão escolheu **Abias** como seu sucessor (22). O herdeiro designado ao trono foi o **filho de Maaca**, a filha de Absalão, que foi amada por **Roboão mais... do que todas as suas outras mulheres e concubinas** (21). A distribuição de seus filhos ao longo de Judá e Benjamim em toda cidade murada e com suficientes propriedades, riquezas e esposas foi um movimento político. Isto deu prestígio às cidades e também evitou a possibilidade de uma ação de traição de outro "Absalão". A expressão **e lhes procurou uma multidão de mulheres** (23) pode ser lida como: "arranjando muitos casamentos para eles" (Moffat).

f. *A sua idolatria* (12.1). O sucesso subiu à cabeça de Roboão. A "religião da toca da raposa" do soldado moderno encontra em contrapartida uma devoção "de tempos difíceis" do rei. Assim que o problema foi solucionado, o rei **e todo o seu povo deixaram de obedecer à Lei de Deus** (1). O cronista não mantém uma distinção entre Judá e Israel, os nomes comuns aplicados aos reinos do Norte e do Sul, respectivamente.

g. *A invasão de Sisaque* (12.2-12). O rei egípcio é usado como um instrumento de punição para o Reino do Sul. Sisaque (2) teve como seus aliados os **líbios**, os **suquitas** (talvez residentes de cavernas próximas ao mar Vermelho), e os **etíopes** (3)[1].

Alexander Maclaren enfatiza as verdades espirituais desta passagem em um sermão sobre "Serviços Contrastados", baseado em 12.8 (1): Os mestres são contrastados (2); As experiências dos servos são contrastadas: (*a*) a obra de Deus é a liberdade; a do mundo é a escravidão. (*b*) A obra de Deus traz um sólido benefício; a do mundo traz a vaidade e o vazio. (*c*) A obra de Deus traz bênçãos eternas; a obra do mundo traz a condenação eterna.

h. *Resumo* (12.13-16). Roboão reinou por **dezessete anos** (13) e morreu com a idade de 58 anos. **E fez o que era mau** (14) é o epitáfio do cronista. **Semaías, o profeta, e Ido, o vidente** (15) são chamados de historiadores do reino de Roboão. O rei foi sepultado com seus antecessores **na cidade de Davi** (16).

2. *Abias* – 913-911 a.C. (13.1-22)
Os detalhes da guerra estendida entre Abias e Jeroboão muito acrescentaram ao nosso conhecimento sobre o segundo rei de Judá (cf. 1 Rs 15.1-8; Abias e Abião são variantes de escrita do mesmo nome).

2 Crônicas 13.1—14.15

a. *A ascensão* (13.1,2). **Micaía** poderia ser Maaca, a filha ou neta de Absalão (cf. 11.22). A guerra com o Reino do Norte começou após três anos de seu reinado.

b. *A guerra* (13.3-22). Abias evidentemente queria punir Jeroboão por sua rebelião, mas ele fora excedido em números (a dois por um) pelos exércitos das dez tribos.

(1) *O discurso de Abias* (13.4-12). No **monte Zemaraim** (4), na região montanhosa de **Efraim**, o rei tentou persuadir as tribos do norte ao retorno do aprisco. Ele argumentou que (a) eles haviam rejeitado o **concerto de sal** (5), que tornou a oferta da refeição eterna (Lv 2.13); em outras palavras, um memorial permanente da aliança de Deus com homens. (b) Eles haviam adotado em sacerdócio ilegítimo (c) Judá, pelo contrário, ainda tinha Deus ao seu lado, ao manter **sacerdotes** e **holocaustos** verdadeiros (10,11). (d) Portanto, os israelitas deveriam retornar a Jerusalém e à verdadeira adoração, e não lutar contra Deus (12).

(2) *A batalha* (13.13-20). Deus lutou por Abias, e 500.000 israelitas foram mortos (13-17). As tribos do sul tomaram várias cidades do norte, e três delas foram mencionadas: **Betel, Jesana e Efrom** (19). A localização das duas últimas é desconhecida. As palavras suaves e os golpes pesados de Abias foram efetivos, e ele lutou na força do Senhor[2]. Como resultado desta guerra, Jeroboão nunca recuperou a força e morreu dois anos depois de Abias (1 Rs 14.20; 15.9).

(3) *A família de Abias* (13.21,22). Abias teve quatorze esposas, vinte e dois filhos, e dezesseis filhas, e tornou-se poderoso (21). Todas estas coisas foram registradas **na história** (ou seja, o Midrash ou comentário) **do profeta Ido** (22).

3. *Asa* – 911-870 a.C. (14.1—16.14)

Asa não cumpriu a promessa de seu reinado, embora tenha sido um bom rei. O cronista adiciona alguns detalhes a 1 Reis 15.9-24, particularmente sobre a invasão de Zerá, o etíope.

a. *A ascensão e reforma de Asa* (14.1-8)

(1) *A ascensão* (14.1). Os **dez anos** (1) do descanso sem dúvida se devem à derrota de Jeroboão.

(2) *O caráter de Asa* (14.2-5). O cronista mostra os pontos fracos e fortes dos reis, embora enfatize aquilo que ajudou a dar continuidade à vontade de Deus para a vida de seu povo (cf. 14.2-4,7,11; 15.1-7; 16.7-10). Asa é, às vezes, classificado junto com Ezequias e Josias como um rei de reformas, embora pareça melhor dar esta honra ao seu filho Josafá.

A contradição entre 3 e 15.7 é apenas aparente. A primeira passagem não diz que Asa removeu todos os **altares, estátuas e bosques** ou ídolos. A segunda referência é a um tempo futuro, quando se tornaria óbvio que sua reforma não era um sucesso completo[3].

(3) *Sua política de defesa* (14.6-8). Asa construiu cidades para defesa, e levantou um exército que contava com um efetivo de 580.000 homens, vinte mil a menos do que o de Benjamim e de Judá. Estas cidades cercadas podem ter sido aquelas tomadas inicialmente por Sisaque, o rei Egípcio.

b. *A vitória de Asa sobre Zerá, o etíope* (14.9-15). A retomada e reconstrução das cidades fronteiriças pode ter sido a causa da nova invasão egípcia. **Maressa** (9), provavelmente a sudoeste de Jerusalém, uma das cidades que Roboão fortificou (11.8), foi o local da batalha. Os israelitas estavam em menor número, mas, em resposta às orações de Asa, Deus interveio e as forças superiores dos egípcios foram completamente vencidas. A fé e a oração de Asa neste momento não devem ser desconsideradas, apesar dele ter desobedecido a Deus mais tarde. Nem todas as petições feitas em momentos de grande dificuldade são desprovidas de sinceridade. O exército de Asa perseguiu o inimigo até **Gerar** (14), na costa do Mediterrâneo, e **toda as cidades** da região foram saqueadas.

c. *A advertência do profeta Azarias* (15.1-15)

(1) *A advertência* (15.1-7). Azarias é mencionado aqui, quando se fala sobre como Deus o usou a favor da causa da justiça. Com o objetivo de que a religião de Asa não fosse apenas um tipo de "covil de raposas", o profeta advertiu que as promessas, a presença e o poder de Deus dependiam da obediência à lei. O Senhor continuaria a dar a vitória se o rei e o povo andassem em seus caminhos.

Na mensagem de Azarias a Asa, temos o segredo do "triunfo em tempos difíceis" (1-7). Aqui podemos ver (1) A questão dos tempos, 5,6; (2) O pedido da bênção de Deus, 2; (3) A necessidade de um avivamento religioso, 3; (4) A fidelidade de Deus, 4; (5) A promessa do triunfo, 7.

(2) *A renovação da aliança* (15.8-15). O **profeta, filho de Obede** [ou Odede] (8). Aqui é usado o nome do pai de Azarias ao invés do próprio nome do profeta. Alguns comentaristas acreditam que a reforma de Asa teve dois estágios, o primeiro aconteceu no tempo de Obede e o segundo nos dias de Azarias. Outros acreditam que a advertência de Azarias foi uma ilustração específica da profecia de seu pai. Esta última opinião é certamente possível[4].

As **cidades** das **montanhas de Efraim** (8) podem ter sido cidades não mencionadas anteriormente, ou as que seu pai, Abias, tinha protegido (13.9).

Na Festa das Semanas (10), a reforma de Asa precisaria ter continuidade, mas não antes que os servos de Deus de Efraim, Manassés e Simeão viessem ao Reino do Sul. Evidentemente, a maior parte da tribo de Simeão havia migrado para o norte (veja no mapa a sua localização original). Judá deu as boas vindas aos migrantes. Havia alguns no Reino do Sul que reagiram como o irmão mais velho de Lucas 15 quando o filho prodígio voltou para casa.

A renovação da aliança foi acompanhada pela ameaça de morte por desobediência (13; cf. Êx 22.20; Dt 13.6-17; 17.2-7).

Sob o tópico "A procura que sempre encontra" Maclaren nota nesta seção: (1) A procura, 12; (2) O encontro que coroa a procura, 15c; (3) o descanso que resulta de se encontrar a Deus, 15d.

d. *As reformas* (15.16-19)

(1) *A remoção de Maaca, a rainha mãe* (15:16). Como parte da reforma, Asa removeu sua mãe e o **ídolo** que ela tinha em um **bosque** (16), para provar que a obediência começa em casa. A abominável imagem de Aserá representava uma religião licenciosa.

(2) *A reforma na adoração* (15.17,18). Evidentemente, a reforma descrita em 14.3 não foi completamente bem-sucedida. Mas não por alguma falha de Asa; o seu coração **foi perfeito todos os seus dias** (17). Ele trouxe todos os seus despojos, bem como os de seu pai, e os dedicou aos tesouros do Templo (18).

(3) *Paz* (15.19). Este versículo parece estar em contradição com o relato de 1 Reis 15.32. Alguns acreditam que a leitura do número seria "vigésimo" ao invés de **trigésimo**, enquanto outros mantêm a crença de que o relato em Crônicas seja mais preciso do que o de Reis⁵.

e. A guerra com Baasa (16.1-6). As datas aqui e em 15.19 combinam (cf. 1 Rs 15.17-24). Alguns calcularam os trinta e seis anos a partir da revolta das dez tribos⁶. A iníqua aliança com Ben-Hadade, de Damasco, contra Baasa, de Israel, foi comprada com o tesouro da casa de Deus.

f. A repreensão de Hanani e a transgressão de Asa (16.7-10).
Judá foi vitorioso, mas perdeu a aprovação de Deus (7). O profeta Hanani repreendeu-o por confiar na Síria ao invés de crer no Senhor. Como resultado, sua mensagem foi: "Porque confiaste no rei da Síria e não confiaste no Senhor, teu Deus, o exército do rei da Síria escapou das tuas mãos. Porventura, não foram os etíopes e os líbios um grande exército, com muitíssimos carros e cavaleiros? Confiando tu, porém, no Senhor, ele os entregou nas tuas mãos. Porque, quanto ao Senhor, seus olhos passam por toda a terra, para mostrar-se forte para com aqueles cujo coração é perfeito para com ele; nisso, pois, procedeste loucamente, porque, desde agora, haverá guerras contra ti". Asa, por isso, ficou tão furioso e lançou o profeta na prisão e oprimiu o povo que não aprovou a sua atitude.

Quão humano foi Asa! Com que rapidez ele se esqueceu do poder de Deus manifestado nas grandes crises da vida (8), e não confiou no Senhor nas decisões menores! Mas como Deus é fiel! **Porque, quanto ao Senhor, seus olhos passam por toda a terra, para mostrar-se forte para com aqueles cujo coração é perfeito para com ele (9).**

g. Resumo (16.11-14)
(1) *A doença de Asa* (16.11,12). Não é de admirar que Asa tenha procurado os médicos ao invés do Senhor! Não que seja errado ou mesmo pecado procurar a medicina; mas este homem, que já fora um servo de Deus, tendo aprisionado o profeta de Deus, não podia, ele mesmo, dirigir-se ao Senhor e pedir ajuda para resolver seus problemas pessoais. Deus aproveitou esta oportunidade para lembrá-lo de sua desobediência (cf. Jr 17.5).
(2) *Sua morte* (16.13,14). Asa morreu no quadragésimo primeiro ano de seu reinado e foi sepultado **com seus pais** (13) em meio a grande ostentação e circunstância. Seus bons procedimentos sobrepuseram os maus atos de seus últimos anos. A **queima mui grande** (14) se refere a uma fogueira de especiarias preparadas segundo a arte dos perfumistas em honra ao rei morto.

4. *Josafá* – 870-848 a.C. (17.1—20.37)
Josafá parece ter sido co-regente com seu pai por aproximadamente três anos, 873-870 a.C. (cf. 1 Rs 22.41-50). Há mais detalhes nos livros das Crônicas do que em Reis. Ele é o primeiro rei avivalista-reformador a trazer verdadeiros resultados. Obviamente construiu sobre o antigo alicerce que fora preparado por seu pai, Asa.

a. O caráter de seu reino (17.1-6). A prosperidade foi maior sob o governo de Josafá do que sob o de seu pai, e foi dito que ele **andou nos primeiros caminhos de Davi** (3).

A HISTÓRIA DE JUDÁ												2 CRÔNICAS 17.3—18.10

Algumas variações são possíveis nas versões em inglês: A versão Berkeley diz que "Ele andou nos antigos caminhos de Davi, seu pai"; a versão RSV diz: "Ele andou pelos primeiros caminhos de Davi". Ele estendeu o território da nação e finalizou o trabalho de remoção dos ídolos dos altos. Ele seguiu a tendência dos primeiros anos de fé de seu pai". **Não segundo as obras de Israel** (4) é uma alusão aos bezerros de Dã e Betel. O seu coração se exaltou (6) – Moffat traduz a expressão como: "A sua ambição passou a ser viver nos limites da eternidade".

b. *O ensino regular da lei* (17.7-9). Josafá enviou seus príncipes para ajudar a organizar o povo; assim, os levitas poderiam dar-lhes instruções completas através da lei. **Enviou seus príncipes** (7) pode ser lido como: "Ele expediu os seus príncipes", ou, "Ele comissionou os seus príncipes". Nenhum avivamento é possível sem que se honre a Palavra de Deus. Este foi um estudo sistemático da mensagem, da parte do Antigo Testamento que é chamada de Pentateuco, composta pelos cinco livros de Moisés (Cf. Ne 8.7). Cada levita tinha a sua própria cópia, e indica que elas podem ter sido raras. Este foi o início da educação religiosa fora de casa e do Templo. É o único registro deste tipo de missão (cf. 2 Rs 23.2 e Ne 8.3-18, onde a lei também foi ensinada, embora sob circunstâncias diferentes).

Existem verdades espirituais importantes nos versículos 1-10. (1) Um homem seguiu as pegadas de um bom pai, 1-3; (2) A fé religiosa foi decididamente mantida apesar da oposição, 3,4; (3) A prosperidade seguiu a fidelidade, 5; (4) Às vezes, um homem deve destruir algo para que então possa reconstruir, 6; (5) Um homem devoto deve compartilhar a sua fé, 7-10 (A. Maclaren).

c. *A grandiosidade e o poder de Josafá* (17.10-19). Existiu um tempo de relativa paz com todas as nações, até mesmo com a Filístia e a Arábia (10,11). Josafá construiu **fortalezas** (12, castelos) e cidades de munições (ou cidades-armazéns). Ele teve um exército de 1.160.000 homens (14-18), e é comparado com o meio milhão de homens de Judá no exército de Davi (2 Sm 24.9). Muitos consideram este número elevado demais (cf. 11.1; 13.3; 14.8; 1 Cr 12.23ss), e pensam que houve algum erro por parte dos copistas. O sistema hebreu de escrita de números dificultou muito o processo de cópia.

d. *A sua aliança com Acabe* (18.1-34).

(1) *Jeorão se casou com Atalia* (18.1-3). A respeito do relacionamento entre Josafá e Acabe, o livro de Crônicas traz a informação que o rei de Judá **aparentou-se** com o de Israel (por laços de casamento); ambos comeram juntos e fizeram uma expedição a Ramote-Gileade. Os relatos de Reis explicitam que Atalia, a filha de Acabe e Jezabel, foi dada em casamento a Jeorão, o herdeiro de Josafá. Certamente o objetivo era bom – tentar unir os reinos. Fizeram o correto, porém da maneira errada. Os fins não justificam os meios. Os nossos métodos devem ser condizentes com nossos objetivos.

(2) *Os profetas de Acabe prometem vitória* (18.4-11). Os quatrocentos profetas de Acabe deram-lhe a resposta que ele queria. Mas um deles, **Micaías, filho de Inlá** (7), odiado por Acabe por suas profecias pessimistas, que só previam o pior, ainda seria chamado. Todos os demais profetas haviam assegurado a Zedequias que os aliados feririam Ramote-Gileade como que com **chifres de ferro** (10; cf. 1 Rs 22.4-39). Cuidado com os falsos profetas. Um homem sempre pode encontrar alguém, ou até mesmo a maioria do

povo, a encorajar ao erro. **Estavam assentados na praça** (9) significa uma área aberta usada para eles joeirarem os grãos perto do portão de Samaria.

(3) *A profecia de Micaías* (18.12-27). Acabe não estava enganado quanto àquilo que Micaías diria. A aliança foi reprovada, bem como o fato e a forma pela qual foi selada – através de um casamento. A última parte do versículo 14 deve ser entendida como uma ironia. Moffatt entende as palavras de Micaías da seguinte forma: "Ó, subi, e sede bem-sucedidos; e eles serão entregues nas vossas mãos!".

Que desgraça é querer dar crédito a profetas que têm um espírito de mentira! Apesar da repreensão, seguida de agressão física do falso profeta **Zedequias** (23), Micaías posicionou-se como um fiel porta-voz de Deus. Até mesmo o seu aprisionamento, e a sua alimentação restrita a pão e água foram insuficientes para fazer com que este homem de Deus se tornasse transigente (25-27).

Nos versículos 6-13 temos "o retrato de um profeta". **Micaías, filho de Inlá** era: (1) Desejado pelos justos, 6; (2) Odiado pelos ímpios, 7; (3) Contraditado pelos falsos, 9-11; (4) Tentado pelo tempo de serviço, 12; (5) Um homem que falava a verdadeira Palavra de Deus, 13.

(4) *A derrota e a morte de Acabe* (18.28-34). Na batalha, Josafá clamou ao Senhor e pediu perdão; Deus ouviu a sua súplica e o libertou (31). Aqui, podemos ver o poder de Jeová em ação através dos meios naturais: "O Senhor o ajudou e... os desviou dele. Porque sucedeu que, vendo os capitães dos carros que não era o rei de Israel, deixaram de segui-lo". Apesar de seu disfarce, Acabe foi morto. A frase, **Vira a mão** (33) pode ser lida como, "Dê a volta", ou simplesmente "Vire-se".

e. A aliança com Acabe é reprovada (19.1-3). Josafá foi repreendido por Jeú, o filho de Hanani, devido à sua aliança ímpia com Acabe. Mas, apesar deste terrível ato, que teria futuras repercussões na história de Judá, ele foi capaz de manter um contínuo avivamento por toda a terra. Jeú expressa a razão disto: **Preparaste o coração, para buscar a Deus** (3). O cronista reconheceu que a aliança com Acabe foi um erro da "cabeça", e não do coração. Mas, as conseqüências que se seguiram não poderiam ser refreadas (21,22). Este ato isolado foi danoso para o reavivamento promovido por Josafá, e superou os benefícios trazidos pelos longos anos de sua reforma.

f. A administração da lei (19.4-11)

(1) *As reformas que se seguiram na adoração e na lei* (19.4-7). Josafá designou juízes subordinados com a finalidade de manter e administrar a causa de Deus em relação a todos aqueles que ele havia chamado a servir ao Senhor, desde Berseba até Efraim (cf. Dt 16.18-20). **Não julgais da parte do homem, senão da parte do Senhor** (6) é uma lembrança contínua da origem de toda a justiça, e dos padrões sobre os quais todo o juízo está baseado. A expressão **acepção de pessoas** (7) deve ser entendida como "parcialidade", e a **aceitação de presentes** refere-se a suborno.

(2) *Mais reformas* (19.8-11). Os levitas também receberam tarefas no processo de aplicação da lei de Deus, que eles deveriam administrar **com coração inteiro** (9). Eles deveriam ouvir os casos mais difíceis da periferia da cidade. **Amarias** era o chefe da corte para assuntos religiosos, e **Zebadias** estava sobre **todo negócio do rei** (11, a administração civil). Uma divisão bem clara entre a Igreja e o Estado, mas *ambas* administradas sob o

temor a Deus! A justiça geralmente requer coragem, mas, em todos os relacionamentos da vida, o homem deve sempre se lembrar que **o Senhor será com os bons** (11).

g. A invasão dos moabitas (20.1-4). Os moabitas e os amonitas começaram a se levantar contra Judá desde os dias de Davi (cf. 2 Sm 8.2; 12.26-30). Ao invés de **amonitas** (1) a Septuaginta traz o termo Meunim (ou meunitas), um povo do monte Seir (Jz 10.12). A invasão veio do leste ou do sudoeste. **Dalém do mar** (2) é uma referência ao mar Morto. Josafá conclamou o povo à oração e ao jejum em todo o território de Judá, a fim de buscar a ajuda e a direção de Deus.

h. A oração de Josafá (20.5-19)

(1) *A oração* (20.5-13). Em momentos de crise, a oração é uma fonte de força capaz de nos fazer recordar experiências prévias em que fomos ajudados por Deus. O rei invocou o Deus de seus pais, e relembrou libertações ocorridas no passado, **diante do pátio novo** (5). Este seria o pátio externo, provavelmente renovado ou reconstruído desde os dias de Salomão. Sob a sombra do Templo, Josafá se lembrou e citou a oração de seu tataravô, na ocasião em que o local santificado havia sido dedicado (6.28-31). O rei e seu povo se depararam com o tipo de dilema que todos nós enfrentamos mais de uma vez na vida: **e não sabemos nós o que faremos** (12). Mas ele, também tinha o recurso para a solução do problema. Este meio está à disposição de todo o verdadeiro servo de Deus: **Os nossos olhos estão postos em ti**. Seguindo uma liderança temente e obediente ao Senhor, as esposas (e também as crianças) permaneceram perante o Senhor com os seus maridos e com o seu rei.

(2) *A resposta de Deus* (20.14-19). Quando o povo de Deus ora com sinceridade, Deus responde. **Jaaziel** (14), de notada linhagem, era o porta-voz do Senhor. **Não temais, nem vos assusteis por causa desta grande multidão, pois a peleja não é vossa, senão de Deus** (15). **Ziz** (16) era a passagem para o norte, a partir de En-Gedi, e que levava a Jerusalém (veja o mapa). Às vezes é necessário inicialmente orar e então empreender todo o esforço humano natural. Mas existem outros tipos de vitórias espirituais. E esta era uma delas: **Não tereis de pelejar; parai, estai em pé e vede a salvação do Senhor para convosco** (17). O rei **se prostrou com o rosto em terra** (18) com todo o Israel e agradeceu, enquanto os levitas se levantaram para louvar ao Senhor em voz alta.

"A batalha é do Senhor"; este foi um pensamento encorajador apresentado ao rei Josafá nos versículos 14-20. (1) O povo de Deus estava diante de um adversário poderoso, 15; (2) Eles enfrentariam o inimigo sem medo ou espanto, 15; (3) Foi prometida a libertação pela mão de Deus, e não por qualquer outro meio, 17; (4) A recompensa da fé é a segurança e o sucesso, 20.

i. A libertação (20.20-30)

(1) *A aniquilação do inimigo* (20.20-24). Esta foi uma guerra santa. Ao invés da arca, os levitas lideraram o exército e cantavam a beleza da santidade e o imutável amor do seu Deus. Como o Senhor havia prometido, Judá não precisou lutar. Uma disputa interna surgiu entre os soldados que os atacariam, e estes lutaram uns contra os outros. Nem sequer um dos inimigos escapou!

(2) *Os despojos e o retorno triunfante* (20.25-30). Os soldados de Judá despojaram os corpos mortos de seus inimigos durante três dias, e recolheram mais jóias do que podiam carregar. O jubiloso retorno a Jerusalém, com voz alta e tocando os seus instrumentos, foi uma ocasião alegre para toda a terra de Judá. Outras nações, ao ouvirem falar da ajuda que Deus dera a este povo, deixaram o pequeno país em paz.

j. Resumo (20.31-37)
(1) *O trabalho de Josafá* (20.31-34). O reinado deste homem de Deus durou vinte e cinco anos, nos quais ele agradou ao Senhor, e teve um avivamento maior do que o de seu pai. No entanto, ainda existiam alguns **altos** (33) – uma indicação de uma idolatria remanescente em Judá. As obras de Josafá foram registradas **nas notas de Jeú, filho de Hanani, que as inseriu no livro da história dos reis de Israel** (34; cf. 19.2; 1 Rs 16.1,7).

(2) *A sua aliança marítima com Acazias* (20.35-37). Esta é a segunda censura ao rei, expressa por um profeta (cf. 19.2,3). Eliézer repreendeu Josafá por uma aliança com Acazias, rei de Israel. Os dois construíram embarcações em Eziom-Geber para irem a Társis ou, como alguns sugeriam, em Társis para irem a Ofir no leste da África. Mas a frota foi destruída[7]. Este relato parece ter sido escrito após o reinado de Josafá. Sua morte e sepultamento estão descritos em 21.1. Assim se fecha o primeiro ciclo da história de Judá.

B. O Segundo Ciclo na História de Judá, 21.1—32.33

Este segundo ciclo representa o período mais longo e inclui os melhores monarcas de Judá. Durante os dois séculos que o segundo ciclo durou, viu-se um grande reino de paz e prosperidade na metade do século VIII a.C. sob o governo de Uzias. O segundo ciclo também testemunhou o maior avivamento de Judá na segunda metade do século VIII a.C. sob o governo do rei Ezequias e o ministério dos profetas Isaías e Miquéias. O Reino do Sul durou aproximadamente um século e meio a mais do que o do Norte, porque a nação foi reavivada, e Deus honrou as orações do povo que pedia a libertação do domínio dos assírios.

1. Jeorão, 848-841 a.C. (21.1-20)
Este capítulo possui um relato paralelo em 2 Reis 8.16-24, com alguns fatos adicionais aos relatos dos julgamentos de Jeorão.

a. O caráter de Jeorão (12.1-7). Seis irmãos mais novos receberam riquezas e cidades cercadas, enquanto Jeorão herdou o cetro do reino. Mas ele matou todos eles assim como alguns príncipes de Israel. Os dois nomes dados em português como **Azarias** (2) são escritos de forma diferente em hebraico.

Jeorão tinha trinta e dois anos de idade quando se tornou rei, mas havia servido por cinco anos com seu pai como co-regente (2 Rs 8.16). Ele governou durante oito anos por si só. Era um idólatra, como sua esposa, Atália, filha de Acabe, e a **casa de Acabe** (6). Apesar de sua idolatria, Deus não destruiu a linhagem real, por causa da aliança que tinha com Davi.

b. A revolta de Edom e Libna (21.8-11). Este povo dominado teve a oportunidade de se revoltar. Como Jeorão havia feito Judá se comprometer com a idolatria, Deus permitiu que seus inimigos fossem bem-sucedidos em sua revolta. Embora tenha ferido os **edomitas** (9) e escapado de seu cerco, ele não os conquistou. **Lugares altos** (11) eram santuários cananeus dedicados à adoração aos ídolos, e eram assim chamados por estarem geralmente localizados em uma montanha, ou, em locais elevados.

c. Uma mensagem de Elias (21.12-15). A mensagem de Elias foi evidentemente entregue a Jeorão depois do profeta ter sido levado para o céu em um redemoinho (2 Rs 2.1). Caso contrário, o cronista teria mencionado Eliseu; pois ele profetizou durante o reinado de Josafá, após Elias[8]. Qualquer que seja o caso, esta é a única menção de Elias em Crônicas. O profeta havia se preocupado com os assuntos do norte. Esta mensagem do velho oponente de Jezabel deve ter instilado terror no coração de sua filha Atalia, esposa de Jeorão. Uma terrível doença intestinal foi prevista para o rei e uma terrível praga para o povo (14,15).

d. A invasão dos filisteus e dos árabes (21.16,17). Aqui novamente mais dois povos dominados se revoltaram. Elas invadiram Judá, levaram e destruíram propriedades e mataram todos os filhos do rei, exceto **a Jeoacaz, o mais moço** (17; 25.23). O nome significa o mesmo que Acazias, embora seja escrito de forma diferente (cf. 22.1).

e. Sua doença e morte (21.18-20). Jeorão morreu em conseqüência da doença profetizada por Elias. Ele foi sepultado em Jerusalém sem cerimônias, longe dos outros reis e **sem deixar de si saudades** (20). **O seu povo lhe não queimou aromas** (19); esta menção se refere à queima de incenso em honra aos mortos.

2. *Acazias*, 841 a.C. (22.1-9)

a. A ascensão (22.1,2). Estima-se que Acazias tenha começado a reinar com quarenta e dois anos de idade, e que governou durante um ano (cf. 2 Rs 8.25-29 e 11.1). Seu pai tinha somente quarenta anos quando morreu; assim, alguns acreditam que o relato em Reis deva ser lido como "vinte e dois anos" (2 Rs 8.26). O quadragésimo segundo ano do reinado da casa de sua mãe possivelmente esteja incluído[9].

b. Seu caráter (22.3-5a.). Acazias seguiu o conselho de Atalia para ir com Jorão, rei de Israel, para a guerra contra a Síria em Ramote-Gileade. Ele seguiu o exemplo de impiedade de seu pai, encorajado por sua mãe, que era uma mulher iníqua.

c. Acazias e Jorão em Jezreel (22.5b-6). **Azarias** (6) deveria ser lido como "Acazias". Ele **desceu... para ver a Jorão** enquanto se recuperava dos ferimentos da batalha com Hazael, rei da Síria.

d. Jeú mata Acazias (22.7-9). A primeira parte do versículo 7 pode ser mais claramente lida da seguinte forma: "Foi da vontade de Deus que Acazias, para a sua ruína, fosse visitar a Jorão". Jeú havia sido recentemente proclamado rei de Israel. Ele veio de Jezreel para capturar e matar o monarca, que se recuperava ali. Jeú destruiu não somente a casa de Acabe, mas também tirou Acazias de seu esconderijo em Samaria e o matou.

3. *Atalia*, 841-835 a.C. (22.10-12)

Atália, a rainha-mãe, em Judá, aproveitou a morte de Acazias como desculpa para assassinar toda a família real, a fim de ser a única governante de Judá (10). Mas a irmã de Acazias, Jeosebate, tomou Joás, filho dele, e o manteve em segredo por seis anos no Templo, porque o marido dela, Joiada, era o sumo sacerdote. Atalia reinou durante seis anos (11,12). O cronista atribui pouco tempo a esta usurpadora e profanadora do reino (cf. 2 Rs 11.1-3).

4. *Joás*, 835-796 a.C. (23.1—24.27)

a. Joiada eleva Joás ao trono (23.1-7). **No sétimo ano** (1) do reinado de Atalia e do esconderijo de Joás, Joiada agiu. Ele reuniu seguidores, apresentou e executou seu plano para colocar Joás no trono (cf. 2 Rs 11.4-16). **Fez aliança com o rei** (3) – isto seria uma garantia de suporte para fazer dele um rei. Joiada ainda era o líder do plano para depor Atalia. Os levitas recebem mais proeminência aqui do que no relato paralelo em Reis. As três divisões de levitas, todas presentes no sábado, prepararam o cenário para a coroação.

b. A conspiração contra Atália (23.8-11). Os levitas, totalmente armados sob a direção de Joiada, ungiram Joás e clamaram: **Viva o rei!** (11) – "Longa vida ao rei!" (cf. 1 Sm 10.24; 2 Sm 16.16).

c. Atalia é deposta (23.12-15). Atraída pela música e pelos clamores, Atalia se dirigiu ao Templo. Seus gritos de **traição, traição** (13) silenciaram o povo durante um tempo suficiente, a fim de que Joiada desse as instruções para a sua execução. Eles não iriam matá-la na área do Templo. **Tirai-a para fora das fileiras** (14) significa "tragam-na para fora, entre as margens". Os levitas levaram-na para fora do Templo e mataram-na perto da **entrada da Porta dos Cavalos, da casa do rei** (15).

d. A aliança (23.16-21). A aliança entre o rei, os sacerdotes, e o povo, que dizia que deveriam ser **o povo do Senhor** (16) os motivou a destruir os sacerdotes e o templo de Baal. Então estabeleceram Joás no trono da casa do rei e restauraram os levitas aos seus locais de trabalho no Templo.

e. O caráter de Joás (24.1-3). A partir dos sete anos de idade, Joás reinou por quarenta anos. Joiada, o sumo sacerdote, era a mão que o guiava, e a influência determinante para o bem. O rei só seguiu ao Senhor durante a vida de Joiada. Ele tinha duas esposas, filhos e filhas.

f. A reforma do Templo (24.4-14). A grande obra de Joás foi a reparação do Templo (cf. 2 Rs 12.1-16; Jeoás é apenas uma forma de escrita diferente do mesmo nome). Os levitas foram negligentes quanto à sua responsabilidade de coletar dinheiro – eles **não se apressaram** (5). Mas o imposto do Templo foi novamente instituído com a finalidade de gerar os recursos necessários (Êx 30.12-16; Nm 1.50). Uma caixa de ofertas serviu a este propósito, e houve rapidamente bastante material para os trabalhadores, e também os recursos necessários para a restauração dos utensílios sagrados.

Nesta história, Alexander Maclaren destaca: (1) O rei ambicioso e os preguiçosos a quem ele designou a tarefa, 4,5; (2) A retirada do trabalho dos preguiçosos, 6-9; (3) Aqueles que contribuíram com alegria, 10; (4) Os negócios do rei, 11; e (5) A aplicação do dinheiro, 12-14.

g. A morte de Joiada (24.15,16). Joiada, o sumo sacerdote, morreu com cento e trinta anos de idade, e foi sepultado **com os reis** (16), como um homem amado pelo povo.

h. A apostasia (24.17-19). A seção 15-22 é peculiar a Crônicas.

(1) *Os pecados* (24.17-19). Os príncipes de Judá logo levaram Joás de volta à idolatria. Deus enviou os seus profetas, mas ele e seus príncipes não deram ouvidos.

(2) *O apedrejamento de Zacarias* (24.20-22). Joás estava tão imerso em sua idolatria, que mandou que o filho de Joiada, seu amigo, fosse apedrejado **no pátio da casa do Senhor** (21). Em Mateus 23.35 o nosso Senhor se refere a este homem de Deus como o último mártir do Antigo Testamento.

i. Punição e morte (24.23-27).

(1) A *Síria traz a destruição* (24.23,24). Até mesmo com um número inferior de homens, o inimigo conquistou facilmente Judá. As palavras profetizadas por Zacarias por ocasião de sua morte: **O Senhor o verá e o requererá** (22), se cumpriram.

(2) *A morte de Joás* (24.25-27). Joás, após ter infligido a morte a outros, foi assassinado por dois de seus próprios servos que foram seus aliados, enquanto estava doente sobre a sua cama. A frase **porque em grandes enfermidades o deixaram** (25) pode ser traduzida como "pois o deixaram muito doente". Ele foi sepultado em Jerusalém, mas não com os reis. Sua principal reivindicação à fama foi a restauração do Templo. Mas Judá nunca se recuperou completamente de sua idolatria, que contaminou o povo. **O livro da história dos reis** (27) foi um registro contemporâneo que sobreviveu, escrito pelo cronista, mas que não deve ser confundido com os livros canônicos de Reis.

5. *Amazias,* 796-767 a.C. (25.1-28)

Este capítulo é um paralelo de 2 Reis 14.1-20 exceto pelo material encontrado em 5-10 e 12-16.

a. A ascensão (25.1-14). Amazias começou a reinar com a idade de vinte e cinco anos, e governou durante vinte e nove anos. Ele seguiu os caminhos instáveis de seu pai, Joás. Começou a fazer a vontade de Deus, **porém não com coração inteiro** (2). Apesar do fato de ter matado todos os servos que tinham assassinado seu pai, o cronista relata que ele poupou os filhos deles, conforme ordenado em Deuteronômio 24.16. No entanto, ele logo se tornou um idólatra e perseguiu os profetas.

b. A vitória sobre Edom (25.5-13). Amazias organizou seu exército de acordo com as famílias, e recrutou 300.000 homens acima de vinte anos de idade. Ele contratou mercenários do Reino do Norte – 100.000 soldados – por 100 talentos de prata. Este era um pequeno contingente quando comparado ao exército de Asa ou Josafá (cf. 14.8; 17.14ss). Ele foi avisado por um homem de Deus que não deveria utilizar os homens do norte, que não eram tementes nem fiéis ao Senhor, descritos como **os filhos de Efraim** (7). **Deus te fará cair diante do inimigo** (8); esta seria a sua sentença caso levasse consigo os efraimitas.

Amazias considerou cuidadosamente esta advertência, enviou o exército do norte para casa, e dirigiu-se ao **vale do Sal** (11), ao sul do mar Morto. Ali ele derrotou os inimigos, os edomitas do monte Seir, e saiu completamente vitorioso, ao ferir 20.000 inimigos (11,12). Os mercenários do norte, furiosos por terem sido dispensados, saquearam **as cidades de Judá** (13) em seu caminho de volta a Samaria e mataram 3.000 homens.

c. A idolatria de Amazias (25.14-16). Tal pai, tal filho – Amazias trouxe de volta os deuses dos edomitas, e queimou incenso a eles, assim como faziam os governantes pagãos (cf. 1 Sm 5.1,2). Novamente, um profeta o repreendeu; mas desta vez ele recusou o conselho, uma atitude que trouxe a sua própria destruição. A frase: **Puseram-te por conselheiro do rei?** (16) também pode ser lida como "Não fizemos de ti o conselheiro do rei?" (Smith-Goodspeed).

d. A guerra com Joás, de Israel (25.17-24). Evidentemente Amazias queria uma prova e uma satisfação pelo modo que os mercenários haviam agido (13). **Viram-se face a face** (21), significa "enfrentaram-se em uma batalha". O resultado foi uma vergonhosa derrota para Judá. Joás levou Amazias em cativeiro, destruiu parte do muro de Jerusalém e levou consigo o tesouro do Templo (23,24).

e. Resumo e morte (25.25-28). Amazias viveu quinze anos após a morte do rei de Israel, Joás. Finalmente, seu próprio povo o levou ao exílio em Laquis, a sudoeste de Jerusalém, e mais tarde mataram-no ali. **E o trouxeram... (à) cidade de Davi**, ou seja, trouxeram-no a Jerusalém, sobre cavalos, e o sepultaram (28; cf. 2 Rs 14.20 e 2 Cr 24.1).

6. *Uzias*, 767-740 a.C. (26.1-23)
Uzias é considerado um dos melhores reis e reformadores. Ele começou a reinar em 791 a.C. enquanto seu pai, Amazias, estava no exílio (25.27). Ele governou na metade do século VIII a.C., que foi a "idade áurea" em Judá e Israel, um período de paz e prosperidade, pelo menos aparentemente. Os profetas, no entanto, indicaram a falta de uma classe média, enquanto os ricos se tornavam cada vez mais ricos e os pobres se tornavam cada vez mais pobres. A reforma de Uzias e a promessa de um avivamento espiritual fizeram com que Isaías considerasse a sua morte uma calamidade (Is 6.1; cf. 2 Rs 14.21-22; 15.1-7).

a. Sua ascensão (26.1-3). Seu nome é escrito como Azarias em Reis. O cronista dá um relato mais completo de seu reinado, e aumenta o nosso apreço por Uzias. Ele era relativamente jovem – tinha dezesseis anos de idade na ocasião de sua ascensão – e chegou perto de ter o reinado mais longo dentre os reis de Judá; cinqüenta e dois anos (cf. 33.1-20 – o mais longo foi o de cinqüenta e cinco anos de Manassés). **Adormeceu (ou dor-**

miu) com seus pais (2) é uma forma característica de descrever a morte e o sepultamento dos governantes de Judá, nos livros de Reis e de Crônicas.

b. *O caráter de seu reino* (26.4,5). Os projetos de construção de Uzias foram uma de suas maiores reivindicações à fama (2-6ss.). Ele começou bem, assim como seu pai, e teve grandes realizações; mas o orgulho foi a causa de sua decadência até o final do seu reino (16). Ele prosperou por honrar a Deus e ouvir os conselhos de Zacarias, o profeta.

c. *As guerras e a grandeza de Uzias* (26.6-15). Ele lutou e dominou as cidades dos filisteus (**Jabné** [6] ou Jamnia estava entre Jope e Asdode), **os arábios, os meunitas** (ou meuins), e **os amonitas**. Uzias construiu as torres de vigia em Jerusalém e **edificou torres no deserto** (10) onde também cavou **poços**. Ele tinha extensas pastagens a sudeste e a sudoeste das montanhas da Judéia, assim como a leste do mar Morto[10]. Seu controle se estendeu "**até à entrada do Egito**" (8).

O exército de Uzias não era grande, mas era bem treinado e equipado com **couraças** (14) ou "casacos de armadura", e **fundas (ou aparatos) para atirar pedras** (15), provavelmente semelhantes às catapultas[11].

d. *Seus pecados e punições* (26.16-23)
(1) *A enfermidade* (26.16-21). No ápice de sua carreira, Uzias usurpou o lugar do sacerdote ao oferecer incenso. Ele persistiu apesar dos protestos de oitenta sacerdotes, que, com Azarias, tentaram detê-lo em seu ato arrogante e pecador. A expressão, **A ti... não compete** (18) pode ser lida como "Isto não é para você". Ele se tornou leproso enquanto ainda estava com **o incensário na sua mão** (19). Foi excluído de seu palácio e do convívio com as pessoas – morou... numa casa separada (21) – até a sua morte; e seu filho, Jotão, tornou-se rei em seu lugar.

(2) *A morte de Uzias* (26.22,23). O profeta Isaías, filho de Amós, escreveu uma biografia de Uzias (22). Ele foi sepultado em um campo próximo, mas não no local de sepultamento dos reis, por causa de sua lepra.

7. *Jotão, 740-732 a.C., co-regente a partir de 750* (27.1-9)

a. *Sua ascensão* (27.1,2). Jotão governou por aproximadamente dez anos como co-regente de seu pai, a partir de 750 a.C., e dezesseis anos ao todo, ao começar com a idade de vinte e cinco anos. Ele era um bom rei, e aprendeu a lição com seu pai; mas não foi capaz, ou pelo menos não levou o povo a um reavivamento (cf. 2 Rs 15.32-38).

b. *Suas construções* (27.3,4). Esta é uma expansão dos relatos dos livros de Reis. Jotão deu continuidade ao programa de construção de seu pai. Ele construiu um portão em **Ofel** (o extremo sul da colina do Templo), diversas **torres**, e também **edificou nos bosques castelos e torres** – fortalezas – na região montanhosa.

c. *O domínio dos amonitas* (27.5,6)
Este inimigo do povo de Deus chamou a atenção de quase todos os reis. O tributo que foi tomado enriqueceu o reino de Jotão. O *coro* (5; heb., *cors*) é igual a dez alqueires;

portanto, a quantidade para cada tipo de grão era de 100.000 alqueires[12]. Um propósito de vida forte e fixo na direção correta contribuiu de forma decisiva para o sucesso de Jotão, pois ele **dirigiu os seus caminhos na presença do Senhor, seu Deus** (6).

d. Sua morte (27.7-9). Jotão morreu com a idade de quarenta e um anos e foi sepultado com os reis em Jerusalém. Ele foi um bom governante. Acaz, seu filho, tornou-se seu sucessor.

8. *Acaz*, 732-716 a.C. (28.1-27)

Certamente a lição a se aprender com os reis é que hereditariedade e meio ambiente não são as únicas bases para o sucesso, quando se trata de servir ao Senhor. O mais importante é a resposta pessoal ou as escolhas de cada um. Houve casos em que bons reis tiveram filhos iníquos que os sucederam no governo. E houve também monarcas iníquos que tiveram filhos bons que os sucederam. Este é um relato mais sucinto do que aquele que encontramos em 2 Reis 16, exceto pelo registro da guerra. Admite-se que a cronologia deste período é difícil, e por esta razão os estudiosos diferem em suas reconstruções.

a. A ascensão e a apostasia (28.1-4). Acaz foi um rei iníquo que governou durante dezesseis anos, e que morreu ainda jovem, aos trinta e seis anos de idade. Ele fez ídolos para Baal, **andou nos caminhos dos reis de Israel** (2), queimou seus próprios filhos a Moloque no vale de Hinom, e participou da adoração licenciosa nas montanhas e bosques.

b. Foi derrotado por Israel e pela Síria (28.5-25). Somos gratos pela adição dos detalhes a respeito desta guerra siro-efraimita (cf. 2 Rs 16 e Is 7).

(1) *Derrotado por Rezim e Peca* (28.5-7). A coalizão entre a Síria e Israel derrotou as forças de Acaz. Os sírios, sob o comando de Rezim, levaram muitos cativos à escravidão, e Peca matou 120.000 em um só dia, inclusive o filho do rei, Maaséias. Ele devia ser muito jovem nesta ocasião, pois o próprio Acaz morreu aos trinta e seis anos de idade[13].

(2) *Odede (ou Obede), o profeta* (28.8-15). Quando os israelitas levavam 200.000 mulheres e crianças a Samaria, foram abordados por Obede, o profeta. Ele disse aos líderes do exército que suas vitórias só foram alcançadas devido aos pecados de Judá. Também lembrou-lhes que Deus só os usara para punir Judá, e não para aniquilar a nação; além do mais, os próprios pecados de Israel fizeram com que eles também estivessem sujeitos ao juízo divino (8-11).

Os líderes que estavam em casa, em Efraim, concordaram com Obede. Eles alimentaram, vestiram e cuidaram daqueles cativos. Permitiram que os mais enfraquecidos retornassem montados a Jericó, a cidade das palmeiras, perto da fronteira de Israel e Judá (12-15) (veja o mapa). A expressão **os homens que foram apontados por seus nomes** (15) significa "os homens já mencionados por seus nomes" (Berk.).

(3) *Os edomitas e as invasões dos filisteus* (28.16-19). Novamente os inimigos de Judá prevaleceram sobre a nação, por causa dos pecados praticados. Os filisteus invadiram e recapturaram muitas cidades, e os edomitas levaram muitos cativos.

(4) *O apelo à Assíria* (28.16,20-25). Para compensar os ataques do sul, Acaz apelou para a Assíria, ao norte. Mas Tiglate-Pileser (20) só trouxe mais problemas a Judá. Depois que conquistou a Síria e Israel, ele também o obrigou a pagar-lhe tributos (20,21).

A HISTÓRIA DE JUDÁ   2 CRÔNICAS 28.25—29.30

Em tudo isto, Acaz pecou ainda mais ao adorar os deuses da Síria, quando construiu altares em todos os cantos de Jerusalém e **em cada cidade de Judá** (25, ou "em todas as cidades de Judá"), e fechou o Templo de Deus (22-25; cf. 29.3,7).

c. A morte de Acaz (28.26,27). Acaz era tão iníquo que não foi sepultado com os reis, apesar de ter sido sepultado em Jerusalém. **Ezequias, seu filho, reinou em seu lugar** (27).

9. *Ezequias,* 716-687 a.C., co-regente a partir de 729 (29.1—32.33)
Ezequias foi o maior reavivalista e reformador dos reis de Judá. Ele ultrapassou Josafá e Josias no resultado de suas reformas. O Reino do Sul durou quase um século e meio a mais do que Israel, principalmente por causa do reavivamento promovido por Ezequias e pelos profetas Isaías e Miquéias. O seu reinado também é importante para os estudiosos do Antigo Testamento, porque é um período-chave para a obtenção dos indícios que levam à determinação da cronologia dos reis de Israel e Judá a partir dos livros de Reis[14]. Ezequias, aparentemente, reinou com Acaz, como co-regente, de 729 a 720 a.C., pois 2 Reis 18.10 indica que 723 a.C. foi o sexto ano de seu reinado.

a. Ascensão e caráter (29.1,2). A maior parte do conteúdo aqui é exclusivamente do cronista; onde existem paralelos com Isaías e 2 Reis; o autor de Crônicas escreveu brevemente e com as suas próprias palavras (cf. Is 36—39; 2 Rs 18—20). A ênfase é política em Reis, mas religiosa em Crônicas. Aos vinte e cinco anos de idade, Ezequias iniciou o seu reinado de vinte e nove anos de duração, que foi notório por sua reforma religiosa e por seu reavivamento espiritual.

b. A purificação do Templo (29.3-19). Ezequias primeiro reabriu e reparou as portas do Templo que haviam sido fechadas por Acaz (3; 28.24). Ele também renovou a aliança de Judá com o Senhor (10). Os levitas foram chamados para recomeçar os sacrifícios, depois que toda a imundície foi removida (4,12-14). A **praça oriental** (4) significa "o espaço aberto ao leste do templo" (Moffat). **Os entregou à perturbação, à assolação, e ao assobio** (8) pode ser interpretado como: "ele os deixou para ser um terrível exemplo, diante do qual o homem estremece e assobia" (Moffat).
Foram necessários oito dias para que os levitas retirassem toda a contaminação do ribeiro de Cedrom e concluíssem a tarefa de purificação. O próprio Templo foi limpo, assim como o seu pátio, onde ficava o altar das ofertas queimadas, junto aos vasos sagrados (15-19). Não há neste evento (5) um paralelo exato com o trabalho que o Senhor realiza na alma humana? Toda a casa de Deus deve ser limpa da imundície antes que esteja pronta para ser separada para receber a presença de Cristo.

c. A adoração no Templo (29.20-30). Os sacerdotes ofereceram o **sacrifício expiatório** (21); primeiro, o cordeiro assim como dois novilhos, como no dia da Expiação. Então os levitas, o rei, os cantores e a congregação ofereceram um **holocausto** (27) de devoção e comunhão com Deus. O problema do pecado deveria ser tratado por meio da oferta queimada, antes que eles pudessem adorar a Deus e ter comunhão com Ele. Este foi um momento de grande alegria no Senhor.

469

d. A adoração individual (29.31-36). Cada um trouxe uma oferta voluntária, **e todo o que tinha essa vontade do coração trouxe holocaustos** (31). Isto exigiu que os levitas ajudassem os sacerdotes a **esfolar** (34) os animais para as ofertas pacíficas e queimadas. Pode ser que alguns deles tivessem seguido o exemplo do sumo sacerdote Urias na adoração idólatra sob o governo do rei Acaz (2 Rs 16.1-16), e desta forma não estivessem tão preparados quanto os levitas para participar da adoração restaurada a Deus. Houve uma grande alegria neste reavivamento da consagração pessoal tanto entre os clérigos como também entre os leigos. Esta foi uma resposta espontânea à vontade e à chamada de Deus – **porque apressuradamente se fez esta obra** (36).

e. A preparação da Páscoa (30.1-12). Um convite foi enviado de Dã até Berseba, para as doze tribos, com a finalidade de que todas participassem juntas daquela que seria a maior Páscoa que já havia sido comemorada desde a divisão do reino, após a morte de Salomão. Este convite foi, provavelmente, enviado quatro anos após a queda final do Reino do Norte.

Alguns zombaram e riram dos mensageiros em uma atitude de desdém; porém, outros – que estavam unidos em um só coração com o povo de Judá – responderam positivamente ao convite com a finalidade de honrar os mandamentos de Deus. De fato, devemos considerar que o sofrimento e as ameaças de destruição nem sempre levam o homem a Deus (6,7).

f. A celebração da Páscoa (30.13-27). O povo limpou a cidade assim como os sacerdotes purificaram o Templo. A festa dos Pães Asmos e a Páscoa foram observadas juntas. **Contudo**, eles **comeram a Páscoa, não como está escrito** (18) – "comeram o cordeiro Pascal de uma forma irregular" (Moffat). Alguns estavam cerimonialmente impuros devido ao breve intervalo envolvido, mas a oração de Ezequias fez com que se tornassem aceitáveis. O termo **benignamente** (22) pode ser entendido com o sentido de "encorajamento".

Outros sete dias foram adicionados à festa porque o rei e os príncipes haviam dado à congregação mais animais como oferta pacífica do que o número que podia ser consumido na primeira semana (24; cf. Lv 7.15,16). Havia um grande regozijo em Judá junto com **os estrangeiros que vieram da terra de Israel** (25). Estes quatorze dias de festa foram os maiores desde Salomão (7.9). Eles agradaram a Deus!

g. A destruição dos ídolos (31.1). Isto aconteceu em Judá, em Efraim, e em Manassés – um trabalho radical.

h. A organização dos sacerdotes e levitas (31.2-21). Ezequias prosseguiu na organização dos sacerdotes e levitas como Davi havia feito (1 Cr 23.6; 24.1), uma vez que a ordem havia sido interrompida quando Acaz descontinuou os serviços do Templo. Este relato não tem um paralelo com 2 Reis.

A reorganização consistiu em regularizar **as turmas dos sacerdotes e levitas** (2); os arranjos para uma contribuição oficial aos sacrifícios (3); a regulamentação de como os dízimos deveriam ser pagos e entre quem eles deveriam ser divididos (4-10); e a inscrição dos levitas a partir de vinte anos de idade, bem como dos sacerdotes com as suas famílias (11-19). Moffat se propôs a explicar o significado do versículo 19 da seguinte forma: "E em toda a cidade havia oficiais especialmente nomeados para cuidar dos sacerdotes aronitas, que viviam no interior dos distritos das cidades, para distribuir suprimentos a todos os homens entre os sacerdotes, e todos se inscreviam no registro dos levitas". Ezequias foi bem-sucedido nisto, e em tudo o que realizou, porque fez o que era bom, e reto, e verdadeiro perante o Senhor, seu Deus (20,21).

i. A preparação para a invasão de Senaqueribe (32.1-8). A ocasião deste acontecimento talvez seja quinze anos depois da celebração da Páscoa registrada no capítulo 30. O relato aqui é mais curto do que em 2 Reis 18.13–20.21, mas acrescenta alguns detalhes. A fonte de Ezequias que estava do lado de fora dos muros não fornecia mais água; ele distribuiu armas de guerra ao povo; eles repararam os muros, e tanto o rei como todo o povo se encorajaram no Senhor contra Senaqueribe, pois **com ele está o braço de carne, mas conosco, o Senhor, nosso Deus** (8).

"Descansando nas promessas" é o tema dos versículos 6-8. (1) A presença de Deus é a base da força e da coragem, 7; (2) O **braço de carne** fracassará, 8; (3) **O Senhor nosso Deus nos ajudará e pelejará as nossas pelejas, 8.**

j. As ameaças de Senaqueribe (32.9-23). O poderoso exército assírio tomou as cidades muradas que estavam situadas nas redondezas, e veio às portas de Jerusalém (9-15). Rabsaqué (2 Rs 18.19) fez ameaças em voz alta e enviou cartas ameaçadoras, mas Judá se recusou a se submeter (16-19). O próprio Senaqueribe ficou engajado no cerco de Laquis, quarenta quilômetros a sudoeste de Jerusalém.

Ezequias e Isaías oraram, e Deus enviou um anjo que interveio. Senaqueribe voltou à Assíria, e ali foi assassinado por seus próprios filhos. O rei de Judá foi exaltado e recebeu presentes das nações das redondezas por sua grande vitória (20-23; cf. Is 37.14-38; veja os comentários sobre 2 Reis 18.13—19.36).

k. Resumo (32.24-33)

(1) *Enfermidade e recuperação* (32.24). O cronista nos dá aqui poucos detalhes em vista dos textos em 2 Reis 20 e Isaías 38. O sinal não é descrito, e o conteúdo da oração de Ezequias não é revelado.

(2) *Orgulho e arrependimento* (32.25,26). A natureza do ato orgulhoso do rei não é mencionada especificamente aqui, mas, por ter se humilhado sob a mão de Deus, o juízo foi postergado até sua morte (cf. 2 Rs 20.19 e Is 39.5-7). Este juízo viria através das invasões dos caldeus que ocorreram no período de 606-586 a.C.

(3) *A riqueza e as construções de Ezequias* (32.27-31). A riqueza e os recursos de Ezequias eram grandes. **Currais para os rebanhos** (28) significa currais de ovelhas. No versículo 30 foi registrada a construção do aqueduto subterrâneo de Giom até o tanque de Siloé (cf. Is 22.9,11)[15].

A visita dos príncipes da Babilônia foi um teste. Isaías 39 nomeia a embaixada como de Merodaque-Baladã. Ezequias não passou na última prova de Deus. Parece que teria sido melhor ter morrido na ocasião em que ficara doente. Às vezes, através de um ato tolo, o homem desfaz todo o bem que conquistou ao longo dos anos.

(4) *A morte de Ezequias* (32.32,33). Ezequias foi sepultado como um dos maiores reis de Judá, com Davi e seus descendentes mais honrados. **Manassés, seu filho, reinou em seu lugar** (33)[16].

C. O Terceiro Ciclo na História de Judá, 33.1—35.27

Este período é o do mais baixo nível da degradação moral sob o governo de Manassés, e também o último ímpeto por uma vida espiritual adequada sob o governo de Josias. Na verdade, a morte deste rei marca o final da monarquia davídica autônoma, porque os monarcas do quarto ciclo foram todos vassalos dos impérios egípcio ou caldeu.

1. *Manassés*, 687-642 a.C. (33.1-20)

O reinado de Manassés foi registrado como o governo mais longo e iníquo quando comparado a qualquer um dos dezenove reis e uma rainha que governaram Judá. Ele parece ter sido um co-regente com seu pai aproximadamente no período de 696 a 687 a.C.

a. Ascensão e excessiva idolatria (33.1-9). Manassés começou a reinar com doze anos de idade e reinou durante cinqüenta e cinco anos; participou de todas **as abominações dos gentios** (2). Neste aspecto, ele só foi superado por Acaz, que era o arquiidólatra de Judá. Ele construiu altares para Baal **nos altos** (3); construiu altares idólatras na própria casa de Deus (4,5); queimou seus filhos como sacrifícios nas fogueiras de Hinom e consultou feiticeiras e espiritualistas (6); chegou a esculpir uma imagem para o Templo com a finalidade de substituir a verdadeira adoração a Deus (7). Sob seu governo, o povo ultrapassou até mesmo as nações pagãs em termos de iniqüidade (9; cf. 2 Rs 21.1-9, que é quase um paralelo literal).

b. Cativeiro, arrependimento e restauração (33.10-13). Esta passagem é um adicional feito pelo cronista ao conteúdo encontrado em Reis. O povo trilhou um caminho de iniqüidade, e somente a prisão do rei foi capaz de interromper sua espiral descendente. **Espinhais** (11) também significa "ganchos". O rei assírio, Esar-Hadom, é mostrado em um monumento encontrado perto de Beirute, na Síria, puxando dois prisioneiros por meio de anéis ou ganchos nos lábios destes[17]. Manassés reconheceu a sua própria iniqüidade, arrependeu-se e entregou-se ao Deus de Israel. O Senhor o restaurou ao seu trono em Jerusalém. **Então reconheceu Manassés que o Senhor é Deus** (13).

c. Os atos de Manassés (33.14-20)

(1) *O esforço pela reforma* (33.14-17). Manassés então tentou incentivar um reavivamento para compartilhar a sua nova fé em Deus, e para ser um bom rei. Mas seus anos de degradação foram difíceis de superar. O povo evidentemente pensou que, por ser um homem idoso, já estivesse cansado de pecar. A idade às vezes resolve o problema de alguns atos exteriores e visíveis; porém nunca é capaz, por si só, de transformar o coração. Esta é a obra de Deus.

O rei deu início às suas reformas: (*a*) reconstruiu o muro perto de Ofel na **Porta do Peixe** (14*a*); (*b*) colocou uma unidade militar **em todas as cidades fortes** (muradas) **de Judá** (14*b*); (*c*) retirou os ídolos e os altares do Templo e de toda a Jerusalém e destruiu-os (15); (*d*) reparou **o altar do Senhor** e ofereceu sacrifícios (16) – mas nenhuma oferta pelo pecado é mencionada! **Ainda o povo sacrificava nos altos, mas somente ao Senhor, seu Deus** (17).

A HISTÓRIA DE JUDÁ   2 CRÔNICAS 33.17—34.7

Na história do pecado e do arrependimento de Manassés existe um padrão universal a ser visto. Aqui se encontram: (1) Rigorosas acusações e advertências de Deus, 9,10; (2) Uma punição debaixo da misericórdia, 11; (3) Arrependimento, 12; (4) Perdão e restauração, 13; (5) Nova vida e serviço a Deus, 14-16 (Maclaren).

(2) *A morte de Manassés* (33.18-20). Manassés morreu e foi sepultado **em sua casa** (20; cf. 2 Rs 21.18, "no jardim de sua própria casa, no jardim de Uzá"), e **Amom, seu filho, reinou em seu lugar**. A conversão de Manassés, no final de sua vida, teve pouco efeito sobre o seu povo ou sobre o seu filho.

2. *Amom*, 642-640 a.C. (33.21-25)

a. Ascensão (33.21). Amom, cujo nome veio de uma divindade egípcia, sentou-se no trono de seu pai aos vinte e dois anos de idade, e reinou apenas dois anos (cf. 2 Rs 21.19-26).

b. Seu caráter (33.22,23). Como no caso de Manassés e Acaz, o nome da mãe de Amom não é mencionado. Certamente nenhuma mulher teria ficado orgulhosa de qualquer um destes três homens. Amom **não se humilhou perante o Senhor, como Manassés, seu pai, se humilhara** (23), mas o ultrapassou em suas transgressões e pecados ao adorar os antigos ídolos pagãos.

c. A morte de Amom (33.24,25). Os servos de Amom **o mataram em sua casa** (24). O cronista não nos informa sobre a fonte da história, nem o local de seu sepultamento. Os servos culpados foram mortos e Josias, seu filho, foi feito rei. Era um povo iníquo e idólatra. Eles teriam se encaixado melhor no período de anarquia da época dos juízes, do que no período do grande reavivamento promovido por Ezequias e que havia ocorrido a apenas meio século.

3. *Josias*, 640-608 a.C. (34.1—35.27)

Nos relatos do reinado de Josias, o cronista difere do escritor de Reis ao separar as reformas iniciais daquelas que vieram após a descoberta da lei (cf. 2 Rs 22.1–23.30).

a. Ascensão (34.1,2). Josias era um ano mais velho do que Joás quando começou o seu reinado de trinta e um anos em Jerusalém. Ele andava por um caminho reto à medida que seguia ao Senhor.

b. A reforma (34.3-7,33). Josias promoveu sua reforma durante toda a sua vida. Estas reformas começaram **no duodécimo ano** (3) de seu reinado, quando ele tinha vinte anos de idade. Elas foram o resultado de sua atitude de começar a **buscar o Deus de Davi** quando tinha dezesseis anos de idade. Para liderar a outros, é necessário que o líder se aprofunde em sua vida espiritual. As reformas do rei consistiram em: (*a*) purificar a nação dos altos, bosques e imagens esculpidas e de fundição (3); (*b*) destruir os altares de Baal e queimar os ossos dos sacerdotes sobre os seus altares (4,5); (*c*) estender a sua influência até o território que havia sido ocupado pelo Reino do Norte (6,7). A frase **em seus lugares assolados** (6) é traduzida em algumas versões como "no meio das suas ruínas".

c. *A reforma do Templo* (34.8-13). **No ano décimo oitavo do seu reinado** (8), Josias ordenou que o Templo fosse reparado. Hilquias, o sacerdote, pagou honestamente pelos materiais e também os salários dos trabalhadores com o dinheiro coletado em Judá e Israel (9-13). Evidentemente o versículo 11 se refere à reconstrução das casas e câmaras dos sacerdotes no Templo e em seus átrios[18].

As **Junturas** (11) devem ter sido vigas apoiadas entre as paredes. A frase "**peritos em instrumentos de música**" (12) também pode ser lida como: "sabiam tocar bem instrumentos musicais".

d. *Encontrando o livro da lei* (34.14-18). A descoberta, feita por Hilquias, de uma cópia do **livro da Lei** (14) foi prontamente reportada ao rei por **Safã, o escrivão** (15). Ele então leu as palavras do livro para o rei (18).

e. *O efeito sobre Josias* (34.19-22). Josias ficou atemorizado pelos julgamentos ameaçadores que ouviu do livro da lei. Então ele consultou a profetisa Hulda para o aconselhar (cf. 2 Rs 22.11-20). A expressão **na segunda parte** (22) representa a "cidade baixa" de Jerusalém.

f. *A mensagem de Hulda* (34.23-28). A mensagem foi suportável; Josias escaparia dos futuros juízos porque tinha um coração inclinado às coisas de Deus, e havia se humilhado perante o Senhor. Era um presságio, porque o juízo viria mesmo que muitos dentre o seu povo se arrependessem. O cativeiro era inevitável!

"Josias e a Lei Recentemente Encontrada" é o tópico de outra obra-prima de Alexander Maclaren, uma exposição baseada nos versículos 14-28. Ele destaca três pontos: (1) A descoberta do livro da Lei, 14,15; (2) O efeito da lei redescoberta 16-22; (3) A mensagem de dois gumes da profetiza, que confirma as ameaças da lei e assegura a Josias que ele foi aceito diante de Deus, 23-28.

g. *A aliança* (34.29-33). Josias renovou a aliança com todo o povo, e eles seguiram ao Senhor e o serviram durante todos os dias da vida do rei. **Fez concerto... com todo o seu coração e com toda a sua alma** (31) indica a profundidade do comprometimento dele. **Fizeram conforme** (32) significa "aceitaram" ou "aderiram".

h. *A Páscoa de Josias* (35.1-19). O escritor de Reis dedica apenas três versículos a este evento (2 Rs 23.21-23). No tempo prescrito pela lei, **no décimo quarto dia do mês primeiro** (1; cf. Êx 13.4-7; Lv 23.5), Josias designou aos sacerdotes para os **seus cargos** (2, ou "ofícios"). Os levitas se prepararam (2-6) e colocaram **a arca sagrada na casa** (3). A arca pode ter sido removida durante o período de reparos do Templo. Ellison (NBC) sugere que a expressão "**não tereis mais esta carga aos ombros**" (3) pode ter tido um sentido figurado, para significar: "Não pensem no passado, mas sirvam conforme a ocasião de hoje exige". O rei e os príncipes deram ao povo os animais para o sacrifício – **reses de gado miúdo** (8) que seriam cordeiros e cabritos (7-10). Os sacerdotes matavam os animais e os levitas os esfolavam (11). Eles cozinhavam a carne **prontamente** (13). Cada um deles estava em seu lugar, de acordo com a lei (14-16), e eles mantiveram esta Páscoa e **a Festa dos Pães Asmos, durante sete dias** (17).

Não tiveram uma páscoa desta magnitude nem nos dias de Ezequias – e nem mesmo desde a época de Samuel (18).

i. A morte de Josias (35.20-24). Em 609 a.C. quando o faraó Neco veio através de Megido para lutar contra os exércitos dos caldeus em Carquemis, Josias tentou, de forma tola, detê-lo, e foi morto em um combate. Ele foi levado para Jerusalém e enterrado na sepultura de seus pais em meio a um grande lamento. Sua morte, no final, marcou a conclusão de uma grande reforma. Também marcou o final do reinado davídico, pois o próximo ciclo foi um período de sujeição, primeiro ao Egito, e depois à Babilônia.

j. Resumo (35.25-27). Aqui está a primeira menção de **Jeremias**, que lamentou a morte de Josias. **As deram por estatuto em Israel** (25) significa "fez disto um costume regular" (Moffat). Aqui é mencionada, novamente, a principal fonte da história: o **livro da história dos reis de Israel e de Judá** (27).

D. O QUARTO CICLO, 36.1-23

O cronista trata estes últimos anos de Judá de forma muito breve (cf. 2 Rs 23.31—25.21).

1. Joacaz, 608 a.C. (36.1-4)
Este filho de Josias governou durante três meses, com a idade de vinte e três anos, escolhido pelo **povo da terra** (1). Ele foi deposto e levado em cativeiro ao Egito por Neco, que o substituiu por seu irmão Eliaquim, renomeado Jeoaquim por Faraó. **Condenou a terra** (3), ou seja, "impôs uma multa ao país" (Moffat).

2. Jeoaquim, 608-597 a.C. (36.5-8)
Este filho mais velho de Josias reinou como um rei vassalo por onze anos desde a sua coroação, aos vinte e cinco anos de idade. Ele era ímpio, e Nabucodonosor o levou cativo para a **Babilônia** (6), junto com os tesouros do Templo.

3. Joaquim, 597 a.C. (36.9-10)
Joaquim, filho e sucessor de Jeoaquim, havia reinado apenas três meses e dez dias quando Nabucodonosor ordenou que ele fosse deportado para a Babilônia. A sua idade é dada aqui como oito anos, mas os dezoito anos, em 2 Reis 24.8, provavelmente representem a idade correta. Uma variação por parte de algum copista antigo pode ter ocasionado esta discrepância. **No decurso de um ano** (10) – pode ser lido como "na virada do ano" (Berk.). Zedequias reinou em seu lugar.

4. Zedequias, 597-586 a.C. (36.11-14)
Zedequias era, sem dúvida, tio de Joaquim, o irmão de seu pai (10) e não seu irmão. Em outras passagens fica claro que ele era um filho de Josias (cf. 2 Rs 24.18–25.21). Ele governou os últimos e terríveis onze anos do reino de Judá; começou a reinar com a idade de vinte e um anos. Ele **fez o que era mau aos olhos do Senhor**, não **se humilhou**

perante o profeta Jeremias (12); e **se rebelou contra o rei Nabucodonosor** (13). Os sacerdotes e o povo fizeram o mesmo (14); diante de tal situação, os caldeus destruíram a cidade.

5. *A Destruição de Jerusalém (36.15-21)*

a. A impiedade do povo (36.15,16). O povo seguiu os passos iníquos de Zedequias, a ponto de zombarem dos **mensageiros de Deus** (16), os profetas do Senhor.

b. A destruição (36.17-21). Os caldeus mataram jovens e velhos sem demonstrar misericórdia (17), demoliram completamente o Templo e a cidade (19) e levaram o povo cativo **para a Babilônia** (20). Só então a terra passou a ter os **sábados** de descanso (21). Estas palavras de Jeremias sugerem que o ano sabático não foi observado durante o período da monarquia. Elas lembraram o povo de que havia pelo menos duas razões para o cativeiro: (1) a idolatria; e (2) a falha em manter o ano do jubileu. Por esta razão o cativeiro (606-536 a.C.) deveria durar setenta anos – um sábado de repouso (cf. Jr 25.12; 29.10).

6. *A Restauração: Um Apêndice (36.22-23)*
Ciro, o conquistador medo-persa do Império Babilônico, em 538 a.C. decretou que Jerusalém e o Templo fossem reconstruídos. Ele estendeu o seu desafio a todos aqueles que retornariam, em nome do Senhor (cf. Is 44.28; 45.1; e também Ed 1.1-3).

Aprendemos com Esdras, que foi Zorobabel quem liderou o retorno a Jerusalém em 536 a.C.

Assim, o cronista mostra um raio de esperança além dos dias sombrios da destruição e do cativeiro. Ele aponta para o crescimento da nova nação de Israel sob o comando de seu Deus. Ele faz apenas uma alusão a esta era brilhante, provavelmente porque a história já havia sido escrita ou planejada para os livros de Esdras e Neemias.

Deus realiza a sua vontade na história, apesar das falhas dos homens. Quem dera o Senhor encontrasse um Ezequias ou um Josias em cada geração! Os livros de Crônicas deveriam nos inspirar, em nossos dias, a sermos o povo de Deus, com corações perfeitos, determinados a fazer a vontade do Senhor em meio às circunstâncias de nossa geração.

Notas

INTRODUÇÃO

[1] W. H. Bennett, "Books of the Chronicles", *The Jewish Encyclopedia* (New York and London: Funk and Wagnalls Company, 1947), IV, p. 59.

[2] C. F. Keil e F. Delitzsch, "Chronicles", *Commentary on the Bible*, trad. Andrew Harper (Grand Rapids: Wm. B. Eerdmans Publishing Company, n.d.), pp. 22ss.

[3] W. F. Albright, "The Date and Personality of Chronicles", *Journal of Biblical Literature*, XL (1921), pp. 104-24.

[4] Robert H. Pfeiffer, *Introduction to the Old Testament* (New York: Harper and Brothers, 1941), p. 812.

[5] Merrill F. Unger, *Introductory Guide to the Old Testament* (Grand Rapids: Zondervan Publishing House, 1951), p. 408.

[6] Samuel A. Cartledge, *A Conservative Introduction to the Old Testament* (Athens: University of Georgia Press, 1944), p. 98.

[7] Carl F. Keil, "Introduction", *Commentary on the Old Testament*, traduzido por Geo. C. M. Douglas (Grand Rapids: Wm. B. Eerdmans Publishing Company, 1952), II, p. 14.

SEÇÃO I

[1] P. C. Barker, "I and II Chronicles", *The Pulpit Commentary*, eds. H. D. M. Spence e Jos. S. Exell (New York: Funk and Wagnalls Company, n.d.), I, 3.

[2] Keil, *op. cit.*, p. 57. Observe que Dã é completamente omitido em Apocalipse 7.5-8.

[3] Charles Thomson, *The Septuagint* (Indian Hills, Colorado: Falcon Wings Press, 1954), pp. 662ss.

[4] W. A. L. Elmslie, "I and II Chronicles", *The Interpreter's Bible*, ed. G. A. Buttrick, III (New York: Abingdon Press, 1954), p. 353.

[5] Keil, *op. cit.*, p. 73.

[6] Pfeiffer, *op. cit.*, p. 316.

[7] Otto Zochler, "I and II Chronicles", traduzido por James G. Murphy, *Commentary on the Holy Scriptures*, ed. John Peter Lange e Philip Shaff (Grand Rapids: Zondervan Publishing House, n.d.), pp. 41,42.

[8] Berker, *op. cit.*, p. 21.

[9] Keil, *op. cit.*, p. 73.

[10] Keil, *op. cit.*, pp. 55ss.

[11] H. L. Ellison, "I and II Chronicles", *The New Bible Commentary*, ed. por F. Davidson, A. M. Stibbs, E. F. Kevan (Grand Rapids, Michigan: Wm. B. Eerdmans Publishing Company, 1954), p. 342.

[12] Keil, *op. cit.*, p. 82.

[13] Unger, *op. cit.*, p. 408.

[14] Ellison, *op. cit.*, p. 343.

[15] Zockler, *op. cit.*, p. 76.

[16] Ellison, *op. cit.*, p. 344.

[17] Zockler, *loc. cit.*

[18] Cf. Zockler, *op. cit.*, p. 78, e Keil, *op. cit.*, pp. 139ss.

[19] Dummellow, *op. cit.*, p. 252.

[20] Ellison, *op. cit.*, p. 344.

[21] Keil, *op. cit.*, p. 144.

[22] Dummelow, *op. cit.*, p. 252.

[23] *Ibid.*

[24] Keil, *op. cit.*, pp. 153ss.

[25] M. S. Terry, "I and II Chronicles", *Commentary on Old Testament*, ed. D. D. Whedon (New York: Phillips & Hunt, 1886), IV, p. 341.

[26] Ellison, *op. cit.*, p. 345.

[27] Keil, *op. cit.*, p. 163.

[28] Wm. Smith, *A Dictionary of the Bible* (New York: Fleming H. Revell Co., s.d.), p. 449.

[29] Keil, *op. cit.*, p. 168.

SEÇÃO II

[1] Adam Clarke, *A Commentary and Critical Notes* (New York: Abingdon-Cokesbury Press, s.d.), II, pp. 600ss.

[2] Dummelow, *op. cit.*, p. 255.

[3] Elmslie, *op. cit.*, p. 411.

[4] Robert Jamieson, A. R. Fausset e David Brown, *Pocket Commentary*, (Chicago: H. R. Thompson & Co., s.d.), II, p. 273.

[5] Keil, *op. cit.*, p. 229.

[6] Ellison, *op. cit.*, p. 349.

[7] Elmslie, *op. cit.*, p. 413.

[8] Ellison, *op. cit.*, p. 350.

[9] Elmslie, *op. cit.*, p. 420.

[10] Terry, *op. cit.*, p. 353.

[11] *Ibid.*, p. 354.

[12] Ellison, *op. cit.*, p. 352.

[13] Terry, *op. cit.*, p. 355; Jamieson, Fausset e Brown, *op. cit.*, p. 284.

[14] Kyle Yates, *Preaching from the Prophets* (New York: Harper and Brothers, 1942), p. 2.

SEÇÃO III

[1] W. T. Purkiser (ed.), *Exploring the Old Testament* (Kansas City, Mo.: Beacon Hill Press, 1955), p. 206.

[2] Ellison, *op. cit.*, p. 354; Zockler, *op. cit.*, p. 168.

[3] Keil, *op. cit.*, p. 313.

[4] Dummelow, *op. cit.*, p. 258.

[5] Keil, *op. cit.*, p. 316.
[6] Cf. Elmslie, *op. cit.*, p. 448; também Ellison, *op. cit.*, p. 354; Dummelow, *op. cit.*, p. 259.
[7] Cf. Terry, *op. cit.*, p. 359.
[8] Zockler, *op. cit.*, p. 172.
[9] Ellison, *op. cit.*, p. 309.
[10] Cf. Clarke, *op. cit.*, p. 642.
[11] Jamieson *et al.*, *op. cit.*, p. 295.
[12] Cf. Clarke, *op. cit.*, p. 417.
[13] Cf. Jamieson *et al.*, *op. cit.*, p. 297; Dummelow, *op. cit.*, p. 259.
[14] Cf. Elmslie, *op. cit.*, p. 464; Ellison, *op. cit.*, p. 356; Jamieson *et al.*, *op. cit.*, p. 298.
[15] Cf. Ellison, *op. cit.*, pg. 356; Jamieson *et al.*, *op. cit.*, p. 298.
[16] Douglas Jones, "I and II Chronicles", *Twentieth Century Bible Commentary*, eds. G. Henton Davies, Alan Richardson, Charles L. Wallis (New York: Harper and Brothers, 1955), p. 220.
[17] Cf. Elmslie, *op. cit.*, p. 466; Joseph Free, *Archaeology and Bible History* (Wheaton, Ill.: Van Kampen Press, 1950), p. 171; Merrill F. Unger, *Archaeology and the Old Testament* (Grand Rapids: Zondervan Publishing House, 1954), pp. 86, 225; D. Harvey, "Sheba, Queen Of", *The Interpreter's Dictionary of the Bible*, ed. G. A. Buttrick, (New York: Abingdon Press, 1962), IV, p. 311.
[18] Jamieson, *et al.*, *op. cit.*, p. 299.
[19] Loyal H. Larimer, "I and II Chronicles", *Old Testament Commentary*, eds. Herbert C. Alleman e Elmer E. Flack (Filadélfia: Muhlenberg Press, 1948), p. 452.
[20] Free, *op. cit.*, p. 172.

SEÇÃO IV

[1] Terry, *op. cit.*, p. 361.
[2] Elmslie, *op. cit.*, p. 478.
[3] Cf. Terry, *op. cit.*, p. 363; Ellison, *op. cit.*, p. 357.
[4] Terry, *op. cit.*, p. 305.
[5] Cf. Elmslie, *op. cit.*, p. 484; Ellison, *op. cit.*, p. 358.
[6] Dummelow, *op. cit.*, p. 261.
[7] Cf. Terry, *op. cit.*, p. 371; Jamieson, *et al.*, *op. cit.*, p. 315.
[8] Cf. Dummelow, *op. cit.*, p. 263; Terry, *op. cit.*, p. 371.
[9] Jamieson, *et al.*, *op. cit.*, p. 317.
[10] Dummelow, *op. cit.*, p. 265.
[11] Keil, *op. cit.*, p. 428.
[12] Dummelow, *op. cit.*, p. 264.
[13] *Ibid.*, p. 265.
[14] Cf. E. R. Thiele, "The Cronology of the Kings of Judah and Israel", *Journal of Near Eastern Studies*, II, No. 3 (Julho de 1944), pp. 137-86, para outra cronologia.

[15.] Dummelow, *op. cit.*, p. 267; Free, *op. cit.*, pp. 41, 211ss.
[16.] Cf. Terry, *op. cit.*, pg. 382; Keil, *op. cit.*, p. 479.
[17.] Free, *op. cit.*, p. 213.
[18.] Terry, *op. cit.*, p. 384.

Bibliografia

I. COMENTÁRIOS

BARKER, P.C. "I & II Chronicles". *The Pulpit Commentary*. Editado por H. D. M. Spence e Joseph S. Exell. Nova York: Funk & Wagnalls Company, n.d.

BARNES, WM. E. *The Books of Chronicles*. "Cambridge Bible for Schools and Colleges". Cambridge University Press, 1899.

BENNET, W. H. *The Book of Chronicles*. "The Expositor's Bible". Editado por W. Robertson Nicoll, Cincinnati: Jennings & Graham, n.d.

CARROLL, B. H. "The Hebrew Monarchy". *Interpretation of the English Bible*, Editado por J. B. Cranfill, Vol. V. Nashville, Tenn.: Broadman Press, 1948.

CLARKE, Adam. *A Commentary and Critical Notes*, Vol. II Nova York: Abingdon-Cokesbury Press, n.d.

CROCKETT, William Day. *A Harmony of the Books of Samuel, Kings and Chronicles*. Grand Rapids, Michigan: Baker Book House, 1951.

CURTIS, Edward L., e MADSEN, A. H. *I & II Chronicles*. "International Critical Commentary". Edinburgh: T. & T. Clark, 1910.

DUMMELOW, J. R. *A Commentary on the Holy Bible*. Nova York: The Macmillan Company, 1946.

ELLISON, H. L. "I & II Chronicles". *The New Bible Commentary*, Editado por F. Davidson, A. M. Stibbs, E. F. Kevan. Grand Rapids, Michigan: Wm. B. Eerdmans Publishing Company, 1954.

ELMSLIE, W. A. L. "The First and Second Books of Chronicles". *The Interpreter's Bible*, Vol. III. Nova York: Abingdon Press, 1954.

GAEBELEIN, A. C. *The Annotated Bible*, Vol. II. Nova York: Publication Office *Our Hope*, 1915.

JAMIESON, Robt., FAUSSET, A. R., e BROWN, David. *The Practical Pocket Commentary*, Vol. II. Chicago: H. R. Thompson & Co., 1872.

JONES, Douglas. "I and II Chronicles." *The Twentieth Century Bible Commentary*. Ed. rev. Editado por G. Henton Davies, Alan Richardson, e Chas. L. Wallis. Nova York: Harper & Bros., 1955.

KEIL, C. F., e Delitzsch, Franz. *Biblical Commentary on the Old Testament*. "The Books of the Chronicles", traduzido por Andrew Harper. Vol. II. Grand Rapids, Mich.: Wm. B. Eerdmans Publishing Co., n.d.

LARIMER, Loyal H. "First and Second Chronicles". *Old Testament Commentary*. Editado por Herbert C. Alleman e Elmer E. Flack, Filadélfia: The Muhlenberg Press, 1948.

SIMEON, Charles. *Expository Outlines on the Whole Bible*, Vol. IV. Grand Rapids: Zondervan Publishing House (reimpresso).

TERRY, M. S. "Chronicles". *Commentary on Old Testament*. D. D. Whedon, Vol. II. Nova York: Phillips e Hunt, 1886.

II. OUTROS LIVROS

CARTLEDGE, Samuel A. *A Conservative Introduction to the Old Testament.* Athens: University of Georgia Press, 1944.

DRIVER, S. R. *An Introduction to the Literature of the Old Testament.* "The International Theological Library". Editado por Charles A. Briggs e Stewart D. F. Salmond. Nova York: Charles Scribner's Sons, 1891.

FREE, Joseph P. *Archaeology and Bible History.* Wheaton Ill: Van Kampen Press, 1950.

HALLEY, Henry H. *Pocket Bible Handbook.* 17ª edição. Chicago, Illinois: Henry H. Halley, 1946.

KEIL, Karl Friedrich. *Manual of Historico-Critical Introduction to Old Testament*, Vol. II. Grand Rapids, Mich.: Wm. B. Eerdmans Pub. Co., 1952.

OESTERLY, W. O. E., e Robinson, T. H. *An Introduction to the Old Testament.* Nova York: The Macmillan Company, 1934.

PURKISER, W. T. (ed.). *Exploring the Old Testament.* Kansas City, Missouri: Beacon Hill Press, 1955.

SMITH, William. *A Dictionary of the Bible.* Nova York: Fleming H. Revell Company, n.d.

THOMSON, Charles. *The Septuagint Bible.* Editado, revisado e ampliado por C. A. Muses. Indian Hills, Colorado: The Falcon's Wing Press, 1954.

UNGER, Merrill F. *Introductory Guide to the Old Testament.* Grand Rapids: Zondervan Publishing House, 1951.

YOUNG, Edward J. *An Introduction to the Old Testament.* Grand Rapids: Wm. B. Eerdmans Publishing Company, 1960.

III. ARTIGOS

ALBRIGHT, W. F. "Review of Pfeiffer". *Journal of Biblical Literature*, LXXXII (junho de 1942), p. 126.

BENNETT, W. H. "Books of Chronicles". *The Jewish Encyclopedia*, Vol. IV. Nova York: Funk & Wagnalls Company, 1947.

NORTH, Robert. "Theology of the Chronicler". *Journal of Biblical Literature*, LXXXII, Parte IV (Dezembro de 1963), pp. 369-81.

THIELE, E. R. "The Chronology of the Kings of Judah and Israel". *Journal of Near Eastern Studies*, Julho de 1944, p. 184.

O Livro de
ESDRAS

C. E. Demaray

Introdução

Tanto no hebraico como no grego (Septuaginta), os livros de Esdras e Neemias foram inicialmente combinados em um só texto chamado "O Livro de Esdras" (gr. *Esdras*). Eles foram aparentemente separados, pela primeira vez, na Vulgata Latina, por Jerônimo, em torno de 400 d.C. e, finalmente, receberam uma forma separada até mesmo nas Escrituras Hebraicas. Por causa do íntimo relacionamento dos livros e de suas semelhanças em caráter e origem, parece melhor combinar a discussão deles em um artigo introdutório.

A. Título, Autoria, Data e Composição

Os livros são nomeados primeiramente a partir de suas características principais. Como a história de Esdras é parcialmente contada no livro de Neemias, não é de se surpreender que a forma combinada tenha inicialmente recebido o título de Esdras. Sem dúvida, outro fator foi a tradição persistente de que Esdras era pelo menos o autor responsável pelos livros de 1 e 2 Crônicas e da história combinada de Esdras e Neemias.

O fato do final de 2 Crônicas coincidir verbalmente com o começo de Esdras, sugere a continuidade original destes livros. A partir do memorial de Neemias, que teve a aceitação de quase todos os críticos como original, formou-se uma parte notável do livro de Neemias, e assim vemos uma razão a mais para o título do livro como temos hoje. Mesmo assim, podemos considerar Esdras, ou um "cronista" posterior como o compilador do livro em sua forma final.

Se Esdras foi o compilador destes livros junto com 1 e 2 Crônicas, como muitos estudiosos acreditam, os livros devem ter estabelecido substancialmente as suas formas atuais entre os anos de 430 e 400 a.C. Se, por um outro lado, atribuirmos a compilação a um "cronista" posterior, podemos aceitar a data sugerida por vários críticos, 330-300 a.C. Esta data é derivada da ocorrência do nome Jadua no final de uma lista de sumos sacerdotes em Neemias 12.22. De acordo com Josefo (*Antiq.* xi. 8.4), Jadua era o sumo sacerdote na época de Alexandre, o Grande, em torno de 330 a.C. Podemos concluir então que os relatos receberam a sua forma atual (exceto pela divisão em dois livros) por volta do final do quinto ou do quarto século a.C.

É especialmente interessante notar os diversos tipos de fontes que têm sido utilizados nos relatos históricos que formam nossos livros de Esdras e Neemias. Eles podem ser listados da seguinte forma:

1. *Memórias pessoais de Esdras e Neemias*, indicadas pelo uso da primeira pessoa: Esdras 7.27 a 9.15, exceto 8.35-36; Neemias 1.1 a 7.5; 12.27-43; 13.4-31. Existem outras seções, que embora não estejam exatamente na forma de memórias, estão aparentemente baseadas diretamente neles, como por exemplo, Esdras 7.1-10; 10.1-44; Neemias 8.10; 12.44-47; 13.1-3[1]. A respeito da passagem que contém as memórias de Esdras, Cartledge escreve: "Estes versículos parecem, claramente, ter sido extraídos das memórias do próprio Esdras. Depois que a crítica mais intensa foi feita, até mesmo os críticos mais radicais consideram estes versículos como documentos originais, e do mais elevado valor"[2]. O mesmo é verdadeiro no caso das memórias de Neemias.

2. *Recursos aramaicos,* que consistem principalmente de cartas e documentos oficiais, tiveram a sua forma original mantida: Esdras 4.8 a 6.18; 7.12-26. O aramaico foi a língua da diplomacia e utilizada em correspondências entre pessoas de diferentes nacionalidades. A autenticidade destas seções aramaicas foi habilmente defendida[3], e o caráter da língua foi mostrado, através de uma comparação com os papiros de Elefantina. Ficou comprovado que este é genuinamente um material do século V a.C.[4]

3. *Registros do Templo,* especialmente relativos ao retorno na época de Ciro e à reconstrução do Templo[5].

4. *Listas ou registros de nomes,* evidentemente derivados de registros públicos, tais como aqueles que eram mantidos no Templo.

Todos estes variados recursos foram reunidos com muito cuidado e habilidade. Eles formam uma narrativa vívida e contínua, centralizada na riqueza da comunidade judaica durante o período da restauração.

B. Conteúdo e Mensagem

O grande tema de Esdras e Neemias é a fidelidade de Deus ao restaurar Judá e Jerusalém após o fogo do exílio ter feito o trabalho de purificação e o remanescente estar pronto para receber uma segunda chance. Três grandes líderes dos judeus são destacados nesta história: Zorobabel, um príncipe da casa de Davi; Esdras, um "escriba hábil na Lei de Moisés"; e Neemias, o copeiro do rei da Pérsia. Através de suas orações e de sua habilidosa liderança, Neemias foi bem-sucedido na tarefa de transformar Jerusalém em uma cidade bastante fortificada capaz de se manter até à vinda do Messias prometido, cerca de quatrocentos e cinqüenta anos depois. Três reis persas são destacados na história, e são vistos como instrumentos involuntários nas mãos de Deus para auxiliar na realização dos propósitos divinos: Ciro, Dario e Artaxerxes.

Esboço

I. O Primeiro Retorno Sob Zorobabel (538-516 a.C.), 1.1—6.22
   A. O Decreto de Ciro, 1.1-4
   B. Descrição Geral do Retorno, 1.5—2.67
   C. Começa o Trabalho de Restauração do Templo, 2.68—3.13
   D. A Reconstrução é Interrompida pelos Adversários, 4.1-24
   E. A Reconstrução do Templo é Concluída (520 a.C.), 5.1—6.22

II. O Retorno Sob a Liderança de Esdras, 7.1—10.44
   A. Esdras é Enviado para Ajudar na Restauração, 7.1—8.36
   B. As Reformas de Esdras, 9.1—10.44

SEÇÃO I
O PRIMEIRO RETORNO SOB ZOROBABEL (538-516 a.C.)

Esdras 1.1—6.22

O livro de Esdras contém duas narrativas distintas, separadas cronologicamente por um período de aproximadamente sessenta anos. Os capítulos 1-6 tratam da primeira fase da restauração, durante a qual o Templo foi reconstruído sob a liderança de Zorobabel. Os quatro últimos capítulos narram a história do segundo retorno sob a liderança de Esdras, o escrivão. A sua missão foi a de instruir os seus companheiros judeus na lei de Moisés, a fim de, desta forma, contribuir para o restabelecimento da verdadeira adoração a Deus em Jerusalém. Nessa segunda fase da restauração, Esdras, eventualmente, teve o apoio de um terceiro líder notável, Neemias, cuja história está contada no livro que leva o seu nome.

A. O DECRETO DE CIRO, 1.1-4

Ciro, o primeiro rei do Império Persa, invadiu a Babilônia em 538 a.C. Um dos seus primeiros atos oficiais foi o de autorizar o retorno dos judeus exilados à Palestina, e a reconstrução do seu Templo em Jerusalém. Acreditamos que isso estava de acordo com a nova política inaugurada por ele com relação a todos os povos desalojados. No rolo de Ciro descoberto no século XIX por Hormuzd Rassam, lemos: "Quanto às cidades além do Tigre, cujas fundações são antigas – os deuses delas eu devolvi aos seus lugares e fiz com que fossem colocados nos seus santuários eternos. Reuni todo o povo e o devolvi às suas moradias"[1].

A redação do decreto, como apresentada em Esdras (1.2-4) concorda exatamente, na sua maior parte, com o relato feito do mesmo decreto em 2 Crônicas 36.22,23, exceto que o relato não fornece o edito completo, como está citado em Esdras. A correspondência exata dessas duas passagens normalmente se explica pela suposição de que o livro de Esdras, ou mais provavelmente Esdras e Neemias, foram escritos como uma continuação da história dos livros de 1 e 2 Crônicas. A passagem em questão é considerada uma transição entre o segundo livro de Crônicas e Esdras, para terminar uma seção da história e ao mesmo tempo dar início a outra.

Por outro lado, este relato do decreto não corresponde, em texto, àquele citado em Esdras 6.3-5. Ali, o decreto é mencionado como descoberto por Dario entre os registros de Ciro. Uma explicação normal da diferença é a de que o edito, como citado em Esdras 1.2-4 e em 2 Crônicas 36.22,23, é a forma que assumiu na proclamação pública, de alguma maneira está ajustado ao caráter religioso e à compreensão geral dos hebreus. A passagem no capítulo 6 representa a forma escrita do decreto, conforme foi incluído nos registros oficiais. Isto explicaria o teor religioso de um, em contraste com o caráter secular do outro. Também é notável que o decreto, como citado no capítulo 6, esteja incluído nas partes em aramaico ou no idioma caldeu do livro, em que o aramaico era a linguagem na qual tais registros oficiais eram escritos normalmente.

A referência ao **primeiro ano de Ciro** (1) aplica-se ao seu reinado na Babilônia e fixa a data do decreto em 538 ou 537 a.C. O seu reinado sobre os medos e os persas teve início em 557 a.C. A profecia referente a este fato é encontrada em Jeremias 29.10 (cf. 25.12). Está implícito que os setenta anos previstos por este profeta chegavam agora ao fim. Um meio comum de calcular esse período é o de 606 a 536 a.C.; a data aproximada do primeiro retorno. A época do cativeiro de Daniel e de seus três amigos foi aproximadamente 606 a.C. (Dn 1.1). Jeoaquim reinou de 608 a 597 a.C.[2]

A afirmação de que **despertou o Senhor o espírito de Ciro** nos lembra simultaneamente de duas famosas passagens (Is 44.28 e 45.1-4,13), onde ele é mencionado e até mesmo referido como "o ungido do Senhor". Ali estava predito que ele libertaria os cativos e que "construiria o templo em Jerusalém". Josefo sugere que a vontade divina foi dada a conhecer a Ciro por meio dessas passagens de Isaías, que alguns judeus leais levaram ao seu conhecimento[3]. Tenha isso ocorrido ou não, possuímos aqui uma notável predição e um nítido cumprimento; e, além disso, somos lembrados de que Deus tem uma participação em todos os eventos da história humana. É Ele que impulsiona os homens às boas ações e aos bons pensamentos, e nada mal pode ocorrer sem a sua providência permissiva. Com esta passagem podemos comparar o versículo 5, onde lemos, em linguagem similar, que aqueles "cujo espírito Deus despertou" acompanharam o retorno.

Em uma mensagem sobre "o espírito despertado" baseada nesta passagem, podemos afirmar que: embora não saibamos qual método ou quais meios despertaram o espírito de Ciro, fica claro que: (1) O Senhor tomou a iniciativa. (2) Quer Ciro conhecesse ou não Deus pessoalmente, ou entendesse a implicação dos seus próprios atos e das suas palavras, o Senhor operou em seu coração e em sua mente para que ele fosse generoso e sincero na sua resposta. (3) Os resultados da proclamação de Ciro e dos seus atos subseqüentes tiveram a finalidade específica de tornar realidade o plano de Deus a respeito do retorno de seu povo a Jerusalém, e, conseqüentemente, a restauração do Templo. Traduzindo em termos de vida e ministério cristãos, isso sugere que: (1) Deus sempre toma a iniciativa no processo redentor; (2) Ele tem meios de tornar sua vontade claramente conhecida para nós; (3) nossa resposta deve ser sincera e de todo o nosso coração (na verdade, Deus tem prazer em que isto ocorra); e, (4) nossas palavras e ações,

estejamos ou não plenamente conscientes do seu significado, estarão em específica harmonia com os propósitos de Deus, e irão trazer os resultados corretos, *proporcionalmente à amplitude de nosso comprometimento*[4].
O significado do versículo 4 não é bem claro. Alguns comentaristas interpretaram que foi pedido aos judeus que permaneceram na Babilônia que contribuíssem com fundos para financiar a viagem de volta dos seus compatriotas, e incluía no pedido uma oferta voluntária para o Templo. No entanto, parece mais provável que a frase **e todo aquele que ficar** se aplica a todo o remanescente dos judeus na Babilônia e que **os homens do seu lugar** refere-se mais especificamente aos seus vizinhos pagãos, aos quais se pedia que ajudassem os demais a fazerem a viagem de volta a Jerusalém, incluindo, também, nas suas contribuições, uma oferta espontânea para o Templo.

B. Descrição Geral do Retorno, 1.5—2.67

1. A Ajuda Dada aos Judeus que Retornavam (1.5,6)
Ao dar cumprimento ao decreto de Ciro, os chefes das famílias judias iniciaram os preparativos para a longa viagem de volta a Jerusalém, incluindo em sua companhia todos **aqueles cujo espírito Deus despertou** (5). De acordo com os números fornecidos no capítulo 2, cerca de cinqüenta mil pessoas tomaram parte neste primeiro retorno. Como Ciro havia requisitado, seus vizinhos os ajudaram com dinheiro e com muitos artigos que seriam úteis na viagem ou na sua nova vida na Palestina.

2. A Restauração dos Utensílios Sagrados (1.7-11)
Como o próprio Ciro afirmou na crônica mencionada acima (veja o comentário sobre 1-4), era sua política devolver os deuses dos povos conquistados aos seus próprios santuários. Conseqüentemente, ele encorajou aqueles que agora retornavam do cativeiro a restabelecerem a adoração religiosa à qual eles tinham se acostumado na sua terra natal. Como o nosso Deus não é representado por uma imagem, como eram as divindades pagãs, Ciro decidiu dar um presente especial aos judeus cativos. Ele lhes devolveu os utensílios sagrados que foram guardados na Babilônia durante pelo menos cinqüenta anos, ou seja, desde a destruição de Jerusalém, em 586 a.C. (2 Rs 25.15; 2 Cr 36.10,18; Dn 1.2).
De acordo com o total fornecido no versículo 11, entre cinco e seis mil utensílios de ouro e prata foram removidos do Templo em Jerusalém por Nabucodonosor. Agora eles eram devolvidos aos judeus por Ciro. A pessoa mencionada como o que recebe os utensílios por parte dos judeus é **Sesbazar, príncipe de Judá** (8). O nome reaparece em 5.14, onde ele é citado como governador e como aquele que colocou os alicerces do Templo. As duas descrições se aplicam a Zorobabel (Ag 1.1,14; Zc 4.9; Ed 3.8-11). Uma vez que era descendente de Davi (1 Cr 3.9-19), ele deveria ser chamado **príncipe de Judá;** portanto, tornou-se costumeiro identificar Sesbazar como Zorobabel, sob cuja liderança, segundo o capítulo 2, organizou-se o retorno[5]. Há sugestões de que Sesbazar ("alegria na tribulação") era o nome pelo qual ele ficou conhecido na corte persa, e por essa razão foi usado nos registros oficiais de Ciro, como no capítulo 5. Por outro lado, Zorobabel ("um estrangeiro na Babilônia") era o nome pelo qual ele ficou conhecido entre o seu próprio povo[6].

Bacias de ouro e **bacias de prata** (9) seriam travessas ou pratos de ouro e prata. Tradutores modernos interpretam as **vinte e nove facas** como os incensários usados para queimar incenso no Templo (cf. Moffatt). **Taças de ouro** e **taças de prata** (10) parecem ser "recipientes cobertos" (Berk.) em contraste com as **bacias** abertas e semelhantes a pratos do versículo 9.

Alexander Maclaren dá um sentido interessante aos versículos 1-11, ao intitulá-los de "a véspera da restauração". Em seus esclarecimentos, ele inclui: (1) a verdadeira causa por trás da restauração – **despertou o Senhor o espírito de Ciro**, 1; (2) a profissão de fé deste rei é um exemplo de religião oficial e profunda, 2; (3) poucos dos exilados se importavam o suficiente para voltar, 6; (4) mesmo os utensílios do Templo tornaram-se grandes, por serem testemunhas da grandeza de Deus, 7-11.

3. *O Registro daqueles que Retornaram (2.1-67)*

É interessante observar o valor dado nestes livros às pessoas ou às famílias que constituíam a comunidade religiosa. A lista começa com as pessoas mais importantes: **Zorobabel** (2) e os seus companheiros, dos quais são mencionados dez; **Jesua**, ou Josué, era o sumo sacerdote (3.2); **Neemias** não é o autor nem o assunto do livro que leva o seu nome, mas um líder anterior com o mesmo nome; **Seraías** e **Reelaías** aparecem na passagem paralela em Neemias 7.7 como Azarias e Raamias; **Mardoqueu**, como Neemias, provavelmente não era o primo de Ester (Et 2.5,6), mas um homem que tinha o mesmo nome. Os demais da lista não são identificados em qualquer outra parte.

Os versículos 3-19 contêm uma classificação das famílias e clãs dos exilados que retornavam. A maioria dos nomes não é conhecida por outra forma. Os versículos 20-35 dão uma lista por lugares de residência. Aqui encontramos muitos registros de lugares familiares: **Gibar** (ou Gibeão, 20; Ne 7.25), **Belém** (21), **Anatote** (23), **Quiriate-Arim** (ou Quiriate-Jearim, 25; Ne 7.29), **Ramá** (26), **Betel e Ai** (28) e **Jericó** (34) – todos localizados no território de Judá (veja o mapa).

Segue-se uma relação dos sacerdotes e levitas (36-42), e, após esta, são mencionados os de menor importância. Estes incluíam a classe conhecida como **netineus** (43,58), ou serviçais do Templo, e outros designados como **os filhos dos servos de Salomão** (55,58), cujos antepassados eram, evidentemente, escravos pertencentes a este rei. Finalmente, há o grupo daqueles cuja genealogia não era conhecida – **não puderam mostrar a casa dos seus pais**, e sua linhagem (59) – cuja conexão com a comunidade dos judeus é incerta. Por razões pessoais ou por causa de uma tradição familiar aceita, esses habitantes na Babilônia decidiram se identificar com os seus amigos judeus. Destes, alguns afirmavam ser **filhos dos sacerdotes** (61), mas foram excluídos **do sacerdócio** (62) porque não cumpriam os requisitos (61-63).

A palavra **tirsata** (63) é um título de respeito aplicado ao governador persa, e aqui se refere a Zorobabel. Acredita-se que o **Urim** e o **Tumim** mencionados no mesmo versículo sejam duas pedras que ficavam no peitoral do sumo sacerdote, e que eram usadas para vaticinar a vontade do Senhor em determinadas ocasiões solenes (Êx 28.30). Supõe-se que tenham sido perdidas na época da destruição de Jerusalém. Zorobabel é representado aqui como advertindo aqueles que eram incapazes de determinar sua ascendência sacerdotal. Eles não teriam permissão para trabalhar no ministério, a menos que os

Urim e Tumim perdidos fossem recuperados, uma vez que eles eram o meio divinamente indicado por Deus para descobrir a sua vontade em assuntos dessa natureza.

É notável que o número de **levitas** (40) era muito pequeno (somente setenta e quatro) se comparado com os 973 **sacerdotes** (36-39). Os levitas realizavam as funções menos dignas nos serviços do Templo, e normalmente eram muito mais numerosos do que os sacerdotes, que eram os verdadeiros descendentes de Arão, o primeiro sumo sacerdote instituído por Deus. Houve um problema semelhante com Esdras, aproximadamente oitenta anos mais tarde (8.15). Foi sugerido que, como os levitas preenchiam as posições mais humildes, eles não enfrentaram o desafio, como fizeram os sacerdotes, de fazer os sacrifícios necessários para suportar a difícil viagem a Jerusalém, e a viver ali sob os rigores da reorganização de uma comunidade[7]. Uma tentação semelhante surge a muitos cristãos nos dias modernos que, por não receberem posições de maior responsabilidade na igreja, julgam que os seus serviços não sejam necessários. "O trabalho mais espetacular não tem uma posição de destaque à vista de Deus", diz um comentarista, "mas Ele procura a lealdade na posição onde Ele nos coloca, seja ela aparentemente alta ou baixa"[8].

Os totais dados nos versículos 64 e 65, embora em conjunto atinjam cerca de cinqüenta mil pessoas, ainda podem ser considerados pequenos, em comparação com o grande número de judeus que nessa época estavam no exílio na Babilônia e nas províncias vizinhas do Império Persa. A história de Ester, que ocorreu cerca de cinqüenta ou cinqüenta e cinco anos mais tarde, nos dá uma idéia da grande população de judeus que ainda permanecia, nessa ocasião, na região persa.

C. Começa o Trabalho de Restauração do Templo, 2.68—3.13

1. As Ofertas Feitas pelos Líderes Judeus (2.68-70)

Como a reconstrução do Templo era o objetivo principal do primeiro retorno, sob Zorobabel, o primeiro passo seria o de prover os meios para as operações de reconstrução. Imediatamente depois da sua chegada a Jerusalém, **os chefes dos pais** (68; "cabeças de famílias") fizeram uma generosa e voluntária oferta para o tesouro do Templo. Em comparação com uma passagem correspondente em Neemias 7.70-72, que se refere ao mesmo acontecimento, vemos que todas as classes da comunidade participaram dessa oferta, desde o governador até o povo comum. A soma dada, quando totalizada e traduzida em termos modernos, segundo uma estimativa[9], representa um valor entre nove e dez dólares americanos de cada uma das quase cinqüenta mil pessoas que fizeram a viagem. Alguns estudiosos julgam que esse total seja um exagero[10], mas é provável que eles não tivessem feito a estimativa com o espírito generoso que Deus reparte entre aqueles que estão totalmente comprometidos com Ele. Aqueles que retornavam a Jerusalém naquela época representavam o remanescente dos fiéis, que eram devotados aos interesses do reino de Deus. Além do mais, eles ofertaram **conforme o seu poder** (69), e pode-se supor que muitos deles foram capazes de acumular recursos consideráveis durante a sua permanência na Babilônia.

2. O Altar Reconstruído, Observa-se a Festa dos Tabernáculos (3.1-6)

Deve-se observar que aqueles que retornavam tinham as devidas prioridades. Mais importante que construir o Templo era restabelecer a verdadeira adoração a Deus, representada pela edificação do altar. A resposta ao medo que sentiam **dos povos das terras** (3) não era em termos de armas ou de fortalezas, mas sim em colocar Deus em primeiro lugar, ao construir de novo o seu altar até mesmo antes de providenciar casas para as suas famílias. **Firmaram o altar sobre as suas bases** significa "colocaram o altar no seu lugar" (Moffatt).

Com relação ao **sétimo mês** (1, 6), o mês Tisri (outubro), mencionado como o período em que teve início essa reconstrução, afirma um comentarista:

> Era um dos meses mais sagrados do ano, porque nele se realizava, no primeiro dia, a Festa das Trombetas (Nm 29.1); no décimo dia, a grande Festa da Expiação (Nm 29.7; Lv 16.29), e no décimo quinto dia a Festa dos Tabernáculos (Lv 23.34-36,39-44; Nm 29.12-38). Seria difícil encontrar um mês melhor para o início de uma obra tão importante[11].

Com a construção do altar, sacrifícios regulares eram oferecidos nas épocas indicadas – **as luas novas** (5). Todas as festas foram restabelecidas, começando com a Festa dos Tabernáculos, no décimo quinto dia do sétimo mês, estritamente de acordo com os requisitos da lei de Moisés. Há ênfase sobre a oferta de holocaustos, que, diferentemente da oferta pelos pecados, representava a dedicação do adorador a Deus. Desta forma vemos a sinceridade e a espiritualidade da adoração que tais sacrifícios estabeleciam, embora ainda não estivessem postos **os fundamentos do templo do Senhor** (6).

3. A Colocação dos Alicerces do Templo (3.7-13)

Não foi antes da primavera, o **segundo mês** (8; abril/maio) do **segundo ano** da sua volta, que os judeus, sob o comando de Zorobabel, começaram a tarefa de reconstruir o Templo. Nesse ínterim, houve muita coisa a ser feita. Era necessário contratar pedreiros e carpinteiros; as pedras deveriam ser cortadas e a madeira obtida nas colinas do Líbano. Esta era a mesma fonte da qual Salomão obteve a matéria-prima para o primeiro Templo (2 Cr 2.8,9). Parte do dinheiro necessário para isto conseguiu-se graças à **concessão que lhes tinha feito Ciro, rei da Pérsia** (7). Devido à santidade da tarefa, os levitas foram designados para supervisionar os trabalhadores. **Jesua** (8), ou Josué, era o sumo sacerdote (cf. 2.2; 3.2; Zc 3.1-10).

Com a colocação das últimas pedras do alicerce, realizou-se uma elaborada cerimônia. Os sacerdotes e os levitas, vestidos adequadamente, tocaram suas trombetas e seus címbalos, e os corais entoaram em duas vozes o Salmo 136: "Louvai ao Senhor, porque ele é bom; porque a sua benignidade é para sempre". **E todo o povo jubilou com grande júbilo** (11), louvando ao Senhor pelo que Ele tinha ajudado a realizar. Houve aqueles (**os velhos,** 12) que não participaram da alegria geral. Os que já tinham vivido o suficiente para ver a glória e a beleza do Templo de Salomão só conseguiam chorar quando viram quão inferior seria o novo santuário. Mas o seu choro foi sufocado pela alegria do povo.

A partir deste acontecimento, podemos ver que "o louvor é sempre apropriado", e principalmente nas seguintes ocasiões: (1) Quando Deus começa a atender as nossas orações – **quando... os edificadores lançaram os alicerces**, 10; (2) Quando nos lembramos do amor fiel e eterno de Deus – **ele é bom... a sua benignidade dura para sempre**, 11; (3) podemos desperdiçar as bênçãos de hoje se mantivermos os olhos no passado, 12; (4) Deus pode combinar as tristezas do passado e as alegrias de hoje em uma bênção abundante, 13.

D. A Reconstrução é Interrompida Pelos Adversários, 4.1-24

1. *Uma Oferta de Ajuda é Recusada* (4.1-5,24)

Ao ouvir que Jerusalém era reconstruída e o Templo restaurado, os samaritanos e outros povos das redondezas perturbaram-se. Eles temiam que, se permitissem que os judeus se estabelecessem em Jerusalém, representariam uma ameaça à sua segurança e ao seu poder. Traiçoeiramente, pediram a Zorobabel e Jesua que deixassem que eles ajudassem a reconstruir o Templo, alegando que eles, como os judeus, adoravam o Deus verdadeiro. **Como vós, buscaremos a vosso Deus; como também já lhe sacrificamos desde os dias de Esar-Hadom, rei da Assíria, que nos mandou vir para aqui** (2). (Para os antecedentes da história dos samaritanos, veja os comentários sobre 2 Rs 17.24-32; 19.37). Quando foram rejeitados, como naturalmente devem ter suposto que seriam, eles imediatamente começaram a atrapalhar os judeus de todas as formas possíveis. **Alugaram contra eles conselheiros** (5) e aparentemente deram uma impressão enganosa sobre os judeus ao rei da Pérsia. Em todo caso, os trabalhos de construção foram interrompidos e não foram reiniciados até quinze anos mais tarde, durante o reinado de Dario.

Muitos estudiosos pensam que a interrupção dos trabalhos de reconstrução do Templo é um simples exemplo da falta de fé por parte daqueles que estavam encarregados da obra. Eles tiveram a autorização de Ciro, a autoridade e a bênção de Deus no início do empreendimento. Eles, como Neemias, deveriam ter continuado firmes no trabalho apesar da oposição, e Deus certamente teria tornado possível a conclusão do trabalho, conforme haviam planejado. "Uma frustração desse tipo", afirma J. S. Wright, "mais de uma vez provou ser eficiente contra aqueles que estão envolvidos na obra de Deus, e levou-os a adotar o caminho mais fácil"[12]. Com base em Ageu 1.4, parece que durante esse período de estagnação os judeus se voltaram para a construção e a decoração de suas próprias casas.

2. *Exemplos Citados de Oposição Posterior* (4.6-23)

Nos versículos 6-23 aparentemente vemos dois exemplos de oposição similar que ocorreram na época de **Assuero** (6; Xerxes) e **Artaxerxes** (7), reis que governaram no século seguinte (485-425 a.C.). Todo o conteúdo de uma carta, escrita a Artaxerxes, é mencionado (11-16) juntamente com a resposta enviada pelo rei (17-22). Como resultado das acusações, ele deu uma ordem para que fossem interrompidas todas as operações de construção em Jerusalém, uma determinação que, sabemos, foi cumprida pela força. Isto não parece ter algo a ver com a construção do Templo, mas talvez foi uma primeira tentativa de construir as muralhas no início do reinado de Artaxerxes, em aproximadamente 465 a.C.[13].

E. A Reconstrução do Templo é Concluída (520 a.C.), 5.1—6.22

1. *Ageu e Zacarias* (5.1,2)

Não há registro do que ocorreu durante os quinze anos entre 535, o segundo ano do retorno sob Zorobabel, e 520, o segundo ano do reinado de Dario. Zorobabel e Jesua ainda eram os líderes, como na época da interrupção dos trabalhos de construção durante o reinado de Ciro. Surgiram dois poderosos profetas do Senhor, **Ageu** e **Zacarias** (1), e algumas mensagens destes homens de Deus foram preservadas para nós. Eles acusaram o povo e os seus líderes de deslealdade para com o Senhor, porque construíam as suas próprias casas ao invés de edificar a casa de Deus, conforme lhes havia sido ordenado. Ageu atribuiu a escassez de renda do povo e a seca que acabava com a sua colheita ao pecado do atraso em construir a casa do Senhor:

> Vocês esperavam uma rica colheita, e tiveram tão pouco; mesmo o que vocês trouxeram para casa, eu estraguei. E por quê? Porque (declara o Senhor dos Exércitos) a minha casa ainda está em ruínas, ao passo que cada um de vocês se diverte em sua própria casa. Por isso o céu retém o seu orvalho e a terra retém os seus frutos (Ag 1.9,10, Moffatt).

As mensagens dos profetas surtiram o efeito desejado: **Então, se levantaram Zorobabel, filho de Sealtiel, e Jesua, filho de Jozadaque, e começaram a edificar a casa de Deus, que está em Jerusalém; e com eles, os profetas de Deus, que os ajudavam** (2).

2. *Informações Enviadas por Tatenai a Dario (5.3-17)*
Uma vez mais, surgiu oposição contra o projeto de construção de Zorobabel. Desta vez, entretanto, ela foi muito menos maligna. O **governador daquém do rio** (Eufrates, 3) era Tatenai, o mandatário da província síria à qual pertencia a Palestina. Ele visitou Jerusalém e fez perguntas diligentes sobre o trabalho que era feito e sobre a autorização que havia sido dada. O seu objetivo, sem dúvida, não era amistoso, mas o extremo cuidado que ele tomou encobriu qualquer má intenção que pudesse ter tido. **Assim lhes dissemos...** (4) provavelmente deve ser interpretado como: "Eles também perguntaram os nomes dos homens que estavam ajudando a reconstruir o Templo". Tatenai queria incriminar os líderes aos olhos de Dario (cf. 10). O resultado final foi, na verdade, favorável aos trabalhos e não ao seu impedimento. Como o cronista nos conta, **os olhos de Deus estavam sobre os anciãos dos judeus, e não os impediram, até que o negócio veio a Dario** (5).

Tatenai escreveu uma carta a Dario, para explicar cuidadosamente a informação recebida pelos trabalhadores, inclusive fez uma referência ao decreto de Ciro pelo qual a reconstrução do Templo havia sido autorizada e tinham sido prometidos os recursos necessários. Dario deveria determinar se tal decreto realmente existia. Os **afarsaquitas** (6) seriam "seus companheiros, os generais a oeste do Eufrates" (Moffatt). **A casa dos tesouros do rei** (17) era um "depósito para documentos importantes, como também para o tesouro, cf. 6:1" (Berk., fn.).

3. *O Decreto de Ciro é Reforçado por Dario (6.1-13)*
Pode-se supor que não houvesse esperança, por parte de Tatenai nem de Dario, de encontrar o decreto. Mas quando **buscaram** (1), ele foi finalmente encontrado, não na Babilônia ou em Susã, mas em **Acmetá** (2), ou Ecbatana, a capital da Média, onde o imperador costumava passar os meses de verão. O fato de o decreto ter sido encontrado em um lugar tão improvável mostra quão diligente foi a procura, e o quanto a providência divina esteve relacionada com a sua descoberta.

Como resultado da localização do decreto de Ciro, Dario agora promulgou um próprio, e advertiu Tatenai e todos os demais das províncias vizinhas a não molestarem aqueles que estavam envolvidos nos trabalhos. O aviso do rei: **apartai-vos dali** (6) pode ser interpretado como "não se aproximem" (Berk.). Além disso, Tatenai e seus companheiros receberam a ordem de ajudar os judeus de todas as formas possíveis, e que lhes dessem o necessário para a construção, que seria retirado do dinheiro dos impostos, normalmente enviado ao imperador. Eles também deveriam fornecer animais para os sacrifícios no Templo – **para que ofereçam sacrifícios de cheiro suave ao Deus dos céus e orem pela vida do rei e de seus filhos** (10). Ao invés de retardar o trabalho, como sem dúvida era o que ele pretendia fazer, caso se atrevesse, Tatenai e seus companheiros estavam agora forçados a dar toda a ajuda possível, o que **fizeram apressuradamente** (13).

4. *A Consagração do Templo Restaurado* (6.14-18)

Agora que todos os obstáculos tinham sido removidos, a restauração do Templo foi concluída dentro de um período de no máximo cinco anos, o que pode ser considerado um curto espaço de tempo, quando se leva em consideração o tamanho da construção. **O mês de Adar** (15) seria fevereiro/março. As dimensões dadas no decreto de Ciro, e citadas na carta de Dario (6.3) não estão completas e talvez não sejam exatas. Isto pode ser devido ao desejo de Ciro de tornar o projeto financiado por ele mais grandioso do que o Templo de Salomão[14]. Para o alegre banquete de consagração, sabemos que foram sacrificados 712 animais, incluindo **novilhos, carneiros, cordeiros** e **cabritos** (17). **Conforme o mandado de Ciro, e de Dario, e de Artaxerxes, rei da Pérsia** (14). Embora o Templo tivesse sido reconstruído e consagrado durante o reinado e Dario, o seu sucessor, Artaxerxes, é mencionado aqui por causa de seu decreto, de sessenta anos mais tarde, que permitiu a Esdras devolver o resto dos utensílios sagrados ao Templo (7.1-26). Também é importante mencionar que o sacrifício foi constituído por **doze cabritos... segundo o número de tribos de Israel** (17). Os exilados que retornavam julgavam-se representantes das doze tribos de Israel, e não somente de Judá e Benjamim. Eles reivindicaram o título completo de Israel depois do exílio (cf. Ed 2.2,59,70; 3.1,11; 6.16,21; 7.7,28; *passim*; e Ne 1.6; 2.10; 7.7; 9.1; *passim*). Eles nada sabiam das "dez tribos perdidas". **E puseram os sacerdotes nas suas turmas e os levitas nas suas divisões** (18); (cf. Nm 3.8; e 1 Cr 23–24).

5. *A Celebração da Páscoa* (6.19-22)

Logo depois da consagração do Templo vinha a festa anual da **Páscoa** (19), que nesta ocasião foi comemorada com uma alegria fora do comum. Todos os israelitas, tanto aqueles que tinham retornado do cativeiro como os que tinham permanecido na terra, foram convidados para o banquete, em conjunto com os prosélitos que se apartavam da imundícia das nações da terra, para buscar o Senhor, Deus de Israel.

E celebraram a Festa dos Pães Asmos, os sete dias com alegria, porque o Senhor os tinha alegrado e tinha mudado o coração do rei da Assíria a favor deles, para lhes fortalecer as mãos na obra da casa do Deus de Israel (6.21,22).

SEÇÃO II

O RETORNO SOB A LIDERANÇA DE ESDRAS

Esdras 7.1—10.44

Entre os capítulos 6 e 7, existe um período de silêncio de pelo menos 58 anos. Não há um registro nas Escrituras de quaisquer eventos que aconteceram na Palestina durante essa época, embora seja possível que Sofonias 1.9-14 e a profecia de Malaquias pertençam a esse período. Os eventos descritos no livro de Ester, naturalmente, pertencem também ao período entre a consagração do Templo e o retorno de Esdras, mas estes somente dizem respeito aos judeus no exílio e não têm relação com a Palestina.

A. Esdras é Enviado para Ajudar na Restauração, 7.1—8.36

1. *Esdras e sua Missão em Jerusalém* (7.1-10)
Esdras... escriba hábil na Lei de Moisés (6) é apresentado como um descendente direto de Arão e descrito como alguém que **tinha preparado o seu coração para buscar a Lei do Senhor, e para a cumprir, e para ensinar em Israel os seus estatutos e os seus direitos** (10). Isto realmente é um grande louvor para qualquer servo de Deus, e é uma descrição particularmente apropriada para alguém que, como Esdras, agiria como um intérprete da Palavra de Deus e um professor da Lei em Jerusalém. Os três requisitos de um bom professor são: procurar conhecer, cumprir e só então ensinar. Em termos do Evangelho de Cristo, como um comentarista expressa: "O Novo Testamento ordena que os homens ouçam o Evangelho, obedeçam-no e tornem-no conhecido aos demais"[1]. Conseqüentemente, todo cristão é convocado a fazer o trabalho de um Esdras, a fim de tornar a Palavra de Deus conhecida às pessoas de sua própria comunidade.

Esdras evidentemente era tido em alta consideração pelo rei e pode ter tido uma posição especial na corte. Alguns sugerem que ele, provavelmente, tenha galgado uma posição no Império Persa comparável ao secretário de Estado para assuntos dos judeus[2]. Deus sempre zelou pelo caráter e qualificações daqueles que o servem em cargos oficiais. Consideremos, por exemplo, as notáveis qualificações de Moisés e de Paulo, que teriam posições importantes de liderança no Antigo e no Novo Testamento, respectivamente.

A data da vinda de Esdras a Jerusalém normalmente é fixada em 458 ou 457 a.C., e deriva da referência ao **sétimo ano de Artaxerxes** (7). No entanto, isto é, com freqüência, seriamente questionado. Como houve dois reis com o nome de Artaxerxes, muitos pensaram que a referência aqui era ao segundo, cujo sétimo ano de reinado seria 398 a.C. Isto faria com que a chegada de Esdras a Jerusalém fosse posterior à de Neemias, cuja chegada foi fixada definitivamente em 445 ou 444 a.C. O assunto foi amplamente estudado em um livro de J. S. Wright, *The Date of Ezra's Coming to Jerusalem* (Tyndale Press, Londres, 1946). Visto que a prioridade do retorno de Esdras parece estar clara na narrativa das Escrituras, parece razoável aceitar a primeira opção.

2. A Carta e o Decreto de Artaxerxes (7.11-28)

Em resposta a um aparente pedido de permissão de Esdras para empreender uma missão de ensino em Jerusalém, Artaxerxes, o rei da Pérsia, promulgou um decreto, cujo conteúdo ele incluiu em uma carta endereçada ao **sacerdote Esdras** (12). A última parte do versículo 12 é obscura e traduzida simplesmente como "as mais sinceras saudações" (Smith-Goodspeed). Moffatt traduz "saudações, etc.". A versão *Berkeley* observa que "o autor assim indica uma omissão intencional". De acordo com esse decreto, Esdras recebeu plena permissão para realizar a viagem a Jerusalém. Ele também recebeu autorização do rei e dos **sete conselheiros** (cf. Et 1.14) a agir como o mensageiro do rei **para fazer inquirição em Judá e em Jerusalém** (14) e para levar aos exilados que retornavam um generoso presente do tesouro do rei para ajudar nos serviços do Templo.

O versículo 19 indica que nem todos os utensílios usados na adoração no Templo tinham sido devolvidos anteriormente (1.7-11). Os remanescentes teriam que ser devolvidos agora. Adicionalmente, Artaxerxes ordenou a **todos os tesoureiros que estão dalém do rio** (21) que fizessem contribuições de até duzentos mil dólares americanos em prata, 1.150 alqueires de trigo e aproximadamente 3.500 litros de azeite (Berk.). Um convite especial estendeu o decreto a todos os judeus que decidissem acompanhar Esdras nesta missão. Artaxerxes, cuja religião envolvia a adoração de muitos deuses, estava ansioso por garantir as graças do **Deus do céu** (23), como reconhecia que era o Senhor Deus. No politeísmo (a adoração a muitos deuses) sempre há lugar para mais um. A fé de Israel, por outro lado, reconhecia somente o Senhor como Deus e não admitia a existência de nenhum outro.

O versículo 24 talvez seja o primeiro exemplo de isenção de impostos para os ministros. Embora não tivesse a autoridade de um governador, como tinham Zorobabel e Neemias, Esdras recebeu a autoridade para indicar **magistrados e juízes** (25) para agir nos assuntos religiosos. Ele também tinha o poder de infligir a pena de morte, se necessário, a quem se lhe opusesse. No final do capítulo, Esdras louva a Deus por colocar esse desejo no **coração do rei** (27) e por tê-lo inspirado a fazer tão generoso decreto a favor deles.

3. O Registro daqueles que Retornavam (8.1-14)

Como no caso do primeiro retorno, com Zorobabel, a lista daqueles que se uniram é cuidadosamente registrada. Segundo essa listagem, cerca de mil e quinhentos homens estavam incluídos no grupo, o que significa que, quando se somam suas famílias e servos, o grupo inteiro poderia atingir algo como cinco mil pessoas. Novamente aparecem nomes familiares. Como o objetivo é fornecer as linhagens das descendências, não há dúvida de que **Finéias** e **Davi** (2), **Jônatas** (6) e **Joabe** (9) são as pessoas já conhecidas do período anterior da história dos hebreus. **Daniel** (2), no entanto, e os dois **Zacarias** (3, 11) são homens desconhecidos que têm nomes famosos. Os nomes bíblicos, como os de hoje, eram repetidos de geração em geração, particularmente quando pertenciam a algum personagem notável de alguma geração anterior. Parece que houve três homens com o nome de **Elnatã** (16) no pequeno grupo de líderes de Esdras.

Em 7.1,6,7,10; 8.21-23,31,32, vemos algumas das típicas experiências de vida encontradas "quando um homem caminha com Deus". (1) Uma visão e a preparação para a tarefa, 7.6,10; (2) a superação das dificuldades através dos recursos espirituais, 8.21-23; (3) Testemunhos felizes da libertação divina, 31,32.

4. Os Preparativos Finais para a Viagem (8.15-30)

Foi convocada uma reunião – **perto do rio que vai a Aava** (15, cf. 31), provavelmente não distante da Babilônia – daqueles que iriam fazer a viagem. Aqui é observado que não havia levitas no grupo, embora aparentemente houvesse um bom número de sacerdotes. Uma delegação foi enviada imediatamente para procurar recrutas entre os levitas e os **netineus** (17), ou servos do templo, que poderiam ser os que assistiram os serviços do Templo quando eles chegaram a Jerusalém. Aparentemente foram encontrados sem dificuldade. Não se sabe onde ficava o **lugar de Casifia**. Algumas vezes, o nome foi relacionado com *Keseph* (hebr. "prata" ou "dinheiro"). **Expressos por seus nomes** (20) – significa "listados por nome" (Berk.).

Enquanto isso, Esdras **apregoou um jejum** (21) e liderou o grupo em uma oração fervorosa a Deus para que Ele os protegesse na perigosa viagem, pois não tinham uma escolta armada. Como ele realizaria a viagem com autorização especial do rei, teria sido apropriado que Esdras solicitasse uma guarda para acompanhá-los, mas ele estava desejoso de provar ao rei que o seu Deus lhes daria a proteção necessária. Esta foi uma excelente demonstração de fé por parte dele, e notamos que a sua fé foi plenamente honrada, pois nenhum mal os afligiu durante a longa viagem de quatro meses (31).

No versículo 22, uma distinção aguda é feita entre aqueles **que buscam** o Senhor e aqueles que **o deixam**, e, da mesma forma, entre a beneficência ("boa mão") de Deus, a **sua força e a sua ira: A mão do nosso Deus** *é* **sobre todos os que o buscam para o bem, mas a sua força e a sua ira, sobre todos os que o deixam**. Ao observar esses contrastes de "caráter humano" e "de tratamento divino", William Jones, em *The Biblical Illustrator*, chega a duas conclusões: (1) "Quão solenemente o destino do homem está nas suas próprias mãos, ou, mais adequadamente, nas suas próprias escolhas!" e, (2) "Neste mundo, (somente) o caráter pode ser mudado (Os 14.1,2,4)"[3].

Um ato final nos preparativos de Esdras para a viagem foi indicar doze sacerdotes encarregados dos valiosos presentes que seriam levados com eles a Jerusalém para ajudar nos serviços do Templo. "O valor da prata era de 1.300.000 dólares americanos; dos utensílios de prata, 200.000 dólares; do ouro, 3.000.000 de dólares; e das vinte taças de ouro, 5.000 dólares (26,27, Berk.).

5. A Viagem e a Chegada a Jerusalém (8.31-36)

A viagem de quase 1.500 quilômetros (veja o mapa) demorou quase quatro meses, mas, por fim, eles chegaram com segurança a Jerusalém. **A boa mão do nosso Deus estava sobre nós**, escreveu Esdras, **e livrou-nos da mão dos inimigos e dos que nos armavam ciladas no caminho** (31). Depois de três dias de descanso, eles entregaram o rico tesouro que haviam trazido consigo àqueles que estavam encarregados do Templo. Como era o costume, eles sacrificaram na companhia de seus amigos em Jerusalém muitos animais no pátio do Templo, como uma expressão de sua gratidão a Deus e de sua dedicação à vontade do Senhor para com eles nos dias futuros. **Os sátrapas do rei** (36, mensageiros) foram enviados aos **governadores de aquém do rio** (mandatários persas das redondezas), para entregar-lhes as ordens do rei. No devido tempo, eles garantiram que os judeus e a casa do Senhor em Jerusalém receberiam a ajuda e o apoio deles.

B. As Reformas de Esdras, 9.1—10.44

A viagem a Jerusalém fora realizada por Esdras, como sabemos, com o objetivo de ensinar ao povo a Palavra de Deus. É bem possível que nessa época não houvesse cópias adequadas da Lei disponíveis à população, nem mesmo no Templo em Jerusalém, que fora restaurado e consagrado aproximadamente sessenta anos antes da chegada de Esdras. Acredita-se que, embora a Lei existisse desde os tempos de Moisés, houvesse poucas cópias, talvez, somente uma durante a maior parte do tempo. Esse único texto, zelosamente guardado pelos sacerdotes e, nos últimos tempos, conservado no santuário do Templo. Isto explicaria o estranho relato de quando Hilquias, o sumo sacerdote, encontrou o livro da lei, em 2 Reis 22.8–23.3.

Durante o período do exílio, Esdras tinha se dedicado diligentemente ao estudo da lei e tinha adquirido um grande entusiasmo para ensiná-la aos seus compatriotas. Temos o melhor exemplo de tal ensino por sua parte em Neemias 8. Aqui, com a ajuda dos levitas, ele lê e interpreta a lei para as pessoas reunidas na praça pública de Jerusalém, por longos períodos. A história que nos chega nos capítulos 9 e 10 de Esdras está restrita a somente uma fase de suas reformas, e não deve ser encarada como um quadro completo do trabalho que Esdras realizou em Jerusalém durante os quinze anos ou mais de sua atividade na cidade.

1. A Tristeza de Esdras pela Negligência Moral (9.1-4)

Conhecedores do zelo de Esdras pela lei e o seu desejo de vê-la obedecida por seu povo, alguns dos líderes judeus de Jerusalém contaram-lhe um problema que aparentemente já lhes tinha causado grande preocupação. O povo não se mantivera afastado de seus vizinhos pagãos como fora aconselhado fazer segundo a lei de Deus. Muitos deles tinham se casado com pessoas que pertenciam a famílias de nações vizinhas. A referência à **semente santa** (2) significa "a raça sagrada se misturou com os povos da terra". Entre eles estavam alguns que eram considerados seus líderes – **a mão dos príncipes e magistrados foi a primeira nesta transgressão**.

Ao ouvir essa notícia, de acordo com o conhecido costume oriental, Esdras rasgou a sua veste para mostrar sua enorme tristeza e, até mesmo, **arrancou os cabelos da sua cabeça e da sua barba** (3). Este comportamento chamou a atenção de muitos dos judeus que se reuniram ao seu redor, alguns por mera curiosidade, mas outros para compartilhar a sua dor. Neste estado de espírito, ele ficou **assentado atônito** (4; espantado ou consternado) no pátio do Templo até a hora do **sacrifício da tarde**.

Para uma mente ocidental, essa descrição do pesar de Esdras parece enormemente exagerada; mas ela serve para ressaltar a grave natureza do pecado e o horror com que ele é encarado pelos verdadeiros filhos de Deus. Esdras, aqui, era um representante da Lei para o povo, e era muito apropriado que ele demonstrasse como abominava essa desobediência geral da nação.

2. A Oração de Esdras (9.5-15)

Na hora do **sacrifício da tarde** (5), Esdras deixou a sua tristeza, que o tinha mantido ocupado durante horas. Com as roupas rasgadas ele se ajoelhou perante Deus para orar pelos seus compatriotas pecadores. Essa oração de humilde confissão e de fervorosa intercessão a favor daqueles que tinham pecado é uma das notáveis orações das Escrituras. Esdras começa com uma expressão pessoal de vergonha, porque ele se identifica com os seus irmãos pecadores. A seguir, ele faz uma exposição da história de seu povo como uma longa história de quedas (pecados) e transgressões, pelas quais foi necessária a punição de Deus, o qual permitiu que eles fossem levados cativos por nações gentílicas (de não judeus). A expressão **confusão do rosto** (7) pode ser traduzida como "desgraça completa". Agora, em sua providência, Deus havia abrandado os corações dos reis persas e tornado possível o retorno dos judeus à sua própria terra. **Uma estabilidade no seu santo lugar** (8; hebr., "prego", "cravo", ou "estaca de tenda") – o significado é que Deus lhes havia proporcionado um lugar de segurança. **Nos desse uma parede** (9) não se refere literalmente às muralhas de Jerusalém. Elas foram reconstruídas mais tarde, sob o comando de Neemias. A frase aqui é uma expressão figurada que significa "ter proteção" (Berk.). Será possível que, apesar da bondade do Senhor, eles serão novamente culpados de tal pecado? Finalmente, com o reconhecimento da justiça de Deus, ele deixa o povo nas mãos do Senhor para fazer com eles o que julgar adequado. **Sobrevivemos** (15) significa "nós somos o remanescente que escapou" (Smith-Goodspeed).

Nos versículos 5-15 podemos ver "uma oração de penitência". (1) Uma confissão da culpa do grupo, quando uma pessoa se identifica com o seu povo, 5,6; (2) nós não acreditamos e fomos punidos no passado, 7; (3) Deus, no passado, mostrou uma graça maior do que os nossos pecados anteriores, 8,9; (4) com conhecimento, pecamos outra vez, 10-14; (5) nós somente podemos confessar, mas é o que fazemos, 15.

3. A Proposta de Secanias (10.1-5)

Enquanto Esdras orava, um grande grupo de pessoas se aproximou para compartilhar o seu pesar. Um deles, **Secanias** (2) agiu como porta-voz do grupo. Ele sugeriu a Esdras fazer um concerto, segundo o qual todos aqueles que tivessem se casado com mulheres estrangeiras receberiam o pedido de separar-se delas, inclusive dos filhos nascidos dessas uniões. Esta sugestão, vinda de um representante do povo, agradou a Esdras. Ele imediatamente convocou os maiorais dos sacerdotes e os levitas, de quem exigiu que **jurassem** (5), em nome de toda a nação de Israel, que isso seria feito[4]. **Pertence-te este negócio** (4), ou seja, "é sua responsabilidade" (Berk.).

Para muitos comentaristas, as medidas tomadas por Esdras para corrigir o mal parecem extremamente rigorosas. "Esdras fez com que eles jurassem", observa o professor Rogers, "fazer essa coisa bárbara, cruel, atroz. Oh, religião, que crimes foram cometidos em seu nome!"[5]. E, com relação ao versículo 6, ele diz "Esdras afastou-se para chorar e jejuar, não de pena das pobres mulheres e crianças que iriam sofrer, mas porque esses casamentos tinham acontecido. Um pouco mais de misericórdia e piedade teriam feito com que ele se parecesse um pouco mais com um ser humano"[6].

Este tipo de crítica comete uma grave injustiça para com Esdras, que certamente agia com a maior sinceridade e, sem dúvida, sob o estímulo direto do Espírito de Deus. Também revela pouco entendimento da diferença entre o tratamento de Deus no Antigo e no Novo Testamento. É provável que no período neotestamentário um procedimento diferente tivesse sido aplicado. Ainda assim, por mentirem para o Espírito Santo, Ananias e Safira foram mortos (At 5.1-10). Uma vez mais, é ressaltada a gravidade do pecado e é enfatizada a certeza do castigo de Deus. É verdade que na punição ao pecado, descrita neste capítulo, exigiu-se que os inocentes sofressem, mas esta é a lei da vida que nunca pode ser completamente evitada.

4. A Tomada das Medidas Finais (10.6-17)

Como resultado da proposta de Secanias (2-4) e do juramento feito pelos líderes entre os judeus de Jerusalém (5), Esdras aparentemente tinha, agora, toda a cooperação dos seus compatriotas para tomar medidas severas contra aqueles que tinham desobedecido à lei, ao casarem-se com esposas estrangeiras. Na verdade, existem, na narrativa a seguir, somente quatro mencionados como contrários a essas medidas. Eles estão registrados no versículo 15 como os que **se puseram sobre esse negócio**. As versões revisadas concordam em traduzir como "foram contrários" (cf. Berk.). Entretanto, havia muito a ser feito antes que a decisão de Esdras e dos líderes judeus pudesse ser finalmente colocada em prática.

Esdras ainda estava triste pelo pecado do povo e desejava estar em sua melhor forma quando tratasse esse assunto importante com eles. Ele se retirou à câmara de um certo **Jeoanã** (6), homem de posição sacerdotal, e lá jejuou e sem dúvida passou muitas horas em oração a Deus para pedir a sua orientação específica. No dia seguinte, uma convocação foi enviada **segundo o conselho dos príncipes e dos anciãos** (8) a todos os judeus da província de Judá para uma reunião em Jerusalém dentro de três dias. A ausência significaria o confisco das propriedades e a excomunhão da congregação dos judeus.

Foi uma medida rigorosa, mas aparentemente eficaz. Apesar do clima inclemente do **nono mês** (dezembro), **todos os homens de Judá e Benjamim, em três dias, se ajuntaram em Jerusalém** (9). A expressão **a praça da casa de Deus** significa "a praça aberta diante da casa de Deus". Em resposta ao urgente apelo de Esdras para que confessassem os seus pecados e se separassem dos pagãos e das suas esposas estrangeiras, eles disseram, como uma única voz: **Assim seja; conforme as tuas palavras, nos convém fazer** (12). Entretanto, eles pediram o privilégio de que a execução do assunto fosse deixada a cargo dos líderes da congregação em Jerusalém, e prometeram que os culpados viriam a Jerusalém quando fossem chamados, acompanhados pelos anciãos e juízes que oficiavam nas suas próprias cidades. Esse privilégio lhes foi concedido, e organizou-se uma corte de divórcio, com Esdras na liderança. Dentro de três meses esse tribunal julgou todos os casos trazidos à sua atenção. No entanto, o fato de que os casamentos com mulheres estrangeiras não estavam totalmente acabados é evidente pelo fato de Neemias ter tido que lidar com o mesmo problema no período de seu governo (Ne 13.23-31).

5. *O Registro dos Culpados* (10.18-44)

Agora é apresentada uma longa lista dos considerados culpados do casamento com esposas estrangeiras – 114 no total. Não menos do que 17 sacerdotes estavam incluídos, além de levitas, cantores e porteiros do Templo, para mostrar que muitos dos líderes religiosos envolveram-se nessa violação da lei. Alguns dos sacerdotes culpados eram, evidentemente, parentes próximos de Jesua, o sumo sacerdote, que tinha retornado com Zorobabel. "Na verdade", observa o Dr. Samuel Schultz, "uma comparação de Esdras 10.18-22 com 2.36-39 indica que nenhuma das ordens dos sacerdotes que voltaram estava livre do casamento entre as raças"[7]. No entanto, todos eles **deram-se as mãos**, ou seja, se comprometeram a **despedir suas mulheres** (19).

Com esta séria nota chega ao fim o livro de Esdras, mas a história de seu trabalho continua em Neemias 8–10. Podemos supor que cenas semelhantes às que vimos aqui devem ter sido testemunhadas em outras ocasiões durante os treze anos, ou mais, passados desde a vinda de Esdras a Jerusalém. O episódio relativo às esposas estrangeiras foi necessário para limpar o caminho para o verdadeiro trabalho que Esdras veio realizar[8]. Podemos ver o resultado deste empenho no entusiasmo com que o povo pedia a leitura da lei (Ne 8:1). Além disso, a cooperação dada a Neemias durante a construção dos muros de Jerusalém só pode ser adequadamente explicada com base no amor e no serviço a Deus, nascido de um verdadeiro conhecimento de seus preceitos e uma conseqüente experiência de graça no coração.

Notas

INTRODUÇÃO

¹ Cf. W. O. E. Oesterley e T. H. Robinson, *An Introduction to the Books of the Old Testament* (Nova York: The Macmillan Co., 1934), p. 125; J. E. McFadyen, *Introduction to the Old Testament* (Londres: Hodder and Stoughton, Publishers, 1905), p. 338.

² S. A. Cartledge, *A Conservative Introduction to the Old Testament* (Grand Rapids, Michigan: Zondervan Publishing House, 1943), p. 102.

³ E. Meyer, *Die Entstehung des Judenthums* (Halls, 1896), pp. 8-71. Cf. R. H. Pfeiffer, *Introduction to the Old Testament* (Nova York: Harper and Brothers, 1941), p. 823; E. Sellin, *Introduction to the Old Testament* (Londres: Hodder and Stoughton, 1923), p. 239; e T. W. Davies, *Ezra, Nehemiah and Esther*, "The New Century Bible" (Nova York: Oxford University Press, s.d.), pp. 13ss.

⁴ Veja a obra de Merrill F. Unger, *Archaeology and the Old Testament* (Grand Rapids, Michigan: Zondervan Publishing House, 1954), p. 307.

⁵ Davies, *op. cit.*, p. 12.

SEÇÃO I

¹ Conforme citação de J. C. Muir, *His Truth Endureth* (Filadélfia: National Publishing Co., 1937), p 22, e de A. C. Rawlinson, *Cuneiform Inscriptions of Western Asia* (Londres, 1861-84), V, 35. Cf. J. B. Pritchard, *The Ancient Near Eastern Texts Relating to the Old Testament* (Princeton, N.J.: Princeton University Press, 1950), p. 316.

² Se o decreto de Ciro é de 538 ou 537 a.C., o verdadeiro retorno sob Zorobabel teria acontecido possivelmente no ano de 536 a.C. Outro modo de calcular os setenta anos é entender a data inicial como 586 a.C., que corresponderia à destruição do Templo, e prosseguindo até à consagração do Templo restaurado em 516 a.C.

³ Josefo, *Antiquities of the Jews* XI. 2 (Josefo, "Loeb Classical Library", Harvard Univ. Press, 1958, VI, 315 e seguintes).

⁴ Descrição sugerida pelo Dr. J. F. Leist.

⁵ Esta identificação não é, de forma alguma, aceita universalmente. Uma prática comum entre os comentaristas recentes é a de considerar Sesbazar como o primeiro líder, cujo lugar foi tomado por Zorobabel pelo menos em 520 a.C. Alguns o identificam com Senazar, um tio de Zorobabel (1 Cr 3.18), o que justificaria o título "príncipe de Judá" (v. 8). O assunto é discutido de forma rápida, porém satisfatória, por Samuel Schultz, na obra *The Old Testament Speaks* (Nova York: Harper Bros., 1960), p. 257, n. 5. Veja também o comentário de Dummelow sobre Esdras 1.8 na obra *The New Bible Dictionary* (Grand Rapids: Eerdmans, 1962), p. 1176; e a obra de J. P. Free, *Archaeology and Bible History*, (Wheaton, Ill.; Van Kampen Press, 1950), pp. 237-38, para pontos de vista variados.

⁶ Veja H. E. Ryle em *Cambridge Bible*, XIII, 12ss. e compare com o comentário de Matthew Henry sobre Esdras 1.8.

⁷ J. S. Wright, "Ezra", *The Biblical Expositor* (Filadélfia: A. J. Holman Co., 1960), I, p. 380.

⁸ Wright, *loc. cit.*

⁹ *The Holy Bible*, Berkeley Version (Grand Rapids, Mich.: Zondervan Publishing House), p. 484.

¹⁰ Cf. R. W. Rogers, "Ezra and Nehemiah", *Abingdon Commentary* (Nova York: Abingdon-Cokesbury Press, 1929), p. 464.

[11] Rogers, *op. cit.*, p. 465.

[12] Wright, *op. cit.*, p.381. Cf. George Williams, *The Student's Commentary on the Holy Scriptures* (Grand Rapids, Mich.: The Kregel Publications, 1960), p. 260.

[13] Cf. *The New Bible Commentary* (Grand Rapids, Mich.: Wm. B. Eerdmans Publishing Co., 1953), p. 368. Comentaristas mais antigos, como Clarke e Henry, igualaram esses reis a Cambises e Gomates (pseudo-Smerdis), que reinaram durante o período entre Ciro e Dario, mas essa identificação é muito improvável. O rei mencionado como **Osnapar** no versículo 10 era aparentemente Assurbanipal, um dos últimos reis da Assíria, que é conhecido por ter dado continuidade à colonização de Samaria, iniciada em grande escala por Esar-Hadom (2).

[14] De acordo com as dimensões dadas no versículo 3, e supondo que o côvado fosse o mesmo usado no Templo de Salomão, a construção teria seis vezes o tamanho da anterior. Houve a sugestão de que uma das três dimensões teria sido esquecida por um escriba, e que o número sessenta tenha sido repetido por um erro de mesma natureza. O Templo de Salomão tinha 60 côvados de comprimento, 30 de altura e 20 de largura (1 Rs 6.2). O pórtico diante do edifício, no entanto, de acordo com 2 Crônicas 3.4, media na verdade 120 côvados de altura (aprox. 55 metros). Não é razoável imaginar – tendo em vista Esdras 3.12 e Ageu 2.3 – que o Templo reconstruído tenha sido maior do que o de Salomão.

[15] Certamente parece estranho aplicar a Dario, o rei da Pérsia, o título de **rei da Assíria** (22), como usado nesta passagem, mas ele parece ter sido deliberadamente usado para indicar que o rei da Pérsia agora havia compensado os crimes praticados contra o povo de Deus, que tinham começado quando o rei da Assíria levou o reino do norte ao exílio. Dario era o rei da Assíria, no sentido de que ele agora reinava sobre o que havia sido a Assíria.

SEÇÃO II

[1] Geo. Williams, *op. cit.*, p. 261.

[2] Wright, *op. cit.*, p. 383.

[3] Vol. XI, "Ezra", p. 57.

[4] Cf. L. W. Batten, *The Books of Ezra and Nehemiah* ("International Critical Commentary"; Edinburgh: T & T Clark, 1913), p. 341.

[5] R. W. Rogers, *op. cit.*, p. 469.

[6] *Ibid.*

[7] Samuel J. Schultz, *The Old Testament Speaks* (Nova York: Harper & Brothers, 1960), p. 268.

[8] Cf. *Twentieth Century Bible Commentary* (ed. por G. H. Davies *et al.*, Nova York: Harper & Brothers, 1955), p. 226.

O Livro de
NEEMIAS

C. E. Demaray

Esboço

(Para a introdução, veja o Livro de Esdras.)

I. A Reconstrução dos Muros de Jerusalém, 1.1—6.19

  A. A Autoridade de Neemias, 1.1—2.8
    1. Tristes Notícias de Jerusalém, 1.1-3
    2. A Oração de Neemias, 1.4-11
    3. A Autorização Recebida para Fortificar Jerusalém, 2.1-8

  B. Planos para Construir os Muros, 2.9-20
    1. A Chegada a Jerusalém, 2.9-11
    2. Uma Inspeção Preliminar, 2.12-16
    3. A Cooperação dos Líderes é Recebida, 2.17-20

  C. O Trabalho é Terminado, 3.1—6.19
    1. Uma Lista Detalhada dos Construtores, 3.1-32
    2. Obstáculos Externos e Internos, 4.1—6.14
    3. O Muro é Concluído em 52 dias, 6.15-19

II. Reformas e Instrução Religiosa, 7.1—13.31

  A. O Início da Reorganização da Cidade, 7.1-73
    1. A Nomeação dos Funcionários Civis, 7.1-4
    2. O Planejamento do Censo, 7.5-73

  B. Um Reavivamento Religioso Liderado por Esdras, 8.1—10.39
    1. A Leitura e a Exposição da Lei de Moisés, 8.1-12
    2. A Celebração da Festa dos Tabernáculos, 8.13-18
    3. A Confissão do Povo, 9.1-38
    4. O Pacto é Selado, 10.1-39

  C. Os Planos para Repovoar Jerusalém, 11.1—12.26
    1. A Sorte é Lançada para Trazer os Judeus a Jerusalém, 11.1,2
    2. Um Registro das Famílias Judaicas, 11.3—12.26

  D. A Consagração dos Muros, 12.27-43

  E. A Instituição de Outras Reformas, 12.44—13.31
    1. Provisões Feitas para os Líderes Religiosos, 12.44-47
    2. O Rebaixamento de Tobias, 13.1-9
    3. A Correção dos Abusos nos Serviços do Templo, 13.10-14
    4. A Reforma da Observância do Sábado, 13.15-22
    5. As Providências em Relação aos Casamentos Mistos, 13.23-31

Seção I

A RECONSTRUÇÃO DOS MUROS DE JERUSALÉM

Neemias 1.1—6.19

De acordo com os dados cronológicos dos próprios livros (Ed 7.8; 10.9,17; Ne 1.1; 2.1), cerca de treze anos se passaram entre os últimos acontecimentos do livro de Esdras e o começo da história de Neemias. Só podemos deduzir quais podem ter sido as atividades de Esdras durante esse período, a partir do apoio local dado a Neemias em sua chegada, e da ansiedade com a qual Esdras é procurado em Neemias 8 para ler e explicar a lei ao povo reunido. Parece evidente que tinha havido um condicionamento dos corações e das mentes do povo por meio de freqüentes períodos de instrução, como é descrito naquele capítulo.

A. A Autoridade de Neemias, 1.1—2.8

Neemias, cujo nome quer dizer "Jeová conforta", apresenta-se no final do capítulo como **copeiro do rei** (11). Nada sabemos além disso, exceto o que pode ser claramente deduzido a partir da narrativa. Certamente ele era um membro de uma importante família de Judá, que tinha sido levada a Babilônia no exílio do início do século VI a.C. Aparentemente, ele não era um sacerdote nem tinha ascendência sacerdotal, como era o caso de Esdras, e não se pode provar que ele fosse descendente de Davi, como era Zorobabel. Em termos de caráter, ele mostrava todos os sinais de uma nobreza notável, e, sem dúvida, por essa razão, foi escolhido para a importante posição de copeiro do rei persa. Podemos supor, com base em eventos posteriores na narrativa, que essa posição era lucrativa, como também lhe dava muita influência junto ao rei[1].

1. *Tristes Notícias de Jerusalém* (1.1-3)

Somos levados a entender, por muitas maneiras, que Neemias era um homem religioso e devoto que passava muito tempo em oração e que também era muito leal às tradições de seu povo. No entanto, o seu fervoroso interesse pela situação de Jerusalém e o seu desejo de participar pessoalmente da restauração da cidade parecem ter ocorrido acidentalmente. Um grupo de peregrinos de Jerusalém, liderados por um certo **Hanani** (2), que talvez fosse irmão de Neemias[2] trouxeram tristes notícias sobre a situação da cidade. **Os restantes**, disseram, **estão em grande miséria e desprezo; e o muro... fendido, e as suas portas, queimadas a fogo** (3)[3]. Estas notícias trouxeram grande tristeza ao coração de Neemias e um sentido maior da sua própria responsabilidade de encontrar uma maneira pela qual ele pudesse levar alívio aos seus conterrâneos aflitos.

O título encontrado no versículo 1, **As palavras de Neemias, filho de Hacalias** indicam que o texto que se segue é um extrato das próprias memórias de Neemias. A narrativa continua na primeira pessoa até 7.5, onde Neemias insere uma genealogia dos exilados que voltavam, também encontrada em Esdras 2. **Quisleu** era o nome dado ao nono mês do calendário hebreu, correspondente aproximadamente ao período de novembro/dezembro. **Susã**, a capital dos reis persas, estava situada no sudoeste da Pérsia, cerca de 240 quilômetros ao norte do golfo pérsico. **Os judeus que escaparam e que restaram do cativeiro** (2) seriam aqueles que escaparam do exílio na Babilônia e os que foram deixados em Judá.

2. A Oração de Neemias (1.4-11)

Na oração que Neemias fez nesta ocasião, provavelmente proferida na intimidade de seu alojamento, mas fielmente registrada nas suas memórias, temos uma idéia da sinceridade e da devoção desse homem de Deus. G. Campbell Morgan nos deu uma boa descrição da sua oração:

> O homem que orava estava cheio de beleza e revelava uma correta concepção de como deveria ser uma oração sob tais circunstâncias. Ela se iniciou com uma confissão. Sem reservas, ele reconheceu o pecado do povo e identificou-se com ele. Então ele prosseguiu reivindicando as promessas que Deus lhes havia feito, e terminou com um pedido pessoal e definido de que o Senhor lhe desse graça aos olhos do rei[4].

Durante os três ou quatro meses que se passaram entre a chegada das notícias de Jerusalém e a revelação do seu segredo ao rei (1.1; 2.1), é evidente que em Neemias cresceu a convicção de que havia algo que ele poderia fazer para ajudar na resposta às suas orações pelos seus irmãos da Judéia. "Deus deixou claro para ele", diz J. Stafford Wright, "que ele estava sendo chamado não apenas para orar, mas para ir (1.11). Neste caso, a oração colocou um fardo tanto sobre o solicitante, como em Deus"[5]. Dessa forma, vemos o significado do seu pedido pessoal de que Deus **lhe desse graça perante esse homem** (11). Como copeiro do rei, a sua maior oportunidade de ajudar os seus irmãos era por meio da cooperação de Artaxerxes, o soberano mais poderoso daquela época. **Ainda que os vossos rejeitados estejam no cabo do céu**, etc., (9) pode ser interpretado como "ainda que os vossos dispersos estejam na extremidade do céu, Eu os reunirei de lá".

3. A Autorização Recebida para Fortificar Jerusalém (2.1-8)

Muitos comentaristas (por exemplo, Adam Clarke *ad loc.*) sugeriram que os reis da Pérsia estavam acostumados a ter diversos copeiros, talvez um para cada trimestre do ano. Isto pode explicar por que a tristeza de Neemias não foi detectada pelo rei antes de quatro meses após a chegada das notícias de Jerusalém. Também é possível que, com a ajuda de Deus, ele tenha sido capaz de ocultar o seu pesar e guardar o seu segredo até que chegasse o momento oportuno, para estar certo do favor do rei. **Nisã** (1) era o nome aramaico para Abibe, o primeiro mês do ano judeu, que corresponde a março/abril.

A primeira reação de Neemias à pergunta do rei a respeito da tristeza no seu rosto foi de grande medo – **Então, temi muito em grande maneira** (2). Todos os serviçais do rei tinham a obrigação de estarem alegres na sua presença. Neemias logo se recuperou, entretanto, e explicou ao rei as más notícias que ele tinha recebido de Jerusalém. Para sua surpresa ele encontrou o rei em um humor favorável, disposto a conceder qualquer favor que ele lhe pedisse. Como se diz que "despertou o Senhor o espírito de Ciro" (Ed 1.1), podemos ter certeza de que da mesma maneira Ele respondia à oração de Neemias para conceder-lhe os favores de Artaxerxes. Notamos, no versículo 6, a menção à **rainha assentada junto a ele**, o que pode muito bem ter sido parte da providência de Deus no empenho a favor de Neemias.

Agora que a porta estava aberta para que ele fizesse seu pedido ao rei, o primeiro impulso de Neemias foi o de apelar a Deus para ter mais coragem. Este é um assunto do Senhor, pensou ele, e Ele deve dar-me a habilidade necessária para dar uma resposta adequada ao soberano. Com relação a isso temos a primeira de diversas "orações flechas", ou "orações fervorosas", como foram chamadas – petições breves expressas por Neemias por ocasião de uma emergência. Outros exemplos podem ser encontrados em Neemias 4.4,5,9; 5.19; 6.9,14; 13.14,22,29,31. "Nelas", diz J. S. Baxter, "temos um elemento principal do espírito puro, do impulso santificado e das façanhas glorificadoras de Deus na vida de uma das melhores figuras de Israel"[6]. "Como é belo esse exemplo para nós!", observa outro famoso comentarista, mas ele acrescenta: "Não é possível adquirir esse hábito da oração fervorosa, a menos que se passe prolongados períodos em santa comunhão com o Senhor. Quando se fica muito tempo em particular com Deus, não será difícil, em nenhum momento, fazer-lhe uma pergunta. O mercado cheio ou a rua lotada podem, a qualquer momento, converter-se em um lugar de oração"[7].

Neemias agora tinha a oportunidade que esperava, de pedir ao rei o privilégio de ir a Jerusalém e tentar construir os muros da cidade. **Se é do agrado do rei**, disse ele, **peço que me envies a Judá... para que eu a edifique** (5). Chegou-se a um acordo quanto ao limite do tempo para o término da missão, e foi feita a provisão dos recursos com que os governadores vizinhos contribuiriam para as operações de construção; assim a expedição tomou o seu caminho quase imediatamente. **Os governadores dalém do rio** (7) eram mandatários das províncias da Pérsia a oeste do Eufrates. **Que me dêem passagem** significa "que eles me deixem passar pelos seus países sem impedimentos" (Berk.). O rei enviou capitães de exército e cavaleiros com Neemias e, como vemos em 5.14, fez dele governador da província de Judá. **Asafe**, que era o **guarda do jardim do rei** (8) não é identificado em outra passagem da Bíblia Sagrada. **As portas do paço da casa** podem ser interpretadas como "os portões da fortaleza perto do Templo". Uma nota de rodapé explica como "uma imponente estrutura ao norte do Templo, para a sua defesa" (Berk.).

Surgiu a pergunta sobre como Artaxerxes, rei dos medos e dos persas[8], poderia reverter o seu decreto anterior de interromper a construção dos muros de Jerusalém (Ed

4.12,21). A resposta do Dr. Adeney, na obra *The Expositor's Bible*[9], é que o decreto anterior do rei foi modificado pelas palavras significativas "até que se dê uma ordem por mim" (Ed 4.21). Ele não modificava o seu decreto no que dizia respeito aos judeus, mas de acordo com o que foi necessário, pelas novas evidências recebidas. Uma mudança desse tipo estava perfeitamente autorizada no seu decreto anterior. Pode-se ver, nessa circunstância, quanta confiança o rei tinha em seu copeiro. Até mesmo a duração da sua missão parece ter sido determinada por Neemias (2.6). É difícil determinar quanto tempo foi dedicado à missão original a partir da narrativa que nos foi deixada. Parece evidente que não foram os doze anos que ele permaneceu na sua primeira missão. O tempo foi provavelmente ampliado conforme surgiu a necessidade. Um palpite quando ao limite original é um ano ou até mesmo seis meses[10].

Quanto à frase final desta seção: **segundo a boa mão de Deus sobre mim** (8) houve diversos comentários interessantes. "Este homem de espírito nobre", diz Adam Clarke, "atribui tudo ao Senhor: 'Deus me favoreceu', é o que ele parece dizer, 'e influenciou o coração do rei para fazer o que eu desejava'"[11]. De maneira semelhante, Kretzman sugere que "o próprio Deus zela pelo seu povo, pela sua igreja, e ouve as orações dos seus filhos fiéis, feitas em favor de sua igreja"[12]. W. P. Lockhart, na obra *The Biblical Illustrator*, observa que Neemias "reconhecia Deus em tudo. Ele não atribuía o seu sucesso às circunstâncias favoráveis, nem à oportunidade de apresentar o seu pedido, nem ao bom humor em que se encontrava o monarca, nem à combinação de todos esses fatores. Causas secundárias não iriam explicar o resultado; ele deveria ser rastreado até à sua verdadeira origem – Deus, e somente Deus deve ter toda a glória"[13].

B. Planos para Construir os Muros, 2.9-20

1. A Chegada a Jerusalém (2.9-11)

Tendo feito os preparativos necessários, Neemias e um grupo de companheiros fizeram a longa viagem desde Susã, ou Susa, a Jerusalém. Em uma missão similar, Esdras fez a viagem desde a Babilônia (320 quilômetros mais curta) em aproximadamente quatro meses (Ed 7.9). Com respeito à escolta dada a Neemias (2.9), J. S. Wright ressalta: "Deus conduz as pessoas de diferentes maneiras. Neemias aceitou a escolta do rei, ao passo que Esdras recusou tal ajuda (Ed 8.22). Em situações desse tipo, somente a pessoa diretamente envolvida pode decidir a ação adequada"[14].

Ao chegar a Jerusalém, Neemias imediatamente ficou ciente da inveja e das suspeitas de certos inimigos poderosos dos judeus na Palestina. A Sambalate, o governador de Samaria, e a Tobias, "o amonita", aparentemente um seguidor fiel de Sambalate, **lhes desagradou com grande desagrado que alguém viesse a procurar o bem dos filhos de Israel** (10). "Tal animosidade", observa Wright, "era provavelmente devida à inveja de Sambalate... que provavelmente esperava ser feito governador de Judá, como já o era de Samaria"[15]. De qualquer modo, esses dois, ajudados por um líder árabe de nome Gesém, aparecem como os principais inimigos de Neemias durante o período do seu governo, algo como treze anos ou mais.

Sambalate é um nome babilônio. Pelo fato de ser chamado de **horonita** (cf. 19; 13.28), supõe-se que ele tenha vindo de Bete-Horom, a cerca de 30 quilômetros ao noroeste de Jerusalém. Como ele aparentemente adorava ao Senhor, é possível que sua religião fosse de um tipo que combinava elementos de verdadeira adoração com o paganismo introduzido em Samaria pelos povos ali assentados pelos assírios (cf. 2 Rs 17.24-33). A filha de Sambalate casou-se com alguém da família do sumo sacerdote (13.28).

Tobias é conhecido como **o servo amonita**. Isto pode indicar que ele era um escravo liberto que chegou a uma posição de alguma proeminência entre os amonitas. Uma família conhecida como os "Tobias" posteriormente ganhou posição e poder, tanto entre os amonitas como na Judéia.

Gesém (19; 6.1,2), ou Gusmu (6.6) é conhecido simplesmente como "o arábio". Ele não é mencionado em outra passagem da Bíblia Sagrada, mas inscrições da época citam o nome como o de um rei ou de um chefe supremo de Quedar, uma tribo nômade ou de beduínos, mencionada em Isaías 21.16,17; Jeremias 49.28,29; *passim*.

2. Uma Inspeção Preliminar (2.12-16)

Depois de averiguar a condição dos muros, Neemias assegurou-se da cooperação total dos líderes judeus, que exclamaram com aparente entusiasmo: **Levantemo-nos e edifiquemos** (18). Para os seus inimigos, que tentavam colocar vários impedimentos no seu caminho, ele disse com fé e determinação: **Deus... é o que nos fará prosperar; e nós, seus servos, nos levantaremos e edificaremos** (20). Certamente aqui encontramos material para importantes esclarecimentos, a fim de atingirmos os nossos objetivos a serviço de Deus.

Sob o título "Enfrentando o Desafio", Alan Redpath, em sua interessante exposição sobre Neemias, apresenta a seguinte descrição dos versículos 12-20 deste capítulo: (1) investigação, 12-16; (2) cooperação, 17,18 (cf. também o capítulo 3); e (3) determinação, 19,20[16].

Passados três dias de sua chegada a Jerusalém, Neemias decidiu fazer um passeio secreto pelos muros da cidade. Compare os versículos 11,13,14 com o mapa da cidade. Acompanhado por poucos amigos, ele cavalgou pela cidade, à noite, para examinar os muros e os portões da cidade, ponto por ponto. O que ele encontrou era ainda pior do que havia imaginado. Por todas as partes havia marcas de destruição e de completa devastação. O terreno ao redor da fonte de Giom (ou o **viveiro do rei**, 14) estava tão obstruído por entulho, que não havia por onde passar o animal que ele cavalgava. "Isto", observa J. C. Muir, "é um eloqüente testemunho da eficácia da demolição dos muros de Jerusalém por Nabucodonosor"[17].

Entretanto, deve ter havido certas conclusões a que Neemias foi capaz de chegar depois desta inspeção. Não faltava material para restaurar os muros. Se pelo menos a mão de obra pudesse ser obtida, e o trabalho fosse bem organizado, os muros seriam restaurados e a cidade fortificada. Para a realização desse importante empreendimento, era necessário assegurar a cooperação de toda a população judaica. Esta deveria ser, portanto, a sua próxima tarefa.

3. A Cooperação dos Líderes é Recebida (2.17-20)

Foi convocada uma assembléia dos líderes dos judeus e o assunto lhes foi exposto claramente. **Bem vedes vós a miséria em que estamos, que Jerusalém está assolada e que as suas portas têm sido queimadas; vinde, pois, e reedifiquemos** o muro de Jerusalém e não estejamos mais em opróbrio (17). Então ele lhes contou como Deus o tinha convocado para realizar essa missão, e como o Senhor tinha agido sobre o rei para que o ajudasse, não apenas ao dar-lhe a autoridade como governador (5.14), mas também ao tornar disponíveis a ele os materiais necessários para realizar o trabalho.

Este fervoroso apelo recebeu uma resposta rápida. Impressionados com o zelo de Neemias, os líderes judeus responderam imediatamente **Levantemo-nos e edifiquemos** (18). Assim, foi preparado o cenário para um notável feito a ser realizado. Na melhor hipótese, a construção do muro de uma grande cidade era uma enorme tarefa para os desorganizados e dispersos remanescentes dos israelitas em Judá. Também era evidente, desde o início, que o trabalho não seguiria sem os desafios dos inimigos dos judeus. Sambalate e seus fiéis seguidores **zombaram e desprezaram** (19) quando souberam dos planos. Mas Neemias tinha uma resposta para eles que revelava não apenas a sua própria determinação de realizar o trabalho até à sua conclusão, porém mais significativamente a sua fé em Deus, que tinha o poder de ajudá-lo a executar o trabalho para o qual o próprio Senhor o havia chamado (20).

A última afirmação do versículo 20, **mas vós não tendes parte, nem justiça, nem memória em Jerusalém** sem dúvida se refere ao pedido feito pelos samaritanos, como em Esdras 4.2, de ajudar os judeus na reconstrução de Jerusalém. Os judeus resolutamente recusaram esse pedido, uma vez que a sua lei exigia que eles não tivessem alianças com nações gentias.

C. O Trabalho é Terminado, 3.1—6.19

1. Uma Lista Detalhada dos Construtores (3.1-32)

No capítulo 3 é-nos fornecida principalmente uma lista daqueles que participaram da construção. À primeira vista, isso parece não ter qualquer interesse intrínseco, mas depois de cuidadosas considerações, diversos ensinos importantes se tornam evidentes:

(1) Em um projeto comunitário, grande importância deve ser dada à organização cuidadosa, e à certeza da cooperação por parte de todos os membros da comunidade. Cada parte do muro tem o seu construtor, e parece que Neemias dedicou uma cuidadosa atenção à distribuição adequada das tarefas.

(2) Repetidamente, como nos versículos 10,23,28,29 e 30, diz-se que alguém reparou o muro **defronte** (mais próximo) **da sua casa** (10). Assim parece que, na designação das tarefas, foi dada atenção aos interesses pessoais e às responsabilidades dos homens. Alan Redpath fez desse assunto o tema de um capítulo inteiro, que ele intitula "O Ponto de Início para Tudo"[18]. Em poucas palavras, a sua teoria é de que toda construção sólida de um reino começa em casa e entre aqueles que estão mais próximos de nós. Este é um princípio, diz ele, que se encontra ao longo das Escrituras. Por exemplo, em Atos 1.8, os discípulos deviam dar testemunho primeiramente em Jerusalém, depois na Judéia e em Samaria, e finalmente nos confins da terra.

(3) Um terceiro ensino que se pode encontrar neste capítulo é o de que a obra de Deus deve desafiar igualmente todas as classes de pessoas. O sumo sacerdote Eliasibe não era tão importante para que não pudesse trabalhar com o mais humilde homem do

campo na construção do muro. Os residentes de Jerusalém trabalharam lado a lado com os homens de Tecoa, Gibeão e Zanoa. Os comerciantes, ourives e farmacêuticos, todos receberam um trecho para construir e, até onde sabemos, aceitaram de bom grado a tarefa que lhes foi designada. A cooperação parece ser a palavra-chave do capítulo, e até que cheguemos ao capítulo 4 não há menção de qualquer discórdia ou oposição importante, embora houvesse diferenças no cuidado com a tarefa. Alguns **nobres não meteram o seu pescoço ao serviço de seu Senhor** (5), enquanto outros repararam **com grande ardor** outro pedaço (20).

A expressão: **consagraram** (1) sugere a natureza essencialmente religiosa da empreitada. A idéia é que esses construtores "consagraram" ou "dedicaram" ao serviço de Deus as estruturas materiais que haviam erigido. **O domínio do governador daquém do rio** (7) não é a descrição de um lugar no muro, mas sim uma declaração da situação política dos trabalhadores – "que estavam sob a jurisdição do governador da província além do rio". **Neemias, filho de Azbuque** (16) não deve ser confundido com Neemias, o governador de Judá.

Maioral da metade de Jerusalém (9, 12) indica uma divisão em distritos administrativos. Expressões similares são usadas com relação a **Mispa** (15), **Bete-Zur** (16) e **Queila** (17-18).

2. *Obstáculos Externos e Internos* (4.1—6.14)

No relato das experiências de Neemias nos capítulos 4.1 a 6.14, J. Stafford Wright[19] vê quatro "maneiras como o povo de Deus é constantemente atacado quando deseja ir adiante:" (1) sarcasmo desencorajador, 4.1-6; (2) ataques dos inimigos, 4.7-23; (3) desunião interna, 5.1-19; e (4) falsas acusações, 6.1-14.

a. *Zombaria e Oposição dos Inimigos* (4.1-6). Parece que quando Sambalate ouviu que Neemias estava realmente disposto a construir o muro, ele trouxe todo um **exército** (2) de samaritanos a Jerusalém para zombar deles. Pode ser que a autorização do imperador fez com que ele receasse fazer um ataque militar, e que esse uso do seu exército foi o máximo que ele ousou fazer. Um exemplo da sua zombaria é o seguinte:

"Que fazem estes fracos judeus?... Terminarão num só dia? Vivificarão dos montões do pó as pedras que foram queimadas? E estava com ele Tobias, o amonita, e disse: Ainda que edifiquem, vindo uma raposa, derrubará facilmente o seu muro de pedra" (4.2,3).

Nos dois versículos seguintes (4,5), temos a segunda interjeição ou, como um comentarista a chama, oração "incidental" de Neemias[20]. A natureza da oração, como sugere Adam Clarke, dificilmente estaria de acordo com os ensinos cristãos, ao lançar uma maldição, como faz, sobre os inimigos do povo de Deus. Mas inquestionavelmente conserva o espírito dos muitos salmos imprecatórios que são encontrados no Antigo Testamento, e deve ser explicado sob as mesmas bases[21].

No versículo 6 temos a certeza de que, apesar do ridículo e da oposição de seus inimigos, os judeus tinham prontamente prosseguido com a construção do muro. Nessa ocasião ele já havia atingido a metade de sua altura: **porque o coração do povo** se inclinava a trabalhar. Em um capítulo intitulado "Superando o Inimigo", Alan Redpath destaca sob três subtítulos os motivos pelos quais o povo de Israel, com Neemias como seu líder, teve êxito na construção do muro, apesar da oposição dos samaritanos: (1) **porque o coração do povo se inclinava a trabalhar**, 6; (2) Eles oravam de coração: **nós oramos ao nosso Deus**, 9; e (3) Eles estavam vigilantes: **pusemos uma guarda contra eles, de dia e de noite**, 9. A sua descrição sobre Neemias nesse contexto é digna de menção:

> O que mais me impressiona em Neemias, mais do que qualquer outra coisa é o fato de que ele era um sujeito prático. Ele não era uma dessas pessoas de quem algumas vezes dizemos que são tão religiosas que não têm qualquer utilidade terrena. Ele mantinha os seus pés no chão. Ele sabia como organizar e atuar. Mas ele decidiu que, enquanto orava e trabalhava, deveria haver uma sentinela que vigiasse dia e noite, e que cada seção do muro deveria ser guardada pela vigília de um homem atento ao inesperado ataque do inimigo[22].

Na afirmação ao final do versículo 6, **o coração do povo se inclinava a trabalhar**, Adam Clarke observa que o texto original em hebraico pode ser traduzido melhor da seguinte forma: "O povo tinha *coração* para trabalhar", ou "o coração do povo se inclinava a trabalhar". "Os seus *corações*", afirma, "estavam envolvidos naquilo; e quando o *coração* se envolve, a obra de Deus caminha bem"[23].

b. *Ataques planejados e precauções tomadas* (4.7-23). Por não ser capaz de interromper os trabalhos de Neemias com a sua campanha de zombaria, Sambalate e seus aliados (veja 2.10, comentário), que incluíam representantes de diversas nações vizinhas, planejaram um ataque conjunto contra os judeus. Tal investida dificilmente poderia ser chamada "oficial", uma vez que Artaxerxes tinha autorizado a fortificação de Jerusalém; mas, se planejado com habilidade, poderia instilar o medo entre os judeus e fazer com que eles desistissem de suas atividades de construção. É provável que as negociações tivessem sido feitas em segredo, e que o plano fosse o de fazer uma grande exibição de poderio militar, sem, na realidade, desfechar um ataque direto. O versículo 15 deixa evidente que quando os planos foram descobertos, a ameaça ao povo foi completamente removida, uma vez que eles não ousavam atacar abertamente.

Quaisquer que tenham sido os planos dos inimigos, coube a Neemias tomar todas as precauções contra eles, e é justamente aqui que é interessante observarmos a sua liderança; uma liderança hábil e que honra a Deus. O Dr. W. F. Adeney, ao comentar este capítulo, resume a defesa de Neemias sob quatro títulos: (1) oração, 9; (2) vigilância, 9; (3) encorajamento, 14; e (4) armas, 16-22[24]. Ele observa que as defesas espirituais e morais estão em primeiro lugar, mas as defesas materiais não são negligenciadas. Nem todos os judeus apoiavam corajosamente o projeto. O desânimo está claramente refletido no relato. **Já desfaleceram as forças dos acarretadores** (10). O medo está refletido nas atitudes dos **judeus que habitavam entre eles** (12), isto é, aqueles que moravam a alguma distância de Jerusalém, perto dos inimigos. A última parte deste versículo é obscura, mas o seu significado é o de que eles vieram dez vezes declarando amedrontados: "De todos os lugares onde moram, subirão contra nós".

São impressionantes as elaboradas defesas militares que Neemias planejou, apesar do fato de que os seus recursos eram poucos. Quando ficou evidente que o inimigo prometia ataques em cada região da cidade (11–12), Neemias colocou guardas armados **detrás do muro** (13), onde não pudessem ser vistos, nas partes baixas e mais vulneráveis, para que eles pudessem neutralizar o inimigo rapidamente caso este tentasse escalar o muro. Outros guardas armados foram colocados sobre o muro, nos lugares **altos**, para que pudessem atrapalhar o inimigo atirando pedras e dardos. Também houve o cuidado de colocar juntos os grupos das famílias (13), que por sua relação mútua poderiam se coordenar melhor e ter um maior desejo de mútua proteção[25]. Também observamos a referência aos laços familiares no desafio que Neemias, como o comandante geral, lançou às suas tropas estrategicamente posicionadas: **"Não os temais; lembrai-vos do Senhor, grande e terrível, e pelejai pelos vossos irmãos, vossos filhos, vossas mulheres e vossas casas"** (14).

Tão impressionante foi a defesa instalada que o inimigo não fez aparentemente qualquer ataque contra a cidade. Mas, a partir daí, quando os trabalhadores voltaram, **cada um à sua obra** (15), todas as precauções foram tomadas para que eles não fossem surpreendidos. Os **moços** (ou servos, 16) de Neemias, que tinham sido designados ao trabalho, estavam agora divididos em dois grupos, um deles para atuar como uma guarda armada e o outro para ajudar nas atividades da construção. Líderes especiais, que foram escolhidos entre a nobreza (**chefes**), ficavam por trás dos trabalhadores, porque assim poderiam mantê-los informados de qualquer perigo que os ameaçasse. Os trabalhadores, e na verdade todos os que estivessem envolvidos no trabalho de alguma maneira, tinham armas que poderiam ser usadas a qualquer momento. Eles trabalhavam com uma arma em uma das mãos e uma colher de pedreiro na outra. Um trombeteiro foi empregado por Neemias para tocar um alarme se o inimigo se aproximasse, e para dar a todos a oportunidade de correr para o lugar onde houvesse o ataque. Finalmente, para que pudesse haver uma guarda adequada noite e dia, determinou-se que os judeus das cidades vizinhas permanecessem em Jerusalém e ajudassem na defesa da cidade. Neemias nos conta que nem ele nem seus moços removiam as suas roupas, exceto para alguma situação de necessidade, noite e dia, para que eles pudessem estar prontos para correr em defesa da cidade quando houvesse qualquer emergência.

c. *Injustiças sociais entre os judeus* (5.1-19). Neemias não encontrou apenas oposição dos inimigos externos, mas também enfrentou distúrbios internos. Os judeus mais ricos aproveitavam-se da má situação em que seus irmãos mais pobres se encontravam, devido à colheita deficiente, à **fome** (3) e à necessidade do trabalho no muro. Muitos tinham sido forçados a desistir de suas propriedades para pagar empréstimos, ocasionados em parte pelas suas circunstâncias e pelos pesados impostos do governo persa. Em alguns casos, as crianças eram escravizadas como pagamento de dívidas: **Agora, pois, a nossa carne é como a carne de nossos irmãos, e nossos filhos, como seus filhos; e eis que sujeitamos nossos filhos e nossas filhas para serem servos** [ou seja, escravos]**... já não estão no poder de nossas mãos; e outros têm as nossas terras e as nossas vinhas** (5). Muitos que não tinham terra nem filhos precisavam pagar juros exorbitantes (**usura**, 7), embora, segundo a lei mosaica, os israelitas não devessem estar sujeitos a juros (Êx 22.25; Dt 23.19,20). Esses encargos eram particularmente difíceis de suportar, agora que todo o seu tempo era ocupado no trabalho da construção. Conseqüentemente, houve **um grande clamor do povo e de suas mulheres contra os judeus mais ricos, seus irmãos** (1). **Com nossos filhos e nossas filhas, nós somos muitos**, disseram; **pelo que tomemos trigo, para que comamos e vivamos** (2).

Quando confrontado com esta situação, Neemias **considerou consigo mesmo no seu coração** (7) para agir com prudência. Após convocar um **ajuntamento** do povo (7), ele repreendeu os homens ricos e nobres por sua falta de consideração com relação aos seus irmãos mais pobres, ao impor-lhes juros contra a lei e até mesmo escravizar os seus filhos como pagamento de dívidas. Então ele lhes recordou o exemplo que ele mesmo lhes dava, ao atuar como seu governador sem exigir o pagamento usual por seus serviços, e, na verdade, alimentar-se na sua própria mesa, e às suas próprias custas, como o faziam cento e cinqüenta judeus diariamente. Neemias libertara diversos judeus da escravidão e emprestara seu dinheiro sem cobrar juros. **Deixemos este ganho. Restituí-lhes hoje, vos peço, as suas terras, as suas vinhas, os seus olivais e as suas casas**, como também os juros **que vós exigis deles** (10,11). **O centésimo do dinheiro** (11) corresponde a juros mensais de 1%, conseqüentemente 12% ao ano.

As palavras de Neemias, nesta ocasião, pareciam levar consigo a própria autoridade de Deus, pois receberam uma pronta resposta por parte dos judeus nobres. **Restituiremos**, disseram, **e nada procuraremos deles; faremos assim como dizes** (12). **O meu regaço sacudi** (13) é um gesto simbólico de repúdio e desdém. A palavra **regaço** seria o manto externo normalmente usado. (Para ações simbólicas semelhantes, veja 1 Rs 22.11; Jr 27.2; 28.10; Mt 10.14; At 13.51; 18.6).

Essa autoridade não vem por acaso. É o resultado de cuidadosa autodisciplina e do cultivar, por meio da oração, a presença de Deus na vida. Neemias era um homem de oração, e disciplinou-se a realizar aquilo que ele acreditava que Deus queria que se realizasse. "Os primeiros governadores", diz ele, "oprimiram o povo e tomaram-lhe pão e vinho e, além disso, quarenta siclos de prata [diariamente]... porém eu assim não fiz, por causa do temor de Deus" (5.15).

Alexander Maclaren toma esta passagem (5.15) como a base para uma impressionante homilia intitulada "Um Antigo não Conformista". Ao explicar este exemplo de não conformismo divino, ele vê três importantes fatores envolvidos: (1) uma atitude de não aceitação com respeito às práticas de pecado existentes; (2) uma motivação interior que impele a uma firme desobediência; e (3) o poder que capacita alguém a ser leal às suas convicções, recebidas da parte de Deus. Sabemos que o motivo que levou Neemias a dizer não foi o **temor de Deus**. Maclaren sugere que o equivalente para um cristão hoje é "o amor de Cristo", como se encontra em 2 Coríntios 5.14: "O amor de Cristo nos constrange"[26]. O poder que nos capacita a viver vitoriosamente de acordo com a vontade de Deus para as nossas vidas nos está disponível através da oração e da fé: "Deus é poderoso para tornar abundante em vós toda graça, a fim de que, tendo sempre, em tudo, toda suficiência, superabundeis em toda boa obra" (2 Co 9.8).

d. *Tentativas de ludibriar Neemias* (6.1-14). Depois do relato parentético, no capítulo cinco, das perturbações sociais entre os judeus, nós temos, no capítulo 6, um relato continuado da oposição dos inimigos de Neemias: Sambalate, Tobias e Gesém, que, por não terem tido sucesso em suas tentativas de amedrontar Neemias com a ameaça de um ataque armado, agora tentam ludibriá-lo por meios sutis. Como uma prova de amizade, eles lhe enviaram mensageiros, quatro vezes consecutivas, para convidá-lo a um encontro no **vale de Ono** (2), cerca de 32 quilômetros ao norte de Jerusalém, perto de Lida, ou Lode (Ed 2.33; Ne 11.35). A única resposta de Neemias foi: **Estou fazendo uma grande obra, de modo que não poderei descer** (3). Naturalmente ele suspeitava das suas más intenções e não se permitiu cair na sua armadilha. Novamente eles enviaram um mensageiro, desta vez com **uma carta aberta** (5) em que Sambalate acusava Neemias de planejar uma rebelião contra o rei. Eles o avisavam de que isso seria levado ao conhecimento de Artaxerxes, a menos que Neemias concordasse em se encontrar com eles para discutir o assunto. Ao se recusar a comparecer ao encontro, Neemias corajosamente respondeu que todo o assunto era fruto da imaginação deles. **De tudo o que dizes coisa nenhuma sucedeu**, declarou, **mas tu, do teu coração, o inventas** (8). Ao mesmo tempo, Neemias orou fervorosamente para que Deus o fortalecesse contra os seus inimigos.

Em seguida houve a tentativa de iludi-lo através um falso profeta dentro da cidade. Um certo **Semaías** (10) foi contratado para se passar por seu amigo e conselheiro espiritual, a fim de avisá-lo, em nome do Senhor, que os seus inimigos iriam matá-lo e que o seu único refúgio era o Templo. **Que estava encerrado**, "que estava enclausurado", possivelmente devido a algum crime ou alguma doença (Berk.). Porém, Neemias foi novamente inflexível na sua recusa em ceder aos seus inimigos, mesmo em uma demonstração de amizade. **Um homem, como eu, fugiria?** – disse. **E quem há, como eu, que entre no templo e viva? De maneira nenhuma entrarei** (11). Ele pôde enxergar os truques deles, e recusou-se firmemente a ser atraído para a armadilha. Com certeza temos aqui um excelente exemplo de coragem por parte de um dos santos de Deus, que jamais se humilharia diante de qualquer ataque do inimigo.

Em 6.13 vemos refletidos alguns pensamentos em "quando o medo se transforma em pecado". **Para isso o subornaram, para me atemorizar, e para que eu assim fizesse e pecasse** (13). O medo transforma-se em pecado (1) quando ele nos afasta das tarefas dadas por Deus, 1-4; (2) quando temos medo de acusações baseadas em falsidades, 5-9; (3) quando usamos até mesmo o refúgio religioso para evitarmos o custo de fazermos a obra de Deus, 10-13.

Em uma mensagem intitulada "uma grande obra", baseada no versículo 3 – **Estou fazendo uma grande obra, de modo que não poderei descer** – pode-se deduzir que a obra de Deus, que seja a construção de um muro, a construção de uma congregação cristã ou a evangelização de pagãos, deve ter a prioridade sobre todas as demais ocupações que poderiam exigir a nossa atenção. Para nós é a coisa mais importante do mundo: (1) porque Deus a ordenou; (2) porque a Bíblia a autoriza e (3) porque recebemos uma convocação especial para fazê-la. Assim foi com Neemias, e assim deveria ser com todos os homens que sintam o chamado de Deus. **Por que cessaria esta obra, enquanto eu a deixasse e fosse ter convosco?** (3).

3. O Muro é Concluído em 52 Dias (6.15-19)

Apesar de todas as dificuldades que foram encontradas, sabemos que o muro foi concluído em 52 dias, ou em aproximadamente dois meses. **Elul** (15) é o sexto mês do calendário judeu, correspondente à última metade de agosto e à primeira metade de setembro.

A conclusão dos muros foi um golpe evidentemente duro na moral dos inimigos de Judá. "Temeram todos os gentios que havia em roda de nós", escreve Neemias, "e abateram-se muito em seus próprios olhos; porque reconheceram que o nosso Deus fizera esta obra" (16; cf. Sl 126.2,3). Entretanto, imediatamente, nos versículos 17-19 percebemos que ainda havia forças traiçoeiras que trabalhavam na cidade. Alguns dos amigos de Tobias, diversos dos quais estavam ligados a ele por laços de casamento, mantinham uma freqüente correspondência com ele e aparentemente tentavam fazer com que Neemias sentisse medo dele. "O povo de Deus", ressalta J. S. Wright, "deve estar sempre em guarda, mesmo em uma época de sucesso. A infiltração das idéias inspiradas pelo inimigo ainda pode estragar o trabalho e trazer padrões pagãos de vida e religião"[27]. Sabemos que Tobias na verdade foi recebido na cidade posteriormente, durante a ausência de Neemias, e lhe foi dado um quarto no Templo (13.4-7). Com que constância o inimigo das nossas almas espreita nas proximidades, à espera de uma oportunidade para fixar residência no recôndito dos nossos corações, quando negligenciamos!

SEÇÃO **II**

REFORMAS E INSTRUÇÃO RELIGIOSA

Neemias 7.1—13.31

Existem duas fases bastante distintas na história da restauração de Jerusalém sob o comando de Neemias. Uma delas diz respeito aos muros da cidade; e a outra, ao restabelecimento de seus habitantes e à introdução de certas reformas sociais e religiosas nas quais o líder contemporâneo, Esdras, também teve um papel predominante. Entretanto, como as reformas sociais relatadas no capítulo 5 haviam sido iniciadas durante o período da construção dos muros, e sua inauguração teve lugar depois do importante reavivamento religioso registrado nos capítulos 8-10, não podemos deixar de observar que essas duas fases da história estão intimamente interligadas.

Para uma discussão sobre as reformas sociais que tratam do relacionamento entre as classes da sociedade judaica, veja o comentário baseado no capítulo 5. O 7 cuida mais dos aspectos físico e cívico da reforma, do restabelecimento dos habitantes da cidade, da nomeação de certos funcionários municipais e das medidas para a segurança pública. Os últimos, especialmente os 8 a 10 e 13 tratam das reformas religiosas e morais.

A. O Início da Reorganização da Cidade, 7.1-73

1. *A Nomeação dos Funcionários Civis* (7.1-4)
O conteúdo do capítulo 7 está intimamente relacionado com o do 11. Os 8 a 10 podem ser considerados como parêntesis, porque dão início ao relato sobre as providências cívicas que foram tomadas. De certa forma, os próprios acontecimentos podem ter ocorrido nessa ordem, quando o reavivamento religioso provavelmente foi introduzido antes das providências cívicas terem sido terminadas. Podemos comparar esses acontecimentos com a reforma social do capítulo 5, que foi provocada por reclamações feitas enquanto os muros da cidade eram construídos.

Os primeiros versículos do capítulo 7 estão dirigidos às provisões relacionadas com a garantia e a segurança da cidade, agora que a construção do muro já havia terminado e as portas já estavam em seus lugares (1). O irmão de Neemias, **Hanani**, que originalmente lhe havia informado sobre as más condições locais (1.2,3), e que havia aparentemente retornado com ele para ajudar na restauração dos muros, havia sido colocado na posição de responsável pela cidade. Ao seu lado, havia outra pessoa com um nome semelhante (**Hananias**) que seria o principal administrador (governante, 2) da importante cidadela, ou torre vizinha à área norte do Templo. Esse último, mesmo que tenha sido outra pessoa e não Hanani (existe alguma dúvida por causa da semelhança de nomes[1]), é descrito como **homem fiel e temente a Deus, mais do que muitos**. Sua principal tarefa era garantir a segurança da cidade e torná-la novamente habitável, exatamente como no período antes do exílio. De acordo com o versículo 4, grandes áreas da cidade estavam desabitadas e a maioria das antigas casas havia sido demolida ou removida.

Essa situação fica facilmente explicada se entendermos que havia acontecido um êxodo geral de Jerusalém causado não só pelo exílio, mas também pelo medo que se apossou da população, gerado pelos repetidos ataques que havia sofrido e que culminaram com a destruição do Templo e dos muros da cidade. Até mesmo na época do retorno, quando cinqüenta mil ou mais pessoas voltaram com Zorobabel, a maior parte delas preferia se instalar nas cidades vizinhas de Judá ao invés de Jerusalém. Nessa época, os muros ainda estavam em ruínas e qualquer concentração que se formasse dentro da cidade acarretaria suspeita sobre seus participantes e até o ataque dos inimigos. Um problema que Neemias precisava enfrentar durante essa fase era a necessidade de formar guardas para enfrentar eventuais ataques dos inimigos. Vemos que esse problema foi em parte resolvido através de um sorteio destinado a convocar um décimo da população das cidades vizinhas, como foi mencionado em 11.1.

As ordens de Neemias para esses recém-nomeados administradores da cidade eram: (1) não abrir as portas... até que o sol aqueça (3); e, (2) durante a noite, não só essas portas deveriam permanecer cuidadosamente fechadas e trancadas, como sentinelas deveriam ser estacionadas em várias partes para vigiá-la durante o horário noturno. **Enquanto assistirem ali** (3) provavelmente significa "enquanto o guarda estiver em serviço" (Berk). A referência a um sol quente provavelmente não deva ser entendida em seu pleno vigor. Era costume, na antiguidade, abrir as portas da cidade ao nascer do sol, mas, nesse caso, não há dúvida de que tal procedimento seria considerado imprudente. Agir assim, no início da manhã, antes que os habitantes estivessem bem capacitados para se protegem poderia colocá-los em desvantagem perante os inimigos.

2. O Planejamento do Censo (7.5-73)

A repovoação da cidade deveria ser feita de maneira a assegurar que as famílias repatriadas fizessem propriamente parte da nação de Israel e, conseqüentemente, se interessassem pela segurança, unidade religiosa e futuro crescimento da cidade.

Sobre as palavras: **Então, o meu Deus me pôs no coração (5)**, vale a pena citar o comentário do Dr. Adam Clarke:

> "Com esse bom homem todas as coisas boas vinham de Deus. Se ele propunha qualquer coisa boa, era porque Deus havia colocado em seu coração; se praticasse

alguma boa ação, era porque a boa mão de Deus estava sobre ele; e se esperasse algo de bom é porque havia sinceramente orado para que Deus o lembrasse disso. Deste modo, em todos os seus atos ele reconhecia a presença de Deus e que o Senhor dirigia todos os seus passos" (Pv 3.6)[2].

A idéia que Deus havia colocado no coração de Neemias era que nessa época ele deveria fazer o censo da população de Judá, a fim de ter uma base que lhe permitisse selecionar as famílias para o desenvolvimento da população de Jerusalém. Mas enquanto considerava essa idéia, e fazia seus planos, ele encontrou um registro, provavelmente no Templo, daqueles que retornaram com Zorobabel. Esse documento, ou genealogia, que ocupa o restante do capítulo 7 é o mesmo, embora com pequenas variações em relação àquele que encontramos em Esdras 2.

As variações que ocorrem podem ser explicadas através de mudanças no processo de transcrição. Entretanto, foi sugerido que Esdras 2 pode representar a relação original, elaborada antes da partida da Babilônia, enquanto a de Neemias 7 pode ser a relação final depositada no Templo depois da correção de alguns erros menos importantes[3]. Para comentários adicionais sobre essa listagem, veja a seção dos comentários sobre Esdras que trata do capítulo 2, e que traz o registro daqueles que retornaram.

A expressão **Tirsata** (65; cf. 8.9) corresponde ao título persa para -governador, e é aproximadamente equivalente a "Sua Excelência".

B. Um Reavivamento Religioso Liderado por Esdras (8.1—10.39)

Chegamos, agora, à seção que é muitas vezes considerada a mais interessante e desafiadora do Livro de Neemias. J. Sidlow Baxter intitula os acontecimentos dessa parte como "um retorno ao movimento da Bíblia"[4]. Muitas vezes, esses capítulos têm sido mencionados como o grande reavivamento e, certamente, eles têm todos os elementos de um verdadeiro despertamento: (1) uma sincera atenção à leitura e à exposição da Palavra de Deus; (2) um enternecimento dos corações, e a convicção do pecado sob o impacto da Palavra; (3) o jejum e a oração, a confissão do pecado e o reconhecimento da justiça e da misericórdia de Deus; e (4) um definitivo compromisso de seguir o caminho que Deus determinou. Também existe aqui o retrato da alegria pela salvação, como visto em 8.10; **porque e alegria do Senhor é a vossa força.**

1. A Leitura e a Exposição da Lei de Moisés (8.1-12)

O cenário do capítulo 8 parece fazer alusão ao último versículo do capítulo anterior (7.73): "E chegado o sétimo mês, e estando os filhos de Israel nas suas cidades". Quanto à importância religiosa do sétimo mês, Tisri, que corresponde a partes de setembro e outubro, veja os comentários sobre Esdras 3. Podemos entender que, antes do período de treze ou mais anos em que morou em Jerusalém, Esdras já havia ensinado outras pessoas, e assim prosseguiu. Neste caso, as pessoas já conheciam o significado das festividades que começavam com a Festa das Trombetas no primeiro dia do sétimo mês. De qualquer maneira, Esdras entra agora em cena e, no início do sétimo mês, recebe dos líderes judeus a solicitação de ler o livro da Lei. Enquanto isso, uma grande platéia havia se reunido – formada por homens e mulheres – em uma área importante de Jerusalém para ouvir suas palavras. Foi erguida uma plataforma elevada[5] para essa finalidade **diante da Porta das Águas** (3), cerca de quinhentas jardas ao sul da área do Templo. Com a ajuda de inúmeros levitas, que se postaram do seu lado direito e esquerdo, e depois das devidas cerimônias, ele se colocou perante o público e leu a lei **desde a alva até ao meio-dia**. Quando **Esdras abriu o livro** (5) ele, evidentemente, desenrolava um pergaminho e, com esse sinal, todas as pessoas se levantaram.

A maneira pela qual os levitas ajudaram Esdras não está muito clara. No versículo 8 ficamos cientes de que eles **leram o livro, na Lei de Deus, e declarando e explicando o sentido, faziam com que, lendo, se entendesse**. Parece que a leitura e a interpretação foram feitas por muitos levitas; talvez, Esdras tenha lido em hebraico e os levitas sido incumbidos de traduzir ou parafrasear em caldeu ou aramaico, língua que havia se tornado popular durante o exílio. Com algumas modificações, essa língua continuou a ser falada até os dias de Jesus. Em todo caso, era necessário fazer com que o significado fosse claro, e isso foi conseguido, pois o texto informa que todas as pessoas entenderam.

O primeiro resultado mencionado a respeito dessa leitura é que ela causou muita tristeza, pois tomaram consciência de que a lei de Deus havia sido infringida. **Porque todo o povo chorava, ouvindo as palavras da Lei** (9). Mas essa tristeza não durou muito tempo: "Bem-aventurados os que choram, porque eles serão consolados" (Mt 5.4). Quando Neemias e Esdras viram que o povo estava arrependido e chorava, eles provavelmente disseram: Não vos entristeçais, mas alegrai-vos porque Deus foi bondoso e perdoou o vosso pecado. **Porque esse dia é consagrado ao nosso Senhor; portanto, não vos entristeçais, porque a alegria do Senhor é a vossa força** (10).

Isso parece ser uma simplificação do processo pelo qual uma alma oprimida pelo pecado passa a entender a disposição divina de perdoar e, de repente, troca a sua tristeza pela alegria. Embora isso não demande um longo período de tempo basta, entretanto, que exista uma completa sinceridade. Parece que foi isso o que aconteceu com aqueles que ouviram a leitura da lei feita por Esdras. A relação entre essa experiência e a posterior busca a Deus, descrita no restante deste capítulo, e também nos dois capítulos seguintes, que estão muito ligados ao primeiro, também pode ser justamente questionada. Mas creio que a resposta reside no fato de que, além da experiência inicial do perdão, existe uma exigência subseqüente de obediência e de busca na alma que leva a um definitivo compromisso com a plenitude da vontade de Deus para a nossa vida. Isso é representado, pelo menos simbolicamente, através da comemoração da Festa dos Tabernáculos (8.13-18), do jejum, da confissão dos pecados e do reconhecimento da bondade de Deus no capítulo 9 e, finalmente, na celebração da aliança no capítulo 10.

As belas palavras do capítulo 10: **por que a alegria do Senhor é a vossa força,** têm sido usadas como base para muitos sermões. Na verdade, a vida cristã seria uma melancólica rotina, se não fosse pelas fontes de alegria que sempre e, em pouco tempo, refrigeram a alma (Is 41.18; Jo 4.14). Alan Redpath sugeriu quatro segredos relacionados à alegria para a vida cristã: (1) a alegria baseada no perdão; (2) a alegria que pode ser cultivada em meio à aflição; (3) a alegria que depende da obediência a Deus e não de um bem-sucedido serviço cristão; e, finalmente (4) a alegria que não depende das circunstâncias[6]. "Fiel é Deus, que vos não deixará tentar acima do que podeis" (1 Co 10.13).

Enviar porções (12) significa compartilhar com os menos afortunados (cf. 10).

2. A Celebração da Festa dos Tabernáculos (8.13-18)

No restante do capítulo 8 encontramos um relato da fiel celebração da importante Festa dos Tabernáculos. A expressão **ramos de árvores espessas** (15), provavelmente, significa "árvores frondosas". A importância dessa festa está explicada em Levítico 23.40-43. De acordo com a explicação do versículo 17, parece que essa festa em particular nunca havia sido celebrada, nessa ocasião, de forma tão perfeita, desde os dias de Josué, **filho de Num** (17). A maneira esplêndida como essa festividade foi comemorada nessa ocasião está aqui enfatizada, e não o fato de ela ter sido celebrada[7]. Era provada a sinceridade do povo, que havia chorado e agora se alegrava com a leitura da lei. Eles caminhavam na luz de forma obediente, e Deus era, por isso, glorificado. **A solenidade da festa... segundo o rito** (18), isto é, "o término da festa que acontecia no oitavo dia de acordo com o costume" (Berk.).

No versículo 18, observamos que a leitura da lei era feita diariamente, **desde o primeiro dia até ao derradeiro** da festa. Isso nos dá a entender a importância e o valor da leitura da Bíblia Sagrada. A obra *The Preacher's Homiletic Commentary*, na matéria *"Daily Bible Reading"*, apresenta quatro razões para o cultivo desse hábito, e quatro regras a serem observadas em sua prática. Devemos ler a Bíblia regularmente: (1) "Por causa de seu infinito valor e preciosidade"; (2) "Porque ela edifica a nossa vida interior e espiritual – a vida de Deus na alma"; (3) "Porque todos os grandes avivamentos têm estado associados a um elevado respeito pela Palavra escrita"; (4) "Porque é através dessa Palavra que você será julgado". Essa leitura deve ser feita: (1) "Com reverência"; (2) "Com especial afeto e, em oração"; (3) "Com a dedicação de tempo a esta importante e preciosa leitura"; e (4) "Com o intuito de sempre manter em mente o propósito da Bíblia Sagrada", isto é, conceder a Deus a oportunidade de falar conosco através dela[8].

3. A Confissão do Povo (9.1-38)

A alegre Festa dos Tabernáculos havia chegado ao fim. Agora, era justo que as pessoas dedicassem mais atenção às advertências recebidas durante os vários dias em que Esdras recitara a lei de Deus. Depois de um breve intervalo, logo depois da Festa dos Tabernáculos, isto é, no vigésimo quarto dia desse movimentado mês, o povo retornou, provavelmente, a convite de Esdras para passar um dia em jejum e oração, e, em um profundo exame da alma.

Sob a liderança dos **levitas** (5), talvez com Esdras como seu principal porta-voz[9], eles relataram detalhadamente, as muitas ocasiões, através de toda a história de sua nação, durante as quais Deus providencialmente cuidou deles. Eles reconheceram que, apesar de sua rebeldia e dos muitos atos de desobediência, o Senhor havia sido extremamente misericordioso. Admitiram, livremente, que sua atual aflição se devia a seus próprios pecados e aos de seus antepassados. Foi somente pela grande misericórdia de Deus que eles não foram completamente destruídos (31). Em seguida, cheios de humildade, e sem implorar qualquer alívio de sua aflição, prometeram estabelecer um pacto de lealdade e obediência, com a ajuda de Deus, para as épocas vindouras.

Era através desses remanescentes de Israel que o Messias, o Salvador do mundo, chegaria. Vemos, portanto, como foi importante que, depois de um longo período, acontecesse uma completa reconciliação entre Deus e o povo que Ele havia escolhido, apesar de toda a rebeldia e de todos os pecados praticados por este povo. Essas considerações também servem para realçar a importância dos dois grandes líderes dessa época, Esdras e Neemias. De acordo com as palavras de Ezequiel, eles estiveram "tapando o muro"[10], ao trazerem a nação de volta para Deus e ao assegurarem a continuidade do movimento redentor. Isso tudo aconteceu em um momento em que, sob um ponto de vista exclusivamente humano, toda esperança de um reavivamento espiritual e nacional da nação de Israel parecia totalmente perdida. Embora o Templo já estivesse restaurado, sabemos que o coração das pessoas estava muito longe de Deus. Para eles, as Escrituras haviam se tornado um livro sem utilidade. As defesas de Jerusalém estavam em um estado tão deplorável, que seria impossível restaurar a importância dessa cidade como a capital da nação. Também, a prática de casamentos mistos com pessoas de nações pagãs parecia resultar em uma gradual absorção das famílias israelitas por outras nações vizinhas. Esse fato vem salientar a importância de seus atos no versículo 2: "A geração de Israel se apartou de todos os estranhos (ou "A raça de Israel se separou de todos os estrangeiros", Moffatt).

Parece apropriado pensar sobre esses acontecimentos e os dos capítulos seguintes (9 e 10), como uma representação, pelo menos simbólica, das mais profundas experiências religiosas dos cristãos. Os elementos que vimos nesses capítulos podem ser entendidos como: (1) A convicção de uma arraigada tendência em direção ao pecado e à desobediência; (2) Uma sagrada tristeza e a confissão do pecado; (3) O reconhecimento da santidade de Deus, manifestada através da justiça e da misericórdia em todos os seus atos para com os homens; e (4) Um total compromisso ou consagração pessoal a Deus através da fé, na confiança de que, com a sua ajuda, é possível viver livre do pecado.

Também lhes deste reinos e povos (22) significa "distribuiu entre eles cada canto da terra" (Moffatt). A frase: **deste-lhes libertadores** (27) pode ser entendida como "deste-lhes libertadores que os salvaram das mãos de seus adversários" (Smith-Goodspeed). A localização da declaração parentética no versículo 29 faz com que seu significado seja pouco claro. Podemos entendê-lo da seguinte forma: "Eles se recusaram a obedecer aos teus mandamentos... os quais, se um homem guardar, viverá" (Berk.).

4. *O Pacto é Selado* (10.1-39)

Na conclusão da oração registrada no capítulo 9 foi estabelecido um pacto de lealdade. Vemos, agora, que esse pacto foi colocado em prática, selado (1), isto é, registrado oficialmente com um selo pessoal[11] pelos seguintes representantes do povo: (1) **Neemias, o Tirsata**, isto é, o governador, 1; (2) **os sacerdotes**, 1-8; (3) **os levitas**, 9.13; e (4) Os chefes do povo, isto é, os líderes das principais famílias (14-27). O **resto do povo, os que tinham capacidade para entender firmemente aderiram... e convieram... num juramento**, isto é, assumiram um juramento sob pena de serem amaldiçoados, **de que andariam na lei de Deus, que foi dada pelo ministério de Moisés, servo de Deus; e de que guardariam e cumpririam todos os mandamentos do Senhor** (28,29). Existem muitos nomes comuns de judeus nessa relação. Os mais conhecidos – Jeremias (2), Daniel e Baruque (6) – não devem ser confundidos com os homens importantes que tiveram o mesmo nome, e que ficaram conhecidos através de outras passagens da Bíblia Sagrada.

Vários assuntos especialmente mencionados no pacto podiam ser particularmente aplicados ao povo durante esse período: (1) casamento misto com pagãos; (2) profanação do sábado; (3) pagamento do imposto do Templo; (4) fornecimento de azeite para o altar; e, (5) atendimento às necessidades daqueles que ministravam perante o Senhor. Essas necessidades deveriam ser atendidas através do pagamento de dízimos e da contribuição ao Templo por meio de todas as primícias de suas terras, e dos primogênitos dos filhos de todos os animais. Tanto em Esdras como em Neemias está evidente a necessidade de insistir na lei contra o casamento misto com os pagãos. Podemos entender que também havia muita negligência em relação ao sábado, à manutenção dos serviços no templo, e àqueles que ali ministravam. A esses assuntos também foi dada grande importância nos demais capítulos de Neemias (12.44-47; 13.10-12,15-22).

A **oferta da lenha** (34) pode ser explicada como "a ordem pela qual a casa de nossos pais, em épocas regulares, deveria fornecer madeira para as ofertas, levando-as até a casa de Deus, para ser queimada no altar do Senhor" (Berk.). **Em todas as cidades de nossa lavoura** (37), isto é, "em todas as nossas cidades rurais".

"Uma vida consagrada", diz J. Stafford Wright, "é uma vida prática. Assim como a obediência seguiu o arrependimento na restauração da época de Neemias, quando nos entregamos totalmente ao Senhor devemos, da mesma maneira, traduzir essa emoção em ações práticas"[12].

Em relação à desafiadora afirmação final desse capítulo, **assim não desampararíamos a casa do nosso Deus** (39), a obra *The Preacher's Homiletical Commentary* nos dá quatro razões para freqüentarmos regularmente a igreja, e podemos parafraseá-las da seguinte maneira: (1) Porque Deus ordenou que houvesse uma adoração pública, e esta é uma exigência de sua Palavra; (2) Porque as manifestações da presença de Deus nos trabalhos da igreja fazem com que todo cristão verdadeiro deseje estar presente, a fim de não perder uma bênção espiritual; (3) Porque é particularmente na adoração pública que os dons individuais do Espírito são manifestados; e, (4) Porque o verdadeiro cristão considera a casa de Deus como o similar mais próximo do Céu[13].

C. OS PLANOS PARA REPOVOAR JERUSALÉM, 11.1—12.26.

1. *A Sorte é Lançada para Trazer os Judeus a Jerusalém* (11.1,2)

Retornamos agora, depois de três capítulos intercalados que se referem ao reavivamento sob a liderança de Esdras, à história do capítulo 7 que cobre os planos de Neemias para a volta dos judeus à cidade de Jerusalém. Essa afirmação, feita no quarto versículo do capítulo sete, diz que "era a cidade larga de espaço e grande, porém pouco povo havia dentro dela; e, ainda, as casas não estavam edificadas". Lemos que **os príncipes do povo habitaram em Jerusalém** (1) o que, provavelmente, significa que muitos dos sacerdotes, levitas e outros, que tinham alguma posição oficial, estavam alojados dentro da cidade. O restante do povo, em sua maioria, vivia em outras cidades ou vilas da província de Judá. Podemos afirmar que, por sugestão de Neemias, foi realizado um sorteio para "tirar um de dez" do resto da população "para que habitasse na santa cidade de Jerusalém, e as nove partes, nas outras cidades" (1). Outros se ofereceram **voluntariamente... para habitar em Jerusalém** (2) de forma que, agora, Neemias tinha a promessa de um considerável número de habitantes para fortalecer as defesas da cidade.

2. **Um Registro das Famílias Judaicas** (11.3—12.26)

A maior parte do capítulo 11 é ocupada pelo registro daqueles que viviam em Jerusalém e nas cidades vizinhas na época do governo de Neemias. Os habitantes de Jerusalém foram relacionados principalmente através dos chefes de família, enquanto os moradores da região vizinha foram simplesmente relacionados pelo nome de cada cidade. Em 12.1-26 foram acrescentadas novas listas que incluíam as famílias dos sacerdotes e dos levitas desde a época de Zorobabel até à de Neemias. A menção feita a Jadua no versículo 22, como observamos acima na "Introdução a Esdras e Neemias", levou muitos estudiosos a considerarem o livro de Neemias escrito em uma data posterior a 330 a.C., pois é sabido que existiu um sumo sacerdote com esse nome na época de Alexandre, o Grande, e que morreu em 330 a.C. É claro que tal evidência não é conclusiva, porque os nomes eram freqüentemente repetidos; portanto, o nome **Jadua** mencionado em Neemias 12.22 pode ter sido do avô de um sumo sacerdote que tinha esse nome nos dias de Alexandre.

Nessa seção ocorrem inúmeras frases obscuras cujo significado se tornou mais compreensível nas traduções mais recentes da Bíblia Sagrada. A expressão **a obra de fora da casa** (11.16) seria o "trabalho fora da casa de Deus" (Berk.). **O chefe, que era quem começava** (17) significa "aquele que era o líder começava a ação de graças em uma oração". **Uma certa porção para os cantores** (23), isto é, "havia uma provisão fixa para os cantores, conforme se fazia necessário a cada dia" (Smith-Goodspeed). **Estava à mão do rei** (24), isto é, "todos os negócios relacionados com o povo estavam nas mãos do representante do rei (Moffatt). Este autor também faz uma interessante tradução do versículo 35: "Lode, Ono e o vale dos artífices". **Presidiam sobre os louvores** (12.8), isto é, "aquele que com seus irmãos estava encarregado dos cânticos em ação de graças". **Estavam defronte dele nas guardas** (9) significa: "colocaram-se em frente a eles em seus lugares de serviço" (Berk.). **Para louvarem e darem graças... guarda contra guarda** (24) quer dizer oferecer louvores em ação de graças de forma "responsiva" (Moffatt). **Faziam guarda às tesourarias das portas** (25), isto é, eles eram "os guarda-portas que vigiavam os armazéns dos portões".

O Rev. George Williams fez uma interessante observação sobre 11.16,22 em sua obra *The Student's Commentary on the Holy Scriptures:*

"A obra de fora da casa de Deus (16) foi atribuída a dois chefes de Levi; porém a obra interior dessa casa (22) foi entregue aos cantores, filhos de Asafe. No cativeiro (salmo 137), a mão que deveria ter despertado o canto na agradável harpa foi usada para pendurá-la na árvore do salgueiro. Porém, agora, restaurada a Sião, Israel podia cantar!"

"A vida cristã é, ao mesmo tempo, interior e exterior. O canto deve ser interior. Se o louvor a Deus não estiver no coração, não haverá melodia nem poder na vida"[14].

D. A Consagração dos Muros, 12.27-43

O relato da consagração dos muros, na última parte do capítulo 12, foi motivo de consideráveis controvérsias. "Por quê", perguntam, "a dedicação dos muros não foi feita imediatamente após sua conclusão?" Em seu lugar temos ordens para repovoar cidade, a leitura da lei, a Festa dos Tabernáculos, o grande dia do jejum e confissão de pecados, o término com a ratificação do pacto e, finalmente, o censo da população; descritos exatamente como ocorreram entre a conclusão dos muros e sua dedicação. Muitos estudiosos, como o Dr. A. S. Peake[15], acreditam que a passagem que descreve a dedicação foi colocada fora de sua posição original, logo depois do capítulo 6. Porém, por outro lado, o Dr. W. F. Adeney, na obra *The Expositor's Bible*, apresenta várias razões porque deveria haver um adiamento desse importante acontecimento:

> "Os judeus precisavam conhecer a lei para que pudessem entender o destino de Jerusalém; eles precisavam se dedicar pessoalmente ao serviço a Deus para que pudessem desempenhar esta determinação. Precisavam recrutar as forças da cidade santa com a finalidade de dar poder e volume a esse futuro. Dessa forma, o adiamento da dedicação transformou esse evento, ao chegar a hora de sua realização, em algo muito mais real do que teria sido se tivesse acontecido imediatamente após a conclusão dos muros"[16].

A esse respeito, o Dr. Adeney faz uma afirmação que parece ser a explicação mais simples e mais satisfatória sobre a posição desse relato nas proximidades do final da história de Neemias: "Esse ato", diz ele, ao referir-se à dedicação, "embora estivesse diretamente ligado aos muros, na verdade representava a consagração da cidade". Com este objetivo em mente, lembremo-nos que a atribuição de Neemias era reconstruir a cidade de Jerusalém (2.5); por isso não encontramos qualquer dificuldade em aceitar a atual posição da história.

O Dr. Adam Clarke observa que, nesse caso, a razão para a dedicação era que "os antigos consagravam suas cidades aos deuses, e seus próprios muros, também eram considerados sagrados"[17]. Ele refere-se à descrição feita pelo poeta romano Ovídio das cerimônias desempenhadas na colocação dos alicerces dos muros de Roma. A grande diferença aqui é que a dedicação foi celebrada depois da conclusão dos muros, e após a cidade ser organizada e com a sua população já instalada. No caso de Roma, e de muitas outras cidades da antiguidade, cujos registros chegaram até nós, as cerimônias de dedicação eram muito semelhantes à do lançamento dos alicerces (ou da "pedra fundamental") para a construção de uma igreja moderna. Os muros eram estabelecidos e dedicados antes do início da construção do edifício.

A frase **as aldeias de Netofa** (28) pode ser traduzida como "as aldeias dos netofatitas". Netofa era um grupo de aldeias ou aglomeração de casas perto de Belém (Ne 7.26). Ela fora o lar de alguns dos guerreiros de Davi (2 Sm 23.28,29), e foi colonizada por aqueles que retornaram do cativeiro (Ed. 2.22). Sua exata localização não foi determinada. A purificação mencionada no versículo 30 é uma referência à cerimônia de purificação realizada pelos sacerdotes e levitas. Ela consistia de uma lavagem ou banho, ou de uma aspersão com o sangue do sacrifício (Lv 14.6,7; 15.8,10,11).

Na cerimônia descrita nos versículos 27-43, foram organizadas duas grandes procissões das quais participaram os **príncipes de Judá** (31) além de levitas e cantores de toda a província. As procissões caminhavam em volta da cidade ao longo do muro recém-construído. Um dos grupos foi liderado por Esdras e fez o circuito pela direita, enquanto o outro, acompanhado por Neemias, caminhou em volta da cidade **ao encontro deles**

(38), isto é, na direção oposta. Finalmente, os dois grupos se encontraram nas vizinhanças do Templo e lá foi realizado um grande culto em ação de graças e de louvor. A música era produzida por aqueles que tocavam **saltérios, alaúdes e harpas** (27) e pelos cantores, os "filhos de Asafe" (cf. 11.22). O povo também tomou parte nessa alegre ocasião. **E faziam-se ouvir os cantores... E sacrificaram, no mesmo dia, grandes sacrifícios e se alegraram, porque Deus os alegrara com grande alegria; e até as mulheres e os meninos se alegraram, de modo que a alegria de Jerusalém se ouviu até de longe** (42,43).

A dedicação espiritual do povo tinha acabado de acontecer no reavivamento levado a efeito por Esdras, e isso representava a primeira restauração de Jerusalém e do "remanescente" de Israel (Is 1.9), ao pleno favor de Deus desde os dias de Ezequias e Isaías. Havia, realmente, muitos motivos para se alegrarem. Certamente, se o povo pudesse ter tido, nesse momento, uma breve visão do Céu, teria visto anjos jubilosos em torno do trono de Deus. Pois, agora, havia sido feito um caminho para o Redentor, o Filho de Deus, por onde Ele seria trazido ao mundo para consumar o plano divino, a redenção.

Na mensagem sobre "A alegria de um Coração Verdadeiramente Dedicado", baseada nessa passagem (43), alguns pontos podem ser apresentados:

(1) Essa é uma alegria que resulta da plena obediência ao Espírito de Deus em termos de consagração pessoal e pureza de coração. O povo havia celebrado um compromisso total no notável dia do jejum, confissão e ratificação do pacto registrado no capítulo 9. Agora, é dito que se purificaram os sacerdotes e os levitas; e, em seguida, todo o povo (30).

(2) Essa alegria excede àquela que enche o coração de alguém recém-perdoado e restaurado pelo favor de Deus. Isso está refletido nas extravagantes expressões de alegria que encontramos nessa passagem (43), quando comparadas às declarações em 8.17 – "E houve mui grande alegria". Na ocasião anterior eles haviam recebido a Palavra com o coração cheio de boa vontade e caminhavam com obediência na luz que haviam recebido, embora ainda não tivessem experimentado uma busca de toda a sua alma, e o mais profundo comprometimento com a vontade de Deus descritos nos capítulos 9 e 10.

(3) Essa alegria enche a vida de esplendor, e seu efeito ultrapassa os limites do cenário local de uma pessoa e do seu círculo imediato de amigos e associados. **A alegria de Jerusalém se ouviu até de longe** (43). A abundância e a plenitude da alegria divina, que penetra a alma de quem se compromete totalmente com a vontade de Deus, tem um efeito marcante sobre a vida de homens próximos e distantes. Sua influência pode alcançar até o fim do mundo e, certamente, deixará uma forte impressão nos corações por toda a eternidade.

E. A Instituição de Outras Reformas, 12.44—13.31

Chegamos agora ao final do livro, onde é feito um breve resumo das reformas que Neemias instituiu durante os últimos anos de seu governo. Na verdade, a maioria delas se refere ao período seguinte ao retorno de uma visita à capital da Pérsia, em Susã, que aconteceu depois de ter completado doze anos como governador de Judá (5.14; 13.6). Sua conduta, nessa reforma, nos leva a caracterizá-lo como um homem de rigorosa lealdade. Ele estava pronto para adotar severas medidas, se necessário fosse, para preservar a integridade de Jerusalém e evitar que o povo de Judá desobedecesse à lei de Deus e ao pacto que havia celebrado (capítulo 10).

1. Provisões Feitas para os Líderes Religiosos (12.44-47)

Aparentemente, como conseqüência da alegre ocasião da dedicação, foi dada atenção às necessidades daqueles que ministravam no Templo e que haviam desempenhado uma parte importante em tal celebração que, agora, chegava ao fim. Foi feito um exame das providências para os dízimos e outras contribuições que seriam feitas pelos judeus em toda a província. Não há dúvida de que a negligência havia se desenvolvido nesses assuntos durante os setenta ou oitenta anos decorridos desde a época de Zorobabel, sob quem o Templo havia sido reconstruído e seus serviços restaurados. Alguns levitas foram nomeados responsáveis pela coleta dessas ofertas. Outros foram designados curadores dos recintos do Templo, e a eles cabia verificar se havia estoque suficiente de alimentos e o suprimento de outras necessidades para a manutenção do pessoal que nele trabalhava. **Sacerdotes, levitas, cantores** e até **porteiros** (44-45,47) deveriam receber suas devidas porções. **E faziam a guarda do seu Deus** (45), isto é, "executavam os serviços do seu Deus" (Berk.). Como servos de Deus eles tinham o direito de ser mantidos às custas do povo. Este costume era uma tradição conservada desde o tempo de Davi e Salomão, e estava baseado nas leis mosaicas relativas ao Tabernáculo. Eles **santificavam as porções para os levitas** (47) significa que "separavam o que era para os levitas" (Smith-Goodspeed).

Observamos nesse contexto que, naqueles dias, como atualmente, o senso de responsabilidade garantia reclamação sobre os recursos financeiros do adorador. O verdadeiro filho de Deus será generoso em relação às necessidades e interesses daqueles que estão envolvidos nas atividades da construção do Reino. Um dízimo de suas rendas será considerado como dívida para a causa de Deus e, muito mais que isso, deverá ser oferecido por razões de devoção e amor à medida que as necessidades se façam sentir. Como Paulo advertiu à igreja de Corinto, quando desejava incitá-la à prática dessa generosidade a fim de apoiar a causa de Cristo:

"O que semeia pouco, pouco também ceifará; e o que semeia em abundância em abundância também ceifará. Cada um contribua segundo propôs no seu coração, não com tristeza ou por necessidade; porque Deus ama ao que dá com alegria" (2 Co 9.6,7).

2. O Rebaixamento de Tobias (13.1-9)

As reformas descritas nesse último capítulo de Neemias foram executadas dentro de um espírito que sugere a maneira como o Senhor Jesus expulsou os vendedores do Templo[18], ou quando enfrentou os fariseus que abusavam da lei de Moisés, embora professassem que lhe obedeciam[19]. As palavras de Malaquias, que era um contemporâneo do governador, também revelam uma notável semelhança, em seu espírito, com os atos de Neemias durante esses últimos dias de seu governo. Observamos que este mensageiro, ao profetizar a vinda de João Batista e do Senhor Jesus, representa aqui a purificação que teria lugar entre aqueles que eram os líderes religiosos entre os judeus. Os que se comportavam como as pessoas mais justas daquela época, haviam na verdade desonrado a causa da justiça:

REFORMAS E INSTRUÇÃO RELIGIOSA

NEEMIAS 13.1-9

> *"Eis que eu envio o meu anjo, que preparará o caminho diante de mim; e, de repente, virá ao seu Templo o Senhor, a quem vós buscais, o anjo do concerto, a quem vós desejais; eis que vem, diz o Senhor dos Exércitos. Mas quem suportará o dia da sua vinda? E quem subsistirá, quando ele aparecer? Porque ele será como o fogo do ourives e como o sabão dos lavandeiros. E assentar-se-á, afinando e purificando a prata; e purificará os filhos de Levi e os afinará como ouro e como prata; então, ao Senhor trarão ofertas em justiça"*[20].

A cura do pecado deve ser radical. Ele não é algo a ser desculpado, especialmente quando se manifesta no coração ou na vida de um declarado crente em Deus. Ele deve ser eliminado, como se fosse pelo fogo, se o indivíduo desejar manter sua integridade perante Deus, ou recuperar o favor que perdeu. Acredito que isto pode explicar os atos severos adotados por Neemias quando, ao retornar da capital persa, encontrou o povo de Judá que transgredia flagrantemente o pacto que haviam recentemente celebrado com Deus.

Podemos ser tentados, nesse aspecto, a entender que o pacto recém-ratificado não havia surtido efeito, ou que é impossível a uma alma chegar a ponto de ser sincera nas promessas assumidas com Deus. Entretanto, uma leitura cuidadosa do capítulo revelará que os atos de Neemias estavam dirigidos somente a certos indivíduos culpados de desobediência, e não à população como um todo. Sempre existirão aqueles que não corresponderão ao padrão de santidade de Deus, seja porque nunca passaram realmente por uma experiência plena de graça, seja porque, através de sua negligência em relação às coisas espirituais, permitiram-se desviar do caminho que Deus determinou que seguissem. Certamente, se isso pode acontecer conosco na dispensação da graça, não é de admirar que o povo de Deus na época de Neemias (que não recebeu o dom do Espírito Santo) de certa forma transgredisse os votos que havia feito há tão pouco tempo. A grave censura dirigida aos indivíduos responsáveis por essas transgressões serviria como advertência para que os demais conservassem a sua integridade e correspondessem ao pacto que haviam celebrado.

Um analista desse capítulo viu cinco particularidades nas quais pode-se identificar o chamado à pureza da vida: (1) Relacionamento com o mundo: **Ouvindo eles esta lei, apartaram de Israel toda a mistura,** 3; (2) Relacionamento com falsos mestres: **Eliasibe, sacerdote... se tinha aparentado com Tobias... e fizera-lhe uma câmara... nos pátios da casa de Deus**. Mas Neemias lançou **todos os móveis da casa de Tobias fora da câmara,** 4-9; (3) Relacionamento com a casa de Deus: **Por que se desamparou a casa de Deus**? 11; cf. 10.39; (4) O relacionamento com o dia do descanso, 15-22; e (5) O relacionamento no casamento, 23-25; cf. 2 Co 6.14-18[21].

Na passagem imediatamente à nossa frente (1-9), temos uma narrativa sobre dois incidentes. Aparentemente, o primeiro está intimamente relacionado com o segundo, com a intenção de introduzi-lo. Num certo dia, provavelmente depois da partida de Neemias para a capital persa (4,6) o povo, em obediência à lei que tinha acabado de ouvir (Dt 23.3-5), expulsou os amonitas e os moabitas que viviam entre eles, pois Moisés ordenara que não habitassem ao seu lado. **Toda mistura** (3) significa, "eles separaram de Israel todos os descendentes de estrangeiros" (Berk.).

533

Mas, apesar dessa atitude, o sumo sacerdote Eliasibe permitiu que Tobias, o amonita, seu parente por razões de matrimônio, ocupasse certas câmaras do Templo que estavam reservadas exclusivamente aos sacerdotes e levitas, ou ao armazenamento dos tesouros e objetos usados nos serviços religiosos. Portanto, isso constituía flagrante transgressão de uma lei de conhecimento geral. Quando Neemias descobriu essa situação, após retornar de Susã, ele prontamente expulsou Tobias, juntamente como todos os móveis: **E, ordenando-o eu, purificaram as câmaras; e tornei a trazer ali os utensílios da casa de Deus, com as ofertas de manjares e o incenso** (9). Não nos foi declarado como o sumo sacerdote recebeu essa rigorosa censura e a anulação de sua autoridade, mas ao considerarmos que esse ato já havia sido imitado pelo povo quando expulsou os amonitas e os moabitas em obediência a uma ordem específica de Moisés, ele deve ter ficado penosamente ciente do pecado que cometera. Por outro lado, a coragem de Neemias ao rejeitar dessa maneira a autoridade do sumo sacerdote, e defender firmemente o que acreditava ser a vontade de Deus, não deixa de ser digna de louvor.

3. *A Correção dos Abusos nos Serviços do Templo* (13.10-14)

Outro abuso, cometido quando Neemias se ausentou de Jerusalém, está relacionado com os serviços do Templo e uma adequada manutenção dos levitas e outros funcionários. Não só havia acontecido uma utilização errada das câmaras do santuário – caso da ocupação de Tobias – como em muitas ocasiões as ofertas não haviam sido recebidas. Conseqüentemente, os levitas e até os cantores tinham sido obrigados a voltar ao campo e ganhar a vida na agricultura. Isso significa que, apesar das cuidadosas providências que haviam sido tomadas por Neemias há muito pouco tempo (12.44-47), os serviços do Templo haviam sido negligenciados. Os diversos deveres que eram de responsabilidade dos levitas não eram executados. Neemias discutiu esse assunto com os principais líderes da cidade. **Por que se desamparou a casa de Deus?** ele perguntou (11). Por causa de sua insistência esses abusos foram rapidamente remediados, o povo voltou a trazer seus dízimos e ofertas, homens de confiança foram colocados como responsáveis pelo tesouro do Templo, e foi feita uma adequada provisão para atender às necessidades daqueles que tomavam parte nos serviços.

4. *A Reforma da Observância do Sábado* (13.15-22)

Um outro grave abuso que Neemias encontrou em seu retorno da capital da Pérsia, foi uma negligência generalizada em relação à guarda do sábado. Muitos continuavam a desempenhar o seu trabalho habitual aos sábados, e outros compravam e vendiam como em qualquer outro dia. Mercadores de Tiro tinham permissão para oferecer os seus artigos até na cidade de Jerusalém. Neemias nos diz que discutiu **com os nobres de Judá e lhes disse: Que mal é este que fazeis, profanando o dia de sábado?** (17). Ele ordenou que na sexta-feira as portas da cidade fossem fechadas ao pôr-do-sol, e assim deveriam permanecer até o final do sábado. Quando os mercadores tentaram continuar com seus negócios fora das portas da cidade, ele fez uma acusação formal contra eles. **Por que passais a noite defronte do muro? Se outra vez o fizerdes, hei de lançar mão sobre vós** (21). Através desse protesto ficamos cientes que eles foram embora e não voltaram mais nos sábados. **Santificar o sábado** (22) significa "que o sábado deve ser sagrado" (Berk.).

5. As Providências em Relação aos Casamentos Mistos (13.23-31)

A última reforma que foi registrada no livro de Neemias diz respeito ao casamento com mulheres estrangeiras. A providência tomada por ele para esses casos está descrita com termos bastante dramáticos e nos parece, quando examinada sob uma perspectiva cristã, demasiadamente drástica[22]. Ela nos recorda, naturalmente, a atitude tomada em relação ao mesmo assunto, como está registrado em Esdras 10. Assim como o seu antecessor, Neemias agora "agia com grande sinceridade e sem dúvida sob a direta inspiração do Espírito de Deus". Existe, sem dúvida, uma diferença entre as atitudes que o Senhor aprova na dispensação do Antigo Testamento, e na do Novo Testamento. Isso se deve não a alguma diferença na atitude de Deus em relação ao pecado ou como se desejasse salvar uns e condenar outros, mas a uma diferença no entendimento e no contexto em que as pessoas vivem sob as duas dispensações. Na época de Neemias, era necessário que o pecado fosse claramente identificado e que o povo de Deus fosse mantido rigorosamente separado da influência das nações pagãs daquela época. Só assim o plano redentor de Deus poderia ser executado em seu devido tempo, e todos os povos do mundo teriam a oportunidade de receber os benefícios da salvação. Certamente, "a gravidade do pecado foi novamente ressaltada e a certeza do castigo divino pelo pecado foi enfatizada"[23].

Apesar da grande reforma feita por Esdras, a respeito de alianças matrimoniais com nações estrangeiras, e, apesar do pacto que havia sido recentemente ratificado no qual o povo havia prometido abster-se desse costume, Neemias descobriu ao voltar de Susã que muitos judeus da comunidade haviam novamente voltado à prática de se casar com **mulheres** (pagãs) **estranhas** (27). **Mulheres estranhas** (26) seriam "esposas estrangeiras" (Smith-Goodspeed). Como conseqüência, as crianças seriam criadas em lares judeus que não falavam a língua de seus pais. Nesta questão, até a família do sumo sacerdote Eliasibe havia desobedecido à lei de Moisés. Eliasibe estava ligado, por casamento, a Tobias, o amonita, como mencionamos anteriormente nesse capítulo (4). Mas, o que era pior, um de seus netos, que estava na sua linhagem de sucessão, havia se casado com a filha de Sambalate, o maior inimigo dos judeus desse período.

O livro de Neemias se encerra com um breve resumo das reformas que haviam sido realizadas, e com uma característica oração exclamativa proferida por Neemias. Nesta oração, ele dedica a Deus a sua pessoa, assim como o seu trabalho, como alguém que havia feito o melhor que lhe era possível no desempenho da responsabilidade que o Senhor havia colocado em seu coração.

Assim os alimpei de todos os estranhos (30), isto é, "os limpei de tudo que era estrangeiro". **Designei os cargos dos sacerdotes,** quer dizer "estabeleci os deveres dos sacerdotes" (Berk.). A expressão **as ofertas da lenha** (31) pode ser entendida como: "organizei o fornecimento da lenha a ser usada nos sacrifícios" (Berk.).

Ao examinarmos a vida e o trabalho de Neemias, como foram retratados nesse notável livro, ficamos impressionados com a inabalável lealdade desse homem em todas as situações que enfrentou. Nenhum sacrifício era demasiado grande e nenhuma tarefa era difícil demais para ele, quando tinha a certeza de qual era a vontade de Deus. Alguns podem estigmatizá-lo, ao considerá-lo um homem que possuía um zelo religioso excessivo, devido ao rigor de seus atos no incidente final narrado em seu livro. Entretanto, faremos melhor, se entendermos que esta era uma indicação de que ele estava disposto a adotar quaisquer medidas razoáveis para colocar em prática aquilo que tinha a certeza de ser a vontade de Deus. Não se deve fazer nenhuma concessão quando a vontade do Senhor ou o reino de Deus estiverem em jogo. Precisamos de mais pessoas com esse tipo de lealdade inflexível.

Um estudioso do Antigo Testamento tem o seguinte a dizer, em resumo, sobre Neemias:

"Sua admirável capacidade de vencer dificuldades e seu devotado caráter, assim como o cordial apoio que ele deu a Esdras, tudo isso faz de Neemias um dos mais atraentes personagens do Antigo Testamento e sua carreira representa um adequado clímax à história que foi registrada"[24].

Notas

SEÇÃO I

[1] Veja a obra de Alexander Whyte, *Bible Characters* (Grand Rapids, Michigan: Zondervan Publishing House, re-impresso em 1952), I, p. 441, onde o copeiro é caracterizado como "um tipo de primeiro ministro e mestre de cerimônias, alguém que desempenhava as duas atividades... o favorito real, acima de todos os demais no palácio; os seus privilégios, o seu poder e a sua riqueza eram proverbiais". Compare também a obra de A. T. Olmstead, *History of the Persian Empire* (Chicago: University of Chicago Press, 1948), p. 217, onde se menciona que o copeiro "no final da época aquemênidas exercia uma influência superior à do comandante-em-chefe".

[2] Veja Neemias 7.2 e compare com a obra de R. A. Bowman em *Interpreter's Bible*, III, p. 663.

[3] Não se pode assegurar que essa condição dos muros implicasse uma destruição mais recente que a de Nabucodonosor, em 586 a.C. Muitos comentaristas, inclusive Adam Clarke, sentiram que deve ter havido alguma tentativa, provavelmente depois da restauração do Templo, de reconstruir os muros. Tal desejo parece estar mencionado em Esdras 4.12. Veja a nota sobre Esdras 4.6-23 e a compare com a obra *The New Bible Commentary* (Grand Rapids, Michigan: Eerdmans Publishing Co., 1953), pp. 368 e 372.

[4] *An Exposition of the Whole Bible* (Westwood, N. J.: Fleming H. Revell Co., 1959), p. 191. Veja também James Smith, *Handfuls on Purpose* (Londres: Pickering e Inglis, s.d.), Sixth Series, pp. 117ss, onde são enumerados seis elementos fundamentais de uma oração intercessória: (1) Seriedade: ele **chorou... lamentou... orou**, 4; (2) Conhecimento de Deus: **Ah! Senhor, Deus dos céus, Deus grande e terrível, que guardas o concerto e a benignidade para com aqueles que te amam**, 5; (3) Importunar: **Estejam, pois, atentos os teus ouvidos, e os teus olhos, abertos, para ouvires a oração do teu servo, que eu hoje faço perante ti, de dia e de noite** 6; (4) Confissão: **também eu e a casa de meu pai pecamos. Nos corrompemos contra ti**, 6,7; (5) Fé: **Lembra-te... da palavra que ordenaste... dizendo... eu os trarei ao lugar que tenho escolhido**, 8,9; (6) Consagração: **Ah! Senhor... esteja atento... à oração dos teus servos que desejam temer o teu nome**, 11.

[5] *The Biblical Expositor* (Filadélfia: A. J. Holman Co., 1960), I, p. 387.

[6] Cf. J. S. Baxter, *Explore the Book* (Grand Rapids, Michigan: Zondervan Publishing House, 1960) II, p. 255.

[7] F. B. Meyer, *Our Daily Homily*, (Grand Rapids, Michigan: Zondervan Publishing House, ed. rev., 1951) II, p. 179.

[8] Veja A. T. Olmstead, *History of the Persian Empire* (University of Chicago Press, 1948), p. 129, e compare com Daniel 6.8,12,15 e Ester 1.19.

[9] Vol. II (Grand Rapids: Wm. B. Eerdmans Publishing Co., reimpresso em 1943), p. 636.

[10] Cf. Jamieson, Fausset e Brown, *ad loc.*, e *The Pulpit Commentary*, XV, "The Book of Nehemiah", p. 10.

[11] *Clarke's Commentary*, Vol. II, *ad loc.*

[12] P. E. Kretzman, *Commentary on the Bible* (St. Louis, Mo.: Concordia Publishing House, s.d.), I, p. 764.

[13] Vol. II, "Nehemiah", p. 39.

[14] J. S. Wright, *Biblical Expositor*, I, p. 387.

[15] J. S. Wright, *loc. cit.*

[16] Alan Redpath, *Victorious Christian Service* (Westwood, N.J.: Fleming H. Revell Co., 1958), pp. 43-53.

[17] *His Truth Endureth* (Filadélfia: National Publishing Co., 1937), p. 234.

[18] Alan Redpath, *op. cit.*, pp. 55-65.

[19] *Biblical Expositor*, I, p. 388.

[20] F. C. Cook, *Bible Commentary*, resumida e editada por J. M. Fuller (Grand Rapids, Mich.: Baker Book House, re-impressa em 1957), "The Book of Nehemiah", p. 464. Cf. nota 6 sobre Neemias 2.4.

[21] Para uma discussão típica sobre estes salmos, especialmente 59, 69 e 109, veja a obra de G. F. Oehler, *Theology of the Old Testament* (Grand Rapids, Mich.: Zondervan Publishing House, re-impresso, n.d.), pp. 558ss.

[22] Alan Redpath, *op. cit.*, p. 75-78.

[23] *Clarke's Commentary*, II, p. 769.

[24] *Ezra, Nehemiah and Esther* ("Expositor's Bible"; Nova York: A. C. Armstrong and Son, 1903), pp. 243-46.

[25] Cf L. W. Batten, *The Books of Ezra and Nehemiah* ("International Critical Commentary"; Nova York: Charles Scribner's Sons, 1913), p. 230; e *Matthew Henry's Commentary* (Nova York: Fleming H. Revell, n.d.), II, p. 1080.

[26] *Expositions of Holy Scripture* (Nova York: George H. Doran Co., s.d.), V, pp. 361-71.

[27] *Biblical Expositor*, I, p. 389.

SEÇÃO II

[1] Veja *The Interpreter's Bible*, III, p. 724.

[2] *Clarke's Commentary*, II, 777. Cf. Comentários sobre Neemias 2.8.

[3] J. S. Wright, *Biblical Expositor,* I. P. 390.

[4] *Explore de Book* (Londres: Marshall, Morgan, e Scott, Ltd., 1951), II, pp. 250ss.

[5] A palavra hebraica *migdal*, traduzida como *púlpito* na Versão Autorizada em inglês, tem o significado geral de "lugar elevado" ou "torre", mas aqui ela foi provavelmente utilizada para designar uma plataforma elevada sobre a qual havia lugar para mais de uma dúzia de homens, com está indicado no versículo 4.

[6] Alan Redpath, *op cit.*, pp. 140-47.

[7] Cf. B. H. Kelly, *The Book of Nehemiah* ("The Layman's Bible Commentary", Vol. VIII; Richmond, Va.; John Knox Press, 1962), pp. 34ss, e *The New Bible Commentary* (Grand Rapids, Mich.; Wm. B. Eerdmans Publishing Co., 1953), p. 377.

[8] W. H. Booth, *et al.*, "A Homiletical Commentary on the Book of Nehemiah" (*Preacher's Complete Homiletical Commentary on the Old Testament*, Vol. X; Nova York: Funk and Wagnalls Co. 1898), pp. 201-3.

[9] A versão RSV em inglês traz a seguinte expressão no versículo 6: "E Esdras disse...", que está baseada no texto da Septuaginta (LXX). No texto hebraico atual não se faz nenhuma referência a Esdras neste capítulo, talvez por uma omissão acidental. Podemos assumir que todos os eventos descritos nestes três capítulos (8-10) estavam sob a imediata responsabilidade de Esdras e Neemias (Cf. 8.9).

[10] Cf. Ezequiel 22.30.

[11] Para uma discussão sobre a antiga prática de selar cartas e documentos importantes, veja especialmente M. S. e J. L. Miller, *Encyclopedia of Bible Life* (Nova York: Harper & Bros., 1944), pp. 133-35.

[12] J. Stafford Wright, *op cit.*, p. 392.

[13] "Nehemiah", X, pp. 226-28.

[14] Sexta edição (Grand Rapids, Mich.; Kregel Publications, 1960), p. 268.

[15] *A Commentary on the Bible* (Nova York: Thomas Nelson and Sons, Ltd), p. 334.

[16] Vol. II (Grand Rapids, Mich.; W. B. Eerdmans Publishing Co, 1943), p. 669.

[17] *Clarke's Commentary, ad loc.*

[18] Mateus 21.12,13; Marcos 11.15-17; Lucas 19.45,46; João 2.13-17.

[19] Mateus 23.13-36.

[20] Malaquias 3.1-3.

[21] James Smith, *Handfuls on Purpose* (Londres: Pickering and Inglis, s.d.), Series VI, pp. 152-55.

[22] Cf. Abingdon *Commentary*, p. 476, onde o ato de Neemias é totalmente condenado por ser um flagrante exemplo de excessivo zelo religioso, e J. Stafford Wright, na obra *The Biblical Expositor*, I, p. 395, inclui uma declaração bastante apropriada no sentido de que a providência tomada "nessas circunstâncias e sob os regulamentos do Antigo Testamento, não pode ser automaticamente aplicada à era cristã".

[23] Cf. os comentários sobre Esdras 10.1-5.

[24] W. N. Nevius, *The Old Testament: Its Story and Religious Message* (Filadélfia: The Westminster Press, 1942), p. 191.

O Livro de
ESTER

C. E. Demaray

Introdução

A. Nome e Panorama Geral

O livro de Ester leva o nome de sua personagem principal, uma judia chamada Hadassa ("murta"), mas que foi renomeada Ester ("uma estrela"). Um nome provavelmente escolhido como um reconhecimento de sua beleza, após tornar-se rainha. A história pertence cronologicamente ao período entre o retorno de Zorobabel e Esdras, ou seja, entre o sexto e o sétimo capítulo de Esdras. Os estudiosos chegaram à conclusão de que o rei Assuero a que se refere, é identificado como Xerxes[1]. Assuero ou *Akhashverosh* equivale no hebraico ao persa *Khshayarsha*, e é denominado Xerxes em grego[2].

O escritor foi meticuloso ao datar seus acontecimentos. O banquete de casamento em que Ester tomou posse como rainha, ocorreu no sétimo ano do reinado de Assuero (479 a.C.), quatro anos depois da celebração que resultou no divórcio de Vasti. "Acreditava-se que entre estes acontecimentos, Assuero (Xerxes) tenha feito sua malsucedida expedição à Grécia. Assim, ele retornou da sua derrota vergonhosa em Salamina (480 a.C.) e encontrou consolo nos braços de Ester"[3]. Os acontecimentos indicados no livro variam do terceiro ao décimo segundo ano do reinado de Xerxes, ou de 483 a 474 a.C.

B. Autoria, Data e Autenticidade

Como é o caso de vários livros no cânon das Escrituras, não temos algum conhecimento definido da autoria do livro de Ester. Poderia parecer pela natureza das referências a Assuero, e pelo cuidado com que são explicadas as tradições persas, que o livro foi escrito em uma época consideravelmente posterior aos acontecimentos, e se dirige a leitores que não estavam familiarizados com os costumes daquele império. Por outro lado, o escritor mostra familiaridade com os assuntos persas, incluindo o palácio de Xerxes em Susã[4], e sua linguagem contém antigas palavras persas, que dificilmente teriam sido usadas além do terceiro ou quarto século a.C. Todos estes fatos reunidos indicam que o livro foi provavelmente escrito antes de 300 a.C., por alguém que viveu na época do império persa, provavelmente em Susã. Estudiosos liberais preferem datar o livro durante o período macabeu, em cerca de 130 a.C.[5]. Estudiosos conservadores, por outro lado, normalmente datam o período antes de 332 a.C., visto que "os registros reais dos reis medos e persas têm sua existência clara e acessível, o que não teria acontecido se o império tivesse sido derrubado"[6]. É feita uma referência aos registros reais persas em vários exemplos, especialmente em 2.23; 6.1; e 10.2.

A autenticidade do livro – como aparece no cânon hebraico – nunca foi questionada, mas na Septuaginta sete adições foram acrescentadas em várias partes da narrativa. Desde a época de Jerônimo elas foram colecionadas e reunidas no final do livro no cânon católico, e na Apócrifa foram intitulados da seguinte forma: *"The rest of the Book of Ester"*. Estas adições foram provavelmente escritas em grego em um período muito posterior ao texto hebraico, e com o propósito de dar ao livro um tom genuinamente mais religioso[7].

C. Historicidade e Personagem Literário

Muitos críticos negam a credibilidade do livro, ao considerá-lo uma obra de ficção histórica, baseados em duas considerações. Primeiro, que existem várias supostas improbabilidades na narrativa. Nenhum dos personagens no livro é mencionado no relato de Heródoto sobre o reinado de Xerxes. Também encontramos aqui que o nome de sua rainha era Amestris, que não se parece nem com Vasti nem com Ester. Raven observa neste contexto que "Vasti se divorciou no terceiro ano do reinado de Assuero (1.3), e Ester não se tornou rainha antes do sétimo ano (2.16)... O livro não nos informa a respeito da morte dela, embora ela tenha vivido até o décimo segundo ano do governo deste rei (3.7). Sabendo que ele reinou durante um período total de 12 anos, restam 8 anos durante os quais Amestris pode ter sido rainha sem interferir na história de Ester"[8].

Outras improbabilidades incluem a edição do decreto para exterminação dos judeus 11 meses antes, a ignorância do rei em relação à nacionalidade de Ester e ao seu próprio decreto (7.5,6), e ao sucesso da minoria judaica ao se defender contra os numerosos inimigos. Tais improbabilidades certamente não constituem uma prova de que as afirmações feitas sejam falsas. A verdade é sempre mais estranha do que a ficção, e o notável caráter da história enseja a oportunidade para que seja contada. Ela também constitui uma prova de que a providência de Deus atuava a favor dos judeus.

Uma segunda consideração, ao negar-se a credibilidade da história, é que, de acordo com os críticos, há certas características que certamente marcam mais como um romance do que como um livro histórico. A narração tem certos elementos dramáticos, eles dizem, que mostram o trabalho manual do artista. Aqueles apontados mais freqüentemente são os contrastes mais evidentes nos personagens Hamã e Mardoqueu, os dois decretos, um contra o outro, o enforcamento de Hamã no patíbulo que ele mesmo preparou para Mardoqueu, e o clímax da história na vitória impressionante dos judeus. Alguns aparentes exageros são atribuídos a este caráter romântico da narrativa, como a altura das forcas (22,5m) e o número de persas mortos pelos judeus (75 mil). O propósito de tal romance, dizem eles, era muito nacionalista, e visava enaltecer o povo judeu. O Dr. Raven confronta esta crítica, ao dizer: "O máximo que estes argumentos podem provar é que o autor se aproveita das características dramáticas destas incríveis experiências dos judeus para o propósito afirmado"[9], (glorificar a raça judia). Este não é um propósito imerecido, visto que o povo judeu é, afinal de contas, escolhido de Deus, e grande parte do Antigo Testamento é dedicado à narração de sua surpreendente história.

Há, por outro lado, um grande número de argumentos convincentes a favor da confiabilidade histórica da narrativa:

(1) A Festa de Purim, cuja origem é explicada neste livro, constitui uma prova da veracidade da história.

(2) O personagem Assuero (Xerxes), na forma em que é mostrado nesta narrativa, está muito próximo da maneira descrita por Heródoto.

(3) As referências aos costumes persas e à vida na corte são historicamente precisas.

(4) Há referências específicas às crônicas persas, as quais indicam que a narrativa tende a ser entendida como uma história literal.

O livro pode ser propriamente classificado como um romance, se isto significar dizer que sua história verídica é contada de forma romântica. Nisto ele é comparável à bela história de Rute.

D. Propósito e Valor Religioso

Uma característica evidente no livro de Ester, sobre a qual há vários comentários, é a ausência do nome de Deus. De fato, não há uma referência específica à oração no livro, exceto em 9.31 onde é feita uma menção ao jejum e ao clamor dos judeus. Pode parecer que esta omissão de qualquer referência específica à religião judaica seja deliberada. É muito provável que a razão seja a sujeição do livro à censura, e qualquer referência a Deus ou à fé dos judeus teria causado a sua destruição. O livro, por outro lado, está repleto de provas da providência divina que atua a favor dos judeus. Isto constitui uma grande parte de sua mensagem religiosa, e é certamente um dos principais propósitos pelos quais foi escrito.

Deve-se admitir livremente que o uso cristão do livro é limitado, visto que há muito nele para ser questionado sob o ponto de vista da vida e da prática cristã, e que só pode ser explicado em sua relação com o ambiente oriental antigo em que se originou. "Nenhuma tentativa deveria ser feita", disse o Dr. S. A. Cartledge, "para justificar o espírito vingativo que aparece constantemente; Jesus nos mostrou uma maneira de tratar os nossos inimigos, que é muito superior à que vemos aqui"[11]. Isto é, certamente, parte de uma questão de revelação progressiva da verdade como a vemos demonstrada no Antigo e no Novo Testamento.

E. Mensagem Espiritual

O ensino do livro de Ester pode ser sintetizado da seguinte forma:

(1) Os judeus, apesar de desobedientes ao Senhor, e desviarem-se dele no exílio, estão nos pensamentos de Deus e são objeto da sua misericórdia e preocupação. Assim, o Senhor também ama o pecador, e fez com que o Seu Filho amado morresse por ele.

(2) A providência de Deus está sempre sobre o seu povo, para salvá-lo das tramas malignas de seus inimigos.

(3) Deus às vezes se oculta ao cumprir os seus propósitos no mundo. Em Isaías 45.15 lemos: "Verdadeiramente, tu és o Deus que te ocultas, o Deus de Israel, o Salvador".

(4) O poder da oração é ensinado claramente. É evidente que o jejum solicitado em 4.16 é um motivo para esta prática na atualidade. A resposta à oração deve ser vista no sucesso da rainha em convencer o rei a ajudar os judeus no seu sofrimento.

(5) A responsabilidade que temos em cumprir a missão delegada por Deus é ensinada em 4.14: "E quem sabe se para tal tempo como este chegaste a este reino?" Também indica o risco que temos de correr ao cumprirmos nossa missão: "e, perecendo, pereço." (4.16).

Esboço

I. A Ascensão de Ester, 1.1—2.23

    A. A Rejeição de Vasti, 1.1-22
    B. A Escolha de Ester, 2.1-23

II. A Libertação dos Judeus, 3.1—10.3

    A. A Trama de Hamã, 3.1—4.3
    B. A Intervenção Bem-sucedida de Ester, 4.4—8.2
    C. A Libertação dos Judeus, 8.3—10.3

Seção I

A ASCENSÃO DE ESTER

Ester 1.1—2.23

A. A Rejeição de Vasti, 1.1-22

1. *O Banquete de Assuero* (1.1-9)
Foi no terceiro ano de **Assuero** (1; Xerxes), rei da Pérsia, 486-465 a.C., que nossa história teve início. Houve uma grande convocação dos governantes e nobres do vasto império para virem a **Susã**, capital persa (veja o mapa). Esta grande festa deveria durar seis meses, durante os quais seriam apresentados a riqueza e esplendor do rei e a excelência do seu domínio do mundo, como uma revisão periódica. **O poder da Pérsia e Média** (3), ou seja, "os oficiais do exército Medo e Persa" (Moffat). Havia indubitavelmente um banquete para os visitantes nobres no início deste período, assim como para os cidadãos de Susã (**desde o maior até ao menor**), juntamente com seus nobres visitantes no final – com duração de sete dias (5).

A descrição dos encontros nestes banquetes é similar à informação procedente de outras fontes históricas, com relação aos costumes persas nos dias de Xerxes. **Os leitos** (6), "a armação dos leitos era de ouro e prata sobre um pavimento de alabastro" (Berk.). Heródoto (IX. 82) fala dos leitos de ouro e prata que os gregos tomaram dos persas. Foram descobertos pelos arqueologistas pedaços de pilares de mármore e pavimentos de mosaico do palácio real deste período[1].

O beber era, por lei, feito sem que ninguém forçasse a outro (8); "O ato de beber estava prescrito, porém não era obrigatório". (Berk.). As mulheres, conforme o costume oriental, eram separadas dos homens em tais ocasiões, mas também tinham a sua festa. A rainha Vasti oferecia um banquete na casa real que pertencia ao rei Assuero (9).

2. *A Recusa de Vasti* (1.10-12)
No último dia do banquete, enquanto o rei estava embriagado, enviou seus camareiros reais para trazer a rainha a fim de exibir sua beleza aos seus convidados, certamente de maneira orgulhosa. **Porém, a rainha Vasti recusou vir conforme a palavra do rei** (12). Esta recusa direta da rainha ocasionou muitos comentários favoráveis por parte dos críticos. Eles sentem que podemos nos inclinar a glorificar a personalidade e coragem de Ester, porém, mediante o desprezo de Vasti, que pode ter mostrado, em alguns aspectos, maior coragem do que a judia. "Se Ester veio ao reino com um propósito específico (4.14)", observa Wick Broomal[2], "certamente podemos dizer que o nobre exemplo de modéstia feminina de Vasti não pode ser facilmente esquecido. Nosso mundo moderno precisa de mais mulheres como esta rainha, relutantes em expor seus corpos seminus para a contemplação da multidão". Talvez aumentemos nossa consideração por Vasti se pensarmos que não havia realmente uma lei ou costume, que tornasse inapropriado para as esposas estarem presentes em um banquete com seus maridos. Parece que ela se recusou a obedecer ao pedido do rei por motivos pessoais. Provavelmente, percebeu que por causa de sua escolha poderia perder a sua posição, ou até mesmo a própria vida.

3. *Vasti é Destituída* (1.13-22)
A recusa de Vasti em concordar com o pedido do rei deixou o embriagado monarca enfurecido. Ele entregou o destino da rainha nas mãos dos astrólogos da corte, que em tais ocasiões eram seus conselheiros mais confiáveis. Embora estes conhecessem o temperamento do rei, e soubessem que ele provavelmente se arrependeria de sua atitude quando se recuperasse de seu estupor alcoólico, estes homens inteligentes resolveram tirar vantagem da oportunidade para obter a publicação de um decreto que contribuiria com os interesses da disciplina doméstica. **Assaz desprezo e indignação** (18): "as mulheres da Pérsia e Média... estão falando com orgulho e petulância com todos os oficiais do rei" (Moffat). Vasti não poderia mais entrar **na presença do rei Assuero**, e **o reino dela** deveria ser dado a outra **melhor do que ela** (19); **as esposas** de todas as partes deveriam honrar seus maridos (20); e todo homem deveria manter as regras e a liderança de sua casa (22). G. Campbell Morgan nota que "a história revela o lugar que a mulher ocupava fora da aliança do povo escolhido. Ela era, simultaneamente, uma diversão e uma escrava do homem"[3].

B. A Escolha de Ester, 2.1-23

1. *O Plano Sugerido* (2.1-4)
Cerca de três ou quatro anos após a destituição de Vasti, conforme a data indicada em 2.16, estabeleceu-se um plano para a escolha da nova rainha. Acredita-se que durante o período intermediário o rei esteve ocupado com sua campanha grega malsucedida, que resultou na derrota naval em Salamina, em 480 a.C., e na Batalha de Platáeias em 479 a.C. Conforme o plano sugerido pelos conselheiros do rei, belas jovens seriam procuradas pelo império e colocadas sob os cuidados de um eunuco do rei, do palácio de Susã, chamado **Hegai** (3). Lá elas deveriam se submeter a uma intensa preparação com cuidados de beleza e cosméticos por um período de doze meses, antes de serem avaliadas pelo rei.

2. Ester é Levada ao Palácio (2.5-11)

Entre as várias jovens que foram levadas ao palácio, havia uma judia, de nome **Hadassa** ou **Ester** (7). Ela foi criada na casa de seu primo mais velho, Mardoqueu, um judeu da tribo de Benjamim, cujo bisavô, Quis, foi um daqueles que foram levados de Jerusalém para o exílio por Nabucodonosor em 597 a.C. Esta Ester é descrita com uma jovem **bela... e formosa** (7), que logo alcançou **graça aos olhos de todos quantos a viam** (15). Hegai, o chefe eunuco, a preferiu entre todas as outras jovens sob os seus cuidados; e a fez passar para os melhores aposentos da **casa das mulheres** (9), ou seja, o harém. Por sugestão de Mardoqueu, ela não revelou sua linhagem ou raça, visto que os judeus não obtinham favores entre os persas; e o fato de ser de origem judaica, se fosse descoberto, poderia impedir que ela fosse escolhida como rainha. "Todo dia Mardoqueu passava em frente ao átrio das mulheres para se informar como passava Ester, e o que lhe sucedia" (11, Berk.)

3. Ester é Escolhida para Ser Rainha (2.12-20)

Ao final de um ano inteiro de preparações, as candidatas a rainha, foram apresentadas uma por uma ao rei. Na preparação para esta apresentação final, foi-lhes permitido escolher o traje e a maquiagem que deveriam usar. Mas, quando chegou a vez de Ester, ela sabiamente contou com o julgamento do camareiro do rei, Hegai: **coisa nenhuma pediu, senão o que disse Hegai** (15) em todas as questões. Ester sabia que ele não só era experiente nestes assuntos, como também conhecia bem o gosto do rei. Isto nos aponta algo na personalidade de Ester, que em todas as suas atitudes, exercitava o mesmo cuidado e discrição e o mesmo respeito pelo julgamento dos outros.

A apresentação de Ester ao rei resultou em sua escolha imediata como rainha; **o rei amou a Ester mais do que a todas as mulheres** (17). Um grande banquete foi dado em sua homenagem. Para ganhar a afeição do povo para a nova rainha, o rei **deu repouso às províncias** (18), ou seja, uma redução especial nos tributos foi anunciada a todo o reino. Ele fez doações: "**fez presentes, segundo a generosidade real**"; (Berk.). Uma judia se tornou rainha do governo mais poderoso daquela época. Através dela, Deus concedeu ao seu povo uma grande libertação dos desígnios malignos de seus inimigos.

O caráter disciplinado de Ester pode ser entendido melhor à luz da sua educação. Mesmo nessa fase, ela **cumpria o mandado de Mordecai como quando a criava** (20).

4. Mardoqueu Descobre um Complô (2.21-23)

Neste ponto há um incidente que interrompe momentaneamente a seqüência da narrativa, que só tem significado enquanto cria a oportunidade da posterior exaltação de Mardoqueu a um lugar de influência na corte. Dois dos eunucos reais se enfureceram contra o monarca e tramaram o seu assassinato. Mardoqueu ouviu esta trama acidentalmente e comunicou a Ester, que mesmo sigilosamente, entendemos ter tido um contato diário com ele. Ela por sua vez **informou o rei** (22) do plano contra sua vida. Depois de um inquérito (23), ou seja, uma investigação, os culpados foram identificados e executados. O serviço de Mardoqueu ao revelar o plano foi devidamente registrado no livro das crônicas reais, e, conforme revelado mais tarde (6.3), nenhuma recompensa imediata lhe foi dada pela informação. É interessante notar que Xerxes foi mais tarde assassinado como resultado de uma trama similar[4], um fato que dá a este incidente um interesse especial.

Seção II

A LIBERTAÇÃO DOS JUDEUS

Ester 3.1—10.3

A. A TRAMA DE HAMÃ, 3.1—4.3

1. *Hamã, o Agagita, é Honrado* (3.1-2a)
Vários anos depois da ascensão de Ester ao reinado, um homem de nome **Hamã**, descrito como **agagita** (1)[1], talvez por causa da sua descendência de Agague, o rei amalequita (1 Sm 15.8,33), foi elevado à posição de primeiro ministro ou grão-vizir. Esta posição lhe trouxe a maior condição entre os príncipes da corte persa, e tornou-se o segundo abaixo do rei em poder. De acordo com a ordem do monarca, segundo o costume dos governos orientais antigos, as princesas e nobres, assim como o povo em geral, todos precisavam inclinar-se perante o grão-vizir quando ele passava pelo palácio e pelas ruas de Susã.

2. *Mardoqueu é Odiado por Hamã* (3.2b-6)
Apenas uma pessoa resistia contra o poderoso Hamã. O pai adotivo de Ester, o judeu, não se prostrava nem o reverenciava (2). Esta atitude pode ter sido tomada porque Mardoqueu o reconhecia como um descendente do inimigo de seu povo, os amalequitas, ou porque considerava este tipo de reverência uma forma de idolatria da qual ele, como um judeu leal, não poderia participar. **Para verem se as palavras de Mardoqueu se sustentariam** (4), isto é, "eles falaram com Hamã para ver se ele toleraria a conduta de Mardoqueu" (Moffatt). A recusa obstinada deste judeu em se inclinar ao vizir do rei causou tal fúria em Hamã que ele determinou, se fosse possível, não simplesmente liqüidar este insolente judeu, mas destruir toda a nação judaica dentro do império persa.

3. O Rei é Persuadido a Destruir os Judeus (3.7-15)

Para obter a cooperação de Xerxes em fazer um decreto contra os judeus, Hamã falou sobre um determinado povo (que ele não mencionou) **espalhado... entre... todas as províncias** (8). Eles tinham leis diferentes dos persas e por isso não obedeciam **as leis do rei**. Portanto seria de seu interesse que fossem destruídos. Hamã prometeu pagar ao tesouro real **dez mil talentos de prata** (9) (US$18.000.000 de dólares) se fosse dada a ordem da destruição. O primeiro ministro provavelmente previu que mais do que esta quantia poderia ser obtida pelo confisco das propriedades daquele povo[2]. Então lançou sortes, ou **pur** (7), para determinar o tempo propício para o massacre, e caiu no **duodécimo mês, que é o mês de adar**, cerca de onze meses depois da elaboração do plano.

O rei entregou confiantemente todo o plano nas mãos do grão-vizir. Ele tirou o anel pelo qual o decreto seria autorizado e selado, e entregou-o a Hamã. **Essa prata te é dada**, disse o rei, ao referir-se ao dinheiro que Hamã prometeu ao tesouro, **como também esse povo, para fazeres dele o que bem parecer aos teus olhos** (11). É provável que, ao confiar este decreto a Hamã, o rei não tivesse consciência de que se tratasse da nação judaica. E provavelmente nem o monarca nem Hamã soubessem àquela época que Ester fosse uma judia. **E as cartas se enviaram pela mão dos correios a todas as províncias do rei, que destruíssem, matassem, e lançassem a perder a todos os judeus, desde o moço até ao velho, crianças e mulheres, em um mesmo dia, a treze do duodécimo mês que é o mês de adar** (março), **e que saqueassem o seu despojo** (13). A frase, **para aquele dia** (14) pode ser lida "naquele dia" (Smith-Goodspeed). Era de se esperar que ao receber tal ordem a cidade de Susã estivesse **confusa** (15), ou "em perplexidade" (Berk.).

4. O Sofrimento dos Judeus (4.1-3)

Quando o decreto para a destruição dos judeus foi divulgado, houve grande luto e consternação entre os judeus por todo o reino da Pérsia. Mardoqueu, segundo um costume pré-estabelecido entre os antigos judeus para mostrar grande sofrimento, rasgou suas vestes e cobriu-se com pano de saco e cinza. Então saiu pela cidade e clamou com grande e amargo clamor. A existência dos judeus tinha os seus dias contados. Restava ver se o Deus a quem serviam lhes proveria o escape[8].

B. A Intervenção Bem-sucedida de Ester, 4.4—8.2

1. Ester é Persuadida por Mardoqueu a Intervir (4.4-17)

Neste ponto, a ação muda em favor dos judeus. A rainha Ester ouviu o lamento de Mardoqueu e enviou um mensageiro com roupas para que ele usasse no lugar de panos de saco, e que ocupasse o seu lugar usual dentro do portão do palácio. Mas ele recusou sua oferta, respondeu seu interrogatório e o motivo de seu lamento e explicou sobre o decreto feito contra os judeus, a fim de encorajá-la a intervir em favor deles junto ao rei. Ela respondeu que havia uma lei que impedia a entrada de alguém à presença do rei sem um chamado prévio, sob risco da perda da própria vida, e ela mesma em 30 dias não havia sido convidada a comparecer a sua presença. Mas

Mardoqueu a encorajou, pois a vida de todos os judeus corria perigo, inclusive a dela, por ser judia. **Não imagines, em teu ânimo** (13), ou "não pense que... só tu escaparás entre todos os judeus" (Berk.). **Socorro e livramento** (14) significam "alívio e libertação" (Smith-Goodspeed). **E quem sabe**, disse Mardoqueu, **se para tal tempo como este chegaste a este reino?** Em conseqüência da sua persuasão encorajadora, Ester se propôs a arriscar sua vida se necessário, e aproximar-se do rei em benefício dos judeus. **E, perecendo, pereço** ou **se perecer, pereci** (16), disse ela em resposta a Mardoqueu, e pediu que os seus amigos jejuassem com ela, três dias antes que corresse aquele risco.

Embora o nome de Deus não apareça especificamente em lugar algum, temos, ao que parece, uma referência muito clara no versículo 14 à providência de Deus, devido à origem da qual virá a libertação, mesmo que Ester decidisse não intervir. Também no pedido dela para que o seu povo jejuasse com ela, temos uma indicação muito clara da oração como meio de ajudá-la a lidar com o rei. Nos acontecimentos que se seguem rapidamente, percebemos que Deus ouviu as suas orações e que trabalhou no coração do monarca a seu favor.

Em um sermão sobre Ester 4.14-16, George W. Truett observa que: (1) Ester primeiro procurou o silêncio e recuou: "Devo manter-me em paz; devo ficar em silêncio; eu sou a rainha", ela parecia dizer. Mas (2) ela reconsiderou e reconheceu que a retribuição certamente seguiu a negligência da responsabilidade: "Ester, se você não colaborar", avisou Mardoqueu, "a libertação virá de outra parte, mas você e a casa de seu pai perecerão" (v. 15). Finalmente, (3) ela decidiu ficar do lado de Deus, qualquer que fosse o preço: **Perecendo, pereço** (4:16). "Fiquemos sempre do lado de Deus", o Dr. Truett encoraja em seu apelo final. "Há um poder divino que promete nos ajudar hoje, amanhã e sempre, se ficarmos fielmente ao lado de Deus!" O mundo passa, e a sua concupiscência; mas aquele que faz a vontade de Deus permanece para sempre[4].

Um sermão sobre "Oportunidade" baseado na mesma passagem é sugerido em *The Pulpit Commentary*[5]. Ele é resumido assim: (1) Oportunidades de fazer o bem vêm ao povo de Deus em todo lugar e situação, 8; (2) As oportunidades para fazer o bem devem ser agarradas enquanto estão conosco, 14; (3) Se nós as negligenciarmos, teremos aqueles que nos lembrarão da nossa culpa. Pais, amigos, ou ministros podem nos lembrar, como fez Mardoqueu, 14; (4) O pensamento de que uma oportunidade foi dada especialmente por Deus, para que através dela o sirvamos, tem um grande efeito positivo e nos ajuda a aproveitá-la ao máximo. **E quem sabe se para tal tempo como este chegaste a este reino?** (14)

Ainda em outro sermão intitulado "A Responsabilidade da Mulher com a Época", uma senhora destacou esta passagem sob o título "Um sermão de mulher para mulher". O esboço é o seguinte: (1) Reconheçamos que, assim como Ester teve sua oportunidade, temos nós também a nossa. (2) Aprendamos que o fato de uma tarefa ser difícil ou perigosa não é desculpa para o nosso fracasso; devemos aproveitá-la honestamente. (3) Podemos aprender a origem da verdadeira força e confiança. (4) Podemos aprender que ao enxergarmos a nossa responsabilidade, e pedirmos a direção e a bênção de Deus, devemos ir ao encontro do nosso dever sem temor. "Ester fortaleceu sua alma com confiança em Deus, e então usou seu próprio bom senso. O julgamento desta rainha era igual à sua coragem. Ela sabia como 'esperar a sua hora'"[6].

2. O Rei e Hamã são Convidados para um Banquete (5.1-8)

Depois de três dias de oração e jejum, Ester, leal à sua promessa, apareceu no pátio interior do palácio, defronte do aposento do rei, que estava assentado sobre seu trono real. Nenhum convite havia sido feito a ela, e sua vida estava nas mãos do monarca. Mas sua confiança estava em Deus e podemos estar certos de que Ele não falharia naquele momento crítico. **E sucedeu que, vendo o rei a rainha Ester... ela alcançou graça aos seus olhos; e o rei apontou para Ester com o cetro de ouro, que tinha na sua mão, e Ester chegou e tocou a ponta do cetro.** (2).

Podemos relacionar isso a uma causa natural e argumentar que "o rei achou a beleza de Ester irresistível, assim como Holofernes estava encantado pelo charme de Judite". Mas, no mínimo, é também verdade que vemos nisto, assim como em todas as experiências do povo de Deus relatadas na Bíblia Sagrada, as promessas do Senhor serem cumpridas e sua providência exercitada a favor deles.

O rei imediatamente abriu o caminho para que Ester fizesse o seu pedido, ao assegurar-lhe que lhe seria dado mesmo que fosse **até metade do reino** (3). Por que então ela demora, até duas vezes (4,8), para tirar vantagem da oportunidade que lhe foi oferecida tão graciosamente? Uma resposta é que "considerações literárias ditaram o adiamento"[8]. Uma devida consideração pelo suspense na narrativa fez com que o autor do romance introduzisse este atraso na ação. Esta opinião enxerga os fatos como uma ficção, e não como uma narrativa dos eventos que realmente aconteceram na vida do povo de Deus. É perfeitamente possível, por outro lado, acreditar que Ester usou a sua boa faculdade de julgamento, que lhe fora dada por Deus. De uma maneira especial, ela se colocava à disposição para fazer a vontade de Deus na libertação de seu povo das tramas cruéis de seus inimigos.

O pedido imediato de Ester foi apenas que o rei e o primeiro ministro comparecessem ao banquete que ela prepararia para os dois. Quando seu convite foi aceito prontamente, estabeleceu-se outra oportunidade para pedir o que desejava; ela simplesmente repetiu o convite. **No banquete do vinho** (6) podemos ler: "enquanto eles tomavam vinho" (Berk.). Ela pediu que viessem a outro jantar no dia seguinte e prometeu que ali faria o seu pedido.

Pode parecer que nem Hamã nem o rei suspeitavam que a rainha tivesse qualquer ligação com os judeus, ou que o seu pedido estivesse relacionado ao decreto para a exterminação deles. Que sabedoria da rainha ter escondido o assunto, a fim de mantê-lo em suspense! Não é de se admirar que alguns tenham a opinião de que a história foi manipulada por algum hábil romancista. Mas a verdade é sempre mais estranha do que a ficção, e muitas partes da narrativa bíblica seriam suscetíveis a esta crítica. Escolhemos aceitar a forma como ela nos foi contada, e acreditar que Deus atuava a favor de uma grande libertação para o seu povo.

3. O Plano de Hamã para Enforcar Mardoqueu (5.9-14)

O orgulho de Hamã inflou-se ao ser especialmente convidado com o rei para o banquete de Ester, e mais ainda quando o convite foi repetido (12). Mas esta exultação se transformou em amargura e fúria quando, no caminho para sua casa ele passou por Mardoqueu que, como sempre, não lhe fez a devida reverência. Quase no mesmo instante, ele começou a contar para sua esposa Zeres, sobre suas glórias e honras, e acusar seu inimigo judeu de tirar o prazer de todas as suas conquistas. Então sua esposa e seus amigos sugeriram: **Faça-se uma forca de cinqüenta côvados de altura, e amanhã dize ao rei que enforquem nela Mardoqueu e, então, entra alegre com o rei ao banquete. E esse conselho bem pareceu a Hamã, e mandou fazer a forca** (14). Hamã seguiu prontamente o conselho de seus amigos. Ele estava confiante de que o rei, que já havia concordado com a destruição dos judeus por todo o império, certamente permitiria que Mardoqueu fosse punido como o exemplo de um judeu impertinente. Mandou-se levantar a forca imediatamente, e Hamã planejou fazer seu pedido ao rei bem cedo, na manhã seguinte.

4. Hamã é Forçado a Honrar Mardoqueu (6.1-14)

A mão de Deus é vista claramente na virada dos acontecimentos registrados no capítulo 6. Qualquer que fossem as causas naturais da insônia do rei naquela noite, nós percebemos que o Senhor usava esta circunstância para fazer uma mudança na sorte dos judeus. Para passar as horas do rei insone, foram lidos para ele os relatos e as crônicas reais. Eventualmente foi trazida a parte que levava a informação fornecida por Mardoqueu, o judeu, que causou a prisão e a execução daqueles que procuravam matar o rei. Imediatamente ele perguntou **que honra e galardão** (3) foram dados a Mardoqueu por tão grande serviço. Foi informado de que nada lhe foi conferido. Talvez naquele exato momento ele tenha ouvido os passos lá fora, e perguntado: **Quem está no pátio?** (4) Quando ouviu que era Hamã, seu ministro-chefe, que estava ali (pois já era cedo), ele ordenou que entrasse.

Hamã obviamente chegou cedo a fim de pedir ao rei permissão para enforcar Mardoqueu na forca que ele havia preparado por sugestão de seus amigos e esposa. Mas antes que pudesse fazer o seu pedido, o rei falou: **Que se fará ao homem de cuja honra o rei se agrada? Ou: Que se fará ao homem a quem o rei deseja honrar?** (6) Embora um pouco surpreso, Hamã não se mostrou despreparado para esta súbita abordagem. Ele pensou que ele mesmo seria o objeto de honra e que o rei apenas dava-lhe uma oportunidade de escolher a maneira pela qual seria honrado. Então ele descreveu ao rei o tipo de honra que mais o agradaria: **a veste real... o cavalo em que o rei costuma andar montado, e... a coroa real** (8). E então disse: **Seja entregue a veste e o cavalo à mão de um dos príncipes do rei... e apregoe-se diante dele: Assim se fará ao homem de cuja honra o rei se agrada!** (9).

Mas agora vem o choque: **Apressa-te, toma a veste e o cavalo, como disseste, e faze assim para com o judeu Mardoqueu, que está assentado à porta do rei; e nenhuma coisa tu deixes cair de tudo quanto disseste** (10). E Hamã, embora humilhado, cumpriu a ordem do monarca em detalhes. Ele levou Mardoqueu, vestido com as vestes reais, montado no cavalo do rei pelas ruas da cidade, e apregoou diante dele as palavras que ele mesmo havia prescrito.

Vale a pena citar o comentário de F. B. Meyer[9] sobre esta passagem:

> "Aqui foi, na verdade, uma virada de mesa! Hamã prestando honras ao humilde judeu, que se recusou a honrá-lo. Certamente naquele dia o antigo refrão deve ter tocado no coração de Mardoqueu: 'Levanta o pobre do pó e, desde o esterco, exalta o necessitado, para o fazer assentar entre os príncipes, para o fazer herdar o trono de glória; porque do Senhor são os alicerces da terra' (1 Sm 2.8). E uma ante-

cipação de outras palavras: – 'Tendo pouca força, guardaste a minha palavra e não negaste o meu nome. Eis que eu farei aos da sinagoga de Satanás (aos que se dizem judeus e não são, mas mentem), eis que eu farei que venham, e adorem prostrados a teus pés, e saibam que eu te amo' (Ap 3.8,9).
"Como Deus trabalhou tão claramente a favor de seu filho! A cova de fato estava preparada, mas ela seria usada por Hamã; enquanto que as honras que ele pensava estarem preparadas para si mesmo, seriam usadas para Mardoqueu".

O Dr. Meyer conclui o seu sermão:

"Permaneça confiante, amado irmão, mesmo em meio ao escárnio, ao ódio, e às ameaças de morte. Contanto que a tua causa seja de Deus, ela há de vencer. Ele mesmo a justificará. Aqueles que o honrarem, serão honrados; enquanto aqueles que o desprezarem serão desprezados".

"Embora os moinhos de Deus trabalhem lentamente,
   eles trituram ao máximo;
   embora Ele espere com paciência,
   tudo tritura".

Depois de sua experiência de exaltação, Mardoqueu voltou humildemente para a sua posição comum na **porta do rei** (12). Ele não assumiu qualquer relação diferente para com o rei ou seus subalternos. Ele não fez como Hamã, o qual exigiu que cada pessoa que passasse se inclinasse diante ele. Ao contrário, seu inimigo foi para casa com sua cabeça coberta como sinal de grande pesar. Sua esposa e amigos foram pobres confortadores. Estes **sábios** (13) eram provavelmente os homens que haviam lançado a sorte (3.7) para decidir o dia da morte dos judeus. Quando entenderam o que havia acontecido, aconselharam Hamã, ao informarem que, se Mardoqueu representava os judeus, ele não poderia esperar vencer em uma competição contra ele. Com este conselho ainda patente em seus ouvidos, Hamã foi informado pelos mensageiros do rei que o banquete da rainha Ester estava pronto, e que ele deveria comparecer rapidamente.

5. *Ester Denuncia a Trama de Hamã* (7.1-6)
No segundo banquete, para o qual Ester convidou o rei e seu vizir Hamã, outra oportunidade lhe foi dada para realizar seu tão importante pedido. Ela o fez com palavras que trouxeram fúria e perturbação ao rei, e terror ao coração de Hamã. Na sua resposta ao monarca, ela se identificou pela primeira vez como pertencente à raça condenada dos judeus (sem realmente usar esta palavra) e pediu que sua vida e a de seu povo fosse poupada. **Estamos vendidos, eu e o meu povo, para nos destruírem, matarem e lançarem a perder** (4). Se ainda fôssemos simplesmente como servos e servas, como era feito com as nações dominadas antigamente, teriam poupado suas vidas. Eles esperavam cair nas mãos de chefes generosos, onde cujas vidas seriam pelo menos toleráveis. Nesse caso, Ester disse que não teria reclamado, mas teria aceitado sua sorte em silêncio, **ainda que o opressor não recompensaria a perda do rei** (4), a fim de dizer que ele perdeu muito mais do que poderia ter lucrado em tal transação. A contribuição

que os judeus davam como cidadãos e oficiais no seu império, valia muito mais que o preço que ele poderia ter recebido por vendê-los à escravidão. Dessa forma, eles foram vendidos para destruição – uma referência clara aos "dez mil talentos" que Hamã ofereceu ao rei, pela permissão de fazer um decreto para aniquilação dos judeus (3.9).

A súplica de Ester deixou claro para o rei que um crime havia sido cometido, que envolvia suborno e ameaça à vida de sua amada rainha. Mas o criminoso ainda não havia sido identificado. **Quem é esse? E onde está esse cujo coração o instigou a fazer assim?** (5) perguntou o rei, em uma onda de erupção em sua voz[10]. E agora chegava o momento que Ester havia planejado cuidadosamente. Hamã estava perante ela na presença do rei e aparentemente não tinha percebido, até então, a sua conexão com os judeus. Ester era a pessoa mais importante do mundo para Assuero; e, junto com o rei, a pessoa mais importante no reino persa. Pelo que ela declarava agora, Hamã e o rei perceberam que ela também era um membro da odiada raça dos judeus. Portanto ela estaria envolvida, com toda a sua família, na trama que havia sido decretada por Hamã, o vizir, com a autoridade do rei.

O homem, o opressor e o inimigo é este mau Hamã (6), disse Ester, enquanto apontava o dedo, para acusar o companheiro e primeiro ministro do rei. **Então, Hamã se perturbou** ("ficou aterrorizado") **perante o rei e a rainha.** Ele se deu conta de que seu ato contra os judeus fora dirigido, na verdade, embora sem querer, contra a rainha, e colocou-o em uma situação difícil perante o rei.

6. Hamã é Enforcado e Mardoqueu é Exaltado (7.7—8.2)

O rei subitamente tomou conhecimento de que Hamã traiçoeiramente o levou a tomar uma atitude que colocou a sua amada rainha em perigo imediato. Não é de se admirar que ele tenha se levantado **"do banquete do vinho para o jardim do palácio"** (7). Porém esta atitude significa mais do que aquilo que aparenta. Vários comentaristas nos informam que "quando um rei oriental se levanta da mesa em fúria... não havia misericórdia para aquele que causou aquele gesto"[11]. Hamã vê que sua maldição estava lançada e tira proveito do último recurso que lhe resta. **Hamã se pôs em pé, para rogar à rainha Ester pela sua vida** (7). Poucos minutos depois, quando o rei retorna dos jardins do palácio, onde estava a considerar as atitudes a serem tomadas contra Hamã, o monarca o encontra caído sobre o divã em que se achava a rainha Ester[12]. Ao entender este ataque como um ato imoral contra a rainha (ou pelo menos usando esta desculpa para descarregar a sua ira sobre ele), o rei gritou, **"Porventura, quereria ele também forçar a rainha perante mim nesta casa?"** (8). Então, rapidamente cobriram o rosto de Hamã em sinal de prisão oficial. O monarca foi informado por um dos seus camareiros sobre a forca de cinqüenta côvados de altura preparada para Mardoqueu, e mandou que seu ex-ministro fosse enforcado nela. **Enforcaram, pois, a Hamã na forca que ele tinha preparado para Mardoqueu** (10).

Alguns apontam a altura da forca como uma referência ao caráter fictício da história[13]. Baxter observou que a palavra hebraica *ets* foi transliterada como "forca", porém significa literalmente "árvore". Com isto em mente ele interpreta o versículo 9 como "a árvore que Hamã escolheu junto à sua casa, onde ironicamente foi pendurado para contemplação horrorizada da sua família!"[14]. Mesmo que esta interpretação não seja correta, deve ser lembrado que o povo oriental antigo tinha um certo prazer pelas áreas espaçosas e de grandes dimensões. Não é de se surpreender, portanto, que a forca na qual Mardoqueu seria executado, e que foi utilizada para Hamã, fosse, pelo menos, três vezes mais alta do que o normalmente esperado, "para que Hamã provavelmente sofresse maior ignomínia e se tornasse um espetáculo público"[15].

Com o inimigo dos judeus exposto e eliminado, Ester revela ao rei o seu parentesco com Mardoqueu, que foi honrado por ter salvado a vida do monarca. Como era costume no caso da execução de criminosos[16], os bens de Hamã foram confiscados e dados pelo rei a Ester, com quem, de acordo com a interpretação do monarca, ele havia sido injusto. Ester, por sua vez, o deu a Mardoqueu, para mostrar seu desejo de vê-lo elevado ao lugar ocupado por Hamã. O rei então tirou o seu anel, que ele havia tomado de seu ex-ministro, e o deu a Mardoqueu (8.2) como sinal de que era o seu escolhido como o grande vizir no lugar de Hamã. Certamente o Senhor "depôs dos tronos os poderosos e elevou os humildes" (Lc 1.52).

C. A Libertação dos Judeus , 8.3—10.3

1. Os Judeus Têm Permissão para se Defender (8.3-17)

A morte de Hamã, arquiinimigo dos judeus, não invalidou o decreto feito contra eles. **A escritura que se escreve em nome do rei e se sela com o anel do rei não é para revogar** (8; cf 1.19; Dn 6.8,12,15). A prova disso é que nem mesmo o próprio rei poderia revogar o decreto que fora feito e selado em seu nome pelo mau ministro. Mas havia uma forma pela qual **a maldade de Hamã** (3) (o efeito do decreto) poderia ser anulada. Em resposta ao desejo de Ester de salvar o seu povo, o rei deu a Mardoqueu o poder de primeiro ministro, para fazer um decreto em favor dos judeus. Esta proclamação permitiu que usassem qualquer meio necessário para se protegerem contra os seus inimigos, se fossem atacados. Escreveu-se um **edito aos sátrapas, e aos governadores, e aos maiorais das províncias** (9) – os oficiais em todas as 127 províncias do império persa. **Sivã** corresponde a junho em nosso calendário, oito meses antes do ataque marcado contra os judeus. Neste novo decreto os judeus ganharam um direito para o dia estabelecido para a destruição: "O **rei concedia aos judeus... que se reunissem, e se dispusessem para defenderem as suas vidas, e para destruírem, e matarem, e assolarem a todas as forças do povo e província que com eles apertassem**" (11). O versículo: "**mulas, camelos e dromedários jovens**" (10) pode ser traduzido melhor como "**que cavalgavam sobre ginetes, que eram das cavalariças do rei**".

A velocidade com que o novo decreto foi preparado e despachado aos pontos mais distantes do império e a alegria trazida aos judeus são descritas de forma bastante clara:

> Então, foram chamados os escrivães... e se escreveu conforme tudo quanto ordenou Mardoqueu aos judeus, como também aos sátrapas, e aos governadores, e aos maiorais das províncias que se estendem da Índia até à Etiópia, cento e vinte e sete províncias, a cada província segundo a sua escritura e a cada povo conforme a sua língua; como também aos judeus segundo a sua escritura e conforme a sua lingua... Os correios, sobre ginetes das cavalariças do rei, apressuradamente saíram, impeli-

dos pela palavra do rei... Então, Mardoqueu saiu da presença do rei com uma veste real azul celeste e branca, como também com uma grande coroa de ouro e com uma capa de linho fino e púrpura, e a cidade de Susã exultou e se alegrou. E para os judeus houve luz, e alegria, e gozo, e honra. Também em toda província e em toda cidade aonde chegava a palavra do rei e a sua ordem, havia entre os judeus alegria e gozo, banquetes e dias de folguedo... (9.14-17).

Muitos estudiosos sempre viram neste segundo decreto de Assuero (por anular o decreto anterior de morte), uma analogia da "segunda lei" de Cristo. Esta é a lei do Espírito da vida em Cristo Jesus, que liberta aqueles que pela fé receberam a "lei do pecado e da morte" (Rm 8.2). Também ao enviar rapidamente os mensageiros, para proclamar em toda parte o novo decreto e levar uma oferta de vida aos judeus amaldiçoados, é feita uma analogia com o desafio que chega a todos os verdadeiros cristãos, a fim de se apressarem a enviar a mensagem do Evangelho. A ordem é ir a todas as partes do mundo. Devemos enviar as boas novas de que apesar da maldição do pecado, "Deus amou o mundo de tal maneira que deu o seu Filho unigênito, para que todo aquele que nele crê não pereça, mas tenha a vida eterna"[17]. Por uma analogia similar – **muitos entre os povos da terra se fizeram judeus** (17) (ou prosélitos da fé judaica) por temor – estes podem representar para nós o grande número de cristãos professos, que hoje estão alinhados com a Igreja por razões egoístas. Talvez esperem que devido a uma mera conexão nominal com o cristianismo, possam ser libertos do temor da morte e da punição eterna.

2. *A Vingança dos Judeus sobre os seus Inimigos (9.1-16)*
No dia treze do duodécimo mês, que é o **mês de Adar** (1; março), o dia fatídico designado para a matança dos judeus (3.7,13), irrompeu-se a luta entre eles e as facções de seus inimigos. Supõe-se que muitos dos persas e outros povos cativos ficaram aterrorizados pelo decreto de Mardoqueu e não se lançaram contra os judeus. Mesmo os sátrapas e outros altos oficiais nas províncias lutaram do lado deles (3). Portanto, não é de se surpreender que os judeus facilmente prevaleceram sobre seus inimigos e mataram um total de 800 pessoas em Susã (inclusive **os dez filhos de Hamã**), e 75 mil nas províncias (6,10,15,16)[18]. Em uma vingança extensiva à família de Hamã, os cadáveres dos seus dez filhos mortos no dia anterior, foram pendurados em forcas no segundo dia. (13,14).
A crueldade de tal matança, se julgada pelos padrões cristãos, é indefensável, especialmente pelo pedido de Ester para que os judeus em Susã fizessem a matança de seus inimigos (12-15). Mas há três considerações que pelo menos ajudam a explicar a ação dos judeus e da rainha nesta trágica ocasião.
(1) Este foi claramente um caso de autodefesa. Os judeus foram postos em uma posição de ter que lutar pela própria vida e pela de seus familiares. Sob tais circunstâncias, a maioria dos cristãos concorda que o sangue deve ser derramado, se necessário, para salvar nossa nação e a vida dos nossos amados. Deve-se notar neste acontecimento que os judeus não puseram as mãos sobre o espólio de seus inimigos (10,15,16), apesar do decreto ter-lhes dado tal direito (8.11). Devido a esta moderação eles mostraram que buscavam apenas salvar suas vidas, e não roubar seus inimigos.
(2) Os judeus, no período do Antigo Testamento, não tinham o esclarecimento que possuímos hoje sobre as questões morais. Devemos julgá-los sob a visão de sua época. O

problema aqui não é muito diferente do que encontramos nos livros de Juízes e 1 Samuel, onde há muitos exemplos de aparente crueldade da parte dos judeus enquanto lutavam para se estabelecer na Terra Prometida (cf. 1 Sm 15.33)[19].

(3) Parece que, sob um ponto de vista religioso, a redenção do mundo estava em perigo. Se os judeus, a raça escolhida através da qual viria o Messias, fossem aniquilados como estava planejado, Cristo não teria nascido, não haveria salvação, e nós ainda estaríamos sob nossos pecados. Quer os atos de violência relatados nestes versículos tenham sido ou não justificáveis, Deus os usou para o bem da humanidade. Através deles, Ele fez surgir o bem em prol da salvação do mundo, visto que Ele sempre transforma o mal nas nossas vidas em bênçãos (Rm 5.20; Tg 1.2-4).

Há ainda uma quarta consideração que alguns comentaristas sugeriram: que os inimigos dos judeus receberam uma justa retribuição por seus atos de crueldade e violência dirigida contra o povo escolhido de Deus. O professor George Knight, ao comentar estes versículos, disse o seguinte:

> "A principal ênfase deste capítulo não é a vingança exigida pelos judeus, mas o ato anulado pela providência divina. O fruto da legislação *Lex Talionis* de Israel reside na crença: "Minha é a vingança; eu recompensarei, diz o Senhor" (cf. Dt 32.35,41,43; Rm 12.19; etc). Assim, os judeus esperavam constantemente a manifestação desta verdade. Tal doutrina pode ser encontrada por exemplo no Salmo 7.15 – "Cavou um poço, e o fez fundo, e caiu na cova que fez"[20].

3. *A Instituição da Festa do Purim* (9.17-32)

Em todos os lugares, nas províncias, a luta durou apenas 24 horas, o dia treze. Os judeus **se ajuntaram** (18), ou prepararam as tropas, em Susã nos dias 13 e 14. Para comemorar o repouso que eles desfrutaram depois de se livrarem de seus inimigos, bem como a vitória que alcançaram, Mardoqueu enviou outro decreto no qual estabelecia os dias 14 e 15 do mês de Adar como uma ocasião **anual de banquetes e de alegria, e de mandarem presentes uns aos outros e dádivas aos pobres** (22). **Por isso, àqueles dias chamam Purim, do nome Pur** (26; "sortes"; cf 3.7). **Confirmaram os judeus e tomaram sobre si, e sobre a sua semente... que não se deixaria de guardar esses dois dias... e que a memória deles nunca teria fim entre os de sua semente... como Mardoqueu, o judeu, e a rainha Ester lhes tinham estabelecido** (27,28,31)[21]. A frase, **Acerca do jejum e do seu clamor** (31) significa "tempos de jejum e lamento" (Berk.).

4. *O Contínuo Progresso de Mardoqueu* (10.1-3)

No capítulo 10, que no texto hebraico possui apenas 3 versículos[22], o crescente poder e influência de Mardoqueu são descritos lado a lado com o poder e a riqueza imperial de Xerxes. A contribuição que ele fez aos seus irmãos judeus é enfatizada no versículo 3. Ele não deixou que o seu progresso pessoal prejudicasse os seus sinceros esforços para promover a paz e o bem-estar de seu povo. Seu exemplo, juntamente com o de Ester, ganhou o amor e a estima de todas as gerações futuras. Como testemunha deste fato, temos a grande popularidade desfrutada pelo livro de Ester entre os judeus até a presente data.

Notas

INTRODUÇÃO

[1] Veja a obra de Jack Finegan, *Light from the Ancient Past* (Princeton: Princeton University Press, 1946), p. 200; e J. P. Free, *Archaelogy and Bible History* (Wheaton, Ill: Van Kampen Press, 1950), p. 244.

[2] Cf. A. H. Sayce, *An Introduction to the Books of Ezra, Nehemiah end Ester* (Nova York: Fleming H. Revell, s.d.), p. 104.

[3] W. Broomall, "Esther" na obra *The Biblical Expositor*, I (Filadélfia: A. J. Holman Co., 1960), p. 399.

[4] Cf. G. F. Owen, Archaeology and the Bible (Westwood, N.J.: Fleming H. Revell Co, 1961), p. 167; e *The International Standard Bible Encyclopedia* (Grand Rapids, Mich. Wm. B. Eerdmans Publishing Co, 1939), II, pp. 1008-9.

[5] E.g., T. W. Davies em ISBE, II, p. 1010.

[6] ISBE, II, p. 1006.

[7] Para uma discussão do texto de Ester na Septuaginta, veja *The Interpreter's Dictionary of the Bible,* ed. G. A. Buttrick *et al.* (Nova York: Abingdon Press, 1960), II, pp. 151ss.

[8] J. H. Raven, *Old Testament Introduction* (Nova York: Fleming H. Revell Co., 1910), pp. 312ss.

[9] *Ibid.*, p. 314.

[10] Cf. E. H. Carroll, *The Divided Kingdom and Restoration Period* ("An Interpretation of the English Bible", Vol.VI; Nashville, Tenn.: Broadman Press, 1948), pp. 245/46.

[11] S. A. Cartledge, *A Conservative Introduction to the Old Testament* (Athens, Ga.: University of Georgia Press, 1944), p. 217.

SEÇÃO I

[1] Cf. A. T. Olmstead, *History of the Persian Empire* (Chicago: University of Chicago Press, 1948), pp. 170-71; J. P. Free, *Archaeology and Bible History* (Wheaton Ill.: Van Kampen Press, 1950), pp. 244-45; e I. M. Price, *The Dramatic Stoty of Old Testament History* (2ª ed.; Nova York: Fleming H. Revell, 1935), p. 387.

[2] *The Biblical Expositor*, ed. Carl F.Henry (Filadélfia: A. J. Holman Co., 1960), I, p. 397; cf. Adam Clarke, *The Old Testament* (Nova York: Abingdon-Cokesbury Press, reimpresso, n.d.), II, p. 808.

[3] G.Campbell Morgan, *An Exposition of the Whole Bible* (Westwood, N.J.: Fleming H. Revell Co., 1959), p. 197.

[4] Olmstead, *op. cit.*, p. 289.

SEÇÃO II

[1] Cf. Adam Clarke, *The Old Testament* (Nova York: Abingdon-Cokesbury Press, reimpresso, n.d.), II, p. 812; e H. G. May e Bruce M. Metzger (eds.), *The Oxford Annotated Bible* (Nova York: Oxford University Press, 1962), p. 604.

[2] Para conhecer duas visões opostas em relação ao confisco das propriedades dos judeus como a fonte do dinheiro prometido, veja A. Macdonald na obra *The New Bible Commentary*, ed. F. Davidson, *et al.* (Grand Rapids, Mich.: Wm. B. Eerdmans Publishing Company, 1953), p. 383; e B. W. Anderson, na obra *Interpreter's Bible*, ed. G. A. Buttrick, *et al.* (Nova York: Abingdon Press, 1954), III, p. 851.

³ Cf. G. A. F. Knight, *Esther, Song of Songs, and Lamentations* (Londres: SCM Press, 1955), p. 36, onde ao abordar o texto em Ester 4.3, o comentarista sugere que o lamento e o jejum da parte dos judeus, foi o indicativo do verdadeiro espírito de arrependimento. Ele se refere a Deuteronômio 4.29-31 e Joel 2.12-14 para mostrar que Deus tinha definitivamente prometido que jamais abandonaria o seu povo, mas que se em qualquer momento eles se arrependessem e se voltassem a Ele, seriam perdoados e libertados dos seus sofrimentos.

⁴ S. E. Frost, Jr. (ed), *The World's Greatest Sermons* (Garden City, N.Y.: Halcyon House, 1943), pp. 260-63.

⁵ Editado por H. D. M. Spence e Jos. S. Exell (Nova York: Funk and Wagnalls Co., s.d.), XV, "Esther" pp. 92-93.

⁶ Marianne Farmingham, na obra *The Biblical Illustrator*, ed. Jos. S. Exell (Grand Rapids, Mich.: Baker Book House, reimpresso em 1960), XI, "Esther", p. 58.

⁷ Anderson, *op. cit.*, p. 856.

⁸ *Ibid.*

⁹ *Our Daily Homily* (Grand Rapids, Mich.: Zondervan Publishing House, 1951), II, p. 196.

¹⁰ A observação de Adam Clarke's sobre o texto original hebraico desta passagem traz a qualidade emocional das palavras do rei: "Há uma fantástica e abrupta confusão nas palavras originais, altamente expressivas do estado de espírito no qual o rei se encontrava... *mi hu zeh veey zeh hu asher melao libbo laasoth ken*. 'Quem? Ele? Este? E onde? Ele? Quem é, esse? E onde está esse cujo coração o instigou a fazer assim?' O rei levou um golpe pela natureza chocante de uma conspiração tão cruel e diabólica" (*op. cit.*, p. 822).

¹¹ Paul Cassell, na obra *An Explanatory Commentary on Esther*, traduzido por A Bernstein ("Clark's Foreign Theological Library"; Edinburgh: T. & T. Clark, 1888), p 217. Cf. A. D. Davidson, *Lectures, Expository and Practical, on the Book of Esther* (Edinburgh: T. & T. Clark, 1859), p. 251.

¹² Os persas se reclinavam em banquetes formais da mesma forma que os gregos e os romanos; porém entre as mulheres era mais costumeiro se sentar do que se reclinar. Cf. Mc Donald, *op. cit.*, p. 385; M. S. e J. L. Miller, *Encyclopedia of Bible Life* (Nova York: Harper and Bros., 1944), p. 310; IDB, III, pp. 315-17; e H. W. Johnston, *The Private Life of the Romans* (Chicago: Scott, Foresman and Co., 1932), pp. 226-27.

¹³ Cf. a introdução que trata de historicidade e caráter literário.

¹⁴ Baxter, *op. cit.*, p. 275. Cf. Clarke, *op. cit.*, p. 819.

¹⁵ Clarke, *loc. cit.*

¹⁶ Para uma referência a este costume na literatura antiga, veja Heródoto, *History*, III, pp. 120-29 (Herodotus, *The Persian Wars*, trad. por George Rawlinson, "The Modern Library"; Nova York: Random House, 1942; pp. 270-72).

¹⁷ Veja especialmente J. C. Whitcomb, Jr., "Esther", *The Wycliffe Bible Commentary* (Chicago: Moody Press, 1962), p. 455; e Malachi Taylor, *The Gospel in the Book of Esther* (Nova York, 1891), pp. 39-45.

¹⁸ B. W. Andserson (*op. cit.*, p. 869) observa que a Septuaginta "reduz as perdas de guerra a 15.000", mas o texto hebraico é sustentado por Josefo, pelas versões Vulgata e Siríaca, e pelos Targuns hebraicos. Visto que os números indicados pelas letras do alfabeto podem ter sido facilmente copiados de forma errônea, há uma incerteza por parte de alguns com relação ao texto original no tocante aos números – para mais ou para menos.

[19] Um comentarista mais recente (Ignatius Hunt, na obra *Understanding the Bible,* Nova York: Sheed and Ward, 1962, p. 145) ofereceu a seguinte explicação: "Raramente encontramos padrões cristãos morais no Antigo Testamento... Deus é um educador paciente, e Ele só nos levou aos ideais cristãos de forma gradual". Cf. também J. McKee Adams, *Our Bible* (Nashville, Tenn.: The Broadman Press, 1937), p. 8, sob o título *"The Plane of Revelation".*

[20] *Knight, op.cit.*, p. 45.

[21] Para uma discussão da Festa de Purim, veja IB, III, p. 825, e ISBE, IV, pp. 2506-7. Judeus ortodoxos comemoram este feriado com jejuns e cultos nas sinagogas, nos quais se lê o livro de Ester.

[22] Quanto às adições nas versões Septuaginta (grego) e Vulgata (latim) neste ponto, veja na introdução as informações sobre autoria, data e autenticidade; e IB, III, pp. 823ss e p. 874.

Bibliografia

ESDRAS, NEEMIAS, ESTER
I. COMENTÁRIOS

ADENEY, W. F. "The Books of Ezra, Nehemiah, and Esther." *Expositor's Bible*, Vol. II Editado por W. R. Nicoll. Grand Rapids: Wm. B. Eerdmans Publishing Co., 1943 (reimpressão).

ANDERSON B. W. "The Book of Esther" (Exegese). *Interpreter's Bible*, Vol. III. Editado por George A. Buttrick *et al.* Nova York: Abingdon Press, 1954.

BATTEN L. W. *The Books of Ezra and Nehemiah.* "International Critical Commentary." Edinburgh: T. and T. Clark, 1913.

BOOTH, W. H., *et al.* "A Homiletical Commentary on the Book of Nehemiah." *The Preacher's Complete Homiletical Commentary.* Nova York: Funk and Wagnalls, 1892.

BOWMAN, R. A. "The Book of Ezra and the Book of Nehemiah" (Exegese). *Interpreter's Bible*, Vol. III. Editado por George A. Buttrick *et al.* Nova York: Abingdon Press, 1954.

BROOMALL, W. "Esther." *The Biblical Expositor*, Vol. I. Editado por Carl F. Henry. Philadelphia: A. J. Holman Co., 1960.

CASSELL, Paul. *An Explanatory Commentary on Esther.* Traduzido por A. Bernstein. "Clark's Foreign Theological Library." Edinburgh: T. and T. Clark, 1888.

COOK, F. C. *The Bible Commentary*: I Samuel - Esther. Resumido e editado por J. M. Fuller. Grand Rapids: Baker Book House, 1957.

DAVIES G. H., *et al.* (eds.). *Twentieth Century Bible Commentary.* Nova York: Harper and Brothers, 1955.

DAVIES, T. W. *Ezra, Nehemiah and Esther.* "The New Century Bible." Nova York: Oxford University Press, n.d.

DUMMELOW, J. R. (ed.). *A Commentary on the Holy Bible.* Londres: Macmillan and Company, 1909.

HENRY, Matthew. *Commentary on the Whole Bible*, Vol. II. Nova York: Fleming H. Revell Co., 1915.

JAMIESON, R., *et al. Commentary on the Whole Bible.* Grand Rapids: Zondervan Publishing House, 1957 (reimpressão).

KEIL, C. F. *The Books of Ezra, Nehemiah and Esther.* Traduzido do Alemão por Sophia Taylor. "A Biblical Commentary on the Old Testament," Vol. VIII. Editado por C. F. Keil e F. Delitzsch. Grand Rapids: William B. Eerdmans Publishing Co., 1952 (reimpressão).

KELLY, B. H. *The Book of Nehemiah*. "The Layman's Bible Commentary," Vol. VIII. Richmond, Va.: John Knox Press, 1962.

KNIGHT G. A. *Esther; Song of Songs; Lamentations*. "Torch Bible Commentaries." Londres: SCM Press, Ltd., 1955.

KRETZMANN, P. E. *Commentary on the Bible*, Vol. 1. St. Louis: Concordia Publishing Co., n.d.

MACLAREN, A. Expositions of Holy Scripture, Vol. V. Nova York: George H. Doran Co., n.d.

McDonald, A. "Esther." *New Bible Commentary*. Editado por F. Davidson *et al.* Segunda Edição. Grand Rapids: Wm. B. Eerdmans Publishing Co., 1954.

MORGAN, G. CAMPBELL. *An Exposition of the Whole Bible*. Westwood, N.J.: Fleming H. Revell Co., 1959.

OESTERLEY, W. O. E. "Ezra-Nehemiah." *A Commentary on the Bible*. Editado por A. S. Peake. Nova York: Thomas Nelson & Sons, Ltd., n.d.

Oxord Annotated Bible. Editado por Herbert G. May e Bruce M. Metzger. Nova York: Oxford University Press, 1962.

PEAKE, A. S. (ed.). *A Commentary on the Bible*. Nova York: Thomas Nelson and Sons, Ltd., s.d.

PFEIFFER, R. H. "Esther." *Abingdon Bible Commentary*. Nova York: Abingdon-Cokesbury Press, 1929.

RAWLINSON, George. "Ezra," "Nehemiah," and "Esther." *The Pulpit Commentary*. Editado por H. D. M. Spence e J. S. Exell. Nova York: Funk & Wagnalls, s.d.

ROGERS, R. W. "Ezra and Nehemiah." *Abingdon Bible Commentary*. Nova York: Abingdon-Cokesbury Press, 1929.

RYLE, H. E. (ed.). *The Books of Ezra and Nehemiah*. "Cambridge Bible," Vol. XIII. Cambridge, Inglaterra: Cambridge University Press, 1923.

WHITCOMB, J. C., Jr. "Ezra," "Nehemiah," and "Esther." *Wycliffe Bible Commentary*. Editado por C. F. Pfeiffer e E. F. Harrison. Chicago: Moody Press, 1962.

WILLIAMS, G. *The Student's Commentary on the Holy Scriptures*. Sexta Edição. Grand Rapids: The Kregel Publications, 1960.

WRIGHT, J. S. "Ezra" and "Nehemiah." *Biblical Expositor*, Vol. I. Editado por C. F. Henry. Philadelphia: A. J. Holman Co., 1960.

___. "Ezra and Nehemiah." *The New Bible Commentary*. Editado por Davidson *et al.* Segunda Edição. Grand Rapids: Wm. B. Eerdmans Publishing Co., 1954.

II. OUTROS LIVROS

ADAMS, J. McKee. *Our Bible*. Nashville, Tenn.: Broadman Press, 1937.

BAXTER, J. S. *Explore the Book*, Vol. II. Grand Rapids: Zondervan Publishing House, 1960.

BLACKWOOD, A. W. *Preaching from the Bible*. Nova York: Abingdon-Cokesbury Press, 1941.

CARTLEDGE, S. A. *A Conservative Introduction to the Old Testament*. Athens, Ga.: University of Georgia Press, 1944.

DAVIDSON, A. D. *Lectures, Expository and Practical, on the Book of Esther*. Edinburgh: T. and T. Clark, 1859.

DOUGLAS, J. D. (ed.). *The New Bible Dictionary*. Grand Rapids: Wm. B. Eerdmans Publishing Co., 1962.

EXELL, J. S. *The Biblical Illustrator*, Vol. XI. Grand Rapids: Baker Book House, 1960 (reimpressão).

FINEGAN, Jack. *Light from the Ancient Past*. Princeton: Princeton University Press, 1946.

FREE, J. P, *Archaeology and Bible History*. Wheaton, Ill.: Van Kampen Press, 1950.

HERODOTUS. The Persian Wars. Traduzido por George Rawlinson. "The Modern Library." Nova York: Random House, 1942.

International Standard Bible Encyclopedia. Editado por James Orr. 5 vols. Grand Rapids: Wm. B. Eerdmans Publishing Co., 1939.

Interpreter's Dictionary of the Bible. Editado por G. A. Buttrick *et al*. 4 vols. Nova York: Abingdon Press, 1960.

JOSEPHUS, Flavius. *Antiquities of the Jews*. Traduzido por H. ST. J. Thackeray. *Loeb Classical Library: Josephus*, Vols. V e VI. Cambridge, Mass.: Harvard University Press, 1958.

MCFADYEN, J. E. *Introduction to the Old Testament*. Londres: Hodder and Stoughton, 1905.

MEYER, E. *Die Entstehung des Judenthums*. Halle, Germany, 1896.

MEYER, F. B. *Our Daily Homily*, Vol. II. Edição Revisada. Grand Rapids: Zondervan Publishing House, 1951.

MILLER, M. S. e J. L. *Encyclopedia of Bible Life*. Nova York: Harper and Bros., 1944.

MUIR, J. C. *His Truth Endureth*. Philadelphia: National Publishing Co., 1937.

NEVIUS, W. N. *The Old Testament: Its Story and Religious Message*. Philadelphia: The Westminster Press, 1942.

OEHLER, G. F. *Theology of the Old Testament*. Grand Rapids: Zondervan Publishing House, s.d. (reimpressão).

OESTERLEY, W. O. E., e Robinson, T. H. *An Introduction to the Books of the Old Testament*. Nova York: The Macmillan Co., 1934.

OLMSTEAD, A. T. *History of the Persian Empire*. Chicago: University of Chicago Press, 1948.

OWEN, G. F. *Archaeology and the Bible*. Westwood, N.J.: Fleming H. Revell Co., 1961.

PFEIFFER, R. H. *Introduction to the Old Testament*. New York: Harper and Brothers, 1941.

PRICE, I. M. *The Dramatic Story of Old Testament History*. Segunda Edição. Nova York: Fleming H. Revell, 1935.

PRITCHARD, J. B. *The Ancient Near Eastern Texts Relating to the Old Testament*. Princeton: Princeton University Press, 1950.

RAWLINSON, A. C. *Cuneiform Inscriptions of Western Asia*, Vol. V. Londres, 1861-84.

REDPATH, Alan. Victorious Christian Service. Westwood, N.J.: Fleming H. Revell Co., 1958.

SAYCE, A. H. *An Introduction to the Books of Ezra, Nehemiah, and Esther*. Nova York: Fleming H. Revell, s.d.

SCHULTZ, S. *The Old Testament Speaks*. Nova York: Harper Bros., 1960.

UNGER, Merrill F. *Archaeology and the Old Testament*. Grand Rapids: Zondervan Publishing House, 1954.

WRIGHT, J. S. *The Date of Ezra's Coming to Jerusalem*. Londres: The Tyndale Press, 1947.

Mapa A

Mapa B

A PALESTINA na Época do Reino Dividido

Mapa C

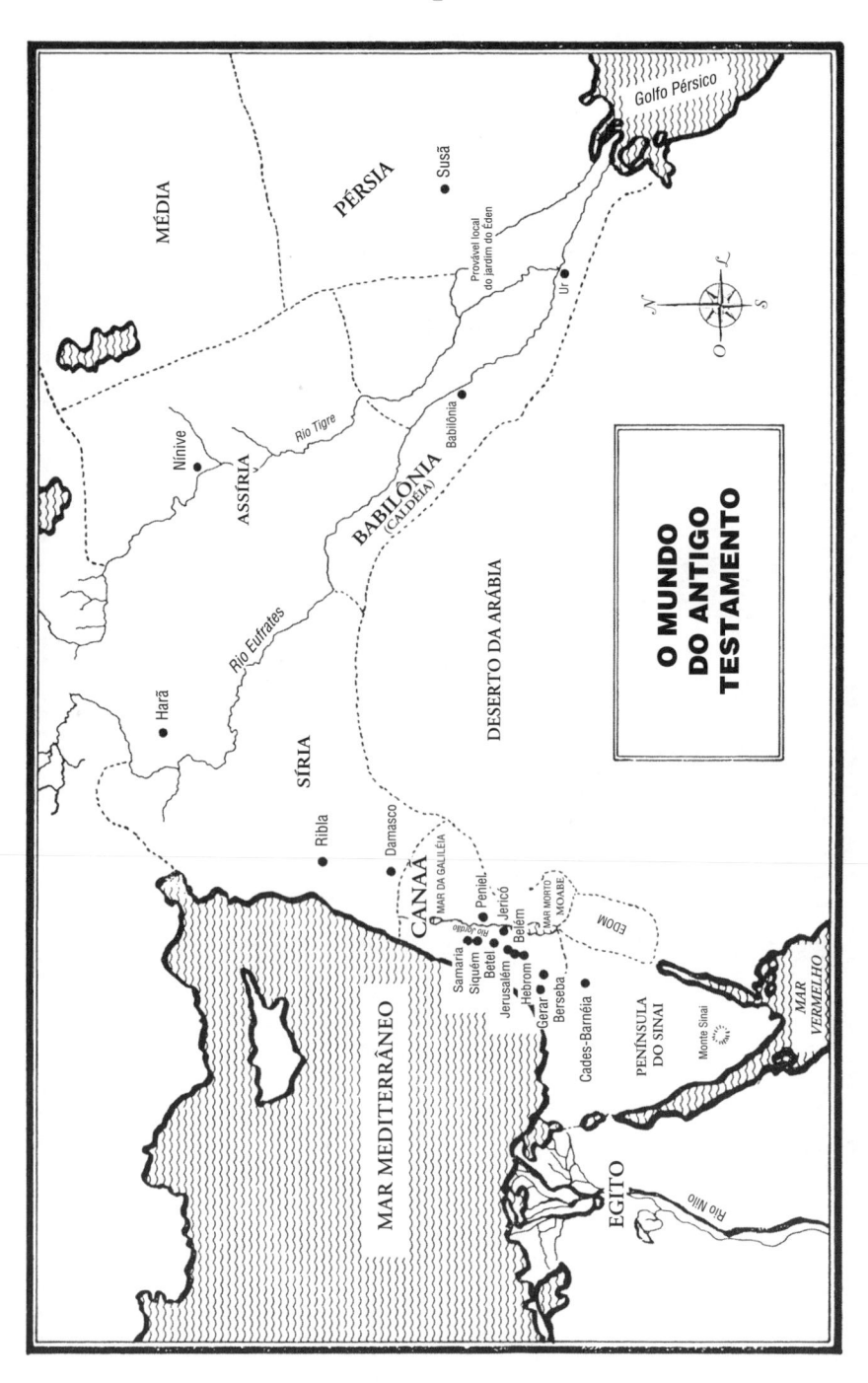

Quadro A
QUADRO DA HISTÓRIA DE JUDÁ DE 722 A 587/6 a.C.

JUDÁ Profetas	JUDÁ Reis	ASSÍRIA	BABILÔNIA	EGITO
Isaías Miquéias	(ACAZ) (736-720) EZEQUIAS 720-687	SARGÃO II (722-705) SENAQUERIBE	MERODAQUE- BALADÃ Rei da Babilônia: 721-710 e 704	25ª Dinastia PIANKHI 740?-709 SHABAKO 798-697
·(700)·				
	MANASSÉS 687-642	705-681 ESAR-HADOM (681-669)		SHEBITKO 697-684 TAHARQO 684-664
·(675)·				
		ASSURBANIPAL 669-633?		TANUTAMUN 664-654/3 26ª Dinastia
·(650)·				
Naum Sofonias	AMOM 642-640 JOSIAS 640-608	ASSUR-ETILILANI 633-629? SIN-SHARISHKUN	Caldeus NABOPOLASSAR 625-606	PSAMTIK I ?-600
·(625)·				
Jeremias Daniel	JEOACAZ JEOAQUIM 608-597	629?-612 ASSUR-UBALLIT II 612-609 Término após 605 a.C.	NABUCODONOSOR 605-561	NECO 609-595
·(600)·				
Ezequiel (575)	JOAQUIM 597 ZEDEQUIAS 597-586		AMEL-MARDUK (Evil-Merodaque) 561-559	PSAMTIK II 594-589 APRIES (Hofra) 588-570 AMASIS (570-536)

As fontes e os quadros consultados foram: John Bright, *A History of Israel*, quadros cronológicos entre as páginas 459 e 471; Edward F. Campbell Jr., "Seção B, O Antigo Oriente Próximo: Bibliografia Cronológica e Quadros", da obra *The Bible and the Ancient Near East* (editado por G. Ernest Wright), pp. 214-218; Jack Finegan, *Light From the Ancient Past*, pp. 126-34; Joseph P. Free, *Archaeology and Bible History*, p 179; e Alexander Scharff e Anton Moortgat, *Agypten und Vorderasien im Altertum* (München: Verlag F. Buckmann, 1950), pp. 180-92.

Quadro B
QUADRO DO PERÍODO DA MONARQUIA
DE 1010 A 586 a.C.

DAVI (1010-971)
SALOMÃO (971-931)
DIVISÃO (931)

ISRAEL (Reino do Norte)   **JUDÁ** (Reino do Sul)

Regentes	Co-regências	Regentes	Co-regências
JEROBOÃO 931-910		ROBOÃO 931-913	
NADABE 910-909		ABIAS 913-911	
BAASA 909-886		ASA 911-870	
ELA 886-885			
ZINRI 885			
TIBNI 885-880	885-880		
ONRI 885-874	885-880		
ACABE 874-853		JOSAFÁ 870-848	873-870
ACAZIAS 853-852			
JEORÃO 852-841		JORÃO 848-841	853-848
JEÚ 841-814		ACAZIAS 841	
JEOACAZ 814-798		ATÁLIA 841-835	
		JOÁS 835-796	
JEOÁS 798-782		AMAZIAS 796-767	
JEROBOÃO II ... 782-753	793-782	AZARIAS (Uzias) 767-740	791-767
ZACARIAS 753-752			
SALUM 752			
MANAÉM 752-742			
PECAÍAS 742-740			
PECA 740-732		JOTÃO 740-732	750-740
OSÉIAS 732-733, 722		ACAZ 732-716	
		EZEQUIAS 716-687	729-716
		MANASSÉS 687-642	696-687
		AMOM 642-640	
		JOSIAS 640-608	
		JOACAZ 608	
		JEOAQUIM 608-597	
		JOAQUIM 597	
		ZEDEQUIAS 597-586	

Quadro C

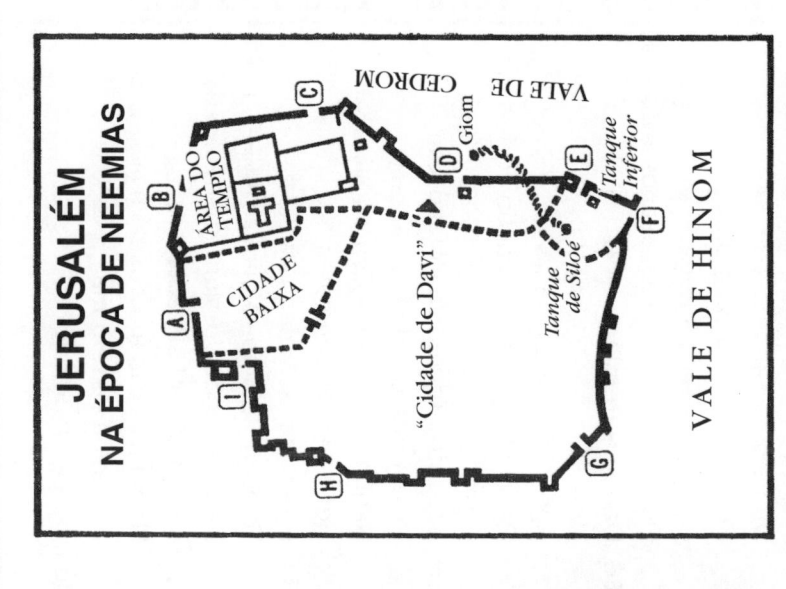

JERUSALÉM NA ÉPOCA DE NEEMIAS

Portas: *A* – Porta do Peixe; *B* – Porta das Ovelhas; *C* – Porta dos Cavalos; *D* – Porta das Águas; *E* – Porta da Fonte; *F* – Porta do Monturo; *G* – Porta do Vale; *H* – Porta da Esquina (?); *I* – Porta Mishneh (Cidade Baixa ou Segunda Parte).

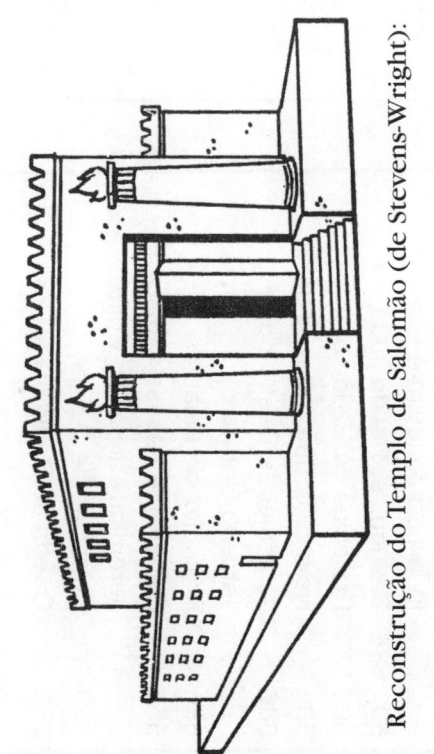

Reconstrução do Templo de Salomão (de Stevens-Wright)

Planta Baixa do Templo (*adaptada de Watzinger*)

Quadro D
O EXÍLIO E O RETORNO

Período do Exílio: O Cativeiro (606-536 a.C.)

605-561	Nabucodonosor na Babilônia
608-597	Jeoaquim, Rei de Judá (2 Reis 23.34—24.6)
	Vassalo do Egito
	Vassalo da Babilônia
606	Primeiro Cativeiro - Daniel (2 Reis 24.1; Daniel 1.1–2.6)
600	Rebelião contra a Babilônia
597	Joaquim, Rei de Judá (2 Reis 24.8-17)
	Jerusalém Sitiada
	Segundo Cativeiro 10.000
	Incluindo Joaquim e Ezequiel
597-586	Zedequias, Rei de Judá (2 Reis 24.18–25.21)
592-570	Profecias de Ezequiel
588	Revolta contra a Babilônia
586	Jerusalém é Destruída
	Terceiro Cativeiro
585	Profecias de Obadias
555	Gedalias é Assassinado (Jeremias 40—44)
	Jeremias vai para o Egito (Jeremias 42—44)
550-535	Profecias de Daniel
538	Queda da Babilônia (Daniel 5)

Período Pós-Exílio: O Retorno (536-400 a.C.)

539-530	Ciro da Pérsia (Is 44.26; 45.1; 2 Cr 36.22; Esdras 1.1)
537	Decreto do Retorno (Esdras 1.1-4)
536	Primeiro Retorno - Zorobabel (Esdras 1.4–2.67)
	O início da reconstrução (Esdras 2.68–3.13)
	Os impecilhos dos samaritanos (Esdras 4.1-24)
522-486	Dario da Pérsia (Esdras 4.24; 6.1; Ageu 1.1; Zacarias 1.1)
520	Ageu e Zacarias (Esdras 5; Ageu; Zacarias)
516	Reconstrução e Dedicação do Templo (Esdras 6)
485-465	Assuero (Xerxes da Pérsia) (Ester 1.1)
	Ester e Mardoqueu (Livro de Ester)
458	Segundo Retorno - Esdras (Esdras 7-8)
	Reformas de Jerusalém (Esdras 9-10)
450-430	Profecias de Malaquias
444	Terceiro Retorno - Neemias (Neemias 1.1–2.8)
	Reconstrução do Muro (Neemias 2.9–6.19)
	Instrução na Lei (Neemias 8-10)
432	Neemias Volta a Jerusalém (Neemias 13)
	A medida de reforma
	Período Intertestamentário

Autores deste volume

CHESTER O. MULDER
Professor de Religião, Northwest Nazarene College, Nampa, Idaho. A.B., M.A., Pasadena College; B.D., Th.M., Berkeley Baptist Divinity School; doutorado pela Berkeley Baptist Divinity School e pela Pacific School of Religion.

R. CLYDE RIDALL
Professor-assistente de Teologia e Literatura Bíblica pela Olivet Nazarene College, Kankakee, Illinois. Th.B., God's Bible School; B.S. em Educação, University of Cincinnati; B.D., Asbury Theological Seminary; S.T.M., The Biblical Seminary em New York (N.Y.U.); M.A., Fordham University; Th.D., Concordia Theological Seminary. Graduado pelo Westminster Theological Seminary.

W. T. PURKISER
Editor de *Herald of Holiness*, Igreja do Nazareno e Professor associado de Bíblia Inglesa (*part-time*), Nazarene Theological Seminary, Kansas City, Missouri, A.B., D.D., Pasadena College; M.A., Ph.D., University of Southern Califórnia.

HARVEY E. FINLEY
Professor de Antigo Testamento no Nazarene Theological Seminary, Kansas City, Missouri. A.B., Oberlin College; B.D., McCormick Theological Seminary; Ph.D., The Johns Hopkins University. Estudos residents na The American School of Oriental Research em Jerusalém, Israel.

ROBERT L. SAWYER
Presidente da Divisão de Religião e Filosofia, Mid-America Nazarene College, Olathe, Kansas. A.B., Th.B., Eastern Nazarene College; Th.M., Th.D., Central Baptist Seminary, Kansas City, Kansas.

C. E. DEMARAY
Presidente, Divisão de Línguas e Literatura, Chefe do Departamento de Línguas Clássicas e Literatura Bíblica, Olivet Nazarene College, Kankakee, Illinois. A.B., M.A., Ph.D., University of Michigan.

COMENTÁRIO BÍBLICO BEACON

Em Dez Volumes

Volume I. Gênesis; Êxodo; Levítico; Números; Deuteronômio

Volume II. Josué; Juízes; Rute; 1 e 2 Samuel; 1 e 2 Reis; 1 e 2 Crônicas; Esdras; Neemias; Ester

Volume III. Jó; Salmos; Provérbios; Eclesiastes; Cantares de Salomão

Volume IV. Isaías; Jeremias; Lamentações de Jeremias; Ezequiel; Daniel

Volume V. Oséias; Joel; Amós; Obadias; Jonas; Miquéias; Naum; Habacuque; Sofonias; Ageu; Zacarias; Malaquias

Volume VI. Mateus; Marcos; Lucas

Volume VII. João; Atos

Volume VIII. Romanos; 1 e 2 Coríntios

Volume IX. Gálatas; Efésios; Filipenses; Colossenses; 1 e 2 Tessalonicenses; 1 e 2 Timóteo; Tito; Filemom

Volume X. Hebreus; Tiago; 1 e 2 Pedro; 1, 2 e 3 João; Judas; Apocalipse